# Jean-Philippe Jaworski

# GAGNER LA GUERRE

Récit du Vieux Royaume

Gallimard

Jean-Philippe Jaworski, né en 1969, est l'auteur de deux jeux de rôle : *Tiers Âge* et *Te Deum pour un massacre*. Il conjugue une gouaille et un esprit des contes de fées à la Peter S. Beagle avec l'astuce et le sens de l'aventure d'un Alexandre Dumas. Son premier recueil de nouvelles, *Janua vera*, a été récompensé par le prix du Cafard Cosmique 2008. Son premier roman, *Gagner la guerre*, paru en 2009, a obtenu cette année-là le prix du Premier Roman de la région Rhône-Alpes et le prix Imaginales du meilleur roman français de *fantasy*.

Tout est opinion à la guerre, opinion sur l'ennemi, opinion sur ses propres soldats. Après une bataille perdue, la différence du vaincu au vainqueur est peu de chose.

NAPOLÉON BONAPARTE

Il est meilleur d'être impétueux que circonspect, car la fortune est femme, et il est nécessaire, à qui veut la soumettre, de la battre et de la rudoyer.

NICOLAS MACHIAVEL

# I

## *Héros de la République*

De tout temps les hommes pour quelque morceau de terre de plus ou de moins sont convenus entre eux de se dépouiller, se brûler, se tuer, s'égorger les uns les autres ; et pour le faire plus ingénieusement et avec plus de sûreté, ils ont inventé de belles règles qu'on appelle l'art militaire ; ils ont attaché à la pratique de ces règles la gloire, ou la plus solide réputation, et ils ont depuis enchéri de siècle en siècle sur la manière de se détruire réciproquement.

JEAN DE LA BRUYÈRE

À peine le temps de me pencher au-dessus du bastingage : mon dernier repas, arrosé de piquette, a jailli hors de mes lèvres. Il a suivi une trajectoire fétide avant de se perdre dans l'écume et les vagues. Encore convulsé par les haut-le-cœur, j'ai essuyé les filaments baveux qui me poissaient le menton. Deux toises plus bas, l'océan se soulevait et bouillonnait, cinglé en cadence par les longues rangées de rames.

Je n'ai jamais aimé la mer.

Croyez-moi, les paltoquets qui se gargarisent sur la beauté des flots, ils n'ont jamais posé le pied sur une galère. La mer, ça secoue comme une rosse mal débourrée, ça crache et ça gifle comme une catin acariâtre, ça se soulève et ça retombe comme un tombereau sur une ornière ; et c'est plus gras, c'est plus trouble et plus limoneux que le pot d'aisance de feu ma grand-maman. Beauté des horizons changeants et souffle du grand large ? Foutaises ! La mer, c'est votre cuite la plus calamiteuse, en pire et sans l'ivresse.

Je n'ai jamais aimé la mer, et ce n'était pas près de s'arranger. Tous les fiers-à-bras du château de poupe étaient en train de se payer ma tête. Les jeunes blancs-becs de l'aristocratie, les vieux enseignes des Phalanges, les quartiers-maîtres goguenards et le maître de manœuvre au cuir recuit, tous : jusqu'à ce crevard de héros, le patrice Bucefale Mastiggia ! Pas un qui aurait eu la correction d'aller voir ailleurs. J'avais l'impression que la moitié de l'équipage ricanait sur la délicatesse de mon estomac. Benvenuto Gesufal, assassin émérite de la Guilde des Chuchoteurs, maître espion de son excellence le Podestat de la République, était en train de vider tripes et boyaux à grands hoquets clapoteux : sûr que ça vous gondolait son loup de mer. Même ces deux petits morveux, les mousses, me montraient toutes leurs dents de lait.

Je n'ai jamais aimé la mer ; mais je vous accorde que c'est assez singulier pour un citoyen de la République de Ciudalia, la plus grande puissance maritime de Transestrie. Depuis des siècles, l'opulente République a fondé sa richesse sur la piraterie, sur le trafic, sur le commerce au long cours. Les escadres de galères de la République écument l'océan Éridien des grèves barbares d'Ouromagne aux fjords brumeux des Cinq Vallées, des ports ensoleillés de l'archipel de Ressine aux anses pluvieuses de Bromael. Les temples aux frontons ombrageux, les hôtels particuliers ornés comme des chapelles, les palais aristocratiques aux tours orgueilleuses, tout ce qui fait la grandeur de Ciudalia a été fondé sur le cabotage, la guerre de course, le négoce au long cours. Dès lors, un citoyen ciudalien qui vire au vert à la moindre brise, c'est un peu comme un ivrogne qui roule sous la table au premier verre de cidre. C'est un comique de caractère qui vous vaut son pesant de bons mots et de plaisanteries fines. Et quand le foireux en question est un porte-glaive attaché au service du premier magistrat de la République, le ridicule entre en expansion et prend une dimension d'une ampleur toute politique.

« On lâche du lest, Don Benvenuto ? » m'a lancé Copa Purgamini.

L'imbécile se croyait drôle. Il se pavanait dans son corselet d'arbalétrier, persuadé que les ricanements qui l'entouraient constituaient autant d'hommages à son trait d'esprit. Fruit pourri d'une vieille famille tombée en décadence, Purgamini était un pigeon plus rengorgé qu'une outarde, qui avait dilapidé les derniers vestiges de son patrimoine dans les tripots de la ville basse. Par le passé, dans les bouges de la via Mala, j'avais eu l'imprudence de partager avec lui quelques verres et quelques filles, entre deux parties de cartes où je l'avais plumé sans vergogne ; aussi ce dégénéré en avait-il déduit que nous étions cul et chemise. Quand il m'avait reconnu dans la suite du patrice Mastiggia, il m'était tombé dans les bras comme si j'avais été son frère, et il me collait depuis comme une bernicle à son caillou. Je cumulais donc tous les plaisirs : la petite balade en mer, le purgatif et le raseur.

Et il y avait pire.

Le pire, il s'était profilé derrière nous une petite heure auparavant, alors que nous passions au large des îles Ætées. Trois voiles triangulaires s'étaient déployées sur l'horizon, vergues tendues à rompre, pavillons hostiles hissés. J'ai beau avoir le coup d'œil du tireur, je ne distinguais encore que des taches de couleur parfois dissimulées par l'écume ; mais la vigie et le premier maître, eux, avaient déjà identifié nos poursuivants : des chebecs armés en guerre. Et pas du menu fretin, pas des vulgaires pirates : leur pavillon était frappé du sphinx ailé de Ressine. Des navires de guerre de l'escadre royale. Des trois-mâts taillés pour la course, gavés de janissaires jusqu'au tillac, sans doute commandés par un émir des mers. De quoi mouiller vos chausses ; ou plus sûrement encore, vu les circonstances, de quoi vous retourner l'estomac.

L'apparition des navires de guerre ressiniens avait frappé l'équipage de stupeur. Nous étions en route pour Ciudalia, à peu près certains de la pacification de l'océan. Les chebecs ennemis avaient dû se tenir en embuscade dans une crique de Rubiza, la plus grande des Ætées ; mais l'explication était difficile à avaler. Dix jours plus tôt, la flotte ciudalienne avait pris l'archipel : çà et là, on voyait encore des fumées flotter sur les ports mis à sac.

C'était le régiment Burlamuerte qui avait débarqué et fait le ménage. Et vous pouvez croire un vétéran qui a traîné ses solerets quelques années dans les Phalanges : pour le nettoyage, il n'y a pas mieux que six milliers de beaux soudards en chausses rayées et barbutes d'acier. On vous rafraîchit le pays avec enthousiasme et méthode. Bien sûr, du point de vue du bourgeois qui ne s'est jamais frotté aux dures réalités de l'existence, c'est un peu bruyant. Mais pour le connaisseur, c'est de la belle ouvrage, exécutée avec cœur et sans cruauté inutile. On chauffe un peu les anciens pour les convaincre de cracher leur magot, et puis on abrège au couteau leur vieillesse et son long cortège de misères. On se délasse avec les filles qui nous tombent sous le gantelet et puis, pour leur épargner des désillusions sur l'inconstance masculine, on les poinçonne vite fait sur leur lit de délices. Pour que la fête soit plus belle, on décore les arbres et les balcons avec leurs frères, leurs fiancés et leurs maris, le cou joliment cravaté de chanvre. On traite les petits enfants comme de gentils chatons : on les noie au fond des puits, histoire que les renfrognés qui auraient raté le bal finissent empoisonnés par les eaux putrides. Et quand tout est dit, on vous illumine ce banquet de grands feux de joie, qui pétillent gaiement sur les horizons.

Dans une telle sarabande, difficile d'imaginer où les équipages de trois navires de guerre avaient bien pu se terrer ! Bien sûr, il était possible qu'ils soient arrivés après le ban, mais voilà qui était tout aussi stupéfiant. Trois jours plus tôt, au large du cap Scibylos, la flotte de la République, sous les ordres de son excellence le Podestat Leonide Ducatore en personne, avait écrasé la flotte du chah Eurymaxas, sublime souverain de Ressine. Des centaines de felouques transformées en petit bois, des dizaines de tartanes et de chebecs envoyés par le fond, des milliers de prisonniers invités à sauter par-dessus bord faute de place sur nos fracassants esquifs. C'était même la raison pour laquelle la galère du patrice Mastiggia faisait voile sur Ciudalia : pour annoncer l'éclatante victoire du cap Scibylos, et la conclusion de la guerre. Dès lors, les trois chebecs accrochés à notre sillage avaient de quoi surprendre. Ils avaient peut-être loupé un épisode. Sans doute aurait-il été poli de mettre en panne pour les tenir au courant : faire du zèle après la bataille, c'est toujours un peu ridicule. Seulement voilà : ils étaient trois contre un, et s'ils avaient fait relâche aux Ætées et découvert les reliefs de notre sauterie, ils risquaient fort de se montrer contrariés. Dans sa grande sagesse, le patrice Mastiggia avait décidé d'oublier la courtoisie et de mettre les voiles. Enfin, plus exactement, de marcher aux rames. Ce qui me valait mes si réjouissantes aigreurs d'estomac.

À un contre un, j'aurais parié ma braguette que Bucefale Mastiggia virait de bord et offrait le combat. Peut-être même à un contre deux : le patrice était capable d'une bravoure déraisonnable face à l'ennemi, et il l'avait amplement démontré au cap Scibylos, en enfonçant l'aile droite de la flotte adverse à la tête d'une petite escadre. En outre, les deux bordées de trente avirons nous donnaient une meilleure vitesse de manœuvre que celle des chebecs, et nous auraient peut-être permis d'en éperonner un, puis de nous dégager avant d'être abordés par le second. Mais à un contre trois, l'affrontement était suicidaire. Notre navire comptait certes une chiourme de deux cent quarante galériens enchaînés, mais il s'agissait du rebut des geôles de la République, qu'il aurait été aussi dangereux d'armer pour nous que pour l'ennemi. Pour le reste, la galère comprenait un équipage d'une vingtaine de matelots et d'officiers de pont, et un détachement d'une quarantaine d'hommes de guerre, dont un bon quart de blessés. Les pirates ressiniens possèdent rarement plus de soixante hommes d'équipage ; mais les chebecs de la flotte royale peuvent transporter deux cents personnes, dont les deux tiers sont des janissaires. Nous retourner contre les navires qui nous donnaient la chasse serait en fait revenu, pour les hommes de pont, à affronter un adversaire cinq fois plus nombreux.

Parmi les hommes de pont, justement, il n'y avait guère que deux personnes qui n'avaient pas manifesté de surprise à l'apparition des chebecs. Moi, d'abord ; j'étais vert et très occupé à vider mes boyaux par-dessus bord. Et puis le patrice Mastiggia. Il était resté droit comme un i, malgré le roulis, et il avait jeté un regard froid vers l'arrière, en direction des voiles ennemies. Puis il avait eu un rire féroce.

« Les couillons ! s'était-il écrié. Donner la chasse à Mastiggia ! »

Ses officiers et les arbalétriers du château de poupe s'étaient esclaffés. En trois mots, il avait dissipé la tension qui avait soudain figé l'équipage et les gens de guerre. Dans la foulée, il avait lancé quelques ordres auxquels je n'avais rien compris — la langue des marins me parle comme le patois du trou le plus perdu de la création. N'empêche que toute la galère s'était activée en un clin d'œil. Sous nos pieds, dans l'entrepont, on avait entendu hurler les argousins et cliqueter les chaînes des forçats ; les matelots s'étaient précipités pour ferler les voiles ; le timonier avait pesé sur la barre tandis que tout le navire gîtait de vomitive manière ; les soldats s'étaient tranquillement occupés à garnir leurs carquois et à corder leurs arbalètes. À côté de moi, mon ami Copa Purgamini m'avait donné du coude en émettant le braiement qui lui tenait lieu de rire, et répété inutilement : « Donner la chasse à Mastiggia ! Donner la chasse à Mastiggia ! »

Sacré gaillard, le patrice Bucefale Mastiggia. Même pas trente ans, le profil busqué du prédateur, un sourire de loup dans un visage brûlé de soleil. À Ciudalia, dans les palais de Torrescella, dans les commerces de luxe de la piazza Smaradina ou dans les ateliers de Purpurezza, il passait pour un esthète un peu frivole, et son admiration pour l'œuvre du sculpteur Piromaggio ou son amitié pour le poète Luca Tradittore étaient de notoriété publique. Mais en mer, on découvrait un autre homme. Fermement campé sur ses jambes, il affrontait le vent, les embruns et l'ennemi avec le tranchant d'une figure d'étrave. Oubliés, le langage précieux des cercles lettrés et la prosodie maniérée du divin Tradittore : le patrice braillait dans l'argot fleuri de la soldatesque, avec une crudité à faire rougir un charretier. Bref, il savait parler au ramassis d'ivrognes et d'égorgeurs formant le bras armé de la République. Corseté dans une demi-armure orfévrée — un chef-d'œuvre de l'armurier Fratello Acerini — il arborait encore les stigmates de la bataille du cap Scibylos. Son plastron et ses spallières portaient plusieurs impacts brillants de coups de hache et de cimeterre ; sa lèvre supérieure était fendue et son gorgerin ne masquait pas complètement le bandage d'une blessure qui avait été à un cheveu de lui trancher la jugulaire. Car Bucefale Mastiggia n'était pas seulement un officier charismatique : c'était aussi un sabreur hors pair, capable de se jeter au cœur de la mêlée la plus sanglante. Tout le monde savait qu'il était le fils aîné du sénateur Tremorio Mastiggia, qu'il hériterait de la fortune familiale et de la charge paternelle, qu'il serait appelé à siéger au Palais curial. Et qu'il se hisserait sans doute très haut dans le gouvernement de la République. Dès lors, voir ce jeune aristocrate risquer sa vie au coude à coude avec le simple matelot et le phalangiste rugueux lui valait, de la part de ses hommes, bien plus que du respect : une dévotion aveugle.

Et pour risquer sa vie, il n'hésitait pas une seconde, le jeune Mastiggia. Au cap Scibylos, il s'était rué tête baissée dans une très méchante affaire, qui avait failli l'envoyer par six cents pieds de fond et qui aurait très bien pu, ensuite, lui valoir l'échafaud dans son propre camp. Il commandait une escadre avancée de l'aile gauche de notre flotte, aux ordres du sénateur Ettore Sanguinella, lui-même sous le commandement du Podestat. Or le patrice Mastiggia ayant aperçu une certaine confusion dans l'aile droite ennemie, il avait saisi l'occasion au vol, et lancé ses six galères à l'assaut. Il avait surpris tout le monde : aussi bien les Ressiniens que les nôtres. Il avait ouvert la bataille de son propre chef, ignorant superbement la chaîne de commandement et bousculant radicalement la tactique définie par le Podestat. Devant cette insubordination qui le couvrait de ridicule, le sénateur Sanguinella s'était étranglé de rage ; en vérité, deux jours plus tard, quand nous avions quitté la flotte, il n'avait toujours pas décoléré. Seulement les hostilités avaient été engagées, et bien engagées : Bucefale Mastiggia avait vu juste, et il avait enfoncé l'aile ennemie. D'entrée, il avait offert à la flotte de la République l'avantage tactique qui allait lui permettre de tourner l'ennemi, de l'acculer à la côte et de le tailler en pièces. Le Podestat avait saisi tout de suite l'opportunité, et lancé le gros de ses forces sur la gauche, pour appuyer la poussée du patrice et envelopper la flotte ressinienne. Cela nous avait valu la victoire. Mais l'affaire avait été chaude pour l'escadre Mastiggia, jetée en fer de lance. Deux de ses navires avaient été coulés, et un troisième, incendié au feu grégeois, n'était plus qu'une épave fumante à la fin des combats. La galère du patrice, après avoir éperonné plusieurs felouques, avait été abordée par deux tartanes, et l'on s'était entretué avec fureur sur toute la longueur du pont. Fort heureusement, je n'étais pas de la partie ; je me trouvais bien au chaud sur la galéasse amirale, au côté de mon patron, le Podestat. Mais ce diable de Mastiggia avait survécu : il avait su galvaniser ses hommes et repousser les pirates et les janissaires qui avaient pris pied sur son bâtiment.

Au soir, en réunissant autour de lui les grands officiers de la flotte, le Podestat avait gracieusement oublié que Bucefale Mastiggia avait piétiné son autorité et discrédité le sénateur Sanguinella. Après tout, dix heures de combat avaient suffi pour mettre à genou le royaume de Ressine. Son excellence Leonide Ducatore avait donc chaudement félicité l'ensemble de ses capitaines ; il avait tout particulièrement rendu hommage à la souplesse du sénateur Sanguinella, qui savait si bien déléguer auprès de ses officiers de valeur, et célébré l'audace providentielle du patrice Mastiggia. Le sénateur Sanguinella, sanglé dans son armure de parade, s'efforçait de sauver la face avec un stoïcisme voisin de l'asphyxie.

Pour une fois, il y avait quelqu'un qui avait l'air aussi malade que moi sur les galères de la République.

Dans la foulée, le Podestat avait édicté que le héros du jour, le vaillant Bucefale Mastiggia, cinglerait vers Ciudalia pour être le héraut de cette grande victoire devant l'ensemble des citoyens. Dans l'état-major, personne n'était dupe : il s'agissait d'une manœuvre pour écarter de la suite des opérations un officier encombrant. N'empêche que la rutilante brochette de seigneuries, de condottieres et de crapules aristocratiques avait fait grise mine : en arrivant seul à Ciudalia pour clamer la destruction de la flotte ennemie, le patrice Mastiggia, encore tout auréolé de massacre, allait jouer les triomphateurs. Et confisquer à son bénéfice l'essentiel de la gloire. La guerre était une chose, mais nos bienveillants patriciens voient toujours plus loin : ils spéculent sans fin sur les élections à la magistrature suprême. Distinguer ainsi le patrice, c'était élever très haut l'étoile du clan Mastiggia au firmament de la magouille curiale.

Le sénateur Sanguinella en avait viré cramoisi.

Comme le patrice avait perdu beaucoup d'hommes au cours de la bataille, il lui avait fallu compléter son équipage avant de voguer vers Ciudalia. Il avait puisé chez les survivants de navires endommagés, et j'étais venu me joindre aux pièces rapportées. Non que la galéasse amirale eût souffert : au cœur du dispositif ciudalien, pas même une flèche ennemie n'avait sifflé sur son gréement. Mais disons qu'au bout d'un mois de mer, le Podestat était indisposé par ma petite mine... et par quelques accidents qui, je dois le confesser, avaient déparé les étoffes fastueuses de la tente d'état-major, quand je n'étais pas parvenu à atteindre le bastingage assez vite. Bref, soucieux de ma santé et de son image, il avait estimé qu'un porte-glaive nauséeux ne lui était guère utile : il m'avait congédié avec le héros du jour. C'était un camouflet, et le centenier Spada Matado, le chef de la garde personnelle du Podestat, ne s'était pas privé de me le faire sentir ; mon ami Matado me gardait rancune pour un vieux malentendu, et il guettait avidement les prémisses de ma chute. Mais j'étais si malade que je m'en souciais comme de ma première paire de chausses. Être rattaché à l'équipage du patrice Mastiggia me valait le doux espoir de poser bientôt un pied chaviré sur les quais de Ciudalia, et cela compensait toutes les humiliations protocolaires. Ce qui était plus chèrement payé, c'était, à peine monté sur le navire du patrice, de découvrir ce crétin de Purgamini me tendant les bras avec un sourire chevalin...

Justement, peut-être pour tromper l'angoisse sournoise qui vous pétrit les tripes à la perspective d'un combat, le sinistre personnage était en train de me bassiner avec ses forfanteries.

« Si ça saigne, le patrice, il peut compter sur moi ! lançait-il à la cantonade, en sorte d'être aussi entendu par l'intéressé. Il y a des basanés qui vont regretter d'avoir croisé Copa Purgamini ! »

Il jactait de la sorte tout en garnissant son carquois et en cordant son arbalète, faisant parfois des pauses pour jeter des regards courroucés aux chebecs et adopter des postures de matamore. Si j'en jugeais par l'état de son arme, c'était Purgamini qui risquait fort de regretter d'avoir croisé des basanés, au cas où on en viendrait à échanger des politesses. Il avait tendu son arc de fer avec un câble usagé, qui avait peut-être déjà servi à huit ou dix tirs, et qui pouvait lui claquer au nez dès le début de l'engagement. En plus, il avait négligé de graisser sa crémaillère ; je pouvais discerner les premiers points de corrosion sur le mécanisme, dont l'iode marine avait sans doute hâté la formation. Purgamini courait le risque de coincer sa manivelle avant même d'avoir tiré son premier coup. Indécrottable branleur.

Il était toutefois probable que Purgamini singeait les capitans parce qu'il ne croyait guère à l'abordage. Les ordres donnés par le patrice avaient pour objectif de creuser la distance entre notre navire et nos poursuivants, et même les matelots, pendant une petite heure, semblèrent persuadés que nous pouvions fausser compagnie aux indésirables. Quand les chebecs avaient fait leur apparition sur nos arrières, nous faisions route droit au sud, en direction du continent. Nous avancions au plus près du vent, à lutter contre une bonne brise de sud-ouest ; seul le quartier de proue des galériens était aux rames, l'autre moitié prenant du repos en attendant son service. Pour distancer les navires ennemis, le patrice avait ordonné de mettre le cap bout au vent, droit vers le sud-ouest. Il avait envoyé les gabiers relever les voiles, désormais inutiles, et commandé à toute la chiourme de se mettre aux rames. La manœuvre nous permettait de continuer à filer droit contre le vent, tandis que les navires ressiniens, mus essentiellement à la voile, allaient devoir louvoyer au près pour essayer de nous suivre. Nous étions dans la situation du ruffian qui fonce droit devant lui, sans se soucier de percuter le chaland et les étals, et les Ressiniens étaient dans celle des alguazils qui lui donnent la chasse, mais qui, respectueux des citoyens, font d'obséquieux crochets pour éviter de bousculer les vieilles dames et les gros marchands.

Bref, en toute logique, nous devions semer les navires ennemis, théoriquement forcés de zigzaguer laborieusement dans notre sillage. Purgamini pouvait donc fanfaronner en toute quiétude : personne n'aurait à souffrir l'étendue de sa virile fureur, et son arbalète éviterait d'être la première victime du carnage. Du moins c'était ce qu'il pensait.

Car au bout d'une heure, alors même que je me vidais des dernières bouchées d'un repas que je n'aurais jamais dû prendre, les voiles ennemies n'avaient pas décru à l'horizon. La plupart des soldats restaient placides, mais je voyais bien que les matelots avaient l'air inquiets, et que le maître de manœuvre et le pilote, aux côtés du patrice, avaient le visage grave. Purgamini, qui n'avait pas réalisé l'insolite de la situation, continuait à pérorer héroïquement, mais je pus néanmoins saisir quelques paroles échangées entre le premier maître et Bucefale Mastiggia.

« J'y comprends rien, grommelait le marin. Ils remontent au vent, et ils ne tirent même pas de bords.

— Ils se sont peut-être mis aux avirons, dit le patrice.

— Quand bien même. Un chebec n'a que trente avirons, nous en avons soixante. Et puis voyez leurs voiles, Votre Seigneurie. Aux mieux, ils devraient muder sur amures ; or on a l'impression qu'ils avancent au largue.

— C'est que le vent tourne derrière nous, alors. »

Mais le maître de manœuvre hochait négativement la tête, l'air perplexe.

« Ça arrive mais ça ne dure jamais longtemps, Votre

Seigneurie. Vous voyez bien qu'ils ont une allure régulière. »

Sous le pont, dans la chambre de nage, j'entendais les argousins beugler en cadence pour pousser les galériens à maintenir le rythme. Comme nous filions contre le vent, l'étrave tapait assez rudement contre le sens des vagues. On voyait des gerbes d'écume rejaillir à la proue et tremper les soldats du château avant, qui protégeaient leurs arbalètes comme ils pouvaient. Toute la coque grinçait sous l'effort, et le choc contre les lames se répercutait jusque dans nos pieds. Au bout d'un moment, le calfat émergea des soutes et grimpa sur le château de poupe. Il vint parler avec animation au premier maître et au patrice ; les abordages de la bataille du cap Scibylos avaient mis la carène à rude épreuve, et il avertit qu'on ne pourrait indéfiniment voguer contre le courant sans compromettre ses réparations de fortune.

Ce fut alors qu'un cri descendu de la vigie fit l'effet d'une douche froide sur tout le navire :

« Ils gagnent ! Ils gagnent sur nous ! »

Seul point positif, Purgamini en resta bouche bée, ce qui me valut une minute de silence béni. Le patrice poussa un juron ordurier, il renvoya le calfat dare-dare à fond de cale avec ordre de consolider les œuvres vives coûte que coûte, puis il vint s'appuyer contre le garde-fou arrière du château de poupe, entre les machines de guerre. Il fixait obstinément les chebecs. En plissant des yeux, pour chaque bâtiment ennemi, je me rendis compte que j'étais capable de percevoir plusieurs voiles au lieu d'une seule. C'était indéniable : ils réduisaient la distance.

Perchés sur les vergues ou massés à l'arrière du pont, les matelots dévoraient des yeux nos poursuivants. Ils avaient l'expression décomposée. Le maître de manœuvre hochait la tête avec perplexité, incapable de s'expliquer comment l'ennemi pouvait filer à une telle allure. Le patrice échangea un regard appuyé avec l'enseigne

Suario Falci, son officier militaire. Je surpris un signe d'intelligence entre les deux hommes, et je sus qu'ils avaient compris. Puis, ce fut vers moi que se tourna Bucefale Mastiggia, et il me fit signe d'approcher. Si j'avais été en meilleure forme, j'aurais alors savouré l'expression de jalousie servile de Purgamini ; mais il me fallait traverser le château de poupe avec l'estomac qui tanguait et des jambes en papier mâché, ce que je fis en marchant en crabe, non sans être toisé par tous les blancs-becs de la suite patricienne. Quand j'eus rejoint Mastiggia, il me posa une main ferme sur l'épaule, et me désigna les navires hostiles de l'autre.

« Vous n'êtes pas un homme de mer, don Benvenuto, c'est entendu, me dit-il. Mais on vous sait plein de ressources. Peut-être avez-vous une petite idée de ce qui fait si joliment courir les Ressiniens.

— M'est avis qu'on a la même idée, Votre Seigneurie. »

Je jetai un coup d'œil vers l'équipage.

« Je ne crois pas que ce soit avisé de le crier en plein vent, ai-je ajouté en baissant voix.

— Nous pensons donc bien la même chose, murmura le patrice.

— Oui, ai-je opiné encore plus bas. Au moins un sorcier. Peut-être deux, pour invoquer un vent qui fasse avancer plusieurs navires. »

Le patrice pinça des lèvres, l'air plus contrarié que vraiment inquiet.

« Je ne sais pas qui s'est lancé à nos trousses, mais il met le paquet », commenta-t-il.

Il se détourna de nos poursuivants et s'adressa au maître de manœuvre :

« Belba, à ton avis, dans combien de temps nous rattraperont-ils ?

— S'ils maintiennent leur allure, dans une ou deux heures, Votre Seigneurie.

— Et nous sommes à plus d'une journée du continent », grogna le patrice.

Il observa le ciel, d'un bleu violent, que mouchetaient çà et là quelques petits nuages filant vers le nord-est.

« Que penses-tu du temps, Belba ? Peut-on espérer une dévente ? Du brouillard ? »

Le marin eut un rictus amer.

« Faut pas trop y compter, Votre Seigneurie.

— Et si on marchait à la passe-vogue, est-ce qu'on pourrait reprendre assez d'avance pour atteindre la terre ? »

Cette fois, le premier maître fit ouvertement la grimace. La passe-vogue est l'arme secrète des galères ; c'est aussi le cauchemar des galériens et des petites natures dans mon style, qui n'ont pas spécialement le pied marin. La passe-vogue double la cadence de nage et allonge le coup de rame : cela confère au navire des accélérations foudroyantes, mais cela vous démolit son forçat aussi sûrement qu'un passage à tabac, et par mer forte, cela accroît considérablement les reflux gastriques sur l'ensemble du bâtiment…

« On reprendra de l'avance, Votre Seigneurie. Mais les hommes ne pourront pas tenir le rythme plus de deux heures. Après ça, la chiourme sera claquée, et on n'en tirera plus grand chose. En plus, le quartier de proue n'a pas eu son repos et il fatiguera plus vite que celui de poupe : si on lui demande de maintenir longtemps l'effort, il va y avoir de plus en plus de loupés dans le coup d'aviron.

— Mettons qu'on file en passe-vogue pendant deux heures, marmonna le patrice. On creuse la distance. Après ça, on repasse en vogue à quartier, pour soulager la chiourme. Ça nous fera courir moins vite que maintenant. À partir de ce moment, à conditions constantes, il faudra quatre ou cinq heures aux chebecs pour nous rattraper. Ça nous fait gagner sept heures, au mieux. »

Il jura en frappant du poing l'armature d'une des balistes du château de poupe.

« On est loin du compte. Toujours plus de vingt

heures de navigation avant la côte, et il restera encore une ou deux heures de jour. Largement le temps pour l'ennemi de nous engager.

— En plus, la chiourme ne sera plus bonne à rien », ajouta sinistrement le premier maître.

Chez les privilégiés qui pouvaient entendre cette conversation stimulante, les expressions devenaient constipées. Les jeunes gens de bonne famille, entrés dans l'entourage du patrice pour se faire les crocs, ne sauvaient la face que par esprit de caste ; mais leur teint devenait au moins aussi bilieux que celui de votre serviteur. Les phalangistes endurcis prenaient un air mauvais ; et je savais d'expérience que la peur rend le soldat hargneux. L'enseigne Falci avait adopté une pose d'une rigidité inquiétante, le mufle fripé de méchante manière, et je le soupçonnais prêt à tuer un homme ou deux juste pour rappeler à la troupe les vertus de la discipline devant l'ennemi.

Quant à Mastiggia, le tour des événements n'était pas pour lui plaire, mais cela excitait d'autant sa combativité. Bien qu'il fût plus jeune et plus impulsif que le Podestat, je reconnaissais chez lui des qualités similaires à celles de mon patron : le ressort dans l'adversité, le refus de plier, la rage de vaincre. Et comme le Podestat, quand les options s'évanouissaient de drastique manière, il avait recours aux solutions extrêmes. Des solutions dans mon genre.

« Don Benvenuto, me dit-il en me plantant son regard dans les yeux, selon vous, est-ce que leur sorcier aurait d'autres tours dans son sac ? »

C'était une approche à peine détournée du problème. Et cela me mit mal à l'aise : quand on s'adressait à la Guilde des Chuchoteurs pour expédier un démonolâtre perturbé ou un nécromant asthmatique, les tarifications de nos services prenaient un envol vertigineux.

« Sauf votre respect, Votre Seigneurie, la branche ésotérique, c'est pas trop mon rayon, ai-je essayé de me défiler. Je suis comme vous : j'ai fréquenté deux ou trois sorciers dans les antichambres curiales et dans les demeures de Torrescella. Mais ça ne fait pas de moi un spécialiste de la question. »

Je faisais allusion au goût de l'aristocratie ciudalienne pour les praticiens des arts noirs. Comme le taux d'accidents est assez élevé chez les gens de qualité, les patriciens aiment à s'entourer. Leur maisonnée comprend généralement, outre la domesticité ordinaire, toute une galerie de gros bras, un ou deux goûteurs, une poignée de mouchards, quelques artisans polyvalents dans mon style — et, si le chef de famille est vraiment puissant, un sorcier pensionné pour un pont d'or. Il va sans dire que chacun de ces humanistes délicats, en société, emprunte une façade aussi bénigne qu'honorable : ils se présentent comme astrologues, thaumaturges, alchimistes. Les plus roués se piquent même d'être médecins ou philosophes. Tous ont l'âme pourrie comme charogne au soleil, et ont paraphé de leur sang des pactes plus tortueux qu'un compromis de vente entre deux usuriers. Parce que nous fréquentions le même monde, le patrice avait comme moi l'habitude de croiser ces érudits venimeux, qu'on devinait d'autant plus dangereux qu'ils se montraient affables. En vérité, je soupçonnais le père du patrice, l'honorable sénateur Tremorio Mastiggia, d'en héberger un spécimen dans une aile de son palais. Toutefois, ma dérobade ne satisfaisait pas son fils. Il était évident qu'il avait quelque idée plus précise derrière la tête.

« Don Benvenuto, reprit le patrice avec une patience un peu trop marquée, je n'ai pas comme vous mes entrées au palais Ducatore. Vous y connaissez bien mieux que moi le très mystérieux Sassanos, l'astrologue de son excellence le podestat. Or il est de notoriété publique qu'avant sa naturalisation, Sassanos était un sujet du chah Eurymaxas, et qu'il a été formé à Ressine… Comme le tisseur de charmes qui donne tant de vélocité aux navires ennemis… »

Ce n'était que trop vrai. À la suite du scandale de Kællsbruck, le Podestat avait été banni quelques années hors du territoire de la République, et il avait tout naturellement choisi de s'exiler à Ressine. Quand il était rentré en grâce, il avait ramené dans ses bagages cette rareté : un moricaud, mage initié d'Elyssa, qui se faisait appeler en toute simplicité sapientissime. Le sapientissime Sassanos était devenu aux yeux du populaire une éminence grise du Podestat. Mais ce qui semblait intéresser le patrice, dans l'immédiat, c'était que j'avais fréquenté le seul mage ressinien installé à Ciudalia. Et que j'en savais plus à ce sujet que quiconque embarqué dans cette galère.

« Sassanos n'est pas du genre expansif, ai-je répondu. Il aurait considéré d'un très mauvais œil que j'aille fureter dans son barda, et j'en connais assez sur les glyphes de garde pour avoir toujours respecté son intimité. Ce que j'ai vu, c'est qu'il ne semble pas avoir besoin de rituels très élaborés pour jeter un sort ; ça lui permet un usage très rapide de sa magie. En un court laps de temps, il peut utiliser plusieurs charmes, dont des trucs vraiment antipathiques qui vous transforment le mental en bouillie pour bébé. Il est aussi très fort pour vous faire prendre des vessies pour des lanternes, et métamorphoser un coin de rue bien tranquille en fantasmagorie hallucinée.

— Est-ce que vous lui connaissez des dons de tempestaire, comme c'est manifestement le cas chez celui qui nous pourchasse ?

— Vous savez, je l'ai toujours fréquenté en ville. Je l'y ai vu le plus souvent employer des talents auguraux et hypnotiques, ou tisser des charmes de protection.

— D'après vous, l'évocation d'un vent aussi fort lui laisserait-elle l'énergie d'employer d'autres tours ensuite ? »

Il m'en posait de ces colles, le patrice. Il m'aurait interrogé sur l'intérêt des quillons courbes sur une dague de main gauche, j'aurais pu lui pondre un beau discours, avec exorde, dispute et péroraison, qui lui aurait laissé une forte impression sur mes compétences à perforer mon prochain. Mais la sorcellerie, je m'y frottais le moins possible — fermement convaincu que c'était aussi malsain que disputer un quartier de viande à quinze loups affamés en pleine disette. Dès lors, mon avis n'avait guère de fondement.

« Je pourrais essayer de vous enfumer, juste histoire de faire mon m'as-tu-vu, ai-je répondu. Mais pour être franc, j'en sais foutre rien, Votre Seigneurie. »

Il me jeta un drôle de coup d'œil, mi-figue mi-raisin. Et puis il m'adressa un sourire ambigu.

« Belle sincérité, don Benvenuto. C'est une qualité rare, chez un homme comme vous. »

Difficile d'interpréter sa remarque. De toute façon, je n'avais pas l'estomac assez solide pour distinguer si c'était du lard ou du cochon.

« Il y a cependant une chose que vous avez toute qualification pour réussir, poursuivit doucement Bucefale Mastiggia. Quand nous serons à portée de tir des navires ennemis, cherchez le sorcier. Identifiez-le. Tuez-le. »

Et voilà, c'était dit. Déjà que je n'avais pas les genoux très solides, ça n'était pas le genre d'injonction pour me requinquer. J'avais dépêché pas mal de monde au cours de ma carrière, y compris un maître-assassin et un chef de clan barbare, mais c'était la première fois qu'on m'investissait d'un contrat sur un mage. Et déplorable, le contrat : aucun renseignement sur le client, pas d'enregistrement auprès de la Guilde, ni même une piécette rognée pour les faux-frais. Rien dans les règles. Ça me confirmait dans mes préjugés : la guerre en mer, c'est vraiment une expérience détestable.

Alors que je remâchais mes griefs (entre deux renvois que j'espérais discrets), le patrice revint faire face à la troupe et à l'équipage. Sur un ton sans appel, il commanda qu'on suspendît la nage. Comme le maître de manœuvre prenait une expression ahurie, Bucefale Mastiggia réitéra son ordre, en articulant chaque syllabe. Le premier maître transmit au chef de chiourme, et quelques instants plus tard, les avirons s'immobilisèrent au-dessus des flots, dans un silence chargé de tension. La galère poursuivait paresseusement sur son erre, mais elle perdait rapidement de la vitesse, et le roulis devenait plus supportable. Le patrice vint se camper en haut de l'escalier qui descendait sur le pont. Il prit la parole avec la voix rugueuse du tribun :

« Citoyens ! Trois bâtards de Ressine nous talonnent. Parce qu'ils sont plus nombreux, ils se croient les plus forts. Il va falloir leur rappeler qu'au Cap Scibylos, nous avons engagé la bataille à six contre cent. Il va falloir leur rappeler la férocité de l'escadre Mastiggia. Vous allez leur enfoncer dans le crâne que nous sommes désormais les maîtres des mers. Je sais bien que l'affaire va être chaude, je sais bien qu'il y aura des morts. Mais si vous me suivez, si vous respectez mes ordres sans flancher, je vous jure qu'on enverra ces trois bâtiments par le fond. Et après-demain, quand vous poserez le pied sur les quais de Ciudalia, vous serez tous des héros ! »

Il se ménagea un petit effet oratoire, typique de ces poseurs de l'aristocratie. Puis il hurla à pleins poumons :

« Branle-bas de combat ! »

On y était. Le pied du mur. Je ne lui donnais pas tort, au patrice : il valait mieux risquer le tout pour le tout plutôt qu'atermoyer indéfiniment, et se faire rattraper quand la chiourme serait épuisée et le moral des troupes au plus bas. Mais misère de misère ! c'est que je n'étais plus douillettement installé dans la galéasse amirale ; je me retrouvais bel et bien aux premières loges. Bien sûr, ce n'était pas mon baptême du feu, et j'avais déjà eu le poil roussi à plus d'une reprise. J'avais cependant toujours combattu sur le plancher des vaches, et ça faisait une sacrée différence. Sur la terre ferme, quand votre camp se fait enfoncer, on peut toujours prendre des initiatives personnelles et compter sur ses propres moyens pour se soustraire au carnage. En mer, bernique ! Si le navire sombre, vous coulez avec. Ou s'il flambe, vous brûlez dessus. La perspective de me tortiller avec l'épiderme carbonisé à la poix ou avec les bronches remplies d'eau glacée ne contribuait pas à apaiser mes aigreurs... En plus, réaliser que mon sort reposait en partie sur des toquards comme Purgamini me plongeait dans des affres facilement concevables.

La galère était au bout de son erre, et l'on n'allait pas tarder à dériver. Le patrice ordonna de virer sur bâbord, et toute la bordée droite de la chiourme se remit à souquer, faisant opérer au bâtiment un arc de cercle serré. Le pont prit de la gîte et voir les vagues dangereusement proches du bastingage bâbord me rappela furieusement à mes démêlés digestifs. Mastiggia ne mit pas exactement le cap sur l'ennemi ; il voulait juste revenir presque vent arrière pour naviguer au largue. Dès qu'il estima la prise bonne, il envoya les gabiers hisser les voiles, tandis qu'il commandait que toute la chiourme se remît à une vogue normale. La brise fit claquer la toile, grincer les vergues et les mâts ; désormais porté à la fois par le vent et par le coup d'aviron de deux cent quarante galériens, le bâtiment s'ébroua comme une cavale massive et fila à belle allure. Le problème, c'est qu'il filait ainsi sur de gros ennuis.

Le cap adopté par le patrice, direction est nord-est, nous aurait normalement amené à décamper en diagonale au large des trois chebecs, qui filaient plein sud. Mais sur les navires ennemis, on voyait déjà les matelots s'activer dans les gréements et manœuvrer les amures. Les Ressiniens viraient eux aussi, pour nous couper la route. Maintenant qu'on n'était plus en fuite, les bâtiments ennemis grossissaient à une vitesse alarmante. On découvrait nettement les trois voiles de chaque navire, le bois sombre des coques et le bouillonnement des vagues fendues par les étraves. Les tillacs semblaient grouiller de monde, et le soleil miroitait de cent éclats métalliques sur les casques.

Sur le nôtre, de pont, on s'activait aussi en prévision de la fête. Sous le commandement de l'enseigne Falci, les artilleurs mettaient nos machines de guerre en batterie : deux balistes sur le château arrière, deux autres et un scorpion sur celui de proue. Près des pièces, on disposait les caisses de boulets de pierre et de jattes de feu grégeois ; on fixait les braseros et on les alimentait en charbon de bois avant d'y porter la flamme. Un fourrier disposa près des braseros des boisseaux de massettes, des traits incendiaires. Alors que les artilleurs pesaient sur les cabestans pour tendre les catapultes, l'enseigne Falci ordonna au reste des gens de guerre de charger les arbalètes. Avec une économie de mouvements qui trahissait l'expérience de la troupe, tout le monde posa son arme et glissa le pied à l'étrier, se pencha sur l'arbrier et coinça le câble dans les crochets de la crémaillère. Puis criqueta la ritournelle mécanique des manivelles : quarante soldats en train de mouliner des deux mains pour armer leur tir. Je n'étais pas en reste. Cette petite musique hacquebutière, ça me rappelait mes années de service dans les Phalanges, et ça ranimait chez moi un sentimentalisme de demi-solde, des sottises comme la solidarité et l'esprit de corps.

Nos arbalètes nous donnaient l'avantage à longue portée, car les troupes ressiniennes préfèrent l'usage de l'arc composite. En revanche, à courte et moyenne portée, ce serait l'adversaire qui reprendrait la main, car il disposerait d'une cadence de tir beaucoup plus rapide que la nôtre. La tactique, pour nous, consistait à faucher le maximum d'archers ennemis aux premières salves, puis à foncer pour éperonner avant d'avoir essuyé trop de pertes. À forces égales, compte tenu de la manœuvrabilité donnée par la chiourme, on l'emportait à peu de frais. Mais contre trois navires, on risquait la grêle de traits, surtout si les chebecs restaient groupés. Et l'arc ressinien est une arme redoutable, presque aussi meurtrière que nos arbalètes : en tir tendu, il peut vous percer une cotte de mailles et son gambison.

Quand j'ai redressé mon arbalète, nous n'étions plus très loin d'en arriver aux choses sérieuses. La trajectoire des navires ressiniens courait intercepter la nôtre. On entendait désormais, porté par les flots, le galimatias de l'ennemi : les ordres, les prières adressées aux divinités hybrides, et même les sarcasmes qui nous étaient galamment aboyés. On distinguait nettement les combattants, pressés derrière le bastingage bas des chebecs : casques pointus à nasal, légers boucliers ronds, et le bois en double s de leurs saletés d'arcs. Un détail assez inquiétant provenait de leur uniformité : pour l'essentiel, tous portaient un cafetan jaune. Au cap Scibylos, nous avions affronté les flottilles des raïs, les grands commandants pirates, dont les hommes étaient équipés de façon bigarrée. Les deux escadres de la flotte royale, qui s'étaient vite dégagées du combat quand le Podestat avait lancé son mouvement encerclant, étaient formées de janissaires vêtus de rouge. Mais des janissaires jaunes, pour ma part, je n'en avais jamais vu. C'était vraiment à se demander d'où sortaient ces canaris. Et là était le préoccupant : quand vous commencez à gamberger sur l'adversaire, c'est que vous ne maîtrisez pas la situation, et qu'il y a des coups tordus dans l'air.

Mais je n'avais plus le temps de spéculer. Alors que nous arrivions à portée de baliste, le patrice donna presque coup sur coup deux ordres qui révolutionnèrent mon anatomie. D'abord, il hurla :

« Chef de chiourme : passe-vogue ! »

Le cri fut répercuté sous nos pieds, dans les bancs de nage. Un instant, les avirons se suspendirent au-dessus des flots, accalmie fugace, comme si le navire tout entier ramassait ses forces. Puis ils s'abaissèrent, fouaillèrent le bouillon et se relevèrent, à une cadence inhumaine. L'effort arracha une clameur rauque et rythmique à l'ensemble des forçats, tandis que la galère bondissait en avant. Sans attendre, Mastiggia beugla l'ordre suivant :

« Maître de manœuvre, chef de chiourme : à tribord toute ! »

Alors même que nous prenions une accélération fulgurante, la bordée droite se mit à contre-souquer, et la galère s'inclina, en chassant presque sur la crête des vagues. Accroché d'une main au bastingage, j'étais vert, le foie en débandade et les intestins logés entre les prémolaires. À moitié répandu, don Benvenuto. Vous parlez d'un état pour engager une lutte à mort ! N'empêche que ce diable de Mastiggia avait eu le nez fin : alors que nous commencions à virer, les machines de guerre du premier chebec étaient entrées en action. Je ne vis même pas les projectiles, mais deux geysers d'écume jaillirent non loin de l'extrémité des avirons bâbord.

Quand notre galère se mit à remonter à contresens des navires ennemis, le patrice ordonna de voguer avant tout. Le bâtiment se redressa, mais le terrible effort de la chiourme continuait à accélérer son allure, crevant les vagues dans de grands gémissements de carène. Les trois chebecs commencèrent à virer pour essayer de nous accrocher derechef, mais ils ne manœuvraient qu'à la voile, ce qui les rendait beaucoup plus lents que nous. Cette fois, cependant, je vis nettement se détendre les balistes du second : autour de moi, tout le monde rentra la tête dans les épaules. Les boulets passèrent avec un ronflement curieux au-dessus du château de proue et élevèrent deux évents jumeaux à la surface de la mer.

« Hardi, mes colombes ! rugit le patrice à notre adresse. Ces métèques ne veulent pas nous griller ! Ils cherchent l'abordage ! On va les servir ! »

Et dans la foulée, il ordonna aux artilleurs de rendre la politesse à l'ennemi, mais avec plus de flamme. Les soldats qui servaient les deux balistes bâbord allumèrent des pots de feu grégeois et les calèrent dans les frondes des machines ; puis, sur chaque engin, un gaillard saisit un maillet et frappa d'un coup sec la gâchette. Avec des chocs qui firent vibrer le pont, les projectiles enflammés bondirent dans les airs et tracèrent une haute parabole de flammèches et de fumée. Mais les nôtres avaient pointé trop court. Les feux grégeois heurtèrent l'océan une vingtaine de toises devant le chebec le plus proche ; l'impact fit éclater les jattes, et la surface mouvante de la mer se couvrit de deux nappes de feu liquide.

« Qu'est-ce que vous avez dans les bras ? s'emporta le patrice. Tendez-moi ces machines à péter le châssis ! Falci : tir à volonté !

— Vous avez entendu, mes croquants ? tonna l'enseigne. À moi, les arbalétriers : lâchez tout ! »

C'était ce qui s'appelait du tir longue distance. Sur la terre ferme, ça ne m'aurait pas gêné ; mais en combat embarqué, c'était une autre chanson. Avec ce foutu roulis, ni le tireur, ni la cible ne sont stables. Quand vous pointez, vous dominez de cinq pieds le petit veinard en ligne de mire ; mais quand vous appuyez sur la queue de détente, une vague facétieuse fait bondir l'ennemi comme un bouchon, tandis que tout se dérobe sous votre propre coque de noix. Allez faire mouche avec cette gigue ! Tout le monde a logé l'arbrier contre l'épaule, visé au jugé dans la rangée de janissaires du premier chebec, et ouvrez le ban ! Les arcs de fer ont claqué leur méchant hoquet, un bel essaim de viretons vicieusement aiguisés, et j'ai vu quelques combattants adverses s'affaisser. Une partie de nos traits s'étaient cependant perdus dans le gréement, et d'autres étaient venus buter sur la coque.

Aussitôt, tous les arbalétriers remirent le pied à l'étrier pour recharger ; mais comme on s'inclinait sur nos armes, un nouvel ordre du patrice vint nous déséquilibrer. Il commanda à la chiourme de virer sec sur bâbord. La plaisanterie était des plus douteuses, vu que tous les tireurs étaient concentrés sur la gauche du tillac. La galère pencha brusquement, nous jetant contre le bastingage, le visage soudain fouetté d'embruns et d'éclaboussures d'avirons. Surpris, certains comiques eurent le réflexe de se rattraper aux manivelles de leur arbalète et firent la culbute sur le pont. J'eus le bon sens de lâcher mon arme, mais je n'en partis pas moins la tête contre le garde-fou. Et croyez-moi : c'est solide, la charpente de marine. Je vis trente-six chandelles, avec la quasi-certitude de m'être cassé le nez. Tout en me redressant et en luttant contre le vertige, je réalisai que c'était la première blessure que j'encaissais au cours de cette foutue guerre. Blessure éminemment glorieuse, qui me confortait dans mon coup de foudre pour la navigation.

Quand je relevai mon nez tuméfié, ce fut pour découvrir que nous avions obliqué pour fondre sur l'ennemi. Nous arrivions par le travers du premier chebec, et nous filions droit pour nous l'encadrer. Un vent de panique soufflait sur le navire ressinien, une vingtaine de matelots manœuvrant frénétiquement la voilure pour tenter de virer et d'échapper à notre éperon. Mais en regard de notre allure, le bâtiment ennemi réagissait avec trop de lenteur.

La partie était toutefois loin d'être gagnée. Le troisième chebec lâcha ses balistes ; le souffle des boulets émit un bourdonnement malsain, et avant même que nous n'ayons pu réagir, toute la galère vibra comme un tambour. Ces cancrelats nous avaient alignés. Les arbalétriers du château de proue regardèrent, stupéfaits, deux empans du bastingage qui avaient disparu ; mais le plus préoccupant s'était produit au milieu du tillac, où, dans un grand fracas, avait jailli une éruption d'éclisses et d'échardes. Quelques planches du pont avaient été proprement crevées par le projectile, et des cris atroces remontaient de la chiourme, tandis que tous les avirons de la bordée bâbord se heurtaient et s'emmêlaient. La désorganisation ralentit le navire et faillit nous faire un peu dévier ; mais le chef de chiourme connaissait son affaire. Les hurlements des argousins couvrirent les braillées des mourants, une grêle de coups de corde et de coups de fouet s'abattit sur les épaules des forçats qui paniquaient, et le temps de siffler un godet, nous repartions fringants faire du rentre-dedans aux lascars de Ressine. Sur la bordée tribord, deux avirons ne souquaient plus, parallèles aux rangs qui avaient été touchés à bâbord.

« Juste un peu de casse ! clama le patrice pour nous redonner du cœur au ventre. Plusieurs tués sur les bancs de nage : c'est que le boulet a rebondi sans crever la coque ! »

Je me suis demandé si le calfat était aussi optimiste, et accessoirement s'il était toujours vivant. Mais je n'avais plus le temps de spéculer. Sur le chebec que nous visions, la moitié du tillac se hérissait d'arcs tendus.

« Gare, mes croquants ! » beugla l'enseigne Falci.

Une première volée de flèches vrombit parmi nous comme une nuée de frelons, ricocha contre les mâts et les bordages dans un vibrato désaccordé, piqueta le pont d'une savane d'empennages gris. Quelques projectiles rebondirent contre l'acier des corselets et des casques en émettant des tintements de chopine. Je vis un matelot se tordre sur le pont, un trait fiché dans l'estomac, et l'enseigne Falci arracher distraitement la flèche qui lui avait percé une cuisse.

« Une ondée de printemps, fanfaronnait l'officier. Rechargez vos foutues arbalètes et nettoyez-moi ces métèques ! »

Deux autres volées de flèches giflèrent notre pont sur toute la longueur tandis qu'on moulinait à toute vitesse pour tendre nos arcs de fer. Un de mes voisins, un jeune gandin de bonne famille, chut sur le fessier sans un bruit, les yeux troubles, traversé au défaut de la cuirasse ; un peu plus loin, un vieux phalangiste avait lâché son arme, et se penchait sur son pied gauche, empoignant le trait qui le clouait au pont. Quand nous avons relevé nos arbalètes, le chaos était sur le point de se déchaîner. La mer brûlait par plaques sur notre droite, l'horizon était bouché par les coques et les voiles des Ressiniens, et on pouvait quasiment regarder l'ennemi dans le blanc des yeux. Le chebec sur lequel nous courions avait partiellement réussi à virer, mais ne pouvait plus échapper à notre éperon. On épaula les arbalètes, et la courte portée compensant le roulis, on se fendit d'un beau carton groupé sur la première ligne de janissaires. Le patrice Mastiggia me cria quelque chose de pas très aimable, sans doute parce qu'il estimait que je gâchais mes tirs au lieu de chercher le sorcier, mais sa voix fut couverte par la détente brutale de nos balistes. Les feux grégeois partirent en cloche au-dessus du premier bâtiment ennemi, avant de dégringoler sur le suivant. Ils étaient un peu longs : l'un des projectiles manqua sa cible, mais le second vint éclater à mi-hauteur du mât d'artimon. La voile s'embrasa et commença à se désagréger comme un papyrus bien sec, tandis que des giclées de poix enflammée retombaient en cascade sur les hommes de pont. Aux hurlements stridents des brûlés vifs, les nôtres répondirent par une clameur railleuse.

Notre allégresse fut brève. Le gentil chœur des phalangistes fut coupé par un vrai cataclysme : nous venions d'éperonner l'ennemi. Dans un vacarme assourdissant, notre galère percuta le chebec. Le choc déséquilibra tout le monde en avant ; notre élan était tel que le bâtiment ressinien se trouva déporté, tandis que toute la carène de notre navire grinçait et gémissait, au bord du point de rupture.

« Arrière toute ! Arrière toute ! » hurla le patrice.

Sûr qu'il fallait se dégager en vitesse. Le deuxième chebec flambait joyeusement, l'incendie se propageant à l'ensemble de la voilure ; mais le troisième était en train de dépasser celui que nous avions enfoncé, et il fallait prendre du champ dare-dare pour éviter de nous retrouver abordés par le travers. La chiourme souqua à reculons de toutes ses forces, mais la partie n'était pas gagnée. Le chebec éventré sombrait rapidement, et pesait de tout son poids sur notre éperon engagé dans la brèche. Pour corser l'affaire, une dizaine de grappins pleuvaient sur le gaillard d'avant afin d'arrimer le navire ennemi à notre bâtiment. Les Ressiniens n'avaient plus qu'une option pour sauver leur peau : s'emparer de la galère. Déjà, une troupe serrée de janissaires se jetait à l'abordage, cimeterres et haches au poing. Les premiers s'empalèrent sur les épées des nôtres, mais donnèrent l'occasion à une deuxième vague de mettre pied sur notre pont.

Bientôt, toute la proue fut le théâtre d'un corps à corps sauvage, dans un espace si étroit qu'on s'étreignait pour s'étriper. Impossible de savoir qui l'emportait sur qui ; mais nous ne parvenions pas à lâcher le chebec. Trop de câbles de marine, que les phalangistes du château avant, déjà fort occupés à sauver leurs fesses, ne parvenaient pas à trancher. En outre, la charge conjuguée de l'épave accrochée à notre éperon et de la masse de combattants luttant à la proue déséquilibrait dangereusement la galère, qui gîtait sévèrement vers l'avant. L'enseigne Falci évalua la situation d'un regard. Il détacha un quartier de dix phalangistes du château arrière, dont il prit la tête pour se ruer dans la mêlée. Il ne saisit même pas l'épée ; il se contenta de tirer un poignard pour se jeter au milieu de la tuerie, cherchant les reins et les intestins des janissaires qu'il accrochait.

« Souquez, enfants de putains ! Souquez ! » gueulait le patrice à l'adresse de la chiourme.

Tout en criant, il avait l'œil accroché sur le chebec indemne qui traçait un virage serré pour nous aborder par le flanc gauche. Une violente risée agitait la mer autour du bâtiment, et soulevait de légers tourbillons d'écume sur la crête des vagues. Le vent tournait de façon aberrante, permettant au navire ennemi de virer avec une économie de manœuvre. Bucefale Mastiggia, comme moi, avait compris où se trouvait le sorcier. J'étais en train de recharger mon arbalète, et le patrice, sur le point de dire quelque chose, tendait le bras vers le chebec qui nous menaçait, quand le château de poupe fut touché de plein fouet par un tir de baliste. Je ne vis même pas venir le coup. J'eus l'impression que toute la galère sautait, comme une vulgaire charrette qui rebondit sur un nid de poule.

L'instant d'après, il manquait du monde autour de moi, j'avais l'oreille gauche qui sifflait et j'étais couvert de sang. Je ne savais pas où était passée mon arbalète. Sur le pont éclaboussé de rouge, juste contre ma botte gauche, une main arrachée frémissait par saccades. Encore sonné, j'eus le réflexe de lever les paumes à hauteur de mes yeux, pour vérifier que j'étais entier. Quelqu'un me saisit l'épaule et me colla une solide bourrade.

« Réveillez-vous, don Benvenuto ! me cria le patrice au visage. Vous êtes un foutu cocu : vous n'avez rien ! Mais secouez-vous donc ! Je vais avoir un sacré besoin de votre épée. »

Une série de craquements tonitruants acheva de me rappeler au réel. L'étrave du troisième chebec était en train de transformer les avirons bâbord en petit bois ; son beaupré s'avançait déjà au-dessus de notre pont, accrochant et arrachant notre gréement. Le choc de l'abordage faillit casser la galère en deux. Je vis nettement le bordage bâbord plier sous l'impact, tandis que claquaient en pétarade les charpentes froissées et les planches arrachées. Sous nos pieds, le pont fit une embardée brutale, et s'inclina vertigineusement sur tribord. Bucefale Mastiggia me rattrapa alors que je dérapais sur le sang. Bondissant du château de proue du chebec, une horde compacte de janissaires s'abattait déjà sur notre tillac. Des gaillards effrayants, trapus comme des barriques et véloces comme des belettes, qui brandissaient de longs sabres damasquinés.

« Quartier de poupe, à moi ! rugit le patrice. Rejetez

l'ennemi à la mer ! Mastiggia ! Mastiggia pour la République ! »

Il y avait des survivants sur le château arrière ; suffisamment pour faire un joli buisson de fer une fois les épées au clair. D'un seul mouvement, phalangistes et jeunes patriciens se ruèrent au contact de l'ennemi. Le patrice s'élança avec eux, mais je l'accrochai par le coude, tout en dégainant ma dague.

« Prenez garde, Votre Seigneurie ! » ai-je dit.

Et comme je lui avais tiré le bras en arrière, je pus lui enfoncer la lame sous l'aisselle, au défaut de la cuirasse, jusqu'à la garde. Il me jeta un regard étonné, un peu comme si j'avais lâché une plaisanterie malséante. Puis ses jambes se dérobèrent, il tomba à genoux, et si je n'avais pas agrippé son coude fermement, il aurait chuté de tout son long. Il me dévisageait toujours, avec intensité, tandis qu'il cherchait un souffle que la douleur avait coupé. Il ne lui restait plus que quelques secondes à vivre ; il réfléchissait à toute vitesse, et je vis ses yeux s'agrandir, parce qu'il avait compris. Parce qu'il avait compris que lui échappaient le peuple en liesse, les épigrammes courtisanes du divin Tradittore, les compliments mielleux du Sénat, la sueur sucrée des filles. Parce qu'il avait compris ce que j'étais venu faire sur cette galère… Mais trop tard, pauvre toquard. Il essaya de parler, alors j'imprimai une torsion brutale à la dague pour conclure l'affaire.

Il me fit une très sale grimace, l'enfoiré.

## II

## *Le logocrate*

Un esprit sérieux, honnête, ne comprend rien, ne peut rien comprendre, à l'histoire. Elle est en revanche merveilleusement apte à pourvoir en délices un érudit sardonique.

CIORAN

L'équipage de la galère se fit tailler en pièces.

Je ratai une partie du final, parce que deux concitoyens m'avaient vu refroidir le patrice. Plutôt que d'aller mourir patriotiquement en plantant du janissaire, les fâcheux me tombèrent dessus. J'eus tout juste le temps de tirer l'épée. Le premier était un jeune élégant, très collet monté, qui avait suivi de savantes leçons d'escrime dans une salle d'armes. Il me suffit d'une feinte de voyou pour lui loger un supplément d'acier dans les cervicales. Le deuxième me donna plus de fil à retordre : c'était un vétéran d'origine plébéienne, que le désespoir rendait furieux. Le drôle manqua de m'éborgner. Je rétorquai par un coup d'estoc en garde basse, qui lui traversa le bas-ventre et les viscères.

Quand j'eus dégagé ma lame, je battis retraite jusqu'au fond du château arrière. Au milieu du tillac, mes compagnons du quartier de poupe étaient submergés. Privés de leur commandant, ils affrontaient un ennemi supérieur en nombre qui continuait à sauter en grappe de la proue du chebec. Les défenseurs furent repoussés contre le bastingage tribord, acculés à la mer, où certains furent jetés. Mais la plupart périrent lardés de coups. Sur le château avant, ce diable de Falci se battait encore, avec une poignée de durs à cuire couverts de sang. Toutefois, la défaite du quartier de proue était écrite, maintenant que les assaillants du deuxième navire tombaient sur ses arrières. Une boucherie tout à fait dénuée de style. Les janissaires attaquaient en masse, à tel point que les derniers phalangistes se trouvèrent serrés de si près qu'ils n'eurent plus l'espace pour armer leurs coups. Ils furent capturés vivants…

N'empêche que dans l'immédiat, les élans compassionnels, ça relevait du luxe. Avant tout, il s'agissait de tirer ma jolie petite gueule de ce guêpier ; et les consignes que j'avais reçues de mon patron me semblèrent soudain pleines de désinvolture, tandis que quinze moricauds bardés d'airain tournaient lentement leurs faciès de singe vers votre serviteur. Ils s'avancèrent en masse, les yeux encore injectés par la violence du combat, les cimeterres tirés, zébrés de sang. Typiquement le genre de circonstances où vous sentez vos sphincters sur le point de lâcher, mais où il faut afficher un air crâne, sous peine d'exciter davantage les mauvais instincts de la meute. J'essuyai donc inutilement mon épée sur ma manche maculée, et je la rangeai au fourreau. Puis, en levant pacifiquement les mains :

« Vous trompez pas de cible, les gars. Je suis le type que vous cherchez. »

Le hic, c'est qu'ils n'eurent pas l'air de comprendre. Ils continuèrent à marcher sur moi, les poings crispés sur leurs armes et de méchants rictus aux lèvres. Certains grondèrent quelques mots, dont le sens littéral m'échappa, mais dont le sens général me semblait fort clair. Je fis un gros effort pour ne pas montrer les dents mais pour leur adresser un sourire amical, le genre de truc dans lequel je ne suis vraiment pas doué. J'en obtins la confirmation rien qu'à la façon dont le demi-cercle de fer se resserra. C'est dans ce type de situation qu'on se découvre des regrets saugrenus, comme de n'avoir jamais eu d'inclination pour les langues étrangères...

Je n'en menais pas large quand un frémissement courut dans les rangs des Ressiniens. Je n'entendis rien qui ait pu ressembler à un ordre, mais une onde se propagea au milieu des guerriers, et je sentis ma peau se hérisser sous une influence impalpable. La troupe qui s'apprêtait à me faire un sort se divisa pour ouvrir un passage. Quelqu'un s'avança au milieu des sabres et des cafetans tachés de sang : une silhouette étroite et maigre, drapée dans une gandoura au luxe insolent. L'homme semblait ridiculement chétif au milieu des janissaires ; il était rasé, ou chauve, et sa figure était gercée comme un sol crevassé de séche-resse. Il me fallut quelques secondes pour réaliser que tout un réseau de scarifications rayonnait autour de ses yeux aux paupières lourdes. Avec un geste indo-lent, il soupira quelque chose en ressinien, et la horde de brutes se bouscula presque pour reculer.

Le sorcier m'avait trouvé.

Mais je ne l'intéressais pas encore. Il observait le pont autour de lui, avec une moue vaguement contra-riée, détaillant chaque tué et chaque mourant. Pour finir, il fixa son attention sur le corps du patrice Mastiggia, que j'avais abandonné sur le dos, le visage crispé de si vilaine manière. Le sorcier s'approcha du mort, se pencha sur lui, inclina un peu le chef à la recherche de la blessure fatale. Assez brusquement, il s'agenouilla, saisit la tête de Mastiggia entre ses mains osseuses et se coucha presque sur lui, comme s'il vou-lait l'embrasser. Il conserva longtemps son regard plongé dans les prunelles vitreuses du cadavre, y cher-chant quelque chose avec une intensité qui me fit froid dans le dos. Puis, il se redressa lentement, et planta ses yeux dans les miens, en me gratifiant d'un sourire rem-pli de sous-entendus. Je réalisai avec un choc que ses scarifications dessinaient une tête de cobra sur son museau émacié ; ses yeux occupaient les lunettes de la collerette reptilienne.

« Êtes-vous le maître espion de son excellence ? » me demanda-t-il.

Il parlait le ciudalien sans l'ombre d'un accent, avec une voix agréable. Mais sa diction était affectée par un léger cheveu, qui soulignait l'équivoque de son masque cicatriciel.

« C'est bien moi. Je suis Benvenuto Gesufal, conseiller privé et émissaire officieux du Podestat Ducatore.

— Très honoré, seigneur Benvenuto, minauda face de naja en baissant ses paupières de manière fuyante. Puis-je me permettre une question de pure forme ? Pouvez-vous me rappeler le Troisième Principe Fondamental du Trésor Sphingidé ?

— Le réel est une mosaïque : c'est la diversité dans l'unité, l'unité dans la diversité. »

Je n'avais strictement aucune idée de ce que signifiait ce charabia. J'imaginais qu'il s'agissait d'une plaisanterie ésotérique dont l'humour n'était accessible qu'aux détraqués qui avaient passé trop de temps le nez dans les grimoires. On m'avait enseigné ce machin uniquement comme signe de reconnaissance, et il semblait avoir au moins eu cette vertu, vu que le sorcier m'adressa un sourire plus sincère.

« C'est un vrai plaisir de rencontrer un citoyen ciudalien initié aux mystères de notre tradition, minauda-t-il. Je suis le logocrate Psammétique, mage initié d'Elyssa et scribe de la Chambre. Je suis investi de la mission de vous mener jusqu'au lieu de la rencontre. Naturellement, vous êtes l'hôte du sublime souverain sur ses navires et sur ses terres. »

Je ne me serais pas formalisé s'il avait poussé la politesse jusqu'à traduire la dernière phrase en ressinien, à l'attention des brutes ensanglantées qui se tassaient derrière lui. À en juger par les regards assassins dont j'étais l'objet, j'avais le sentiment qu'il suffirait au sorcier de m'oublier passagèrement, le temps d'aller vider sa vessie par exemple, pour que l'hôte du sublime souverain termine débité en divers morceaux. Toutefois, au lieu d'apporter d'utiles clarifications à ses sicaires, mon nouvel ami enchaîna :

« En tant qu'invité du sublime souverain, vous n'avez plus motif de porter les armes. Je vous serais fort obligé de remettre les vôtres au bayraktar Naamân. »

Psammétique se tourna brièvement vers un janissaire musculeux, dont le cafetan était bordé de fourrure, peut-être un gibier rare comme du lynx. Le logocrate murmura quelques mots avec une élocution beaucoup plus sifflante, sur un ton que j'aurais encaissé comme une insulte. Mais le bayraktar Naamân, en dépit de sa moustache ridicule et de sa gueule de métèque, avait au moins un point commun avec moi : il savait qu'avec un sorcier, il vaut mieux filer doux. Il remit le cimeterre au fourreau, s'avança de trois pas dans ma direction, heurta sa poitrine cuirassée des deux poings et m'adressa une courbette fort raide, dont on percevait douloureusement combien elle lui indisposait le fondement. Puis, plantant ses yeux injectés dans les miens, il tendit ses mains ouvertes d'un geste passablement impérieux.

Faut-il préciser à mon lecteur éclairé que cette formalité ne m'enchantait guère ? Je me sentais déjà un peu au ban de la fête ; dépouillé de mes compagnes à double tranchant, j'allais sombrer dans le plus mélancolique des veuvages… Comme à mon ordinaire, je fis un peu mon malin. D'abord, j'accrochai le regard du bayraktar Naamân avec mon expression la plus hargneuse, histoire qu'il comprenne que si ça tournait mal, j'aurais de toute façon sa peau avant de me retrouver éparpillé à coups de sabre. Simultanément, je grognai à l'adresse du logocrate :

« Puisque je suis l'invité du sublime souverain, j'aurai

aucune raison de tirer l'épée. Donc, il est pas très utile que je vous la remette. »

Le spirituel Psammétique eut l'air amusé, et m'adressa une grimace cordiale, du style à vous cailler les sangs.

« Puisque vous êtes l'invité du sublime souverain, seigneur Benvenuto, ce serait insulter son autorité que de garder quelque défiance à l'égard de l'escorte qu'il vous prodigue. »

Je fis un peu durer le plaisir, pour sauver la face. Et puis aussi parce que je suis un indécrottable teigneux, et que je tire toujours une petite jouissance perverse à me mettre dans des situations limite. J'aurais été un peu consolé de voir le bayraktar Naamân baisser les yeux, ou s'autoriser une infime suée ; mais le bayraktar Naamân était un vrai dur, qui ne cilla même pas derrière son nasal ouvragé. Je dus finir par me coucher, avant que mon féroce vis-à-vis n'ait attrapé une crampe. Avec une mauvaise grâce infinie, je décrochai donc mon baudrier et lui remis mon épée et mon carquois. L'officier janissaire n'en resta pas moins planté devant moi, et me désigna ma dague.

« Allons, allons, ai-je ricané. C'est juste un accessoire de mode, à Ciudalia. Un citoyen de la République n'envisage pas plus de quitter sa dague que sa braguette.

— S'il était encore en vie, je suis certain que le patrice Mastiggia aurait abondé dans votre sens », susurra Psammétique de façon très perfide.

Comme je ne tenais pas à ce qu'il développe la menace nichée sous son propos, je me résolus à me passer de ma fierté citoyenne. J'avais aussi un poignard calé dans les reins et un couteau joliment équilibré planqué dans le brassard gauche ; d'un plissement de ses paupières scarifiées, Psammétique me fit comprendre que j'allais finir par l'impatienter si je jouais trop longtemps au chat et à la souris, et le bayraktar

Naamân se retrouva donc richement pourvu en lames ciudaliennes.

« Nous sommes honorés par ce témoignage de votre confiance », me flatta le sorcier.

La crapule se payait ma tête.

Dans la foulée, Psammétique m'invita gracieusement à partager le confort très relatif — prétendit-il — de ses quartiers sur son chebec. Alors que je lui emboîtais le pas, il adressa de nouveaux ordres au bayraktar Naamân. Je n'avais même pas quitté le château arrière que l'officier janissaire avait saisi le cadavre de Bucefale Mastiggia par les cheveux, l'avait brutalement redressé, et lui avait tranché la tête d'un coup puissant. J'allais donc avoir le douteux honneur de naviguer derechef avec Bucefale Mastiggia, enfin avec la partie la plus identifiable de son anatomie… Sans doute aurait-il le privilège posthume d'être présenté au chah Eurymaxas, sublime souverain de Ressine…

Il fallut attendre un peu pour monter sur le navire du logocrate. Le chebec avait manœuvré pour se ranger bord à bord avec la galère. Il régnait le désordre lamentable qui suit toujours les batailles. Des appels, des cris, des supplications remontaient de la cale : les forçats tentaient de se libérer de leurs fers et lançaient des vivats affolés en l'honneur de Ressine. Ils savaient fort bien qu'ils couleraient avec le navire si les janissaires décidaient qu'il était trop dangereux de ramener cette prise à bon port. Sur le pont, ça grouillait littéralement. L'équipage du chebec abordé évacuait son épave en vitesse, s'entassait sur les châteaux et sur le tillac. La galère, trop chargée, son éperon mal dégagé du bâtiment en train de sombrer, gîtait toujours plus dangereusement. Elle émettait une série sinistrement variée de grincements, de couinements, de craquements : ça vous crépitait cauteleusement sous le talon, ça vous remontait dans les jambes en sournoises béquilles, ça vous chatouillait l'échine en percussions souterraines avant de vous faire vibrer l'oreille en sourdine, juste sous le chœur des cris de la chiourme et des râles des mourants. Et l'on y respirait à plein nez le désastre : des remugles de sueur et de peur, l'odeur fade du sang mêlée au parfum du bois fraîchement arraché, et les bouffées de fumée crachées par le navire à demi brûlé, parfois chargées d'un épouvantable arôme de grillade.

Le pire, dans tout cela, ce n'étaient pas les corps qui jonchaient le pont, ni même les blessés. Ceux qui ne pouvaient plus tenir debout étaient foutus : on les jetterait à la mer, sans même se donner la peine de les achever. Le pire, c'étaient les prisonniers. Il y en avait une dizaine, couverts de sang, d'ecchymoses, d'estafilades. Ils étaient parqués sous le château de proue, à genoux, coudes et poignets ligotés dans le dos. Pour l'essentiel, des phalangistes capturés à la fin des combats, après l'accident qui avait emporté le patrice et plié l'affaire. La plupart avaient l'air complètement abasourdis, écrasés par la défaite ; des pauvres types tellement sonnés par le malheur qu'ils ne pouvaient pas l'encaisser réellement, juste se demander ce qui était le plus dur, entre se tortiller sous de savants supplices pendant d'interminables heures ou ramer pendant d'interminables années sur un banc de nage, en patinant dans sa propre crotte. Pour être tout à fait franc, ces gaillards-là, je m'en tapais un peu le coquillard. Pour faire carrière dans ma branche, il faut avoir le cœur aussi sensible qu'un clou de chevalet. Ce qui me chiffonnait, c'était qu'un des prisonniers ne semblait pas brisé comme ses compagnons ; plus embarrassant, ce prisonnier avait le visage relevé et me dévorait des yeux ; et, franchement contrariant, ce prisonnier avait le mufle rageur de l'enseigne Suario Falci.

Je doutais franchement qu'il avait pu me voir en train de dépêcher le patrice. Mais pour l'heure, il avait tout loisir de m'admirer en pleins préliminaires avec le sémillant logocrate, scribe de la Chambre du sublime souverain. Je me sentais aussi merdeux que le benêt qui oublie de verrouiller la porte des latrines, et se fait surprendre les chausses sur les chevilles, le cul sur la lunette. Et le spectacle qu'il découvrait avait l'air de le dégoûter salement, l'enseigne Falci. Évidemment, la position agenouillée avec une cuisse perforée devait être une expérience pleine de sel, et concourait à lui dessiner son méchant rictus ; mais j'aurais mis ma main au feu que la pulsion de meurtre de Falci était telle qu'il se souciait de sa blessure comme d'une guigne. Ses yeux plissés de haine, ses lèvres remontées sur des dents jaunâtres, le tic qui lui plissait la paupière gauche, tout proclamait que j'étais un homme mort si lui n'était pas refroidi dans les plus brefs délais.

Dans des circonstances ordinaires, j'aurais réglé le problème à ma manière. Mais là, j'étais empêtré dans le protocole ressinien, et je n'étais pas sûr que mon statut d'émissaire secret couvrait des fantaisies comme la liquidation pour convenance personnelle. Je faillis faire remarquer au logocrate que nous avions un public indésirable ; mais après avoir tourné ma langue trois ou quatre fois, je gardai bouche cousue. Ma requête aurait pu inciter le sorcier à garder Falci bien vivant, pour me coller une gentille petite pression, voire pour me retourner au service du sublime souverain. Logiquement, mes concitoyens capturés allaient mourir ; au mieux, être réduits en esclavage. Je décidai de courir le risque.

Quand le chebec fut enfin bord à bord avec la galère, on put embarquer sur le bâtiment ressinien. L'entreprise ne se fit pas sans mal ; une simple planche, jetée avec négligence entre les bastingages, permettait de passer d'un navire à l'autre. Comme le chebec était un poil plus haut que notre pont, ça revenait à jouer les funambules sur un pan incliné aussi stable qu'une corde à linge. Si je n'ai pas le pied marin, j'ai fort heureusement une profession qui implique de savoir se passer des escaliers, et je franchis l'obstacle avec une dignité relative. Mais pour le sorcier, ce fut une autre affaire. Le logocrate Psammétique perdit toute sa superbe quand il fut question de réintégrer son navire. Il louchait de piteuse manière sur le gouffre où tanguaient les deux carènes, il considérait avec une angoisse plaisante à voir l'étroite passerelle jetée entre les bâtiments, il prenait son élan et l'interrompait aussi sec comme une vieille rosse effarée. Diplomatiquement, je faisais mine de regarder ailleurs, mais je n'en perdais pas une miette. Finalement, l'horrifique Psammétique se résolut à grimper à califourchon sur le dos d'un janissaire, et franchit dans cette posture impériale (les genoux un peu plus haut que son maigre postère) l'espace intermédiaire entre la marine de la République et la flotte du sublime souverain.

Ce genre d'aventure, ça vous froisse toujours une susceptibilité ; aussi je pris bien soin d'éviter d'avoir la fossette qui se creuse ou l'œil qui pétille. Le sorcier renvoya avec raideur son bidet bipède et se drapa dans son autorité, en faisant semblant de ne pas voir que je faisais semblant de n'avoir rien vu. C'est le style d'imposture qui me met toujours de bonne humeur, parce que ces simagrées hypocrites humilient l'objet de votre sollicitude tout en faisant de lui votre débiteur. Ça ne compensait pas l'arrière-goût déplaisant que m'avait laissé le regard de Falci, mais au moins je n'étais pas le seul à avoir perdu la face dans cette galère.

Les quartiers du logocrate, c'était rien moins qu'une tente somptueuse, ouverte largement sur le château de poupe. Les étoffes s'y drapaient fastueuses, des tapis précieux y couvraient le pont, des poufs et des coussins voluptueux y invitaient à une débauche paresseuse, des fumerolles parfumées s'y exhalaient de brûloirs délicats. Quoique de dimensions plus modestes, cette gentille garçonnière n'était pas sans me rappeler le pavillon princier que le Podestat avait fait dresser sur la galéasse amirale. Environnée d'épaves, de fumées, de cris, baignée des effluves puissants de poix, d'iode, de bois brûlé, la tente du logocrate se déployait aussi naturelle qu'un paon faisant la roue au milieu d'une porcherie.

Au rayon des articles de luxe, on y trouvait même deux larbins qui se précipitèrent vers le sorcier. Des types grotesques, torses nus et culottés dans un brocart scandaleusement passementé ; ils avaient le crâne rasé et le buste glabre, une carrure solide, mais des muscles noyés dans une chair adipeuse. Ils s'aplatirent devant Psammétique, ils le saluèrent dans un bredouillis larmoyant, avec une dévotion dégoulinante de flagornerie. Leur voix de fausset confirma très vite mes soupçons : ces deux lèche-bottes étaient des eunuques, et ils m'inspirèrent aussitôt un dégoût viscéral qui me rappela à mes petits problèmes gastriques.

Le logocrate leur adressa la grimace bienveillante qui devait être ce qu'il pouvait produire de mieux en guise de sourire paternel.

« Voici mes petits protégés, dit le sorcier. Aram et Meth me sont plus attachés que des fils. Ils suppléent à mes faibles forces, et en échange, j'ai lié leur fortune à la mienne. Meth parle un peu votre langue, seigneur Benvenuto ; vous pourrez compter sur ses services jusqu'au terme de notre voyage. »

Pour l'heure, le dénommé Meth ne donnait pas franchement l'impression de s'intéresser au seigneur Benvenuto. Son binôme grassouillet et lui, ils se placèrent de part et d'autre du sorcier, en se courbant de façon servile pour éviter de dépasser la courte taille de leur maître. Lui saisissant les mains avec une dévotion presque amoureuse, ils le soutinrent comme s'il était impotent, jusqu'à un divan bas où ils l'aidèrent à s'étendre. Ils s'activèrent ensuite autour de lui avec l'empressement d'un bataillon de courtisanes : ils lui épongèrent le visage, le parfumèrent, lui présentèrent un plateau de sucreries grasses, lui servirent un thé brûlant aromatisé au miel doux, l'éventèrent, lui massèrent ses tempes creuses et ses épaules osseuses.

Psammétique ferma les yeux et s'abandonna à leurs soins avec un délice visible, tandis que je restais un moment, planté comme un imbécile, sur le seuil de la tente. Finalement, pour éviter d'avoir l'air trop potiche, je finis par aller m'asseoir sur un pouf. Le siège était si mou que j'eus l'impression de me casser la figure, et que je me retrouvai avec les genoux à hauteur des yeux. Meth sembla seulement alors s'apercevoir de ma présence, sans doute parce que j'étais couvert de sang et que j'allais gâcher le mobilier.

Avec une célérité surprenante pour un type lesté de tant de lard, il déploya devant moi une bassine, des aiguières d'eau chaude et d'eau froide, des brosses, des éponges, des serviettes tièdes, toute une batterie d'onguents, de crèmes, de parfums, de rasoirs, de peignes, de pinces à épiler et de fers à friser. Je retroussai les babines dès qu'il fit mine de me toucher ; même si ce n'était pas très pratique, je préférais retirer seul mon corselet, mes épaulières et mes brassards d'acier plutôt que de me faire tripoter par une moitié d'homme. Je lui balançai mes pièces d'armure en exigeant qu'il me les fasse briller ; puis, une fois en pourpoint, je me débarbouillai sommairement.

Alors que j'achevais d'essuyer mon visage, je grognai l'air de rien :

« Quel port devons-nous joindre ? »

Sans se soustraire aux mains potelées d'Aram, le sorcier me répondit d'une voix indolente :

« Il est préférable que vous n'en ayez pas connaissance, du moins tant que nous naviguerons dans des eaux dangereuses. »

Je jetai ma serviette souillée sur l'épaule de Meth.

« Pourquoi ne pas traiter ici, sur ce navire ? Plus tôt nous en aurons fini, plus tôt les négociations officielles pourront commencer. »

Psammétique rouvrit les yeux, et leva une main grêle pour congédier son bovillon.

« Seigneur Benvenuto, je suis au regret de vous

avouer que je ne suis pas chargé d'une mission aussi prestigieuse que la vôtre. Je ne suis pas investi du pouvoir de négocier ; j'ignore même tout des positions du sublime souverain. Ma tâche consiste simplement à vous ramener auprès du représentant secret du chah, et à l'assister en tant que traducteur.

— Et je parie que je n'ai pas à connaître l'identité de mon interlocuteur tant que nous risquons de croiser d'autres galères de la République… »

Le sorcier m'adressa un sourire fielleux, qui se passait de commentaire. De toute manière, nous fûmes interrompus par l'arrivée d'une troupe rutilante de janissaires. Caparaçonnés, sanglés dans des cafetans bariolés, une dizaine de moricauds aux mufles fermés se déployèrent sur le seuil de la tente. Seul l'un d'entre eux entra ; il était de taille moyenne, mais trapu, et son visage brûlé de soleil était sillonné par un réseau de scarifications blanchâtres presque aussi dense que le masque du logocrate. Les deux eunuques s'étalèrent comme s'ils avaient entendu siffler la lame du bourreau au ras de leur nuque. Psammétique se releva aussitôt et adressa un salut prononcé au guerrier.

« Seigneur Benvenuto, permettez-moi de vous présenter l'agha Bakkhidès, qui nous rend l'insigne honneur de sa visite. »

Même sans le regard insistant de Psammétique, j'avais capté que j'avais intérêt à faire des politesses. Dans le royaume de Ressine, l'agha est une pointure militaire, une sorte de général ; et le nom de Bakkhidès ne m'était pas inconnu. Dans l'état-major du Podestat, j'en avais entendu parler à plusieurs reprises ; j'avais même cru comprendre, au cours de la bataille du cap Scibylos, que son absence dans l'armada royale avait probablement favorisé notre victoire.

J'ai beau être un méchant garçon, à force de fréquenter le Palais curial et les antichambres de l'aristocratie, quelques belles manières ont fini par déteindre sur mon mauvais fond. Je me suis donc incliné devant le général ennemi avec une sobriété de bon aloi. En retour, le chef de guerre me toisa comme si j'avais le visage boursouflé par une éruption de furoncles. Sur un ton cassant, il cracha une phrase qui ne devait pas excéder six syllabes.

« L'agha Bakkhidès présente ses salutations respectueuses à l'émissaire de son excellence le podestat, s'entremit Psammétique avec beaucoup d'urbanité. Il est ravi de vous accueillir sur les navires de son escadre, seigneur Benvenuto, et il répond personnellement de votre confort et de votre sécurité jusqu'à l'issue de notre voyage. »

Je montrai gracieusement toutes mes dents au général capable de dire tant de choses en si peu de mots.

« Dites-lui que je m'aplatis devant une si concise courtoisie, ai-je lancé d'une voix ferme au sorcier. Brodez avec toutes les figures fleuries qui vous passent par la tête, si ça vous chante. »

Psammétique eut pour moi un plissement de paupières énigmatique, puis il tint à l'agha un assez long discours. Celui-ci finit par l'interrompre avec sécheresse. Il grogna quelques mots gutturaux, adressa un bref hochement de tête au poteau sur ma droite et sortit sans même attendre que le sorcier eût traduit son propos. Ses officiers et ses gardes du corps lui emboîtèrent le pas en imprimant au pont une cadence martiale. J'entendis ensuite leurs bottes ébranler l'escalier du gaillard arrière.

« L'agha Bakkhidès s'est montré sensible à votre compliment, jeta négligemment le logocrate en retournant à son divan. Il vous prie d'excuser son incivilité : il doit veiller au transfert d'un équipage sur la galère que nous avons prise, puis faire voile au plus vite vers le Royaume. »

Je me fendis d'un sourire en coin.

« Avec votre talent pour la traduction littérale, je viens de réaliser que la négociation va être un grand moment de transparence.

— Vous surestimez ma rouerie, minauda Psam-métique. Les singularités lexicales et grammaticales de nos langues respectives font de la translittération sémantique un problème épineux. Cela me force à multiplier les nuances pour restituer au mieux l'esprit du message original.

— Ouais. Ça saute aux yeux. »

Ce qui sautait aux yeux, finalement, c'est que le logo-crate avait été envoyé sur ce sale coup pour les mêmes raisons que moi. À sa façon, il me ressemblait : c'était un enfoiré, et un enfoiré baratineur.

L'agha ayant vidé les lieux, Aram et Meth décol-lèrent le nez du tapis, le visage encore brouillé de trouille. À brève échéance, la réaction des deux cas-trats me paraissait de bon augure. Bakkhidès ne sem-blait pas homme à s'encombrer longtemps d'un poids mort : j'étais maintenant à peu près sûr qu'il allait net-toyer les derniers coins, et liquider ses prisonniers. Peut-être était-ce déjà fait. Paix à leurs âmes. J'étais libéré du problème Falci. Je dois aussi confesser que j'eus une petite pensée pour mon ami Purgamini. Je ne l'avais pas vu au nombre des captifs ; il avait dû être tué au cours de l'abordage. Je n'eus qu'un regret : être dans l'incapacité de payer un verre au métèque qui lui avait fermé définitivement le clapet.

S'étant confortablement installé dans ses coussins, le sorcier me fit signe de prendre mes aises. Je m'assis donc, à une distance raisonnable, en gardant un œil sur les deux eunuques. Juste derrière les drapés de la tente, j'entendais l'animation bruyante de l'équipage, des ordres, des bavardages, quelques chants à la cadence répétitive et plaintive. Non seulement je n'y comprenais rien, mais la langue étrangère altérait même le débit et le timbre des voix, et me communiquait un puissant malaise. Tout, dans l'atmosphère sonore, me criait que j'étais sur un vaisseau ennemi. Dans cet océan barbare, Psammétique était la seule planche où je pouvais me raccrocher à ma langue ; mais c'était une planche que je devais partager avec trois ou quatre scorpions bien gras.

Il faut bien convenir que le sorcier me fit la conversation avec amabilité alors que notre chebec appareillait pour une destination inconnue, vers l'archipel ennemi. Psammétique se mettait en quatre pour me rappeler l'atmosphère du pays. Il avait la courtoisie des patriciens ciudaliens, capables de vous étourdir de compliments et de confidences tandis que, dans une ruelle voisine, leurs hommes de main aiguisent les couteaux destinés à vos viscères. Ce fut ainsi, l'air de ne pas y toucher, qu'il amena la conversation sur l'astrologue du Podestat.

« À propos, seigneur Benvenuto, vous avez eu l'occasion de rencontrer récemment le sapientissime Sassanos, puisqu'on vous a instruit de notre mot de passe.

— Pas exactement. Sassanos n'a pas embarqué, c'est le Podestat qui m'a directement instruit de notre mode de reconnaissance, peu de temps avant que je rejoigne la galère Mastiggia.

— Le sapientissime n'a donc pas participé aux combats ?

— Il est resté au palais Ducatore. Je crois que le Podestat estimait politiquement imprudent de garder auprès de lui un conseiller ressinien pendant la campagne contre Ressine.

— C'était avisé », opina Psammétique avec un naturel qui me parut suspect.

En fait, je ne savais pas trop pourquoi Sassanos était resté à Ciudalia. Je doutais que c'était pour la raison que je venais de donner à Psammétique : l'état-major de la flotte se serait méfié de Sassanos, mais il aurait aussi été ravi de pouvoir compter sur son conseil. En outre, le Podestat avait pris un risque en embarquant sans son chien de garde ésotérique ; mais connaissant mon patron et connaissant son sorcier, je devinais bien qu'il y avait anguille sous roche. J'étais curieux de savoir quel coup tordu le sapientissime avait pu fomenter de son côté, pendant que toute l'attention de la République était suspendue au dénouement de la guerre.

« Si le sapientissime n'a pas participé à la campagne, poursuivait le sorcier, du moins avez-vous dû le voir récemment, avant que le Podestat Ducatore n'embarque.

— Par la force des choses, oui. Mais je peux pas dire qu'on soit de grands amis. »

C'était la deuxième fois dans la journée qu'on essayait de me tirer les vers du nez au sujet de Sassanos, et l'orientation de la conversation ne me plaisait guère. Bien sûr, le vieux serpent s'en rendit compte.

« Veuillez excuser mon indiscrétion, dit Psammétique. J'ai connu jadis le sapientissime, alors qu'il suivait son initiation à la Grande Bibliothèque d'Elyssa. Il fut au nombre de mes disciples. Un esprit original et puissant, quoique parfois rétif devant la Tradition. Ma curiosité était donc d'ordre purement privé, seigneur Benvenuto ; je ne souhaitais que prendre quelques nouvelles d'un ancien étudiant.

— Et c'est votre ex-élève qui m'aurait enseigné mon mot de passe ? Vous gardez des contacts drôlement étroits avec les gens que vous perdez de vue... »

Le logocrate saisit sa timbale de thé avec délicatesse, en m'adressant un sourire mince.

« Il y a contact et contact, seigneur Benvenuto. Ce n'est pas à un homme comme vous que je vais apprendre cela.

— Vous n'auriez pas pu négocier par le moyen que vous avez utilisé pour vous mettre d'accord sur le signe de reconnaissance ? Ça m'aurait évité l'agrément d'une nouvelle croisière...

— Les communications que j'établis avec Sassanos sont parcellaires, seigneur Benvenuto. Et menacées. Le moyen que nous employons est une autre forme de navigation, sur l'écume des rêves, des désirs inconscients des hommes. Mais cet océan, comme celui-ci, est sillonné par des navires, dont beaucoup de pirates. Des esprits avides, prédateurs, très éloignés de tout ce que vous pouvez connaître. Les secrets que nous échangeons courent trop le risque d'être éventés. C'est pourquoi la négociation directe a paru préférable. C'est pourquoi le sublime souverain, dans sa très grande sagesse, a préféré ne pas m'informer de ses intentions. C'est pourquoi, enfin, les contacts que je peux avoir avec le sapientissime sont brefs et ne me livrent que peu de choses sur lui… »

Je le trouvais bien bavard, tout d'un coup. Ce n'étaient plus des politesses destinées pour partie à m'endormir, pour partie à se payer ma tête de barbare ciudalien. L'air de rien, il me lâchait un sacré morceau sur la nature des relations que les deux sorciers avaient continué à entretenir ; et, à travers eux, mon propre patron et son vieil ami le chah Eurymaxas. Est-ce qu'il voulait vraiment gagner ma confiance, histoire de pouvoir mieux me rouler dans la farine quand la négociation effective aurait commencé ? Ou poursuivait-il un autre but ?

Je songeai à la catastrophe providentielle du début de la guerre, quand l'escadre du podestat Cladestini avait été assaillie au large de Cyparissa. Comme au cours de l'attaque contre la galère Mastiggia, l'ennemi semblait connaître avec précision la position de nos navires, et les avait attaqués avec des forces très supérieures. Son excellence Cassio Cladestini, podestat de la République et collègue de mon propre patron, avait été tué au cours de l'engagement. Situation rarissime, le Podestat Ducatore s'était alors retrouvé seul à la tête de l'État, unique commandant en chef de notre flotte pour redresser la situation et pour sauver la République. Psammétique insinuait-il que l'attaque contre l'escadre Cladestini était due à une fuite de Sassanos ? Que mon patron avait fait liquider son collègue pour concentrer entre ses mains les rênes du pouvoir ?

Je n'eus pas le temps de tourner une question

indirecte pour sonder Psammétique sur ses sous-entendus. Des cris s'élevèrent parmi les marins et les janissaires. Par l'embrasure de la tente, je vis des matelots courir le long du bastingage, en pointant du doigt quelque chose sur les flots. J'eus ensuite le plaisir de voir s'encadrer la trogne d'abruti du bayraktar Naamân, avec son sabre et ses moustaches ; l'officier salua le sorcier avec révérence et murmura quelques mots. Psammétique y répondit avec sécheresse et congédia le soudard d'un geste de la main. Les deux eunuques affichèrent un masque grave.

« Navré d'interrompre cette conversation, me dit le sorcier en se levant. Il me faut instamment achever une tâche. »

Il ne m'accorda même pas un regard en énonçant ces quelques mots. Les paupières à demi baissées, il eut l'air de rentrer en lui-même, et son faciès couturé devint aussi inexpressif que certaines momies des catacombes de Purpurezza. Aram et Meth se précipitèrent vers un coffre, dont ils sortirent un objet plat et volumineux, emballé dans une belle étoffe de soie, et une cassette aux ferrures précieuses. Psammétique quitta alors la tente, flanqué de ses deux bovillons. Il se dirigea vers le château de proue, et la presse des janissaires et des matelots se fendit devant lui avec une crainte révérencieuse.

Mais le sorcier ne retint guère leur attention. La plupart des Ressiniens s'étaient massés contre le bastingage et regardaient la mer. Beaucoup criaient, certains chantonnaient des mélopées en se balançant d'avant en arrière. Au milieu du vacarme, il me sembla pourtant percevoir une étrange rumeur montée des flots : dans le claquement grave des vagues montait un caquètement dissonant de sifflets, d'appels aigus, de rires moqueurs. Je me glissai alors sur le pont, et je grimpai quelques marches du château de poupe pour jeter un œil au-dessus des moricauds tassés le long des bords.

Autour du chebec, toute la mer était en effervescence. Juste sous la surface écumeuse, nombre de silhouettes fuselées sinuaient avec une grâce nerveuse le long de la coque. Des ailerons affleuraient régulièrement à l'air libre, voire de longs dos gris et lisses, cambrés dans une ondulation puissante. Quelques créatures bondissaient parfois hors des flots, traçant des courbes parfaites, lançant des ricanements sonores dans le chahut de la brise et des vagues. Sur le coup, cela ne me fit ni chaud ni froid. Je reconnus des dauphins ; un banc exceptionnellement large, certes, mais de simples dauphins. À force d'aller rendre tripes et boyaux sur la flotte de la République, j'avais déjà eu l'occasion d'en voir à plusieurs reprises qui escortaient les galères. La plupart des marins aiment les dauphins, même si certains ne se privent pas de les harponner. Moi, je n'avais guère de sympathie pour ces frimeurs rigolards. Avec leur œil plissé de dérision, leur bouche fendue d'un rire aiguisé comme une scie, ils me donnaient le sentiment de se payer ma tête d'aussi bon cœur que la plupart des hommes d'équipage.

Ce qui était étrange, dans l'affaire, c'était la ferveur désordonnée qui s'était emparée du navire ressinien. C'étaient aussi les préparatifs auxquels se livraient Psammétique et ses deux châtrés, à la proue du chebec. Un marin leur avait apporté un large panier, qui semblait rempli d'algues et de varech. Il l'avait déposé aux pieds des eunuques. Meth, après avoir confié cérémoniellement sa cassette au sorcier, avait pris l'objet que portait Aram et l'avait dégagé de son étoffe. Un large plat orfévré, rutilant d'or et de pierres semi précieuses, étincela dans la lumière océane. Aram plongea alors les mains dans le panier et y puisa de grands poissons aux robes multicolores et argentées, qu'il disposa sur le plat tenu par Meth. Celui-ci lui rendit l'ensemble, s'inclina devant Psammétique, reprit la cassette et la tint ouverte devant le sorcier. Le logocrate replia alors la manche gauche de sa gandoura, dévoilant un avant-bras squelettique, zébré de cicatrices. Il tira du coffret un ruban chamarré, qu'il lia comme un garrot au-dessus de son coude gauche pour maintenir sa manche retroussée. Puis il sortit de la cassette un curieux bijou, un couteau au manche de nacre et d'or, à lame très courte, au fil vicieusement aiguisé. Il le brandit au-dessus de sa tête et le fer triangulaire accrocha un éclat de soleil.

Psammétique entonna alors un récitatif lent et syncopé. Il employait une langue que je ne comprenais pas, mais qui n'avait pas les sonorités du ressinien. Sa voix montait dans les aigus, avec un timbre nasillard, qui accentuait le zézaiement qu'on lui entendait à peine quand il pratiquait le ciudalien. À trois reprises, il étendit les mains et le couteau au-dessus du plat de poisson. La quatrième fois, il maintint sa senestre au-dessus de l'offrande, appliqua sa lame sur le dessus de l'avant-bras et se taillada. J'étais assez loin de lui et il me tournait le dos, aussi je vis mal son geste. Mais aux frémissements qui agitaient ses épaules frêles, je compris qu'il se coupait de façon répétée, sans faire des entailles nettes. Des filets de sang épais coururent sur sa main, dévalèrent ses doigts grêles, inondèrent le poisson. Le sorcier jeta également le couteau taché sur le plat, puis s'empara de celui-ci et le brandit avec difficulté au-dessus de sa tête. Je vis son bras blessé trembler sous l'effort, mais il psalmodia à nouveau une longue incantation, avant de jeter l'offrande à la mer.

Alors, juste devant l'étrave du navire, des bêtes énormes crevèrent la surface des flots. Elles avaient la silhouette et le rostre de dauphins, mais elles étaient quatre à cinq fois plus volumineuses. Leur peau était d'un bleu profond, tirant sur le violet, semée de concrétions et de coquillages. Elles surgirent lourdement hors de l'eau, retombant dans d'immenses jaillissements d'écume. Leurs cris, modulés et complexes, se perdaient aux limites de l'audible ; pourtant, il me sembla percevoir quelque chose de presque articulé dans leur babil, quelque chose qui ressemblait à des mots, et la tournure des événements commença à m'inquiéter.

Une sorte de transe s'empara aussi bien du navire que de l'océan. Les dauphins bondirent par dizaines hors des flots, cambrés en des virevoltes acrobatiques, faisant résonner les airs d'un charivari de sifflets, de clics et fous rires. Les hommes y répondirent par une clameur discordante où s'élevaient mélopées concurrentes et cris, certains matelots touchant leur visage puis offrant leurs paumes ouvertes à la mer, tandis que des janissaires tiraient leurs sabres et se lançaient dans de primitives danses de l'épée. Au milieu du tohu-bohu, je faisais un peu tache. Je me sentais aussi à l'aise que l'invité qui reste seul à la table du banquet pendant que tout le reste de la noce se joint au bal avec les mariés. J'avais aussi une sévère appréhension sur la suite des événements, et je commençais à regretter d'avoir quitté l'abri de la tente.

C'était bien la preuve que je ne comprenais rien à cette magie. Ce à quoi j'assistais était une conclusion, non une invocation. Psammétique semblait avoir fini son rituel ; ses eunuques s'étaient précipité pour emmailloter son bras dans un linge, et le soutenaient comme un grand blessé alors qu'il retournait vers sa tente. Je jugeai moi-même plus prudent d'y rentrer. Le sorcier s'affala sur son divan, mais ne s'abandonna pas encore aux soins de ses larbins. Il exigea quelque chose avec sécheresse, et Aram tira de son coffre une petite boîte marquetée qu'il présenta ouverte devant son maître. L'objet contenait une poudre rougeâtre, qui ressemblait à une terre très fine. Après avoir retiré son bandage de fortune, Psammétique en saisit une poignée et en frictionna son avant-bras tailladé. Il alla jusqu'à forcer avec le pouce et l'index pour introduire cette poudre dans les lèvres de ses plaies. Le traitement était manifestement douloureux, à en juger par le rictus pénible qui lui crispait les lèvres et les paupières. Voyant que je l'observais, il haleta brièvement :

« C'est le prix. C'est le prix à payer. »

Je me demandais ce qu'il lui fallait payer ainsi. Les

dauphins l'avaient-ils renseigné sur la position de la galère Mastiggia ? Les monstres qui avaient fugitivement émergé devant la proue du chebec étaient-ils des créatures élémentaires qui lui avaient prêté leurs pouvoirs sur le temps ? Mais il était dangereux de poser de telles questions. Je me contentai de remarquer :

« Ça a l'air de faire salement mal. »

Livrant finalement son bras aux soins d'Aram, qui le nettoya puis entreprit de le panser de façon plus traditionnelle, Psammétique m'adressa un sourire trouble.

« Je préfère payer ce prix plutôt que l'autre, dit-il.

— L'autre ? »

Mais le sorcier avait détourné son attention, et regardait Aram enrouler un bandage sur son avant-bras. Il avait maintenant l'air très abattu, la peau tirée sur les os, et les yeux caves. Il marmonna quelques mots en ressinien, et Meth se tourna vers moi, le doigt sur les lèvres. Pour la première fois, j'entendis l'eunuque baragouiner dans ma langue :

« Maître fatigué. Maître dormir. »

Psammétique s'étendit avec précautions, gardant son bras gauche posé sur sa poitrine maigre. Il ferma à demi ses paupières scarifiées, tandis que sa respiration encore un peu rapide chuintait bizarrement entre ses dents. Il avait l'air bougrement malade. Et tout en le regardant, je pensais à mon ami Sassanos, le brillant astrologue de mon patron. Sassanos non plus ne se privait pas d'employer la sorcellerie ; mais je ne l'avais jamais vu se taillader. En fait, je ne lui avais jamais vu l'ombre d'un pansement ou d'une égratignure. Et je me demandai quel prix il avait choisi de payer, lui.

# III

## *Sortie de crise*

Rien ne demande plus de circonspection que la
vérité, car c'est se saigner au cœur de la dire. Il faut
autant d'adresse pour la savoir dire que pour la savoir
taire. [...] Toutes les vérités ne se peuvent pas dire :
les unes parce qu'elles m'importent, et les autres
parce qu'elles importent à autrui.

BALTASAR GRACIÁN

Le voyage dura plusieurs jours. Même des semaines,
si j'en crois le souvenir qu'il m'a laissé, mais c'est un
souvenir qui n'est pas très fiable. Pas très fiable, parce
que j'eus peu après un accident qui me fendit le crâne
et ne me laissa pas les idées très nettes. Toutefois, je ne
suis pas sûr que l'élasticité de ma mémoire soit due à
divers traumatismes faciaux. C'est surtout parce que la
traversée fut éprouvante qu'elle me sembla durer des
mois : je faillis y perdre mon estomac, tandis que mes
intestins dansaient une gaillarde bien chaloupée et que
mon foie vagabondait pesamment entre mon cœur et
mon œsophage.

Tant qu'il avait fallu croiser le fer pour sauver ma
peau, tant qu'il avait fallu guetter l'opportunité pour
liquider le patrice Mastiggia, tant qu'il avait fallu rester
en éveil face à l'esprit tortueux du sorcier, j'avais remisé
au rayon accessoire mes petits tracas digestifs. Mais
quand il s'avéra que Psammétique avait bel et bien

sombré dans une somnolence douloureuse, chez moi, la pression retomba d'un seul coup — et le reste se mit à remonter.

Nous fûmes donc deux malades de marque, gémissant dans la tente et les coussins luxueux du logocrate. Je ne m'étendrai guère sur la misère de l'homme dont les viscères se bousculent dans une débandade éperdument dégorgée. Le premier jour, j'eus encore la dignité de me traîner jusqu'au bastingage. Je pus ainsi constater, à mes dépens, que le sens de l'humour ressinien n'était pas très éloigné de celui des marins ciudaliens. Je me résignai donc par la suite à sombrer dans la déchéance la plus complète, à rendre des reliquats gastriques insoupçonnés dans la bassine que me tendait un eunuque. Le logocrate non plus n'avait pas l'air dans son assiette, mais je dois convenir qu'il avait la détresse plus présentable.

Les eunuques me harcelèrent pour que je mange. Il apparaît impossible qu'on vous laisse tranquillement malade sur un bateau. Quand il ne me tendait pas un récipient quelconque pour mes épanchements clapoteux, Meth brandissait sous mon nez un plateau de pâtisseries grasses, qui fleuraient un parfum douceâtre d'eau de rose et de miel.

« Manger, manger, insistait-il. Pas bon vomir ventre vide. »

La seule vue de ces gourmandises suintantes de sucre suffisait à ranimer chez moi des spasmes impérieux. J'avais beau congédier Meth avec les formules les plus exquises de mon répertoire, le castrat s'obstinait, nausée après nausée. Pour avoir la paix, je dus donc recourir aux solutions extrêmes ; quand je lui eus écrasé son assortiment pâtissier sur sa face de saindoux, Meth n'eut plus de douceurs décemment présentables pour un invité de marque et fut enfin libre de m'abandonner à mes petites aigreurs.

J'essayais bien de dormir, mais de jour, l'équipage faisait un tel vacarme qu'il était impossible de fermer l'œil. La nuit, plongé dans une léthargie douloureuse, le sorcier marmonnait souvent dans l'étrange langue de son rituel, soit avec une voix nasillarde et aiguë, soit sur un ton étrangement grave. Il n'était pas rare que j'entende, en réponse, le rire moqueur de quelques dauphins porté par la rumeur des vagues ; et comme, gagné par l'inquiétude, je tendais l'oreille et j'essayais de démêler si le phénomène relevait de la coïncidence ou si Psammétique se livrait à des incantations inconscientes, je perdais durablement l'envie de piquer un somme. De toute manière, quand la fatigue finissait par me terrasser, peu de temps avant l'aurore, je sombrais inévitablement dans un brouillis de mauvais rêves. Dans le plus fréquent, j'étais sur une balançoire. D'une main, je me raccrochais à une corde ; de l'autre, je retenais sur mes genoux un plateau de massepains et d'oublies, tout poisseux de sucre. Comme ma position n'était pas très stable, la balançoire n'allait pas droit, mais avait tendance à sinuer de façon nauséeuse. Pourtant, on m'infligeait à chaque retour une puissante poussée dans les reins ; je ne voyais pas qui me propulsait ainsi, mais je sentais des serres maigres et griffues, et je me disais que franchement, Sassanos avait autre chose à faire que perdre ainsi son temps en enfantillages. Juste en face de la balançoire, il y avait un gibet, où la dépouille de Bucefale Mastiggia m'adressait son affreuse grimace. À chaque poussée, je me rapprochais toujours davantage du pendu, et je devais ramener les pieds en arrière pour éviter de lui heurter la poitrine.

Fort heureusement, le voyage ne connut qu'une alerte. Le lendemain ou le surlendemain de l'abordage, plusieurs voiles ciudaliennes apparurent à l'horizon. L'agha Bakkhidès mit le chebec en ordre de combat, mais les galères de la République passèrent au large sans se donner la peine d'opérer le moindre détour. Intérieurement, je rendais grâce à l'ambition du sénateur qui les commandait ; sans doute l'escadre filait-elle vers Ciudalia, dans l'espoir que son sémillant capitaine, quel qu'il fût, récupérerait des miettes de la gloire de Bucefale Mastiggia. Mon coup de couteau aurait au moins fait un heureux : le parasite allait se retrouver dans la peau du héraut de la victoire et glaner d'inespérés lauriers populaires.

Notre bateau contourna les îles Ætées et continua à cingler vers le nord, en évitant largement la région du cap Scibylos. Au bout d'un périple dont mon lecteur compatissant aura mesuré tout l'agrément, il fit voile vers une terre montagneuse et aride, dont les caps et les versants rougeâtres dominaient le bleu profond de l'océan. Quand ce rivage fut en vue, un Psammétique encore dolent sortit de sa tente en s'appuyant sur l'épaule dodue d'Aram. Le sorcier m'invita à lui tenir compagnie contre le bastingage, en affirmant qu'observer un horizon solide soulagerait sans doute mes petits désordres physiologiques. Quand je l'eus rejoint, il me montra le relief massif qui émergeait des flots.

« Voici notre destination, seigneur Benvenuto. C'est l'île de Sepheraïs. C'est ici que l'entrevue aura lieu. »

D'après le souvenir nébuleux que j'avais conservé des portulans de mon patron, Sepheraïs était située au centre de l'arc formé par l'archipel de Ressine. Elle se situait à l'extrémité septentrionale de la zone de guerre, et seules les escadres les plus avancées de la République avaient poussé jusqu'en vue de ses côtes. Pour moi, c'était une terre parfaitement inconnue. Les reliefs rocailleux que j'en découvrais, ébréchés comme une muraille soumise à un long siège, se muraient dans une réserve hostile.

Alors que nous approchions de la côte, on affala les voiles et l'équipage se mit aux rames. Un peu partout, la mer se couvrait de moutonnements blancs ; çà et là, des vagues heurtaient à grand bruit des brisants éparpillés à la surface des flots. Par endroits, l'eau devenait très claire, et l'on devinait sous la coque les crêtes fissurées de grands récifs, tout prêts à déchirer la carène.

Au lieu d'aller droit au rivage, le chebec se mit à suivre une trajectoire compliquée, aussi capricieuse qu'une donzelle qui ne sait pas encore si elle veut ou si elle ne veut pas. Visiblement, la navigation dans ces eaux était très dangereuse, ce qui représentait sans doute une garantie de sécurité pour la négociation.

Toutefois, Psammétique ne s'intéressait guère aux hauts fonds. Une lueur fiévreuse dans le regard, les lèvres crispées en un vague sourire, il contemplait une petite presqu'île rocheuse qui s'élevait à notre rencontre. Avec un choc, je réalisai que la pointe du cap formait une gigantesque sculpture : un sphinx colossal, dressé orgueilleusement, les ailes levées avec une noblesse impériale, avançait à la rencontre des flots. Seules ses griffes étaient assombries par la ligne du jusant, et le grand mât du chebec ne lui arrivait probablement pas au poitrail. Le vent et l'eau salée avaient érodé ses antérieurs, lissé les boucles de sa barbe, aplati son nez ; des buissons rabougris s'accrochaient dans les replis de sa coiffe et de ses ailes, et une noria de mouettes voltigeait en criaillant autour de son buste crevassé. N'empêche que le monstre semblait avoir interrompu son geste quelques secondes plus tôt, et qu'on le sentait prêt à frémir, prêt à poser plus fermement cette patte droite à peine suspendue, prêt à étendre plus largement ces rémiges gigantesques, prêt à affronter avec insolence l'océan tout entier.

« Amraphel », chuchota Psammétique avec dévotion.

Il s'effleura le visage, puis tendit sa paume ouverte vers l'idole monumentale. Autour de nous, bon nombre de marins et de janissaires l'imitèrent. Après quoi, il éleva ses mains en coupe à hauteur de sa poitrine, et murmura quelques mots, incantation ou prière, en se balançant légèrement. Quand il eut fini son baragouin, il tourna vers moi ses yeux plissés de malice.

« C'est Amraphel, le Seigneur d'Orient, me dit-il. C'est le Gardien de Sepheraïs, qui est le jardin de Chamach, le Dieu Brillant. C'est aussi l'un des fondateurs de la tradition dont la Grande Bibliothèque est dépositaire. »

Je contemplais le monstre par-dessous, alors que le navire longeait son socle rocheux. Je ne suis pas vraiment un esthète, mais j'ai des séquelles d'éducation. Et puis à force de subir la bonne société ciudalienne et son goût exaspérant pour les arts, on finit par acquérir son petit coup d'œil critique. Le colosse me paraissait archaïque, et pas seulement parce que les éléments l'avaient usé. Sa barbe et sa coiffure ne correspondaient à rien de ce que j'avais pu observer chez mes amis ressiniens. Les artistes qui l'avaient dégagé de la falaise lui avaient prêté une attitude raide, hiératique, que nos plasticiens modernes auraient jugée terriblement convenue et naïve. N'empêche que par sa masse, par sa sévérité, le colosse vous refroidissait en plein cagnard. Sa musculature nerveuse, l'ombre de cruauté qu'on devinait encore sur son visage lissé l'investissaient d'une férocité ancienne. Je me demandais quel rapport on avait pu lui trouver avec la Grande Bibliothèque d'Elyssa. Il évoquait davantage un seigneur de guerre comme Bakkhidès qu'un érudit souffreteux comme le logocrate.

« C'est lui qui figure sur l'étendard de Ressine ? ai-je demandé.

— C'est lui, et ce sont tous les autres, répondit le sorcier. Chacune des îles du Royaume possède son gardien. Chacune des îles du Royaume possède son sanctuaire secret, où repose un dieu en dormition. Les Sphinx veillent sur leur sommeil, en attendant le jour où les créateurs émergeront de leurs rêves. »

Au-delà du Gardien s'ouvrait une crique profonde, dominée par des versants abrupts. Tout au fond, une bourgade blanche s'accrochait à la pierraille, dans l'ombre d'un contrefort pelé où se superposaient quelques cultures en terrasses. Les maisons claires semblaient empilées les unes sur les autres, tant la pente était raide ; nombre de demeures étaient appuyées contre la falaise, et il me parut probable qu'une partie de l'habitat était troglodyte. Il n'y avait pas de port à proprement parler. Sur une grève plutôt étroite, des barques de pêche étaient tirées sur les galets. Mais nul quai, nul ponton où accoster. L'équipage du chebec suspendit la nage, et mit en panne à bonne distance du rivage.

« Nous voici à pied d'œuvre, dit Psammétique. Dans un souci de discrétion, le sublime souverain n'a pas voulu que la négociation ait lieu à Mazmana, le port principal de l'île. C'est ici, à Sunem, que vous rencontrerez son émissaire. »

Le sentiment qui dominait, chez moi, c'était bien évidemment le soulagement. Soulagement de mettre enfin pied à terre, de quitter pour quelque temps la gigue marine. Ceci dit, la mission principale dont j'étais chargé ne faisait que commencer. De plus, le porte-parole officieux du Podestat allait débarquer à jeun et sévèrement barbouillé, ce qui le laissait passablement émoussé pour se lancer dans les tractations... Et puis je ne devais pas perdre de vue ce qui pouvait arriver après l'entrevue. Officiellement, cette rencontre n'existait pas. Des dizaines d'hommes et l'un des officiers les plus prometteurs de la République étaient morts pour que rien ne transpire. Une fois que j'aurais délivré mon petit baratin et obtenu les clauses confidentielles souhaitées par mon patron, il faudrait veiller à me ménager une porte de sortie décente, une porte de sortie qui ne ressemble pas à une fosse anonyme dans la rocaille de Sepheraïs. Enfin, il resterait le pire. Le pire, c'est qu'il faudrait bien que je fasse le voyage de retour... Mais pour l'heure, c'était une perspective que je me refusais à envisager avec précision.

« Maintenant qu'on est arrivé, vous pourrez peut-être me dire qui est mon interlocuteur, ai-je fait remarquer au sorcier.

— Naturellement », répondit Psammétique.

Le vieux roublard ne se fendit pas moins d'un petit

effet d'attente, pendant une interminable seconde, tout en me coulant un regard équivoque, comme s'il savourait sa rétention et mûrissait je ne sais quelle plaisanterie.

« Vous allez rencontrer un membre du cercle privé du sublime souverain, énonça-t-il enfin. Il ne s'agit ni d'un de ses ministres, ni d'un de ses officiers ; mais c'est une personnalité incontournable de son entourage, une vraie puissance au Palais. Un interlocuteur... de poids. »

Et après m'avoir fait encore un peu languir, il finit par lâcher :

« Vous allez traiter avec la Rose virginale d'Elyssa. Stateira, première concubine du sublime souverain, va vous accorder le rarissime privilège d'une audience. »

Malgré ses traits tirés, son œil madré pétillait de malice.

« Qu'est-ce que vous me chantez ? L'émissaire du chah est une femme ?

— Et alors ? me répondit-il du tac au tac. Vous êtes bien l'émissaire du podestat Ducatore, vous. »

Il m'adressa un sourire saturé de perfidie. D'instinct, je serrai le poing dans le vide, à hauteur de ma hanche droite, là où aurait dû se trouver la poignée de ma dague. De plaisantes épithètes me vinrent aux lèvres, mais je parvins à les ravaler. En fait, plus que la raison, ce fut une bouffée de mépris qui modéra mon coup de sang. Je soupçonnai aussitôt de la part du chah et de son entourage une manœuvre bien miteuse. On allait chercher à m'étourdir avec une beauté capiteuse, parée des prestiges du sérail royal ; mais mon véritable interlocuteur serait bel et bien ce vieil aspic scarifié, le traducteur. Et ce qui m'écœurait plus que tout, c'est que j'avais dû me payer un calvaire en mer juste pour me prêter à cette piteuse tentative de subornation.

De son côté, après avoir sorti les griffes, Psammétique redevenait tout miel.

« Si son excellence le podestat vous a distingué, c'est

parce qu'il place sa confiance en vous, et aussi parce que vous êtes homme d'influence sans occuper un poste officiel. Les mêmes raisons ont conduit le sublime souverain à déléguer Stateira. En outre, mesurez l'étendue de la faveur qu'on vous accorde… »

Son sourire s'élargit.

« Il est exceptionnel qu'un étranger à la maison royale ait licence de rencontrer la première concubine. D'ordinaire, si un sujet du Royaume pose les yeux sur elle sans autorisation, l'usage est qu'il soit immédiatement énucléé. »

Il posa sur mon épaule une main grêle et griffue.

« Mais rassurez-vous, Seigneur Benvenuto, ajouta-t-il sur le ton de la confidence. Vous, vous n'êtes point un sujet du Royaume… »

Il fallut prendre une barque pour accoster sur la plage de Sunem. L'affreux Psammétique fit encore mille chichis pour enjamber le bastingage et descendre les huit échelons de corde qui menaient à la chaloupe. Les officiers qui nous accompagnaient patientèrent avec une exaspération muette jusqu'à ce que le logocrate ait trouvé des ressources insoupçonnées de courage — pour s'accrocher à la corde à laquelle on finit par le suspendre. L'agha Bakkhidès et le très distingué bayraktar Naamân vinrent s'entasser avec nous dans la coque de noix. L'agha nous ignorait, méprisant ostensiblement le barbare et la poule mouillée ; il avait posé à ses pieds un petit sac de cuir contenant un objet rond, qui refoulait des effluves d'huile de cèdre et de viande avariée. Mon ami Naamân me collait avec la passion morne d'une limace pour un plant de laitue : c'était mon chien de garde, pour notre plus grand bonheur mutuel.

Quelques coups d'aviron nous menèrent à la rive. Sur la grève, une petite troupe de janissaires nous attendait ; comme ceux du chebec, ils portaient ce curieux cafetan jaune poussin. Leurs casques coniques étaient surmontés de fanfreluches grotesques, et leurs trognes couturées formaient une remarquable galerie de gueules de bouchers. Psammétique, qui était sans doute aussi heureux que moi d'abandonner les aventures maritimes, m'expliqua obligeamment la raison de ces uniformes criards. Ces brutes à plumage canari étaient des jardiniers, m'apprit-il. Comme je lui glissais un regard torve, pour lui signifier que je ne comprenais rien à son humour, il me précisa avec volubilité qu'il s'agissait d'un corps d'élite de l'armée royale. Ces janissaires étaient surnommés ainsi parce qu'ils gardaient les jardins du palais d'Elyssa ; en d'autres termes, il s'agissait de la garde personnelle du chah. Celui-ci en avait détaché une compagnie, sous les ordres de Bakkhidès, pour veiller à la sécurité et au secret absolu de la négociation. Le logocrate me fit aussi comprendre que la première concubine n'aurait jamais pu se risquer hors du sérail sans la protection de la fine fleur de l'armée de Ressine.

J'ignorais comment la fine fleur de l'armée de Ressine assurait la sécurité de la première concubine, mais il devint évident qu'elle devait assurer de très près celle de l'émissaire du Podestat. Je n'aurais pas su que j'étais l'invité du chah Eurymaxas, j'aurais pu me méprendre et croire que j'étais son prisonnier, vu la façon dont, à peine débarqué, je me retrouvai encadré par quatre janissaires. Sans oublier le très attentionné bayraktar Naamân, dont je pouvais quasiment sentir l'haleine sur ma nuque. Le plus désolant de l'affaire, c'est que fouler enfin la terre ferme ne me requinquait guère. Le sol me semblait bizarrement traître, rempli d'une instabilité sournoise. Je crus au début que c'était une impression provoquée par le jeu des galets sous la semelle ; mais quand on entra dans les ruelles de Sunem, je découvris que même la chaussée pavée ne m'offrait qu'une assise assez suspecte. J'avais passé trop de temps en mer : à force d'avoir été secoué comme un bouchon, mon assiette avait fait durablement la culbute, et même le sol le plus stable me donnait un vague tournis intestinal.

Malgré ma petite santé, je m'efforçai de graver dans ma mémoire le trajet qu'on me faisait prendre, et de me situer le mieux possible. Si quelque chose tournait mal, il fallait que j'aie le maximum de cartes en main pour essayer de sauver mes billes. Vu de la mer, Sunem m'était apparu comme un gros village côtier ; mais une fois dans la place, j'eus l'impression de me retrouver dans un labyrinthe. Nous suivions un trajet apparemment erratique, dans un dédale biscornu de venelles, souvent si pentues qu'elles se muaient en escaliers. Les maisons étaient fort hautes ; la chaussée, très étroite, filait régulièrement sous des arches, voire carrément sous des passages couverts, et ces coupe-gorge mettaient en alerte le malandrin consommé qui sommeille chez votre serviteur. Nulle fenêtre : les façades, fermées par de solides portes cloutées, étaient aussi accueillantes qu'un mur de prison. Après des semaines de soleil et de coups de vent maritimes, la pénombre qui régnait dans ces ruelles créait un malaise oppressant.

Plus oppressant encore : Sunem ressemblait à une ville morte. À part quelques chats en maraude, notre petite troupe ne croisa personne. Il paraissait envisageable que la population soit soumise à un couvre-feu ; mais j'avais beau chercher des indices de vie, je ne parvenais pas à en relever. Pas de linge à sécher aux étages, pas de crottin sur le pavé ni d'eaux usées devant les seuils, pas de rumeurs domestiques. Les seuls bruits que je percevais étaient le martèlement des bottes des janissaires, le sifflet ténu de la brise à certains croisements, le murmure lointain du ressac que l'on abandonnait en contrebas. Dans un sens, c'était préférable : la rencontre se ferait discrètement, et je ne risquais pas d'exciter la colère d'une plèbe peu au fait des petits arrangements princiers. N'empêche que ça m'angoissait quand même, cette quiétude de nécropole. À Ciudalia, il serait inconcevable de vider ainsi un quartier ; les alguazils se retrouveraient avec une émeute sur les bras, et un coup de colère populaire qui enflammerait la ville comme un feu de broussaille. Ces ruelles mortes, ça me confirmait que Ressine était un autre monde, un monde composé de sujets et non de citoyens, un monde où le caprice du chah remodelait son peuple comme un patricien révise la décoration de son palais.

Mon escorte finit par me mener devant une demeure située au sommet du bourg. Vue de l'extérieur, elle ressemblait aux autres : un grand mur aveugle, percé d'une porte solide aux clous larges comme des pommeaux. Tandis qu'un janissaire heurtait brutalement le battant, je me demandai à quoi ressemblait Stateira. Quelques fantasmes voluptueux me traversèrent la braguette, tant et si bien que je ne me rendis même pas compte que la porte venait de s'ouvrir. Je me repris en vitesse. Je n'allais pas tomber dans un panneau si grossier. Alors que nous entrions, je jetai un coup d'œil à Psammétique : encore affaibli, le sorcier reprenait son souffle après l'ascension des ruelles. Une bonne chose, si c'était mon interlocuteur réel ; il ne serait pas en meilleure forme que moi.

Nous venions de pénétrer dans un vestibule assez obscur, bondé de janissaires canaris. Les brutes saluèrent Bakkhidès avec une célérité toute martiale, dans un froissement de fer intimidant. L'agha ne leur accorda pas un regard ; il paraissait connaître la maison, et nous guida vers l'embrasure claire d'une porte donnant sur l'arrière-cour. Il s'agissait en fait d'un patio assez vaste, cloisonné de tous les côtés par des ailes de plusieurs étages. L'architecture était mauresque, plutôt rustique, mais l'endroit aurait plu à un aristocrate ciudalien ; une fontaine gazouillait doucement au centre de l'espace, un jardin modeste adoucissait la géométrie stricte de la cour ; des moucharabiehs couraient aux étages, dessinaient une frise obsédante par les interstices de laquelle on devinait le mystère d'une galerie. L'endroit respirait la fraîcheur douce de la pierre mouillée.

Un endroit surpeuplé, aussi. Le contraste était saisissant avec le bourg déserté. Une foule de gens vaquaient à diverses occupations, dans un désordre de caravansérail ; si les soldats saluèrent Bakkhidès, les autres ne lui accordèrent qu'une attention distraite. Un groupe de femmes voilées riait aux éclats en se livrant à des travaux d'aiguille ; un enfant à moitié nu tourmentait un petit singe avec une badine ; deux scribes chenus se chamaillaient autour d'un rouleau de papyrus ; des eunuques obèses se fardaient mutuellement en minaudant comme des donzelles ; un musicien tirait des notes assez discordantes d'un luth à manche court ; deux adolescents en négligé élégant et deux vétérans vieillissants étaient accroupis autour d'un damier en ivoire, et disputaient une bizarre variante à quatre camps du jeu d'échecs... À part les femmes, qui étaient voilées et dont je ne voyais que les yeux soulignés de khôl, tout ce petit monde était artistement couturé. Les scarifications couvraient les visages, jeunes et vieux, bouffis et maigres, comme des écritures mystérieuses qui publiaient les fonctions et le rang de chaque individu. Je repensais à la cicatrice gracieuse que le Podestat portait sur la joue, souvenir de son exil à Elyssa, et je me dis que j'étais désormais au cœur du fruit.

Je m'attendais à ce que nous traversions la cour avant de gagner des antichambres ou un boudoir plus confidentiel. Mais on s'arrêta au milieu du patio. Je crus alors que Bakkhidès allait entrer et annoncer notre arrivée à la mystérieuse Stateira, et que j'allais faire un peu le poireau avant d'obtenir audience... Mais Bakkhidès n'en fit rien. Il échangea un signe de tête avec un des jeunes joueurs d'échecs, puis se dirigea vers un bel acacia flanquant l'un des coins du jardin. Dans l'ombre chamarrée de fleurs jaunes, une matrone volumineuse se prélassait sur un divan affaissé. Il s'agissait sans doute d'une gouvernante ou d'un

chaperon de la première concubine, qui nous introdui-
rait auprès de la Rose d'Elyssa. Je laissais mes yeux
courir un peu partout, en inspectant les échappatoires
potentielles. Pas mal de portes, toutes gardées. Je croi-
sais le regard du groupe d'eunuques ; les castrés me
dévisageaient avec une impertinence appuyée, en éven-
tant les mains boudinées où ils venaient d'appliquer du
vernis à ongle.

Psammétique me saisit doucement par le coude et
m'entraîna sur les traces de Bakkhidès. Les quatre
janissaires qui m'avaient escorté restèrent en arrière,
mais le bayraktar s'obstina à me coller avec un empressement de sodomite. L'agha continuait à bavarder avec
la créature adipeuse vautrée sur son sofa ; la rombière
ne s'était même pas donné la peine de s'asseoir, sur un
postérieur dont l'ampleur devait pourtant se révéler
confortable. Elle était vraiment énorme ; ses robes,
taillées dans des étoffes luxueuses, se chiffonnaient
comme autant de sacs autour de bourrelets grassement
juxtaposés. Le logocrate prit la parole après Bakkhidès,
et j'entendis mon nom au milieu de son sabir. La grosse
m'accorda un coup d'œil, sous des paupières alourdies
qui s'effondraient vers les pattes d'oie. Puis, se tournant
vers moi, Psammétique poursuivit en ciudalien :

« Seigneur Benvenuto, j'ai le privilège de vous présenter la première concubine Stateira, Rose virginale
d'Elyssa. La courtoisie voudrait que vous incliniez au
moins la tête pour la saluer, et que vous affichiez une
expression plus admirative que celle que vous arborez
en ce moment. »

Je pense que je réussis à satisfaire le sorcier au
moins sur un point : mon visage passa de l'indifférence
dédaigneuse à la stupéfaction intense. Pour autant que
l'emphysème me permettait d'en juger, Stateira était
franchement sur le retour. Monumentale, vieillissante,
probablement rendue obèse par la paresse et paresseuse par obésité, je l'imaginais difficilement livrer sa
masse variqueuse à une danse du voile ou à des contor-

sions érotiques. Elle avait certes la bouche gourmande, et lippue — mais de ces lèvres qu'on imagine plus collantes d'un reste de sauce ou de beurre que du miel d'ivresses nocturnes. Eh quoi ? On voulait me faire avaler que ce mollusque bouffi était la favorite du chah Eurymaxas ? Que le monarque d'un des plus grands États de l'océan Éridien avait élu pour sa couche une des créatures les plus ignobles de son royaume ? Le pire, c'est que c'était tellement gros que ce ne pouvait être que vrai.

Dût ma vanité en souffrir, je dois avouer que la première concubine ne parut pas avoir de moi une impression bien meilleure. Alors que mes salutations empressées tardaient un brin, elle m'accorda un nouveau regard, plus investigateur, et haussa imperceptiblement un sourcil. Il est vrai que je n'avais pas l'air très frais ; mes indispositions maritimes m'avaient laissé amaigri et bilieux, et ne m'avaient guère incité à soigner mon hygiène corporelle… J'avais une barbe de plusieurs jours, le cheveu emmêlé et raidi de sel, les ongles et le col crasseux, sans oublier quelques auréoles de sang séché sur les manches. De fait, je ressemblais moins au maître espion du Podestat de la République qu'à ce que j'avais été par le passé : un truand de la via Mala, familier des abattoirs et des tavernes louches.

Je finis cependant par suivre le conseil du sorcier, et par saluer la Rose virginale. Je lui adressai même un sourire bien peu protocolaire, un de mes sourires canailles, conçus afin de rappeler aux cœurs féminins qu'ils ont une fâcheuse tendance à battre pour les méchants garçons. Il y avait de la complicité crapuleuse dans ce sourire : il s'agissait de faire comprendre à ma graisseuse partenaire que j'avais capté son mépris, comme elle avait saisi le mien, ce qui finalement n'était pas un si mauvais départ pour entreprendre des négociations. Et puis j'y mis aussi un soupçon d'autodérision ; après tout, je m'étais trompé du tout au tout en m'imaginant qu'on allait essayer de me tourner la tête avec une beauté capiteuse. Les Ressiniens étaient plus subtils que ce que je m'étais figuré, et il fallait que j'en tire la leçon, car ils me réservaient sans doute d'autres surprises.

Si Stateira comprit mon hommage, elle n'en afficha rien. Elle se tourna derechef vers Bakkhidès, conversant avec lui avec familiarité, comme deux voisins prenant le frais sur leur pas-de-porte. L'agha brandit le sac de cuir qu'il avait amené avec lui et entreprit d'en dénouer le lacet, mais la concubine l'arrêta d'un geste, en affichant une moue franchement dégoûtée. Bakkhidès céda alors son macabre colis à un de ses hommes, qui l'emporta hors du patio. Pour ma part, j'avais été hypnotisé par le mouvement de la première concubine : sous la main boudinée, toute la graisse suspendue à son avant-bras avait frissonné comme un sac de gelée.

Puis Stateira interpella le gynécée des eunuques, qui continuaient à se mignonner sans aucune retenue. La plus coquette des péronnelles lui répondit avec une certaine acrimonie, et sous les yeux gênés de l'agha et du logocrate, j'eus le privilège d'assister à une prise de bec entre la première concubine et ses serviteurs. Stateira compensait manifestement la mollesse monumentale de son embonpoint par une langue acérée, et au terme d'un échange assez vif, elle l'emporta sur les insolents. De mauvaise grâce, les eunuques consentirent à se lever ; dans un impertinent claquement de babouches, ils apportèrent trois poufs, qu'ils disposèrent un peu à la diable devant le divan. Pendant qu'ils fournissaient cet effort considérable, la Rose virginale d'Elyssa continua à les accabler de jérémiades, sur le ton précipité et vindicatif de la mégère patentée. Elle maugréait encore dans son triple menton quand le logocrate me désigna l'un des sièges bas, entre lui et Bakkhidès :

« Veuillez vous asseoir, Seigneur Benvenuto, me murmura-t-il. Nous allons pouvoir commencer. »

Je calai prudemment mon fessier dans le confort fuyant du coussin. Je découvris ainsi une vue imprenable sur les reliefs montueux de la première concubine et sur la démesure généreuse de sa panse et de sa mamelle. Il est des visions, pour horrifiques qu'elles soient, qui n'en tétanisent pas moins l'esprit du mâle normalement constitué. Aussi mis-je quelques secondes avant de réaliser ce que venait de me dire Psammétique.

« Commencer ? »

Mais le sorcier ne m'écoutait plus. Il était pris à partie par Stateira, qui lui débitait maintenant un long discours sur un ton fort proche de celui qu'elle avait servi à ses eunuques. Le logocrate paraissait tout ouïe, opinait servilement du chef, le visage crispé sur un rictus qui ressemblait de très loin à un sourire courtisan. Ils avaient manifestement commencé sans moi. Psammétique finit par reprendre la parole en ciudalien :

« La première concubine est fort aise que vous soyez arrivé, seigneur Benvenuto ; elle vous présente ses compliments et rend grâce à la Déesse cornue que l'émissaire du podestat ait débarqué sain et sauf à Sunem. Elle souhaite, comme vous, traiter au plus vite. Elle a fait un voyage fastidieux depuis Elyssa, et des affaires capitales l'attendent au Sérail ; aussi elle sera heureuse d'entendre vos propositions et de négocier au mieux dans les meilleurs délais.

— Répondez à la Rose épanouie d'Elyssa que je me félicite, comme elle, d'être parvenu entier dans ce pittoresque patelin. Précisez que je comprends parfaitement la nature de ses obligations, et que si j'étais à sa place, je serais tout aussi pressé de retourner au Sérail. Je suis donc prêt à vous notifier au plus vite les conditions du Podestat. Mais… »

Je me penchai vers le logocrate, et j'ajoutai plus bas :

« Avant de commencer, on va bouger, hein ?

— Bouger ? »

Je désignai du pouce le bazar coloré qui régnait dans mon dos.

« La basse-cour, derrière, ne m'inspire pas confiance. La volaille, ça caquette. On commence à parler affaires, mais ailleurs. Dans un lieu plus confidentiel.

— Ah ! Je vois, » murmura Psammétique d'un air entendu, comme si ce vieil aspic ne m'avait pas compris d'entrée de jeu.

Puis il se détourna de moi et traduisit mes politesses et ma requête. Je devinai du mouvement derrière moi. Le bayraktar Naamân ne m'avait pas quitté ; comme les eunuques avaient négligé de lui donner un siège, il était en train de s'accroupir dans mon dos, et je pouvais presque sentir ses genoux frôler mes reins. C'était follement rassurant, comme attouchement, mais c'était un mal nécessaire ; après tout, l'entourage du chah devait savoir que j'appartenais à la Guilde des Chuchoteurs, et que mon fonds de commerce restait l'assassinat tarifé. Je ne me formalisais donc pas vraiment de la présence de l'agha et du bayraktar ; de toute manière, ils étaient aussi mouillés que moi. Par contre, il était inconcevable que je délivre le message du Podestat devant la ménagerie que la pulpeuse Stateira avait amenée dans ses bagages.

La réponse de celle-ci fut fort brève, et lâchée sur un ton assez vif. Le logocrate dut alors connaître de nouvelles difficultés translittératives, vu qu'il énonça :

« La première concubine est sensible à votre souci de discrétion, mais elle ne voit aucune nécessité de s'entretenir en un lieu plus retiré. La fraîcheur ombragée de ce jardin lui semble propice à un débat apaisé. Pour ce qui est de ses suivants, ce sont tous des familiers du Sérail ; ils répondent du secret sur leur vie, et il n'y a donc rien à craindre de leur présence. En fait, éloigner la première concubine de ses gens serait plus suspect, voire plus imprudent, que traiter devant eux. »

J'eus un regard admiratif pour le sorcier, qui était capable de traduire quelque chose comme « Qu'il aille se faire foutre ! » en un cours d'étiquette ressinienne. Je m'abstins pourtant de lui en faire compliment, afin qu'il garde encore quelque illusion sur ma crédulité. Je lui dis simplement :

« Des types comme vous et moi, on est des suspects professionnels. Ça ne devrait pas beaucoup étonner qu'on fasse des cachotteries.

— Oh, vous savez, moi, je suis tout disposé à vous accorder un entretien en tête-à-tête, me répondit-il avec naturel. Malheureusement, je ne suis pas votre interlocuteur ; et c'est l'honneur d'une dame qui est en jeu. »

Et il se payait vraiment ma tête, le vieil enfoiré. Raison de plus pour que je ne lâche pas le morceau. De toute façon, il était hors de question que je déballe ma marchandise devant un auditoire si nombreux. J'étais sûr que la suite de Stateira était vérolée de mouchards et d'informateurs. Des gens dans mon style devaient avoir trouvé des combines pour acheter les ragots colportés par nos joueurs d'échecs, par nos serviables eunuques, voire par le gamin et son ouistiti ; et ils ne devaient pas se priver ensuite de revendre leurs renseignements aux plus offrants. J'étais persuadé que les raïs étaient très bien rencardés sur ce qui se passait dans les alcôves du pouvoir royal, et il était déjà exclu que les capitaines pirates soient mis au courant des propositions du Podestat. Mais je soupçonnais aussi des réseaux plus ramifiés ; bien qu'il n'eût pas de fidèles à Ressine, le clergé de la Vieille Déesse envoyait régulièrement des mystagogues dans l'archipel, pour se livrer à des recherches à la Grande Bibliothèque. Par leur intermédiaire, il était possible de faire revenir des informations sur le continent. Sans oublier les procédures occultes auxquelles Psammétique avait fait allusion en mer. Dès lors, la plupart des rivaux de mon patron avaient la possibilité de laisser traîner une oreille dans l'entourage du chah. Au sein de la République, il était assuré que bon nombre de sénateurs disposaient de sources privées dans les allées du Sérail, et il aurait été catastrophique que les propositions secrètes du Podestat remontent jusqu'à eux. En politique extérieure, il était tout aussi probable que le duc de Bromael avait glissé ses taupes au milieu des familiers du chah, et compte tenu de l'équilibre compliqué qui existait entre le duché et la République, il était préférable de ne pas lui laisser trop de cartes en main.

Seulement, j'ai beau avoir mon franc-parler, j'avais bien conscience que dire tout à trac le fond de ma pensée n'aurait pas été très habile. J'allais vexer un peu plus la première concubine, elle allait camper sur son refus, et on courait tout droit à la situation bloquée. Il fallait donc que j'arrondisse un peu les angles.

« Je ne suis pas là pour compromettre une dame si importante, ai-je fini par dire au sorcier tout en adressant mon sourire le plus poli à la grosse vache. D'ailleurs, en ayant pour chaperons l'agha Bakkhidès et le bayraktar Naamân, j'ai du mal à croire qu'on pourrait imaginer des choses si j'avais cet entretien avec la première concubine… Je maintiens donc qu'il est plus prudent d'avoir ces pourparlers en cercle réduit. Je ne remets pas en cause la loyauté des proches de la dame ; vous les connaissez mieux que moi, et ce serait faire insulte à votre jugement que de laisser entendre qu'il pourrait se glisser des espions parmi eux… Mais enfin, ni vous, ni moi, nous ne sommes nés de la dernière pluie. On le sait très bien : plus le secret est gros, et plus il demande à sortir. Même en toute innocence. C'est la nature humaine. On peut bavarder sur l'oreiller pour se faire mousser auprès d'une conquête, ou par bêtise sentimentale ; on peut glisser un sous-entendu à un parent ou à un ami, pour le protéger des retombées probables d'un infléchissement politique ; on peut rendre un service à un protecteur ou à un créancier, histoire de conserver son crédit. Ensuite, les confidences se répandent comme une infestation de puces, de proche en proche, le long du réseau entremêlé des coucheries, des familles, des affaires. Et on se retrouve avec une rumeur galopante qui finit par tomber dans l'oreille d'un indésirable. C'est un risque que je veux épargner aux deux parties. Ce serait tellement plus simple et plus sûr de rester entre nous… »

Psammétique traduisit ma requête. Son discours fut plus court que le mien, et je trouvai très étonnant qu'à l'inverse de la translation du ressinien en ciudalien, celle du ciudalien en ressinien implique une contraction de texte… Stateira se fendit d'une phrase en retour, sur un ton catégorique.

« Votre prudence vous honore, Seigneur Benvenuto, broda alors le sorcier. Mais le Sérail est une société très différente du Palais curial de Ciudalia. Les communications avec l'extérieur y sont rares, très surveillées, et les indiscrétions y sont sanctionnées par les supplices les plus durs. Le secret y est la règle. La première concubine refuse donc de compromettre sa réputation pour pallier des risques que seul un étranger peut imaginer. »

Voilà une conversation qui s'engageait plaisamment ! J'étais enfin à pied d'œuvre, et je me retrouvais dans l'impossibilité de délivrer mon message, au nom d'un protocole absurde dont je me battais la breloque. Il fallait vraiment une imagination dénaturée pour se figurer que je pourrais peloter cette motte de graisse sous le regard complaisant des officiers du chah. Bien sûr, il y avait une arrière-pensée derrière tout cela, et je commençais à flairer un gentil coup tordu. Si le sublime souverain m'avait donné une interlocutrice, et n'avait pas missionné un de ses secrétaires ou un de ses officiers, c'était parce qu'il était conscient que le protocole ferait obstacle à la confidentialité des négociations. Il ne s'agissait pas de séduire le barbare ciudalien, comme je me l'étais naïvement représenté en débarquant ; il s'agissait de le contraindre à parler en public. L'intention réelle du chah, c'était que des indiscrétions circulent bel et bien, et remontent jusqu'à Ciudalia. Ainsi, sans avoir donné d'ordre, sans s'être exposé personnellement, et donc sans mettre en danger un éventuel accord de paix entre la République et le Royaume, Eurymaxas aurait pu déstabiliser le Podestat au Sénat, en l'exposant à subir le discrédit de ces fuites.

Des fuites que, désormais, j'étais le seul à pouvoir éviter. Mais si je me taisais, impossible de parvenir à l'accord secret qui conditionnerait un terrain d'entente dans les pourparlers officiels. Une fois de plus, je me retrouvais très exactement au cœur de l'échiquier. Dix-huit mois plus tôt, il s'agissait de la partie que jouaient les sénateurs ciudaliens pour la conquête du pouvoir, et j'avais bien failli y laisser ma peau. Cette fois, il s'agissait de la partie où la République et le Royaume s'affrontaient pour le contrôle du commerce maritime, et je n'osais même pas imaginer ce que j'y risquais. En tout cas, j'étais le pion très exactement au centre du jeu, après qu'un certain nombre de pièces maîtresses aient été prises — le podestat Cladestini tué au combat, les flottilles pirates taillées en pièces, le sénateur Sanguinella tourné en ridicule, le patrice Mastiggia liquidé... Du mouvement que j'allais faire dépendaient la paix ou la guerre, et la carrière du Podestat Leonide Ducatore.

Il me fallait donc réfléchir très vite, et réfléchir bien ! Il était exclu que je parle devant la suite de la première concubine ; mais il était tout aussi exclu que je garde pour moi mon message. Camper sur mon refus ne menait à rien. Je me méfiais en outre des tours que pourrait me jouer Psammétique ; Sassanos connaissait de puissants charmes pour vous tirer les vers du nez, et si le logocrate avait été son maître par le passé, le logocrate devait être un enchanteur redoutable. Bref, il fallait occuper le terrain, parler même pour ne rien dire, histoire de maintenir le sorcier dans son rôle de traducteur et éviter de lui donner l'occasion de passer à l'interrogatoire.

Tout en gambergeant ainsi, je gardais les yeux sur l'immonde Rose virginale. La grosse truie piochait dans un plat des loukoums qu'elle mâchonnait lourdement, tout en me rendant mon regard. Mais en dépit de sa masse et de sa rumination, en dépit de la brièveté de ses interventions, elle n'avait rien de bovin. Dans ses petits yeux noyés de graisse, je décelais de la spéculation rusée, une rouerie retorse et désabusée. Elle me faisait penser aux maquerelles vieillissantes des bordels de la via Maculata, et cette association d'idées me permit enfin de comprendre pourquoi elle était la première concubine. Ce n'était pas pour sa beauté généreuse ou pour de très mystérieuses compétences érotiques que Stateira avait accédé à cette position ; c'était par commodité domestique. Pour régenter le nid de serpents que devait être un harem royal, le chah avait eu le bon sens d'écarter toutes les jeunes chattes qui risquaient de déchaîner les jalousies ; il avait choisi une vieille putain qui avait tout vu, et dont les dernières consolations dans l'existence étaient une cuisine trop riche et l'inclination au despotisme. En débarquant à Sepheraïs, le logocrate lui-même me l'avait dit : Stateira était une vraie puissance au Palais. Et soudain, les choses me parurent claires. Si j'avais bien cerné Stateira, si elle était bien la femme de pouvoir et d'intrigue que je devinais, je venais de trouver un nouvel angle qui me permettrait peut-être de parvenir à mes fins.

Je repris donc la parole, juste au moment où mon silence allait devenir gênant.

« Possible que je voie le mal partout, concédai-je. C'est vrai que j'ignore tout de la cour du chah, et que mes soupçons, fondés sur une pratique ciudalienne de la politique, n'ont sûrement pas lieu d'être au Sérail. Si j'ai offensé la Rose virginale d'Elyssa en émettant des doutes sur la loyauté de ses familiers, présentez-lui mes plus plates excuses. »

Je m'interrompis un instant, afin de laisser le

sorcier traduire mon baratin et de faire croire que je me couchais. Psammétique me gratifia du sourire approbateur qu'on accorde à l'élève docile ; quant à Stateira, elle continua à mastiquer avec une application impassible. J'ajoutai alors :

« Toutefois… »

Et je vis le sourire condescendant du sorcier se figer.

« Toutefois, j'entrevois un autre inconvénient à poursuivre cet entretien devant tant de témoins. Je vous rassure tout de suite : je me rends à vos raisons, j'admets peu probable la présence d'espions, et je veux bien penser que ce que nous échangerons ne sortira pas du Sérail. Mais… Ce que nous allons dire se saura malgré tout au Sérail, n'est-ce pas ? »

Je me tournais à moitié vers les nombreux indésirables, en évitant de croiser le regard du bayraktar dont la moustache clairsemée et la carrure cuirassée obstruaient une partie de mon champ de vue.

« Je vois là des dames, des jeunes élégants, des officiers, des eunuques qui d'ici la fin de la journée vont se trouver fort bien renseignés sur la politique extérieure du sublime souverain. »

Et en reportant mon regard sur la première concubine, je poussai ma pointe :

« Or le problème avec les gens informés, c'est qu'ils croient être des gens avertis. Connaître un secret d'état a sérieusement tendance à dilater l'ego, et à faire accroire au dépositaire du secret qu'il est également compétent pour le traiter. Bref, parce qu'autorisés à savoir, les confidents vont aussi se croire autorisés à juger. Et plus de gens sont au courant, plus ils vont diverger dans les avis sur la politique à suivre. Forcément, la pluralité des opinions est source de factions et de querelles, que nous ne connaissons que trop bien dans la République. J'imagine qu'à la cour du sublime souverain, le débat est plus feutré, mais qu'il est facteur d'intrigues, de manipulations, de discordes, de disgrâces, qui nuisent à la sérénité du chah. Bref, la délibération royale n'est plus sereinement autocratique, mais doit tenir compte des partis de cour autant, sinon plus, que des facteurs de politique extérieure... Or les décisions que va devoir prendre le chah sont des décisions difficiles, qu'il choisisse de faire la paix ou de poursuivre la guerre. Est-il sage de lui infliger cette charge supplémentaire, les pressions contradictoires issues de son propre entourage ? »

Bien qu'il ait paru contrarié par ma nouvelle objection, je m'étais rendu compte que Psammétique l'avait écoutée avec attention. Quand il la traduisit, j'eus le sentiment qu'il ne l'abrégeait pas, mais se livrait, exceptionnellement, à une restitution littérale. Bien sûr, je n'avais pas livré le fond de ma pensée ; mon discours contenait aussi un message implicite, spécialement destiné à Stateira. Si j'avais bien cerné la rombière, elle comprendrait l'insinuation. Moins il y aurait de courtisans au courant, plus son propre avis, à elle, pèserait sur la décision royale. Et son influence en sortirait renforcée.

La première concubine ne se donna même pas la peine de me répondre. Avant même que le sorcier eut fini de jacasser, un éclair de duplicité entendue traversa sa prunelle. On s'était compris. Elle souleva les baudruches flasques qui lui lestaient les bras et frappa dans ses mains à deux reprises.

Ce qui se produisit alors tint du sortilège. Dans le patio, tout le monde se tut, tout le monde se leva. À l'exception du logocrate, de l'agha, du bayraktar et des quatre janissaires qui m'avaient encadré, tout le peuple bigarré des courtisans, des scribes, des gardes et des serviteurs reflua vers diverses portes. Le contraste était saisissant avec la scène à laquelle j'avais assisté quelques minutes plus tôt. Même les eunuques vidèrent les lieux sans piper mot. Sur tous les visages, je vis se peindre le même masque : une sorte d'apathie déférente et soumise, des regards désertés et baissés humblement vers le sol. Je venais de remporter un vrai succès, mais cette obéissance surprenante me fit froid dans le dos. J'eus l'impression farfelue que le chah en personne allait faire son entrée. Pas si farfelue que cela, tout bien pesé : peut-être le signal employé par la première concubine était-il celui par lequel le sublime souverain faisait comprendre qu'il désirait rester seul avec une femme.

Le temps de vider un godet, et je me retrouvais en quasi tête à tête avec l'étourdissante Stateira. Seule la fontaine chantonnait en sourdine. Un peu partout, abandonnés sur les bancs de pierre et sur le dallage, gisaient corbeilles à ouvrage, nécessaires à maquillage, volumes calligraphiés, instruments de musique. Un beau sujet pour une nature morte ou, mieux encore, pour une vanité... Quand un homme est sur le fil, il peut avoir de ces idées, quand même ! Je chassai en vitesse ces rêvasseries complètement indignes d'une crapule dans mon style. Le silence qui régnait maintenant dans le patio me renvoyait surtout au calme oppressant des rues de Sunem. J'avais obtenu le vide autour de moi, le vide nécessaire au caractère très louche de ma mission ; et ce vide empestait la mort à plein nez. Si j'avais convaincu Stateira des vertus du secret, il me faudrait prendre garde à ce que mes qualités persuasives ne se retournent pas, en définitive, contre moi-même...

« J'espère que vous mesurez l'étendue de la faveur qu'on vous accorde, me chuchota Psammétique. La Rose virginale s'expose en accédant à votre requête... »

Mais la Rose virginale en personne avait des choses à me dire, et elle interrompit l'aparté du logocrate, en me fixant avec une expression ironique.

« La première concubine espère que l'émissaire particulier du podestat est satisfait, traduisit le sorcier. Elle a d'abord éprouvé quelques réticences devant... heu... votre équipage un peu défraîchi, mais elle avait méjugé de votre qualité. La justesse de certaines de vos analyses l'ont convaincue que vous êtes bien du même monde. »

Pendant qu'on me servait de la pommade, je levai la tête vers les moucharabiehs. Vus de l'extérieur, ces grillages ouvragés étaient aussi opaques qu'un rideau. Des dizaines de personnes silencieuses pouvaient se trouver juste derrière, à se rincer les yeux et les oreilles. Ça ne m'aurait pas étonné que la cour du chah soit infestée de voyeurs. Je désignai les étages.

« Et là-haut ? Il pourrait y avoir des indélicats ? »

Je crus deviner l'effort que fit Psammétique pour étouffer un soupir.

« Non, Seigneur Benvenuto. Pas après l'ordre que vient de donner la première concubine.

— Et quelle confiance je peux avoir dans votre parole ?

— Une confiance proportionnelle à celle que nous pouvons avoir en la vôtre, seigneur Benvenuto. »

Qu'est-ce que vous voulez répondre à ça ? Me rengorger, protester de ma sincérité, ç'aurait été l'indice manifeste que j'étais là pour les entuber. Ce qui n'était pas tout à fait le cas, à vrai dire. Si je comprenais bien les calculs de mon patron, j'étais surtout là pour doubler ses adversaires ciudaliens. La somptueuse Stateira m'avait fait une concession ; logiquement, c'était à moi d'en faire une. C'était à moi de me lancer.

« Bon, d'accord. Allons-y. »

Inconsciemment, j'ai quand même baissé le ton. Même si le principal volet de ma mission était de délivrer un message, j'ai toujours un terrible scrupule à me montrer bavard. Bien sûr, je vois déjà mon aimable lecteur en train de ricaner sur mon compte, en se disant que pour un type taciturne, le Benvenuto a un sacré crachoir. Eh bien j'ai le regret de dire à mon aimable lecteur qu'il se fourre une phalange ou deux dans l'œil, en plus de risquer des ennuis s'il me croise au coin d'une rue. Je suis tout ce qu'on voudra, beau parleur, phraseur, cabotin, et même un peu éloquent si je m'oublie, oui madame, mais je ne suis pas bavard. Pas du tout. Le bavard est un imbécile qui parle sans réfléchir. Le bavard est un incontinent qui ne garde rien. C'est un panier percé qui ne se rend pas compte de la valeur de la parole.

Or la parole, c'est de l'or. La parole, c'est du bien. La parole, c'est du fer, du poison, du baume. La parole, c'est du sexe, de la mémoire, de l'avenir. De la divinité. La preuve : je commence à l'échauffer un peu, l'aimable lecteur, non ? Il s'en tape pas mal, de mes distinguos diptérophiles ; il se contrefiche que je puisse le poinçonner, il n'y croit guère ; il se demande surtout quand je vais passer à la suite, lâcher le message du Podestat, comprendre le fin mot de l'affaire. La parole que je retiens a plus de poids, à ses yeux, que la possibilité d'avoir la déveine de tomber sur moi demain matin.

Tout est là.

Et c'est une valeur si profondément ancrée en moi, ancrée par ma jeunesse de truand, par mes années de service dans les Phalanges, par le culte du secret des Chuchoteurs, par la fréquentation du pouvoir, que j'avais du mal à énoncer ce que je devais finalement délivrer. Surtout qu'on pouvait faire un putain de mauvais usage de ce que j'avais à dire…

« En fait, je suis là pour arranger les choses, ai-je fini par chuchoter. Son excellence le Podestat m'a envoyé pour faciliter un agrément, auquel il souhaite parvenir pendant les pourparlers officiels avec les plénipotentiaires du chah. Mais bien que son excellence Ducatore soit le seul magistrat suprême rescapé de la guerre, son excellence est loin de disposer d'une marge de manœuvre importante au sein de la République. La faction belliciste entend profiter au maximum de notre victoire au cap Scibylos. Elle veut imposer des conditions inacceptables au chah, dans le seul but de rompre les négociations et de poursuivre la guerre. Le Podestat ne désire pas suivre la même orientation, mais sa position serait actuellement minoritaire au sein de l'état-major comme au Sénat, aussi soutient-il officiellement la ligne dure des bellicistes... »

Je m'interrompis un peu, pour laisser le temps à Psammétique de traduire mon propos. Je constatai avec soulagement que lui aussi avait baissé le ton.

« Son excellence ouvrira donc les pourparlers en exigeant des garanties très lourdes de la part du Royaume de Ressine, continuai-je. Pour obtenir la paix, le chah devrait d'abord désarmer deux des trois escadres royales ; il devrait déclarer hors-la-loi l'ensemble des raïs et interdire la piraterie dans l'Archipel ; les villes d'Ahawa, de Nemrim et d'Elyssa devraient permettre aux navires de guerre de la République de relâcher dans leurs ports ; enfin, l'île de Rubiza tomberait sous le gouvernement de Ciudalia. »

Le visage du sorcier avait mué vers une impassibilité inquiétante à mesure que j'énonçais les exigences de l'état-major ciudalien. Quand j'eus terminé, il me fixa encore un instant sans mot dire. Puis, ce fut sur un ton plus lent et plus détaché que d'ordinaire qu'il répéta l'ensemble à Stateira. La première concubine gloussa avec mépris.

« Encore une fois, son excellence Ducatore est consciente de la difficulté pour le chah de se soumettre à de telles exigences. Aussi, dans le cours des négociations, le Podestat est-il prêt à introduire des concessions ; des concessions importantes. Mais ces concessions elles-mêmes seront soumises à des conditions, de nature plus discrète, que je suis chargé de vous rapporter. »

« Bien qu'ils soient galvanisés par notre victoire au cap Scibylos, nombre de nos patriciens commandants d'escadre répugnent à rester trop longtemps loin du centre politique. Le Podestat compte jouer sur ce facteur pour assouplir la ligne dure des bellicistes. Après quelques simagrées diplomatiques pour amuser la galerie, un accord de paix pourrait donc être envisagé si le chah acceptait des conditions moins contraignantes pour lui. En l'occurrence, il s'agirait de verser au trésor de la République un tribut de deux millions de florins, pour couvrir ses dépenses de guerre ; de livrer à notre justice deux ou trois raïs, parmi lesquels figurera impérativement l'émir Seqer ; de laisser le port d'Ahawa ouvert à nos navires de guerre dans le cadre de campagnes contre les pirates ; et enfin, d'accorder à la République un bail de quatre-vingt-dix-neuf ans sur l'île de Qir, à la pointe du cap Scibylos. »

Après avoir laissé Psammétique traduire ces nouvelles propositions, j'enchaînai :

« Toutefois, le Podestat va devoir livrer un bras de fer politique pour amener son propre camp à réduire ainsi ses prétentions. Aussi ne daignera-t-il assouplir la position de la République que si trois conditions... plus confidentielles... sont remplies par le Royaume. »

Au terme d'un bref échange avec Stateira, le sorcier susurra avec un dédain souriant :

« Quel est le prix de son excellence Leonide Ducatore ?

— Qu'est-ce que vous allez imaginer, rétorquai-je avec une mauvaise foi obligée. Que le Podestat serait assez vénal pour se laisser acheter ? Son excellence ne veut pas un liard ! »

Trop malin pour cela, mon patron. Bien sûr, qu'il allait s'en mettre plein les poches. Il allait même se gaver d'or, crouler sous le numéraire, faire craquer ses coffres de monnaie lourde, engorger ses chambres fortes avec une fortune fabuleuse. De quoi arroser la plèbe, s'offrir la moitié de l'aristocratie, débaucher les lieutenants de ses rivaux politiques, étouffer l'opposition au Sénat... Mais avec élégance. Ni vu ni connu. Du moins pour un temps : le temps de corrompre suffisamment de monde pour que la divulgation de la vérité n'ait plus grande importance...

« Le Podestat n'émet que trois conditions, poursuivis-je vertueusement, et elles ne coûteront pas une piécette au sublime souverain. La première est le secret. Rien ne doit filtrer de cette entrevue, et de l'arrangement particulier passé entre le Podestat et le sublime souverain. La deuxième condition, c'est moi. Le Podestat exige que je rentre vivant, et en état de lui faire le compte-rendu oral de cette rencontre… »

Là, je dois confesser que j'interprétais un peu librement les instructions que j'avais reçues. Quand il m'avait entretenu en tête-à-tête, mon patron n'avait émis que deux conditions, la numéro un et la numéro trois. La numéro deux était un additif de mon propre cru, un oubli véniel de la part du Podestat que je jugeais bon de réparer, pour les raisons que mon perspicace lecteur aura comprises…

« Enfin, la troisième condition est un article secret du traité de paix, si les deux parties tombent d'accord pour conclure les hostilités. Il s'agit d'une clause économique. Pour une durée de dix ans, le Royaume de Ressine accordera le monopole du commerce des épices et de l'ivoire aux armateurs Furca, Perducci et Solebrosso.

— Pourquoi ces négociants précis ? s'enquit la première concubine par l'intermédiaire de Psammétique.

— Ce sont ceux qui ont le plus souffert du conflit. L'essentiel de leur chiffre d'affaires repose sur le commerce avec Ressine ; quand la guerre a éclaté, tous leurs avoirs dans l'archipel ont été saisis, leurs navires ont été confisqués ou coulés. Ils ont frôlé la banqueroute ; s'ils n'avaient pas obtenu des prêts considérables à Ciudalia, ils seraient de fait ruinés aujourd'hui. Le monopole sera pour eux une réparation, qui leur permettra de renflouer leur trésorerie. »

Ce qui était l'exacte vérité, même si j'omettais un ou deux détails annexes. Les maisons Furca, Perducci et Solebrosso avaient effectivement fondé leur prospérité sur le commerce ressinien. Quand la guerre avait éclaté, elles s'étaient bel et bien retrouvées sur la paille. Lazaro Furca et Faustino Perducci avaient déposé une requête au Sénat, demandant à être indemnisés sur les avoirs ressiniens saisis à Ciudalia au début des hostilités, mais leur demande avait été déboutée. Officiellement, tous les biens ennemis devaient financer l'effort de guerre de la République. En fait, la plupart des sénateurs n'étaient que trop heureux de voir trois concurrents mettre la clef sous la porte ; quand la guerre prendrait fin, cela signifiait qu'il y aurait de nouvelles parts de marché à récupérer dans le commerce avec Ressine. C'était alors que le Podestat avait contacté discrètement les trois armateurs ruinés, par l'intermédiaire d'un de ses commis, le sieur Gerontino Garota. Il avait proposé à chacun d'entre eux une somme rondelette, de quoi se maintenir la tête hors de l'eau pendant quelques mois, assortie de l'assurance que la guerre ne s'éterniserait pas. En échange de ces fonds, il avait obtenu un intéressement au denier quatre sur leurs bénéfices, pendant les dix ans à venir…

Je ne me faisais aucune illusion : Psammétique comme Stateira avaient d'emblée deviné le montage financier qui allait faire de mon patron le principal profiteur de cette guerre. Mais le pot-de-vin à verser pour acheter une paix raisonnable ne coûterait strictement rien au chah : c'était une offre qu'ils ne pouvaient pas écarter à la légère.

« Pourquoi un monopole limité à l'ivoire et aux épices ? demanda Psammétique. Pourquoi pas l'acajou ? La soie de Valanael ? Le vin opiacé ? Le commerce d'esclaves ?

— Il ne s'agit pas d'asphyxier les autres maisons de commerce de la République. »

Et surtout, l'ivoire et les épices offraient le meilleur retour sur investissement…

Après un conciliabule un peu plus long avec Stateira, le logocrate reprit la parole dans ma langue :

« Vous affirmez que cet arrangement permettrait d'obtenir des conditions de paix acceptables pour le sublime souverain ; mais ces conditions elles-mêmes nous paraissent excessives. Le tribut est exorbitant ; non seulement le Royaume a eu à subir un déficit commercial comparable à celui de la République, mais sa flotte a essuyé des pertes conséquentes au cap Scibylos… Toutefois, le sublime souverain acceptera peut-être de puiser dans ses coffres s'il obtient la garantie que les escadres de la République quitteront l'Archipel. Mais les autres exigences restent outrées. Livrer ne serait-ce que quelques raïs à Ciudalia, des officiers qui ont combattu sous l'étendard de Ressine, serait perçu comme une trahison par l'armée et par le peuple. Ouvrir un port aux navires de guerre de la République, et lui laisser le contrôle de l'île de Qir, ce serait placer les axes maritimes de Ressine sous protectorat ciudalien. C'est inacceptable.

— Et pourtant, son excellence Ducatore ne peut pas offrir mieux. Si la paix se fait à ce prix, il est assuré d'être violemment attaqué au Sénat pour le maigre fruit de sa victoire, et il court le risque de ne pas être réélu. Ne comptez donc pas qu'il révise encore à la baisse sa proposition.

— Et si le sublime souverain rejette cette offre ?

— Alors il y aura d'autres Rubiza. Pour le nettoyage, vous pouvez faire confiance au régiment Burlamuerte.

— Mais le podestat Ducatore ne peut soutenir cette guerre très longtemps. Il lui reste cinq mois avant les élections ; à peine deux mois avant la mauvaise saison, qui suspendra les opérations en mer. Imaginons que son excellence Ducatore ne soit pas reconduite dans ses fonctions à l'issue de son mandat : il suffirait au Royaume de résister encore quelques mois pour que le bénéfice personnel de la victoire échappe complètement au podestat…

— Raison supplémentaire pour accepter cet accord. Le Podestat Ducatore est si conscient de cette situation qu'il n'a que deux options : soit obtenir la paix immédiatement, soit écraser définitivement le Royaume de Ressine dans les semaines à venir. Il consacrera quelques jours aux pourparlers officiels, mais s'il ne voit aucun débouché rapide, il brusquera les choses. Que feront vos trois escadres royales, soutenues par une poignée de navires pirates, face aux douze escadres de la République ? La plupart des ports de l'archipel sont maintenant des villes ouvertes pour nos galères. Vous ne tiendrez pas deux mois. Ou alors, retranché à Elyssa, le chah verra flamber la moitié de son royaume. »

Le sorcier et la première concubine se remirent à dialoguer avec une certaine animation, mais je les interrompis. Mieux valait que j'occupe un peu le terrain.

« Deux millions de florins, c'est cher. Mais que coûteront au chah des populations massacrées, des villes brûlées, des entrepôts pillés, des arsenaux détruits, des ports condamnés par des épaves ? S'il a peur pour Ahawa, il n'a qu'à y faire mouiller une ou deux escadres royales. Il aura ainsi l'assurance que nos navires n'y feront relâche que dans le cadre de campagnes contre les pirates, non pour annexer la ville. Quant à l'île de Qir, c'est un rocher battu par les flots ; seules quelques galères peuvent y accoster. Ce n'est pas une grande concession… De plus, en fixant son loyer, le chah pourra se rembourser en partie du tribut versé à la République. Il y a pire, comme opération. »

Psammétique m'écouta, les yeux plissés, mais j'avais le sentiment de lui servir une soupe médiocre. Mes arguments étaient frappés au coin du bon sens, mais ils n'avaient rien de très originaux pour des animaux de cour comme lui, Stateira ou l'agha Bakkhidès. Ils se remirent à bavarder dans leur langue. Pour finir, le logocrate se retourna vers moi :

« Seigneur Benvenuto, pouvez-vous m'apporter une ou deux précisions ? Tout d'abord, le podestat a-t-il défini quelque signe de reconnaissance entre ses représentants et ceux du chah, quand les pourparlers officiels auront lieu ?

— Il ne m'en a pas parlé. À mon avis, parce que ce

serait inutile, et dangereux. Il suffit que la négociation s'oriente naturellement vers les objectifs que nous avons définis.

— Que vous avez définis, corrigea le sorcier avec un sourire venimeux. À ce sujet, une deuxième question… Pouvez-vous nous rappeler la fonction exacte dont vous avez été investi par son excellence Ducatore ? »

Question directe, et manœuvre pernicieuse. Je le voyais venir, le vieux serpent, avec son soudain pointillisme protocolaire.

« Je suis son représentant officieux.

— Mais qu'entendez-vous par là ? Êtes-vous plénipotentiaire, ou êtes-vous son porte-parole ?

— Je suis son émissaire particulier, si vous préférez.

— Mais êtes-vous en mesure de négocier ? Disposez-vous d'une marge décisionnaire ?

— Je suis à même de discuter, dans l'intérêt de la République et du Royaume.

— Dans l'intérêt de la République, je n'en doute pas. Pour ce qui est du Royaume… »

Et sa moue emplie de répugnance me rappela qu'il existe une décence jusque dans l'usage qu'on fait de l'hypocrisie.

« Si je vous ai bien compris, poursuivit-il impitoyablement, vous êtes juste le messager secret du podestat Ducatore. Il n'est pas en votre pouvoir d'infléchir ses positions ; dans ce cas, il n'est pas très utile que la première concubine continue à délibérer avec vous. Êtes-vous porteur de quelque autre message ? »

Ça sentait la porte de sortie ; c'est-à-dire, en ce qui concernait mes petits intérêts particuliers, la phase la plus savonneuse de la mission. Fort heureusement, mon patron m'avait chargé d'un autre message pour le chah. Enfin, « fort heureusement », c'est une façon de parler. En fait, je n'étais pas sûr du tout de l'à propos de ce que le Podestat m'avait demandé de transmettre… Disons que c'était une façon pour moi de différer encore de quelques instants la perspective incertaine de la conclusion.

« Oui, je suis chargé d'un autre message. Son excellence Leonide Ducatore présente ses respects les plus humbles, les plus dévoués et les plus obéissants au sublime souverain Eurymaxas. Son excellence se désole de se trouver dans une situation si ingrate, où les intérêts de la République l'ont poussée à prendre les armes contre ce généreux monarque. C'est le podestat qui dicte ses conditions au chah de Ressine ; mais le citoyen Ducatore se souvient avec émotion et reconnaissance de l'accueil reçu naguère à la cour d'Elyssa. Cette guerre est une tragédie, et son excellence Ducatore a le cœur serré d'imposer de si cruelles conditions au sublime souverain ; il caresse néanmoins l'espoir de toujours pouvoir s'enorgueillir de son amitié. »

C'était typique de mon patron. Il ne fallait pas y voir un formalisme stupide, ni même de l'ironie cinglante — du moins pas seulement de l'ironie. Quand le Podestat m'avait délivré cette partie de son message, il avait eu l'air absolument sincère. Il y avait chez lui une part de l'homme qui regrettait véritablement le massacre de Rubiza, la destruction de la flotte ennemie, l'humiliation du Royaume. Il avait poignardé le chah dans le dos, il l'avait même suriné froidement, sciemment, méchamment ; mais il l'avait fait avec une compassion désolée. Pas de sa faute. Ses intérêts étaient une force irrésistible, qui submergeait ses propres repères moraux. Dans le même état d'esprit, deux minutes plus tard, il m'avait demandé de mettre terme au problème Mastiggia, en faisant l'éloge de ce génie imprudent. Je lui enviais cette forme supérieure de cynisme. Moi, je ne parviens pas à me hisser aussi haut. Quand je tue, c'est souvent avec indifférence, parfois avec rage. Jamais par une nécessité qui m'épargnerait la culpabilité.

Reste que je me demandais comment les dignitaires ressiniens allaient réceptionner le message. Il était facile de le prendre pour une insulte. Mais le Podestat connaissait bien les mœurs du Sérail ; après tout, pendant son exil, il avait passé quatre ans à Elyssa. Au terme d'un bref échange avec Stateira, le sorcier m'adressa ce compliment gracieux :

« Comme c'est délicat de la part de son excellence, d'avoir veillé à conclure par ses protestations d'amitié. Auriez-vous ouvert le débat par ces regrets, on aurait pu soupçonner quelque exorde purement rhétorique... Mais terminer ainsi, c'est vraiment faire état de sentiments dépourvus de calcul. »

Pas de doute : si Psammétique était l'interprète fidèle de son souverain, mon patron et le sien devaient s'entendre comme larrons en foire.

« Êtes-vous porteur de quelque autre communication ? reprit aimablement le logocrate.

— Pour parler net, j'en ai fini. »

Dans un éclair de prescience, je compris ce qui allait se passer. Ai-je vu le regard de Stateira se porter vers un point derrière moi ? Ai-je senti le mouvement du bayraktar ? Mais je n'eus pas le temps de réagir. Un choc d'une violence terrible me cueillit sur les cervicales, et j'eus l'impression que le monde se disloquait avec mon échine.

Je ne perdis pas conscience, du moins pas complètement. Je me revois encore à quatre pattes, suffoqué, en train de rendre de la bile sur le dallage. Mais j'eus bel et bien quelques trous. Quand mes idées redevinrent à peu près nettes, j'étais à l'autre bout du patio, soutenu par deux janissaires qui me maintenaient solidement les bras. Face à moi, mon ami Naamân se frottait le poing droit, sa gueule de métèque transfigurée par un sourire de satisfaction imbécile. Sous l'acacia, l'agha et la première concubine devisaient paisiblement, comme si j'étais déjà un problème réglé. À distance prudente, Psammétique m'observait, avec l'expression légèrement contrariée qu'il avait arborée en cherchant le corps du patrice parmi les cadavres de la galère Mastiggia.

« Nous avons pensé qu'il était plus humain de ne pas vous prévenir, expliqua obligeamment le sorcier. L'appréhension amplifie le mal, alors que la surprise suffit souvent à oblitérer la douleur. Voyez-vous, nous sommes aussi désireux que vous de conserver son caractère confidentiel à cette rencontre. Le plus simple aurait probablement été de vous étrangler, mais c'est une option que nous devons écarter, dans la mesure où son excellence Ducatore désire que vous lui soyez rendu. Toutefois, il ne serait guère crédible que vous rentriez à Ciudalia sans un ou deux stigmates de captivité. Afin de vous aider à couvrir votre véritable mission, le bayraktar Naamân va vous accorder ses soins. Rassurez-vous, Seigneur Benvenuto : tout au plus quelques retouches cosmétiques… »

Au fur et à mesure que le logocrate me débitait son baratin, je voyais le sourire du bayraktar s'agrandir. On aurait cru qu'il comprenait Psammétique. Ce qui était certain, c'est que l'officier janissaire me considérait avec une concupiscence affichée. Il savourait par anticipation la dérouillée qu'il allait me coller. Il respirait lentement, pesamment, et j'avais l'impression qu'il devenait congestionné. J'étais sûr qu'il était en train de bander.

Le fait de m'arranger un peu le portrait était sans doute un mal nécessaire. Il aurait été incontestablement plus prudent d'encaisser en serrant les dents. Mais il y a quand même des limites au secret diplomatique. Je voulais bien qu'on me casse la gueule, mais je refusais qu'on en tire une jouissance perverse. Quand le bayraktar s'avança pour me faire mon affaire, je lui grillai la politesse. Je pris appui sur les deux soldats qui me tenaient, je projetai mon corps en un mouvement de balancier, je percutai mon ami Naamân des deux talons, juste sous le plexus. Ce fut à ma façon qu'il s'envoya en l'air.

Je n'eus pas le loisir d'achever le moricaud. Les deux autres janissaires me tombèrent sur le dos, je pris un nouveau coup sur les reins qui me paralysa de souffrance ; cette fois, ils s'y mirent à trois pour me maintenir, à genoux, les bras tordus vers les omoplates, une botte écrasée sur mes mollets. À ma grande déception, je n'avais pas tué le bayraktar. Plié en deux sur le sol, il mit du temps à retrouver sa respiration, sous le regard méprisant de l'agha et de Stateira. Mais il finit par se relever. Sans doute son armure et son haubergeon avaient-ils amorti l'impact ; sans doute ma nuque à moitié broyée m'avait-elle privé d'une partie de mes forces. Quand il se redressa, il était rubicond ; mais cette fois, c'était d'humiliation et de rage. Il me dévisagea avec une haine féroce, et, avec une lenteur délibérée, il saisit les gantelets accrochés à son ceinturon d'armes, et il les enfila.

Il cracha quelques mots :

« Sale enculé bâtard de parvenu ! »

Ce fut ainsi que j'eus la surprise de découvrir que le bayraktar Naamân, avec ses moustaches ridicules et sa trogne d'abruti, maîtrisait assez bien les finesses du ciudalien.

Puis me dominant de toute sa taille, il prit son élan et cogna.

Je n'ai pas un souvenir très net du programme, sinon que ce fut effroyablement long et brutal. Il se concentra essentiellement sur le visage. Dès les premiers coups, je me mis à pisser le sang comme une fontaine. Il y en avait partout, sur les soudards qui m'immobilisaient, sur les poings gantés d'acier de l'officier, sur son joli cafetan criard. Un choc me réduisit l'oreille gauche en pulpe vive ; j'eus l'impression qu'un tisonnier me crevait le tympan, et je devins à moitié sourd. J'étais certain qu'il allait me mettre le crâne en miettes, m'arracher la figure lambeau par lambeau, et que mes vertèbres allaient céder. Je n'y voyais déjà plus avec l'œil droit quand je crus deviner, à ses pieds, l'émail de plusieurs dents qui pointaient dans une flaque écarlate. Je sentis distinctement mon nez craquer, un son terriblement intime, terriblement tactile, qui me transperça jusqu'au sommet de l'occiput.

Pour la suite de la fête, je me fis la malle.

# IV

## *Les humiliés*

Les soldats prussiens étalèrent deux bottes de paille dans une voiture et firent signe aux deux prisonniers en blouse de monter dedans ; la voiture s'éloigna suivie de quelques fantassins prussiens. Le pas du cheval, le bruit des roues brisèrent le cœur des prisonniers militaires dont les yeux se mouillèrent de larmes.

MARDI 4 OCTOBRE 1870

*Note manuscrite trouvée sur la page de garde d'un ouvrage de pathologie interne ayant appartenu au docteur Schneider, médecin au XIXe siècle.*

Un râle.

Un râle pénible, encombré, coupé de brèves pauses, alternant entre le ronflement gras et le gargarisme. Ce fut la première chose dont j'eus conscience. Je l'entendais mal, comme si mon oreille gauche était bouchée… Et pourtant il m'assourdissait, car ce son horrible ne parvenait pas à sortir, et emplissait les alvéoles crevées de mon crâne comme autant de cages de résonance. Je respirais par la bouche. Mon nez n'était plus qu'une excroissance de tissus broyés, qui ne laissait plus passer l'air. Mais je respirais. Ils m'avaient laissé en vie.

Ils m'avaient laissé en vie.

Je n'y voyais rien. J'étais allongé sur un sol irrégulier et dur. Je me sentais une raideur douloureuse dans le bas du dos, comme une lombalgie sournoise. Mon cou n'était plus qu'un chiffon douloureusement froissé. Mais c'était la tête qui me faisait souffrir le martyre. La pulsation rageuse de mes plaies m'avait tiré de l'inconscience ; et à mesure que je revenais à moi, c'était pour éprouver avec plus d'acuité toute une série de supplices nouveaux. J'avais la sensation très angoissante d'avoir simultanément la gueule défoncée et hypertrophiée. Des élancements brûlants me perforaient la face et se multipliaient de façon affolante, dans un crescendo de douleur qui embarquait mon saignant en folles embardées. Et à chaque battement de cœur, j'avais le sentiment que quinze masses de forgeron s'abattaient sur mes pommettes crevées, mes sourcils fendus, mon nez pulvérisé, mes lèvres éclatées.

Ils m'avaient laissé en vie... Les enfoirés !

Probable que je perdis à nouveau le fil.

J'ignore combien de temps je suis resté ainsi, oscillant entre une souffrance stupéfiée et des pertes de connaissance. Je me laissais glisser. J'ai réalisé après coup que j'ai failli mourir pendant mes syncopes, en m'étouffant dans mon propre sang. Finalement, je reçus un secours inespéré. Quoique prévisible, d'ailleurs, et franchement désagréable... Mais c'était ce qu'il me fallait pour émerger.

La vermine se mit à me butiner.

Quand je revenais à moi, j'avais tellement mal au crâne que je ne sentais rien d'autre, sur mon visage, que les éruptions de souffrance. Mais sur la peau de ma poitrine, sous le col déchiré de mon pourpoint, je perçus des fourmillements. Des cavalcades infinitésimales. Je soulevai faiblement une main jusqu'à mon torse ; sous mes doigts, je sentis un grouillement d'insectes. Ça filait dans tous les sens. Je me sentis gagné par une trouille joliment épidermique, qui me rendit les idées plus claires. Je tentai d'ouvrir les yeux, sous la coque boursouflée des ecchymoses, et je n'y parvins pas. Les croûtes avaient scellé mes paupières, et j'eus le sentiment atroce d'avoir perdu la vue. L'accès de panique que je ressentis alors acheva de me ranimer. Avec l'énergie du désespoir, je me redressai ; l'effort fut terrible, pour réussir à m'asseoir dans un équilibre flageolant.

J'essayai de respirer par le nez. L'inspiration poignarda mes fosses nasales éclatées, sans que je parvienne à inhaler un filet d'air. J'ouvris la bouche pour haleter, et ce mouvement fit exploser une onde insupportable de souffrance dans ma mâchoire. De douleur, les larmes me montèrent aux yeux, mais elles ne purent s'évacuer. L'œdème gonfla mes cocards boursouflés, et enfonça des pointes brûlantes dans mes sinus massacrés. Une image terrible s'imposa alors à moi, remontée de mes souvenirs les plus pénibles : celle de don Mascarina, mon défunt maître au sein des Chuchoteurs. Dix-huit mois plus tôt, mon mentor dans l'honorable société avait été l'une des victimes sacrifiées à l'ambition du Podestat. Don Mascarina en savait trop sur les intrigues que le sénateur Leonide Ducatore avait entreprises pour reconquérir la magistrature suprême ; don Mascarina risquait de parler. Alors, pour brouiller les pistes, le Podestat lui avait fait subir le châtiment que la Guilde des Chuchoteurs réserve à ses traîtres : le supplice des Trois Traits. On lui avait coupé la langue, on lui avait arraché les yeux, puis on lui avait cousu la bouche et les paupières. Ce n'était pas moi qui avais infligé ces mutilations à mon ex-patron, mais c'était moi qui l'avais découvert, en pleine nuit, agonisant dans son jardin. Ma cécité, mes efforts contre l'asphyxie, les élancements qui déchiraient ma gueule dévastée, tout cela fit resurgir ce fantôme sanguinolent : la tête bouffie, suturée et vivante de don Mascarina.

Je dus pousser quelques cris de bête. Ça manquait un peu de dignité, mais ça me permit de constater qu'on ne m'avait pas ligaturé les lèvres, et que j'avais conservé ma langue. Je n'en fus que très modérément réconforté. Car cet organe épargné me permit d'explorer l'étendue des dégâts buccaux... Un trou béant s'était substitué à mes incisives supérieures, et un nombre proprement incroyable de mes molaires branlaient à l'unisson sur le côté gauche, en me vrillant le chef de façon épouvantable. Pas de doute : mon ami Naamân m'avait cassé la gueule, au sens littéral du terme.

Je tâchais d'abord de me débarrasser de la faune répugnante qui s'était mise à table. Avec l'hystérie d'une donzelle phtisique, je m'époussetais en grognant d'horreur. Sous mes doigts, je sentis l'abdomen annelé de quantités de fourmis, le corps aplati d'un bataillon de punaises, la carapace de quelques blattes, et des rubans articulés et sinueux, hérissés d'élytres et de pattes. Mon oreille gauche semblait morte ; mais la droite me livrait le bourdonnement énervant d'un essaim de mouches, et je ne pus m'empêcher de gémir en imaginant que mes plaies risquaient d'être colonisées par des vers.

Quand je parvins à discipliner cette hantise ridicule contre les insectes, je revins à mes yeux. Je levai des mains tremblantes d'appréhension et de faiblesse vers mon visage. Mes doigts me révélèrent un désastre. Je touchais un magma poisseux de croûtes, d'ecchymoses, de plaies dentelées et suintantes. Mes arcades sourcilières fendues et mon nez cassé m'avaient gratifié de deux cocards gros comme des œufs de poule ; il n'était pas étonnant que j'aie le plus grand mal à y voir... Mais me restait-il des yeux ? Je crachai dans mes mains et j'essayai de nettoyer mes paupières ; le geste était douloureux, mais la perspective d'avoir perdu la vue était insupportable. Je ne parvins à rien avec l'œil droit ; l'ecchymose y était dure et énorme comme une pelote bourrée de grain ; mais je finis par entrouvrir l'œil gauche. Il me livra une perception brouillée : j'étais dans un sous-sol, cave ou cachot, chichement éclairé par un rayon de jour tombé d'un soupirail. Ce fut mon premier vrai soulagement : j'étais sérieusement démoli, mais je n'étais pas aveugle.

Je n'avais pas grand chose à découvrir dans la pénombre. On m'avait jeté dans une cellule nue, dépourvue de bat-flanc et de paille. Près de la porte basse et massive, étaient déposées une jatte d'eau et une galette de pain envahie de fourmis. Je voulus gagner le soupirail : la tentative que je fis pour me lever faillit me renvoyer dans les pommes. J'avais la tête qui pesait plus que le corps ; à peine debout, le monde se mit à tourner comme une toupie. Je retombai sur les fesses, et mon crâne sonna comme une cloche fêlée. Je suis tout sauf barbier, mais j'avais connu suffisamment de rixes et de combats pour trembler de ce qui m'arrivait : si les vertiges ne venaient pas de mon état de faiblesse, le coup sur l'oreille pouvait très bien m'avoir détruit le sens de l'équilibre.

De rage, de désespoir, de souffrance, je me mis à rire. Mais je ne pouvais même plus ricaner tranquillement. Un coup de burin sous les molaires me rappela que ma mâchoire aussi ne demandait qu'à se gondoler.

Santé, don Benvenuto !


Il fallut survivre.

La priorité numéro un, pour moi, c'était de me nourrir. J'ignorais combien de temps j'avais passé dans les vapes ; mais je ne savais que trop que je n'avais rien avalé de solide plusieurs jours durant, tant que j'avais vogué sur le chebec de Psammétique et de Bakkhidès. Je n'avais pas faim ; j'avais trop mal, et j'étais même trop faible pour avoir envie de casser la croûte. Toutefois, je n'étais que trop conscient de l'issue de cette petite diète si elle venait à se prolonger... Une des premières leçons qu'on vous apprenait dans les Phalanges, c'était qu'un soldat qui ne mangeait plus était un soldat mort. Or j'ai toujours eu un sale caractère. Celui qui devait crever, c'était le bâtard d'en face, pas le brave petit double-solde Benvenuto Gesufal. Il fallait survivre. Il fallait manger.

Or j'étais incapable de manger.

Quand j'eus rampé jusqu'à la galette rassise qu'on m'avait laissée, quand je l'eus laborieusement débarrassée des fourmis qui la couvraient, je vérifiais dans la douleur ce que j'avais soupçonné : mon râtelier martyrisé m'empêchait de consommer un aliment solide. Première contrariété : quand vous avez eu l'habitude de mobiliser des gencives correctement dentées, essayez de saisir une bouchée de pain avec la moitié de vos incisives… Mais ce n'était pas le problème le plus aigu, loin de là. Le pire, c'était ma mandibule fracassée. Le simple fait d'ouvrir la bouche provoquait une déferlante de souffrance sous la joue gauche, là où j'avais la mâchoire fracturée. Je n'osais même pas envisager de mastiquer, sauf à risquer le suicide par arrêt cardiaque. Assommé de douleur, de faiblesse, de désespoir, je restai un long moment avec ce quignon serré dans mes paumes, sachant que j'avais ma vie dans les mains et que j'étais incapable de la porter à ma bouche. On m'avait donné du pain, et j'allais en mourir, alors qu'un bol de soupe aurait suffi à relancer la mise. En fait, je tenais ma solution, mais ma cervelle commotionnée mit un certain temps à l'identifier. La soupe. Je n'avais qu'à faire la mienne…

Je déchirai mon pain entre mes doigts, en tout petits fragments que je mis à tremper dans ma cruche d'eau. Puis, je suçai mes pauvres mouillettes, en tremblant à la perspective d'un contact entre ma langue et mes molaires autonomistes. Je passai l'essentiel de la journée à ce festin somptueux, boulette de mie par boulette de mie.

Il fallait survivre.

Je ne recevais qu'une visite par jour. Dans la matinée, deux geôliers venaient reprendre ma jatte vide et la remplaçaient par une galette et un récipient d'eau. Il s'agissait de deux janissaires portant un cafetan rouge : des soldats réguliers de l'armée royale, mais plus les jardiniers affectés à la garde des familiers du chah. Même lorsque j'étais encore incapable de tenir debout, ils se méfiaient de moi comme d'un animal blessé. Celui qui ne m'apportait pas ma pitance ne me quittait pas des yeux et gardait toujours la main sur son poignard. Quand ils entraient, ils aboyaient quelque chose, et supposant qu'il s'agissait de l'ordre de m'écarter, je me traînais au fond de ma cellule. J'étais terrifié à l'idée de prendre un nouveau coup.

Je me raccrochais à de faibles espoirs. Je ne rendais plus mes boyaux. Je ne craignais plus le mal de mer, loin de là ; mais au cours de mes années de Phalange, j'avais vu mon content de gueules cassées. Souvent, les traumatismes crâniens les plus graves, dont certaines fractures du nez, provoquaient de violents vomissements. En général, les blessés de ce type étaient foutus. Ce n'était pas mon cas. Je devais m'accrocher.

Je me forçais à manger, jour après jour. Ma bouillie de pain et d'eau était tout sauf appétissante, et me procurait plusieurs heures de succion angoissée. Chaque déglutition mobilise la langue, et malgré toutes mes précautions, le plus léger écart de manducation me balançait un terrible crochet dans la mâchoire. Mais je m'astreignais à avaler toute la galette. Bien vite, je pris conscience que ce simple morceau de pain aurait été insuffisant à me rassasier si j'avais été en pleine forme ; blessé comme je l'étais, j'avais besoin de recouvrer des forces qu'un quignon quotidien ne pourrait pas me fournir. Alors, pour survivre, il me fallut me résigner au pire. Je dus compléter mon régime alimentaire. Je mangeais mes propres croûtes. J'écrasais sous mon pouce les insectes attirés par mon pain, par ma sueur, par ma merde ; je les ingurgitais.

Je souffris de la soif. La jatte qu'on me donnait contenait peut-être deux pichets ; c'était un peu juste pour un gaillard en bonne santé, et certaines plaies infectées me donnèrent de la fièvre. Mes nuits étaient opaques, caniculaires et hantées. Je revivais obsessionnellement mes pourparlers avec Stateira et Psammétique, le bay-raktar soufflant contre ma nuque, et j'essayais frénétiquement de trouver une issue qui aurait annulé la dérouillée. Bien sûr, l'issue ne variait jamais ; mais je reprenais aussitôt l'entretien à son commencement, et je le filais à nouveau avec l'illusion désespérante que je pourrais y retrouver mes dents. Quand j'émergeais parfois de ce cycle infernal, je gisais dans un noir de poix. À l'autre bout de la cellule, dans un nid moite de ténèbres, je pouvais presque voir l'ombre d'un second prisonnier. À croupetons, les bras serrés autour de ses genoux, Bucefale Mastiggia m'adressait son affreux rictus, en me dévisageant avec des yeux voilés… Je ne connus qu'une rémission à ces cauchemars récurrents. Une nuit, un vent de mer amena un orage. Je passai alors plusieurs heures la joue droite collée contre le mur, juste sous le soupirail, pour sucer l'eau qui suintait de la pierre.

Je comptais les jours. Le lendemain de mon réveil, je récupérai une petite pierre dans les quelques gravats qui jonchaient le sol. Chaque matin, je gravais un trait sur le mur. J'estimais qu'il faudrait trois à quatre jours pour que Stateira rentre à Elyssa et fasse son rapport au chah ; puis encore trois à quatre jours pour que les instructions du chah arrivent à ses officiers chargés de négocier avec notre état-major. Je savais que le Podestat ne pouvait pas se permettre de faire traîner les tractations en longueur ; soit le Royaume se plierait à ses conditions, soit notre flotte reprendrait l'offensive. En quinze jours, la paix devait être conclue ; et il était vraisemblable que je figurerais dans les prisonniers restitués à la République.

Quinze jours passèrent. Vingt jours. Trente jours.

Je pourrissais toujours dans mon cul-de-basse-fosse.

Peut-être le chah avait-il refusé de capituler. Peut-être la guerre faisait-elle toujours rage. Peut-être même les Ressiniens avaient-ils redressé la situation... Dans un mois tout au plus, la mauvaise saison allait mettre terme aux opérations en mer.

Et je savais très bien que si la paix n'était pas signée, ma vie ne pèserait plus un pet de puceron.

Je fis de lents progrès.

Au bout de quelques jours, je pus entrouvrir l'œil droit. J'avais plus que jamais l'impression d'avoir troqué mon arcade sourcilière contre une courge bien mûre, mais je parvins à soulever suffisamment la paupière pour entrevoir un faible rai lumineux. Pendant la semaine qui suivit, je ne fus pas rassuré. J'avais une tendance désespérante à voir double ; mon œil droit cherchait à se faire la malle, et il me fallait un effort pénible pour accommoder correctement. J'avais eu jusqu'alors un vrai talent homicide dès qu'une arbalète me tombait sous la main, et je craignais les séquelles que les poings du bayraktar avaient pu indexer à ma valeur contractuelle. Fort heureusement, le symptôme s'atténua insensiblement.

Après une semaine, l'ouïe commença à me revenir du côté gauche. Des améliorations irrégulières et ténues ; parfois, j'entendais mieux ; parfois, je ne percevais plus rien. Toutefois, très lentement, il me sembla que mon oreille se rétablissait. Je m'astreignis à me relever et à marcher, en m'appuyant contre les murs pour lutter contre le vertige. Je continuais à souffler par la bouche : mon nez, écrasé, gonflé, douloureux, restait hermétique. À quelques reprises, j'essayai d'explorer mes narines avec l'auriculaire, au moins pour évacuer les caillots les plus accessibles. Le moindre toucher me poignardait les fosses nasales, remplissait mes yeux de larmes, me laissait au bord de la syncope. Je finis par renoncer.

Dans un sens, sans doute était-ce une chance. Ma cellule devint très vite un cloaque. Mes geôliers me fournissaient le pain et l'eau, mais ne pourvoyaient pas à mon hygiène ; ils ne me donnèrent même pas un vase de nuit. J'étais dans la merde, au sens littéral. J'allais pisser et pousser quelques crottes anémiques dans un coin du cachot. Malgré le régime plutôt drastique que je subissais, au bout d'une dizaine de jours, j'avais l'impression d'occuper une fosse d'aisance. La destruction de mon odorat ne présentait donc pas que des désavantages... Malheureusement, ma collection d'étrons attira des nuées de grosses mouches bleues. Des formations épaisses voltigeaient au-dessus de l'infection, couvraient les murs de leurs propres chiures, louvoyaient dans le rayon tombé du soupirail, et me harcelaient à me rendre fou. Bien sûr, après avoir pompé les sucs fétides de mes défécations, elles avaient la délicatesse de visiter mes plaies.

S'ensuivit ce que j'avais redouté dès mon réveil... En moins de deux semaines, j'avais le groin envahi de pourriture. Alors que les ecchymoses avaient tendance à se résorber, ma pauvre gueule se mit à regonfler. Ce n'était même pas du pus qui soulevait mes chairs tuméfiées : un suc fétide sourdait des écorchures mal refermées. Quand j'essayais de m'essuyer, mes doigts étaient couverts d'une sécrétion poisseuse et verte. J'avais l'impression qu'une limace visqueuse s'insinuait dans ce qui me restait de visage et me grignotait paresseusement le crâne. La nuit, quand je luttais contre la fièvre et les cauchemars, je sentais quelque chose qui crépitait en douce, juste sous la peau.

Au bout d'un mois, je crus que j'allais mourir.

Une nuit, je fus brutalement tiré d'une somnolence pénible. Il y avait du bruit dans le couloir ; des voix rogues, des pas nombreux sur la pierre, des cliquetis de sabres et de clefs. Une lumière orangée s'insinua sous la porte, éclaira les reliefs cabossés du sol et les ombres biscornues des blattes et des cafards qui y rampaient. La serrure fut déverrouillée dans un vacarme mécanique, la porte brutalement ouverte, et je me retrouvai ébloui par la flamme d'une torche. Plusieurs silhouettes armées se dessinaient confusément en contre-jour, sur le seuil de la cellule. On me cria quelque chose que je ne compris pas, et selon mon habitude, je m'écartai craintivement. Une voix grogna de façon peu aimable, et trois janissaires casqués et cuirassés pénétrèrent dans mon cachot, en marchant droit sur moi. Mon premier réflexe fut de me recroqueviller dans un coin, en protégeant mon visage avec mes bras.

Ils me saisirent par les coudes, me relevèrent brutalement, me propulsèrent vers la porte d'une solide bourrade dans les reins. Dans des circonstances ordinaires, j'aurais sans doute résisté, et l'un des poignards passés à leur ceinturon d'armes se serait très vite retrouvé au creux de ma main, avant d'aérer une jugulaire ou deux. Mais j'étais épouvantablement faible, brisé, abasourdi. Je craignais que mes jambes ne me lâchent. Je tremblais à la perspective d'une simple gifle, sur ma pauvre gueule cassée et parasitée. Je me laissai guider avec la docilité de l'agneau mené au boucher.

D'autres soudards s'entassaient dans un corridor étroit, que je découvrais pour la première fois. Absurdement, ils maintenaient une certaine distance avec moi, comme s'ils se méfiaient encore de l'épave que j'étais devenue. J'étais tellement tétanisé qu'il me fallut quelque temps pour réaliser qu'ils ne se défiaient pas de l'assassin, mais de sa crasse et de sa puanteur... Par signes, ils me firent comprendre qu'il fallait suivre le couloir, puis grimper un escalier étroit, franchir une embrasure de porte. Je me retrouvai dans une cour, éclairée par quelques torches et par un doux rayon de lune.

Je me sentis débordé par des sensations puissamment contradictoires. Je n'envisageais qu'une explication à cette extraction nocturne de ma cellule : ils allaient me liquider. Déjà bien heureux qu'ils ne m'aient pas garrotté au fond de mon trou. J'avais les tripes nouées, les yeux brouillés par une montée de larmes, et les mains qui tremblaient de façon incontrôlable. Quelque chose avait foiré dans les plans du Podestat. Ou peut-être les plans du Podestat s'étaient-ils parfaitement déroulés, jusqu'à la disposition confidentielle prévoyant la disparition de son émissaire secret… L'émissaire secret allait donc se taire définitivement, à la faveur d'une exécution sommaire, à la brune, sur un caillou aride de l'océan Éridien. Et voilà. Remercié, Benvenuto. Aussi simple que cela. J'étais sûr de mourir. Une certitude absolue, écrasante, presque grisante, qui croulait sur moi avec la puissance d'une révélation religieuse. Et pourtant, en dépit du désespoir qui me prenait à la gorge, en dépit de l'humiliation d'être tué sans même avoir pu me laver, en dépit de la panique cataclysmique qui menaçait de me priver de l'usage de mes jambes et de ma vessie, j'étais heureux. J'étais prodigieusement heureux.

C'était fini.

Même si mon nez détruit ne me livrait nulle odeur, je sentais la fraîcheur de l'atmosphère nocturne sur mon visage martyrisé. J'entendais le chœur apaisant des grillons. Je percevais le murmure lointain de la mer, qui me parut presque amical. Un ciel immense déployait ses champs d'étoiles au-dessus de ma tête branlante, et un quartier de lune blonde se mussait avec indolence dans une écharpe nuageuse. Parce que j'avais failli mourir, parce que j'allais mourir, je percevais le monde avec une acuité fabuleuse. Comme si l'esprit désertait déjà l'intelligence et le sentiment, pour se réfugier dans la sensation pure.

La cour était assez étroite ; elle ne semblait pas appartenir à un fort, mais à une maison. Sans doute avais-je été détenu dans une cave de Sunem. Une dizaine de janissaires m'entouraient, en maintenant une certaine distance sanitaire avec la loque infestée de vermine qu'ils avaient tirée de son cloaque. Je ne vis nul billot. Mais j'avais en tête l'aisance avec laquelle le bayraktar Naamân avait décapité la dépouille de Bucefale

Mastiggia. Il suffirait qu'on m'agenouille pour qu'un des soldats du sublime souverain tranche définitivement la question. J'espérais juste que la lame ne rebondirait pas sur une vertèbre.

Ils ne m'agenouillèrent pas. Ils me lièrent les mains dans le dos, solidement, mais pas au point de couper la circulation sanguine. Cette clémence relative était une faveur, qui me conforta dans l'idée que j'allais être tué. Un gaillard particulièrement inquiétant vint se planter devant moi, les yeux dans les yeux, impassible malgré les relents que je refoulais et la vermine qui attaquait mes croûtes. Son cafetan était bordé de peau de mouton, un attribut qui distingue les cavus chez les janissaires, l'équivalent de nos sergents dans les Phalanges. Il avait le visage maigre et grêlé, le nez busqué du rapace, des yeux caves mangés de ténèbres. Une vraie gueule de tueur. Il lui suffit d'un regard pour me faire comprendre qui était le chef. On m'aurait toisé ainsi dans une taverne quelconque de Ciudalia, l'offense aurait été débattue au couteau, et aurait laissé un mort sur le carreau. Mais nous étions à Sunem, je n'avais pas de couteau, et je savais qui était le mort. On n'eut pas à parler. De toute manière, on ne causait pas la même langue.

Il se détourna de moi brusquement, lança un ordre bref. Les janissaires se rangèrent sur deux colonnes autour de moi, et on me poussa en avant. On ouvrit les portes de la cour. On me fit sortir dans le bourg.

Sunem enténébré ressemblait plus que jamais à une ville morte. Nous ne prîmes pas le chemin de la grève ; nous remontâmes les raidillons pavés et les escaliers des ruelles vers les quartiers de la ville haute. Au bout de quelques minutes, nous dépassions les dernières maisons, et nous poursuivions l'escalade d'un chemin assez pentu, où la rocaille crissait sous les bottes de la troupe. Je me dis qu'ils allaient me pendre ; ou peut-être une fosse discrète était-elle prête à accueillir mon corps, sitôt saigné. J'avais le cœur qui cognait à grands coups, les jambes sur le point de se dérober, je haletais comme un chien ; et bizarrement, je jouissais intensément de chaque brise montée du large, de chaque pierre tordant mes chevilles, de chaque buisson épineux entraperçu dans la pénombre baignée de douceur lunaire. Chaque pas de plus était un petit bonus de vie.

Ils me firent marcher longtemps. Je m'en réjouis, du moins pendant un moment. Cependant, la violence de l'émotion et la faiblesse de mon organisme finirent par émousser cette euphorie singulière. Sepheraïs est une île montagneuse, et au bout d'une heure, quand mes gardiens me menèrent vers un sentier de chèvre qui escaladait un versant de plus en plus abrupt, je commençai à m'épuiser. Pourquoi diable m'entraînaient-ils si loin ? Les maigres ressources que j'avais regagnées à force de volonté et d'expédients m'abandonnaient. S'ils devaient me faire disparaître, nous étions suffisamment loin de Sunem pour qu'ils le fassent en toute discrétion. Pourquoi prolonger cette absurde virée ?

La piste que nous suivions était si étroite que nous dûmes la remonter en file indienne. Sur ma droite se dressait un chaos de roches qui réverbéraient encore faiblement la chaleur de la journée passée ; sur ma gauche, un vide abrupt s'ouvrait parfois entre deux blocs usés ou entre quelques buissons de plantes grasses, et je devinais le miroitement lointain de la lune sur la crête des vagues. Je me dis qu'ils allaient me pousser du haut de la falaise, maquiller ma mort en un très improbable accident. Peut-être quelqu'un voulait-il se ménager la possibilité de raconter des salades pour garder les mains propres, un baratin du style : « Nous n'y sommes pour rien, vous savez. C'est juste un malheureux concours de circonstances. Don Benvenuto s'est évadé, et il s'est cassé le cou tout seul en gambadant la nuit sur le sentier le plus dangereux de la côte de Sepheraïs. On est vraiment navré. On prenait pourtant bien soin de lui. »

Mais les janissaires ne prêtaient aucune attention au

ravin. Ils ne ralentirent pas, ils ne s'assemblèrent pas autour de moi, ils ne m'envoyèrent nullement faire la culbute. Ils continuèrent à marcher. Ça n'en finissait plus, et je commençais à trébucher. L'épuisement éteignit les derniers brandons de mon exaltation épicurienne et obscurcit mon jugement. J'en avais marre, de leur balade au clair de lune. Je m'arrêtai.

Le soldat qui me suivait m'envoya un coup assez rude dans une épaule. Je n'eus pas à simuler pour tomber à genoux. Un grommellement remonta la file, devant moi, jusqu'au sergent. Gueule-de-Tueur, qui marchait en tête, s'arrêta à son tour. Un long instant, il demeura parfaitement immobile ; puis, il esquissa le mouvement de se retourner. Il ne le fit qu'à moitié. Il me lorgna du coin de l'œil ; dans la nuit claire, je devinai son profil busqué, ses lèvres minces serrées de manière cruelle, et le regard chargé de menace qu'il m'adressa. Pas la peine de parler. Derechef, je saisis assez clairement son message ; s'il fallait souffrir, mieux valait que ce soit en me traînant qu'en encaissant. Quand il donna l'ordre à ses hommes de se remettre en marche, je me relevai et suivis cahin-caha.

Ils me firent crapahuter jusqu'au bout de la nuit. Dans l'heure grise qui précède l'aurore, nous quittâmes les sentiers littoraux, pour nous enfoncer un peu dans l'intérieur des terres. Derrière une colline crevée d'éboulis où s'accrochaient de rares genévriers, nous descendîmes dans un vallon étroit, obscurci par de nombreux arbres. L'endroit ressemblait à un verger peu à peu retourné à l'état sauvage. L'obscurité s'attardait ici plus pesamment que sur la côte, drapée dans le voilage mystérieux des palmes et des ramures. Il y régnait une fraîcheur crue, montée d'un réseau d'irrigation dont certains canaux bruissaient encore du gazouillis de l'eau. C'était un lieu secret et perdu, doté d'un charme humble. Un joli coin pour mourir, de façon romanesque, au point du jour ; mais j'en avais plein les bottes et je me disais que crever pour crever, j'aurais pu me passer du détour touristique.

Les janissaires gagnèrent le point le plus bas du bosquet, où chantonnait une source dans un vieux bassin. Deux soudards me gardèrent, pendant que les autres allaient se désaltérer et se rafraîchir. Puis, le sergent vint à moi, m'intima d'un geste sec l'ordre de lui emboîter le pas. Il me mena au point d'eau, me délia les mains et me fit signe de boire et de me laver. Une clarté vague commençait à dessiner les contours des troncs et des feuillages, mais l'atmosphère demeurait encore trop sombre pour que je perçoive nettement mon reflet. Je devinai un fantôme amaigri et hirsute, le visage brouillé de barbe, d'hématomes, de crasse. De toute façon, je ne tenais pas à en voir trop.

Les mains tremblantes, je fis une toilette d'oiseau. J'hésitais ne serait-ce qu'à effleurer mon visage, mais chaque goutte d'eau sur ma face cuite et recuite de douleur, d'infection, de sueur, de sel, de piqûres, me pénétrait comme un puissant baume de vie. Dans mes paumes jointes, je recueillais aussi une boisson plus pure et plus fraîche que le liquide tiédasse qu'on m'avait servi pendant un mois, et j'étanchais à n'en plus finir une soif qui m'avait poursuivi pendant des nuits et des nuits de fièvre. Campé fermement sur ses jambes écartées, le poing sur la garde de son cimeterre, avec son profil de rapace et son regard d'ange ténébreux, Gueule-de-Tueur attendit. Attendit avec une patience stoïque. Et ce cadeau, ce cadeau inattendu, était également un baume puissant, aussi réparateur que l'eau vive à laquelle on me donnait accès.

Quand j'en eus fini, un jour mauve dessinait les contours encore sombres des arbres et des reliefs rocheux. Les janissaires m'écartèrent de la source, me menèrent près d'un figuier aux branches contournées. Ils ne tirèrent pas leurs sabres. Ils ne me rattachèrent même pas les mains. Ils posèrent un peu de pain baptisé d'huile d'olive à côté de moi, puis ils se répartirent alentour, en s'asseyant, voire en s'allongeant dans le sous-bois.

Ce n'était pas une exécution. C'était un bivouac.

Mes yeux se décillèrent alors. Ils ne m'avaient pas brutalisé ; ils m'avaient entraîné dans une longue marche nocturne par des chemins détournés ; ils campaient de jour dans un lieu isolé. Ils n'avaient pas reçu l'ordre de m'éliminer, mais probablement celui de me transférer en secret. Une immense bouffée de soulagement s'épanouit en moi. Ils n'allaient pas me tuer. Sans doute me déplaçait-on en prévision d'un échange. Le Podestat ne m'avait pas lâché. Il avait suffisamment confiance en ma discrétion pour estimer que mes services valaient le risque de ma survie. J'allais revoir Ciudalia.

Dans l'aube qui dorait les entablements rocheux de Sepheraïs, dans la lumière nette du matin qui étirait les ombres longilignes des troncs sur cette terre pauvre, dans la douceur de l'air qui précède les grandes chaleurs, je retrouvai cette ivresse fondamentale : l'espoir de vivre. La sensation de vivre. Je restai longtemps assis, sans toucher à mon pain, à prendre le soleil dont les rais minces perçaient le feuillage du figuier. Même si c'était la bouche ouverte, je respirais à l'unisson avec le monde. J'avais gagné un nouveau sursis, une fraction d'éternité ; je sentais mon sang anémié danser dans ma carcasse éreintée, comme autant de papillons en corolles.

Ils n'allaient pas me tuer.

J'allais revoir Ciudalia.

Pour la première fois depuis des semaines, je dormis comme une souche. Les janissaires me réveillèrent au crépuscule. Ils me donnèrent un en-cas frugal, et me permirent à nouveau de boire tout mon saoul. Je n'eus pas le temps de rompre mon pain en tout petits fragments, et je constatai avec soulagement que je pouvais commencer à mastiquer de façon précautionneuse.

Alors que l'obscurité effaçait en catimini les formes dans le sous-bois, nous reprîmes notre marche.

Nous regagnâmes les sentiers littoraux. Comme la veille, nous cheminâmes à flanc de falaise, le long de raidillons capricieux qui plongeaient sur des criques étranglées et des anses hérissées de brisants. Malgré mon regain d'espoir, malgré le bon sommeil que j'avais pris et la nourriture un peu plus consistante que j'avais avalée, le trajet fut plus dur que la veille. La camarde s'était éloignée, avec son bouquet stimulant d'angoisse et d'exaltation, et je peinais sur les dénivelés. Les soldats durent rattraper plusieurs de mes faux-pas.

Comme la nuit précédente, la lune se leva, nimbant la mer de reflets argentés. Elle monta insensiblement dans le ciel, étira paresseusement ses cornes non loin du zénith, redescendit en flânant vers les collines rocailleuses, nous fit encore de l'œil un moment entre deux reliefs pelés, puis se coucha comme à regret. Nous marchions toujours, et l'effort me rendait poisseux de sueur. La nuit était très avancée lorsque, franchissant un épaulement rocheux qui hissait plusieurs crêtes crevassées au-dessus du ressac, nous découvrîmes un large panorama urbain. La côte s'infléchissait en un immense amphithéâtre, qui descendait doucement vers une baie. Baignée par la lueur ténue des étoiles, je devinai une vaste étendue de toits en dôme et en terrasses, et une futaie de mâts dans les bassins du port. La ville était ceinturée de remparts ; sur certaines tours, on voyait briller des feux de garde. Il s'agissait probablement de Mazmana, le grand port de Sepheraïs.

Mon escorte me mena vers la zone la plus puissamment fortifiée du rempart, certainement la citadelle de la ville. Toutefois, en approchant des murs, je me rendis compte que l'agglomération était vulnérable. La courtine était mal entretenue ; si l'obscurité m'empêchait de juger la qualité du parement, je distinguai les touffes de buissons épineux qui s'y accrochaient çà et là, et j'imaginais assez bien les lézardes qui devaient affaiblir la maçonnerie. De plus, quelques faubourgs s'étendaient dans le voisinage immédiat ; de nombreuses maisons étaient construites contre le rempart, réduisant à néant sa valeur défensive. Si le régiment Burlamuerte parvenait à débarquer sur l'île, il lui suffirait d'un assaut en règle depuis l'intérieur des terres pour emporter la place.

Nous étions attendus. Je vis des torches s'agiter sur le chemin de ronde de la forteresse, et l'on nous ouvrit immédiatement une petite poterne. L'entrée grouillait de soldats. Mon escorte me conduisit jusqu'à l'intérieur des murs, puis, dans une courette étranglée, me remit à un autre détachement. On me bouscula pour me faire descendre un escalier, qui dégringolait à la base d'une tour trapue. Avant même de réaliser ce qui m'arrivait, j'étais entraîné dans un corridor souterrain, chichement éclairé par de rares braseros. Je sentis une boule d'angoisse renaître au fond de mon œsophage. Ça ne ressemblait pas spécialement à un échange... Je n'eus pas le temps de gamberger. Un garde-chiourme obèse était déjà en train de déverrouiller une porte de prison. J'entendis des cris, juste derrière. Avec un choc, je me rendis compte que je les comprenais.

« À boire ! Par pitié, à boire ! suppliait une voix geignarde.

— Et le barbier, faces de singes ! tempêtait quelqu'un d'autre. C'est le barbier que vous amenez ? »

Des Ciudaliens. D'autres captifs ciudaliens. Je sentis une onde glacée me parcourir l'échine. Et si Bakkhidès n'avait pas liquidé ses prisonniers de la galère Mastiggia ? Et si l'enseigne Suario Falci se trouvait juste derrière cette porte ? Pas le temps de réagir. Une bourrade violente me fit franchir l'entrée. La lumière qui passait par l'embrasure me permit d'entrevoir quelques spectres chevelus, couverts de haillons répugnants, à moitié redressés sur un pavage envahi de rigoles grasses, puis l'huis fut claqué derrière moi à grand fracas, et je me retrouvai dans un noir de poix. Toutefois, même privé de l'odorat, je pouvais sentir sur ma peau, sur mes lèvres, sur ma langue, combien l'atmosphère était confinée, épaisse, viciée. Après le grand bol d'air que je venais de prendre, je subis un brutal accès de claustrophobie, le sentiment affolant de me retrouver muré dans une fosse commune.

La voix hargneuse continuait à brailler dans les ténèbres :

« Bâtards à bite bistre ! On n'a pas besoin d'un surplus d'ordure, mais d'un chirurgien ! Et toi, Palangano, foutu couard, je ne t'ai pas entendu ! Traduis, bordel ! Traduis !

— Je... J'étais mal réveillé, don Velado, marmonna une voix prudente.

— Mal réveillé, mon cul ! Tu n'es qu'un foie blanc, Palangano ! Un pleutre émasculé ! Une conasse de lavette !

— Modérez votre colère, don Velado, souffla quelqu'un d'autre, dans un murmure haché de douleur. Don Cuartino a déjà... formulé plusieurs fois cette requête... De toute manière... ils n'étaient pas là pour ça...

— Et l'eau, bordel ! ragea celui que j'identifiais désormais comme Velado. Ces chiens nous jettent une bouche supplémentaire, et ils ne nous laissent même pas un gobelet de rab. Ça va devenir intenable !

— Je... j'en céderai sur ma part, haleta la voix affaiblie. Vous m'en réservez... beaucoup trop...

— Hors de question ! gronda Velado. On se rationnera davantage. Et puis j'ai plus simple, comme solution. Si le nouveau n'est pas ciudalien, je le bute de suite. Ho ! L'ami ! Tu m'as compris ? »

Il était assez clair que les derniers mots s'adressaient à votre serviteur, et qu'ils représentaient une forme particulièrement élaborée d'examen de nationalité. Si j'avais été en bonne forme, j'aurais sans doute rétorqué par un sarcasme cinglant qui, tout en prouvant que j'étais ciudalien, n'en aurait pas moins poussé Velado à me traiter en Ressinien… Toutefois, compte tenu des séquelles des semaines passées, je me résignai à mettre mes velléités taquines sous l'éteignoir. En fait, je craignais même de parler, le mouvement pouvant encore me décrocher une mâchoire dont la convalescence me paraissait douteuse.

« Je chuis chitoyen, zézayai-je prudemment.

— Et merde ! » cracha Velado.

Moi aussi, je me trouvais tout ragaillardi de retrouver des compatriotes. Ça compensait presque l'horreur de ce que je venais d'entendre : mes incisives brisées m'avaient laissé l'élocution chuintante d'un vieillard…

Passée sa première déconvenue, Velado lança :

« Et tu as un nom, citoyen ? »

Je déclinai mon identité, tout en cherchant à tâtons un coin où je pourrais m'asseoir sans me poser dans un paquet de merde ou un nid de vermine. Avec un sens très sûr du comique de répétition, Velado accueillit mon état civil avec un nouveau juron.

« Benvenuto Gesufal ? » répéta-t-il, avec une note d'incrédulité laissant entendre qu'il connaissait ce nom.

« Le maître espion… de son excellence Ducatore ? exhala le blessé.

— Ch'est cha, confirmai-je, en grimaçant de dégoût à ma propre voix.

— Le podestat Ducatore a été vaincu ? s'enquit avec inquiétude le dénommé Palangano, que cette perspective fit sortir de sa réserve.

— Oh non ! Non ! Non ! larmoya une nouvelle voix, plus juvénile, que je n'avais pas entendue jusqu'alors. Que la Déesse nous accorde sa miséricorde ! Nous sommes perdus !

— Ferme-la, Mascatti ! » aboya Velado.

Je venais de trouver quelques dalles à peu près sèches, contre un pan de mur pas trop raboteux où je pourrais m'adosser. Avec un soupir, je pus reposer ma carcasse éprouvée. J'appuyai ma nuque contre la pierre, et je me demandai combien de temps j'allais laisser mariner mes compagnons d'infortune, pour les payer de leur chaleureux accueil. D'un autre côté, j'admettais que j'aurais été aussi cordial avec un inconnu venu me faucher une portion de mon eau et de mon espace. À leurs voix, ces citoyens ne m'étaient pas familiers, même si le nom de Mascatti ne m'était pas inconnu ; une famille mineure de la faction belliciste s'appelait ainsi, bien que celui qui venait de pleurnicher dans le noir m'ait semblé trop jeune pour être le patricien Sarcula Mascatti. En tout cas, à l'oreille, il m'apparaissait peu probable de découvrir le revenant de Suario Falci parmi mes coturnes, et c'était déjà un joli poids en moins. Tous ces éléments, ajoutés à la joie de retrouver la saine fraternité républicaine, m'inclinaient plutôt à la clémence.

« Mâchoire cassée... Du mal à parler... » marmonnai-je pour les faire patienter, tout en me livrant à de vraies contorsions linguales pour corriger ma diction sénile.

Les hasards de la guerre les avaient fait tomber très bas, mais je soupçonnais que mes compagnons de cellule appartenaient à la bonne société ciudalienne. Les troupes du chah ne s'embarrassaient pas avec du menu fretin : quand ils n'étaient pas mis à mort, leurs captifs étaient réduits en esclavage. Seuls les membres de grandes familles ou de puissantes guildes avaient droit à l'emprisonnement, car leur rançon pouvait rapporter un joli pactole. Selon toute évidence, j'avais été jeté dans un cachot aristocratique ; je pataugeais dans de la fange de qualité et je m'asphyxiais dans des remugles de vieille noblesse. Cela m'amena à déduire que j'avais sans doute affaire à des membres de l'entourage du podestat Cladestini, capturés au cours de l'abordage où le magistrat avait été tué. Si mon hypothèse était juste, mes codétenus ignoraient probablement la façon dont mon patron avait redressé le cours de la guerre. Leur apprendre la nouvelle allait selon toute vraisemblance transformer le bizut indésirable en messager providentiel. Avec beaucoup de chance, peut-être cela donnerait-il un registre amical aux jurons de Velado et l'aiderait-il à remiser ses expédients homicides...

Je finis donc par leur faire l'aumône.

« En fait, ce serait plutôt l'inverse. Il y a quelques semaines, le Podestat Ducatore a écrasé la flotte d'Eurymaxas. »

Un silence stupéfait accueillit mes paroles. Même Velado en perdit son vocabulaire. S'il s'agissait bien d'officiers de Cassio Cladestini, cela faisait presque trois mois qu'ils cuisaient à l'étouffée dans leurs miasmes et dans l'abattement de la défaite. Un mois de ce régime avait fait de moi une épave coprophage ; j'osais à peine imaginer ce par quoi ils étaient passés, eux.

« Écrasé la flotte d'Eurymaxas ? répéta Palangano avec une lenteur incrédule.

— Ouais, qu'est-ce que ça veut dire ? grogna Velado. Un succès tactique, ou une victoire décisive ?

— Ça veut dire les escadres royales en fuite. Ça veut dire les neuf dixièmes des flottilles pirates envoyées par le fond. »

Si je m'attendais à une ovation triomphale, à des accolades viriles et à des tripatouillages opportunistes dans le noir, j'en fus pour mes frais. Un nouveau calme abasourdi fit suite à mes précisions. Cette nouvelle, outre fouetter la fibre patriotique de tout citoyen normalement constitué, aurait dû représenter pour eux un espoir formidable : la perspective de se trouver libérés rapidement dans le cadre des négociations de paix. Mais ils avaient tellement morflé qu'ils restaient sidérés devant une issue si facile. Ils accueillaient la joie comme on encaisse une gifle.

Finalement, bien sûr, ce fut Velado qui réagit le premier.

« Mais alors, don Benvenuto, qu'est-ce que vous branlez au fond de ce trou ? »

Il s'avéra que mes hypothèses à leur sujet étaient à peu près fondées. Seul Palangano y fit exception : il n'avait pas été capturé sur la marine de guerre de la République, mais sur son propre navire, saisi à Elyssa dès l'ouverture des hostilités. Les trois autres appartenaient bel et bien à la suite du podestat Cladestini, et avaient été pris au cours du désastre qui avait eu lieu au large de Cyparissa. En conséquence, ils ignoraient tout du cours qu'avait pris le conflit ; en fait, leur défaite leur avait laissé présager que la flotte de la République, privée de son commandement suprême, allait essuyer d'autres revers. Une fois qu'ils eurent secoué leur hébétude initiale, il fallut bien leur rapporter ce qui s'était réellement passé. Je donnai dans la concision, parce que je sentais un élancement sourd se ranimer sous mes molaires. Ça n'en faisait pas moins un paquet de nouvelles à condenser.

Quand le bruit de la mort de Cassio Cladestini était arrivé à Ciudalia, la guerre était en train de tourner au vinaigre. Nos escadres, désorganisées, se trouvaient harcelées et reculaient vers le continent. En ville, un vent de panique avait couru dans les cercles marchands et aristocratiques : une défaite face à Ressine aurait entraîné la perte du contrôle d'axes maritimes essentiels. En auraient résulté une cascade de faillites, des centaines de marins cloués au port, des milliers d'artisans et d'employés jetés à la rue, l'explosion de troubles civils. Bref, le genre de perspective qui stimule toujours les milieux d'affaires. D'aucuns voyaient déjà les navires du chah croiser devant la rade, et les palais de Torrescella pillés par la plèbe. Ça sentait le chaud, sauce carbonade républicaine.

C'était alors que Leonide Ducatore, mon artificieux patron, avait déployé ses rets. Il remplissait la charge de podestat civil de la République, le commandement militaire ayant été confié à son collègue Cladestini. La mort de ce dernier aurait dû provoquer des élections anticipées, pour désigner un nouveau chef de guerre.

Mais son excellence Ducatore avait fait valoir devant le Sénat que cette procédure était inadaptée à la crise traversée par la République : d'une part bon nombre de citoyens et de patriciens étaient toujours engagés en mer, et ne pourraient donc participer aux débats ; d'autre part un vote, même précipité, retarderait encore des options stratégiques qu'il était crucial de définir immédiatement. Le Podestat avait rappelé qu'il connaissait Ressine et qu'il avait prouvé à Kaellsbruck ses compétences de chef militaire : il avait donc proposé de se substituer à Cassio Cladestini en tant que commandant en chef de la République, jusqu'à l'issue normale de son mandat.

Sa proposition n'était pas très légale. En la formulant, il avait couru le risque de passer pour un postulant dictateur... Mais il avait eu l'habileté de l'enrober avec une autre suggestion, une concession qui relevait du maquignonnage curial. Dans la mesure où il ne pourrait plus gérer le gouvernement civil de Ciudalia, il avait proposé de remettre ses prérogatives exécutives entre les mains du Sénat, rappelant qu'à l'époque haute, la République avait été ainsi dirigée par l'Assemblée des patriciens. En gros, c'était un marché : il récupérait le commandement, et laissait la bride sur le cou aux sénateurs — pour trafiquer dans son dos et voter quelques lois qui, en cas de défaite, amortiraient leurs faillites privées sur les deniers de l'État... Les propositions de son excellence Ducatore avaient été approuvées à une majorité écrasante. Pour la première fois depuis plus d'un siècle, Ciudalia n'avait plus qu'un podestat à la tête de l'État.

Il y avait un revers à la médaille. Bon nombre de sénateurs avaient voté avec une arrière-pensée : en cas de défaite de mon patron, il aurait été facile d'exploiter son impopularité, de l'attaquer en justice pour l'irrégularité de son statut, et de l'enterrer définitivement sur le plan politique, voire de l'envoyer à l'échafaud. Son excellence Ducatore n'avait donc guère de marge de manœuvre : il lui fallait une victoire rapide. Psammétique l'avait d'ailleurs très bien compris, quand il avait argué qu'une prolongation de quelques mois du conflit serait très préjudiciable au Podestat… Alors, celui-ci avait joué son va-tout. En embarquant (avec un maître espion verdâtre sur les talons), il avait dégarni les eaux ciudaliennes de leurs dernières escadres ; il avait foncé sur l'archipel, rassemblé nos unités dispersées, en laissant la mer libre vers Ciudalia. Pour fixer la flotte du chah, il avait décidé de lancer un coup bas, et féroce : l'assaut sur les îles Ætées, et le carnage méthodique de Rubiza. Son calcul s'était avéré payant : la flotte ennemie, pour protéger la population insulaire, était revenue dans l'archipel. La rencontre avait eu lieu au cap Scibylos, et l'initiative de feu Bucefale Mastiggia avait couronné toute l'action du Podestat.

Telle fut, en gros, la teneur du résumé que je brossai dans le noir à mes compagnons d'infortune. Il va sans dire que je négligeai d'entrer dans les détails au sujet des calculs politiciens de mon patron, et que je développai davantage les exploits de notre flotte au cap Scibylos. Je servais même un couplet vibrant d'émotion sur l'héroïsme de Bucefale Mastiggia. Après tout, si mes coturnes revoyaient un jour Ciudalia, ils entendraient chanter les louanges du patrice sur tous les tons, et mieux valait que j'accorde de suite mon instrument à l'orchestre.

Bien sûr, Velado s'obstina : il voulait savoir comment j'avais été capturé. Je le leur racontai donc, de façon très sincère, en les prévenant même que les secousses m'avaient un peu brouillé les idées. Je leur dis donc que Mastiggia avait été tué au cours de l'abordage, ce qui était l'exacte vérité, et j'oubliai la parenthèse diplomatique pour sauter directement au cassage de gueule par le bayraktar. Et justement, ma mâchoire se rappelait avec virulence à mon bon souvenir quand j'en terminai.

Même si nous ne baignions pas dans un climat de franche exaltation, mes nouvelles avaient apporté un grand coup de frais dans la captivité de mes nouveaux compagnons, et ils daignèrent enfin se présenter. Comme je l'avais pensé, j'avais affaire à des huiles. Mascatti était en fait le patrice Lucinello Mascatti, le fils aîné du sénateur Sarcula Mascatti. Il avait embarqué dans la clientèle du podestat Cladestini. Palangano n'était pas noble ; mais il s'agissait de don Cuartino Palangano, le gendre de l'armateur Faustino Perducci. Il avait été arrêté à Elyssa quand la guerre avait éclaté, alors qu'il traitait d'importantes transactions pour son beau-père. Quant à Velado, bien que le jour qui allait se lever ne m'eut pas permis de l'identifier, je le connaissais de réputation et de vue. Il suffit qu'il me donne son nom pour que l'évidence m'apparaisse : il s'agissait du gonfalonier Velado Fruga, capitaine du régiment Cazahorca. Il commandait les troupes de choc attachées au podestat Cladestini. Toutefois, le plus haut personnage dont j'avais le privilège de partager la villégiature était le blessé sur lequel Velado veillait farouchement : ni plus ni moins, sa seigneurie Regalio Cladestini, neveu du défunt podestat et héritier présomptif de son siège sénatorial.

Le matin qui finit par arriver subrepticement me dévoila des loqueteux difficiles à associer à des noms ou à des rangs si illustres… Dans la pénombre glauque qui se substitua insensiblement aux ténèbres, je devinai d'abord des ombres amaigries, barbues et hirsutes ; les têtes étaient hâves, la peau tirée sur des pommettes saillantes, les yeux mangés d'obscurité. Le gonfalonier Velado Fruga me semblait atteint d'une forme de pelade fort disgracieuse, qui ne lui dégarnissait qu'une partie du crâne. Ce ne fut que lorsqu'un rayon de jour s'insinua enfin par un étroit soupirail que je découvris la raison réelle de cette excentricité capillaire. Velado n'avait pas attrapé une maladie : il avait été gravement brûlé à la tête et à la main droite, y avait perdu un sourcil et l'arête de son nez. Les chairs roses qui lui couvraient une partie du crâne et le défiguraient largement témoignaient d'une cicatrisation toute récente. Il fallait être une authentique force de la nature pour survivre à ces blessures dans des conditions de captivité aussi répugnantes. N'empêche : malgré toute mon admiration pour sa résistance physique, j'avais du mal à maintenir mon regard sur cette tronche fondue.

Je caressais l'espoir d'offrir un portrait un tantinet plus supportable aux yeux des autres… Je perdis vite mes illusions. Quand le jour permit à Palangano de me dévisager, il eut la délicatesse ou la prudence de ne rien dire, mais il ne put s'empêcher de faire une moue très éloquente.

Mes trois autres compagnons de cellule ne portaient pas de stigmates aussi visibles que ceux de Velado ou les miens. Ils étaient chiffonnés et crades, la peau de Cuartino Palangano était irritée par de larges plaques rouges ; mais il n'y avait là rien de très impressionnant. Cependant, Regalio Cladestini restait allongé sur la pierre, veillé par un Velado aussi hargneux qu'un chien de garde. Le neveu du défunt podestat semblait assez jeune, et conservait les traits réguliers d'un charme patricien jusqu'au fond de ce merdier ; mais à son œil fiévreux, à la crispation de ses mâchoires, il était visible qu'il souffrait. Je ne lui découvris qu'un pansement grossier, autour de la main et de l'avant-bras gauche. Les bandes, déchirées à la diable dans un pourpoint, étaient raides de macules et de crasse. Seuls les doigts de Regalio Cladestini dépassaient de ce bandage dégoûtant, et leur peau était semée de taches blanchâtres d'un aspect très malsain. Dans toute cette joyeuse chambrée, c'était Lucinello Mascatti qui semblait physiquement le mieux portant. C'était encore une bleusaille, avec des joues de fille à peine ombrées de duvet ; un débarbouillage sommaire et un coup de peigne auraient suffi pour lui rendre sa jolie frimousse de mignon. Toutefois, servir de page décoratif dans la suite d'un homme d'état est une chose ; survivre à un abordage féroce, à un massacre sanglant et à une captivité sordide en est une autre... Le petit Mascatti était peut-être passé entre les coups, mais il avait l'estomac encore un peu délicat pour la tournure qu'avaient prise ses aventures. Chez lui, c'était le mental qui avait flanché. Il avait l'attitude prostrée et le regard vide de ceux qui ont renoncé.

À la façon dont les prisonniers étaient dispersés dans le cachot, ils ne donnaient pas particulièrement l'impression de se serrer les coudes. Palangano était isolé dans un coin, Mascatti dans un autre ; seuls Velado et Regalio Cladestini occupaient côte à côte la zone de la geôle éclairée par le rayon de jour. Dans la lumière, on voyait voltiger les corps noirs et bleus de grosses mouches à merde qui semblaient magnétisées par le neveu du podestat. Pour ma part, j'avais échoué non loin de Palangano.

Bien sûr, la promiscuité abjecte avait dû pousser tout un chacun à essayer de sauvegarder un minimum d'espace vital, et exacerber les différends. Je ne tardais pas à deviner l'animosité sourde qui dressait la plupart de mes compagnons les uns contre les autres. Mascatti avait peur de ses codétenus, tout particulièrement de Velado. Palangano considérait Mascatti avec un œil narquois, et Velado avec méfiance. Quant à l'officier défiguré, il affichait un mépris menaçant pour le patrice et pour le commerçant, réservant ses attentions à Regalio Cladestini. Celui-ci, muré dans une douleur profonde, nous ignorait la plupart du temps. Cependant, la mésentente n'était pas le seul motif de cette dispersion. Il me sembla que Mascatti et Palangano se montraient visiblement incommodés par certains relents venus des deux autres ; et finalement, Palangano, étonné que je ne sente rien, me confia à voix basse que Regalio Cladestini puait comme une charogne.

La distribution de notre pitance donna lieu à un regain de tension. Nous entendîmes arriver les geôliers dans le couloir avant qu'ils ne déverrouillent la porte. Velado planta alors son regard dans le mien :

« Vous ne touchez à rien, don Benvenuto, gronda-t-il. C'est moi qui divise les parts. Si vous avez une objection à soumettre, je vous révise un peu plus l'arc dentaire. »

Puis ce fut au négociant qu'il s'attaqua :

« Écoute-moi bien, Palangano. Tu vas leur demander un chirurgien ; et tu ne vas pas seulement le demander, tu vas l'obtenir. Sinon, la prochaine fois, je veillerai à ce que tu pleurniches pour que ce putain de barbier vienne, et pas seulement pour sa seigneurie, mais aussi pour recoudre ta sale gueule. »

Trois janissaires nous apportèrent deux galettes et une grande jatte d'eau. Adoptant une attitude servile et un ton suppliant, Palangano leur adressa la parole en ressinien. L'un des soldats jeta un coup d'œil à Regalio Cladestini, esquissa un geste indifférent. Ils crachèrent quelques mots à Palangano, firent mine de repartir. Velado explosa alors, en avançant de façon menaçante sur les geôliers.

« Culs de singe ! Si vous ne soignez pas sa seigneurie Cladestini, elle va vous claquer dans les doigts, et vous pourrez vous asseoir sur sa rançon ! Traduis, Palangano ! On sait très bien que le podestat Ducatore vous a enfoncés. Si sa seigneurie Cladestini meurt, ça va encore alourdir l'addition de votre connard de roi ! Et au bout de la cascade de merde retombée d'Elyssa, c'est vos propres officiers qui vous feront écorcher vifs ! »

Palangano s'efforça de traduire le plus vite possible, sans doute en édulcorant certains termes un peu libres. Mais les janissaires entendaient surtout le ton rageur du prisonnier, voyaient son attitude agressive. Ils tirèrent au clair leurs longs cimeterres, en montrant les dents. Mascatti se pelotonna dans son coin avec affolement. Palangano eut un mouvement de recul, mais n'en continua pas moins à parler en ressinien, sans doute pour rattraper la situation. Ce fut Regalio Cladestini qui arrêta l'escalade. En se redressant péniblement sur un coude, il lança avec effort :

« Reculez, don Velado... Si vous vous faites tuer, je n'aurai jamais ce chirurgien... »

Même avec trois sabres dressés vers son museau brûlé, Velado eut encore du mal à rentrer sa colère. Mais il finit par revenir à sa place. Il supporta même en silence les commentaires railleurs de nos gardiens. Il ne sacra entre ses dents que lorsque la porte fut à nouveau verrouillée, et alla s'emparer de la ration du jour. Il divisa le pain en six parts, en réserva deux à Cladestini, distribua les autres. Le blessé murmura qu'il ne mangerait pas tout cela, mais Velado gronda avec acrimonie qu'il saurait l'y forcer. Je reconnaissais bien là les principes inculqués dans les Phalanges. Velado nous donna le droit de boire dix gorgées ; à mon attention, il précisa que nous aurions la même ration à midi et le soir. Le reste de l'eau devait être gardé à l'usage de Regalio Cladestini.

Celui-ci avait soif, et, soutenu par l'officier, il s'abreuva avidement à la jatte.

« Il a de la fièvre », me dit Palangano, en assortissant sa précision d'un regard entendu qui suggérait clairement : il est foutu.

« C'est au cours du combat qu'il a été touché ? » demandai-je à mi-voix au négociant.

Mais Cladestini m'avait entendu, et ce fut lui qui me répondit, son visage épuisé traversé par une ombre de dérision.

« Hélas non, don Benvenuto... Je n'ai même pas cette consolation... Don Velado aurait pu mourir des blessures de cette bataille : pour ma part... j'ai été capturé sans la moindre égratignure... »

Il ferma les yeux un instant, pour rassembler ses forces. Puis, sur un ton saturé d'ironie, il ajouta :

« Au cours des premières semaines de notre captivité, nous étions enchaînés... Le frottement des fers a

ouvert une plaie sur mon poignet… Elle s'est infectée…
Surinfectée… Mon bras a commencé à se corrompre…
Et j'en suis là…

— On n'en restera pas là, grogna Velado.

— Je veux bien vous croire, gonfalonier, ricana le
blessé. Si le podestat Ducatore met les formes pour
conclure les hostilités… j'aurai l'agrément… de faire
mon voyage de retour entre quatre planches. »

Sa figure tirée s'assombrit derechef, et son regard se
fit contemplatif.

« En fait, énonça-t-il lentement, je pourrais ne pas
être le seul à mourir… Et il ne faut pas que la mémoire
se perde… Don Velado… vous devriez rapporter à don
Benvenuto ce qui s'est passé à Cyparissa… au cas où…

— Parler de ça, ça n'est guère utile, grommela l'officier. Ni glorieux. Son excellence Cladestini a été tuée
au service de la République, ça devrait suffire.

— Simplification, soupira Regalio Cladestini…
Réduction… Mais là où j'en suis, je mesure…
combien la vérité est nécessaire… Oublier, même
une catastrophe… c'est le début de la décomposition
d'une nation. »

Le jeune patricien prit quelques inspirations
hachées, puis, sur un ton mi-figue, mi-raisin, remarqua :

« Et je suis certain que son excellence Ducatore…
sera très peiné… d'apprendre les conditions dans lesquelles son collègue a trouvé la mort… »

Dans un sens, j'étais bien sûr curieux de connaître les
circonstances exactes de la disparition du podestat
Cladestini. D'un autre côté, je n'étais pas certain que
détenir ce type d'information était très prudent. J'avais
en tête le semi aveu fait par Psammétique en mer, au
sujet de ses contacts avec le sorcier de mon patron, et je
me demandais s'il était avisé de rassembler les indices
qui pourraient corroborer l'hypothèse de la trahison
d'un podestat par un autre podestat. Je n'étais pas le
seul à rechigner devant ce récit : Velado répugnait à

parler. Sans doute cuisant pour lui d'évoquer le jour où l'ennemi avait posé sa gueule arrogante de condottiere sur une poêle à frire... Mais il n'y avait pas que dans sa chair qu'il avait souffert : son orgueil militaire, sa fierté tout court en avaient pâti. Je m'attendais à ce qu'il mobilise sa poésie de corps de garde pour envoyer balader Regalio Cladestini et ses scrupules testimoniaux. Il n'en fit rien. Faisant un effort visible pour dépasser ses réticences, il entreprit de me rapporter les derniers jours du podestat Cladestini. Cette étrange soumission au neveu du disparu et le dévouement que l'officier déployait à son égard se trouvèrent également éclaircis par son témoignage.

Quand il avait entrepris la campagne contre Ressine, le principal souci du podestat Cladestini avait été de couvrir ses arrières. Il se méfiait de la mobilité des flottilles pirates, redoutait la possibilité d'être tourné, de voir Ciudalia attaquée pendant que les galères de la République aborderaient l'archipel, voire d'être contraint de combattre à front retourné. Il avait donc fondé sa stratégie sur la recherche de l'ennemi. À cette fin, il avait divisé nos forces en trois flottes, pour ratisser méthodiquement les eaux de l'archipel. L'escadre commandée par le sénateur Ettore Sanguinella remontait à l'ouest de l'île de Cyparissa ; celle du sénateur Sceleste Phaleri investissait les eaux orientales de Lasaïa. Enfin, le podestat Cladestini dirigeait l'escadre du centre, qui entrait dans la région des Ætées.

Quelques jours avant la mort du podestat, le sénateur Sanguinella avait accroché une imposante flotte pirate commandée par l'émir Seqer. Il avait envoyé une galère avertir le podestat Cladestini. Laissant l'essentiel de sa propre flotte surveiller les Ætées, le magistrat avait pris la tête d'un détachement de six navires pour renforcer le sénateur Sanguinella. Il ne l'avait jamais rejoint. Alors qu'il abordait les eaux de Cyparissa, un épais brouillard avait séparé la galéasse amirale de ses navires d'escorte. Le vaisseau du podestat Cladestini n'avait émergé de la brume que pour se retrouver encerclé par quatre tartanes et deux chebecs de la flotte royale de Ressine. L'assaut avait été très violent : les Ressiniens avaient reconnu la galéasse et aussitôt cherché à l'envoyer par le fond, en la bombardant de feu grégeois. Le navire avait flambé comme une torche, et mes compagnons de cellule, en fait, avaient été capturés après s'être jetés à la mer.

Alors que Velado retraçait ces événements sur un ton lugubre, je me sentais dans mes petits souliers. Le gros banc de brouillard en plein été et la tragique coïncidence qui avaient isolé la galéasse amirale pour la donner en pâture à une escadre royale, ça manquait de naturel… J'avais de plus en plus d'éléments m'incitant à soupçonner que mon patron avait vraiment joué avec le feu. Restait à comprendre ce qui l'avait motivé. Cassio Cladestini, sans être de son parti, avait été son allié objectif au cours des derniers mois ; son élimination avait certes permis à son excellence Ducatore de demeurer le seul podestat à la tête de l'État, mais c'était une situation exceptionnelle, qui n'aurait su durer… Une situation qui avait toutefois permis à mon patron de traiter seul à seul avec le chah Eurymaxas, sans le contrôle d'un collègue. La clef était peut-être là.

Je n'étais pas au bout de mes surprises, cependant. Contrairement à la nouvelle qui avait circulé à Ciudalia, le podestat Cassio Cladestini n'avait pas été tué au cours de l'engagement. Sur son navire, la tente d'état-major avait bel et bien été incendiée, mais le gonfalonier Velado Fruga s'était jeté dans les flammes et avait réussi à arracher le podestat au brasier, puis avait plongé avec lui. C'était dans cette mésaventure que le distingué Velado s'était roussi le poil. Mais Cassio Cladestini n'avait survécu que deux jours à ses brûlures. Par reconnaissance, Regalio Cladestini s'était acharné à garder en vie l'officier qui avait tenté de sauver son oncle. Du coup, je comprenais mieux le dévouement de Velado pour le jeune patricien.

Le gonfalonier Velado Fruga nous faisait son rapport avec un laconisme très militaire. Mais s'il passait sur les détails, j'avais une expérience suffisante de la guerre navale pour me représenter la réalité sordide de ce qui s'était passé au large de Cyparissa. J'imaginais très bien la lueur crue des incendies, l'odeur de poix et de bois carbonisé, le chaos qui s'empare de l'équipage, le sauve-qui-peut général par-dessus bord, les trois cents forçats enchaînés de la chiourme qui hurlent dans le ventre du navire, avant de crever asphyxiés ou grillés vifs... Et puis se retrouver à l'eau, ballotté par une houle puissante entre l'épave en feu, les nappes de naphte enflammées, les coques énormes des navires ennemis dont l'étrave menace de vous broyer les os. Et deviner autour de vous les compagnons qui se noient parce qu'ils ne savent pas nager, parce qu'ils sont trop grièvement brûlés ; et ceux, marins ou simples soldats, dont la vie ne vaut pas une poignée de jetons, que les janissaires laissent mourir d'épuisement, quand ils ne les achèvent pas à coups de rame sur le crâne... Et crier, lutter contre les vagues qui vous giflent la bouche et le nez, beugler le bras dressé au-dessus des flots, brailler que je suis patricien, que je suis capitaine, que je vaux mon poids de florins, dans l'espoir d'être sauvé par ceux-là mêmes qui m'ont jeté au bouillon, qui m'ont emporté la moitié de la gueule, qui massacrent mes hommes. Tout cela pour me retrouver à fond de cale, enchaîné, moqué, frappé, et bienheureux si on n'oublie pas de m'apporter un godet d'eau croupie. Avec le podestat de la République jeté comme un paquet de viande trop cuite sur un entrepont puant, avec le podestat de la République qui perd sa peau en grandes squames boursouflées pendant deux jours interminables, avant de claquer la bouche ouverte, en ayant oublié que l'univers peut abriter autre chose qu'une douleur intolérable.

Pour Palangano, le cachot où nous avions échoué était une prison. Mais pour Mascatti, pour Velado, pour Regalio Cladestini, c'était un tombeau. Ils ne pourrissaient pas seulement dans leurs miasmes, dans leurs sanies, dans leur pus. Leur déchéance physique n'était que le reflet de leur décomposition morale. Dans un sens, ils étaient morts à Cyparissa. Mascatti y avait laissé son innocence, sa sensibilité, et peut-être son humanité. Velado, malgré son sens du devoir, y avait perdu l'honneur. Quant au jeune Cladestini, c'était bien pire. Je le soupçonnais d'y avoir gagné des certitudes. Ces trois hommes, grâce à la victoire de mon patron, avaient de sérieuses chances d'être libérés. Mais ceux qui fouleraient à nouveau le pavé de Ciudalia seraient les ombres de ceux qui l'avaient quittée quelques mois auparavant. Quels fantômes deviendraient-ils ? Mascatti se métamorphoserait-il en pervers insensible ? Velado en vétéran amer et alcoolisé ? Regalio Cladestini en aristocrate animé par le cynisme raisonné du podestat Leonide Ducatore ?

De fil en aiguille, j'en arrivai à une question encore plus tordue. Et Benvenuto Gesufal ? Lorsqu'il poserait son baluchon sur les quais, lorsqu'il retrouverait l'atmosphère animée de la via Mala et les marbres de la colline de Torrescella, à qui céderait-il la place ?

Il fallut encore endurer trois jours dans cette cellule. Trois jours à se regarder en chiens de faïence, à se déculotter en public pour couler un bronze, à espionner malgré soi Velado qui couvait jalousement le peu d'eau dont nous disposions. L'état de Regalio Cladestini se dégradait rapidement. Même dans la journée, la fièvre dont il souffrait était élevée ; la nuit, il sombrait dans une hébétude douloureuse, traversée de brèves bouffées délirantes. Quarante-huit heures après mon arrivée, il devint trop faible pour se lever. Il se soulageait sous lui, et Velado, qui n'avait pas de quoi le laver, le déplaçait en jurant pour qu'il ne marine pas dans sa propre pisse. Je craignais que le gonfalonier finisse par nous faire un coup de folie, et se jette tout de bon sur les geôliers qui nous apportaient notre pâtée. Mais en dépit de sa grande gueule, le gaillard savait où s'arrêter quand plus personne n'était en mesure de le tempérer.

Au milieu du troisième jour, la porte fut déverrouillée à une heure inhabituelle, et le cachot envahi de janissaires. Parmi eux, je reconnus le profil busqué de Gueule-de-Tueur, et d'espoir, mon cœur se mit à palpiter comme celui d'une bachelette énamourée. Le sergent lança quelques mots, et Palangano tourna vers nous des yeux écarquillés de surprise.

« Il faut se lever, s'étrangla-t-il. Ils vont nous échanger. »

Le négociant, l'officier et moi, on ne se le fit pas dire deux fois. Comme Mascatti restait sur ses fesses, stupéfait, Velado lui balança un coup de pied dans les côtes, en grognant :

« Debout, crétin ! »

Puis, il considéra Regalio Cladestini, qui ouvrait à demi des yeux brillants de fièvre et haletait péniblement sur le pavé.

« Palangano, dis-leur qu'il nous faut une civière pour déplacer sa seigneurie. »

Au terme d'un bref échange avec Gueule-de-Tueur, le négociant énonça avec embarras :

« Il refuse. Il dit que nous n'avons qu'à le porter.

— Sac à merde ! » gronda Velado en plantant son regard dans celui de Gueule-de-Tueur.

Les deux matamores se toisèrent férocement, dans un moment de tension extrême. Je crois que le frisson des prisonniers ciudaliens fut partagé par la plupart des janissaires présents. Mais le gonfalonier se détourna, pour en revenir au blessé. Il inspecta rapidement ses trois compagnons valides, se détourna avec mépris de Mascatti, puis de Palangano.

« C'est bon, c'est bon, j'ai compris, grommelai-je.

— On va le soutenir à deux, sous les épaules, dit Velado comme s'il allait de soi que je devais le seconder. Sans une civière, trop dangereux pour son bras de le porter. Je prends la gauche. »

Ce qui n'était pas plus mal, vu qu'il s'agissait du côté du membre blessé de Cladestini. La confiance que m'accordait le gonfalonier Fruga restait relative, mais ça m'arrangeait plutôt. Regalio Cladestini ne pesait presque plus rien ; le bras que je passai derrière ma nuque, le poignet que je serrai dans mon poing étaient grêles comme ceux d'un enfant ; je pouvais sentir l'arceau de ses côtes contre mon flanc. Il avait la respiration saccadée, le pouls précipité. Quand nous le soulevâmes, je vis plusieurs janissaires se protéger le nez de leur main ; même Palangano et Mascatti, qui baignaient depuis des jours dans cette infection, parurent incommodés. Je me dis que je devais avoir complètement perdu l'odorat.

Cladestini gémit quand nous commençâmes à marcher, puis quand nous dûmes gravir l'escalier qui menait à la surface. Même si le patricien n'avait plus que la peau sur les os, je n'étais guère vaillant, et je me fendis d'une jolie suée. Dans la cour de la forteresse, un grand détachement de janissaires nous attendait, que j'évaluais à deux enseignes. Il y avait quatre ou cinq officiers, mais leur cafetan rouge attestait de leur appartenance à l'armée régulière, et je n'en reconnus aucun. Ils organisèrent une colonne, au centre de laquelle nous nous retrouvâmes puissamment gardés, et ordonnèrent l'ouverture des portes. Suivant les rangs chamarrés des janissaires, nous descendîmes vers la ville.

Je clignais des yeux éblouis dans la lumière d'été. Il faisait chaud, et le corps brûlant de fièvre que je soutenais n'arrangeait pas les choses. À l'ombre des tours, puis des maisons, l'air était léger et sec ; mais au soleil, la canicule vous balançait un gnon torride. Pourtant, il y avait du monde dans les rues, sur les places, sous les porches ombreux, sous les tentes légères d'un marché. Pour la première fois depuis une éternité, je revoyais autre chose que des courtisans et des soldats ; mais le spectacle n'avait rien de particulièrement consolateur. Étourdi par la sueur qui me coulait dans les yeux, par la lumière brute, par les reflets incandescents sur les casques et sur les lances, je distinguais mal le peuple de Mazmana. Je percevais une foule de robes, de boubous, de gandouras. Beaucoup dressaient le poing, criaient des injures, des quolibets, des malédictions. Certains nous montraient du doigt, d'autres faisaient des cornes pour conjurer le mauvais sort, et quelques plaisantins se pinçaient le nez avec un dégoût ostensible. Au milieu du crescendo des hurlements haineux, on entendait parfois une remarque émise sur un ton railleur, un éclat de gaieté cruelle qui parcourait un groupe. Nous ne fûmes pas brutalisés, grâce à l'imposante escorte qui nous encadrait. Mais les cris des enfants, mais les rires des femmes frappaient comme des pierres.

Alors que nous trébuchions au cœur de cette ville hostile, Regalio Cladestini, qui pesait pourtant sur nous comme un corps mort, se mit à parler. Sa tête dodelinait d'épuisement, ses lèvres étaient gercées de fièvre, ses yeux plus troubles que ceux d'un ivrogne, mais il exhala par bribes un murmure rauque, chargé d'une intensité que j'attribuais au délire.

« C'est le début... C'est le vieux principe... L'œuvre de Corvilio... La guerre doit nourrir la guerre... L'or paiera l'or... Les hommes remplaceront les hommes... Il sait tout cela, don Benvenuto... Le podestat Ducatore... Corvilio l'a prévu...

— Économisez vos forces, Votre Seigneurie, grogna Velado.

— Inutile, s'esclaffa faiblement le patricien. Sur le registre... Cladestini est couché... dans la colonne pertes... Mais c'est normal... C'était écrit... Laisser la place... à des hommes neufs... Un ordre neuf... Faire table rase... Et puis des cendres... ériger une ville à nulle autre pareille... Corvilio l'a vu... Le saint des saints… À Chrysophée… Ou à Ciudalia… Corvilio l'a vu… »

Velado cracha quelques grossièretés, puis marmonna :

« Gardez votre souffle ! Si vous êtes en état, essayez plutôt de marcher. J'ai l'oreille qui tinte suffisamment comme ça sans que vous y ajoutiez votre couplet ! »

Regalio Cladestini ferma les yeux, esquissa un sourire inquiétant, une grimace sardonique qui s'étira sur ses dents comme le rictus d'un mourant, puis laissa retomber sa tête en respirant à petits coups. Je n'avais aucune idée de ce qu'il avait voulu dire ; pour moi, cela n'avait ni queue ni tête, et j'attribuais son discours décousu à une cervelle surchauffée. Je l'aurais probablement oublié si, quelques semaines plus tard, un étrange écho de son propos n'était venu me surprendre dans les appartements obscurs d'un vieillard.

Pour l'heure, il s'agissait de se traîner vers une délivrance chèrement payée. Je craignais de me retrouver jeté aux fers, à fond de cale d'un navire ressinien, le temps de rejoindre une escadre de la République. Je me demandais avec angoisse comment je pourrais survivre au mal de mer dans de telles conditions, alors que ma convalescence demeurait des plus fragiles. Aussi, en arrivant sur le port, je découvris un spectacle qui me transporta littéralement. De reconnaissance, de soulagement, je remisais quelques instants la distance calculée que nécessitait le traitement des affaires de mon patron ; je redevins bêtement, viscéralement patriote.

Les quais étaient envahis par les troupes de Ressine. Mais par-delà les casques coniques, les harnais à pompons, les plumets des officiers, les lances à fer damasquiné, j'aperçus les parallèles verticales d'un carré de piques. Je vis flotter une enseigne mordorée frappée d'un bonnet à grelots. Et plus loin, dans les bassins du port, je reconnus de longs navires à l'étrave fuselée, de longs navires qui avaient hissé avec insolence un drapeau de sable où brillaient trois florins. De longs navires qui portaient les couleurs de Ciudalia ! De saisissement, je fis chorus à la bordée de jurons de Velado.

« Tenez bon, Votre Seigneurie ! s'écria le gonfalonier à l'adresse de Cladestini. Je vois des galères de la République ! Et les Phalanges ! Une enseigne du régiment Burlamuerte a débarqué : vous êtes tiré d'affaire, Votre Seigneurie ! »

Il ne nous fallut que quelques minutes pour arriver sur le lieu de l'échange. Une vaste esplanade avait été dégagée au bord du quai ; du côté de la ville, elle était flanquée par les bataillons écarlates des janissaires, du côté des pontons, par la ligne cuirassée des Phalanges. On nous mena en avant des troupes ressiniennes. Seul un rang de lanciers et d'officiers nous séparait encore de la liberté. Je dévorai des yeux les soldats de la République, à peine à trente toises devant moi, en cillant frénétiquement pour refouler une larme de joie. Les Phalanges, c'était un peu ma famille, même si je l'avais quittée jadis un brin fâché. Alors contempler ces solides gaillards en chausses rayées et en armures noircies, un poing soutenant la pique large comme un poteau, l'autre crânement posé sur la hanche, près de la garde du fauchon d'infanterie, ça me montait à la tête comme un verre de tord-boyaux sifflé cul sec, comme une perle baroque nichée entre les seins d'une putain.

L'échange fut assez long. Il se trouva codifié par un protocole militaire dont la minutie absurde était conçue aussi bien pour impressionner l'adversaire que pour empêcher un dérapage sanglant. Les détachements saluèrent l'un après l'autre, avec une raideur menaçante ; puis les officiers des deux bords, en rivalisant de morgue. Un héraut d'armes ressinien tint un assez long discours, en adoptant des attitudes farouches. Un enseigne des Phalanges lui répondit, aboyant sur un ton rogue une déclaration officielle : il proclama que le vice-amiral Sceleste Phaleri avait été mandaté par le Sénat de la République et par le représentant d'icelui, le podestat Leonide Ducatore, afin de conclure les accords passés entre la République et le Royaume sur la restitution des citoyens prisonniers de guerre. Le tout émaillé de tournures ronflantes, de circonlocutions archaïques, d'euphémismes politiquement alambiqués, qui transformaient un message simple en logorrhée interminablement pompeuse.

Ça traînait, mais je n'en avais cure. Je ne sentais plus le soleil qui me rissolait le crâne, ni l'effort de soutenir Regalio Cladestini. La simple contemplation de la troupe ciudalienne suffisait, pour moi, à abolir le temps et l'inconfort. Parmi les officiers, je reconnus aisément le sénateur Sceleste Phaleri, un bellâtre d'âge mûr, un peu empâté, corseté dans une armure splendide dont le damasquinage flamboyait dans le jour violent. L'aristocrate posait, son bâton de commandement à la main, et suait à grosses gouttes en affectant une expression indéchiffrable. C'était la captivité de Regalio Cladestini qui nous valait l'honneur d'être délivrés par un officier de si haut rang ; toutefois, connaissant l'esprit à tiroirs de mon patron, je devinais aussi qu'il s'agissait bien plus que d'un symbole : un véritable précédent politique. Le débarquement dans un port de Ressine d'un sénateur de la République sous les armes était lourd de signification pour l'avenir du Royaume.

Cette jolie parade coûta néanmoins fort cher. Noblesse oblige, ce fut Regalio Cladestini qui fut restitué le premier. Des sergents des Phalanges portèrent trois coffres jusqu'au centre de l'esplanade ; deux janissaires nous prirent le patricien des mains et le soutinrent jusqu'aux nôtres, qui le ramenèrent dans leurs rangs. Suivirent le tour de Lucinello Mascatti et celui du gonfalonier Velado Fruga. Je vins en quatrième position, ce qui était assez logique puisque je n'étais ni noble, ni titulaire d'une charge officielle ; toutefois, je constatai avec une vanité secrète que je valais autant que Mascatti et Velado, puisque comme eux, on me récupéra pour deux coffres. Palangano vint en dernier, contre un malheureux coffre.

Le vice-amiral Phaleri nous salua l'un après l'autre, de loin et avec une politesse évasive. Un officier subalterne, l'enseigne Vitalio Mucro, nous accueillit avec plus de chaleur ; il était chargé de notre transfert à bord des navires. Velado exigea immédiatement que Regalio Cladestini soit soigné ; mais son intervention était superflue. L'enseigne Mucro considérait le patricien avec une inquiétude visible ; il lui fit aussitôt improviser une civière, disposa quelques hommes pour le protéger du soleil. Après l'échange, on dut encore attendre la fin du cérémonial militaire ; puis, nous fûmes les premiers à être dirigés vers une barque, et menés vers une galère. Il fallut hisser un Regalio Cladestini à moitié inconscient sur le tillac.

À peine à bord, l'enseigne Mucro réclama le chirurgien à cor et à cri. L'homme qui se présenta ressemblait plus à un équarrisseur qu'à un guérisseur. Trapu, les mains carrées, la trogne grossière, le médicastre avait la dégaine typique de la plupart des barbiers recrutés par les Phalanges : artisans louches aux compétences plus vétérinaires que médicales, ayant débuté leur carrière comme châtreurs de taurillons et de chevaux. Il me jeta un coup d'œil qui me fit froid dans le dos, évaluant sans doute la quantité de fil à repriser nécessaire pour mon ravalement. Fort heureusement, il y avait plus urgent.

Avant même de se pencher sur Cladestini, le chirurgien fit la grimace.

« Qu'est-ce qu'il refoule ! commenta-t-il doctement. Faisandé comme ça, je garantis rien. »

Puis, accroupi au-dessus du patricien, il déchira son bandage de fortune. Il découvrit un avant-bras gonflé, noirci et suintant, où germaient des éruptions violacées. Les matelots, les soldats et même l'enseigne Mucro esquissèrent un mouvement de recul, comme si l'odeur était insoutenable. Le chirurgien hocha la tête avec un pessimisme blasé.

« Gangrène, observa-t-il. Faut couper, sans traîner. »

Il posa une main de boucher sur la trachée de Cladestini, attendit un instant.

« Le cœur est faible. Je garantis pas qu'il vivra. Mais si le poison atteint les poumons ou les tripes, il mourra dans les trois jours. »

Et se relevant, il dit à l'enseigne :

« Portez-le moi à l'ombre. Il me faut de l'eau bouillante, un brasero pour les cautères, et deux assistants.

— Moi, gronda Velado. Je ne le lâche pas. »

Le chirurgien lui adressa un regard inexpressif. Le mufle ravagé du gonfalonier suffit sans doute à le convaincre que le gaillard avait de l'estomac.

« Je vais vous passer de la gnôle, dit le barbier. Vous avez le droit de vous rincer un peu, pour vous fouetter les sangs. Mais c'est surtout le patient que vous allez faire boire. Je veux qu'il soit gravement torché quand on attaquera. »

Fort heureusement, l'enseigne Mucro désigna un soldat pour faire office de deuxième auxiliaire. Je craignais que le gonfalonier Fruga, animé par une fraternité d'ancien combattant, ne m'invite à participer aux agapes. Certes, au cours de ma carrière dans les Phalanges, j'avais assisté à plusieurs amputations ; certes, je m'y connaissais question de découper mon prochain. Mais enfin, il me semble plus facile et plus propre d'ouvrir un homme pour le tuer que pour le soigner. La chirurgie implique une perversion foncière qui me perturbe dans mes critères éthiques. Et à ce moment-là, je ne me sentais pas encore assez solide pour contempler les outils de l'art en action.

Il n'y a pas beaucoup d'espace couvert, sur une galère. Regalio Cladestini fut emporté sous la tente du château de poupe. À ce moment, une autre barque s'accotait au navire, et le vice-amiral Sceleste Phaleri s'apprêtait à regagner le bord. L'enseigne Mucro le rejoignit aussitôt et lui fit un rapport rapide de la situation. Le sénateur s'épongea le front, se fit servir une coupe de vin. Après avoir bu, il fit délacer son armure, puis annonça avec une pointe de lassitude qu'il assisterait à l'opération. Il fut suivi par ses clients et ses officiers, et quand le chirurgien entra en action, tout l'état-major du navire était au spectacle, faisant écran en arc de cercle devant l'entrée de la tente. Palangano, Mascatti et moi, nous restions plantés au milieu du pont, comme des abrutis. Le petit patrice ne parvenait pas à contrôler le tremblement de ses mains.

Regalio Cladestini poussa deux hurlements pitoyables, des braiements vraiment dépourvus de dignité. Même si je ne voyais rien, mes souvenirs de campagne me permirent de me représenter la scène avec bien trop de précision. Pour sauver le patient, il était nécessaire de couper là où le membre était encore sain. Armé d'une lame solide, le chirurgien tranchait d'abord les matières molles : la chair, les nerfs, les muscles, en une incision tournante. Après une pause, permettant sans doute l'écoulement des premières giclées de sang, retentit le cri bref de la scie sur un os. Cladestini ne s'époumonait plus. Probablement était-il inconscient.

Suivit un autre silence, que je ne trouvai pas naturel. Le chirurgien devait attaquer les cautères ; même si le patient était dans les vapes, ça impliquait des paroles, une série de consignes à ses assistants. Au lieu de cela, je vis les officiers commencer à s'éparpiller avec un air grave. Le vice-amiral Phaleri arborait une moue pincée.

« Quelle chienlit ! dit-il distinctement. Trente mille florins pour en arriver là ! »

Puis il ordonna de mettre les couleurs en berne.

Au bout d'un long moment, Velado ressortit de la tente. Il se déplaçait lentement, le regard vide, avec la démarche flottante d'un simple d'esprit. Ses loques étaient gorgées de sang. Sur son faciès défiguré, des larmes traçaient des sillons rosâtres au milieu de la crasse. Je vis Palangano balancer, déchiré par quelque conflit intérieur, et puis se décider brusquement, marcher vers l'officier, le serrer maladroitement dans ses bras. Velado se laissa faire, les mains ballantes. Ses yeux ne voyaient rien. Son mutisme était assourdissant.

La vie est bizarrement faite. Elle se contrefout souverainement des convenances, de la décence et des bonnes manières. Ce fut alors que Velado et Palangano nous offraient leur touchant tableau, ce fut alors que toutes les galères de la République se mettaient à résonner de tambours funèbres dans le port ennemi… ce fut donc à ce moment précis, même si j'ai quelque honte à l'avouer, que mes narines se débouchèrent. D'un seul coup. Comme une bouteille.

Brutalement, un monde d'odeurs entra en expansion dans mon crâne contus. Je sentis par bouffées l'atmosphère iodée remontée des bassins ; je humai les effluves de goudron, de bois chaud et de colle du navire ; je flairai les fumets appétissants d'une cuisine de campagne, pour un en-cas que le sénateur Phaleri avait sans doute commandé à l'attention de ses hôtes fraîchement libérés. Par-dessus tout, je respirais à plein nez une pestilence effroyable, la puanteur fétide qui flottait autour de moi. J'aspirais à pleins poumons ces relents organiques, suffocants et complexes : symphonie de remugles exsudés, d'urine rancie, de crasse macérée, de crotte sèche et de purulences croupies. Je n'en revenais pas. La bouche close, les yeux fermés, je m'enivrais littéralement de mes miasmes les plus infâmes.

Sur les galères de la République endeuillée, Benvenuto Gesufal se grisait d'un bonheur inespéré et absolument indicible.

# V

## *Ciudalia*

Vous les voulez traiter d'un semblable langage,
Et rendre même honneur au masque qu'au visage,
Égaler l'artifice à la sincérité,
Confondre l'apparence avec la vérité,
Estimer le fantôme autant que la personne,
Et la fausse monnaie autant que la bonne ?

MOLIÈRE

Mon bonheur, il fut de courte durée.

Sceleste Phaleri donna l'ordre de prendre le large le jour même, avec la marée. Tant que nous fûmes dans les eaux calmes du port, le navire se déplaça avec une lenteur fluide qui me permit d'espérer que je supporterais mieux le voyage. Mais dès que nous eûmes franchi la digue, les premiers dos d'âne du roulis ranimèrent un malaise familier. C'est un privilège douloureux, la liberté.

L'enseigne Mucro veilla à nous faire apporter un baquet d'eau, du savon, un rasoir, pour nous rendre un peu plus présentables. À la dure, sur le pont. Palangano, Mascatti et moi, nous nous décrassâmes avec des gestes hésitants. Nous étions tremblants et frêles comme des chats mouillés. Mucro dut insister auprès de Velado pour qu'il se lave ; le gonfalonier demeurait hébété, à fixer l'horizon d'un œil vide. Nos hardes furent balancées par-dessus bord avec l'eau du bain, et on nous offrit des chemises douces, des chausses élégantes et des pourpoints légers, dons gracieux du sénateur Phaleri.

Il fallut prendre une décision au sujet de la dépouille de Regalio Cladestini. Quoique vivement critiquée par le clergé du Desséché, la coutume dans la marine est l'immersion des corps. Mais le défunt était devenu, après la mort de son oncle le podestat Cladestini, le chef naturel d'une grande famille de la faction belliciste. Pour le sénateur Sceleste Phaleri, il était inconcevable de jeter ses restes à la mer. Il décida de rapatrier le cadavre. Assez ironiquement, le barbier se trouva chargé de recoudre le membre qu'il avait amputé, tandis que le maître menuisier se voyait passer la commande d'un cercueil. Toutefois, on ne mit pas Regalio Cladestini en bière. Par beau temps, huit à dix jours de mer étaient nécessaires pour regagner Ciudalia, et le bras pourri du défunt présageait une putréfaction rapide. Faute d'embaumeur, il fallut improviser une mesure de conservation du corps avec les moyens du bord... Contrairement à ce qu'il avait prédit, Regalio Cladestini ne fit pas son voyage de retour entre quatre planches : il le fit plongé dans un tonneau de saumure.

J'avais cependant des motifs d'inquiétude plus personnels ; le sénateur Phaleri, qui ne souhaitait pas perdre un deuxième invité, insista pour que nous soyons examinés par le barbier. Ce fut avec l'appréhension que l'on imagine que je remis ma gueule entre les mains épaisses du boucher. Mais l'équarrisseur avait eu sa ration de viande froide ; ou alors, il avait l'intelligence de reconnaître les limites de son art.

« Pour le nez, vaut mieux pas y toucher », constata-t-il après l'avoir palpé.

Sans doute avait-il lu dans mon regard que j'étais prêt à lui péter le sien au premier écart.

« Il s'est ressoudé en biais, ajouta-t-il. On pourrait essayer de le redresser, mais ça imposerait de le recasser d'abord. Et le résultat serait pas garanti. Préférable que vous vous fassiez une raison. »

Puis, il me fit signe de l'ouvrir, et se pencha sur mon râtelier ébréché.

« À gauche, c'est un peu de travers, constata-t-il au bout d'un moment. Faudrait renforcer les molaires, sans compter que ça va finir par vous écorcher la langue. Pour les incisives, joli travail. On vous les a cassées bien proprement. Vous avez dû manger un sacré pain. »

Finalement, je sortis de ses pattes d'écorcheur à peu de frais, avec un baume d'asphodèle contre les parasites et un régime au bouillon pour la traversée. Velado s'en tira barbouillé avec un emplâtre cicatrisant, d'un grotesque achevé : cela repoussait les limites de sa laideur tout en lui donnant une touche comique complètement hors de propos.

À tout prendre, le voyage de retour vers Ciudalia fut singulier. Une galère, c'est un bâtiment taillé pour la vitesse et pour la guerre, pas pour le commerce ou la plaisance. Nous étions donc entassés sur le tillac et sur le château arrière avec les marins, les soldats du régiment Burlamuerte, l'état-major du vice-amiral. Le sénateur Sceleste Phaleri nous invitait chaque jour à sa table, où tant bien que mal, je m'efforçais de supporter mes nausées. Pour avoir servi successivement sous le commandement de Cassio Cladestini, puis sous celui de mon patron, Phaleri nous connaissait vaguement, Velado, Mascatti et moi. Mais il nous traitait avec la cordialité formelle qu'il réservait à ses propres clients et officiers. Il avait l'élégance de témoigner la même affabilité à Cuartino Palangano, bien qu'il ne fût pas du même monde.

Dans sa conversation, Sceleste Phaleri n'abordait jamais directement des questions politiques ou militaires. Le premier soir, il estima juste convenable de nous avertir que la guerre touchait à sa fin : une trêve venait d'être acceptée, au bénéfice de Ciudalia qui allait recevoir un tribut considérable, et la paix ne tarderait plus, signée dès que l'occupation de l'île de Qir par nos troupes serait effective. Mais ce fut la seule occasion où il nous entretint du conflit. Le vice-amiral bavardait de sujets plus frivoles, comme la mode pour la chanson polyphonique, la qualité des cépages de Vinealate ou encore la volière d'oiseaux exotiques qu'il comptait installer dans son palais de Torrescella. Fidèle à l'antique tradition ciudalienne, il envisageait également de faire offrande à Aquilo, Seigneur des Flots, pour lui avoir permis de survivre aux combats, et tout particulièrement à la bataille du cap Scibylos. Il avait fini par pencher pour la construction d'un oratoire privé, et il s'interrogeait sur les artistes à qui confier la réalisation des fresques. Le Macromuopo était un génie incontournable, doté d'une composition puissante et sobre, auquel Phaleri avait d'abord pensé ; mais le sénateur avait envie de se démarquer ; peut-être le jeune et prometteur Pugapingi saurait-il donner une fraîcheur impertinente à cette commande très convenue ; à moins que le mystérieux fra Albinello, qui défrayait la critique depuis son arrivée en ville deux ans plus tôt, n'acceptât de traiter un sujet si contraire à sa foi.

Le sénateur témoignait un intérêt poli aux conseils que nous aurions pu lui prodiguer afin d'éclairer ses dilemmes esthétiques. Velado affirma une fois pour toutes qu'il n'y connaissait rien et se cantonna par la suite dans un silence grossier. Palangano n'y connaissait rien non plus, mais il était trop civil pour se taire, et il offrit donc une réplique obséquieuse au vice-amiral. Pour ma part, mes petits désordres digestifs et les efforts que je déployais pour ne pas vomir à la vue des plats ne m'incitaient pas particulièrement au débat artistique. C'était donc le jeune Mascatti qui pérorait beaucoup ; le petit gandin, sous prétexte qu'il avait visité un ou deux ateliers, se croyait pourvu d'un goût très sûr, et jasait donc à tort et à travers avec autorité.

Phaleri l'écoutait avec une curiosité étonnée, que le jeune imbécile prenait pour de la considération. En dépit de mes indispositions, en dépit d'une secrète mauvaise conscience aux origines troubles, je commis le deuxième soir une imprudence ; je ricanai quand Mascatti confondit la ligne et le sfumato. Le sénateur me jeta un regard très surpris. Par la suite, quand il lui arriva de parler à nouveau de peinture, ce fut toujours en gardant les yeux sur moi.

Le singulier tenait au cadre de ces entretiens. Un simple plancher, à peine plus large que mon pouce, nous séparait de l'entrepont où Regalio Cladestini barbotait dans son tonneau. Sous nos pieds résonnaient l'ahanement rauque des forçats et les vulgarités aboyées par les argousins. De la misère des bas-fonds à la vanité fleurie des élites, il n'y avait guère qu'une toise de distance. La galère, en définitive, offrait un raccourci saisissant de la République : esquif pestilentiel et pédant, qui franchissait avec une célérité orgueilleuse les gouffres amers.

Comme toute conversation ciudalienne, la causerie si badine du vice-amiral était à double entente. Quand il fredonnait une canzone, quand il dressait un catalogue de perruches, quand il comparait les perspectives conique et cavalière, le sénateur Phaleri œuvrait bien sûr à effacer la guerre, à la reléguer en une place confinée et close, comme la barrique hermétique qui clapotait sous nos bottes. Mais en creux, il s'agissait aussi d'exalter la guerre : il s'agissait de célébrer à mots couverts sa fumure fertile, car les arts et le luxe, à tout prendre, n'étaient que le fruit du carnage, la sublimation de l'extorsion et du pillage. Sceleste Phaleri tirait prétexte de son action militaire pour s'offrir une chapelle fastueuse ; Sceleste Phaleri comptait profiter des retombées économiques de la victoire pour s'accorder d'autres caprices d'esthète. Il posait, comme la plupart de nos patriciens, en triomphateur éclairé : le mécène sensible justifiait l'entrepreneur de guerre.

Ses officiers formaient une société bigarrée de

plébéiens parvenus et de parasites aristocratiques. Les gens de sac et de corde dans mon style, engagés dans les Phalanges pour échapper à la potence, y côtoyaient des gentilshommes d'excellente éducation, bien plus cupides que les truands reclassés. Entassés sur cette coque de noix, nous étions bien forcés de frayer avec eux. Des quatre prisonniers libérés, Velado et moi nous montrions les moins sociables. Pour ma part, j'étais malade, ce qui ne stimulait le goût pour la plaisanterie qu'à mes dépens. Quant au gonfalonier Fruga, il sut assez vite dominer l'abattement provoqué par la mort de Regalio Cladestini ; mais son tempérament rugueux, son grade supérieur tout comme la certitude d'avoir manqué à son devoir contribuèrent à l'enfermer dans une réserve pleine d'aigreur. Assez bizarrement, ce fut Lucinello Mascatti qui s'intégra avec le plus d'aisance au cercle des officiers ; le petit patrice s'efforçait sans doute d'oublier au mieux l'épreuve traversée, et sa jeunesse lui donnait un esprit grégaire qui le poussa à s'intégrer à la meute. Comme il était de famille noble, les clients du vice-amiral supportèrent ce chiot, qui essuyait du reste leurs piques avec une soumission presque reconnaissante.

Toutefois, ce fut Cuartino Palangano qui s'avéra être le compagnon le plus agréable. Sans se formaliser de la mauvaise humeur de Velado, il allait souvent lui faire la conversation, pour essayer de le tirer de la solitude dans laquelle l'officier se retranchait. Il venait également me voir, se montrait compatissant pour mes désordres gastriques ; parce qu'il était grand négociant, c'était aussi un marin qui connaissait bien le mal de mer. Comme Psammétique, il m'encouragea à regarder l'horizon, et il essayait de me dérider ; la peur du mal aggravait le mal, disait-il, et il fallait se changer les idées. J'étais quelque peu mortifié d'être ainsi soutenu par un simple marchand, mais je dois bien convenir que je lui en étais reconnaissant. Avec les soldats et les officiers, il se montrait respectueux et enjoué, et faisait mine de ne pas voir la morgue que lui servaient certains aristocrates. Toutefois, c'était avec les matelots de la galère qu'il se sentait le plus à l'aise. Son tempérament ouvert, sa simplicité, son expérience de la navigation lui gagnèrent rapidement la sympathie du maître de manœuvre et des quartiers-maîtres. Étonnamment, alors qu'il avait subi la captivité la plus longue, c'était lui, le civil, qui semblait se remettre plus vite de sa détention.

Ceci dit, Palangano n'était pas sorti indemne de l'épreuve. Une ombre persistait derrière le naturel jovial si rapidement recouvré. La nuit, quand nous nous allongions sur le tillac, je le voyais souvent rester les yeux ouverts, à fixer sans le voir le ciel étoilé. Le jour, au milieu d'une conversation, il lui arrivait régulièrement de perdre sa faconde, comme si un tracas était revenu lui gâcher le plaisir de bavarder. À quelques reprises, je le surpris en train de dévisager avec insistance le sénateur Phaleri ; et même, en une occasion, en train de me regarder moi. Mais ces accès ne duraient guère ; il chassait vite cette expression troublée, redevenait le type enjoué qui connaissait toutes les chansons de matelot et savait rire de lui-même.

Et un après-midi, ce fut Palangano qui vint me trouver pour m'annoncer que si le vent se maintenait, nous toucherions Ciudalia le lendemain.

Pour le marin en bout de course, Ciudalia est une femme qui sait se faire désirer. Elle lui adresse des signaux de plus en plus appuyés de sa présence, mais se dérobe encore longtemps derrière les horizons méridionaux.

Bien avant qu'on puisse apercevoir les premières terres, c'est l'océan qui trahit la puissance de la ville. La mer se couvre de voiles. On aperçoit d'abord les silhouettes ventrues des nefs, hourques pansues et galéasses marchandes, qui roulent sur les flots comme de gros cétacés. La guerre avait chassé des eaux de la République les felouques et les tartanes des trafiquants ressiniens, mais ces esquifs se trouvaient remplacés par de nombreuses galères assurant la sécurité de nos flottes de commerce. Puis, éparpillées comme des courlis sur une grève, on découvre les flottilles de chasse-marées et de barques de pêche, qui approvisionnent jour après jour la piazza Pescadilla, le ventre de Ciudalia. Des nuées tournoyantes de mouettes et de goélands harcèlent ces embarcations, remplissent le ciel de cris stridents qui préfigurent déjà l'animation du port. Parfois, si la brise vient du sud, au milieu des embruns et de l'odeur de marée, le vent apporte une fragrance fantôme de pin et de laurier.

Les premières terres ne tardent plus, alors, à émerger ; mais il ne s'agit pas encore du continent. Flanquées d'îlots traîtres et de brisants dangereux, deux grandes îles abritent la baie de Ciudalia. Castellonegro est un croc rocheux qui crève l'océan comme un monstre marin ; sa ligne de crête étroite est couronnée par les remparts trapus du château qui a donné son nom à l'île. C'est la forteresse qui verrouille le golfe. Le régiment Testanegra y maintient plusieurs enseignes en état d'alerte, et une petite escadre de guerre y a sa base. Un peu au sud-est, Dessiccada étale ses plages semées d'épaves sous la pénombre hirsute de son bois. L'île, longue et basse, fut il y a plusieurs siècles le dernier repaire de naufrageurs de la République ; mais depuis la conversion de la ville au cyclothéisme, Dessiccada est devenue un lieu consacré. Elle abrite le plus grand sanctuaire du Desséché de la région, et son Bosquet lancéolé de cyprès renferme la nécropole de Ciudalia.

C'est seulement en doublant ces deux îles que se dévoile enfin, languissante et littorale, la courbe sensuelle de la cité. Au-delà du port, au-delà de l'industrieux désordre de ses mouillages, de la forêt de mâts et de vergues, le front de mer expose en sourire éclatant ses façades blanches. Un peu partout, des rues en pente s'enfoncent à l'intérieur de la ville ; par contraste avec la luminosité maritime, l'ombre qui règne dans ces axes paraît mystérieuse et accueillante, comme s'il s'agissait des corridors monumentaux d'une cité palais plus que de la voirie malpropre des bas quartiers. Au-dessus, c'est une marée de toits qui part à l'assaut des collines ; une mosaïque dense et montueuse, un océan de tuiles rondes, ocre comme le téton d'une fille brune.

Le quartier occidental de la ville est dominé par la colline de Purpurezza, qui s'avance quasiment telle une presqu'île au-dessus des bassins du port. Le relief y est assez abrupt : s'y accrochent des demeures étroites, orgueilleuses et délabrées, noircies par les fumées qui s'élèvent de l'arsenal. C'est le plus vieux quartier de Ciudalia, celui où les princes pirates bâtirent leurs premiers palais. On y devine encore quelques pans du rempart primitif, absorbé dans le tissu urbain. L'ensemble est dominé par la tour puissamment fortifiée du temple du Resplendissant. De longues bannières d'azur frappées d'un soleil rayonnant flottent sur ses murs, et le brasier du Dieu qui est entretenu nuit et jour sur la plate-forme sert de fanal aux navires en approche.

Plus au sud, au cœur de la ville, se bombe le dôme de bronze du temple d'Aquilo. Il dresse sa masse courbe au-dessus du poumon marchand de Ciudalia, la piazza Smaradina et la via degli Ducati ; il y étincelle comme un gigantesque florin, à moitié enfoui dans le troupeau dense des cheminées et des pignons. Derrière, par-delà le lacis populeux du quartier Benjuini, Torrescella parade à la face de l'océan. La colline est en fait l'immense coteau littoral, qui couronne toute l'agglomération portuaire. À mi-pente, accroché au versant, on aperçoit le fronton sévère du Palais curial. Tout autour, une éruption de marbre s'élance vers le ciel : les palais des grandes familles de la République y rivalisent de faste et de splendeur, érigent une poussée vertigineuse de tours, de beffrois, d'aiguilles et de clochetons. Torrescella n'est pas seulement le centre politique de la République : c'est une armada palatiale, une horde castellane, le péristyle majestueux et anarchique de toutes les démesures patriciennes.

Enfin, la cité tout entière, close de murailles bicolores aux merlons dentelés, s'accote aux montagnes douces de l'arrière-pays, étire ses faubourgs le long des bois d'oliviers, des forêts de chênes verts et de pins parasols. Les pieds dans la baie, adossée sur les collines, Ciudalia trône sur la pointe septentrionale du continent, offrant ses artères populaires et ses monuments aristocratiques aux brises accourues du large.

Précisément ces brises, sans oublier le souffle de deux cent quarante forçats, qui me ramenaient enfin vers ma patrie.

Les plus malins l'auront deviné : ma géographie urbaine n'est pas exactement celle que je viens de dépeindre. Certes, perché sur le château de proue de la galère Phaleri, porté par l'euphorie collective de l'équipage, je dévorais du regard ma ville natale, le cœur prêt à éclater d'allégresse et les yeux remplis de larmes. Certes, je m'enivrais de ce panorama grouillant et grandiose, je m'imprégnais jusqu'à l'os du rayonnement impalpable de la cité. Pourtant, à dire vrai, si la ville m'est familière, si la ville est même incrustée en moi comme l'empire d'une mère, cette perspective immense me demeurait somme toute assez étrangère. Je suis un enfant des rues de Ciudalia, non de ses collines ou de ses côtes. C'est de ses ruelles, de ses coupe-gorges, de ses tavernes et de ses tripots que je suis intime. La ville, pour moi, c'est le bruit, l'exiguïté, la promiscuité, le dédale clos de ses venelles, le pavé inégal, le ciel bouché par le linge à sécher et par les façades trop hautes. Ciudalia en majesté se dressant sur l'océan m'émouvait comme le décor grandiloquent, mais creux, de quelque pompeuse pièce de théâtre. Les temples altiers, le Palais curial, les commerces de luxe de la piazza Smaradina n'avaient en définitive qu'une fonction vaguement décorative dans le fil de mon existence. Ma ville, à moi, celle que j'aimais, celle qui respirait, celle qui m'avait donné le sein, c'était le quartier des abattoirs de la via Mala, c'étaient les planques du cloaque Azoteo, c'était le patio de la Taverne de l'Olivier, c'étaient les arrière-cours borgnes et les portes de service des palais de Torrescella. En entrant au port, le monument qui me donna l'émotion la plus vive, ce fut en fait l'angle louche du *Banc de nage*, une taverne où j'allais régulièrement descendre un godet quand mes affaires m'amenaient sur les quais.

Nous étions attendus. À la suite de sa magnifique victoire, la marine de la République avait fouetté les fibres patriotiques. Alors que les galères de l'escadre Phaleri franchissaient la jetée, et bien qu'elles aient mis leurs couleurs en berne, nous étions salués et ovationnés de tous côtés, par les pêcheurs dans leurs barques, par les matelots des navires marchands, par les portefaix et les rouliers du port. Toutefois, le peuple des gens de mer n'était pas seul à nous accueillir ; sur le quai de l'arsenal, une vraie petite foule s'était rassemblée. Elle était assez sombre : nombre de ses membres portaient des costumes de deuil. Quand nous avions quitté Sepheraïs, le vice-amiral Phaleri avait envoyé un de ses navires en avant-garde, avertir la ville que l'échange s'était correctement déroulé, mais que le patrice Regalio Cladestini était décédé peu après. Le clan Cladestini attendait donc, en grand équipage funèbre, les restes du jeune gentilhomme qui avait failli devenir son chef. D'autres nobles, flanqués de quelques domestiques, se tenaient un peu à l'écart, sans doute des amis et des parents de Lucinello Mascatti. J'entrevis aussi quelques officiers subalternes des Phalanges, probablement venus escorter le gonfalonier Velado Fruga.

À côté de moi, Palangano s'écriait avec bonheur :

« Ma femme est venue, avec mes deux enfants ! Et ma mère, et mon frère ! Oh ! La Déesse me bénisse ! Comme Tesorino a grandi ! » J'étais content pour lui, Palangano ; le retour au bercail m'incitait franchement à l'indulgence, ainsi que la perspective de fuir définitivement la balancelle à soixante avirons. Aussi je ne prenais pas trop ombrage de sa joie... Car je savais que pour moi, l'accueil se révélerait moins chaleureux. Je n'étais, après tout, qu'un employé de la maison Ducatore ; et la nature particulière de mon boulot m'amenait à tisser beaucoup de contacts, mais peu de liens. De plus, il aurait été compromettant pour mon patron d'envoyer quelqu'un d'important à ma rencontre. Sans doute un porte-glaive quelconque du palais Ducatore patientait-il dans la foule, peut-être Lupo ou Coneoti, pour me prendre en charge vers Torrescella.

Quand la galère eut jeté l'ancre, ce fut Regalio Cladestini qui eut l'honneur posthume de descendre le premier sur le sol ciudalien. Une heure plus tôt, on l'avait tiré de sa barrique et cloué à la hâte dans son cercueil ; Sceleste Phaleri avait fait étendre le drapeau de la République et poser une épée nue sur le couvercle. Portée par six phalangistes en grande tenue, la bière aurait eu une certaine allure, si elle n'avait pas persisté à empester la morue.

Pour l'occasion, Sceleste Phaleri avait endossé son armure de cérémonie, et arborait l'anneau sigillaire ainsi que le bâton de commandement. Avant de nous laisser filer, il nous adressa quelques mots informels, et salua individuellement chacun des quatre rescapés. En inclinant légèrement la tête devant moi, il me dit, sans me quitter des yeux : « J'y ai mis du temps, mais j'ai enfin compris, don Benvenuto. Je me suis rappelé où je vous ai déjà vu. » Puis il passa à Palangano. Cette remarque, intentionnellement gardée pour la fin, jeta un certain trouble chez moi. Phaleri ne faisait allusion ni à l'état-major du Podestat, ni à l'antichambre du Palais curial, où il avait eu l'occasion de me croiser plusieurs fois en public. Il faisait référence à un souvenir beaucoup plus ancien, que mon ricanement inconsidéré à propos des sornettes de Mascatti avait dû ranimer chez lui. Sans doute le vice-amiral avait-il souhaité tourner un compliment compréhensible de nous seuls; mais le sous-entendu, en fait, me fit froid dans le dos. Il m'avait donné le sentiment, peut-être absurde, d'avoir été percé à jour.

Grisé de retrouver ma terre natale, perturbé par la vivacité de la mémoire de Sceleste Phaleri, je descendis étourdiment sur le quai. Comprenez par là que ma vigilance avait baissé. Quand vous foulez le pavé de Ciudalia, c'est une sottise impardonnable. Ma bonne ville ne se priva pas de me rappeler à l'ordre. J'avais peut-être fait dix pas depuis la passerelle quand l'ampleur de mon erreur me tomba dessus, avec la violence d'un direct. Un groupe me barrait le passage. Un groupe imposant, au moins une vingtaine de personnes. Je n'y avais pas prêté attention parce que ces hommes étaient richement vêtus, et portaient un deuil fastueux. Je les avais confondus avec le cortège funèbre venu accueillir la dépouille de Regalio Cladestini. Mais ces gaillards-là n'appartenaient pas à la maison Cladestini.

L'individu qui se dressait devant moi, entouré de ses fils, de ses parents, de ses amis et de ses sicaires, n'était autre que le sénateur Tremorio Mastiggia.

Je crus qu'ils n'auraient même pas à lever la main sur moi pour me tuer. Le choc fut tel que, pendant une interminable seconde, mon cœur s'arrêta de battre. Oseraient-ils? Oseraient-ils, devant la dépouille de Regalio Cladestini? Devant la foule assemblée? Devant les enseignes des Phalanges? Devant le vice-amiral Phaleri? Bien sûr, qu'ils oseraient. Est-ce que j'avais hésité, moi? Je restai donc pétrifié devant le groupe compact du clan Mastiggia. Une petite voix intérieure me hurla de tourner les talons et de fuir, de courir comme je n'avais jamais couru, de me réfugier sur la galère Phaleri ou de plonger dans l'eau douteuse du port... Mais pour courir, encore faut-il y croire un tout petit peu. Je n'avais même pas le réconfort d'un couteau planqué dans une manche. En fait, j'étais hypnotisé par le sénateur Tremorio Mastiggia, par le regard hanté et rougi d'un homme brutalement vieilli, par les prunelles injectées du patricien dont j'avais poignardé le meilleur fils.

Quelques mois plus tôt, sa seigneurie Tremorio Mastiggia était encore un homme robuste, charnu, rayonnant de vitalité et d'appétits. Le chef de clan qui venait de se dresser devant moi était amaigri, blanchi, tassé. Il me dévisageait avec une fixité égarée, insupportable, comme si l'orage n'en finissait pas de s'accumuler dans son cœur fatigué, comme s'il ne savait par quel déchaînement de colère ou de cruauté il pourrait crever l'abcès. Bucefale n'avait pas seulement représenté un fils pour lui : il avait été le garçon préféré, l'orgueil du sénateur, sa meilleure part, l'étoile montante du clan Mastiggia, peut-être son apogée. Mon coup de dague n'avait pas seulement liquidé un quidam ; il avait mutilé toute une lignée. Il l'avait privée de son rendez-vous avec l'histoire. Comment pouvait-on venger un crime pareil ?

Tremorio Mastiggia parut enfin se décider.

« Permettez, don Benvenuto, me dit-il d'une voix sourde. Permettez... »

Il fit deux pas en avant, ouvrit les bras, et m'étreignit. Son accolade fut virile et prolongée. Abasourdi, j'enregistrai le contraste troublant entre la joue rugueuse du vieil homme et la douceur soyeuse de son surcot noir. Dans ses mains fermement posées sur mon dos, dans sa poitrine collée à la mienne, je sentis un frémissement, un bouillonnement douloureux, une émotion puissante refoulée à grand peine.

Quand enfin il se sépara de moi, il ajouta, en me regardant bien en face :

« Merci, don Benvenuto. Merci pour… Merci d'avoir tout tenté pour… »

Il manqua de s'étrangler, et ses paupières battirent pour lutter contre les larmes. Après avoir pris une grande inspiration, il retrouva le contrôle de sa voix, et se tourna vers le cortège qui l'avait accompagné.

« Eux aussi tiennent à vous manifester leur gratitude, dit-il en les désignant de la main. En vérité, toute la famille Mastiggia vous manifeste sa gratitude, don Benvenuto. »

Je regrette de ne pas avoir vu ma tête à ce moment-là. La stupéfaction que j'éprouvais devait me rendre aussi expressif qu'un merlan frit. À la queue leu leu, tous les membres importants du clan vinrent m'étreindre avec dignité. La scène, débordante d'un pathos ostentatoire, finit par attirer des curieux. J'eus droit à l'embrassade empruntée de Destrino et de Stalto, les deux fils cadets du sénateur. J'eus droit également à l'accolade plus affirmée, et plus inquiétante, de Dulcino Strigila. Strigila était le bâtard du sénateur ; sans avoir le brillant intellectuel de Bucefale Mastiggia, il partageait avec son demi-frère une bravoure insolente, et il avait une réputation solidement établie de duelliste. Je passai ensuite dans les bras de quelques oncles et cousins, que j'étais bien trop sidéré pour identifier. Le dernier personnage dont je reçus l'hommage était un homme vieillissant et menu, à la bouche molle et au front puissant ; le pourpoint à la mode qu'il arborait ne seyait pas vraiment à sa carrure affaissée et à son petit ventre. Il posa des mains frêles sur mes épaules avec autant de majesté que le duc de Bromael adoubant un chevalier.

« Les mots nous font défaut pour dire combien il nous manquera, don Benvenuto, lança-t-il avec emphase. Il nous ennoblissait tous par son génie. Je suis certain que votre vaillance elle-même vous fut insufflée par son exemple, et qu'il se survivra dans votre courage, comme il se survivra dans mon chant. »

L'énergumène m'embrassa ensuite : il sentait la violette et je peux jurer que son baiser était mouillé. Il n'avait ni les traits, ni la classe des Mastiggia, et je me demandai confusément d'où sortait cette vieille folle. Il fallut un long moment à mon esprit hébété pour réaliser l'honneur qui m'était échu : le grand poète Luca Tradittore, le phénix des lettres ciudaliennes, venait pleurer avec moi la disparition du pigeon le plus généreux de son colombier.

« Qu'est-ce que vous avez pris ! enchaîna Tremorio Mastiggia en désignant mon visage. Vous avez dû vous battre comme un lion. Comme un lion. »

Et s'emparant de mon bras pour marcher à mon côté, il ajouta :

« Il faut qu'un homme de votre trempe soit honoré, don Benvenuto. Nous allons vous escorter jusqu'au palais Ducatore. Nous allons témoigner publiquement, par la ville, la reconnaissance que vous doit la famille Mastiggia. »

Je me laissai faire docilement. J'avais l'impression d'être en cire, la cervelle réduite en bouillie, et je luttai de toutes mes forces pour empêcher ma mâchoire de se décrocher de façon chronique. Je n'en revenais pas. Et les minutes avaient beau passer, et j'avais beau me dire que j'étais bien parti pour rester entier, je n'en revenais toujours pas. Flanqué par l'escorte funèbre des Mastiggia, je pris donc la direction du centre ville. Dulcino Strigila nous précédait de quelques pas, une main indolente posée sur le pommeau de l'épée, et suffisait par sa seule présence à ouvrir une voie au cortège. Je suivais, accompagné par le sénateur, par ses fils légitimes et par Luca Tradittore. Quelques jeunes gentilshommes et quelques hommes de main veillaient à la sécurité de Tremorio Mastiggia. Le piétinement muet du reste du clan, derrière nous, persistait à diffuser un froid glaçant le long de mon échine. Alors que nous commencions à remonter la via Descuartizza, le sénateur serra plus fort mon bras, presque de façon convulsive.

« Il est une question que je redoute de poser, me dit-il en maîtrisant sa voix à grand-peine. Elle brûle de sortir, et elle m'étouffe tout à la fois. Vous devez bien imaginer de quoi il s'agit… »

J'imaginais très bien, en effet. Mon cœur se mit à battre la chamade. Qu'est-ce que j'allais donc pouvoir lui raconter ?

« Ce que j'ai appris, poursuivait-il, je l'ai su par des sources indirectes. Dès qu'il a eu confirmation de la catastrophe, Ducatore a envoyé un autre navire, chargé d'une lettre officielle pour m'annoncer la disparition de mon fils. Au cours des négociations entre notre état-major et celui de l'ennemi, certains bruits ont filtré, qui m'ont été rapportés par des officiers de Sanguinella. Mais vous êtes… »

Il s'arrêta, pour prendre une inspiration pénible. Presque aussitôt, tout le clan fit une station au milieu de la rue.

« Mais vous êtes le seul survivant, don Benvenuto, reprit-il en chevrotant légèrement. Vous êtes le dernier à avoir vu mon fils. Vous êtes le seul témoin de sa mort… Et… quoiqu'il m'en coûte… Je veux savoir, don Benvenuto. Je veux tout savoir. »

Et me coulant un regard acéré, il ajouta sur un ton plus ferme :

« Surtout, ne me mentez pas. Ne me dissimulez rien. J'ai un instinct pour cela. À mon âge, j'ai vu périr mon comptant d'hommes. Je sais à quoi ça ressemble : en définitive, c'est toujours sale, indigne, et douloureux. Ne m'insultez pas en tentant d'édulcorer. C'est la mort de mon fils que je veux pleurer, pas une enluminure conçue à des fins consolatrices. »

Je me retrouvais drôlement embrené. Certes, j'avais déjà fait le récit de l'abordage à mes compagnons de cellule ; mais j'avais alors traité de façon elliptique la mort de Bucefale Mastiggia, ce qui avait suffi à satisfaire la curiosité de mes codétenus. Or il m'était impossible d'adopter le même angle avec le sénateur Mastiggia. Il me fallait donc inventer quelque chose en vitesse ; quelque chose de suffisamment convaincant pour maintenir le rideau de fumée, et de suffisamment flou pour ne pas interférer avec les bruits fantaisistes qui avaient remonté jusqu'à lui. Pour gagner du temps, j'improvisai alors la stratégie narrative que je devais resservir par la suite, à l'attention de mon lecteur pénétrant, dans le premier chapitre de cet ouvrage. Je commençai donc par rapporter en détails la façon dont nous avions été pris en chasse par les chebecs royaux. Je donnai bien sûr le bon rôle à Bucefale Mastiggia ; plus d'une fois, je vis une larme de fierté perler à l'œil du sénateur, quand j'évoquai la boutade de son fils, ses délibérations, sa harangue. Pendant que je jasais ainsi, je cherchais frénétiquement une conclusion crédible, un bobard assez quelconque pour être réaliste et assez héroïque pour satisfaire l'orgueil de toute la meute Mastiggia.

Par chance, le bon peuple ciudalien vint me seconder dans mes manœuvres dilatoires. Le cortège noir formé par la famille Mastiggia faisait sensation. Nombre de badauds reconnaissaient le sénateur. Ce qui fait la puissance d'un aristocrate, dans la République, c'est son contact avec les petites gens. Même s'il n'était pas un des ténors du Sénat, Tremorio Mastiggia disposait d'un réseau assez large d'amis, de clients et d'obligés. Du coup, nous étions souvent interrompus. Des passants se découvraient à notre passage ; des valets et des apprentis nous interpellaient et criaient gloire au défunt patrice Bucefale ; quelques boutiquiers et artisans quittaient leur échoppe pour présenter leurs condoléances au sénateur et pour protester de leur fidélité à sa maison. En bon démagogue, Tremorio Mastiggia répondait à chacun. Sa dignité minée de chagrin était imparable pour gagner les sympathies, et alors même que je lui montais un bateau plutôt osé, j'admirais sa capacité à instrumenter une peine profonde en racolage électoral. Le piquant de l'affaire, c'est qu'il m'exhibait de façon théâtrale. À tous les badauds un peu trop empressés qui venaient partager sa douleur, il me présentait comme le gentilhomme qui avait tenté de sauver son fils. En moins d'une heure, il était de notoriété publique que don Benvenuto était le héros malheureux qui avait été à deux doigts de tirer Bucefale Mastiggia des griffes de la camarde.

Les hommages immérités de plus en plus nombreux finirent par me ragaillardir. Je me découvrais un plaisir pervers à raconter mes souvenirs de guerre, surtout enjolivés ; l'incubation avait été fort courte avant que je ne succombe à la pathologie verbeuse des vétérans et des badernes. En définitive, broder un dénouement acceptable fut d'une grande facilité. Je romançai la fin du quartier de proue pris en tenailles entre les janissaires du chebec éperonné et ceux du navire qui nous avait abordé ; je prétendis avoir ferraillé dans le dernier carré, avec le patrice. Avec une modestie de bon aloi, je précisai que le patrice s'était défendu plus longtemps que moi : j'avouai qu'après avoir eu le nez et la mâchoire cassés, j'étais tombé, tandis que Bucefale Mastiggia restait encore en garde. Isolé, débordé, il avait alors été attaqué par-derrière ; sans doute l'ennemi avait-il cherché à le prendre vivant, spéculai-je, car les assauts qui lui étaient portés ne visaient pas les organes vitaux. Malheureusement, un coup de cimeterre lui avait ouvert la cuisse, et tranché l'artère. Capturé, le patrice n'avait pu être sauvé : il s'était vidé de son sang en quelques minutes.

Quand il n'était pas interpellé, le sénateur m'écoutait en marchant, un peu penché en avant, le regard humide et fixe. Je me rendais compte aussi que Luca Tradittore ne perdait pas une miette de mes salades. À mesure que nous avancions dans la ville et dans mon récit, mon alarme se dissipait, laissait la place à une formidable jubilation. Non seulement je me retrouvais couvert par ceux qui auraient dû le plus férocement vouloir répandre mes intestins, mais ma petite histoire allait sans doute se trouver immortalisée dans une œuvre du grand Tradittore. J'essayais de faire passer pour des soupirs dignement réfrénés la grosse envie de rire qui me secouait le diaphragme.

Bien sûr, ce n'était pas la première fois que je débitais des calembredaines. Mais sur ce coup-là, la farce touchait quand même au sublime. En fait, cet épisode fut déterminant pour moi : il me révéla ma prédisposition à raconter des histoires. Certes, j'avais déjà jeté par écrit les circonstances dans lesquelles le Podestat m'avait recruté ; comme l'opération n'avait été claire ni aux yeux de la loi, ni aux yeux de la Guilde des Chuchoteurs, c'était une garantie que je m'étais fabriquée au cas où mon patron aurait soudain décidé de résilier notre accord. Il va sans dire que le document avait pour vocation essentielle d'être, et non d'être lu, dans la mesure où sa publication ne pouvait être que posthume… Ce n'était donc qu'une précaution, et non la manifestation d'une quelconque vanité artistique. Or la vanité artistique, c'était précisément l'ambroisie dont je découvrais le bouquet au côté du sénateur Mastiggia, la liqueur que j'étais en train de siroter alors que j'inventais un roman de Bucefale. En fait, mon estimé lecteur devrait se méfier de ce que je dégoise, vu que je n'ai pas hésité à l'enfumer dans les premières pages de ce témoignage, vu que ma vocation littéraire m'est venue d'un gros mensonge ficelé en pleine rue devant le père d'une de mes victimes. Et si, en définitive, il y avait une intention louche derrière toute histoire divertissante ? Et si mon lecteur, à bien réfléchir, était autre chose que mon lecteur ? Après tout, si je racontais une histoire au sénateur Mastiggia, c'était bel et bien pour le distraire : le distraire de la vérité, de tous les désagréments qu'elle aurait pu générer pour moi, et faire du père endeuillé mon ami et ma dupe. Vous qui êtes en train de me lire, ne le faites-vous pas pour vous distraire ? Et, quoique vous sachiez que je suis une inqualifiable crapule, n'êtes-vous pas un peu mon ami ?

C'était la découverte que je faisais ce jour-là dans les rues de Ciudalia. Une découverte fabuleuse. Elle motive encore les lignes que je suis en train de coucher sur le vélin.

Fort heureusement pour moi, notre arrivée à Torrescella devait assez rapidement me ramener au sens des réalités. Nous avions escaladé les rues pentues, aux marches suffisamment larges pour le pas des chevaux, qui nous menaient dans les beaux quartiers. Les murs des jardins et les façades des palais répandaient une ombre fraîche sur le pavé. À l'intersection de la via Zecchina et de la via Cavallina, nous finîmes par déboucher devant le palais Ducatore.

Comme toutes les demeures patriciennes, le palais Ducatore présente un abord austère. Le rez-de-chaussée et le premier étage ressemblent à la muraille d'une forteresse, bâtie en grosses pierres à bossage. Ce n'est qu'à partir du deuxième étage que la façade s'aère, percée de grandes fenêtres à meneaux, et ornée de bas-reliefs discrets. Cette architecture défensive est bien sûr conçue pour résister aux émeutes ou aux bandes armées que les vendettas jettent sporadiquement dans les rues. Pour l'heure, le palais Ducatore était assiégé par la cohue à peine moins rapace des solliciteurs, des pétitionnaires, des courtisans et des pique-assiettes. Toutefois, le cortège Mastiggia venait à peine d'arriver en vue du palais Ducatore qu'une agitation inhabituelle se diffusa dans la foule. Les deux battants de la porte cochère s'ouvrirent en grand, et la presse se fendit devant les hommes de main du Podestat. Une brochette de méchants garçons, admirablement habillés il est vrai, que je reconnus avec un certain plaisir ; Lupo et son rictus asymétrique, Sorezzini armé de sa faconde menaçante, le musculeux

Coneoti, le vieux Ferlino à la carrure de buffle, sans oublier l'arrogance blasée d'Oricula. Des brutes disciplinées dont l'humanité avait été soigneusement cautérisée, mais qui savaient porter avec naturel les pourpoints à tracé de la piazza Smaradina : en bref, des animaux de race, le fin du fin de ce que la République pouvait produire dans son parc de seconds couteaux.

Les hommes de main de la maison Ducatore nous dégageaient le passage vers la porte du palais. Sorezzini m'adressa un clin d'œil, Lupo un sourire en biais dont j'avais du mal à démêler s'il était amical ou caustique. En faisant refluer la foule, ils nous permirent de découvrir le groupe qui s'apprêtait à nous accueillir sur le seuil du palais. Se tenaient devant nous mon vieil ami Spada Matado, le chef de la sécurité du Podestat ; Cesarino Rasicari, le neveu du Podestat ; le patrice Mucio Ducatore, le fils aîné du Podestat ; et au milieu d'eux, mon patron en personne, son excellence Leonide Ducatore.

La première chose qui frappe, chez le Podestat, c'est le caractère quelconque de son physique. L'homme est de taille médiocre ; il porte les cheveux mi-longs, coupés aux épaules, mais commence à avoir le front dégarni. Il a le nez un peu long, et le menton un peu fuyant. La quarantaine le fait grisonner, et la campagne maritime qu'il venait de mener, en accentuant son hâle, avait aussi contribué à blanchir ses tempes. À côté de Matado, dont la mâchoire carrée et le crin poivre et sel trahissent l'officier vétéran, le Podestat paraît presque fluet ; à côté de son neveu Cesarino, le Podestat semble dépourvu de beauté. Et pourtant, de façon mystérieuse, le Podestat demeure l'homme le plus charismatique que j'aie jamais rencontré. Il émane de lui un magnétisme serein, qui aimante le regard, organise le lieu où il se trouve en un tableau dont il devient immanquablement le centre. Difficile de percer le secret d'une présence si puissante : son visage respire une intelligence tempérée, son attitude une dignité familière, sa voix une fermeté tranquille. Il agit avec simplicité, et pourtant il rayonne d'élégance aristocratique. Il est la figure incarnée du patricien éclairé, accessible et aimable : un homme à qui se fier. Un responsable naturel.

Il va sans dire que cet honnête homme est un personnage difficile à atteindre. Aussi, le découvrir prêt à nous accueillir sur le seuil de sa demeure me gonfla d'une bouffée d'orgueil. Me recevoir ainsi, c'était un honneur extraordinaire, et dans un sens un honneur imprudent. Même si je suis plutôt malin pour me tirer des mauvaises passes, il m'arrive aussi d'être très sot. En l'occurrence, j'étais si imbu de moi-même, après avoir embobiné le sénateur Mastiggia, que la vanité m'avait privé de ma lucidité. Quand le Podestat s'avança, il n'eut pas un regard pour moi. Il vint droit au sénateur, marqua un temps d'arrêt devant lui, paumes ouvertes, puis s'autorisa une étreinte amicale.

« Oh ! Don Tremorio, vous n'auriez pas dû m'honorer de votre visite ! Dans l'épreuve que vous traversez, c'était à moi de venir vous trouver.

— Allons donc ! répondit Mastiggia. La charge tout entière de l'État repose sur vos épaules, vous n'aviez pas de loisir à me consacrer. Et je sais bien que vous aviez souhaité distinguer mon fils… en faisant de lui le héraut de la victoire… »

Le vieil homme s'interrompit, pour maîtriser son chagrin. Puis, se tournant vers moi, il enchaîna :

« J'ai tenu à escorter don Benvenuto jusqu'à vous. J'entendais témoigner publiquement de la dette que ma famille a contractée à son égard. C'est un homme de valeur que vous avez attaché à votre service, don Leonide.

— Voici un beau compliment, don Benvenuto, commenta mon patron en m'accordant enfin une attention superficielle. Peut-être un peu trop généreux, car nous aurions préféré qu'un autre le formule… Mais enfin, je suis bien aise de vous savoir de retour. J'ai pris des dispositions pour que vous vous remettiez de vos fatigues. »

Il me sortit cela avec le sourire affable et l'expression lisse que l'on réserve au bon serviteur, puis se détourna pour s'entretenir à nouveau avec le sénateur Mastiggia. Mon ego un peu trop enflé dégringola brutalement au niveau du pavé. Le Podestat invitait déjà Mastiggia, ses fils et ses parents à partager une coupe pour célébrer la mémoire du défunt patrice ; il entraînait doucement son hôte, oubliant son maître espion sans même l'avoir vraiment salué. Pour la deuxième fois depuis que j'avais posé le pied sur le sol ciudalien, je restai abasourdi. Mais je n'eus guère le temps de me complaire dans la désillusion.

Mucio Ducatore fondit sur moi.

Mucio Ducatore me prit dans ses bras avec une fougue maladroite. Comme il n'avait pas maîtrisé son élan, nos pommettes se heurtèrent assez rudement. Je me raidis d'appréhension, de crainte qu'il ne me touche le nez ou la mâchoire.

« Mon ami Benvenuto ! Mon ami Benvenuto ! bégayait-il avec une voix trop forte. Comme je suis content, mon ami Benvenuto ! »

Le fils aîné du Podestat était un jeune adulte, plus grand et plus large que son père, avec le profil caractéristique de sa famille. Son visage était harmonieux, et d'aucuns disaient qu'il était le plus beau des trois enfants Ducatore. Ses cheveux très noirs, délicatement frisés, ses yeux émeraude et un sourire naïf lui donnaient effectivement un charme plein de fraîcheur. Mais ce magnifique regard vert était déserté. Son visage n'affichait que des émotions frustes, primaires, aussi lisibles que des expressions enfantines. Il avait du mal à fermer la bouche, tous ses mouvements étaient gauches, et quoiqu'il fût vêtu de façon luxueuse, il était constamment débraillé.

Il me dévisageait maintenant bien en face, sans me lâcher, de si près que c'en était intrusif. Il détaillait avec insistance les stigmates qui me défiguraient ; et au fond de ses yeux vides, je voyais monter une colère brute.

« Les salauds… Les salauds ! gronda-t-il en détachant les syllabes. Les putains d'enculés de salauds ! Je voulais venir, Benvenuto. Je voulais les tuer, Benvenuto. Je voulais les tuer tous, les putains d'enculés de salauds ! Les tuer ! Les tuer ! »

Pour employer un euphémisme, Mucio Ducatore était un peu simple. Ironie terrible, pour un esprit brillant comme le Podestat, que d'avoir engendré un débile léger qui savait à peine nouer sa braguette et ne distinguait pas sa droite de sa gauche. Mais pour être un idiot congénital, le patrice Ducatore n'était pas un innocent. Il était même le contraire d'un innocent : chez lui, la stupidité était méchante. Ce n'était pas exactement de la perversion ou de la malveillance, mais un bizarre déséquilibre de l'humeur qui en faisait un colérique pathologique. Un mot de travers, une frustration, une contrariété, et Mucio Ducatore piquait une rage incontrôlable, le visage en feu et la bave aux lèvres. Malheureusement, il ne s'agissait plus d'un enfant, mais d'un jeune homme de la haute société ; ses coups de sang pouvaient faire du dégât, dans le mobilier et dans le personnel. Bien que ce fût par amitié pour moi, je voyais déjà le processus infernal qui risquait de le pousser à écumer en public, en pleine rue, et de s'en prendre à n'importe qui.

« J'en ai tué pas mal, Votre Seigneurie, proférai-je le plus platement possible. Rentrons, et je vous raconterai. »

Ce n'était pas forcément la meilleure chose à dire pour le calmer. Je n'ai aucune prédisposition pour m'occuper des faibles d'esprit ; on en croise, dans les rues de Ciudalia, mais si l'un d'eux est suffisamment décérébré pour venir me casser les pieds, une chiquenaude le plie en deux le temps que je termine mon verre ou que je passe dans le quartier voisin.

Malheureusement, le procédé était inapproprié avec le fils aîné du Podestat. J'étais donc bien mal engagé, quand Ferlino vint à mon secours.

« Don Benvenuto a raison, intervint le colosse. Il faut rentrer, c'est la mission que son excellence vous a donné, Votre Seigneurie.

— Ah oui ! se récria Mucio. Dire bonjour à Benvenuto ! Ramener Benvenuto à la loggia ! »

La colère qui montait en lui fit place à une expression gourmande.

« Il y a un goûter pour Benvenuto ! »

Le patrice Ducatore me prit par la main et me tira derrière lui plutôt brutalement. Ferlino nous emboîta le pas. Le gaillard possédait quelques qualités qui lui avaient permis d'obtenir la charge pénible de veiller sur Mucio. Vieillissant et placide, il avait le caractère suffisamment égal pour ne pas exciter le patrice ; massif comme un cheval de labour, il encaissait les coups de l'idiot sans broncher, et il avait la force de le maîtriser sans le blesser ; impitoyable, il était capable de casser une nuque d'un geste distrait, et faisait aussi office de garde du corps du fils aîné du clan Ducatore. Sa présence me rassurait. Ferlino n'était pas une lumière, mais au moins il avait l'habitude du crétin.

En entrant dans le palais, Mucio bouscula quelques membres de l'escorte Mastiggia, dont le précieux Luca Tradittore. Je vis que le Podestat faisait emprunter l'escalier d'honneur à ses invités, sans doute pour les recevoir dans la grand-salle du premier étage. Le patrice me fit traverser la cour intérieure du palais, où vaquaient un certain nombre de domestiques et de familiers de la maison ; je reconnus le commis Gerontino Garota, en discussion avec un clerc curial, le sieur Coccio Blattari, et j'eus l'œil attiré par une petite chambrière, Ancelia ou Acilia, je ne me souvenais plus trop, qui criait joliment quand on forçait le portillon. La rouée piqua un beau fard en me voyant, et je me dis que j'avais dû lui manquer.

Toujours tracté par l'idiot, je me retrouvai dans le deuxième corps de bâtiments du palais, celui qui renferme les appartements privés de la famille Ducatore. Mucio me fit traverser l'entrée et m'entraîna dans l'escalier aux médaillons, pour me faire déboucher sur la loggia marine. Il s'agissait d'une vaste galerie, au premier étage du bâtiment, qui donnait sur l'arrière du palais. Longue d'une dizaine de toises, spacieuse comme une salle de banquet et couverte d'une voûte en pendentifs, elle ouvrait au nord par une colonnade légère sur le parc du palais. Depuis la balustrade de pierre sculptée, on embrassait les rangées d'orangers, les labyrinthes de buis, le tracé géométrique des allées, les berceaux de verdure où des statues de marbre montaient une garde intemporelle. Au-delà, des perspectives s'ouvraient entre des cyprès sombres et le vélum léger des pins parasols, et l'on apercevait le troupeau dense des toits dévalant vers le port, puis l'horizon azur de l'océan, net comme un trait d'architecte.

La loggia était meublée confortablement ; naguère, elle avait été la pièce favorite de l'épouse du Podestat, avant qu'elle ne se retire au sanctuaire de la Déesse Douce de Vinealate. Banquettes capitonnées, fauteuils garnis de coussins et même quelques poufs à la mode ressinienne invitaient donc à se délasser devant le spectacle du parc et de la mer. En mon absence, on venait d'y ajouter quelques meubles. J'eus d'abord l'œil attiré par un chevalet d'artiste, et une table d'atelier où je reconnus agrafes de tapissier, boîtes à pigments, mortiers, palette, pinceaux à poil de martre. Le châssis de la toile, de taille modeste, augurait une commande de petites dimensions. Mais Mucio m'entraînait vers une autre table récemment dressée : un vrai sujet de peinture, elle aussi. Aiguières et plats précieux y offraient des vins rares et des plats raffinés. Je n'y accordai toutefois qu'une attention rapide. Un homme grand et maigre, drapé dans un négligé luxueux, nous attendait avec une nonchalance trompeuse.

« Bon retour parmi nous, don Benvenuto », me dit le sapientissime Sassanos.

Je m'étais toujours défié de l'astrologue de mon patron, et mes tribulations ressiniennes n'avaient rien fait pour assoupir ma méfiance. Si l'escogriffe avait été naturalisé citoyen, et s'il pratiquait notre langue avec aisance, ce n'en était pas moins l'un des moricauds les plus bronzés qu'il m'ait été donné de rencontrer. Son visage effilé, sa crinière noire et savamment tressée, ses ongles longs comme des griffes le rendaient beaucoup plus impressionnant que Psammétique. S'il avait la figure scarifiée, en revanche, ses mains n'étaient couvertes que par un réseau dense d'idéogrammes dessinés au henné ; et sa camisia très échancrée dévoilait une poitrine maigre et mate, mais vierge de toute cicatrice. Je repensais à la confidence du logocrate après le sacrifice aux dauphins, et je me demandai de plus belle quel prix Sassanos avait payé pour maîtriser les arts qui étaient les siens.

Pour l'heure, toutefois, Sassanos restait poliment sur la réserve, car Mucio Ducatore occupait l'espace et brassait beaucoup d'air. Avec une avidité d'enfant gâté, il s'était précipité sur la table somptueuse théoriquement dressée à mon attention. « Manger ! Manger pour Benvenuto ! » s'était-il écrié en se jetant d'abord sur les desserts. Tout en se gavant de massepains et de caneline, il repéra un grand flacon de cristal contenant un vin à la robe d'un rouge somptueux, et le désigna. « Ferlino ! Celui-là ! » ordonna-t-il dans un cri, en postillonnant.

Le garde du corps prit une coupe et la remplit avec le breuvage. C'était du vin de Valanael, un trésor importé à grand prix des Cinq Vallées. Une ambroisie à l'arôme divin, et un petit jus traître : la boisson était opiacée. Mucio but gloutonnement, poussa un gros soupir satisfait, retendit brusquement sa coupe vers son homme pour être servi une deuxième fois. Ferlino s'exécuta en silence. La léthargie euphorique que le vin de Valanael provoquait permettait de mieux juguler les emportements du patrice.

« Benvenuto a tué plein de Ressiniens ! s'écria celui-ci, la bouche à nouveau pleine. Benvenuto va me raconter !

— Un récit palpitant en perspective », répondit aimablement Sassanos.

J'étais un brin mal à l'aise. Le crétin exigeait que je fasse devant un sorcier d'Elyssa l'évocation du massacre de ses compatriotes. Je savais bien que Sassanos était suffisamment pourri pour accueillir cela avec flegme, voire pour goûter l'ironie de la situation. D'un autre côté, bien que j'aie refroidi mon comptant de concitoyens, j'aurais pour ma part fort mal pris le récit d'un Ressinien se vantant d'avoir trucidé des Ciudaliens. Je jugeais donc particulièrement malvenu de froisser chez Sassanos les éventuels résidus de fierté identitaire. Le plus déplaisant de la situation, c'est que le sapientissime devinait la raison de mes réserves, et s'en amusait manifestement.

« Don Benvenuto nous fait languir, dit-il, mais c'est sans doute parce qu'il a besoin de reprendre des forces. Restaurez-vous, et vous nous raconterez vos exploits guerriers. »

De mauvaise grâce, pour la deuxième fois de la journée, je dus évoquer des combats navals. Sassanos gardait un œil sur Mucio Ducatore, et je compris qu'il attendait en fait que le vin de Valanael fasse son œuvre. Toutefois, même édulcorés pour éviter de trop chauffer le patrice, mes souvenirs de bataille l'excitaient suffisamment pour retarder les effets de la drogue. Il continuait à s'empiffrer tout en mimant de manière grotesque les engagements que je décrivais. Quand Mucio se détourna des sucreries pour s'intéresser aux venaisons et aux hochepots, Ferlino intervint néanmoins.

« Attention, Votre Seigneurie ! Vous savez bien que ça vous donne mal aux dents ! »

Le mensonge était ridicule, mais il suffit à remplir l'idiot d'une hésitation inquiète. Par le passé, son goût pour les friandises lui avait donné quelques rages de dent, dont il avait conservé un souvenir terrifié. Le Podestat avait demandé qu'on se serve de ce souvenir non pour le détourner des sucreries, mais des plats carnés. En effet, de façon très étrange, la bêtise et l'agressivité de Mucio étaient aggravées par la consommation de viande. J'avais moi-même pu constater à deux reprises, après que Mucio ait visité les cuisines sans surveillance, qu'il avait poussé des colères terribles, incohérentes, en ayant presque perdu l'usage du langage. Et à la longue, sensibilisé par l'affection singulière du fils, j'avais remarqué que le Podestat lui-même avait adopté un régime presque végétarien...

Mucio Ducatore balançait, la bouche béante, visiblement tiraillé entre son désir pour d'appétissantes tranches de viande fumée et la peur de la douleur. Ferlino lui remplit une troisième coupe de vin de Valanael, et me demanda ce que je voulais boire. Alors qu'il me servait, je réalisai que le caractère saugrenu de mon accueil au palais Ducatore était en fait une manœuvre mûrement réfléchie. Compte tenu du double contrat que j'avais rempli, il aurait été trop compromettant pour mon patron de s'afficher publiquement avec moi. D'un autre côté, il fallait aussi m'honorer, ce qu'il avait fait en me laissant aux soins de son fils. De plus, même un débile mental comme Mucio pouvait se trouver utilisé par un manipulateur aussi fin que Leonide Ducatore. Le Podestat savait que son fils était méprisé par l'aristocratie : publier l'amitié de Mucio pour moi, c'était me traiter en familier, mais aussi me discréditer en tant qu'homme de main ou de confiance. Une façon subtile de désarmer les soupçons qu'on pourrait nourrir sur mon action, en tablant sur l'association inconsciente qu'on établirait entre le crétin et don Benvenuto. Enfin, il y avait un autre volet aux calculs du Podestat. J'étais le seul témoin ciudalien de ses petits trafics avec l'ennemi. J'étais sur le fil, d'autant que j'étais très bien placé pour savoir que le Podestat n'avait aucun scrupule à se débarrasser des gêneurs. En me donnant son fils pour compagnon de table, et même mieux, en m'offrant son fils pour goûteur, le Podestat me faisait savoir que je n'avais rien à craindre. Un gage personnel de bonne foi. Du moins, pour l'instant…

J'acceptai donc le verre que me proposait Ferlino. Je pris aussi des pâtisseries. Je m'abstins néanmoins de toucher aux viandes.

Pour Mucio Ducatore, la troisième coupe fut la bonne. L'idiot commença à tituber, en marmonnant de façon de plus en plus inintelligible, et Ferlino l'aida à s'affaler sur une banquette.

« Le patrice est fatigué, observa Sassanos. Laissons-le se reposer. »

De sa main longue et griffue, il m'invita à l'accompagner vers la balustrade. Nous allions entrer dans le vif du sujet. Le sorcier appuya ses deux paumes sur le garde-fou, bras tendus, avec l'attitude indolente d'une fille à son balcon. Il fixait un point indéfini dans le panorama côtier. Son profil effilé et noir tranchait sur la luminosité estivale du paysage.

« Comment avez-vous trouvé mon vieux maître, don Benvenuto ?

— Très couturé. »

Sassanos émit un rire silencieux. En me tenant à côté de lui, je pouvais sentir le parfum complexe qui le nimbait : odeur musquée, fragrances légères d'encens et de fumigations, peut-être un fantôme d'amande. Dans ce bouquet olfactif, je me demandais ce qui relevait de la coquetterie et ce qui trahissait ses rites secrets.

« Coutume ressinienne, dit-il. Vous avez pu le constater : dans le royaume, on ne s'épargne guère.

— Vous, c'est le goût de l'épargne qui vous a mené à Ciudalia ? »

Pas très prudent de ma part ; j'étais persuadé qu'il allait percevoir le sous-entendu derrière le calembour. Mais je venais de débarquer, je m'étais plié à la comédie de mon patron, et maintenant que j'avais affaire à son âme damnée, je préférais couper court aux petits jeux et aller droit au but. Il tourna la tête vers moi, et le mouvement fit glisser ses longues tresses huileuses sur son épaule. Sa chevelure lourde et nattée tombait comme un faisceau de serpents.

« Je croyais que vous ne vouliez rien savoir sur ce type de transactions, remarqua-t-il. Vous n'êtes pas seulement revenu physiquement changé de Ressine, don Benvenuto. Mais c'est dans l'ordre des choses… On revient toujours changé de Ressine.

— Pour parler bref, votre vieux maître est un enfoiré de première, qui projetait dès le début de me démolir. Mais il a fait plus sournois. Il a essayé de m'inquiéter à votre sujet, en laissant entendre que vous étiez brillant mais pas très respectueux de la Tradition. En d'autres termes, que tôt ou tard, votre magie finirait par nous péter à la figure. »

J'adressai au sorcier un sourire qui se voulait incisif, et puis me repris un peu tard en réalisant que je découvrais une gencive dégarnie.

« Il a aussi suggéré des choses sur vos relations, et sur celles de vos patrons respectifs. Ça m'en a bouché un coin, bien sûr. C'était conçu pour instiller le doute chez moi, et je suppose qu'il fait la même chose avec vous à mon sujet. Mais je refuse de rentrer dans la danse. Il essaie de créer un gentil climat de suspicion au sein de la maison du Podestat. Manœuvre assez classique de déstabilisation.

— C'est de bonne guerre, oui, dit Sassanos.

— Il y a plus embêtant, mais je ne sais pas si je peux en parler ici. »

Je jetai un coup d'œil au patrice et à Ferlino. Le crétin somnolait, et ne comprendrait probablement rien à ce que je racontais ; quant à l'homme de main, je pouvais lui faire une confiance relative. Puis, je reportai mon attention à l'extérieur, en contrebas, sur le jardin.

« Il y a trois jardiniers dans le fond du parc, me dit Sassanos. Ils ne peuvent nous entendre.

— Il y a aussi tous les hommes valides du clan Mastiggia dans le palais.

— Les nobles sont avec son excellence, dans la grand- salle. Les autres sont dans la cour.

— Il y en a qui peuvent s'égarer dans les couloirs. C'est le genre de mésaventure qui m'arriverait, dans un palais que je ne connais pas.

— Ils n'arriveront pas à portée d'oreille. J'ai mes défenses.

— C'est vrai… En fait, je me demande toujours ce qui relève du flan et ce qui est bien réel, dans vos trucs. Attention, je ne remets pas en cause vos petits tours : j'ai testé, pas trop apprécié. Mais quand je vois rien, j'ai toujours un doute.

— Me prenez-vous pour un mystificateur ?

— Pour surnager dans la soupe où on baigne, vous, moi et le Podestat, il faut qu'on soit tous des mystificateurs.

— Très juste, don Benvenuto. Mais tromper les membres de sa propre coterie est un exercice dangereux. Je n'ai aucun intérêt à ébruiter une information sensible ; je saurai si nous sommes espionnés, ou si nous risquons d'être dérangés. »

Je pesai un moment son argument. J'aurais préféré confier mes craintes directement au Podestat, parce que ce que j'avais à dire concernait une affaire où Sassanos n'avait pas trempé directement. D'un autre côté, il y avait de la magie en œuvre dans ce qui me chiffonnait, et mon patron en aurait forcément parlé à son sorcier. Tout en réfléchissant, j'avais les yeux attirés par le chevalet de peintre. Le travail était commencé : un apprenti avait déjà posé l'enduit de préparation sur la toile de lin, et tracé la quadratura qui faciliterait l'organisation des proportions et de la perspective. L'artiste avait ébauché son modèle à la pointe de plomb : c'était un portrait de Clarissima Ducatore, la fille cadette du Podestat. Je reconnus sans peine la puissance et la sobriété du trait : l'esquisse avait été exécutée par Le Macromuopo.

Sassanos, qui avait suivi mon regard, opéra un coq-à-l'âne.

« C'est à son retour, il y a huit jours, que son excellence Ducatore a passé cette commande. Difficile pour Le Macromuopo de se dérober à une requête du vainqueur du cap Scibylos... Mais vous connaissez l'homme : il est d'une humeur massacrante, il a l'impression qu'on lui a forcé la main. Avec le tempérament de dònna Clarissima, vous pouvez imaginer tout le pittoresque des séances de pose. »

Je connaissais l'homme, en effet, et j'imaginais fort bien. Il ne mâchait pas ses mots. À sa façon, dònna Clarissima ressemblait beaucoup à son père : physique quelconque, nez un peu fort, menton menu. Elle avait tout juste quinze ans, une poitrine encore plate, une silhouette osseuse. S'il était de mauvaise humeur, Le Macromuopo n'avait pas dû se priver de faire des observations terribles pour l'amour-propre d'une adolescente. Sans doute des commentaires sur la qualité terne des cheveux, la peau qui prenait mal la lumière, un défaut de symétrie dans le visage. Dònna Clarissima devait avoir sorti les griffes, et la surenchère pouvait aller loin avec ces deux-là. La composition du tableau prendrait du temps. En outre, le dessin du peintre était d'un réalisme impitoyable. Le Macromuopo n'était pas un artiste complaisant, pas plus qu'un artiste facile. Pourtant, c'était un peintre courtisan, parce que c'était un grand maître. Par la justesse même de son trait, il donnait un charme puissant à son sujet, même s'il ne l'épargnait pas. Dònna Clarissima devait haïr ce tableau, mais je savais que tout le monde admirerait la jeune patricienne, en la voyant désormais transfigurée par le prisme du Macromuopo.

« Bizarre, qu'il ait commandé ce portrait en débarquant, observai-je à propos de mon patron.

— Ce n'est pas de l'art, répondit Sassanos. C'est de la politique.

— Bien sûr, suis-je bête.

— En revenant de Ressine, son excellence a eu le temps de planifier de nouveaux projets, fondés sur la victoire. Ce tableau en représente une facette. Une anticipation. Et pour continuer à anticiper, son excellence a besoin d'être bien renseigné. D'être excellemment renseigné.

— Vous y tenez, à me tirer les vers du nez.

— Si ce que vous avez à dire concerne le logocrate, je suis la personne la mieux qualifiée pour faire une analyse utile de vos informations. De toute façon, son excellence m'en parlera. Gagnons du temps. »

C'était l'évidence. Je lâchai donc brusquement :

« Psammétique sait ce que j'ai fait sur la galère Mastiggia. »

Sassanos me dévisageait, impénétrable, avec le visage hiératique d'une statue. Je me demandais s'il savait lui-même que j'avais liquidé le patrice Mastiggia. Le Podestat avait pris cette décision sur la galéasse amirale, dans l'archipel, alors que son sorcier était resté sur le continent. Je n'ignorais pas que mon patron cloisonnait ses affaires, ce qui était le meilleur moyen pour lui de se protéger et de conserver le contrôle de sa stratégie. Je n'avais donc pas intérêt à me montrer trop explicite avec Sassanos.

« C'était prévisible, remarqua-t-il.

— Il vous l'a dit ? Psammétique ?

— Non. Évidemment non. Trop dangereux.

— Pourtant, si vous êtes bel et bien en contact, il n'avait guère d'intérêt à vous dissimuler qu'il avait cette information. Dans la mesure où il savait que je retournerais à Ciudalia, il était évident que je vous dirais qu'il en avait connaissance.

— Ce n'est pas pour cette raison qu'il a tu le renseignement. Notre mode de communication manque de confidentialité. Vous en a-t-il parlé ?

— Oui, par allusion.

— Nous utilisons une modalité particulière de catoptromancie. En langage courant, la magie des miroirs. L'art consiste à passer de l'autre côté… Malheureusement, nous n'y sommes pas seuls. Il existe de nombreux voyeurs, certains humains, d'autres un peu moins, qui emploient la même discipline. Des rêveurs y ont spontanément accès. Et puis… il y a aussi ceux qui sont retenus de l'autre côté. Il faut peser soigneusement ses mots, quand on a recours à ce moyen. »

Ses yeux se plissèrent en un sourire amusé.

« Vous vous demandez peut-être pourquoi je lève le voile sur mes petites procédures d'officine, remarqua-t-il.

— J'imagine que c'est pas irréfléchi.

— J'ai mes raisons, en effet. Êtes-vous de ces gens qui se confient à leur miroir ?

— Pardon ?

— En vous rasant, par exemple. Vous n'imaginez pas le nombre de coquets qui se témoignent leur propre admiration… Le nombre de sujets narcissiques qui se font à eux-mêmes des confidences. Le nombre de secrets qu'un bon catoptromancien est à même de surprendre ! »

Avec un rire silencieux, il ajouta à voix basse :

« Surtout, n'allez jamais vous vanter devant votre reflet d'avoir mis fin aux jours de Bucefale Mastiggia ! »

Son ricanement me fit froid dans le dos. Naturellement, qu'il savait ce que j'avais été faire sur cette galère. Et sans doute bien plus encore… Je me figurai tous les miroirs qui pouvaient se trouver en ville, les petits accessoires à main, les jolies glaces ovales disposées sur les coiffeuses, les grands cadres décoratifs accrochés sur les murs des riches, et je réalisai qu'il s'agissait d'autant de fenêtres ouvertes sur l'intimité des appartements. Je me représentai la haute silhouette noire du sorcier, dans un lieu crépusculaire et interstitiel, juste derrière la vitre devant laquelle chacun s'arrête pour coiffer une mèche, vérifier un rouge à lèvre, apprécier un vêtement neuf... Le gaillard s'y connaissait pour vous glacer le cœur. Je me dis que, finalement, son titre de sapientissime n'était peut-être pas si outré qu'il m'avait paru. Sassanos devait disposer effectivement d'un formidable savoir : pas seulement de connaissances livresques et ésotériques, mais aussi d'une connaissance pragmatique, immédiate et secrète de la société qui l'entourait. Au service du Podestat, le sorcier était un fabuleux instrument d'information et de pouvoir.

Et pire que tout, il n'était pas seul derrière les miroirs.

« Comment savez-vous que Psammétique est au courant ? me demanda-t-il.

— Il est monté sur la galère juste après l'abordage. Il me cherchait, même s'il ne me connaissait pas. Il cherchait aussi le patrice, et il a identifié son corps sans hésitation. Peut-être par simple déduction, d'après l'armure orfévrée, mais je n'en suis pas certain. Et puis, il l'a examiné... Putain de merde, il s'est carrément couché sur lui, comme s'il allait le baiser, et pourtant Mastiggia n'était pas beau à voir. Quand il s'est relevé, il m'a souri, et il était clair qu'il savait.

— Une forme élémentaire de nécromancie. Si Mastiggia est mort en vous regardant, Psammétique vous a vu.

— Quelle chierie ! Mastiggia me regardait droit dans les yeux quand je l'ai expédié.

— Il faudra effectivement en avertir son excellence. C'est... un peu contrariant.

— Qu'est-ce qu'il va faire, Psammétique, d'après vous ?

— En aviser le chah, répondit Sassanos. C'est certainement déjà fait depuis un mois, dès son retour à Elyssa.

— Les plénipotentiaires ressiniens ont essayé d'exploiter l'information pour faire pression sur le Podestat, pendant les négociations de paix ?

— Pas à ma connaissance ; mais je n'y ai pas assisté. Du reste, ce n'était pas leur intérêt : les propositions de son excellence étaient plus modérées que celles qui auraient été faites par les membres de son état-major. Il aurait été inconsidéré de le déstabiliser à ce moment-là.

— Le chah a donc gardé la carte dans sa manche.

— Probablement.

— Quel usage peut-il en faire ?

— Je ne saurais le dire avec certitude, don Benvenuto. Je n'ai jamais eu l'honneur de rencontrer le sublime souverain… Mes maîtres, à la Grande Bibliothèque, m'avaient sans doute jugé trop atypique pour être présenté au Sérail. Et je ne me risquerais pas à essayer d'épier Eurymaxas avec des arts enseignés par ceux-là mêmes qui sont chargés de sa protection. Pour avoir une réponse à votre question, il faudra la soumettre au Podestat. Lui, il a approché le chah. Mais j'ignore s'il vous répondra… »

Je faillis demander à Sassanos s'il savait quand le Podestat m'accorderait l'entretien où je pourrais la lui soumettre, cette question, mais je me contins. J'avais ma fierté. Je ne voulais pas paraître mendier une audience à l'homme dont j'avais fait le sale boulot, et au péril de ma vie. Le sorcier, toutefois, était trop fin pour que mon sentiment lui échappe.

« Son excellence est impressionné par la façon dont vous avez mené à terme vos missions, m'apprit-il. Sans doute l'avez-vous deviné à ses manifestations de reconnaissance.

— J'ai trouvé son accueil passablement distant.

— Mais vous en savez la raison. Vous oubliez un peu

vite votre rançon, don Benvenuto ; à votre avis, d'où viennent les vingt mille florins qui nous valent l'agrément de cette conversation ? Grâce au Podestat, vous valez désormais aussi cher qu'un aristocrate de vieille naissance. Et puis, n'avez-vous pas apprécié le très beau cadeau qu'il vous a fait ?

— Vous parlez de mon râtelier ébréché ?

— Je vous parle de l'escorte qui vous a été prodiguée jusqu'au palais. À votre avis, qui s'est employé à intoxiquer le sénateur Mastiggia au point d'en faire votre obligé ? Ce n'est pas une coïncidence cocasse, don Benvenuto. C'est en se livrant à un jeu subtil d'insinuations et de rétention d'informations que le Podestat a manipulé la rumeur au sujet de votre rôle sur la galère Mastiggia… Au point de vous donner un protecteur puissant en lieu et place d'un ennemi redoutable.

— Ça reste aussi, pour lui, la meilleure façon de se couvrir.

— Naturellement. Mais tâchez de dépasser l'amertume que vous ont laissée vos épreuves. Vous n'êtes plus l'homme de main du Podestat, don Benvenuto ; vous êtes devenu son complice. Mesurez-vous l'extraordinaire ascension que cela représente, pour un simple plébéien ? »

Je mesurais très bien. Malgré son caractère flatteur, l'argument n'était pas très habile. Après tout, même si je pesais autant d'or qu'un patrice sur le marché des otages, je n'en restais pas moins un truand. Je connaissais bien les mœurs de la crapule. Le complice d'un puissant gagnait toujours moins que son affidé quand la combine tournait bien, et trinquait toujours plus quand elle tournait mal. Sassanos réalisa lui-même où le bât blessait, puisqu'il enchaîna très vite :

« Et puis vous n'avez pas encore reçu toutes les récompenses dont vous a gratifié son excellence.

— C'est-à-dire ?

— Il y a un ou deux petits présents de bienvenue qui vous attendent dans vos quartiers. De simples gestes d'amitié ; je vous en laisse la surprise. Mais il y a plus intéressant. Beaucoup plus intéressant… »

Il m'adressa un sourire mystérieux, teinté d'ironie.

« Il va y avoir de l'influence à gagner auprès de son excellence.

— Comment cela ?

— Je vais laisser ma place. Provisoirement, j'espère, mais ce n'est pas sûr. Bien que nous n'ayons pas exactement les mêmes compétences, vous et moi, le Podestat va devoir s'appuyer beaucoup plus sur vous. L'honorabilité que vous allez gagner grâce à l'escorte du clan Mastiggia n'était qu'une étape, don Benvenuto : vous êtes sur le point de devenir un homme important. Un homme nouveau.

— Qu'est-ce que vous me chantez là ? Vous lâchez le Podestat ?

— Bien sûr que non… Je n'aurais pas la stupidité de vous en parler ! Je reste, disons, son associé. Et c'est précisément la raison pour laquelle je vais m'absenter un moment. Un peu comme vous, je suis investi d'une mission… J'espère la remplir aussi brillamment que vous. Mais ce n'est pas assuré. Et de toute manière, je serai loin de Ciudalia pendant quelques mois, si tout se passe bien. Dans l'intervalle, vous aurez l'opportunité de tenir le rôle de conseil que je pouvais exercer.

— Le Podestat vous envoie en Ressine ? »

Le sorcier leva une main, afficha une expression modeste à peu près aussi crédible que si j'avais voulu singer la compassion ou la générosité.

« Peut-être, peut-être pas. Je ne peux vous en dire plus sans son autorisation expresse. Il est probable que son excellence vous en avisera quand le temps sera venu. Disons que je vais partir en voyage, comme vous l'avez fait. Mais ce n'est pas pour tout de suite. Je dois attendre au moins quelques jours, le temps que vous vous remettiez de vos fatigues. Vous serez ainsi au mieux de votre forme quand je prendrai la route. »

Notre conversation fut interrompue peu après. Sans aucun signe annonciateur, Sassanos me dit soudain que l'entrevue entre le Podestat et le sénateur Mastiggia était en train de s'achever, et que notre patron allait avoir besoin de lui. Il s'excusa brièvement, prit congé. Je m'attardai un peu dans la loggia, pour piocher dans les plats. Comme Mucio Ducatore somnolait, sous l'empire du vin drogué, j'eus le loisir de bavarder un peu avec Ferlino. Il me rapporta de menus potins sur la domesticité du palais, en évitant soigneusement tout sujet sensible. Sa discrétion aussi en faisait un serviteur précieux. Et pour moi, un interlocuteur reposant.

Je finis par le quitter pour me rendre dans ma chambre. Je gîtais dans une petite garçonnière, au troisième étage de l'aile privée du palais. On y accède par une tour qui occupe l'un des angles de la cour intérieure ; les murs y sont évidés par de larges baies à colonnes, des banquettes de pierre permettent de s'asseoir à côté des marches, et de contempler en vue plongeante ce qui se passe en contrebas. Alors que je montais, je découvris la cour du palais envahie par la troupe sombre du clan Mastiggia. Au pied de l'escalier d'honneur, mon patron faisait ses adieux au sénateur Mastiggia. Au moment où le vieux patricien s'apprêtait à repartir, le Podestat releva la tête, et son regard m'accrocha brièvement. J'étais pourtant assez loin en hauteur, à moitié dissimulé par le rebord de la fenêtre ; toutefois, le coup d'œil que m'adressa Leonide Ducatore frappa droit au but, comme un trait au cœur d'une cible. J'y lus une jubilation rentrée, la joie secrète d'un très bon tour, et le bonheur spontané, subit, de me savoir de retour. Ce ne fut qu'un éclair, mais il suffit à balayer les appréhensions et les doutes que, confusément, je nourrissais sur le compte de mon patron. Il leva la main en un salut amical quand le clan Mastiggia commença à vider les lieux, mais, quoiqu'il ne me regardât plus, j'eus la certitude que le geste m'était en fait destiné.

En grimpant les dernières marches, je poussai une longue expiration. J'évacuai la pression à laquelle mon retour m'avait soumis. Depuis que j'avais posé le pied sur le quai, rien ne s'était tout à fait déroulé comme je pouvais m'y attendre, mais enfin les choses semblaient prendre bonne tournure. J'avais réintégré le rang. Je pourrais m'octroyer quelques jours de repos, le temps de remettre mon estomac en ordre et de m'habituer à ma nouvelle gueule. Et d'après Sassanos, le Podestat allait avoir besoin de moi près de lui ; ça n'excluait pas les risques d'attentat, mais enfin j'avais tout de même des chances très raisonnables d'avoir un mode de vie moins brutal que celui des dernières semaines. Je commençais donc à me détendre quand je poussai la porte de ma chambre. J'y étais attendu.

Je crus d'abord que c'était l'un des présents dont m'avait parlé Sassanos. Une fille était assise sur mon lit. Elle me serait apparue de profil si elle n'avait pas eu la tête tournée vers la fenêtre ; son attitude me livrait la courbe délicate du cou et de la nuque. Elle avait croisé les jambes, et l'un de ses pieds battait impatiemment sous le pli élégant de la robe. Elle me parut jeune, et joliment habillée ; un bibelot de luxe. Très jeune, même, et fastueusement habillée. La toilette à brassards en soie de Valanael, les pendants d'oreille sertis, la double rangée de perles sur une poitrine vraiment menue, c'était beaucoup, même pour une courtisane de haut vol. Et je compris tout à coup, avec effarement, qu'il ne s'agissait pas du tout du cadeau du Podestat.

Dònna Clarissima Ducatore se tourna vers moi avec une certaine vivacité. Peut-être s'apprêtait-elle à me saluer avec sa désinvolture coutumière, mais ce qu'elle vit lui coupa la parole. Elle ouvrit des yeux ronds, porta la main à sa bouche et se mit à pouffer. Ce n'était pas moquerie, du moins est-ce ce dont je voulus me persuader, plutôt un fou rire nerveux provoqué par la surprise. N'empêche : pour moi, ce fut presque aussi violent qu'un direct ganté d'acier du bayraktar.

« Oh la vache ! Benvenuto ! La vache !

— Ouais, merci, grondai-je. Et vous, ça va ?

— Même les dents ! s'écria-t-elle. Trop fort, les cicatrices ! Le coup de vieux que tu as pris, Benvenuto ! »

J'inspirai un bon coup, en serrant les poings. Une vraie plaie, les gosses de riches. Il allait falloir que je trouve quelqu'un sur qui passer mes nerfs, et vite.

« Qu'est-ce que vous foutez chez moi, dònna Clarissima ? »

Elle fit une moue supérieure, tout en continuant à me dévisager par-dessous.

« Tu oublies que c'est toi qui loges chez moi, répliqua-t-elle avec sécheresse.

— Je pense que c'est aussi l'avis de votre père.

— Oh non ! s'esclaffa-t-elle avec méchanceté. Un type comme toi, tu ne vas pas me faire ce coup-là !

— Un type comme moi est payé très cher pour repérer les problèmes. J'ai peut-être une gueule massacrée, mais vous, vous avez une gueule de gros problème. »

Elle était fardée. Sur cette gamine, le maquillage ressemblait à un déguisement ; un déguisement qui m'aurait peut-être excité sous un porche sombre ou dans une taverne… Mais pas sur la fille de l'homme le plus puissant de la République.

« T'es vraiment pas drôle, Benvenuto, lâcha-t-elle en adoptant une mine boudeuse. Je me fais belle, je dois ruser pour échapper à Scurrilia et à l'autre vieille peau, Lycania, je m'ennuie à mourir pendant que tu traînes en bas… Et tout ça pour me faire insulter. Je me demande vraiment pourquoi je me suis donnée tout ce mal ! »

Elle s'avachit un peu sur mon lit, tandis que son pied reprenait son mouvement de balancier.

« Je me demande la même chose, grognai-je. Qu'est-ce que vous foutez ici ?

« — Je suis juste venue te dire bonjour, soupira-t-elle avec une pointe d'exaspération.

— Dans ma chambre ? Vous aviez tout le reste du palais pour le faire.

— Oui, mais... »

La peste m'adressa un sourire matois, et soudain, je crus reconnaître l'intelligence du père dans les prunelles de la fille.

« C'était moins amusant », acheva-t-elle.

Elle semblait très fière d'elle-même. Elle me fit penser à la satisfaction que je venais de déceler chez le Podestat. Je me représentais sans peine la femme qui ne tarderait plus à émerger de cette chrysalide. Je m'assis en face d'elle, sur mon coffre, les mains pendant entre les cuisses, en la fixant droit dans les yeux. Peu de monde était capable de soutenir ce regard-là. Elle s'en contrefichait. Appuyée sur les coudes, un peu rejetée en arrière, elle continuait à détailler avec impertinence mes arcades sourcilières fendues, mes pommettes bosselées, mon nez écrasé. Le bout de son pied me frôlait rythmiquement le genou.

« Tu me prends pour une petite cruche, hein, lança-t-elle soudain.

— Non.

— Une petite garce ?

— Peut-être. »

Le pied s'immobilisa.

« Je me demande pourquoi mon père te trouve si malin, observa-t-elle. Finalement, tu es comme tous les hommes. Tu ne comprends rien aux filles.

— M'en tape, rétorquai-je. Ça rapporte. »

Cela la fit rire. Elle m'avait parfaitement compris, mais cela l'amusait quand même. C'était effrayant, chez une fille si jeune. Et séduisant.

« En tout cas, ne te fais pas d'idées, reprit-elle. Je ne suis pas là pour ce que tu penses.

— Rassurez-vous. Je ne sais pas quoi penser.

— Mon œil ! La preuve, c'est que tu me prends pour

une garce. Alors qu'en réalité, je suis là pour rendre un service.

— Quelle noblesse, Ma Gracieuse Dame.

— Tu ne me crois pas ? »

En disant cela, elle se redressa, et se tint très droite, avec toute la raideur acquise au cours de ses leçons de maintien. Comme il n'y avait qu'un étroit passage entre le bord de mon lit et le coffre, son visage se retrouva très proche du mien.

« Ce n'est pas moi qui devais être ici, expliqua-t-elle. Mon père avait pris ses dispositions pour que ce soit Ancelina qui t'attende. Eh oui, Benvenuto. Tu te croyais peut-être discret, mais il y a pas mal de monde qui sait que tu aimes la peloter. Mon père voulait qu'elle se montre très gentille avec toi… Seulement… »

Son expression se fit railleuse.

« Seulement, Ancelina n'en avait pas trop envie. »

Elle se tut quelques secondes. Elle continuait à me fixer, de très près, cherchant sur ma gueule défoncée les indices d'une émotion. Elle devait deviner que le caractère cinglant de son propos était renforcé par la conscience que j'avais d'être défiguré. Elle sondait la plaie, avec une curiosité impudique.

« Il faut la comprendre, enchaîna-t-elle. Ancelina s'est amourachée d'un apprenti-couvreur. Elle économise sur ses gages minables pour pouvoir se marier avec lui : une vraie fourmi. Ça la chiffonnait, de prendre un peu de bon temps avec toi. Des pleurnicheries à n'en plus finir, comme si tu étais si méchant que ça. Ça devenait assommant. Alors j'ai pris sur moi de la renvoyer à son travail et de faire appel à tes bons sentiments.

— C'est un drôle de service que vous m'avez rendu là, dònna Clarissima, grommelai-je, en revoyant le visage écarlate d'Ancelina dans la cour intérieure.

— Mais bien sûr que c'est un service que je t'ai rendu, s'écria-t-elle, scandalisée par mon ironie. Réfléchis un peu plus loin que les cordons de ta braguette, Benvenuto. Ça fait un moment qu'elle fait des cochonneries avec son couvreur. Peut-être qu'elle est déjà grosse. Maintenant, imagine que tu couches avec elle : son fiancé la plaque, et elle n'a pas d'autre choix que de raconter que tu es le père du mioche. »

Elle éclata d'un rire moqueur.

« Tu te vois vraiment casé avec une fille de rien et un gniard qui ressemble à un autre ? Tu aurais dû t'aplatir devant le couvreur. Tu aurais dû l'acheter grassement pour qu'il accepte d'endosser la paternité et d'épouser Ancelina. Te faire avoir par un gros rustaud besogneux, ça, ça t'aurait fait sacrément mal, Benvenuto. Va plutôt au bordel, ça coûte moins cher. »

Je me demandai si le couvreur existait réellement. En tout cas, même si j'avais la paume droite qui me démangeait furieusement, j'admirai le bagout de la gamine. Je me dis aussi qu'il faudrait que je me montre plus prudent, à l'avenir, avec la communauté féminine du palais. Pas pour parer à de petites escroqueries matrimoniales : en prévision de coups beaucoup plus bas.

« Et en plus, je suppose que vous attendez des remerciements, marmonnai-je.

— Plutôt, oui !

— Allez vous faire foutre, dònna Clarissima.

— Ce que tu es grossier, Benvenuto. Ça ne m'étonne pas, qu'Ancelina ait peur de toi. Je parie que tu as envie de me frapper. Si j'étais une simple fille, tu me frapperais ?

— Poussez-moi encore un peu, pour voir.

— C'est franchement laid, ce trou dans la bouche ! »

Brusquement, la pièce vira au rouge. Le vrai coup de sang. En un éclair, je vis mon poing prêt à partir, la tempe fine de la gamine enfoncée, la simple clef qu'il suffirait d'exécuter pour disloquer ce cou juvénile. J'inspirai largement, les yeux fermés, les mains tremblantes, puis je me levai, et j'ouvris la porte en grand, sans un mot. Elle riait toujours, mais à son expression, il était manifeste qu'elle réalisait avoir été trop loin.

« Tu oses me congédier, Benvenuto ? s'étonna-t-elle, les yeux pétillants malgré tout.

— Je vous rends service, à mon tour, grondai-je. Vous ne pouvez même pas imaginer l'ampleur de ce service.

— Tu me fais marcher… Tu n'allais pas craquer. Pas toi !

— Dehors !

— Mais c'est de ta faute, aussi ! Quelle idée de me mettre au défi… Tu me connais, quand même !

— Trois mois, c'est long : j'avais oublié. Dehors !

— Bon, d'accord. Ce que tu es susceptible, quand même… »

Elle se leva majestueusement, la tête droite, en rassemblant les plis de sa robe autour d'elle.

« C'est dommage, soupira-t-elle. Moi qui me disais qu'on pourrait un peu bavarder, puisque tu serais libre.

— Je préfère la conversation de la veuve Poignet.

— Quelle vulgarité ! commenta-t-elle en passant devant moi pour se diriger vers la sortie. Remarque… »

Je la vis se contenir, pour retenir la nouvelle méchanceté qui avait failli jaillir de ses lèvres. Sur le seuil, elle ralentit, se tourna à nouveau vers moi.

« Je ne voulais pas vraiment te blesser, dit-elle lentement, comme une concession difficile à lâcher. Ça a dû être dur, pour toi… »

Voilà qui sonnait comme des excuses, et ça ne lui ressemblait pas du tout. Elle avait encore une idée derrière la tête. Elle prit un air songeur, se mit à jouer avec ses perles. Arrêtée devant la porte, finalement, elle ne semblait plus décidée à partir.

« Sortez, ou c'est moi qui vous sors.

— Chiche ! »

Et elle ajouta très vite, le regard rieur :

« Non ! Non ! Arrête, Benvenuto ! Je sais bien que tu vas le faire ! »

Pour se défendre, elle avait rapidement posé une main sur ma poitrine, pas très loin du cœur. Un geste spontané, familier, mais c'était la première fois qu'une fille me touchait depuis mon embarquement pour Ressine. Ce bref contact ranima chez moi la mémoire de tout un univers tactile. Plus que jamais, le sang me battait aux tempes, mais je ne savais plus guère y démêler la colère d'une dangereuse bouffée de désir.

« C'est trop bête de se disputer alors que tu viens de rentrer, continuait-elle. On fait la paix ?

— Le meilleur moyen de la faire, c'est de l'avoir. Du vent !

— Mais non, Benvenuto ! Si tu me chasses maintenant, tu sais bien qu'on va rester fâchés ! Allez, je reste encore un peu.

— Videz votre sac, dònna Clarissima. Qu'est-ce que vous me voulez, au juste ? »

Elle faillit se récrier, monter sur ses grands chevaux, protester à nouveau de la sincérité de sa démarche… Je le vis à l'effort qu'elle fit pour se maîtriser. Elle comprenait qu'une reprise des hostilités l'aurait jetée dehors, et elle ne le voulait pas. Je réalisai alors qu'elle était venue pour quelque chose qui avait de l'importance à ses yeux, et dont elle ne pouvait pas parler devant ses femmes et sa duègne.

« Tu ne crois donc pas que je suis venue te rendre visite par amitié et pour te rendre service ?

— Non.

— Tu aurais pu avoir la politesse de faire comme si. Ferme cette porte : je n'en aurai pas pour longtemps. »

Je laissai la porte entrebâillée.

« De quoi as-tu donc peur, Benvenuto ? » minauda-t-elle ; puis, très vite, elle enchaîna :

« Tu as vu mon portrait, dans la loggia ?

— Oui.

— Je suis horrible, n'est-ce pas ! »

Ce fut à mon tour de ricaner.

« Savez-vous pourquoi Le Macromuopo est un si grand maître, dònna Clarissima ?

— Parce qu'il est à la mode ?

« — Parce que ce n'est pas la figure qu'il peint, mais l'âme. »

Elle me fit une grimace, frappa du pied.

« Ça, c'est mesquin, Benvenuto ! On avait fait la paix ! »

Puis, avec une nuance d'inquiétude, elle ajouta :

« C'est vrai ? Qu'il peint l'âme des gens ?

— Je n'en sais foutre rien.

— Mais arrête de me mentir ! s'emporta-t-elle. Je sais bien que tu le connais ! »

Je me retrouvai encore désarçonné par cette teigne. C'était de plus la seconde fois dans la journée qu'on évoquait mes relations avec Le Macromuopo, et dònna Clarissima s'était montrée beaucoup plus explicite que le sénateur Phaleri. Cela me mit mal à l'aise, pour de nombreuses raisons ; mais tout particulièrement parce que cela signifiait que je devenais un homme public, quelqu'un sur le compte duquel on se renseignait. Dans ma branche, la notoriété est une faute.

« Comment l'avez-vous appris ? demandai-je.

— C'est mon père. Quand il a embauché Le Macromuopo, il m'a dit : *Surtout, ne lui parle pas de Benvenuto. Ils sont brouillés.* »

Évidemment. Même si je m'étais bien gardé de parler du peintre au Podestat, mon patron avait fouillé dans mon passé. C'était inévitable : il lui fallait s'assurer des gens qui travaillaient pour lui.

« Qu'est-ce que tu lui as fait, au Macromuopo ? Tu lui as tué quelqu'un ?

— Ça ne vous regarde pas, dònna Clarissima.

— Alors c'est vrai ! Tu lui as tué quelqu'un !

— Bien sûr que non ! À l'époque, je n'étais... Ah ! Merde ! Vous me les brisez sévère !

— Allez ! Dis-le moi ! Si c'est vieux, c'est enterré. Tout le monde s'en moque.

— Ça n'a aucun intérêt.

— Tu lui as fait un peu de mal, au moins ?

— C'est possible… En fait, je n'en suis même pas sûr…

— Mais alors… Si ce n'est pas grave… Pourquoi êtes-vous toujours fâchés ? »

Elle avait maintenant l'air déçue.

« Oh, et puis après tout, je m'en fiche ! Garde tes petits secrets si tu veux, ce n'est pas pour ça que je voulais te voir. Tu le connais bien, le grand peintre ?

— Je ne peux pas dire ça. Ça fait un bail, vous savez.

— Oui, mais tu l'as connu ! s'impatienta-t-elle.

— Si ça peut vous faire plaisir…

— Bien ! Alors tu peux sans doute me rendre service…

— Je ne suis pas certain de vous avoir correctement entendue.

— Je t'ai bien rendu service, moi !

— Vous vous êtes bien payé ma tête, oui !

— Allez ! C'est un tout petit service, en plus ! Et ensuite, je serai tout le temps gentille avec toi !

— Vous continuez à vous payer ma tête.

— C'est parce que je t'aime bien, Benvenuto !

— Accouchez, qu'on en finisse. »

Elle frétilla de joie, battit des mains, et soudain je vis davantage la petite fille que la pucelle provocante. Elle avait bien raison : je ne comprenais rien aux femmes.

« Alors voilà ! s'écria-t-elle avec un timbre cristallin. J'aurais besoin de toi pour lui faire du mal, au Macromuopo !

— Quoi ? »

Elle éclata d'un rire facétieux.

« Pas pour le tuer, s'esclaffa-t-elle. Ni même pour le rosser ou pour lui casser les doigts… »

Elle semblait ravie du quiproquo, comme d'une bonne plaisanterie.

« Tu sais, c'est un mufle immonde, ce type, poursuivit-elle en redevenant sérieuse. Non seulement son tableau est horrible, mais il n'arrête pas de me dire des choses horribles ! Toi, tu vois, tu sais où est ta place ; mais pas lui. Il me traite comme si j'étais un vulgaire modèle, il s'en balance, que je sois Clarissima Ducatore. J'en attrape des crampes et des vertiges, à poser comme une idiote pendant des heures et des heures, et dès que je bouge un peu, il pique des colères noires ! Le pire, c'est qu'il a monté mon père contre moi ! D'habitude, quand des gens se plaignent de moi, mon père me fait des remontrances, mais dans le fond je vois bien que ça l'amuse. Là, c'est différent. Ça l'énerve vraiment. Je ne sais pas ce que Le Macromuopo lui a fait. Je le déteste, ce type ! C'est pour ça que tu vas m'aider à le remettre à sa place !

— N'y comptez pas trop, dònna Clarissima.

— Tu n'auras rien à faire ! C'est moi qui lui clouerai le bec. Tout ce que je te demande, c'est de me dire un truc pour lui faire vraiment mal, au maestro. Si ça fait si longtemps que vous êtes fâchés, tous les deux, c'est que tu dois connaître quelque chose qu'on peut lui cracher à la figure : un secret, un ratage, une saleté qu'il a pu faire. Que ce soit vrai ou pas, je m'en moque. Ce que je veux, c'est quelque chose qui lui restera en travers de la gorge.

— Ça fait quinze ans que je ne lui ai plus adressé la parole. Je ne sais plus rien de lui.

— Allez ! Ne fais pas ta mauvaise tête, Benvenuto. Tu es payé pour remuer le linge sale.

— Justement. C'est plus dangereux que vous ne pouvez le croire. Et ce genre de tuyau coûte cher.

— C'est vrai que tu es un homme vénal, Benvenuto. Un mercenaire. Un tueur à gages, à ce qu'on raconte… »

Elle posa les mains sur ses hanches, inclina la tête de piquante manière.

« Tu veux un gage, Benvenuto ?

— Vous êtes trop maigre. »

Elle brandit vers moi un doigt menaçant :

« Ne t'y mets pas, toi aussi ! Prends garde ! Sur toi, j'en connais plein, de trucs ! »

Puis, avec un air plus calculé, elle poursuivit :

« Mais je suis prête à négocier avec toi, et même à passer un marché. Je peux te proposer un accord.

— Voyez-vous ça !

— Arrête de me traiter comme une gamine ! Je suis sérieuse. Je peux échanger l'information que je veux contre une autre information.

— Je n'en doute pas. Vous passez votre temps à ça. Qu'est-ce que vous avez à me vendre ? Des ragots de commère ? Des potins de salon ?

— Tu me prends vraiment pour une gourde ! J'ai des vraies informations, celles qui valent leur pesant d'or.

— Le nom du dernier soupirant d'Aspasina Monatore ? »

Elle poussa un soupir exaspéré, en me dévisageant comme si j'étais un abruti.

« Par exemple, tu savais que je faisais surveiller Sassanos ? énonça-t-elle avec une lenteur délibérée.

— Quoi ?

— Ça t'en bouche un coin, hein !

— Vous êtes complètement cinglée ! C'est dangereux !

— À ton avis, pourquoi je le fais ? Mais rassure-toi, ce n'est pas moi qui l'espionne.

— Et puis quelle utilité ? Sassanos travaille pour votre père !

— N'empêche que quand toi, Matado et mon père, vous êtes partis jouer à la guerre, il a pris ses aises, le sapientissime. Il fallait bien que quelqu'un garde un œil sur lui. »

Elle dut saisir quelque chose dans mon expression, car elle s'écria :

« Ah ! Tu vois bien que ça t'intéresse !

— Votre père m'en dira tout ce qu'il jugera bon de me révéler.

— Peut-être. Mais il n'était pas là quand Sassanos a annexé tout le troisième étage de l'aile Zecchina. Il y passait l'essentiel de ses nuits, à organiser de drôles de sarabandes. Des fois, on aurait dit qu'ils étaient vingt, là-dedans. Et puis une nuit, toute la maison a été réveillée ! Il y a eu un grand choc sourd, pas très bruyant, mais qui a fait trembler les murs comme un coup de bélier. Juste après, le palais tout entier s'est mis à puer ! Une véritable infection, on aurait cru que des tombereaux d'ordures avaient été versés dans la cour. Ça a passé assez vite, mais c'était si fort que j'en avais les yeux qui pleuraient. Et le plus beau, c'est que le lendemain matin, une nef noire a quitté Dessiccada pour amener des prêtres du Desséché au port, et ils sont montés tout droit ici. Sassanos s'est retiré avec eux, ils ont parlé pendant plus d'une heure. Je ne te parle pas de l'état des domestiques : ils étaient terrifiés. J'ignore ce que Sassanos a raconté aux embaumeurs de Dessiccada, mais c'est à ce moment que j'ai décidé de l'espionner.

— Vous êtes complètement inconsciente ! Il sait tout ce qui se passe dans ce palais. Il est certainement au courant de votre initiative. »

Elle me regarda de haut.

« Je me suis protégée, tu penses bien. J'ai recruté un mouchard qui ne risquait pas grand-chose… J'ai envoyé Mucio.

— Quoi ?

— Ça n'a pas été trop difficile. Il m'a suffi de persuader Scurrilia de faire un peu de charme à Ferlino pour que ce vieux bouc oublie mon frère. Après, j'ai envoyé Mucio dans l'aile Zecchina. Comme il est débile, je me disais que Sassanos croirait qu'il s'était égaré s'il le surprenait. »

Elle fit la grimace.

« Bien sûr, le benêt s'est fait avoir. Il est redescendu tout calme des appartements de Sassanos, et naturellement, il n'avait rien vu de spécial. Après cela, il est resté tranquille pendant trois jours. Tu imagines ? Mucio, tranquille pendant trois jours ! Je suis sûre que le moricaud l'a ensorcelé.

— Ça aurait pu tourner beaucoup plus mal. Et au final, vous ne détenez rien d'intéressant…

— Bien sûr que si ! Je sais même plusieurs choses. Par exemple, tu sais que Sassanos va partir en voyage ?

— Il me l'a dit lui-même.

— Et il t'a aussi dit où il va ?

— Cela semble être un secret entre lui et votre père.

— Tu crois qu'il va en Ressine ?

— Compte tenu de son origine et des derniers événements, ça paraît assez logique.

— Il ne va pas en Ressine. Je ne sais pas au juste où il va, mais je suis persuadée qu'il ne prendra pas la mer. Il y a quelques jours, il a recruté deux types ; des gardes du corps, ou peut-être des guides. Des Ouromands : tu verrais, de vrais barbares, avec des gueules de brutes, des tatouages et tout ! Il y en a un qui est un monstre, une de ces baraques ! Encore plus costaud que Ferlino. Ils sont plutôt discrets, mais ils prennent leurs repas à la cuisine, et j'ai pu un peu les observer. Je suis certaine qu'ils vont accompagner Sassanos vers l'intérieur des terres, sans doute au-delà de la Marche Franche. Bon ! Tu vois que j'en ai, des renseignements !

— Je dois l'admettre.

— Alors ? On la fait, cette affaire ? Dans le fond, moi, je m'en fiche, des petites magouilles du moricaud. C'est le barbouilleur que je veux m'offrir.

— N'empêche qu'on ne va rien conclure du tout, vous et moi.

— Tu es lourd, Benvenuto ! C'est ridicule, ton numéro d'incorruptible ! Tu ne vas pas me dire que tu m'en veux encore pour tout à l'heure ?

— Vous me cassez les pieds, Ma Gracieuse Dame. C'est moi qui n'en ai rien à battre, de vos petites querelles avec un vieux peintre et de vos réseaux d'informations foireux.

— Dans ce cas, qu'est-ce que ça peut te faire, de me lâcher un tout petit truc un peu saignant sur Le Macromuopo ?

— Même si j'avais quelque chose dans le style, je ne vous le dirais pas.

— C'est pas comme ça que tu vas te débarrasser de moi, tu sais !

— Oh que si, dònna Clarissima ! Et rapidement, encore.

— Tu vas me brutaliser, c'est ça ?

— Je vais faire bien pire. Si vous ne sortez pas immédiatement de cette pièce, je vais aller raconter à votre père que vous faites espionner son sorcier par Mucio et que vous cherchez à nuire au Macromuopo. »

Elle me considéra avec stupeur.

« Mais enfin, ça ne se fait pas, énonça-t-elle avec conviction.

— Vous croyez ça ?

— Tu te comporterais comme une donneuse ?

— Je suis pourri jusqu'à la moelle.

— Tu parles… Tu es coincé comme un larbin, oui. »

Elle reprit son attitude supérieure, affichant une morgue absolument insupportable.

« Je pensais quand même que tu me remercierais mieux… Mais d'accord, je te laisse. De toute façon, tu m'as fait perdre tellement de temps que Lycania doit être à moitié folle, et qu'il faut que je réapparaisse si je veux éviter qu'elle raconte à Matado et à ses demeurés que j'ai disparu. Mais on n'en a pas fini, tous les deux. Tu es encore en colère contre moi, je le vois bien. On reprendra cette conversation quand tu te seras calmé. J'espère que tu seras plus raisonnable, alors. »

Elle souleva légèrement l'étoffe galonnée de sa robe, et sortit avec une raideur digne, la bouche pincée, la vertu incarnée. Dans le couloir, cependant, elle ne put s'empêcher de se retourner vers moi.

« Ah, au fait, comme je m'ennuyais pendant que tu tardais à monter, j'ai un peu regardé dans tes affaires. J'ai vu la surprise que mon père a laissée dans ton coffre… C'est d'un macho ! D'aussi bon goût que de mettre une fille dans ton lit ; j'espère que tu ne vas pas te laisser avoir ! C'est moi, aussi, qui ai décacheté la lettre de change. Ça m'a déçue ! Je croyais que mon père te payait plus cher… »

Je lui claquai la porte au nez, de toutes mes forces. Le vacarme dut résonner jusqu'au rez-de-chaussée.

Il me fallut un bon moment pour retrouver le calme. Assis sur mon coffre, je serrais et desserrais les poings en essayant de discipliner mes sentiments et ma respiration. Avec une sœur pareille, ça ne m'étonnait guère que Mucio soit un détraqué, et que leur frère, Belisario, n'ait plus remis les pieds à Ciudalia depuis des années. Clarissima Ducatore était dangereuse, de bien des manières, et j'étais conscient que la rage même qui m'animait contre elle était équivoque. Les garces ont tendance à m'exciter, et la sale peste était suffisamment précoce pour le deviner. Je dus aussi admettre que j'admirais Le Macromuopo, pour trouver les ressources de tenir tête à cette vipère.

Quand j'eus commencé à recouvrer la maîtrise de mon souffle et de l'impérieuse pulsion de meurtre qui révolutionnait mon organisme, je repensai aux dernières paroles de dònna Clarissima. Elles recoupaient l'allusion de Sassanos : le Podestat m'avait fait des cadeaux. L'escorte du clan Mastiggia en était un, particulièrement recherché ; les faveurs qu'Ancelina avait été priée de m'accorder auraient dû former le second. En restait un troisième, qu'il me restait à découvrir. Je me demandais quelle valeur ils avaient aux yeux de mon patron : réparation pour ma captivité et ses petits tracas ? Prime spéciale pour le double succès de mes entreprises ?

Je me levai, pivotai et ouvris mon coffre. Il ne s'agissait pas d'un vulgaire bagage de marine, mais d'un vrai meuble de palais, en bois plein, sculpté, dont le couvercle ciré pouvait servir de banc à trois personnes. Les récompenses étaient en évidence, posées sur le reste de mes effets. Il y avait une bourse, qui contenait deux cents florins. Je n'eus pas à consulter la lettre de change, dont je constatai, effectivement, que le cachet était rompu ; j'en connaissais déjà la teneur. Ce document me versait le solde du prix de mes services, une somme à proprement parler astronomique, que nous avions fixée le Podestat et moi sur la galéasse amirale, la veille que je rejoigne l'équipage de Bucefale Mastiggia. Une somme d'autant plus exorbitante si l'on réalisait qu'elle ne représentait qu'une partie de ce que le Podestat avait à débourser : une dîme devait aussi être adressée en secret à la Guilde des Chuchoteurs, indexée à la valeur des deux contrats que j'avais remplis.

L'argent n'était pas une surprise pour moi. Par contre, j'ignorais quels étaient les objets longs soigneusement enroulés dans un plaid de laine douce. Je tendis la main, et un simple toucher à travers l'étoffe me permit d'en deviner la nature. Je les débarrassai de leur protection, et trouvai confirmation de mon intuition. Il s'agissait de deux armes, une épée et une dague, avec leurs fourreaux et leur baudrier. Le ceinturon, en cuir sombre, était sans apprêt, solide et fonctionnel. Les deux lames étaient des armes de guerre : sobres, dépourvues de fioritures, dotées de pommeaux ovoïdes et de gardes très simples. Il suffit que je les tienne en main, toutefois, pour réaliser qu'il s'agissait d'authentiques chefs-d'œuvre : admirablement équilibrées, à la fois légères à manier et terriblement lourdes à l'estocade. Des armes de duelliste ou de champion, dont l'élégance suprême résidait dans la stricte austérité. Seuls un artisan armurier ou un spadassin chevronné identifieraient des armes redoutables ; aux yeux de tous les autres, je porterais des accessoires de série, probablement forgés par un atelier militaire. Nul ornement pour les distinguer de loin, mais chacune portait un poinçon discret sur le ricasso. F.A., la signature de Fratello Acerini, le plus grand armurier de la

République, et peut-être même le plus grand armurier de toutes les provinces du Vieux Royaume.

C'était un présent somptueux. À elles seules, cette épée et cette dague avaient pu coûter autant qu'un de mes contrats. Je passai un certain temps à contempler leur perfection mortelle, puis je les emmaillotai à nouveau et les rangeai dans mon coffre. En m'allongeant sur mon lit pour reposer enfin ma carcasse éprouvée, je perçus une légère fragrance de benjoin, une trace du parfum de dònna Clarissima. « J'espère que tu ne vas pas te laisser avoir », m'avait-elle dit. La petite garce avait du nez. Un homme comme moi pouvait à la limite repousser les avances d'une riche héritière ; mais il ne pouvait pas résister à deux lames signées Fratello Acerini. Le Podestat connaissait l'art de se faire pardonner les sacrifices opérés à son service, et jusqu'aux insupportables lubies de sa progéniture. Je glissai les deux mains sous ma nuque, en contemplant les poutres peintes de mon plafond. Je me laissai bercer par les rumeurs paisibles qui remontaient de la cour intérieure. Je me voyais déjà arpentant la via Mala et le quartier des abattoirs, au cours de ma promenade matinale, épée et dague au côté. Qu'on y vienne, alors, à regarder d'un peu trop près le museau cabossé et les dents brisées de don Benvenuto... Il faudrait bien qu'une pauvre poire paye pour les insolences de Clarissima Ducatore, pensai-je en m'autorisant un sourire...

... C'était plus tard, bien après le coucher du soleil. C'était dans la nuit, et c'était même au cœur de la nuit, car il faisait abominablement noir. Je ne me souvenais plus d'être ressorti, mais j'étais dehors, dans la rue. Je marchais. Je n'étais pas seul, il y avait du monde avec moi. J'avais rejoint le sénateur Tremorio Mastiggia, qui s'accrochait à mon bras. J'entendais le piétinement sourd de tout le clan, juste derrière moi.

Il y avait plusieurs choses qui clochaient. D'abord, je

ne comprenais pas trop ce que je trafiquais à nouveau avec les Mastiggia. Il me semblait bien, pourtant, qu'ils m'avaient raccompagné jusqu'au palais Ducatore. Qu'est-ce qui m'avait poussé à les retrouver ? Était-ce bien le corps de Regalio Cladestini qui avait été rapatrié par la galère Phaleri, ou s'agissait-il de celui de Bucefale Mastiggia ? Je n'osais trop me retourner, de crainte d'apercevoir un cercueil. Il y avait plus gênant, toutefois ; je ne sais comment, j'avais réussi à dénicher l'armure que j'avais portée en mer, et je l'avais remise, mais j'avais oublié de la briquer. Elle était encore souillée de sang frais. Plus j'essayais de la nettoyer avec des gestes furtifs, plus j'étalais les taches. Par chance, il régnait une telle obscurité que, pour l'instant, Tremorio Mastiggia n'avait pas encore remarqué les macules.

Il régnait même des ténèbres de cave. Ni lune, ni étoiles dans le ciel : un noir primal, absolu, si épais qu'il ressemblait à des draperies de catafalque. Sans les façades des maisons, à peine entrevues dans quelques pauvres halos de clarté domestique, on aurait pu se croire au plus profond des catacombes de Purpurezza. Le clan qui marchait derrière moi ne portait ni torche, ni lanterne. La seule lumière qui nous permettait de deviner la rue plus que de la voir provenait de quelques fenêtres, faiblement éclairées par la lueur des âtres ou des chandelles. La plupart, toutefois, étaient noires comme des puits.

Et même les fenêtres étaient bizarres. D'abord, il y en avait trop. Chaque façade pouvait en accueillir des dizaines, parfois beaucoup plus. Des quantités donnaient sur le rez-de-chaussée, ce qu'on n'observe que rarement à Ciudalia. Leurs dimensions et leur disposition étaient tout aussi singulières. Je ne parvenais à distinguer ni fenêtre géminée, ni fenêtre à meneaux. En revanche, il y avait une profusion d'ouvertures toute petites, à peine larges comme un judas ; quelques-unes étaient un peu plus grandes, de la taille d'un œil de bœuf ou d'une lucarne ; rares étaient celles qui avaient une dimension normale. Elles étaient d'une grande variété de formes, surtout les guichets : rondes, ovales, carrées, en losange. Celles qui étaient éclairées n'étaient pas quadrillées par des croisillons de plomb, mais constituées d'une seule vitre exempte de défauts ou de bulles. Le plus étrange, c'est que les murs qu'elles perçaient semblaient dépourvus d'épaisseur... Nul rebord, nul linteau : on aurait cru les cloisons aussi fines que le verre.

Si la majorité de ces fenêtres étaient aveugles, celles qui étaient éclairées ouvraient sur des intérieurs bourgeois ou aristocratiques : antichambres, chambres à coucher, cabinets de toilette, salons de musique ou salles de bal. Le plus grand désordre régnait dans la distribution des ouvertures, les aperçus qu'elles offraient sur les intérieurs révélant des architectures complètement incohérentes ; il n'était pas rare que deux œilletons superposés, distants à peine de quelques pouces, donnent sur des pièces complètement différentes. Le phénomène était très perturbant, et contribuait à brouiller chez moi un sens de l'orientation déjà mis à mal par l'étrangeté de la rue et par les ténèbres trop profondes.

Je n'avais pas vraiment le loisir de m'attarder sur les scènes domestiques entrevues par ces embrasures. Le sénateur Mastiggia m'entraînait toujours plus avant, sa main de vieillard pesant de plus en plus lourd sur mon avant-bras, tandis que l'escorte indistincte entonnait la litanie des adieux, en un sombre murmure. Je ne pouvais m'arrêter ; je craignais d'être rattrapé et bousculé par les porteurs du corps. J'avais toutefois l'œil attiré par la faible luminosité des lucarnes que nous dépassions. J'éprouvais le sentiment qu'il s'agissait d'une curiosité déplacée, indiscrète, et même dangereusement transgressive, mais je ne pouvais m'empêcher de regarder.

Pour l'essentiel, ces aperçus étaient décevants. Beaucoup d'intérieurs étaient vides de présence humaine. La plupart du temps, on devinait l'habitant plus qu'on ne le voyait ; les silhouettes de deux dormeurs allongés dans l'obscurité d'un lit, le mouvement d'une porte qu'on ferme, le jeu d'ombres et de lumière provoqué par une bougie qu'on déplace. Parfois, on voyait mieux les gens, mais les scènes volées à l'intimité n'avaient rien d'excitant : une enfant jouant avec un petit chien, une femme quelconque appliquant un masque de beauté, un vieil homme lisant une lettre à la flamme d'une chandelle.

Pourtant, malgré l'insignifiance de ces révélations, chaque nouvelle découverte me donnait un coup au cœur, et faisait croître en moi un inexplicable sentiment d'urgence. J'étais déchiré entre l'intuition que je devais détourner les yeux et le puissant magnétisme exercé par la lueur vitreuse qui nimbait ces ouvreaux. Les doigts osseux de Tremorio Mastiggia s'enfonçaient de plus en plus durement dans mes muscles, et je me mis à haleter en pensant qu'il avait peut-être fini par voir le sang. Ce fut à ce moment précis que je découvris les premiers visages familiers.

Je reconnus d'abord dònna Clarissima. Elle se tenait juste derrière une ouverture ovale, elle semblait fixer la rue et pourtant elle ne parut pas me voir, pas plus que le cortège funèbre qui passait en la frôlant. Elle se préparait pour dormir. La tête inclinée de côté, elle brossait sa longue chevelure brune d'un mouvement saccadé et rapide, dépourvu de sensualité. Par le col échancré de sa chemise de nuit, je découvris la naissance d'une poitrine petite, mais incontestablement formée. Elle avait la peau laiteuse, la carnation satinée des filles très jeunes. Son expression était absente. Je la perdis rapidement de vue, entraîné par le sénateur Mastiggia qui s'affaissait un peu sur moi et dont le pas devenait moins régulier.

Le vice-amiral Sceleste Phaleri occupait une autre fenêtre, un peu plus loin. Il était assis, le pourpoint déboutonné, et il n'était pas seul. Il avait un petit garçon sur les genoux. Comme la fille du Podestat, le patricien et l'enfant regardaient vers l'extérieur, sans paraître nous voir. Bien que je ne l'entendisse pas, le sénateur semblait parler avec douceur ; sa main gauche était affectueusement posée sur l'épaule menue du gamin. La droite lui caressait l'entrejambe, mécaniquement, sur le même rythme que les coups de brosse de dònna Clarissima.

Le sénateur Mastiggia s'épuisait rapidement ; il se mit à trébucher, s'agrippa à moi des deux mains — des serres décharnées et tremblantes — et je dus lui passer un bras autour de la taille pour le soutenir. Le contact de ce corps était affreusement déprimant : maladif, fragile, anguleux. J'étais surpris de le sentir si grêle, presque étique, et j'allais me pencher sur lui pour vérifier une appréhension informulée lorsqu'une nouvelle figure, à une troisième fenêtre, détourna mon attention. J'en éprouvai, en fait, un choc violent. Il y avait là un homme que je n'avais plus croisé depuis quinze ans. Que j'avais soigneusement évité depuis quinze ans.

Il avait vieilli, bien sûr. Il s'était un peu empâté, sans toutefois perdre sa vigueur nerveuse, et la couronne indisciplinée de ses cheveux avait viré à l'argent. Quoique légèrement alourdi, et sillonné de rides plus nombreuses que dans mon souvenir, son visage volontaire, marqué par les excès, était plus énergique que jamais. Il était vêtu d'une vieille robe élimée, bariolée d'innombrables taches, retroussée sur ses avant-bras ; des avant-bras charnus et forts, zébrés de couleurs, musclés comme ceux d'un carrier ou d'un boucher. Lui non plus ne semblait pas percevoir le cortège d'ombres qui longeait sa fenêtre ; pourtant, son regard n'était pas déserté comme celui de la fille à sa coiffeuse, de l'aristocrate pervers et de l'enfant abusé. Sous les sourcils broussailleux, des yeux vifs, incisifs, habités, bondissaient sans cesse de la fenêtre au chevalet, puis du chevalet à la fenêtre. Et il ne se livrait pas seulement à un examen ; même si je ne pouvais voir que l'arrière du châssis, et non la surface de la toile, il était évident qu'il peignait, à grands gestes déliés. Le Macromuopo lui-même enseignait qu'on ne pouvait travailler que dans la plénitude de la lumière diurne, et pourtant Le Macromuopo, en violation de toutes ses règles, travaillait à la simple flamme d'une bougie. Plus fascinant encore : au cœur de la nuit, c'était son autoportrait qu'il peignait.

J'en ressentis un nouveau choc. Une émotion profonde, qui faillit me tirer des larmes : c'était une révélation, mais pas une aspiration exaltée, plutôt une immense vague de tristesse, que je ne compris pas immédiatement. Et une frayeur intense, car j'eus l'intuition brutale que je pouvais bien me trouver égaré quelque part, dans un espace intermédiaire, entre la magie des rêves, celle des images et celle des miroirs. Derrière moi, les rangs du clan Mastiggia s'étaient mystérieusement clairsemés. En fait, je n'étais plus tout à fait sûr qu'il s'agissait du clan Mastiggia ; seules neuf silhouettes boiteuses et frêles se traînaient encore péniblement sur mes talons, avec des respirations sifflantes et des craquements d'articulation.

Et quelqu'un me cherchait maintenant, quelque part, devant moi. Non une nouvelle figure, anonyme ou familière, prisonnière du cadre étroit d'une fenêtre… Une grande ombre, qui marchait posément à ma rencontre, au milieu de la voirie obscure. Le sénateur Mastiggia n'était plus qu'un sac de peau et d'os, squelettique comme un grabataire, qui se raccrochait à moi non par faiblesse, mais secoué par une terreur abjecte. Je vis se dessiner insensiblement l'être qui venait à nous, une déchirure flottante de ténèbres dans un nid de ténèbres. Drapé dans une robe empesée, il semblait élancé, mince, doté de mains griffues et d'une crinière reptilienne. Il était absolument silencieux. Je crus reconnaître Sassanos.

Mais je n'en étais pas certain.

Je n'en étais pas certain.

# VI

## L'homme au sourire d'or

L'esclave ne peut sodomiser son maître. C'est l'interdit majeur selon Artémidore. Même, cette vision surgissant au cours d'un rêve crée un certain nombre de problèmes à celui qui l'a vue dans la clandestinité de son âme et dans le silence de la nuit. La sodomie des esclaves par les maîtres était la norme. Les patriciens tendaient le doigt. Ils disaient : *Te paedico* (Je te sodomise) ou *Te irrumo* (J'emplis ta bouche de mon *fascinus*).

PASCAL QUIGNARD

Quand j'ouvris les yeux, aux petites heures de la nuit, une ombre était bel et bien penchée sur moi. Quelqu'un avait allumé une bougie dans ma chambre ; mais comme la lampe était posée plus loin, sur le rebord de la fenêtre, je ne discernai de l'intrus qu'une silhouette à contre-jour. Des cheveux un peu longs, les rubans et les aiguillettes d'un élégant pourpoint à crevés. J'eus un hoquet de surprise.

« Du calme, dit Leonide Ducatore juste avant que je ne lui brise le pharynx d'un revers de la main. Tu faisais un mauvais rêve. »

Je retins mon geste in extremis. Une sueur glacée vint me cailler le creux des reins : j'avais frôlé la catastrophe. Comme s'il ne s'était rendu compte de rien, le Podestat se redressa, et retourna tranquillement vers la fenêtre, dévoilant à la lumière un visage chiffonné par la fatigue. Je me mis sur mon séant en grognant, en posant mes poignets sur mes genoux.

« Bordel, grommelai-je. C'est une manie, dans la famille.

— Dans la famille ? » releva-t-il.

Il venait de saisir la carafe d'un service à boire apporté durant mon sommeil, et remplissait deux verres à pied en cristal.

« Votre fille. Elle m'attendait ici quand je suis rentré.

— Dans ta chambre ?

— Oui.

— Dans ce cas, je suppose qu'elle était seule ?

— Vous avez deviné. »

Il me tendit un verre.

« C'est un petit nectar de Fraimbois, précisa-t-il. Tout droit arrivé de mes domaines viticoles dans la Marche Franche. Un vin doux, tu m'en donneras des nouvelles. »

Il leva légèrement son propre verre.

« Au diplomate le plus discret de mon gouvernement », dit-il en m'adressant un sourire un peu las.

Il prit une gorgée, la fit durer en bouche, s'assit sur mon coffre.

« Ça me contrarie un peu, ce que tu me dis de Clara, finit-il par concéder. Elle est perturbée, ces derniers temps, et je n'ai pas le loisir de lui consacrer beaucoup d'attention… Quelle effronterie ! Enfin, cela dit, elle n'a pas froid aux yeux.

— Elle n'est pas la seule, Votre Seigneurie. Me surprendre comme vous l'avez fait ! Vous vous rendez compte ? On est passé à ça de l'accident. »

Il haussa une épaule.

« Je suis persuadé que je n'aurais pas senti grand-chose, badina-t-il. C'est surtout toi qui aurais essuyé de gros désagréments… »

Il posa son verre à côté de lui, s'étira sans façon, étouffa un bâillement. Une ombre de barbe couvrait ses joues, et il avait les yeux brillants d'insomnie. Il se frotta le menton, d'un air un peu absent.

« Je suis content que tu sois de retour, dit-il.

— Et moi donc !

— Je l'imagine sans peine. En fait, je comptais te voir plus tôt, en début de soirée… Et puis "la charge de l'État tout entière", comme dirait don Tremorio… Quelle servitude, parfois, le pouvoir ! »

Je faillis faire allusion à la mort du podestat Cladestini, en remarquant que sa survie aurait pu éviter bien des surmenages au magistrat rescapé, et je me hâtai de refouler ce coup de sonde.

« Je suis venu dès que j'ai pu, poursuivait le Podestat. Je te prie de m'excuser pour avoir interrompu ton sommeil. J'aurais pu attendre demain, naturellement, mais j'étais impatient d'avoir de tes nouvelles.

— Des miennes, ou celles dont je suis porteur ?

— Les deux, bien sûr.

— Vous saviez que les Ressiniens avaient d'abord eu pour projet de m'étrangler, après que j'aurais délivré votre message ?

— C'était une option probable, en effet.

— Et sur ce coup-là, vous avez été plutôt désinvolte pour assurer ma couverture, non ?

— En avais-tu besoin ? Tu as su t'en sortir tout seul, et j'ai versé la rançon. Benvenuto, si je te paye une petite fortune, c'est entre autres parce que tu es doté du sens de l'initiative. J'avais, et j'ai toujours, beaucoup à planifier. Je pouvais te déléguer en toute confiance le souci de ta propre survie. »

Il fit tourner le vin dans son verre, m'adressa un sourire en coin.

« Je ne me suis pas trompé, d'ailleurs », observa-t-il.

Éclairée par la flamme jaune de la bougie, je pouvais observer la partie droite de son visage. Vu de près, l'homme accusait davantage son âge. Il paraissait empli par l'énergie nerveuse que procure l'épuisement. Trop peu de sommeil, depuis que la guerre avait commencé : l'accumulation des nuits blanches affaissait sa paupière, creusait un cerne profond sur sa joue, imprimait un pli arrogant à la commissure des lèvres et des narines. Sur le front puissant et mat perlait en buée une sueur de lassitude. Pourtant, même perclus de fatigue, même calé sur une fesse au coin de mon coffre, il émanait toujours de lui le rayonnement d'un homme de pouvoir. À la main qui tenait son verre brillaient deux bagues archaïques, le sceau de la maison Ducatore et l'anneau de la podestatie. Je devinais aussi quelques charmes de protection : un discret pendentif de corail et un bracelet auquel étaient suspendus trois petits symboles en argent, la pointe de flèche, l'abeille et la clef. Sur sa pommette gauche, en revanche, la scarification se fondait dans l'ombre.

« Mais je suis vraiment navré pour ce qu'ils t'ont fait, finit-il par dire.

— Retouches cosmétiques, d'après le logocrate.

— Sassanos m'a dit que tu l'avais rencontré, et qu'il en savait un peu trop. Je l'ai bien connu, quand je fréquentais la cour d'Eurymaxas. Un érudit charmant ; mais aussi un bon serviteur. Il sait subordonner son humanité à la plus impitoyable des efficacités... Un peu comme toi, si tu me permets le parallèle.

— Un enfoiré, quoi.

— Un enfoiré qui t'a peut-être sauvé la vie, Benvenuto. Qui nous a sauvé la mise, en tout cas. Tout à l'heure, au cours de l'entretien que j'ai eu avec les Mastiggia, don Tremorio m'a dit qu'il avait longuement douté de ton rôle sur la galère de son fils. Mon vieux collègue n'est pas tombé de la dernière pluie : il te connaît de réputation, et il s'est bel et bien demandé si les rumeurs qui lui revenaient ne relevaient pas de la manipulation. C'est en voyant ton visage sur le quai qu'il a acquis la certitude que tu avais bien défendu son fils. Ça ne réparera pas les dégâts, j'en suis malheureusement conscient, mais ces cicatrices te protègent. Nous protègent. Je n'ignore pas que tu as payé pour ma sécurité. »

Du verre, il désigna ma gueule bosselée.

« On va quand même faire notre possible pour corriger ce qui peut l'être, dit-il. Pour demain matin, j'ai requis la présence de fra Orinati, le médecin de l'Hospice de la Déesse Douce, et celle de don Sartino Celari, le maître orfèvre de la piazza Smaradina. Celari sait fabriquer des prothèses en or ; je leur ai demandé de reconstituer ta denture. J'ai aussi fait appel à un certain Zani Farogi ; je crois que c'est le barbier que tu avais coutume de consulter quand tu avais quelque chose à recoudre. Je me suis dit que sa présence pourrait te mettre en confiance.

— Merci, Votre Seigneurie. Mais je ne suis pas sûr de vouloir qu'on me retouche encore le portrait.

— Ce n'est pas une faveur que je t'accorde, Benvenuto. C'est un service que je te demande. Tu fais partie de mes hommes, tu es porteur de mon image. Tu es en droit d'afficher des cicatrices et même des infirmités, mais pas des indices de laisser-aller ou de résignation. Et puis je suis certain que tu seras ravi de pouvoir mordre à nouveau. De toute façon, tu n'as guère le choix. Je me suis entendu avec dònna Vediva Cladestini : à défaut de pouvoir le faire pour son époux, le consul Cassio Cladestini, la République offrira des funérailles nationales à son neveu, Regalio. La cérémonie aura lieu dans huit jours. En tant que compagnon de captivité du défunt, ta présence est nécessaire. Il faut donc que tu sois présentable. J'ai payé une grosse avance à l'orfèvre Celari pour qu'il donne la priorité absolue à tes dents.

— Cette histoire de dents et de représentation... Je deviens un homme public. Je n'apprécie guère cela, Votre Seigneurie.

— C'est l'indice patent de ton ascension sociale, sourit le Podestat. En langue ancienne, le noble n'est-il pas un homme célèbre ?

— Je suis un homme de l'ombre. Je vais perdre la

plupart de mes possibilités si je suis exposé, et cela réduira d'autant votre marge d'action.

— Question d'adaptation. Je ne vais pas t'apprendre que c'est dans la noblesse qu'on cultive au mieux l'art de dissimuler. »

Les propos qu'il me tenait confirmaient les sous-entendus de Sassanos. Ma position au sein de la maison Ducatore était en train d'évoluer. Je commençais à réaliser que le versement de ma rançon, les cadeaux qui m'étaient octroyés, les dents qu'on allait me refaire, tous ces gestes n'étaient nullement des primes ou des récompenses. Il s'agissait d'investissements. Mes derniers contrats avaient aussi servi à évaluer mon potentiel. J'avais un talent qui intéressait bien plus le Podestat que mon savoir-faire criminel : la capacité de négocier avec des gens de pouvoir. C'était flatteur, mais cela me mettait quand même mal à l'aise. En tant que truand, puis en tant que soldat, enfin en tant que tueur, j'avais toujours réussi à garder mes dents ; pas en tant que diplomate.

Mon patron avait probablement suivi le cours de mes pensées, puisqu'il ajouta :

« Sassanos lui-même t'a laissé entendre comment ta fonction allait évoluer au cours des mois à venir. Je vais devoir me passer de son conseil quelque temps, et me reposer davantage sur Spada, sur toi et sur Cesarino.

— Est-ce bien prudent d'éloigner votre sorcier aussi longtemps ?

— Je ne reste pas dépourvu de protections. Et je me suis bien séparé de mon maître-espion pendant deux mois.

— Il m'a dit qu'il ne savait pas s'il était en droit de me révéler où il allait.

— Oui, c'est un service personnel que je lui demande. Sa réserve est une précaution ; dans un sens, c'est aussi une forme de tact. »

Il m'adressa un sourire où affleurait l'amertume.

« Il existe bien des façons d'exploiter une victoire,

dit-il. Pas seulement militairement, financièrement, électoralement… Pendant quelques mois, peut-être un an ou deux, je vais me retrouver auréolé du prestige du cap Scibylos. C'est un crédit qu'il faut que je rentabilise au mieux. Sassanos va m'y aider. Il va traverser les Landes Grises, et se rendre à Sacralia. Il va essayer de me regagner Belisario. »

Je haussai un sourcil. Que le Podestat essaie de récupérer son fils, c'était une démarche naturelle, et même douloureuse. Mais qu'il y envoie son âme damnée, un homme qui ne connaissait pas plus Belisario que moi, cela me semblait très saugrenu. Un sorcier à Sacralia… En un sens, c'était la pire idée qu'on ait pu avoir.

Six ans plus tôt, à la suite du scandale de Kaellsbruck, le Podestat avait été condamné au bannissement par le Tribunal des Neuf. C'était sous le coup de cette sentence qu'il s'était exilé en Ressine ; son habileté politique et son statut d'ancien magistrat de la République lui avaient permis d'être introduit à la cour du chah, où il avait gagné l'amitié du sublime souverain. Il n'avait pas misé sur son seul charme : sa faveur au Sérail avait été accompagnée d'une recrudescence de la piraterie contre les flottes de commerce ciudaliennes. Il était devenu le conseiller ciudalien d'Eurymaxas, et avait renseigné les raïs sur les ports et les procédures de notre marine, ce qui avait débouché sur la multiplication des attaques contre nos navires marchands. L'objectif qu'il avait poursuivi était simple : être en position de force pour négocier sa grâce et son retour à Ciudalia.

Mais pour se livrer à ce bras de fer avec la République, il lui avait fallu mettre ses proches à l'abri. Il était hors de question de laisser sa femme et ses enfants à Ciudalia, où ils auraient pu servir d'otages. Son épouse, dònna Hieratina, s'était retirée au Sanctuaire de Vinealate en compagnie de Mucio et de Clarissima. Le Temple de la Déesse Douce de Vinealate est sur le territoire de la République ; toutefois, il procurait une protection suffisante à ces trois parents de mon patron. Dònna Hieratina était née Rasicari, une famille assez influente pour garantir politiquement l'inviolabilité du sanctuaire où elle avait trouvé refuge. Dònna Clarissima était une fille, et elle n'avait que neuf ans ; elle était monnaie négligeable. Quant à Mucio, il avait alors quinze ans, il était le fils aîné, mais son imbécillité criante le privait de tout avenir politique. Le cloître de Vinealate suffisait donc aussi à assurer sa sécurité.

Ce n'était pas le cas de Belisario. Né cadet, l'idiotie de son frère en faisait cependant l'héritier de la maison Ducatore. C'était sur lui que le Sénat aurait pu exercer des pressions pour neutraliser son père à l'étranger. Il fallait donc le mettre à l'abri, hors de la République. Le Podestat s'était refusé à l'emmener avec lui à Elyssa, craignant de faire du garçon l'otage du chah au lieu de l'otage du Sénat. À la suite du sac de Kaellsbruck, les relations avec Ganelon de Bromael étaient si dégradées qu'il était impensable d'envoyer Belisario à la cour ducale. Quant à la Marche Franche, elle demeurait trop dépendante économiquement de Ciudalia pour offrir un refuge sûr. Le Podestat avait donc résolu d'envoyer son fils très loin à l'intérieur du continent, sur les marches militaires de Sacralia. Cette principauté perdue, gouvernée par une aristocratie chevaleresque et située à l'orée de provinces retombées dans la barbarie, restait l'asile le plus sûr pour l'héritier Ducatore. Le Podestat avait vu juste ; si juste, en fait, que sa précaution avait fini par se retourner contre lui.

Il lui avait fallu près de quatre ans pour obtenir son amnistie. Lorsque le Sénat avait fait le lien entre l'expansion de la piraterie et la place que le sénateur Ducatore avait su se ménager au Sérail, plusieurs tentatives d'attentat avaient eu lieu à Elyssa. Fort heureusement pour moi, j'occupais encore un rang trop modeste au sein de la Guilde des Chuchoteurs pour être envoyé en Ressine. Trois assassins au moins avaient été interceptés par les jardiniers, peut-être par l'agha Bakkhidès en personne, et longuement interrogés, puis suppliciés. Quand il était devenu clair que Leonide Ducatore était trop bien gardé par les hommes du chah, le Sénat avait accepté de gracier l'exilé. Mon futur patron serait plus facile à contrôler à Ciudalia qu'à l'étranger, croyait-on dans les palais de Torrescella. Le Podestat n'avait pu, toutefois, regagner immédiatement Ciudalia. Il était devenu trop proche du chah, et trop utile au royaume de Ressine, pour que le sublime souverain ait pu admettre de s'en séparer si facilement. Il lui avait fallu manœuvrer plusieurs mois encore à Elyssa pour obtenir un sauf-conduit. Même si le sénateur Ducatore ne le confessa jamais explicitement, il était clair qu'Eurymaxas lui avait rendu sa liberté pour servir les intérêts de Ressine à Ciudalia. Quand j'étais entré au service de Leonide Ducatore, il œuvrait à regagner la magistrature suprême dans le but d'empêcher une guerre imminente entre la République et l'archipel. Il lui avait fallu un an pour réaliser qu'il ne pouvait conserver le pouvoir à Ciudalia qu'en s'appuyant sur la faction belliciste, et il avait donc fini par casser l'accord passé avec le chah…

La famille du Podestat n'était pas sortie indemne de ces années de disgrâce et d'exil. Si Leonide Ducatore put récupérer son fils idiot et dònna Clarissima, son épouse dònna Hieratina refusa de quitter le Sanctuaire de Vinealate. Avait-elle réellement trouvé une vocation contemplative, ou s'agissait-il d'une échappatoire pour fuir son union avec le Podestat ? Mon patron restait muet à ce sujet, et je me gardais bien de fouiner dans ce linge-là. Le plus douloureux, toutefois, était la désaffection de Belisario. Il n'avait pas coupé les ponts avec son père ; mais il se dérobait. Il était devenu écuyer d'un dignitaire de l'Ordre du Sacre, il affirmait dans les rares lettres qui arrivaient jusqu'à Ciudalia qu'il lui était difficile de rompre le serment de fidélité qu'il avait prêté. Les relations étaient compliquées par la distance, car il fallait plusieurs semaines d'un voyage dangereux pour joindre Sacralia ; et la Principauté des Chevaliers du Sacre, farouchement religieuse, privait le Podestat de tout recours à la magie pour établir des communications plus rapides.

« Une fois Sassanos sur place, vous comptez sur lui pour tromper la vigilance des Patriarches et établir le contact par sorcellerie ? demandai-je tout à trac.

— J'y ai pensé, oui. Mais je n'ai pas les talents d'un maître comme Psammétique : je pourrais sans doute recevoir des bribes de message de Sassanos, mais je ne pourrais lui donner aucune consigne.

— N'est-ce pas très risqué d'envoyer votre astrologue chez les chevaliers du Sacre ? Vous pourriez obtenir l'effet inverse de ce que vous désirez.

— Justement, sourit le Podestat. C'est une telle évidence que c'est là mon atout. »

L'amertume revint voiler son sourire.

« Je ne pense pas que Belisario soit gardé en otage. Bien sûr, sa présence est une carte importante dans la diplomatie de l'Ordre, mais s'il est retenu à Sacralia, c'est de son plein gré. C'est un tout jeune homme, qui a été formé par les chevaliers du Sacre. Il a probablement adhéré à leurs valeurs. Après six années, Ciudalia lui apparaît vraisemblablement comme un monde lointain et corrompu ; pour ma part, je suis certainement devenu à ses yeux une figure paternelle difficile à cerner. Pour un esprit immature, façonné selon un code rigide, le pragmatisme politique ressemble à l'immoralité. Cela me peine, mais je crains que désormais, Belisario ne se défie de moi. Il suffit aux chevaliers du Sacre de jouer sur ses sentiments pour le persuader de rester sous leur tutelle. »

Il contempla pensivement les croisillons obscurs de ma fenêtre.

« Je sais qu'il me reste peu de temps pour regagner mon fils, poursuivit-il. S'il a sans doute déjà perdu une grande partie de sa malléabilité, la situation n'est pas encore irréversible. Toutefois il serait maladroit de miser sur l'autorité ou sur la nostalgie. Belisario a reçu une formation militaire ; il s'est probablement affirmé, et il réagirait mal à une injonction de ma part. J'avais songé à lui envoyer un émissaire familier, comme son cousin Cesarino... À la réflexion, j'ai dû reconnaître que c'était une fausse bonne idée. Dans un premier temps, bien sûr, Belisario serait touché, peut-être ravi de ces retrouvailles, voire gagné par le regret ; puis, il réaliserait la distance qui s'est creusée entre ce qu'il est devenu et sa ville natale, et en définitive, cette expérience le renforcerait dans sa nouvelle loyauté aux chevaliers de l'Ordre. Il me fallait tenter une approche différente. C'est alors que j'ai pensé à Sassanos.

— Vous voulez... envoûter votre fils ?

— Non ! s'esclaffa-t-il. Non ! Bien sûr que non ! Belisario est mon héritier. J'ignore si je puis regagner son affection, mais j'ai besoin de sa fidélité ; et le contraindre par magie, même temporairement, le retournerait contre moi tôt ou tard. Une fois à Sacralia, Sassanos sera mon porte-parole, et juste mon porte-parole.

— Mais j'imagine que les chevaliers, comme votre fils, vont lui réserver un accueil glacial !

— C'est toute la finesse de l'entreprise. C'est parce qu'ils vont se défier de lui qu'ils ne s'en défieront pas assez... Les chevaliers feront probablement plus confiance à mon fils que si je lui avais envoyé un parent ; en pensant que Belisario ressentira la même répugnance qu'eux face à un praticien des arts secrets, ils se méfieront moins des sentiments de mon fils. Quant à Sassanos, parce qu'il est ressinien, il n'évoquera rien de Ciudalia à Belisario. Tous les repères de mon garçon se trouveront brouillés... Il s'attend à devoir résister à la pression amicale de sa famille, et c'est contre cela qu'il se raidit sans doute ; en revanche, il pensera pouvoir repousser facilement un étranger dont il désapprouve les pratiques, ses défenses seront donc moindres. Ensuite… Eh bien, à Sassanos de le surprendre. »

Je ne connaissais pas Belisario ; je n'étais rentré au service du Podestat qu'après son retour d'exil. Je me demandais toutefois si mon patron lui-même connaissait encore son fils. Quand le Tribunal des Neuf avait émis sa sentence, le garçon avait treize ans. Belisario s'acheminait tout juste vers la fin de l'enfance, il était encore en pleine croissance, sa voix n'avait probablement pas mué. Et à l'époque, Leonide Ducatore occupait déjà la magistrature suprême : il avait eu peu de temps à consacrer à sa famille. Ce fils devait être à peine une ombre, entrevue entre deux antichambres. Six ans plus tard, Belisario était sans doute quelqu'un d'autre : un gaillard jeune, barbu, à la voix d'homme, aux jambes arquées par l'équitation, à la carrure élargie par l'exercice physique et par le maniement des armes. Je comprenais pourquoi le Podestat cherchait tant à le faire revenir ; il s'agissait certes de son héritier, de celui à qui il transmettrait son siège au Sénat et l'immense fortune rebâtie ces dernières années… Il s'agissait surtout d'un combattant, d'un condottiere possible, l'épée sur laquelle le Podestat pourrait appuyer sa politique quand l'âge le rendrait incapable de commander en personne une flotte ou une armée.

Belisario Ducatore, dans un certain sens, pourrait endosser le rôle d'un Bucefale Mastiggia. Restait à le convaincre de revenir…

« Vous risquez avec Sassanos le même pari que celui fait avec moi, observai-je. Vous m'avez envoyé en sachant que je passerais pour un barbare aux yeux des Ressiniens ; vous cherchez à ce qu'on sous-estime vos émissaires.

— La manœuvre n'est payante que si l'émissaire possède un grand ressort. Et justement, Benvenuto, je suis curieux de connaître les ressorts que tu as fait jouer auprès des représentants d'Eurymaxas. Ce n'est guère charitable de te demander cela en te tirant du lit, j'en suis conscient… Mais je pense qu'un esprit aussi aiguisé que le tien ne m'en fera pas moins un rapport détaillé de sa mission. »

On abordait le cœur de la question, la raison pour laquelle mon patron était venu me trouver en douce aux petites heures de la nuit. Comme le sénateur Mastiggia, il désirait savoir ; mais j'allais lui servir une autre soupe, avec une sincérité dûment appointée, cette fois. Dans un sens, je lui étais reconnaissant de cet entretien en tête-à-tête. Il aurait très bien pu me demander de délivrer mon compte-rendu devant son conseil privé, en présence de Sassanos, de Spada Matado et de Cesarino Rasicari. Le sorcier, encore, ne m'aurait pas dérangé outre mesure : j'avais douloureusement conscience qu'il était difficile de lui dissimuler quoi que ce soit. Mais la présence de Matado et du jeune Cesarino m'aurait gêné aux entournures… Mon ami Spada Matado était une crapule à peu près aussi sensible qu'un croc de boucher, qui réglait le détail des coups tordus où le Podestat ne pouvait pas décemment tremper. C'est dire si l'assassinat de Bucefale Mastiggia l'aurait laissé froid. Malheureusement, Matado et moi, nous avions des champs d'opération un peu contigus, qui nous avaient valu par le passé un gros malentendu. Quelques seconds couteaux à son service y avaient laissé leur peau, pour s'être intéressé d'un peu trop près à la mienne, et le vétéran ne me l'avait jamais pardonné. Je préférais donc éviter de m'exposer trop devant lui.

Mes réserves à l'encontre de Cesarino Rasicari étaient d'un autre ordre. Le jeune homme était le neveu par alliance du Podestat ; en raison de l'absence de Belisario et de l'imbécillité de Mucio, mon patron en avait fait son dauphin, au moins provisoirement. Don Cesarino avait le profil du gendre idéal : beau, intelligent, loyal, républicain et raisonnablement ambitieux… Et c'était bien là que le bât blessait. Sa jeunesse et sa bonne éducation demeuraient encore un obstacle à sa maturité politique. Peut-être n'était-il pas prêt à accepter les volets les plus occultes et les plus créatifs de la stratégie de son oncle. Je ne savais pas au juste ce que le Podestat jugeait bon de lui révéler et jugeait bon de lui celer ; mais s'il devait apprendre que Bucefale Mastiggia, qui avait été de ses amis, avait trouvé une mort un peu inattendue au bout d'une dague pas franchement ressinienne, je préférais éviter de me trouver dans le secteur... Au moins le temps qu'il comprenne que l'exercice du pouvoir est rempli de sacrifices nécessaires.

Je commençai donc mon rapport par le récit de la liquidation de Mastiggia. Je fis concis : après tout, l'affaire avait été vite pliée.

« A-t-il dit quelque chose, en mourant ? demanda doucement le Podestat.

— Je lui ai pas laissé le temps d'être bavard.

— Et... a-t-il compris ?

— Oui. Ça, oui. J'ai encore son putain de regard vissé au fond du crâne. »

Mon patron secoua la tête avec tristesse.

« Quel gâchis, Benvenuto... Un homme si vaillant, si brillant ! J'espère qu'il a pu aller au fond des choses avant de s'éteindre. Réaliser que je ne le tuais pas par haine, mais par admiration. J'espère qu'il a pu saisir que cette mort, malgré toute son ignominie, restait une forme d'hommage... »

Je conservai un silence prudent. J'étais payé pour aplanir les obstacles matériels, pas les problèmes moraux.

« C'était un nouvel astre dans le ciel de Ciudalia, poursuivait mon patron sur un ton songeur. Un astre en pleine ascension. Mais je ne pouvais lui permettre d'atteindre son zénith. Deux soleils au firmament : la République s'en serait trouvée brûlée. Ce meurtre, finalement, je l'ai aussi décidé pour le bien de l'État. »

Et, en me lançant un regard perçant, il ajouta :

« Garde ton mauvais esprit, Benvenuto. Pour garantir mes revenus, et les tiens, il faut bien écarter les gêneurs. »

De toute manière, je comptais bien m'abstenir de tout commentaire. Il n'y avait pas que lui qui savait où se trouvait son intérêt.

J'enchaînai sur le compte-rendu de mon entretien avec Stateira. Le récit que j'en fis amusa mon patron : il connaissait manifestement tous les interlocuteurs que j'avais rencontrés. Il me demanda même de décrire ceux qui n'avaient pas pris la parole, les eunuques, les femmes, les officiers, les joueurs d'échecs. Son regard pétilla quand je racontai comment j'avais réussi à obtenir une certaine confidentialité pour la négociation.

« Mesures-tu bien ce que tu as arraché aux Ressiniens ? m'interrompit-il.

— J'ai jugulé certaines fuites que le chah souhaitait organiser.

— Oui, bien sûr, dit-il avec un geste négligent, comme si je venais de proférer une belle évidence. Mais as-tu compris l'autre volet de ton succès ? »

J'ouvris un œil perplexe.

« L'autre volet ? » relevai-je.

Il me regarda un peu de côté, le visage presque complètement noyé dans l'ombre ; mais je percevais toujours le rire au fond de son regard.

« Les joueurs d'échecs, ne t'ont-ils pas intrigué ? demanda-t-il. Des hommes jeunes admis dans le secret du Sérail, tu n'as pas trouvé cela… inapproprié ?

— C'était un drôle de souk, vous savez.

— Ce n'étaient ni des eunuques, ni des scribes, ni des soldats. Mais ils jouaient avec des officiers supérieurs, dans l'entourage proche de la première concubine… Tu ne vois vraiment pas de qui il pouvait s'agir ?… C'étaient des fils du chah, naturellement. Tu t'es payé le luxe de sortir deux princes de sang royal, Benvenuto, et en toute naïveté, par-dessus le marché. »

Il m'adressa un applaudissement ironique.

« Ta description est trop sommaire pour que je les

identifie. Le chah a eu une quinzaine de fils, de différentes épouses, et je ne les ai pas tous rencontrés. Mais d'après leur âge, et d'après la confiance que leur père leur a accordée pour leur permettre d'assister à cette entrevue, je pencherais pour Belchar, Asarhaddon, ou peut-être Akkad. Asarhaddon commandait l'escadre royale au cap Scibylos, et c'est la rapidité de son jugement, ou du moins celle de ses officiers, qui lui a permis de sauver une partie de la flotte ressinienne. Akkad est un myste formé aux traditions de la Grande Bibliothèque. Quand Eurymaxas rejoindra le séjour de ses ancêtres, la couronne se jouera entre ces trois-là. En toute innocence, tu t'es probablement fait un ennemi personnel du futur chah ! »

Je haussai une épaule.

« Pour eux, nourrir rancune contre un type comme moi, c'est du temps perdu.

— Sans doute. Mais à l'avenir, si le hasard te plaçait à nouveau sur leur route, reste sur tes gardes.

— Dans l'immédiat, c'est Psammétique le problème. Par lui, le chah a appris que j'ai liquidé Mastiggia. Si Eurymaxas veut vous discréditer aux yeux du Sénat, c'est une sacrée opportunité.

— C'est un atout dans son jeu, concéda le Podestat. Mais c'est un atout mineur. Une telle action est également facteur de danger pour Ressine. Tenter de me déstabiliser, c'est courir le risque de fragiliser la paix, en faisant tomber la magistrature suprême entre les mains des bellicistes les plus agressifs. Cette paix est certes humiliante pour l'archipel, mais Eurymaxas en a un besoin crucial pour reconstituer ses forces. Je doute que le sublime souverain, malgré toute la haine qu'il doit éprouver à mon égard, laisse la colère l'emporter sur le bon sens.

— Mais la mort de Mastiggia est un scandale de politique intérieure. Elle n'a pas de relation directe avec l'accord de paix.

— Si on considère la situation avec un peu de recul,

on peut établir un lien. Éliminer Bucefale Mastiggia, c'était supprimer le principal acteur de notre victoire militaire ; sa disparition nous a privés d'un officier de valeur, et a porté un coup non négligeable au moral de nos troupes. Même s'il ne s'agissait que d'un point très subsidiaire de mon plan, sa mort peut être interprétée comme un des volets de la politique d'apaisement que j'ai mise en place après le cap Scibylos. Il est très probable que le chah me prête cette motivation parmi mes mobiles. En tout cas, si ma carrière était brisée, le vieux renard sait que je pourrais faire courir cette rumeur en dernière extrémité : ce serait le moyen le plus efficace d'entacher la paix aux yeux de nos concitoyens, et de relancer le Sénat dans la guerre. Je doute qu'Eurymaxas soit prêt à courir ce risque, du moins dans les mois à venir.

— Vous croyez qu'il va tout bonnement s'asseoir sur cette information ?

— Bien sûr que non. Mais il attendra un moment plus opportun pour l'exploiter... Une occasion qui lui permettra de frapper sans se découvrir.

— Je vais me retrouver en première ligne.

— En effet.

— Qu'est-ce qu'on fera ?

— On niera.

— Et c'est tout ?

— Ce sera suffisant. D'une part, les bénéfices que je vais engranger d'ici l'an prochain m'auront permis d'acheter beaucoup de monde. Nous aurons quantité d'agents pour crier à la diffamation et faire obstruction à une enquête officielle. De plus, dans la mesure où l'information ne pourra remonter que de Ressine, il sera facile de s'appuyer sur le patriotisme de nos concitoyens pour jeter le discrédit sur cette accusation. Naturellement, il y aura des aristocrates et des officiers pour nourrir des soupçons... Naturellement, il faudra prendre quelques précautions vis-à-vis du sénateur Mastiggia, malgré l'amitié qu'il publie actuellement pour nous. Mais en définitive, nous n'aurons guère de mal à réfuter ces allégations venues de l'étranger ; mieux, en jouant sur le chauvinisme des Ciudaliens, nous sortirons de l'épreuve non seulement blanchis, mais aussi grandis. Aux yeux du peuple, cette guerre a fait de nous des héros... Il paraîtra particulièrement intolérable à la populace qu'on essaie de nous salir. »

Le Podestat vida le reste de son verre, le posa à côté de lui sur le coffre.

« Le plus probable, c'est que le chah instrumentalise cette information pour retourner contre nous certains membres de la famille Mastiggia, ou encore des officiers attachés au défunt patrice. Non dans le cadre d'une procédure judiciaire : plutôt dans une vendetta. Nous devons donc nous préparer à des tentatives d'attentat. »

Il fit quelques pas, me coula un regard en biais.

« Qui sait ? observa-t-il. Peut-être même que l'honorable société dont tu es membre va se retrouver confrontée à un conflit d'intérêts... »

C'était un cas de figure rare, et grave, que la Guilde des Chuchoteurs s'efforçait de limiter au maximum. Mais si les commanditaires y mettaient le prix, il restait envisageable que l'honorable société fournisse ses services à deux clans en guerre. Le cloisonnement de notre organisation s'y prêtait bien : il était possible de s'étriller avec un collègue sans savoir qu'on appartenait à la même maison. Perspective inquiétante : don Mascarina, mon défunt mentor, aurait fait un adversaire dangereusement méthodique ; Rosso Dagarella, mon contact actuel avec le Conseil muet, était plus traître qu'un aspic.

« Bref, ajouta le Podestat, il faut te refaire une santé, Benvenuto. J'aurai certainement besoin de tes capacités les plus aiguisées. »

Cela sonnait comme une conclusion. Nous avions fait le tour des questions qui l'intéressaient, il m'avait fait comprendre pourquoi j'allais rester proche de lui, et même pourquoi il m'avait offert deux lames de Fratello Acerini. Je m'attendais donc à ce qu'il parte, pour grappiller quelques petites heures de sommeil. Mais il n'en fit rien. Il se tourna en sorte d'être exposé dans la lumière de la bougie, me regarda bien en face.

« Au fait, qu'est-ce que Clara voulait obtenir de toi ? »

Évidemment, j'aurais dû m'attendre à cette question. Le Podestat connaissait sa fille : il la savait insolente, intrigante, souvent provocante avec les hommes au service de sa famille. Il se doutait qu'il y avait chez elle un facteur de désordre, une inconnue dans ses propres calculs ; et il ne pouvait pas fermer les yeux sur les sottises de la gamine, sous peine de se retrouver un jour éclaboussé par un scandale.

« Elle m'a demandé de ne pas vous le dire.

— Le contraire m'eût étonné.

— Elle est en colère contre Le Macromuopo. Il n'a pas peur d'elle, il ne cède pas à ses caprices. Ça exaspère dònna Clarissima.

— Ah, c'est cela... Et elle a demandé que tu lui joues un mauvais tour ?

— Quelque chose dans cet ordre. »

Mon patron négligea de préciser qu'il avait recommandé à sa fille de ne pas me parler du peintre. L'omission était diplomatique. Elle voilait en partie l'ampleur de la désobéissance de dònna Clarissima ; surtout, cela évitait au Podestat d'admettre qu'il avait fouiné dans mon passé. Il devait bien se douter que j'avais appris son enquête grâce à l'indiscrétion de sa fille, ou par simple déduction ; mais le formuler aurait été facteur d'un embarras somme toute très inutile, qu'il tenait à nous épargner. Nous étions si bien rompus à ce jeu de dupes que la sincérité, entre nous, pouvait se passer d'aveux.

« Il est heureux que Clara n'ait pas encore les moyens de se payer tes services, badina-t-il. La commande de ce tableau a pour objectif, entre autres, de me concilier le maestro.

233

— Sassanos m'a laissé entendre que vous lui avez plutôt forcé la main.

— À l'issue d'une guerre, nombre de vainqueurs se découvrent une vocation de bâtisseur et de mécène. Je ne voulais pas que Le Macromuopo soit employé par d'autres protecteurs... Je vais avoir besoin de lui, pas vraiment pour le portrait de Clara ; pour une œuvre beaucoup plus ambitieuse. Il fallait me l'attacher, très vite, avant les autres. »

Il esquissa un sourire.

« Le Sénat a décidé de léguer un monument à la postérité pour célébrer la victoire du cap Scibylos. La voûte de la Salle des Requêtes, au Palais curial, va être repeinte, et représentera notre victoire navale. C'est un concours qui désignera l'artiste chargé de sa réalisation ; mais je désirerais que ce soit Le Macromuopo qui l'exécute. C'est par son pinceau que je souhaiterais me trouver immortalisé, au fronton de la République. En lui donnant ce petit travail sur Clara, j'ai l'assurance qu'il ne sera pas pris par une autre réalisation importante quand il faudra présenter les projets préparatoires au Sénat.

— Le Sénat a décidé cela sur les galères de la République ?

— C'est une proposition que j'ai eu le temps de mûrir au cours du voyage de retour... Dans l'enthousiasme, le Sénat l'a approuvée dès ma première séance à la curie, il y a cinq jours.

— Votre fille connaît vos intentions ?

— Certainement pas. Cela la vexerait, d'être ainsi utilisée. Ses rapports avec le peintre sont déjà assez orageux comme cela... De plus, ce portrait a aussi une raison d'être. Il pourra me servir à lui trouver un mari. »

Il ne perdait vraiment pas de temps. Fort de son succès, il allait essayer de regagner le fils perdu, de caser la fille terrible, et d'imposer son triomphe aux générations à venir.

« Dònna Clarissima n'est pas un peu jeune, pour le mariage ?

— Elle est jeune, en effet, mais ce n'est plus une enfant. En outre, ma position fait d'elle un très beau parti, et les manœuvres d'approche ont déjà commencé, autour d'elle comme autour de moi. Elle s'en amuse, elle jouit de son pouvoir, mais les rivalités que l'attribution de sa main pourrait générer sont susceptibles de m'aliéner certaines familles. Et puis il y a les soupirants indésirables, mais difficiles à écarter pour des raisons politiques. Dilettino Schernittore, par exemple. Cet incapable s'est mis en tête d'obtenir Clara, en misant sur l'amitié que j'ai pour son père, le sénateur Ostina Schernittore. Je ne tiens pas à froisser don Ostina, je lui dois trop ; mais il est hors de question que son fils mette la main sur Clara. Pour écarter le prétendant en douceur sans froisser le sénateur, il me faut trouver une alliance bien plus prestigieuse. D'où le portrait.

— Je comprends mieux... Le portrait, c'est pour l'étranger.

— Oui.

— Et c'est cela qui inquiète dònna Clarissima.

— Probablement. Elle a dû deviner que je n'aurais pas besoin de ce tableau pour lui trouver un époux ciudalien.

— Vous voulez la marier... en Ressine ? »

Il se détourna en partie, observant la nuit à travers le treillage de plomb de ma fenêtre.

« Te voici bien curieux à propos de Clara, observat-il. C'est elle qui t'a demandé de me tirer les vers du nez ?

— Non, même si je suis sûr que ça ne saurait tarder.

— Alors tu pourras la rassurer sur ce point : je ne compte pas la cloîtrer dans un harem.

— Vous ne pouvez pas le lui dire vous-même ?

— Tu la connais. Elle ne me croirait pas. »

Quand il se désintéressa de la fenêtre et me fit à nouveau face, il avait l'œil plissé de façon cynique, mais je ne parvenais pas à démêler ce qui dominait dans son expression, entre amusement et tristesse. Il tripotait distraitement une de ses bagues — le sceau du clan Ducatore. Je le revis dans les flammes de Kaellsbruk, dressé sur un destrier caparaçonné au milieu du carré de piques des Phalanges ; je le revis en armure d'apparat, entouré de son état-major, alors que la flotte de Ressine se déployait devant la galéasse amirale ; et je me dis que le grand homme m'apparaissait soudain bien chétif et bien désabusé.

« Clara a l'âge où les filles sont attirées par la transgression, dit-il. C'est pour cela qu'elle tourne autour de toi, comme elle tourne autour de Sorezzini et d'Oricula. Profites-en pour garder un œil sur elle. »

Juste avant de sortir, il m'adressa un dernier sourire, empreint d'amertume aimable.

« Sais-tu à quoi je mesure ma réussite, Benvenuto ? À ce que je parle plus librement avec des gens comme toi qu'avec mes propres enfants. »

Il y a quantité d'imbéciles qui envient le train de vie aristocratique. Lits de plume, ripailles, linge fin, quincaillerie, domestiques : forcément, ça fait baver la roture. Seulement, ce qu'elle ne voit pas, la canaille, c'est la face cachée du bal : un type de la haute paie cher ses privilèges. Il n'a pas de temps à lui, pas d'intimité, pas de jardin secret. Tout est public chez lui, ses affinités, ses petits travers, ses démêlés conjugaux, la couleur de ses selles. En fait, plus il a de larbins préposés à vider sa chaise percée, plus c'est un personnage important. Parce qu'il souhaitait faire de moi un homme nouveau, le Podestat s'apprêtait à me faire entrer dans ce monde-là... Et dès le lendemain de mon retour, je compris que ça ne me bottait guère.

Après mes galères maritimes, guerrières, diplomatiques et carcérales, après le petit impromptu nocturne offert par mon patron, je m'attendais assez décemment à pouvoir faire une grasse matinée. Bernique ! J'avais à peine eu le temps de fermer l'œil qu'un malotru, dès potron-minet, frappait obséquieusement à ma porte. Je ne répondis pas, puis je lui grognai un truc obscène, mais le fâcheux s'obstina à heurter poliment l'huis. J'envisageais sérieusement d'aller tirer ma nouvelle dague de son coffre pour en étrenner le tranchant quand une voix cérémonieuse s'éleva dans le couloir :

« Vraiment navré de vous importuner, don Benvenuto. C'est Scaltro. Je suis venu vous chercher à la demande de son excellence. Vos médecins sont arrivés et vous attendent. »

Je poussai un soupir consterné. En plus, les médicastres me tombaient dessus au saut du lit, en embuscade, comme une bande de maraudeurs surprenant un camp à l'aube. Je portai les doigts à ma gueule ébréchée, en me demandant à quels supplices on allait la soumettre. J'eus la tentation de les envoyer paître, et avec hargne, en misant sur le crédit que j'avais acquis auprès de mon patron pour essayer de lui forcer la main sur ce coup-là. Mais je serais passé pour un dégonflé. Et avec le Podestat, mieux valait masquer ses faiblesses.

Je me levai donc en traînant des pieds, ouvris assez brusquement la porte à Scaltro. C'était un vieil échassier plein de raideur et de dignité, vêtu avec une élégance stricte. Il s'agissait du premier valet du Podestat, un type important au palais, qui faisait peser son autorité sur toute la domesticité et se trouvait même courtisé par les visiteurs désirant approcher le maître de maison. Cela faisait des siècles qu'il servait la famille Ducatore : il était entré dans la place alors que le vieux sénateur Aguila Ducatore, le père du Podestat, rôdait encore dans les méandres des corridors et de la démence.

Scaltro jeta un œil peu amène sur ma sale mine, mes cheveux ébouriffés, le pourpoint débraillé et froissé que j'avais négligé de retirer pour dormir. Bien sûr, avec son infaillibilité servile, il avait prévu le coup et se trouvait suivi par deux larbins portant des accessoires de toilette. Mais je ne vis nul médecin.

« Ils sont où, tes chirurgiens ?

— Ils vous attendent. Je les ai prévenus que vous étiez encore éprouvé.

— Qu'on en finisse ! Ramène-les.

— Il serait préférable d'aller les trouver dans le salon de musique.

— Hein ?

— Votre chambre est un peu sombre, et un peu exiguë.

— Exiguë ?

— Ils sont nombreux, don Benvenuto. Le salon de musique est plus spacieux, et il dispose d'une bonne exposition le matin : il est bien éclairé. »

Il était vrai que ma garçonnière était un peu étroite ; mais elle pouvait néanmoins accueillir les trois personnes dont m'avait parlé le Podestat. Le « nombreux » de Scaltro sonnait d'inquiétante manière, comme si mon cas était désespéré au point d'intéresser tout un collège de médecins, de chirurgiens et d'anatomistes.

« Nous allons vous rafraîchir avant que vous ne vous présentiez au salon de musique », poursuivait Scaltro, en faisant signe à ses subordonnés d'entrer.

Je les arrêtai d'un geste.

« Zani est là, lui aussi ? demandai-je.

— Pardon ?

— Le barbier Zani Farogi.

— Ah, oui, fit Scaltro avec une moue de dédain. Il est arrivé lui aussi.

— Bien, alors c'est lui qui me fera la barbe. Vous pouvez disposer, toi et tes parfumeurs. »

Le vieux domestique afficha un air pincé, mais s'éclipsa après un salut des plus protocolaires. Je fourrai les pans de ma chemise dans mon haut-de-chausse, passai mes doigts dans mes cheveux ; après un instant d'hésitation, je renonçai à inspecter mon triste museau dans un miroir. J'extirpai quand même ma nouvelle dague de mon coffre, et je la suspendis avec mon aumônière, pour retrouver une image convenable et me rassurer un peu. J'allai pisser un bol, sûr qu'il valait mieux vider ma vessie pour affronter l'heure à venir. Puis, la démarche plus ferme que le cœur, je me rendis au salon de musique, en affichant ma trogne des mauvais jours.

J'entrai brusquement. Il était assez heureux que je me sois fait une contenance, car la pièce me parut bondée. Il y avait tant de peuple, au moins dix personnes, que j'aurais pu croire que je m'étais trompé de porte, si je n'avais pas repéré dans les coins les mandores, les luths et la viole de gambe qui me confirmaient que j'étais là où l'on m'attendait. Le deuxième choc, ce fut de voir comme on m'accueillit : on me salua de façon presque unanime comme si j'avais été un patricien. J'étais pourtant le type le plus dépenaillé de l'assemblée : mais, dans un bel ensemble, je vis tomber les chapeaux et s'incliner les bustes.

C'était une imposture. Ce n'était pas moi qu'on honorait, mais l'argent et l'influence du Podestat. Il n'y eut qu'un original à ne pas succomber à la flagornerie générale, un prêtre d'âge mûr, au visage quelconque, qui se contenta d'un bref signe de tête. Sur une robe claire, il portait un scapulaire vert sombre, brodé d'un entrelacs de feuilles et de visages au sourire stylisé. C'était probablement fra Orinati, maître guérisseur de l'Hospice de la Déesse Douce et sommité médicale de la ville. Il avait la sincérité de m'accueillir selon ma condition réelle ; n'empêche, je le foudroyai du regard. Avant d'être humilié en exposant mes gencives, j'avais envie qu'on me cire les pompes.

Au milieu de la cohorte de flatteurs, j'avisai Zani Farogi. Le gaillard tranchait par son costume modeste, son air aimablement canaille. C'était un barbier du quartier Benjuini, un brin fripouille, mais peu regardant sur les plaies qu'on lui demandait de recoudre ;

j'avais l'habitude, par le passé, de fréquenter son office, en particulier quand j'avais pris des sales coups et que je ne tenais pas particulièrement à croiser des alguazils. En échange de sa discrétion, je le payais grassement, et je lui rendais de menus services quand il s'agissait d'intimider des petits truands qui s'improvisaient protecteurs.

Il y avait un siège au milieu de la pièce, bien exposé dans la clarté matinale délivrée par les fenêtres ; on me l'avait obligeamment réservé. J'allai m'y asseoir aussi sec, sans saluer personne.

« Zani, grognai-je. La barbe. »

Le gaillard ne se le fit pas dire deux fois, et se faufila avec prestesse jusqu'à moi. Je lui réservai un accueil rogue, mais il souriait avec finesse. Il saisissait que je voulais marquer mon territoire. Je me servais de lui pour faire lanterner les autres : c'était lui donner la vedette dans la bonne société, et mon Zani n'était pas homme à bouder pareille occasion de jouer les cabotins. En un instant, je me retrouvai joliment cravaté de blanc, les joues mousseuses de savon, et mon vieux compère, après avoir joué du blaireau, se mit à aiguiser son rasoir tout en me débitant un flot allègre de futilités. Le bougre était malin ; j'avais vu son regard s'attarder sur l'arête écrasée de mon nez et sur mes cicatrices, mais il ne pipa mot à ce sujet.

La scène ne plut guère à fra Orinati. Par politesse ou par prudence, le médecin ne dit rien ; mais il ne goûtait pas de perdre ainsi son temps. Les lèvres pincées, la nuque raide, il fixait Zani qui commençait à me caresser au sabre. Malheureusement pour mon ami barbier, il n'était pas le seul commerçant de l'assemblée. Très vite, un fâcheux sapé comme un prince, mais un prince discrètement élégant, vint interrompre le bavardage de Zani. Il déclina son identité : c'était le maître orfèvre Sartino Celari. Le type était d'une insupportable correction : sa diction, ses manières, son phrasé étaient plus maîtrisés que ceux d'un patricien, ce qui en faisait un parvenu avéré, un flagorneur redoutable et probablement une crapule. Après avoir exprimé tout le plaisir qu'il avait à rendre service à un lieutenant de son excellence, il me proposa d'admirer les œuvres produites par son atelier. Il me présenta le compagnon Prosecci, un quidam intimidé au regard humide, le spécialiste prothésiste de sa maison ; puis, il fit avancer un valet, pomponné et enrubanné comme le bichon d'une vieille coquette. Le larbin ouvrit sous mon nez un coffret oblong. À l'intérieur, dans un écrin de pourpre, étincelaient des bijoux macabres : tout un assortiment de molaires, de canines et d'incisives, garanties vingt-quatre carats. L'orfèvre Celari n'en finissait pas de vanter le travail de son artisan, soulignant la qualité de la finition de ces échantillons et leur absolue fidélité au modèle naturel. Moi, je revoyais mes dents éparpillées dans une flaque de sang, et je luttais contre la nausée.

Avec un à-propos consommé, l'orfèvre Celari conclut son article quand Zani en terminait avec moi. Ils s'effacèrent alors pour céder la place à fra Orinati. « Bien ! » lança assez sèchement le prêtre, en s'approchant de moi. Il me jeta un regard investigateur, puis enchaîna :

« On m'a rapporté que vous aviez été blessé au visage, don Benvenuto, ce qui est malheureusement évident. Avant de procéder à l'examen, je voudrais cependant que vous me rapportiez précisément comment cela s'est passé. »

Je fis concis, et un poil mensonger. Je racontai qu'au cours du combat sur la galère Mastiggia, l'ennemi avait cherché à m'assommer pour me capturer avec le patrice ; et que comme je me défendais, j'avais encaissé dans la gueule. Je précisai qu'on m'avait cogné à coups de gantelets, et que les lascars étaient salement costauds. Fra Orinati opina brièvement du chef, puis me soumit à une batterie de questions. Il avait le ton sec, précis, et me considérait avec une attention si soutenue que l'entretien commença à me mettre aussi mal à l'aise qu'un interrogatoire. Est-ce que j'avais perdu connaissance ? Est-ce que j'avais eu des problèmes oculaires ? Une vision floue ou double ? Des mouches devant les yeux ? Est-ce que j'avais des sifflements d'oreille ? Des vertiges ? Quand mon nez avait été cassé, est-ce que j'avais seulement perdu du sang, ou aussi un liquide clair ? Est-ce que j'avais toujours des difficultés pour ouvrir ou pour fermer la bouche ? Des douleurs dentaires, en particulier en mangeant ? Les dents qui me restaient se rejoignaient-elles normalement ? Y avait-il des zones de mon visage qui restaient engourdies ?

Puis, sans prévenir, Fra Orinati se planta devant moi et s'empara de ma tête. Il avait des mains longues et fortes, aux ongles soignés, et il me manipulait le crâne avec une fermeté tranquille, comme s'il s'agissait d'un vulgaire légume inspecté sur l'étal d'un maraîcher. Il me regarda dans le blanc des yeux, me pinça le nez, m'inclina la tête en arrière pour inspecter le fond de mes narines, me fit ouvrir le bec, me le fit ouvrir plus grand, fouina dans ma gueule béante ainsi qu'au fond d'une boîte, me fit refermer la bouche, s'essuya les mains sur une serviette, me reprit la tête, la palpa sans ménagement, la fit tourner en tous sens comme s'il avait décidé de la dévisser. Au final, il fit un pas en arrière, me scruta d'un air froid, émit un borborygme peu rassurant.

« Je vais procéder à un examen complet, finit-il par dire.

— Hein ?

— Vous êtes un polytraumatisé, don Benvenuto. Il m'est difficile d'établir un diagnostic précis, car vos blessures remontent à plusieurs semaines et les symptômes se sont largement résorbés. Mais la fracture du nez et la fracture alvéolo-dentaire sont manifestes ; la perte temporaire de l'audition me laisse croire que vous avez eu un tympan déchiré, et le nystagmus atteste que l'os mastoïde a été brisé. En outre, il est manifeste que vous n'avez pas été soigné correctement. Il est assez miraculeux que vous ne soyez ni sourd ni sujet à des vertiges, et que vous puissiez parler correctement. Mais je ne veux pas courir de risques : je veux dresser un bilan complet.

— C'est pas utile. Il n'y a que la tête qui a souffert.

— Avec des chocs d'une telle violence, vous n'avez pas dû être très conscient pendant un moment. Il est possible que vous ayez négligé d'autres lésions.

— Écoutez, c'est moi qui ai morflé, pas vous. C'est le portrait qui est démoli, rien d'autre.

— Pour des raisons d'allonge, la tête est effectivement très vulnérable dans un combat. Je suppose que je n'apprends rien à un homme tel que vous, don Benvenuto. Mais ce n'est pas un ou deux horions que vous avez pris : vous avez essuyé un vrai déluge de coups. Dans ces conditions, j'ai du mal à envisager que vous n'ayez pas été blessé ailleurs.

— Je portais une armure, mais pas de casque. Voilà tout. »

Il fit une moue sceptique.

« C'est dans votre intérêt, observa-t-il.

— Vous êtes là pour me refaire des dents, pas pour me chercher des poux. Faites ce pour quoi le Podestat vous paie. »

Il esquissa un geste indifférent.

« Comme il vous plaira. »

Je le vis néanmoins jeter un coup d'œil sur mes mains. Je savais bien ce qu'il y cherchait : des cicatrices de coupures, des déformations dues à des phalanges fracturées. Intérieurement, je pestai contre le goût du Podestat pour les élites. En convoquant le meilleur médecin de l'Hospice de la Déesse Douce, il avait fait appel à un type intelligent. Un type qui venait probablement de deviner que mes stigmates tenaient plus du passage à tabac que des blessures de guerre. Bien sûr, j'aurais pu me montrer plus diplomate, et accéder à sa demande. Mais d'un, je n'avais pas envie de me désaper en public une fois de plus, pour exposer ma carcasse amaigrie aux yeux de profiteurs bien nourris ; de deux, cet examen aurait confirmé au médecin que mes seules blessures étaient faciales. Lui interdire une auscultation complète, c'était le maintenir dans le doute, et c'était une précaution nécessaire.

« Occupons-nous donc de cette bouche », concéda fra Orinati, en me faisant signe de rouvrir le clapet.

Mais il n'était plus le seul à investiguer sur le cataclysme dentaire. Il invita le maître orfèvre à se pencher sur le champ de ruines ; don Sartino Celari vint donc jeter un œil secrètement dégoûté sur ma béance buccale. Je pariais qu'il ne faisait cela que pour manifester son importance et justifier les émoluments astronomiques qu'il allait réclamer à mon patron, car il s'effaça assez vite au profit de son employé, le compagnon Prosecci. Celui-ci détailla ma gencive ébréchée comme un chaton de bague à sertir : armé d'un compas, il mesura l'écartement entre mes canines. Avec la pointe de son instrument, il heurta doucement une dent, et marmonna : « Ça, ça va poser problème. » Fra Orinati hocha la tête ; ils étaient penchés sur moi de si près que je crus que nos fronts allaient se cogner.

« Comptez-vous employer du fil d'or pour la ligature ? demanda le médecin.

— Du fil de cuivre jaune, répondit le compagnon. C'est aussi malléable que l'or, mais c'est plus solide. »

Le maître guérisseur opina derechef en se redressant.

« Vous en apporterez en quantité, dit-il. Il nous servira aussi pour la mandibule. »

Puis, s'adressant à nouveau à moi :

« Quand nous poserons la prothèse, nous renforcerons également vos molaires gauches, don Benvenuto. Nous établirons un système de contention, une sorte d'attelle si vous préférez. Vous avez de la chance : les canines sont saines, et nous pourrons y fixer le dentier.

— Il sera prêt dans les trois jours, dit le maître orfèvre Celari.

— Nous pourrons donc prendre rendez-vous pour le poser dans trois jours, reprit fra Orinati. En attendant, il n'y a qu'un petit détail à corriger… »

S'inclinant sur moi, il m'écarta les mâchoires et me retroussa la lèvre supérieure sans façon, comme un maquignon qui inspecte les dents d'un cheval.

« Trois de vos incisives ont sauté, mais la quatrième a été cassée. Il reste un chicot qui va gêner la fixation de vos nouvelles dents. Il faut l'extraire.

— Aaaaaaaaaaah ?…

— Pas de souci. Le choc a fragilisé les racines : il partira facilement.

— Aaaaaaaaaaah…

— Et puis vous êtes un homme solide, don Benvenuto. C'est une simple formalité, en regard de ce que vous avez déjà traversé !

— Aaaaaaaaaah !… »

Tous les infortunés qui se sont un jour retrouvés assis sur la sellette d'un tourmenteur éprouveront jusqu'au fond de leurs os le frisson qui m'a caillé les reins. Ce qui ne contribua pas à me rassurer, ce fut l'échange d'amabilités auquel se livrèrent les médicastres. Fra Orinati considérait comme allant de soi qu'il ne procéderait pas à l'extraction : c'était un geste trop subalterne pour un médecin aussi réputé. Peut-être crut-il honorer Zani en lui proposant d'intervenir ; j'avais confiance en Zani, et ça m'aurait un peu rassuré qu'il se charge du problème. Mais le gredin se drapa dans sa dignité professionnelle : « Je suis chirurgien, moi, s'écria-t-il, pas un vulgaire arracheur de dents ! » Finalement, ce fut donc un des barbiers de l'hospice de la Déesse Douce qui fut désigné.

Un type à l'air plutôt aimable, honnête, du style que j'aurais bousculé dans la rue. Mais rétrospectivement, sans doute l'un des gaillards les plus épouvantables que j'aie jamais croisés dans mon existence… Car entre les mains d'un homme, à part peut-être une scie, je ne connais pas d'instrument plus effrayant qu'une solide paire de tenailles en acier.

Les jours suivants, je ne sortis pas du palais. Je ne tenais pas à promener ma mâchoire édentée dans les quartiers où j'avais une réputation à tenir; je soupais déjà bien assez des regards attristés, hypocrites ou sarcastiques des familiers de la maison Ducatore. J'eus la tentation de m'enfermer dans mes appartements et de me bourrer la gueule du matin jusqu'au soir. Plus que la tentation, en fait: c'est un plan que je mis à exécution, la bouche encore ensanglantée, dès que mes tortionnaires furent partis dispenser leurs soins à d'autres petits veinards. En levant le coude avec la constance d'un galérien enchaîné à son aviron, je cherchais à noyer la douleur de ma gencive écorchée, l'humiliation de cette séance d'extraction publique, et les fantômes ramenés de Ressine. Car dans les élancements qui me fendaient le crâne se nichaient des rappels obsédants: la grimace de Bucefale Mastiggia quand ma lame s'était retournée dans ses ventricules, le cri de bête de Regalio Cladestini sous le couteau du chirurgien...

Je pris une cuite monumentale. Comme elle était solitaire et motivée par des idées noires, elle ne servit à rien d'autre qu'à me rendre malade et à amplifier ma déprime. Il faut bien en convenir, la vérité se planque toujours au fond d'un cruchon, et j'y découvris un sacré coup de cafard. D'accord, j'avais survécu. D'accord, j'avais rempli mes deux contrats. D'accord, j'avais ramassé un joli pactole et confirmé l'estime que le Podestat avait pour moi. N'empêche. Je n'en étais pas moins défiguré, brèche-dent, menacé par un coup tordu de Psammétique... Et terriblement désœuvré.

Oui, terriblement désœuvré. C'était le plus déroutant de l'affaire. Pendant tout le voyage sur la galère Phaleri, je m'étais attendu à jouir de mon retour à Ciudalia après les épreuves que j'avais traversées, à me régaler de ma petite existence de nanti. J'avais pensé que je connaîtrais cet état de grâce qui grise le convalescent après une longue maladie, quand la vie lui sourit à nouveau dans tout son éclat... Et je m'étais trompé. La sensation la plus vive que j'éprouvais, c'était une nouvelle douleur maxillo-faciale. Pour le reste, la joie de retrouver ma ville s'était émoussée très vite, comme si le bayraktar, en me tapant sur le crâne, avait aussi démoli les centres du plaisir. J'étais rentré chez moi, sans y être tout à fait revenu : si Ciudalia n'avait pas bougé, moi, je n'étais plus le même. Résultat, mes repères étaient brouillés. Et par-dessus tout, je me sentais vide. Des semaines durant, j'avais connu une existence saturée de tension, de douleur, de trouille, d'espoir. Maintenant que je retrouvais une petite routine bien gentille, je m'offrais un sacré coup de vague à l'âme. Le fait d'en être conscient n'y changeait rien : c'était aussi physique que moral, trois mille nœuds qui se déliaient brutalement dans ma carcasse malmenée. Je ne me sentais plus bon à rien. Je déprimais.

Le lendemain de ma biture, j'étais dans un état lamentable. J'avais un tambourin au fond de la calebasse, les cheveux qui tiraient comme si on me les avait cardés, la bouche plus sèche qu'un coffre à sel. J'eus la tentation d'y apporter un remède de soldat, celui qu'on trouve au fond d'un flacon. Il me fallut faire un sacré effort pour arrêter les dégâts. Je savais bien que l'alcool serait juste bon à entretenir les pleurnicheries et à me faire trembler la main. Il fallait redresser la barre, avant que je ne me laisse glisser. Embrasser une carrière de poivrot ne me rendrait pas ma gueule. Il faudrait bien que j'assume mon ravalement de façade, et le plus tôt serait le mieux.

Je me sanglai dans un vieux buffle, et je descendis aux cuisines. Je m'y fis servir un petit déjeuner fastueux : œuf cru, pichet de lait et bouillon de légumes. Ça ne ferait pas de miracle, mais j'espérais que ça me permettrait d'ouvrir des négociations avec mon foie. Alors que je savourais ce festin, je vis pour la première fois les deux hommes recrutés par Sassanos. Ils étaient assis dans un coin, bien sagement, et mastiquaient en silence. Vêtus de pourpoints ciudaliens plutôt modestes, ils avaient la touche de deux ours déguisés en lavandières. Tout, en eux, criait la barbarie. Ils étaient grands, avec des yeux très clairs, et portaient des spirales bleues tatouées sur le visage ; ils avaient des cheveux longs, sauf sur la nuque, bizarrement rasée, ce qui leur donnait une physionomie franchement stupide. Clarissima avait raison : le plus bovin des deux était absolument colossal, et il affichait une expression qui frisait l'imbécillité. Peut-être ses cicatrices accentuaient-elles son air bestial : une de ses arcades sourcilières étant enfoncée, il gardait un œil à moitié fermé. Ils n'étaient plus de la première jeunesse. Le monstre avait sans doute quelques années de plus que moi ; son compagnon avait des cheveux blancs. Mais en dépit de leur attitude placide, il émanait d'eux une impression de force sauvage, à peine modérée, qui maintenait à distance tout le personnel des cuisines. Je me demandai où le sorcier avait été dénicher ces joyaux bruts.

Je ne m'attardai pas à étudier les deux Ouromands. Ce n'étaient que des mercenaires, mais ils me rappelaient trop les guerriers des Clans que j'avais affrontés jadis, à Kaellsbruck. Je voyais encore la tête tranchée du centenier Scelarina danser à l'arçon de la selle du burgrave Bratislav. C'est dire si les deux barbares excitaient ma sympathie. En fait, leur présence éveilla en moi une colère sourde. Pendant que j'avais pourri dans les geôles ressiniennes, ces deux primates s'étaient tranquillement installés chez moi, et avaient engraissé à la table du Podestat. Je me hâtai d'engloutir mon bouillon et de vider les lieux, avant de laisser transparaître ma rancœur.

Ce méchant sentiment avait du bon. Il me confirmait dans ma décision de me reprendre en main. Sitôt mon repas avalé, et quoique mes jambes ne fussent pas encore des plus solides, je me rendis à la salle d'armes du palais. Comme l'heure était encore matinale, il n'y avait personne, à part don Pertuccio, le maître d'armes. C'était heureux, car cela me permettrait de reprendre le collier en douceur. J'allai tirer une épée de duel d'un râtelier d'armes, et j'adoptai les principales postures de combat. Les gestes revenaient d'instinct, mais mon bras manquait de fermeté. Je continuai par l'exercice du mur, puis celui du mannequin. Garde haute : estocade au visage, au cou, au torse. Garde basse : estocade au torse, au cou, au visage. Mes coups n'avaient rien perdu de leur précision, mais la puissance et la rapidité leur faisaient défaut. Je m'astreignis à garder le rythme, et je mesurai très vite combien j'étais diminué. Ce simple échauffement, qui ne nécessitait ni réel effort ni réactivité, me laissa en nage et essoufflé au bout de quelques minutes. La gueule de bois couplée à la dépense physique me desséchait la gorge, et je m'interrompis pour vider deux coupes d'eau fraîche.

Je reprenais mon entraînement quand Coneoti entra dans la salle d'armes. Il m'adressa un rapide salut, comme si la campagne de Ressine n'avait été qu'une simple parenthèse dans notre routine d'hommes d'épée. Il se mit en chemise, enfila un gilet matelassé, choisit une des lames les plus lourdes, et se livra à quelques exercices d'assouplissement. Puis, en me jetant un coup d'œil neutre, il proposa : « Un assaut, Benvenuto ? » J'acceptai d'un signe de tête.

Coneoti n'était pas le meilleur spadassin parmi les hommes de main attachés au service du Podestat. Sorezzini et Oricula, chacun dans leur style, le surclassaient largement. Mais ç'aurait été une erreur mortelle de le considérer comme un adversaire de seconde catégorie. Pour entrer au service privé du Podestat, il ne suffisait pas de savoir se battre : il fallait savoir tuer. Coneoti avait toutes les compétences requises. Il était de ma taille, mais plus fortement charpenté ; ce qu'il y perdait en rapidité était compensé par la force. Son escrime était dépourvue d'élégance, mais d'une efficacité brutale. Il avait commencé sa carrière de gentilhomme de fortune en servant à l'étranger, dans les troupes de Bromael. De ce séjour dans le duché, il avait conservé des techniques de combat vieillottes, adaptées à un armement lourd. La forte épée était son arme de prédilection ; s'il employait souvent les quatre gardes de l'escrime ciudalienne, il lui arrivait parfois d'adopter des postures franchement archaïques, comme la barrière, une garde basse où l'épée est tenue à deux mains, pointe en bas, parallèle à la jambe. Ces vieilles techniques avaient du bon dans une mêlée, ou face à un adversaire qui ne maîtrisait que l'escrime ciudalienne, et qui se demandait comment entrer en mesure avec des postures pareilles. Mais pour moi, elles ne posaient guère problème. Avec une arme plus légère, il me suffisait de feindre un engagement en force pour faire réagir Coneoti, et avec un minimum de vitesse, un changement de ligne me permettait de ferrer.

Cela avait du moins été le cas auparavant… Car ce matin-là, je me heurtai à un vrai mur. Ma première attaque, trop molle, fut interceptée avec une telle violence que l'épée me fut arrachée. Avec le poignet ainsi malmené, ma prise manqua ensuite de fermeté. La captivité et mes blessures m'avaient affaibli au-delà de ce que je pensais, et la gueule de bois n'arrangeait pas les choses. Je perdis en assurance, me cantonnai à des positions purement défensives, en espérant qu'une opportunité s'ouvrirait et me permettrait de placer une contre-attaque décisive. Même ainsi, je me laissais déborder. J'avais du mal à conserver la contre-mesure, je n'avais pas le nerf pour exploiter les ouvertures, mes estocades étaient systématiquement bloquées, et mon arme chassée par son épée plus lourde finit par me mettre le bras en capilotade. Cela me mit en rage, et cela n'arrangea pas les choses : face à un adversaire qui conserve la tête froide, la colère n'est bonne qu'à vous pousser à la faute. Coneoti multiplia les touches. Comble de l'humiliation, il réussit même à placer des coups de taille. J'avais l'impression d'être devenu un mannequin d'entraînement.

« Dur, la reprise, observa Coneoti quand nous fîmes une pause.

— Je me bats comme une fiotte, grommelai-je.

— Alors, il y a de l'espoir, s'esclaffa-t-il. Il y a des fiottes qui tirent drôlement bien. »

C'était encore loin d'être mon cas, mais je fis avec. Il fallait que je retrouve mes moyens, et ça ne tomberait pas du ciel. J'étais mûr pour remettre cent fois le métier sur l'ouvrage, et pour me faire corriger avec sécheresse tant que je n'aurais pas récupéré ma condition. Du coup, l'après-midi, après une brève sieste pour essayer de recouvrer de maigres forces, je remis le couvert.

Quelques mauvaises surprises m'attendaient dans la salle d'armes. Sorezzini et Oricula, tout d'abord. Ils avaient quartier libre, et ils avaient décidé de faire quelques passes avant de courir la gueuse. C'étaient les deux fines lames du palais ; des bretteurs que j'avais du mal à vaincre au sommet de ma forme, et qui ne feraient de moi qu'une bouchée dans l'état où j'étais tombé. Sorezzini était une tête brûlée. Sa technique était en fait d'une simplicité redoutable : partant du principe qu'un combat qui dure multiplie les risques, toute sa tactique consistait à emporter la décision dès l'engagement. Il était doté d'une initiative foudroyante, et il était capable de conclure une rencontre à peine commencée. Sa technique était presque aussi dangereuse pour lui que pour l'adversaire : il se découvrait de façon périlleuse, anticipant la contre-attaque adverse pour placer un coup décisif ; ou bien il feintait à la cuisse pour amener l'adversaire à se découvrir, et parvenait à le toucher en le gagnant de vitesse. Tant qu'il était le plus rapide, Sorezzini était sûr de tuer. Et Sorezzini était plus vif qu'un aspic.

Oricula était lui aussi foutrement rapide, mais son art était très différent. Car pour ce gredin-là, il faut bien admettre que le combat était un art : une performance esthétique destinée à donner du lustre à l'exécution de l'adversaire. Contre lui, l'assaut durait plus longtemps que contre Sorezzini, et dans un sens c'était encore pire. Oricula, qui cultivait une nonchalance stylée, avait acquis une maîtrise parfaite du geste, une économie de mouvements qui limitait au strict minimum son jeu de jambes. Il était rarement offensif : une main dans les reins, il vous attendait, évitait la plupart des assauts d'une esquive du buste, laissait votre attaque aller à fond et profitait de l'occasion pour vous allonger un coup de pointe meurtrier. Contrairement à Sorezzini, il aimait à prolonger le plaisir. Il annonçait ses coups, sur un ton un peu las, et les logeait quand même, malgré la défense de l'adversaire. Beau joueur, il interrompait une estocade fatale au dernier moment, avec un sourire qui disait clairement que vous étiez déjà mort. Quand le combat commençait à l'ennuyer, il lui prenait des fantaisies de géomètre, et il plaçait des touches symétriques sur le buste de l'adversaire, en série, comme à l'exercice.

Dût ma modestie en souffrir, je dois révéler à mon lecteur admiratif que mon épée valait celle de ces deux ruffians... Mais quand j'étais à jeun et en pleine forme. Ce jour-là, je me fis humilier dans les grandes largeurs : étrillé avec une précision impitoyable, marqué sous toutes les coutures, sans pouvoir rendre une seule politesse. J'aurais eu toutes mes dents, j'en aurais mangé mon chapeau.

La seconde mauvaise surprise se présenta vers le milieu de l'après-midi. Mucio débaula dans la salle d'armes, sans doute attiré par les échos du fer. Bien sûr, il était escorté par son ombre, Ferlino ; mais Sorezzini, Oricula et moi, on n'en échangea pas moins un regard entendu. Muni d'une épée, le patrice Ducatore était une calamité.

Le Podestat autorisait son fils à s'entraîner. C'était un Ducatore, susceptible tôt ou tard de se retrouver la cible d'un attentat, et son père souhaitait qu'il sût manier une lame. En outre, il estimait que l'exercice canalisait son agressivité. Sa seule restriction portait sur les adversaires : à part le maître d'armes, seuls Spada Matado, Ferlino et Oricula avaient licence de tirer face au crétin. Sur le tard, compte tenu de ma compétence, j'avais aussi obtenu le douteux privilège de pouvoir croiser le fer avec Mucio Ducatore. Je m'en serais bien passé.

Laisser une épée entre les mains du fils du Podestat était aussi sensé qu'envoyer un pyromane muni d'une torche dans un grenier à foin. Mucio était inoffensif pour un ennemi, et il représentait un danger mortel pour ses compagnons et pour lui-même. Sa maladresse était telle que tromper sa garde était un jeu d'enfant : un adversaire véritable n'aurait eu qu'à serrer sa lame pour lui passer l'épée en travers du corps. Malheureusement, à l'entraînement, le crétin ne supportait pas la contrariété ; il ne comprenait pas les conseils, et la violence de l'exercice le faisait rapidement écumer. Il oubliait alors de retenir ses coups et risquait de se blesser en se jetant sur l'arme adverse. Plus qu'à se soustraire à ses assauts, trop désordonnés pour être vraiment efficaces, le jeu consistait alors à éviter de l'embrocher par accident ; et ce, en se gardant bien de l'humilier par une supériorité trop manifeste, ce qui l'aurait poussé à une crise de rage absolument incontrôlable.

Oricula, qui n'avait que trop constaté ma méforme, eut l'élégance de proposer à Mucio de croiser le fer. Je lui en fus reconnaissant ; apparier un bretteur de son envergure au crétin, c'était vraiment donner des perles aux cochons. Sorezzini et moi, on rejoignit prudemment Ferlino sur le côté. Résigné, je contemplai le patrice se livrer à des gesticulations simiesques, contenues avec sobriété par Oricula. Incapable de museler son mauvais esprit, Sorezzini lançait des acclamations railleuses à Mucio, que l'imbécile prenait pour argent comptant. Il en devenait rouge de plaisir autant que d'excitation, et rompait parfois le combat en faisant caracoler un cheval fictif, son épée fouettant l'air au-dessus de sa tête.

La pitrerie s'éternisait, et j'étais sur le point de m'éclipser, quand Cesarino fit son entrée. Mucio se précipita aussitôt sur lui, d'un air féroce, en lui proposant d'engager le combat. Tout en gardant un œil sur la pointe de l'arme dangereusement proche de sa poitrine, le jeune aristocrate déclina.

« Vous êtes bien trop fort pour moi, cousin, dit-il en riant. Oricula est un adversaire plus à votre mesure. »

Le crétin se rengorgea et retourna ferrailler à tort et à travers contre le spadassin.

« Je suis heureux de vous voir si vite de retour en ces lieux, dit Cesarino en m'adressant une brève inclination de tête. Et mon oncle partagera sans nul doute ce sentiment.

— Je vous remercie, Votre Seigneurie.

— Accepteriez-vous d'échanger quelques passes d'armes avec moi, don Benvenuto ?

— C'est un honneur. Mais je vous préviens, je suis encore très rouillé.

— N'ayez crainte, sourit Cesarino. Quand je viens tirer dans cette salle, ce n'est pas pour donner des leçons, mais pour en recevoir. »

Le jeune homme avait une solide formation en escrime, et une certaine pratique. Il se défendait pas mal, et avait assez de ressources pour engager un vrai combat singulier. Mais sa technique restait très académique, manquait de créativité et de roublardise. D'ordinaire, avec quelques feintes de voyou, j'en aurais fait mon petit déjeuner. Dans les circonstances présentes, c'était un second à ma mesure, et un adversaire beaucoup plus agréable que les deux lascars qui m'avaient si impitoyablement corrigé.

« Vous me sauvez, don Benvenuto, me confia Cesarino en souriant, alors que nous faisions une pause entre deux assauts. Grâce à vous, j'ai pu échapper à Dilettino Schernittore.

— Ah oui ? Il vous importunait ?

— Pas encore, mais c'était bien parti. Il vient d'arriver au palais avec ses mignons, Ronzino et Tignola.

— Qu'est-ce qu'ils trafiquent ici ?

— Officiellement, Dilettino apporte des nouvelles de son père à mon oncle. Il paraît que la santé du sénateur Schernittore ne s'est guère améliorée pendant la campagne de Ressine. Mais ce n'est qu'un prétexte. En fait, Dilettino brigue la main de ma cousine, Clarissima, et il me recruterait bien comme entremetteur.

— Elle ne ferait de lui qu'une bouchée, observai-je en ricanant.

— Je doute qu'elle en ait l'occasion. Dilettino déplaît à mon oncle : par conséquent, il est préférable que j'évite Dilettino. »

Ce qui devait drôlement l'arranger, à tout prendre, ce garçon bien élevé. Après tout, Clarissima était un beau parti pour lui, surtout s'il s'affirmait comme le dauphin de mon patron. La main de la cousine lui aurait permis de cumuler les héritages Rasicari et Ducatore, tout en restant en famille. Mucio comptait pour du beurre. Restait Belisario ; mais Cesarino pouvait spéculer sur la faible probabilité de son retour. Bien sûr, le freluquet n'était pas le neveu de son oncle pour rien : il se garda bien d'avancer davantage sur ce terrain. Il me réservait un autre sujet de conversation, que pour ma part, j'aurais préféré esquiver. Il me demanda comment Bucefale Mastiggia et Regalio Cladestini avaient passé l'arme à gauche.

« Ils étaient mes amis, me dit-il. J'imaginais bien que la guerre nous réserverait des pertes cruelles, mais je ne m'attendais pas à ce qu'elle fauche ainsi deux figures montantes, issues de la fine fleur de notre noblesse. Je savais que c'était dans l'ordre des choses : mais il a fallu qu'ils meurent pour que cette idée abstraite prenne corps. »

Je lui servis un bouquet composé, avec une fable Mastiggia et une chronique Cladestini. Il m'écoutait avec une attention peinée, en hochant parfois la tête dans un mouvement plein d'incrédulité triste.

« Je n'arrive pas à réaliser leur disparition, me confiat-il. Je n'étais pas intime de don Bucefale, il avait dix ans de plus que moi, je restais son cadet dans la vie publique comme dans les fêtes. Mais c'était l'astre de la jeunesse ciudalienne, tout le monde était persuadé qu'il avait un grand avenir. Sa mort, c'est la fin d'une partie de nos rêves et de nos espoirs, c'est la suppression du grand homme que notre génération aurait pu donner à la République pour succéder aux dirigeants issus de la génération de nos parents. Je connaissais mieux Regalio ; nous avions le même âge, nous fréquentions les mêmes haras et les mêmes bals, nous avons fait quelques fredaines ensemble. Il avait reçu une éducation savante, il aimait les livres. Sans avoir le panache de don Bucefale, il aurait fait un politique brillant. »

Je me taisais sur le sujet. Mon boulot, c'était renseigner et liquider, pas commenter, sauf si on avait besoin de mon point de vue sur un coup tordu. Je trouvais un peu bizarre que l'oncle et le neveu partagent la même tendance à se confier à un type comme moi. Peut-être était-ce la garantie contractuelle de mon silence qui faisait de moi un confident commode... Ceci dit, j'avais motif de me méfier de Cesarino. Son bavardage à propos des deux patriciens dézingués me semblait bien naïf, trop naïf pour être vraiment honnête. Bien sûr, ce garçon policé n'avait pas vingt ans, et c'est un âge où on a encore une vision romanesque de la mort, où on peine à réaliser qu'une vie humaine peut être mouchée comme une bougie. N'empêche : j'avais du mal à croire l'élève du Podestat capable d'une telle candeur. Sans être forcément dans le secret de mon patron, Cesarino était déjà depuis deux ans à bonne école, une école où on apprend que la sélection la plus impitoyable est le principe de toute politique. La disparition de Bucefale et de Regalio, ça lui ouvrait un boulevard. J'étais à peu près sûr qu'il me jouait la comédie. Je devais lui servir de répétiteur. Après avoir croisé le fer avec moi pour améliorer son escrime, il rôdait sans doute le discours attristé qu'il destinait à la bonne société. Pour masquer sa joie.

Trois jours après leur raid de reconnaissance, mes tortionnaires revinrent me torturer. Je retrouvai donc ma sellette au salon de musique, cerné par l'orfèvre Celari, le prothésiste Prosecci, le maître guérisseur Orinati, mon ami Zani et par toute une brochette de barbiers et de valets de luxe. Il régnait autour de ma personne l'excitation qui monte d'une foule vers l'échafaud. L'orfèvre Sartino Celari et le compagnon Prosecci étaient gonflés de fierté rentrée et me brandirent sous le nez mes futures incisives, dans un écrin somptueux, comme un diadème pendant une cérémonie de couronnement. Fra Orinati et les barbiers admirèrent le bijou plus que moi ; ils avaient l'air émoustillés par la tâche consistant à intégrer cette œuvre d'art dans mon anatomie. Quant à moi, je n'avais même pas la possibilité de serrer les dents.

La séance fut un supplice long et raffiné. Le compagnon Prosecci, fra Orinati et Zani collaborèrent pour la réfection de mon râtelier. Je dus garder la gueule béante, à la limite du décrochage, pendant que mes tourmenteurs y introduisaient une quantité astronomique de métal précieux, de fils de cuivre, de pinces et de tenailles de joaillerie. Les curieux qui ont déjà observé un ébéniste au travail savent bien qu'une pièce de marqueterie rentre rarement du premier coup dans son logement : il faut des essais patients, des ajustements au cheveu près, des corrections à la lime et au rabot. Mes chirurgiens procédaient comme des ébénistes ; sauf que le meuble, il en avait les gencives saignantes.

Quand ils en eurent fini, j'avais l'impression qu'on

m'avait égalisé les mâchoires au râteau. Sur le côté gauche, le système de contention écrasait mes molaires baladeuses dans un étau ; sur l'avant, la prothèse me semblait cinq fois plus volumineuse que les dents d'origine. Le système de fixation était sur le point de déchausser mes canines, et ma langue venait buter de façon irritante contre ce corps étranger. Les médicastres et les joailliers n'en finissaient pas de s'extasier sur leur ouvrage, et de se féliciter mutuellement. Ils eurent bien sûr le mauvais goût de me tendre un miroir, pour m'inviter à partager leur enthousiasme. Pour la première fois depuis mon séjour en Ressine, je dus me résoudre à contempler la réalité en face. J'eus du mal à me reconnaître : quelques fils gris venaient strier ma tignasse sombre, et mon museau amaigri me serra le cœur. J'avais les yeux caves, des cicatrices que je ne me connaissais pas, une asymétrie bizarre dans les pommettes, le nez épaté et tordu. Mais seul mon sourire intéressait mes tourmenteurs, et je me fendis donc d'une grimace menaçante, babines retroussées. Le résultat était effrayant. Les dents en or vous sautaient aux yeux, fascinantes comme la plaie d'un blessé qui perd ses boyaux. J'avais l'impression qu'on m'avait enchâssé dans le crâne un fragment de reliquaire : ma chair meurtrie servait de cercueil à une chose précieuse et morte.

Mes remerciements à la clique se résumèrent à l'essentiel : une bordée de jurons appréciateurs du désastre. D'aucuns en parurent froissés. Je ne leur laissai pas le temps de se complaire dans leur indignation d'artistes : je vidai les lieux aussi sec, persuadé qu'ils n'avaient pas besoin de moi pour présenter la note au Podestat. Malheureusement, à peine sorti, je m'empêtrai dans un groupe de jupons. Dònna Clarissima, sa jolie cousine dònna Scurrilia et leur chaperon, la vieille Lycania, occupaient fort opportunément le couloir que je devais traverser. Dònna Clarissima m'expliqua gracieusement que cela faisait une heure qu'elles patientaient devant le salon de musique, attendant que j'en aie fini avec mes médecins pour prendre leur leçon de chant. Ces pimbêches n'avaient bien sûr nul besoin d'occuper le salon de musique pour cultiver leur filet de voix : à voir l'expression revêche de la dame de compagnie, j'étais persuadé que Clarissima avait passé une bonne partie de son temps l'oreille collée contre la porte, à pouffer sottement avec sa cousine.

Du reste, presque aussitôt, la fille du Podestat se toucha la lèvre supérieure, et me demanda avec une curiosité non dissimulée :

« Alors, Benvenuto ? Tu me les montres ?

— Voyons, dònna Clarissima ! se récria Lycania. C'est une demande inconvenante ! »

La vieille oie avait parfaitement raison ; pour ma part, j'aurais même dit insultante. Seulement, je la connaissais, ma damigella Ducatore. Si je gardais les lèvres closes, elle ne se priverait pas de me harceler jusqu'à obtenir satisfaction. Pis encore : ayant identifié un point sensible, elle se ferait un malin plaisir de me regarder sous le nez en permanence, d'épier la moindre de mes paroles dans l'espoir d'apercevoir un éclat doré ; et j'aurais droit aux fous rires entendus, aux sourires étincelants, à des conversations où fleuriraient toutes les expressions du style avoir la dent, avoir les dents longues, être sur les dents, déchirer à belles dents, être savant jusqu'aux dents, manger du bout des dents, rire à belles dents... Mieux valait éviter de souffler sur la braise. Pour couper court au problème, je décochai aux dames mon sourire le plus crapule.

Toutes trois eurent le même mouvement de recul, et ouvrirent des yeux horrifiés en portant la main à la bouche. Ça me poigna un peu le cœur, mais je n'en montrai rien et j'affichai une satisfaction canaille.

« Oh là là ! commenta assez platement dònna Clarissima.

— Repoussant, n'est-ce pas ? ricanai-je avec une gaillardise pénible.

— C'est terrible !… Tu as l'air… encore plus méchant qu'avant ! »

Je voulus profiter de leur effroi pour m'esquiver. Mais il en fallait bien plus pour impressionner une peste comme Clarissima Ducatore. Avec son effronterie coutumière, elle me saisit par le coude pour m'arrêter. Le geste me glaça : c'était exactement celui que j'avais eu pour Bucefale Mastiggia, juste avant de le poignarder. Quelque chose dut transpirer dans mon expression, car dònna Scurrilia et la vieille Lycania prirent une mine inquiète. Mais dònna Clarissima ne vit rien, ou ne voulut rien voir.

« Au fait, Benvenuto, tu te souviens de ce que je t'ai demandé, dit-elle en s'appuyant sur moi avec indolence.

— Oui.

— Alors ? Tu es prêt à me dire ce que tu sais ?

— Non.

— Allez ! Sois gentil avec moi !

— Allez vous faire foutre, dònna Clarissima ! »

J'arrachai sèchement mon bras à son étreinte, tandis que les lèvres de Lycania s'arrondissaient sur un « Oh » offusqué. Alors que je mettais les voiles, je n'en entendis pas moins le rire sonore de la garce dans mon dos.

« Tu finiras bien par me le dire, Benvenuto, me lança-t-elle avec une assurance railleuse. *La langue va où la dent fait mal.* »


J'avais un besoin urgent de sortir, de respirer, de m'aérer. Dans un sens, dònna Clarissima m'avait rendu service : sa rencontre avait représenté une épreuve du feu. Puisqu'elle s'était rincé les yeux, tout le monde pouvait voir mon guichet retapé : ça ne pouvait pas être plus cuisant. Je n'avais donc plus de raison de me planquer. D'un autre côté, j'avais envie de planter quelqu'un. Un peu de marche, le vent de mer et un pichet ou deux aideraient à me remettre les idées en place. Pour mon retour dans la rue, j'allai enfiler un de mes costumes les plus stylés : même esquinté, il s'agissait de montrer que j'étais toujours le porte-glaive du premier magistrat de la République. En fait, l'idée n'était pas forcément bonne. J'avais maigri : je nageais dans mon pourpoint, et mes chausses en soie de Valanael eurent vite tendance à tire-bouchonner. Je glissai la dague de Fratello Acerini contre mon aumônière, mais je laissai l'épée dans son coffre. La tentation de jeter le gant au premier coq venu aurait été trop forte : je ne voulais pas me mettre un duel sur les bras dès ma première virée en ville.

Alors que je m'apprêtais à quitter le palais, je passai à deux doigts d'une sacrée guigne. Venant de la cour, j'allais m'engager dans la porterie quand j'aperçus un petit groupe que Lupo et Coneoti, de faction ce matin-là, laissaient entrer dans la place. Escortée par deux quidams, je reconnus une silhouette trapue, coiffée d'un chapeau démodé qui ne suffisait pas à contenir une couronne hirsute de cheveux gris. Quinze ans que je ne l'avais pas revu, et voilà que je manquais de me jeter tout droit dans les jambes du Macromuopo. Ça me secoua sévère, comme si j'avais croisé l'exécuteur des hautes œuvres dans mon estaminet favori. Heureusement, le maestro était en train de passer un savon à un de ses apprentis, et il ne me vit pas à l'autre bout du passage. Je battis retraite silencieusement, filai me planquer dans mon escalier, dont les fenêtres m'offraient un bon poste d'observation sur la cour. Je pensais que le peintre allait gagner la galerie marine, pour reprendre les séances de pose avec son charmant modèle. En fait, suivi par ses deux élèves, il emprunta l'escalier d'honneur. Il n'allait pas travailler, en définitive. Peut-être allait-il parler avec mon patron du projet de fresque de la Salle des Requêtes.

En tout cas, j'avais été à un cheveu d'une entrevue très embarrassante, et ça ne contribua guère à me rendre d'humeur badine. Je me faufilai hors du palais en vitesse, avant que la poisse ne me jette sur le chemin de Mucio ou d'un Dilettino Schernittore énamouré.

Mettre le nez dehors, ça me donna de suite un coup de frais. Ça sentait la fin de l'été. On était encore loin de l'automne, et baguenauder dans la rue pouvait toujours vous donner une bonne suée. Toutefois, pour le Ciudalien de souche, quelque chose flottait dans l'atmosphère, qui fleurait la fin des beaux jours. Le vent remonté du front de mer avait chassé le cagnard torride qui avait assommé la ville des mois durant ; le ciel très bleu, mais adouci par une lumière moins violente, creusait des contrastes plus nets le long de la ligne des toits. Les premières pluies avaient lissé le pavé et libéré un parfum vieillot de pierre lavée. Dans les collines autour de la cité, le vacarme braillard des cigales était probablement en train de se clairsemer ; en quelques jours, les dernières crécerelles, gagnées par la torpeur, allaient s'enrouer et se taire. Sur les bois de chênes verts, de pins et d'oliviers allait tomber un grand silence méditatif, bizarrement assourdissant.

Paradoxalement, la fin de l'été, ça signifie un regain de vie à Ciudalia. On respire mieux. La dissipation de la canicule réveille les quartiers, jette tout le monde dans la rue, multiplie l'animation sur les places et les marchés. C'est l'époque où la plupart des navires rentrent au port : les marins retrouvent leurs pénates, sortent la patronne et les héritiers pour claquer le bel argent glané en mer. Sur les quais, les entrepôts se gonflent de cargaisons exotiques : toute une fourmilière de charretiers et de portefaix s'y engorge, puis encombre les ruelles pour redistribuer les marchandises d'outremer aux ateliers et aux boutiques, tandis que le monde louche des truands prélève sa dîme et organise son économie parallèle. La fin de la guerre avait aussi rapatrié tout un peuple de soudards et de fiers-à-bras : ils plastronnaient en bandes, écumaient bouges et tavernes, buvaient le butin arraché aux dépouilles ennemies.

Je retrouvais ma ville, la ville bruissante et agitée où, d'ordinaire, je me sentais au chaud comme dans le manchon d'une dame ; et pourtant je ne parvenais pas à me départir d'un sentiment ténu d'irréalité. La foule des badauds me paraissait subtilement distante ; je percevais avec une acuité neuve le refrain des chansons à boire, la criée concurrente des petits métiers, les jurons sonores des muletiers ; même le bouquet puissant de la rue, où se mariaient le relent des eaux usées, l'odeur crottée des écuries, les effluves de pain chaud et de friture, même cette atmosphère si familière avait un arôme de cuisine étrangère. J'avais été chercher une consolation dans cette déambulation citadine ; je n'y trouvais que perplexité.

Je me rendis d'abord piazza Smaradina, chez le maître orfèvre Pretiosi. C'était là que m'attendait le paiement versé par mon patron. J'y troquai ma lettre de change contre trois autres, qui divisaient le pactole ; puis j'allai disperser mon matelas chez des banquiers plus discrets, des usuriers et des changeurs du quartier Benjuini. Avec chacun de ces hommes d'argent, je fis la même expérience désagréable : quand je parlais, leur regard semblait magnétisé par ma bouche. À cette contrariété s'ajouta bientôt un sentiment inconfortable. En empruntant les venelles industrieuses du quartier Benjuini, j'acquis l'impression diffuse d'être suivi ou épié. Trois fois rien : une démangeaison légère dans la nuque, un mouvement flou dans ma vision périphérique… Mais ce n'est pas à un vieux singe qu'on apprend à faire la grimace : je n'étais resté en vie que parce que j'avais développé un sens pour ce genre d'embrouilles. Quelqu'un avait le culot de me filocher, et pas un vulgaire tire-laine, car il restait invisible. Je fis semblant d'essayer de le semer, en suivant un trajet plein de zigzags ; en fait, j'essayai de surprendre l'impertinent, en revenant sur mes pas par une enfilade d'arrière-cours, puis en me tenant en embuscade sous un porche. Chou blanc. Le type était un vrai furet ; en tout cas, il dut se rendre compte que j'avais tenté un contact, car l'atmosphère de menace feutrée s'évanouit.

Ces petites affaires m'avaient mené à la mi-journée. Mes retrouvailles avec la ville me laissaient une sensation bizarre d'incomplétude, me poussaient insidieusement à me réfugier au palais Ducatore. Mais je me raidis contre cette tentation, et je décidai d'aller manger un morceau à la *Taverne de l'Olivier*, au pied de Purpurezza. Je commençais à descendre la via Maculata quand un violent coup de vent fit danser le linge pendu aux étages et emporta quelques chapeaux. Le ciel s'assombrit de façon menaçante, et je n'avais pas atteint le bas de la rue qu'une pluie diluvienne croulait sur le quartier.

Je me réfugiai en jurant sous des arcades, au coude à coude avec d'autres badauds. Je contemplai l'averse, attendant l'éclaircie pour reprendre mon chemin. C'était un grain orageux, soufflé par l'océan vers l'intérieur des terres, et je savais qu'il ne durerait guère. Mais il confirmait bien la fin des beaux jours, et celle de la saison de navigation. La guerre avait été conclue juste à temps… Pendant un petit moment, je me laissai hypnotiser par les trombes qui balayaient la chaussée ; l'eau grondait un staccato de terre cuite sur les tuiles, jaillissait des toits par cent gouttières, dévalait en bouillonnant dans le ruisseau. Les nuées effilochées qui lâchaient ce déluge sur la côte avaient plongé toute la ville dans un crépuscule brouillé. L'atmosphère se fit frisquette, et l'humidité remontée en buée me fit frissonner. Je m'arrachai à ma rêverie stupide, et je jetai un coup d'œil circulaire, en quête d'une gargote où j'aurais pu avaler un vin chaud. Ce fut seulement alors que je le découvris. Et croyez-moi, le petit cœur de pierre de Benvenuto Gesufal en fit une sacrée embardée.

Sous les arcades, je vis Bucefale Mastiggia. Il n'était pas de l'autre côté de la rue, séparé de moi par le rideau de pluie ; il n'était même pas éloigné de moi par quelques passants. Il était pile à côté de moi, quasiment coude à coude, le nez levé vers la tourmente, en train de rêvasser comme je le faisais un instant plus tôt. Certes, il faisait sombre, et les arcades étaient plongées dans une pénombre plus profonde : mais seul un fantôme pouvait ainsi se matérialiser ainsi à mon côté, où il avait peut-être passé de longues minutes sans même que je soupçonne sa présence. Comme je le fixai avec horreur, il finit par sentir le poids de mon regard. Il se tourna vers moi, eut l'air sincèrement surpris.

« Tiens ! Quelle coïncidence ! Don Benvenuto ! »

Et je me sentis brutalement plus léger qu'une plume. Cette voix n'était pas celle de Bucefale Mastiggia : c'était celle de Dulcino Strigila. Dans l'ombre, la ressemblance entre les deux demi-frères m'avait joué un très sale tour. C'était plus fort que moi, la liquidation de Bucefale me travaillait, sans doute parce que je n'avais pas pu nettoyer dans les coins, m'assurer du silence d'un fâcheux comme le logocrate. N'empêche, j'avais intérêt à me surveiller : des faiblesses comme celle que je venais d'avoir suffiraient à me trahir. Ç'aurait été vraiment ballot de se vendre tout seul… Et je craignais de tirer une drôle de trombine, à passer sans transition de l'alarme au soulagement.

« Oh ! Remarquable ! » observa Dulcino.

Et comme je le dévisageais d'un œil de plus en plus perplexe, il tapota ses incisives avec un ongle.

« Vos nouvelles dents, vraiment superbes. »

Je refermai hermétiquement mon clapet. Le mélange de trouille et de stupéfaction m'avait fait bayer comme un demeuré. Fort heureusement, mon râtelier vingt-quatre carats m'avait sauvé la mise : il avait ébloui Dulcino, qui n'avait pas fait attention à l'expression suspecte inscrite sur ce qui me restait de museau.

Suivit un moment de gêne. Peut-être Dulcino s'était-il rendu compte que son compliment ne me faisait pas spécialement plaisir. Peut-être avait-il malgré tout ressenti un certain froid. De mon côté, j'avais besoin de rassembler mes esprits, quelque peu débandés. On prit donc tous les deux des mines constipées. On aurait cru deux parents éloignés qui, après s'être perdus de vue par désintérêt mutuel, se rencontrent par hasard, voudraient bien échanger un mot poli pour sauver les apparences, mais restent muets et coincés, comme un puceau devant sa première putain. Pendant qu'on se dandinait d'un air pincé, je me rendis compte que Dulcino n'était pas seul. Il était flanqué par deux compagnons, un homme et un chien.

Le type me parut insignifiant. C'était probablement un clerc ou un intendant ; vêtu avec une modestie démodée, il était coiffé d'un calot à oreillettes franchement ridicule qui devait lui donner sacrément chaud au soleil. Il était de taille médiocre, si mince qu'il flottait un peu dans son costume. Son visage me parut glabre, lissé, presque féminin ; mais il m'était impossible de deviner son âge. Il avait tout du vieux jeune homme, qui aurait pu avoir vingt ans comme soixante. Il semblait la discrétion incarnée ; mais il respirait une impression amère, une tristesse désabusée, comme si toute sa personne avait fini par absorber la solitude et l'ennui d'innombrables années passées dans le silence d'un cabinet de travail. Le chien était beaucoup plus remarquable. C'était un grand lévrier de Valanael : un animal magnifique, tout en finesse et en puissance. Son garrot vous atteignait la hanche, ses attaches délicates et son museau effilé trahissaient une vélocité de rapace, et sa robe bleu-gris prenait des reflets argentés dans la pénombre pluvieuse. Sans doute avait-il été importé contre une petite fortune depuis Llewynedd, car pour une raison mystérieuse, ces chiens splendides ne se reproduisaient guère dans les meutes ciudaliennes.

« Belle bête ! » fis-je en désignant le lévrier du menton, pour rendre la politesse à Dulcino.

« N'est-ce pas ? sourit le fils du sénateur. Mais

Legame n'est pas mon chien, c'est celui de don Lusinga. Oh ! Je ne vous ai pas présenté don Lusinga, il me semble... »

Il se tourna vers son terne comparse.

« Don Lusinga, le secrétaire particulier de mon père, dit-il avec un formalisme qui me parut bizarrement emprunté. Don Benvenuto, l'homme du Podestat qui a tenté de sauver Bucefale. »

Lusinga me gratifia d'une formule courtoise et désuète, avec une timidité qui le faisait parler très bas. Sa voix était douce, pas désagréable, aussi ambiguë que le reste de sa personne. Il me regardait bien en face, mais j'aurais eu du mal à trouver un signe distinctif dans cette figure anonyme ; même la couleur de ses yeux m'échappait. Le lévrier, quant à lui, avait des prunelles ambrées. Comme son maître, il me dévisageait : mais son expression, empreinte de la tristesse méditative dont sont capables certains chiens, fixait davantage mon attention que celle du secrétaire. J'en ressentis un malaise diffus ; l'animal avait plus de présence que l'homme. Et puis c'était une vraie bizarrerie, ce gratte-papier propriétaire d'un chien de race...

« On a l'air idiots, non ? ricana soudain Dulcino.

— Pardon ?

— On a l'air idiots, reprit-il avec une violence rentrée. On échange des amabilités, vous et moi, alors que Bucefale prend toute la place entre nous, et qu'on le sait fort bien.

— C'est pas faux. »

Et après une brève hésitation, partant du principe que la sincérité est la forme la plus aboutie de l'hypocrisie, j'ajoutai :

« En fait, je ne vous avais pas vu approcher, tout à l'heure, et quand je vous ai découvert, je vous ai confondu avec lui. Comme si j'avais eu un mort à côté de moi.

— Ça ne m'étonne pas, dit son demi-frère. Moi aussi, il me hante. Il me semble souvent qu'il est à deux pas, dans la rue, que je vais entendre son pas dans l'entrée et les escaliers, avec le bruit joyeux qui l'accompagnait quand il ramenait sa troupe d'amis et de flatteurs… Et mon père, il ne dit rien, mais il le voit partout. Ses yeux, c'est terrible… On dirait qu'il est déjà de l'autre côté.

— Sûr, pour lui, ça doit être dur.

— Le mot est faible ! »

Il reporta un moment son attention sur la rue, où les rafales orageuses cédaient la place à une averse plus fine et plus régulière. Il contemplait la pluie d'un œil absent, avec une expression de tension intérieure qui traduisait davantage la rage rentrée que le chagrin.

« Je vous en veux, don Benvenuto, finit-il pas lâcher sourdement. Vous n'y êtes pour rien, mais je vous en veux. Vous, vous étiez sur ce bâtiment. Pas moi. Je donnerais vingt ans de ma vie pour pouvoir revenir en arrière, pour embarquer sur cette putain de galère, avec lui.

— Les choses sont mal foutues, grognai-je en réponse. Moi, à la réflexion, je vous aurais bien donné ma place. »

Dulcino Strigila eut un sourire amer.

« Je suis injuste avec vous, admit-il. En fait, c'est à moi que j'en veux. Je n'étais pas avec lui, je n'ai rien fait, rien, je n'ai même pas pu le prendre dans mes bras quand son cœur a cessé de battre. J'ignore jusqu'à l'endroit précis où il est mort, où se trouve son corps… C'est comme si je l'avais abandonné. Sa solitude dans la bataille, au milieu de l'ennemi, quand la fin est venue, je n'arrive pas à me retirer ça du crâne ! Alors forcément, vous qui étiez présent, vous qui étiez avec lui à ce moment-là, je vous jalouse. C'est absurde, mais je vous envie. Vous m'avez pris sa mort. C'est comme si vous m'aviez volé mon frère.

— J'en ai pas profité des masses, mentis-je effrontément. J'avais une douzaine de moricauds sur le paletot en train de me démolir. Vous auriez été à ma place, vous n'auriez pas pu porter secours à votre frère mieux que moi.

— C'est ce dont j'essaie de me convaincre, gronda Dulcino. Mais ça ne sert à rien ; je n'étais pas là, et cette absence, je n'arrête pas de la payer. Dans le regard accusateur de mon père, dans la désolation qui s'est abattue sur notre maison, dans l'attitude fuyante de nos amis et de nos alliés. J'aurais été là, avec lui, avec vous, le navire aurait sans doute été perdu, mais je l'aurais peut-être protégé contre la blessure fatale. Il aurait été capturé, comme vous, pas tué. Vous avez une réputation de fine lame, don Benvenuto, et mon frère était lui aussi un sacré combattant. Avec moi, nous aurions peut-être formé le trio qui aurait renversé la situation.

— Il y avait des durs sur ce bateau, vous savez. L'enseigne Suario Falci, tenez : le gaillard, avec une cuisse trouée, il s'est battu jusqu'au bout. Au couteau. Un vrai loup. Ça n'a rien changé. Même en imaginant qu'on ait tenu le château de poupe, vous, votre frère et moi, comment ça se serait terminé ? Je vais vous le dire. À supposer qu'on soit restés crânes devant l'épuisement et le nombre, ces fumiers de basanés, ils auraient reculé, ils auraient sorti leurs saloperies d'arcs à double cambrure. Et ils nous auraient transformés en pelotes d'épingles. Des flèches fichées dans l'œil, dans l'oreille ou dans la gueule : voilà comment on aurait fini, tous les trois. Ça vous aurait avancé à quoi ? »

Dulcino appuya un poing impuissant contre le pilier de pierre d'une arcade. Il serrait les dents en fixant l'ondée d'un air buté. Le grand lévrier de Valanael lui adressa un regard empreint d'une compassion presque humaine. Lusinga se permit une manifestation de réconfort, en posant une main sur l'épaule de Strigila. Ça me surprit un peu, qu'un type si effacé entretienne une telle familiarité avec le fils de son patron. L'espace d'un instant, le secrétaire me parut moins fade : quelque chose de fin, un fantôme de beauté affleuraient dans ce visage quelconque. Mais l'impression fut fugace.

En tout cas, le geste parut un peu apaiser la tension de Dulcino.

« Merci pour ces paroles, don Benvenuto, dit-il. Je ne sais pas si ça m'aidera beaucoup, mais merci.

— Le remords, je connais ça. Si on y prend pas garde, ça vous ronge son homme. Un vrai crabe. »

Il hocha la tête en silence, comme s'il comprenait ce que je voulais dire. C'était un duelliste réputé, et je me demandai combien d'hommes il avait laissés pour morts dans les fossés de la ville.

« Pour vous non plus, ça ne doit pas être facile, observa-t-il.

— Ne m'en parlez pas. Dans ma tête, je ne suis pas rentré. »

Dulcino Strigila opina derechef, le visage grave. Puis, sans transition, il désigna le ciel où les nuages se déchiraient et se faisaient moins sombres.

« La pluie est en train de se calmer, dit-il. Don Lusinga et moi, nous allons reprendre notre route ; nous sommes attendus au Palais curial. Nous devons régler au nom de mon père quelques formalités à propos de la transmission de la dignité de patrice. »

Non sans une certaine réticence, il précisa :

« Maintenant que Bucefale est mort, c'est Destrino qui obtient le droit d'aînesse. »

Je n'avais pas de mal à imaginer la frustration de Dulcino. Il était plus vieux que Destrino et Stalto Mastiggia, ses demi-frères encore en vie ; s'il n'avait pas eu la déveine de naître d'un ventre plébéien, il aurait raflé la mise.

Pour prendre congé, il me regarda bien en face.

« Oubliez ce que je vous ai dit, à propos de ma rancune, énonça-t-il. C'était la douleur qui parlait, pas la voix de la sagesse. Je sais ce que je vous dois, don Benvenuto ; je sais ce que vous doit toute la famille Mastiggia. Vous étiez là où je n'étais pas. Désormais, vous et moi, nous sommes liés par ce qui s'est passé en mer. »

Et il me tendit la main assez brusquement, avec une affectation virile. Je n'hésitai qu'un instant avant de lui donner la mienne. Il avait une poigne nerveuse et forte. Il ne se contenta pas de cette simple démonstration : il m'attira à lui, pour me donner une nouvelle accolade, aussi ferme et aussi appuyée que celle qu'il m'avait accordée sur le port. Alors qu'il me retenait un peu longuement contre lui, il murmura dans le creux de mon oreille :

« De l'autre côté de la rue, près de la borne cavalière, il y a un indiscret qui nous surveille. Je ne le connais pas. Un problème ? »

Du coin de l'œil, j'inspectai la zone dont il me parlait. Une silhouette détrempée occupait bien un porche, et nous observait sans se dissimuler. J'ignorais son nom, mais j'avais déjà croisé ce type plusieurs fois, et je savais ce qu'il venait faire ici.

« Pas de problème, m'empressai-je de répondre.

— Dommage, lâcha Dulcino avec un regard trouble. Ça m'aurait soulagé, d'étriller quelqu'un. »

Il porta encore un doigt à son chapeau, puis quitta les arcades et entreprit de remonter la chaussée vers Torrescella. Le secrétaire me salua brièvement, avec un sourire flou, et lui emboîta le pas. Son chien redressa le museau et me toisa, les prunelles pleines d'une profondeur énigmatique ; puis, il inclina la tête sur le côté et se gratta mollement une oreille, avec une stupidité incontestablement canine. Il partit en trottinant, rattrapa les deux hommes en quelques foulées souples. J'attendis qu'ils aient tourné le coin de la rue pour me permettre une longue expiration. Quelle guigne ! Vous parlez d'une petite balade de remise en forme... Je ne me serais pas calé les pouces dans la ceinture, j'en aurais attrapé la tremblote.

Et le plus beau, c'était que je n'en avais pas fini avec les mauvaises rencontres.

Le voyeur patienta lui aussi jusqu'à ce que Strigila et son acolyte aient disparu, puis il traversa tranquillement la rue, en marchant droit sur moi. Il avait essuyé l'averse, ce qui lui donnait un cachet de rat mouillé ; mais il était plutôt bien sapé, avec un pourpoint joliment taillé, des chausses à aiguillettes d'argent et des souliers fins. Outre la dague qu'il portait avec l'aumônière, je devinai sous ses manches l'extrémité de deux bracelets de force, ou peut-être les sangles de deux gaines à surin ; mais il fallait être de la maison pour relever ce détail. En fait, il aurait ressemblé à n'importe quel badaud, n'eût été la vilaine balafre qui lui entaillait la joue gauche.

On l'avait marqué au visage, assez méchamment. Mais il ne s'agissait pas d'une blessure collectée au cours d'une rixe. On l'avait certainement maîtrisé pour lui infliger cette cicatrice : une croix dessinée à l'équerre, tailladée avec soin, qu'on avait sans doute repassée une ou deux fois pour être sûr que la chair bourgeonne bien. Dans le Milieu, c'est une punition qu'on réserve aux traîtres, aux balances, aux donneuses. On appelle ça la croix des vaches.

Croix des vaches s'arrêta devant moi. Il inclina brièvement la tête.

« Respects, don Benvenuto, dit-il avec l'accent des bas quartiers. J'ai pas gêné votre parlote, j'espère.

— Tiens, tu as une langue, toi ? »

Lui et moi, on n'était pas spécialement familiers ; cependant, j'avais déjà dû le rencontrer trois ou quatre fois, à chacun des entretiens confidentiels avec mon contact chez les Chuchoteurs. Mais il n'avait jamais ouvert la bouche ; c'était un second couteau, chargé de sécuriser les lieux. On n'avait même pas jugé bon de me le présenter.

« Il voudrait vous voir, poursuivit-il avec un rictus insolent. Alors il s'est rappelé que j'en avais une, de langue.

— Merci pour le message. Où et quand ?

— Tout de suite. J'vous ramène.

— Dis-moi où. J'ai pas besoin qu'on me tienne la main. »

Le type fit la grimace.

« C'est pas c'qu'y veut, répondit-il. Si quelque chose lui revient plus dans la zone, il peut changer d'air. J'saurai où le ramarrer, pas vous. Faut faire avec.

— Bon. Je te suis. »

Tout ça, c'était de la mise en scène. C'était la première fois qu'on m'envoyait un chaperon ; d'ordinaire, un gamin me passait une pièce rayée et me laissait une adresse. Ou plus simplement encore, le contact en personne me croisait par hasard et on échangeait nos potins comme si de rien n'était. M'expédier une escorte, c'était inédit. Dans la Guilde, rien n'est gratuit, surtout pas les modifications dans les procédures ; le messager était un message en soi. Restait à décrypter le chiffre.

Je suivis donc mon homme. Même si j'ignorais à peu près tout de lui, sa balafre en disait long sur son compte. Dans la Guilde des Chuchoteurs, on n'a pas recours à ce genre de châtiment : beaucoup trop voyant. Soit vous marchez dans le rang, et vous n'avez rien à craindre ; soit vous prenez des initiatives inconsidérées, et on vous inflige le supplice des trois traits. Paupières et bouche cousues, après ablation au couteau de la langue et des globes oculaires. Ça fait de vous un exemple vivant, au moins pendant les quelques jours qui vous restent à souffrir, et ça vous retire définitivement du circuit. Cette croix des vaches, ça m'apprenait donc que le lascar avait été un simple truand avant d'entrer chez nous, et qu'il avait fait un coup tordu à ses compagnons de sac et de corde. Ça pouvait paraître bizarre, qu'une donneuse ait été acceptée dans l'organisation criminelle la plus fermée de Ciudalia. Sauf, bien sûr, si la donneuse avait été un de nos mouchards infiltrés dans les bandes de crapules du port ou de Purpurezza. Dans ce cas, le type n'était pas forcément très doué pour le renseignement, mais il était sûr.

Croix des vaches ne m'emmenait pas vers les quartiers les plus mal famés. Au contraire, il m'entraînait dans les artères les plus cossues, jusqu'à ce que nous remontions la via degli Ducati. Pour finir, nous débouchâmes dans le cœur marchand de Ciudalia, sur la piazza Smaradina, dans l'ombre monumentale du temple d'Aquilo. Mon guide se dirigea tout droit vers le *Palais du Drap* d'Ammirazio Tosatore ; il me désigna du pouce le pavillon luxueux et les arcades du drapier, gavées de clients, et grommela :

« Il chine dans la boutanche. Il vous attend. »

Je dois avouer que je fus un peu décontenancé. Il était difficile de choisir un endroit plus inapproprié pour une réunion confidentielle. D'un autre côté, un rendez-vous dans un lieu si animé garantissait qu'une conversation était la pire chose qui pouvait m'y attendre. J'entrai donc.

Ammirazio Tosatore était le plus puissant marchand de drap de Ciudalia. L'homme avait tout d'un ogre, au physique et au moral. C'était un colosse vieillissant et obèse, si énorme qu'il avait dû faire élargir les portes de sa demeure. Il s'était imposé comme maître jurande de la corporation des drapiers, après avoir cassé les reins de tous les concurrents qui avaient voulu se mettre sur son chemin. Il possédait plusieurs entrepôts sur le port, une douzaine d'ateliers textiles dans le quartier Benjuini, au moins le double de maisons de rapport, sans oublier des parts dans trois ou quatre compagnies maritimes. Ses commis trafiquaient à l'étranger sur tous les grands marchés drapiers, à Elyssa, à Ahawa, à Bourg-Preux, à Carroel, à Llewynedd. Pour protéger ses réserves, ses ateliers, son magasin et ses coffres, il finançait une petite garde privée qui valait sans doute celle de bon nombre de patriciens. Sa boutique de la piazza Smaradina était la devanture de sa réussite. Il s'agissait d'un hôtel fastueux, de quatre étages, dont les façades étaient ornées de bas-reliefs à la gloire de la navigation et du négoce. Le rez-de-chaussée, dévolu à la vente, était occupé par une halle dallée, longue comme la nef d'un temple ; et pourtant, cet espace restait bien trop exigu pour son commerce. La boutique débordait largement hors des arcades : Ammirazio Tosatore faisait dresser sur la place une tente de fête, aux rabats largement relevés, sous laquelle les étals croulaient de rouleaux d'étoffe.

L'endroit bourdonnait comme une ruche. C'était au palais Tosatore que la haute société achetait du tissu de prix pour confectionner tentures, dais, livrées, capitons, voilages, courtines, ciels de lit, tapis de selle, caparaçons. Il y avait donc presse, en grande partie des valets, des artisans, des cousettes, qui venaient se fournir en drap de luxe afin d'honorer les commandes de patrons fortunés. Mais il n'était pas rare que des personnes de qualité se mêlent à ce peuple domestique, pour inspecter les derniers arrivages, tâter les étoffes précieuses, se renseigner sur les nouvelles modes. Ainsi, quand je pénétrai sous le pavillon, je notai de suite un étal autour duquel se bousculait une foule maniérée et bruyante. Aspasina Monatore, la reine de beauté de Ciudalia, y rayonnait de tout l'éclat de sa jeunesse ; autour d'elle se pressait une cour de prétendants, de coquets et de roquets en pâmoison, issus des plus brillantes familles de la République. J'y entrevis le patrice Guapino Sicarini, qui avait failli s'étriper avec Cesarino quelques mois plus tôt pour les beaux yeux de la divine ; j'y reconnus la figure disgraciée et lubrique du maestro Pugapingi, la coqueluche de la nouvelle peinture, qui publiait haut et fort son ambition de coucher la Monatore sur sa toile dans le plus simple appareil ; j'y avisai surtout Dilettino Schernittore, flanqué de ses mignons, qui courait manifestement un autre lièvre que Clarissima Ducatore. Dans notre intérêt réciproque, à lui et à moi, je m'efforçai de passer incognito, en quête de mon contact. Je ne pus cependant m'empêcher de me rincer l'œil au passage : bien que ce fût une oiselle capricieuse et frivole, Aspasina Monatore dégageait un charme étourdissant, qui vous mordait le cœur même quand vous cherchiez à vous en défendre.

Dans l'ombre douce de ce jour pluvieux, je parcourus le pavillon, enrichi par le chatoiement des lés déroulés, des tissus aux armures luxueuses. Je louvoyai entre les tables et les chalands, cherchant mon homme ; faute de le trouver, je passai sous les arcades. L'endroit regorgeait davantage encore de marchandise. Le mur du fond était couvert de rouleaux chamarrés jusqu'à la naissance des voûtes, les tables disparaissaient sous des monceaux douillets d'étoffe. La perception s'égarait dans ce bariolage de textures et de couleurs, les vêtements des commis et des clients à moitié noyés par la profusion textile ; et de façon plutôt déplaisante, mon contact se dérobait toujours.

Il me fallut opérer un effort sur moi-même : je savais pourquoi il m'échappait. Pour le repérer, je devais adopter une discipline spécifique, arrêter de chercher quelqu'un en particulier. Je ralentis, j'abandonnai toute vigilance, je laissai mon attention flotter. Et très naturellement, je me rendis compte que Rosso Dagarella était devant moi, à deux étals de distance, en train de se faire couper quelques toises de camelin par un vendeur. Le maître assassin m'adressa un sourire d'aigrefin, fit garder en réserve son tissu, et se dirigea vers moi sans se presser.

Dans le milieu de la grande truanderie, Rosso Dagarella était ce qu'on appelle un *lézard*. Le lézard est un expert de la poudre aux yeux, de l'infiltration, de l'imposture. C'est un spécialiste de la mue, un champion de l'incognito, un virtuose du ni vu ni connu. Qu'on n'aille pas imaginer je ne sais quel cabotin qui aime se déguiser comme un pitre de carnaval : le lézard serait plutôt tout le contraire. Ce jour-là, Rosso Dagarella portait un vêtement assez commun, mais de bonne coupe, qui aurait pu habiller un bourgeois modeste ou un maître artisan. Tout son art tenait dans son sens du mimétisme : un lézard ne se cache pas, ne se masque pas, ne se livre pas à un stupide jeu d'acteur. Il sait juste adopter avec naturel les attitudes et les comportements de l'humanité ordinaire ; il se contente d'emprunter tous les gestes, tous les accents, toutes les allures, sans jamais appuyer ou surjouer. Il adhère simplement à la normalité des pigeons qu'il veut plumer et des limiers qu'il veut semer. La meilleure planque d'un lézard, c'est la cohue des marchés, c'est la ferveur des processions, c'est le tourbillon frôleur des bals. Il est toujours juste là où on ne le cherche pas, un peu à côté, presque sous vos yeux. Qu'il ait un cave à lessiver ou un ennemi à éviter, il le colle généralement de si près qu'il demeure inaperçu. Il rôde aux lisières de son entourage : dans la domesticité des amis du client, dans les buveurs qui trinquent avec ses hommes de main, dans les messagers qui portent son courrier. Il s'expose avec une insolence si tranquille qu'il reste toujours couvert.

La plupart du temps, le lézard est un mouchard ou un escroc. Son insignifiance rassurante lui permet de monter les coups les plus fumeux. Mais Rosso Dagarella était d'une tout autre envergure : ses compétences en faisaient un des tueurs les plus redoutables de la République. S'il l'avait voulu, il aurait très bien pu me rencontrer au palais Ducatore. Pour lui, tromper la surveillance de la garde du Podestat aurait été un jeu d'enfant : il lui aurait suffi d'emboîter le pas de l'escorte Mastiggia ou des apprentis du Macromuopo, et il serait passé à la barbe des portiers. S'il s'abstenait de telles visites, c'était juste pour respecter le contrat passé entre la Guilde et le Podestat, aux termes duquel j'étais le seul Chuchoteur agréé auprès du premier magistrat de la République.

« Mais qui voilà ! s'écria Dagarella en s'approchant. Un vieil ami enfin de retour ! »

Il me donna une accolade cordiale, avec une familiarité tranquille ; puis, il se permit une mine attristée en contemplant mon visage.

« Bigre. La guerre a laissé des traces, quand même.

— Je chercherais à l'oublier que je n'y parviendrais pas, grommelai-je. J'arrête pas de tomber sur des individus compatissants qui m'en font la remarque. »

Ma mauvaise humeur le fit sourire.

« Au moins, ça prouve que les gens ont du cœur, commenta-t-il. On parle tellement de l'indifférence de nos contemporains : à tort, convenez-en, à tort ! »

Il me prit par le bras, amicalement mais fermement, et m'entraîna dans une lente déambulation au milieu des commis et des clients. Il ne portait pas d'arme visible, pas même un couteau. Ce qui en soi ne signifiait pas grand-chose... À part Croix des vaches, probablement resté en faction dehors, je me demandai combien d'hommes il avait en appui dans la boutique d'Ammirazio Tosatore. Il me parla de la pluie et du beau temps, littéralement, en enfilant les lieux communs sur l'averse qui venait de balayer la ville. Incidemment, il me demanda si l'humidité ne sensibilisait pas trop ma gueule fracturée ; et il glissa une rapide allusion à la chance que j'avais de ne pas avoir de vertiges, ce qui me fit comprendre qu'il s'était renseigné dans l'entourage de fra Orinati. Il m'emmena rôder non loin d'Aspasina Monatore et de sa cour, ce qui me mit mal à l'aise car les patrices Sicarini et Schernittore, qui me connaissaient, risquaient de me voir en sa compagnie. Mais, bien sûr, personne ne nous prêta attention ; en fait, ce foutu reptile appliquait ses méthodes habituelles. Dans le voisinage de la divine Monatore, au milieu du tourbillon bavard et parfumé de ses admirateurs, nous ne pouvions passer plus inaperçus.

Ce fut donc dans cette société frivole, en suivant mollement la petite troupe élégante au milieu des articles de luxe, que le maître assassin aborda les questions sérieuses. Il continua à parler à haute et intelligible voix, mais passa au jargon.

« Vu que le rade est plein de trèpe et de courants

d'air, précisa-t-il, on va bagouler en jobelin pour jaspiner de nos flanches.

— Vous n'avez pas les fumerons de jaboter dans cette boutanche ? observai-je en baissant le ton. C'est gavé de gnasses qui ont les loches qui traînent ; sans parler des floumes et des casseroles. Ça me fait taffer de dévider en plein entrépage.

— Mordez le tableau ! rétorqua Dagarella d'un air dégagé. À la ronde, il n'y a que du lourd et du rupin. Même les grouillots, c'est de la pelure en souillarde. Ils entravent que dalle au jar. On peut jacter à l'aise ; icicaille, c'est même plus loucedé que si on se ramarrait seulabres ou dans une matte.

— Je prends toujours de l'huile des friquets, grognai-je, mal à l'aise.

— Vous bilez pas ! rétorqua-t-il. Avec des cadors comme nosgnasses, si ça poque le cafard, on le retapissera en moins de jouge. »

Il avait probablement raison ; ce qui me fit penser à l'indiscret que j'avais deviné sur mes talons le matin même.

« Puisqu'on jabote tapisserie, relevai-je, vos chandelles ne sont pas encore bien dégauchies. Je les ai senties sous le vent en vergne. »

Le maître assassin sourit avec finesse.

« Si vous blairez mes longs, vous voyez bien qu'il n'y a pas à avoir le taffetas des gobe-mouches », conclut-il.

Alors que nous débattions sur la sûreté des lieux, Ammirazio Tosatore fit une apparition remarquée. Le négociant avait sans doute été averti par son personnel de la présence d'une clientèle de choix. Il tanguait vers l'escorte galante d'Aspasina Monatore, majestueux et ventru comme une nef marchande. Chacun de ses pas faisait trembler son abdomen monumental et rouler ses hanches gélatineuses. Un chapeau coquet occupait le sommet de son crâne, telle une sucrerie perchée sur une pièce montée. Le drapier se découvrit bien sûr devant la Monatore, en tentant une courbette gauche qui fit disparaître le bas de son visage dans un quadruple menton. D'une voix grave et bien posée, il adressa un compliment plein de grâce à la jeune patricienne, ce qui fit ricaner Rosso Dagarella à mon côté. « C'est un quatrain du grand Tradittore », me précisa mon compagnon. Mais Aspasina Monatore, bien qu'on lui servît de la poésie à tout bout de champ, n'avait certainement pas assez de lettres pour identifier l'emprunt. L'écervelée minaudait devant le marchand, espérant sans doute un rabais sur ses plus beaux articles ; Tosatore paradait devant elle, énorme et matois, tel un ogre endimanché. Tout en suivant la scène d'un œil rieur, mon contact en revint à nos affaires.

« Le Conseil moite est déjà rencardé sur vos deux poupards, me dit-il. Il a été emplâtré par le grand can dès qu'il a renquillé, tout semble régulier. En fait, maintenant que vous avez rallégé, les grands coesres veulent juste conobler plus précisément les deux marmots que vous avez nourris sur le grand pré. Je vous enterve.

— La première flanche était un envoi, répondis-je à mi-voix. J'ai dû dévisser un rupin, qui vous savez, le daron du sabot où on m'avait encarré. Je l'ai chouriné en pleine foigne.

— La calanche, c'était Bucefale ?

— Même en jobelin, j'aime pas en jaboter ; mais on va dire ligodu.

— Et l'autre enfant ?

— Ça, c'était un cri sec. Après le coup de torchon sur le cap Scibylos, le grand can a essayé de rambiner avec le dabuche de Ressine. Il s'est dit qu'il y avait du trèfle à se faire sur le décarpillage, alors il a cherché à cambuter avec les troncs de figuier. Il m'a encarré pour faire le baladeur avec les vrais du dab.

— C'était quoi, le marca ?

— Le grand can s'engageait à ce que Ciudalia passe au rideau une partie du ganot de grive ; en échange, il a obtenu trois monopoles mastar pour des mercandiers qu'il tient par les fouillouzes. Les betteraves ont planté plein de drapeaux chez lui. Elles seront bien forcées de jouer les fourbes et de lui pastiquer la boucanade.

— Et c'est qui, les sous-verges ?

— Furca, Perducci et Solebrosso.

— Ah gi, bessif. Paraît qu'ils sont archivacants. »

Nous dûmes faire un pas de côté, pour nous effacer devant une jolie cliente. Mais la passante, au lieu de poursuivre son chemin, commença à regarder de plus près les étoffes qui garnissaient la table voisine. Ça me mit aussitôt en alerte ; Dagarella s'intéressa également à elle, mais sans paraître troublé. Bien au contraire : je crus deviner dans son œil la gourmandise du chat qui a repéré une souris. Il est vrai que la donzelle, même si ce n'était plus une agnelle, était fraîche et agréablement roulée. Je ne l'en jugeai que plus suspecte ; mais alors que j'esquissai une retraite insensible, mon insolent comparse harponna sans scrupule.

« Si vous me permettez, la belle, lança-t-il, je vous déconseille d'acheter ce baudequin. »

Elle tourna vers lui un minois surpris, avec de grands yeux noirs que je ne trouvai pas assez farouches.

« Je ne vous permets rien du tout, rétorqua-t-elle avec une vivacité piquante. Et j'ignorais que don Ammirazio avait de nouveaux commis.

— Si vous ne me permettez pas, je ne pourrai vous protéger contre une terrible faute de goût pour la garde-robe de votre maîtresse, déplora Dagarella avec une affectation teintée d'humour.

— Voyez-vous ça ! railla l'inconnue. Notre homme est couturière.

— Touché, la belle ! Mon métier, c'est de tailler des costumes. Et croyez-moi, sur la coupe, je suis à la pointe. Ne prenez pas ce baudequin : il sera démodé cet hiver.

— Pourquoi donc, monsieur l'arbitre des élégances ? C'est un des tissus les plus fins et les plus chers !

— Il est cher parce qu'il est fabriqué en Ressine, répliqua Dagarella avec un sourire madré. Aucun arrivage n'a été importé cet été : l'étoffe que vous caressez sort sans doute des réserves de don Ammirazio, et elle est rarissime sur le marché. Si vous habillez votre dònna en baudequin cette saison, elle sera repérable en société comme une perruche dans un colombier. »

La souris perdit un peu de son assurance. Dagarella avait réussi son coup ; avec une galanterie serviable, il désigna d'autres rouleaux chamarrés.

« Prenez plutôt du camelin de Carroel, de la futaine ou du bofu, proposa-t-il, la tendance sera plus continentale que maritime pendant quelques mois. L'osterlin de Valanael est aussi une valeur sûre : le deuil de la famille Cladestini va mettre le violet à la mode cet automne.

— Oh ! Mais vous me croyez tombée de la dernière pluie ! se récria la cousette pour sauver la face. J'allais aussi me fournir dans ces étoffes-là. »

Cependant, en même temps, elle adressait un sourire de reconnaissance au maître assassin. Le truand feignit des excuses, tout en rendant un regard appuyé à la rombière. Quand ils interrompirent leur manège, j'invitai mon collègue à prendre un peu de champ, pour nous éloigner de la fille qui restait à chiner dans les parages.

« C'est pas pour miauler, grognai-je, mais il y a quand même du pet à la jouer au toc avec cette floume. Imaginez qu'elle soit pas si empaillée que ça et qu'elle entrave…

— Arrêtez donc de me faire l'arçon, répliqua Dagarella en refusant de bouger. La gerce est flacdalle, c'est visible : dévider avec elle, c'est la meilleure des berlues. En plus, avec de la glue, suffirait de frotter encore un peu et on pourrait la passer au losange… »

La cliente nous entendait très bien, en tout cas ; piquée par l'obscurité de notre échange, ce fut à son tour d'intervenir.

« Vous parlez un drôle de patois, observa-t-elle avec une naïveté qui, si elle était feinte, dénotait un sacré culot.

— N'est-ce pas ? enchaîna mon comparse sans se démonter. C'est le dialecte du val d'Imbroglia ; mon ami et moi, nous sommes pays, nous venons du petit village de Bugianino, dans le val.

— Je ne vois pas où c'est, remarqua la donzelle, non sans raison, puisqu'il s'agissait d'une pure invention de Dagarella.

— Mais si, voyons ! rétorqua celui-ci avec une mauvaise foi désarmante. C'est un très joli coin de campagne, pas très loin de Linoborgo.

— Ah oui, je situe mieux, répondit la bavarde, ravie de se trouver un point commun avec son interlocuteur. J'ai une cousine qui s'est mariée à Linoborgo. On y tisse une belle tiretaine, d'ailleurs. »

À ma grande exaspération, Dagarella continua un moment à lui faire du plat. Je gravai les traits de la fille dans ma mémoire. C'était probablement un papillon venu se brûler les ailes en toute innocence ; toutefois, je ne pouvais exclure que ce fût un agent de mon facétieux collègue, ou le mouchard d'un tiers parti. C'était donc un visage à conserver en tête. Quand mon contact fut sûr d'avoir bien ferré, il revint à notre conversation. Compte tenu de la légèreté avec laquelle il avait mené l'entretien, je pensais qu'il avait obtenu de moi ce qu'il voulait, et que nous n'avions plus qu'à conclure. En fait, il avait réservé le meilleur pour la fin, et ce qu'il avait à dire me fit dresser l'oreille, car je flairai soudain le loup au coin du bois.

Il commença par me féliciter pour le succès de mes deux contrats.

« Sans chariboter, vous avez fait un sacré suif ! Je vous tire mon taf, et je suis pas le seul. Le can a drôlement douillé : les coffiots de la soce sont gonflés par vos blindes. Les grands coesres reluisent, et ils veulent

283

que je vous le dise. Vous pouvez en installer : chapitre dévissage et grenouillage, vous êtes trapu !

— Ouais. J'ai pas mal carmé, quand même. »

Dagarella afficha une moue compatissante.

« Je lue ça, convint-il. Les gobis, ils vous ont filé une sacrée tisane. Et justement, les moites voulaient aussi qu'on en jabote.

— Qu'est-ce qu'ils y peuvent ? grognai-je. Ce qui est fait est fait. J'ai allongé le tir : je suis sapé à marquer mal, avec ma nouvelle gaufre.

— Ils y peuvent peut-être autant que le grand can. C'est bien lui qui a raqué pour vos chailles neuves, non ? Du jonc plein le babin : c'est ridère ! »

Le sous-entendu me refroidit de déplaisante manière. J'ignorais combien le Podestat avait sorti pour mon râtelier en or, mais les frais médicaux ajoutés au prix de la prothèse devaient représenter une sacrée somme. Et sur cette transaction-là, les Chuchoteurs n'avaient rien touché.

« Chouaga, le sacagne ! continuait Dagarella en désignant ma nouvelle dague. C'est un Acerini, hein ? Ça coûte lerche, ce genre de rallonge. Et je me suis laissé dire qu'elle était polie avec sa fraline ; dommage que vous l'ayez pas prise, je me serais bien rincé le calot. C'est pas tous les jours qu'on peut s'éclairer une flambe Fratello Acerini… »

Le malotru se payait carrément ma tête.

« Arrêtez de me jardiner, grondai-je, et déballez vos outils.

— Montez pas à l'échelle, répondit-il un peu trop doucement. Je suis pas là pour vous chanter ramona. Les grands coesres vous ont vraiment dans le saignant : si vous restez régulier, vous terminerez cagou. Seulement… Seulement, ils aiment voir la couleur de tout le velours que vous palpez. N'allez pas manger la grenouille. C'est pas une question de cressone : vous ramastiquez déjà une jolie galette. C'est juste une question de principes. Graillez pas au four et au moulin : ça évitera les impairs et la barabille. »

Après avoir délivré sa mise en garde, il reprit aussitôt un air dégagé, comme s'il était heureux d'en avoir fini. Il ouvrit les deux bras pour désigner l'achalandage coloré qui nous entourait.

« Ce que j'aime cet endroit ! s'écria-t-il. Ici, on sent vraiment battre le cœur de la ville ! Un vrai concentré de luxe, d'élégance, d'opulence ! »

À quelques pas, Aspasina Monatore applaudissait les pitreries improvisées par le maestro Pugapingi et par le gigantesque Ammirazio Tosatore. Dagarella rit au spectacle, non sans envoyer un clin d'œil à la frôleuse qu'il avait entreprise et qui flânait toujours non loin.

« Savez-vous pourquoi je vous ai donné rendez-vous ici ? me glissa enfin le maître assassin sans avoir l'air d'y toucher.

— J'ai pas trop envie de jouer aux devinettes… »

Il me montra les dents, l'air taquin, et poussa sa pointe :

« C'est pourtant limpide. Quand on passe chez le drapier, on pense toujours au couturier. »

Les jours suivants me trouvèrent d'humeur massacrante. Tout conspirait pour gâcher mon retour. La curiosité railleuse de la fille du Podestat, les précautions grotesques auxquelles j'étais réduit pour éviter Le Macromuopo dans les couloirs du palais, le bizarre impromptu avec Dulcino Strigila, la menace à peine voilée de Rosso Dagarella : voilà qui avait de quoi requinquer mon moral ! Pour couronner le tout, j'avais toujours la mâchoire en fusion, et j'enrageais de continuer à souffrir pour des dents éparpillées outremer. Je cuisais de colère rentrée, sans trouver un crétin sur lequel passer mes nerfs. Je ne quittais presque plus la salle d'armes, où je m'épuisais dans des assauts décevants, à la poursuite de ma condition perdue. Toutes ces contrariétés peuvent peut-être expliquer ce qui se passa au soir des funérailles de Regalio Cladestini. À l'évidence, j'étais de nouveau sous pression. Certes, rien de bien sérieux comparé à ce que j'avais déjà essuyé ; mais je n'avais jamais éprouvé cette amertume, l'impression d'être un perdant au milieu d'une cité portée par l'ivresse de la victoire. Ce fut peut-être la frustration qui me fit déraper. Toujours est-il que le jour où la République célébra en grande pompe l'inhumation de Regalio, de façon assez inattendue, j'atteignis mon point de rupture. Je fis une connerie. Et une gratinée, encore.

Je suis allergique aux enterrements. Ça peut sembler bizarre, compte tenu de mon fonds de commerce, mais c'est ainsi. J'ai mes raisons. Tuer et inhumer, c'est deux activités très différentes. Buter un quidam, pour un affranchi, c'est gratifiant. Ça demande un minimum de cœur au ventre, ça nécessite un vrai sens du contact, c'est un peu sale, c'est rapide, c'est payant : bref, c'est une réelle expérience humaine, directe et sans complications. Enterrer le même quidam, par contre, quelle corvée ! C'est codifié, grégaire, faux cul, interminable. Ça sublime toutes les vicissitudes du banquet de mariage, en noir et sans le pince-fesse. La douleur sincère de quelques naïfs copule d'obscène manière avec les larmes obligées du plus grand nombre.

Pour peu que le macchabée ait porté un nom et laissé du bien, les derniers adieux virent à la bouffonnerie grinçante. Au cours de la veillée, entre les sanglots tragiques et les embrassades mouillées, chacun spécule sur sa part de butin ; dans le défilé qui escorte la bière, au plus fort du piétinement des pleureuses, on s'écrase les orteils et on se lance des œillades ombrageuses pour des questions de préséance ; inévitablement, quand on en arrive aux rites, la prêtraille se fend d'homélies bien-pensantes et récupère le mort dans son argumentaire de vente. Mais le plus repoussant, c'est les nuées de charognards qui s'abattent sur la cérémonie. C'est une loi universelle : les armées charrient leurs bandes de traînards, les mariages engraissent leurs coteries de pique-assiettes et les enterrements appâtent la faune nécrophage. À part la famille plus ou moins éplorée, à part les amis réels ou supposés, à part les alliés et les opportunistes, bref, à part le personnel décent d'un cortège funèbre, un bel enterrement charme tout ce qu'une ville compte de corneilles déplumées, de calotins branlants, de bigotes empoussiérées. Il faut les voir, les veuves aux voiles mités, les duègnes flageolantes et les commères pleurnichardes, qui se pressent au spectacle, bien contentes qu'il soit gratis, et pas avares sur le couplet lacrymal. On se croirait un jour de braderie, avec toute la vieillerie sur le pavé, triomphante et cagneuse, gonflée d'orgueil parce qu'elle se sent investie du deuil communautaire. Rien de tel qu'un mort dans sa boîte pour ranimer des ovaires fripés.

On se rince l'œil avec une compassion féroce, on ne perd pas une miette de la douleur des proches, surtout quand il s'agit de celle de l'épouse trahie ou des enfants d'un lit douteux. Avec quelle avidité ce public aigri et incontinent épie les défaillances, guette les indices de discorde, flaire l'indifférence derrière les masques stoïques ! C'est quand même bien meilleur si on peut se scandaliser de l'immoralité des héritiers ! Quant au défunt, rassurez-vous, on n'oublie pas d'honorer sa mémoire. Après tout, on est d'abord venu pour lui : on ne va pas le louper. On le plaint, le pauvre homme ; avec force litotes et circonlocutions délicates, on colporte les plus sales rumeurs à propos de la maladie et de ses indignités, on répand les bruits les plus horribles sur le coupe-gorge et les blessures fatales. Avec des trémolos contenus, on rappelle l'âge du disparu, on échange des banalités affligées — il est mieux là où il est, ma bonne dame, et c'est toujours les meilleurs qui s'en vont les premiers. Mais dans le secret calcifié de l'âme, on savoure la joie mesquine de lui avoir survécu. Un de moins ; mais moi, j'y suis toujours !

Alors, franchement, la mort, c'est pas ce qui me dérange. Ça fait partie des règles du jeu. Le cadavre, dans ses quatre planches, il ne me fait ni chaud ni froid. Ce qui me dégoûte, c'est toute cette médiocrité qui le cerne, qui le suce et qui parade, inconsciente de sa transparence. Dans le fond, je veux bien admettre que la haine, l'apathie et la cupidité, avec un peu de recul, c'est divertissant ; c'est le voyeurisme bien intentionné qui me débecte. J'y discerne trop bien la secrète jouissance de se frotter à la souffrance d'autrui, sans les couilles pour la provoquer. C'est de la méchanceté impuissante. C'est petit et misérable. C'est ça, bien plus que la camarde, qui me rend cafardeux.

Tout ce laïus pour vous dire que ça ne me chantait pas du tout, d'afficher ma gueule révisée au premier rang de la fête à Regalio. Surtout que question décorum, j'étais plutôt gâté. Il ne s'agissait pas d'une cérémonie privée, ni même d'un tralala artistocratique : des funérailles nationales, rien de moins, s'il vous plaît ! Faute d'avoir pu s'asseoir sur le fauteuil sénatorial de son oncle, Regalio Cladestini avait hérité de son service funèbre. C'était toujours mieux que rien ; et puis il fallait bien rentabiliser la rançon et flatter la fibre républicaine. Salauds de Ressiniens ! Nous calciner un podestat, passait encore ; mais le balancer à la flotte et nous priver d'un grand moment de communion patriotique, ça, c'était vraiment ignoble ! Heureusement, la famille avait pu racheter les restes du neveu : on n'allait pas laisser passer une occase pareille. Même refroidi, coupé et recousu, Regalio continuait à servir la nation ! La grandeur incarnée, ces Cladestini ! Alors le mien, de grand homme, le Podestat Ducatore, m'avait encore fait la leçon la veille : pour rendre hommage à un tel sens du devoir, je pouvais bien remiser pendant quelques heures mes réticences de moraliste finassier.

D'ailleurs, pour être tout à fait honnête, ça valait le coup d'œil, ces funérailles. Toute la ville bruissait de tension, comme aux jours de grande fête, quand on prépare la procession du Bain de la Déesse ou les farandoles des Jeux floraux. Les demeures, les boutiques et les temples étaient pavoisés avec une ostentation somptueuse. Des tentures noires étaient suspendues aux fenêtres, aux encorbellements, aux balcons, habillaient de deuil l'enfilade capricieuse des rues. Les hôtels les plus riches étaient décorés d'immenses bannières de brocart violet, car à travers Regalio, c'était au podestat Cassio Cladestini que la patrie rendait hommage. La physionomie de la ville en était métamorphosée : Ciudalia, déjà si portée à l'arrogance, s'était muée en une immense chapelle funéraire, outrancière et baroque. La populace, d'ordinaire bigarrée et criarde, avait adopté des costumes sombres, qui juraient avec son naturel exubérant.

Les élites et le peuple ne seraient pas les seuls à s'incliner devant la dépouille. La guerre et les divinités avaient aussi été convoquées. Des troupes étaient entrées dans les murs. Hormis le détachement symbolique affecté à la garde du Palais curial, il est rare que les Phalanges soient admises dans la cité. Mais dès la fin de la nuit, dans la grisaille terne qui précède l'aube, la colline de Torrescella avait retenti du pas cadencé des enseignes, des cliquetis d'acier, des ordres brefs des officiers. La présence de l'armée jetait une crainte vague aux carrefours, insufflait une solennité martiale aux quartiers familiers, chargeait l'atmosphère d'un mirage brutal de grandeur. Le souffle religieux, quant à lui, était remonté de la mer. Quand la nuit finissante s'était parée de mauves, la baie s'était peuplée d'esquifs longs et sombres. Une flottille de barques noires s'était détachée de Dessiccada. Certaines, au rythme lent de leurs avirons, avaient gagné les quais : des silhouettes encapuchonnées, drapées dans des scapulaires aux motifs macabres, avaient débarqué pour remonter les ruelles en direction de la via Disprezzana ou de la piazza Smaradina. Toutefois, une petite escadre était demeurée stationnaire juste à l'entrée du port, paralysant le trafic, suspendant la respiration marine de la République. Au centre du dispositif mouillait une grande nef noire, couverte par une tente obscure, dont les rabats habillaient la coque et pendaient jusque dans l'écume. C'était le navire où Regalio quitterait ce rivage et ferait son dernier voyage, vers l'autre cité, la souterraine, la silencieuse, où il serait enfin délivré de la voracité des vivants.

Leonide Ducatore attendit presque la fin de la matinée pour sortir du palais et parader dans ce carnaval funèbre. Il avait patienté pendant que la suite qui devait l'accompagner se rassemblait. En tant que podestat en exercice, le protocole lui donnait droit à une escorte de phalangistes ; mais il avait décliné ce privilège. En ce jour, avait-il fait savoir, les honneurs militaires devaient être réservés à la dépouille de Regalio Cladestini et à l'ombre du podestat défunt. Le vainqueur du cap Scibylos s'effaçait devant les vaincus de Cyparissa. Politiquement, c'était habile : tant de modestie ne pouvait que séduire la plèbe et rassurer l'aristocratie, inquiète de voir le général victorieux désormais seul à la tête de l'État. Mais nous autres les porte-glaive et les hommes de main de son excellence, on ne goûtait guère l'initiative. « C'est dangereux, avait grogné Spada Matado. Je ne parle même pas des tentatives d'assassinat : la popularité peut être meurtrière. Nous ne sommes pas assez nombreux pour contenir un vrai mouvement de foule. » Bien que je fusse en froid avec Matado, j'étais assez d'accord avec son analyse. Mais le Podestat ne voulut pas nous entendre : il avait confiance dans son étoile, et il comptait sur la troupe aristocratique qui allait le flanquer pour le garantir contre les accidents.

C'était donc sa clientèle que Leonide Ducatore dut attendre ce matin-là. Je pus vérifier ce qu'il m'avait confié la nuit de mon retour : il suffisait de voir la concentration de patriciens et d'hommes d'influence qui convergeaient vers sa demeure pour mesurer le crédit que lui avait donné la victoire. Mon patron avait naturellement battu le rappel de sa clientèle directe : des ministériaux comme le clerc curial Coccio Blattari, des officiers comme le centenier Asso Spoliari, des obligés comme les armateurs Furca et Perducci. Mais la puissance de Leonide Ducatore se mesurait aux nombreux sénateurs et patrices qui se rangeaient publiquement à son côté. Bien sûr, les nobles souverainistes, l'élite de sa faction, étaient venus aux ordres : les sénateurs Cernicalo Actanza, Regento Balsamire, Orgullo Soberano, et les patrices Maggio Coronazione, Principio Sommo, sans oublier cette fripouille de Dilettino Schernittore, trop heureux de faire sa cour au père de Clarissima. Mais dans la suite du Podestat, on pouvait aussi compter nombre de ralliés, des aristocrates qui lâchaient leur parti pour épouser la cause Ducatore. C'était le cas de ténors ploutocrates tels Gateggia Monatore ou Dorato Punzone, et d'un meneur belliciste comme mon ange sauveur, le vice-amiral Sceleste Phaleri. Il va sans dire que chacun de ces hauts hommes se déplaçait accompagné de ses parents, de ses clients et de ses spadassins ; très vite, le palais fut comble, au point qu'on ne distinguait plus la foule qui se pressait dans la rue de celle qui s'entassait dans la cour intérieure et sur l'escalier d'honneur.

De fait, quand le Podestat parut enfin, après avoir reçu les aristocrates dans ses appartements privés, il fut salué par une vague d'acclamations qui partit de la cohue entrée au palais, puis fut reprise par la plèbe qui coagulait dans la rue. Serré de près par sa petite bande de sicaires, dont j'avais l'honneur d'être, mon patron salua du sommet de l'escalier d'honneur. En bon démagogue, le premier magistrat de la République s'était habillé d'un pourpoint de futaine sombre, très austère, à la boutonnière duquel il avait juste accroché un ruban violet. Au milieu des armures damasquinées et des épées orfévrées, des chapeaux aux plumets tarabiscotés, des cottes hardies chatoyantes de brocarts et des corsets noirs à crevés d'améthyste, sa simplicité le distinguait avec la force de l'évidence. L'effet était bien sûr calculé : non sans duplicité, il avait exigé que nous-mêmes, ses gardes du corps, nous endossions nos costumes les plus luxueux.

Pour se rendre du palais Ducatore au palais Cladestini, le trajet était assez court : quatre cents pas, tout au plus. Il fallait emprunter la via Cavallina, puis la via Comitina et obliquer dans la via Disprezzana, à la patte d'oie dominée par l'hôtel Mastiggia. Sortir du palais fut relativement compliqué : il fallut repousser les badauds, dans une rue à peine assez large pour contenir la seule escorte de mon patron. Toutefois, le grand nombre de patriciens rassemblés autour du premier magistrat de la République impressionnait le peuple, qui céda lentement le passage, non sans quelques empoignades. Au début, le Podestat sembla avoir eu raison : la noblesse qui l'entourait suffisait à le protéger. Mais je voyais bien que Spada Matado n'était pas tranquille, et je partageais son inquiétude. Nous étions trop serrés ; nous étions forcés de coudoyer les hommes de main des alliés de notre patron, des spadassins dont certains nous étaient mal connus ; en cas d'imprévu, nous manquions dramatiquement de champ et de visibilité pour réagir efficacement.

Les choses commencèrent à se gâter via Comitina. Certains aristocrates de l'entourage de mon patron, fidèles à leurs habitudes clientélistes, s'arrêtèrent pour échanger quelques mots avec des citoyens qu'ils reconnaissaient au milieu du chaland. Cela émietta le cortège, et rendit la foule plus audacieuse. Nulle mauvaise intention chez le peuple : on acclamait les vainqueurs du cap Scibylos, on désirait les approcher, s'exposer à leur charisme de grands massacreurs.

Même s'il ne l'afficha pas, je sentis que mon patron flottait un peu sur la conduite à tenir. Spontanément, il aurait salué les petites gens ; mais il mesurait combien le geste était inconvenant dans ces circonstances funèbres. Toutefois, à côté de lui, des aristocrates comme les sénateurs Actanza et Soberano ne se gênaient pas pour serrer des mains, donner des accolades, caresser la joue des enfants. Au plissement des paupières de son excellence Ducatore, je devinais que cela l'irritait au plus haut point, comme si on lui dérobait une gloire qui lui revenait de droit. Alors, comme nous arrivions au croisement de la via Comitina et de la via Disprezzana, il finit par imiter ses affidés, il se porta au-devant du peuple. Il n'avait pas mesuré le danger d'une telle action.

La flambée d'enthousiasme que suscita son geste entraîna un puissant mouvement de foule, qui faillit l'écraser, en même temps que montait sur le quartier une ovation hystérique. Matado poussa des jurons orduriers, et hurla pour que nous nous jetions à la rescousse du Podestat. Oricula et Lupo protégèrent Cesarino ; Matado, Sorezzini et moi, nous parvînmes à extraire Leonide Ducatore juste à temps, alors qu'il était déséquilibré, sur le point d'être renversé par la ferveur populaire, tandis que la cohue provoquait les premiers malaises et que quelques imbéciles pris dans la bousculade se faisaient piétiner. Nous fîmes rempart de nos corps, en nous crochant les coudes, à moitié portés par la vie brutale qui soulevait la foule. La remontée de la via Disprezzana se transforma en cauchemar assourdissant et compressif, où l'adulation soulevait l'émeute. Piquante expérience, de se retrouver à moitié étouffé par une plèbe en grand deuil qui hurle d'enthousiasme... En moins d'une minute, je n'avais plus un poil de sec. Des coudes aigus nous enfonçaient les côtes, des coups d'épaules nous vidaient les poumons, des béquilles nous fauchaient à moitié. Affolés de patriotisme, bourgeois et artisans nous gueulaient en plein nez leur admiration pour le Podestat et leur haleine déjà chargée de vinasse. Des dizaines de mains se tendaient avec une frénésie désespérée à travers notre cordon malmené, rataient parfois leur coup et nous allongeaient de cuisantes griffures dans les narines ou dans les yeux. Je faillis perdre un soulier dans ce bordel ; j'entendis les rubans qui laçaient ma manche droite se déchirer et plusieurs boutons de mon pourpoint furent arrachés. À peine moins rudoyé que nous, mais souriant, le Podestat avait les paumes luisantes de serrer toutes ces pognes éperdues, et lançait des remerciements, des apostrophes, des plaisanteries. De temps en temps, il sifflait entre ses dents, juste à notre intention : « Pas de brutalités ! Surtout pas de brutalités ! » Il en avait de bonnes, le grand homme !

Accompagnés par une houle lente de vivats et de clameurs, nous avons pourtant fini par arriver au palais Cladestini. Difficile d'être annoncés moins discrètement : la populace braillait de liesse jusque devant la façade de la demeure endeuillée. Dònna Vediva Cladestini eut le bon sens de renforcer notre troupe avec ses gens, et nous pûmes enfin nous extraire de la plèbe pour franchir le seuil sévère du palais. À peine le temps de s'éponger et de se rajuster que, déjà, une nouvelle épreuve nous attendait.

Comme dans un conte, nous fûmes accueillis par trois veuves, en grande toilette funèbre. Deux d'entre elles étaient des femmes vieillissantes, que je reconnus facilement : celle qui avait la figure rougie de larmes était Equanima Cladestini, la mère de Regalio ; celle qui avait le visage sec et hautain était Vediva Cladestini, l'épouse du podestat défunt. Mais la troisième était une donzelle empruntée, encore fraîche quoique sans charme, que je ne parvenais pas à remettre ; peut-être dònna Auraria, la sœur de Regalio. Elles vinrent au-devant du Podestat dans la porterie de l'hôtel Cladestini. Le tableau qu'elles offraient était impressionnant, car derrière elles, dans la cour du palais, une enseigne du régiment Cazahorca attendait en rangs, l'arme au pied, pour fournir l'escorte militaire du défunt.

Je ne prêtai guère attention au bref entretien de mon patron avec dònna Vediva. J'étais encore étourdi par la mêlée, et je tentais de remettre de l'ordre dans mon costume. Je craignais un peu que le Podestat, avec son penchant pour la facétie, ne me produise devant les parentes de Regalio ; mais la farce avec le sénateur Mastiggia lui avait manifestement suffi, et à mon grand soulagement, il se contenta de ma présence muette au sein de sa suite.

Les veuves nous menèrent vers le corps principal du palais, et nous introduisirent dans une galerie aux belles proportions. C'était une salle de bal, reconvertie pour l'occasion en chapelle funéraire. Il y avait déjà du monde qui se pressait dans les lieux ; mais il régnait sur l'assemblée une atmosphère pesante, saturée de fumigations, qui figeait les attitudes et feutrait les murmures. Ce qui attirait immédiatement l'attention, c'était le lit de parade dressé sur une estrade, gardé par six double-soldes des Phalanges. Un baldaquin aux drapés ténébreux se haussait presque jusqu'aux plafonds peints ; dans les brocarts noirs du ciel de lit tranchait un écusson orné de deux murènes affrontées, les armoiries Cladestini. Chétif et pâle, presque égaré au milieu de la couche monumentale, sommeillait Regalio.

Je ravalai le juron qui m'était monté aux lèvres. Ces charognards avaient tiré le mort de son cercueil. Les embaumeurs du culte du Desséché avaient toutefois fait un beau travail : même en fixant la dépouille avec une fascination macabre, ce que nous étions une belle tripotée de voyeurs à faire, il était difficile de repérer les stigmates de la décomposition. Le défunt portait un costume princier, chatoyant de broderies et de passementerie, qui effaçait les arêtes un peu vives de sa silhouette amaigrie. Il avait les deux mains croisées sur la poignée d'une épée de cérémonie ; on lui avait enfilé des gants, pour masquer la corruption qui lui avait pourri le bras gauche. Deux pièces d'argent étaient posées sur ses yeux, sans doute pour dissimuler des orbites un peu trop caves ; pour le reste, son visage paraissait indemne, même s'il était livide et très émacié. Il reposait avec l'immobilité fragile d'un mannequin de cire. Je respirais à petits coups, craignant malgré moi de sentir un miasme gangreneux ; mais la salle était remplie de brûloirs qui délivraient d'épais parfums, et au bout de quelque temps, les fragrances de la myrrhe et de l'encens me collèrent un début de migraine.

Leonide Ducatore se détacha de la foule et se recueillit un moment devant la dépouille. Cesarino lui succéda. Le neveu du Podestat avait perdu ses couleurs, et il paraissait profondément ému. Dans le chagrin qu'il semblait contenir avec peine, je me demandais plus que jamais ce qui était sincère et ce qui était calculé. De son ami Regalio, il avait conservé le souvenir du jeune homme plein de vie qui avait embarqué dans la flotte de la République : le pantin rafistolé et costumé qu'on exposait n'avait rien à voir avec le compagnon racé qu'il avait fréquenté. Pour quelqu'un de son âge, ça représentait un sacré choc à encaisser, et il était probable que son émotion était réelle. Je ne pouvais cependant m'empêcher de m'interroger : était-il capable, en conscience, d'instrumentaliser sa propre peine ? S'il avait déjà acquis une rouerie aussi profonde, il pouvait sans rougir se poser comme le disciple de son oncle. Or si Sassanos parvenait à ramener Belisario Ducatore, comment le Podestat allait-il gérer la situation entre ses successeurs ? Que se passerait-il entre les deux cousins ?

Sceleste Phaleri prit la suite de Cesarino devant le lit de parade. Le vice-amiral arborait la moue contrariée qu'il avait eue quand Regalio avait claqué sous son nez.

Il se tenait guindé et sombre en contemplant le mort ; mais il était difficile de démêler si c'était la fin absurde du jeune Cladestini qui l'affectait, ou le caractère personnel de cet échec. Quand les autres patriciens de l'escorte du Podestat se succédèrent devant le défunt, je me désintéressai d'eux, et je commençai à inspecter les convives qui nous avaient précédés dans cette sauterie.

À part moi, d'autres compagnons de captivité de Regalio faisaient acte de présence : Lucinello Mascatti s'ennuyait ferme, et laissa son regard glisser sur moi comme sur un meuble, estimant superflu de s'abaisser à me saluer ; le gonfalonier Velado Fruga occupait aussi le premier rang de l'assemblée, et il était difficile de le louper. Cuirassé dans une armure noire où saignaient des ornementations cinabre, il haussait sa stature puissante et sa gueule ravagée une bonne tête au-dessus de la compagnie. Pour remédier aux désordres capillaires provoqués par ses brûlures, il s'était rasé le chef : ce crâne chauve, affreusement marqué par les tissus roses des cicatrices, jurait crûment avec les coupes recherchées des autres gentilshommes. Son mufle défiguré rayonnait de rage rentrée, comme si le faste avec lequel on célébrait les funérailles de l'homme qu'il avait cherché à sauver relevait de l'obscénité. Il m'adressa un signe de tête assez cavalier ; mais dans la mesure où il ignora le Podestat comme Sceleste Phaleri, c'était une démonstration d'estime remarquable. Le clan Mastiggia avait aussi été invité ; une délicate attention de dònna Vediva Cladestini, qui offrait à ses voisins les reliefs d'une fête dont leur propre famille avait été frustrée. Le sénateur Tremorio Mastiggia dévorait des yeux le corps de Regalio, avec une avidité d'affamé. Ses fils légitimes semblaient mal à l'aise ; j'eus l'impression bizarre que le cadet, Stalto, était même effrayé. Concentrés sur la dépouille, ils ne me virent pas ; mais Dulcino Strigila, qui les accompagnait, parcourait lentement la salle du regard et m'aperçut. Il m'honora d'un léger salut, avec une expression indéchiffrable.

Toutefois, deux autres personnes attirèrent mon attention dans la suite Mastiggia. Le grand Luca Tradittore était de la partie, avec ses fanfreluches de godelureau, son œil mouillé et son affectation de prince des poètes. Un peu en retrait du sénateur Mastiggia, il prenait des airs de faux modeste en essayant de rentrer son ventre de petit bourgeois. Le phénix des lettres ciudaliennes se savait le point de mire de tout ce que l'assemblée aristocratique comportait d'esthètes et de précieuses : la rumeur avait couru qu'il avait composé des œuvres inédites en l'honneur de Regalio, et si l'on se bousculait aux funérailles du jeune Cladestini, c'était aussi pour le volet littéraire du spectacle. Avec les fils du sénateur, il y avait également une femme. Il était difficile de l'identifier : non seulement elle était serrée dans une robe de deuil, mais elle portait un voile sombre et des gants de soie noire, qui dérobaient toute sa personne aux curieux dans mon genre. Elle avait un port gracieux, une silhouette très fine ; sans être galbée d'appétissante manière, elle vous aimantait le regard, de façon d'autant plus agaçante qu'on ne pouvait percer le mystère de cette élégante toilette. Ce qui m'étonnait, c'est que je savais que ni Bucefale, ni ses frères n'étaient mariés, et qu'ils n'avaient pas de sœur. Qui était donc cette inconnue ? Strigila était proche d'elle, et il me sembla qu'il avait à son égard une attitude un peu protectrice. J'imaginais bien qu'un type comme lui devait être un sacré coureur ; mais je doutais que le bâtard ait pu afficher ainsi, en société, une de ses maîtresses. Et puis cette dònna avait une telle classe qu'elle devait appartenir à la noblesse. Comme ce petit mystère me divertissait agréablement de la morosité ambiante, je gardai un œil sur le clan Mastiggia, essayant vainement de distinguer sous la gaze le visage de la charmeuse voilée.

La première cérémonie fut longue et étrange. C'était un banquet funèbre ; mais un banquet funèbre où tout le monde fit ceinture. Il s'agissait du repas du mort, dont nous étions juste les témoins. On dressa une table devant le lit du défunt, et les domestiques du palais Cladestini, en grande livrée, firent défiler devant Regalio les douze services d'un festin splendide, avec un cérémonial quasiment chorégraphié. Veloutés, potages et rôts fumants, gélinottes en sauce, aigrettes farcies et perdreaux au vinaigre, confitures de rose, darioles et feuilletages furent déployés devant une assistance qui, malgré le cadavre et la gravité du deuil, commença audiblement à souffrir du jeûne. Un écuyer tranchant présentait à Regalio une part de chaque mets, un échanson lui soumettait un hanap de chaque vin ; les deux larbins les apportaient au mort en se livrant à de savantes révérences, puis, après avoir attendu un moment, se fendaient d'une autre courbette et rembarquaient la pitance. Chaque plat était ponctué par un accompagnement musical : un orchestre avait pris place dans la galerie de la salle de bal, et jouait des airs doucement mélancoliques.

Un frémissement parcourut l'assemblée au moment de l'entremets : traditionnellement, au cours des banquets, c'est le moment où ont lieu les divertissements. C'était donc, selon toute logique, l'instant où Luca Tradittore allait publier l'élégie composée en l'honneur de Regalio. Le vieux parasite était effectivement ému, davantage par le trac que par le chagrin, mais il ne bougea pas. Ce fut la mystérieuse femme voilée qui s'avança devant l'assemblée. Sa démarche était d'une grâce absolue, la perfection faite mouvement, à tel point que je crus un moment qu'il s'agissait d'Aspasina Monatore. Elle nous fit face, en se tenant très droite, presque hiératique, avec cette concentration rayonnante que cultivent les grands artistes. Elle adressa une légère inclination de tête vers Luca Tradittore, qui se pâmait visiblement d'aise et d'angoisse, et une mélodie poignante s'éleva de la galerie aux musiciens.

La voix de la chanteuse emplit l'espace d'un seul coup, sans effort, comme un sortilège de beauté. C'était un timbre grave, un peu voilé, sans âge, d'une pureté qui parvint à nouer les tripes de types comme moi ou Matado, et qui suffoqua de ravissement des auditeurs raffinés comme Cesarino ou Sceleste Phaleri. Bien sûr, c'étaient les vers du grand Tradittore qu'elle chantait : mais aurait-elle entonné une chanson à boire ou un couplet de corps de garde, elle aurait obtenu sans peine un recueillement comparable.

> *À jamais loin des soirs d'été,*
> *À jamais loin des rues joyeuses,*
> *À jamais loin des murs dorés,*
> *À jamais loin des cours ombreuses,*
> *Il court les abîmes marins*
> *Sans plus de terme à son errance.*
> *Comment touchera-t-il demain*
> *Aux matins ivres de silence ?*
>
> *À jamais loin des amitiés,*
> *À jamais loin des nuits heureuses,*
> *À jamais loin des apartés,*
> *À jamais loin des insoucieuses,*
> *Il foule des sols incertains*
> *Sans plus se targuer d'élégance.*
> *Comment paraîtra-t-il demain*
> *Aux matins ivres de silence ?*
>
> *À jamais loin des corps lacés,*
> *À jamais loin des enjôleuses,*
> *À jamais loin des cœurs grisés,*
> *À jamais loin des langoureuses,*
> *Il vogue sous des cieux éteints*
> *Sans plus chercher de délivrance.*
> *Comment rêvera-t-il demain*
> *Aux matins ivres de silence ?*

*L'âme encalminée de chagrin,*
*Nous voici assourdis d'absence :*
*Comment survivrons-nous demain*
*Aux matins ivres de silence ?*

Les derniers accords abandonnèrent le public dans un état de suspension, vacillant au bord d'un abîme solaire. C'était plus qu'un charme : deux cents personnes stupéfiées, dans un état de choc délicieux. J'essuyai en vitesse le coin de mon œil ; cette divine salope m'avait tiré une larme, et ça la foutait très mal pour un ruffian dans mon style. Heureusement, tout le monde était encore dans un état second, et ma sensiblerie incongrue était passée complètement inaperçue. J'inspirai un bon coup ; et ça me fit un bien immense, parce que cette voix lumineuse avait agi sur ma carcasse déglinguée comme un baume, et je réalisai que c'était la première fois depuis mon retour de Ressine que je respirais vraiment. Je serais resté dans cet état fragile, bizarrement convalescent, je n'aurais probablement pas dérapé quelques heures plus tard. Malheureusement, ça ne dura pas. La chanteuse regagna sa place au sein du clan Mastiggia, l'envoûtement se dissipa : on entendit reprendre les sanglots de la mère de Regalio, l'annonce des plats, le grondement étouffé de la foule hors les murs, et la pesanteur macabre nous rattrapa tous.

Quand le banquet du mort prit fin, dònna Vediva Cladestini invita ses hôtes à gagner les appartements du palais, pour prendre une brève collation avant la suite des cérémonies. Il s'agissait surtout de nous épargner la mise en bière et le coït brutal des clous enfoncés dans le couvercle du cercueil. Pendant que nous circulions dans les galeries, je ne quittai pas des yeux la silhouette sombre de la chanteuse. Pour le coup, je n'aurais pas été mécontent que mon patron aille tailler une bavette hypocrite avec le sénateur

Mastiggia, histoire d'approcher l'inconnue ; mais le Podestat était trop occupé avec dònna Vediva et les nombreux arrivistes qui profitaient de l'occasion pour faire leur cour. Alors que des serviteurs circulaient avec des plateaux chargés de petits pâtés, d'amuse-gueules et d'oublies, je parvins à échanger quelques mots avec Oricula. Clarissima aimait l'agacer, mais contrairement à moi, il savait conserver avec elle un ton badin ; du coup, par la fille de notre patron, il en apprenait beaucoup sur les potins de l'aristocratie, et il avait l'érudition d'un vrai bottin mondain.

« Tu sais qui c'est, la diva ? lui demandai-je à mi-voix en montrant la femme voilée à l'autre bout de la salle de réception.

— À peine rentré et déjà en train de courir les jupons, me railla-t-il en réponse, tout en conservant son air endeuillé, très pince sans rire.

— Je me passerai des commentaires. Je veux juste l'info.

— Je dois admettre qu'elle a une sacrée classe, reprit-il, et une voix superbe. Mais la belle est sur le retour ; on lui prête la cinquantaine. Ce n'est pas un peu vieux pour toi, Benvenuto ?

— Ça me dit pas qui elle est.

— Dònna Lusinga, la maîtresse du sénateur Mastiggia. Pas seulement de la classe : du tempérament. Les mauvaises langues, dont j'exclus bien sûr notre très chère damigella Ducatore, racontent qu'elle a aussi baisé avec Bucefale et Strigila… »

Je le regardai un moment, interloqué.

« Lusinga ? Tu as bien dit Lusinga ? C'est quoi, cette embrouille ? Il y a quelques jours, Strigila m'a présenté un don Lusinga !

— Ah, oui ! Le secrétaire.

— Exactement.

— C'est son frère, le frère de la diva. Il travaille aussi pour le sénateur Mastiggia.

— Son frère ? Tu me dirais le mari, ça serait

cohérent... Mais le frère ! Ce type est si plat qu'il pourrait servir de paillasson !

— Non seulement c'est son frère, mais on raconte même que c'est son jumeau. Fascinant, non ? Comme si la sœur avait confisqué tout le feu du duo. Ceci dit, pour un homme, ça doit être dur de devoir sa position aux coucheries de la famille proche... »

Je repensai au splendide lévrier qui accompagnait le gratte-papier. Un vrai cadeau princier ; un présent de la femme dont la voix venait de retourner deux cents personnes ? Oricula, le sourire en coin, était en train de se pencher à mon oreille.

« Les mauvaises langues dont je parlais tantôt font courir d'autres bruits sur le frère et la sœur, chuchota-t-il avec la gourmandise qui relève un ragot bien frelaté. Les Lusinga sont discrets, mais le secrétaire comme la putain sont relativement connus. Toutefois, il semble que nul ne se souvienne d'avoir aperçu les jumeaux ensemble. Alors, certains esprits très mal tournés ont conçu le soupçon que don Lusinga et dònna Lusinga pourraient être une seule et même personne... Tu imagines ce que ça pourrait signifier ? Le sénateur Mastiggia et ses fils aînés en train de s'envoyer à tour de rôle un inverti ! »

Nous n'eûmes pas le temps de poursuivre cette plaisante conversation. Regalio Cladestini avait été scellé dans son cercueil, et il fallait organiser le cortège qui le suivrait jusqu'à la piazza Palatina. On dut se mettre en ordre dans la cour de l'hôtel, bien trop étroite pour accueillir les deux cents hôtes et les quatre-vingts phalangistes détachés du régiment Cazahorca. Cela s'opéra dans un certain désordre, les porteurs de la bière se trouvant parfois bousculés, ce qui fit tanguer le cercueil comme une barque sur une forte houle. Velado Fruga hurla sur ses soldats pour protéger le corps ; le gaillard n'avait pas perdu sa voix, et son coup de gueule refroidit même les aristocrates à qui il ne s'adressait pas.

Finalement, il fut décidé de sortir en laissant la compagnie s'organiser au petit bonheur dans la rue.

Dans la rue, justement, le peuple attendait maintenant depuis des heures. En tant que chef de l'escorte militaire du défunt, le gonfalonier Fruga ouvrait la marche. Il était le seul à monter à cheval, un destrier caparaçonné de bardes noires et rouges ; sa tronche brûlée, sa stature cuirassée et sa monture de bataille lui permettaient de fendre la foule. Ensuite s'avançait la bière, portée par six libitinaires noyés dans les robes noires du culte du Desséché. Les badauds cherchaient à percer les ombres de leurs capuchons avec un mélange de curiosité et d'effroi : ceux qui avaient une bonne vue n'y découvraient pas des figures anonymes, mais la face exsangue de Regalio, reproduite en six exemplaires. Les prêtres du Desséché avaient procédé au moulage du visage du mort, et en avaient tiré les masques funéraires qu'arboraient les porteurs du cercueil. Ainsi, selon les préceptes du Culte, c'était le défunt seul qui s'avançait vers son Dieu.

Dans le sillage du cercueil marchait un page en livrée noire, qui menait par la bride un palefroi magnifique, la crinière tressée de rubans violets et harnaché avec un luxe tapageur. C'était le cheval préféré de Regalio ; aux premiers temps du cyclothéisme, il aurait été sacrifié pour accompagner son maître. Mais le rite avait été adouci depuis plusieurs siècles : l'animal suivrait son cavalier jusqu'à la nef noire, et serait remis en offrande aux prêtres du Desséché. Ceux-ci le revendraient pour financer leurs œuvres. Souvent, quand la famille souhaitait garder la monture du disparu, elle la rachetait avant même la célébration des obsèques ; il était plus que probable que dònna Vediva avait passé un accord de ce type avec le Nécrophore Scharipha.

Une dizaine de pas derrière le cheval venaient le Podestat et les veuves. Nous autres, les hommes de main, nous marchions sur les côtés. Sur nos talons piétinait tout le reste du cortège. Fort heureusement, deux cordons de phalangistes nous séparaient maintenant de la foule. En signe de deuil, les soldats portaient la pique en bas et avaient noué des brassards violets. Ils n'en restaient pas moins des fantassins lourds aux trognes marquées, qui jetaient un froid suffisant dans la plèbe pour nous garantir une sécurité relative. Parmi la soldatesque, quatre tambours jouaient un rythme lent, qui donnait le tempo de la déambulation funèbre et rebondissait le long des façades comme une rumeur de guerre. La cohue gémissante des pleureuses fermait le ban, et mêlait ses hululements aigus aux roulements de caisse.

À la différence de Bucefale Mastiggia ou de son oncle le podestat Cladestini, Regalio n'était guère connu avant la guerre. Il était trop jeune, et à ce que j'avais pu voir de lui, trop patricien pour avoir acquis de la popularité de son vivant. Cependant, la pompe magnifiant ses funérailles et les contes mensongers diffusés à propos de son trépas avaient touché le sentimentalisme du peuple. Une fois crevé et travesti en symbole patriotique, Regalio avait fini par être aimé. Depuis les étages, les spectateurs agglutinés aux fenêtres jetaient des bouquets de fleurs au passage du cercueil ; de la foule tassée sur les côtés montaient des cris, des lamentations, et une forêt de mains levées, paumes ouvertes, en signe de prière et d'adieu.

Le cortège funèbre finit par arriver piazza Palatina, où devait avoir lieu l'hommage public rendu à Regalio. Il s'agit d'une place pentue, qui affecte la forme approximative d'un amphithéâtre. Elle est dominée par le fronton massif du Palais curial, ainsi que par les façades et les tours plus ornées des palais Rapazzoni, Prevaricacce, Morigini et Sanguinella. Au sommet de l'esplanade avait été édifié un catafalque somptueux, orné des couleurs de la République et de la famille Cladestini, où l'on vint déposer le cercueil. De part et d'autre avaient été dressées à la hâte des tribunes pour les gens de qualité ; compte tenu de l'espace réduit, il s'agissait de gradins plutôt raides, où un certain nombre de dames et de vieillards souffraient manifestement du vertige. Le côté improvisé et branlant de ces échafaudages était toutefois masqué par la magnificence du décorum : les tribunes étaient pavoisées de noir et de violet, et le luxe des toilettes hissées sur ces degrés obliques suait l'arrogance et l'argent. Seul le bas de la place était ouvert à la plèbe, et le populaire s'y entassait dans un calme relatif et grondeur.

À la suite du Podestat, nous avons d'abord gagné la tribune d'honneur. Les autres membres de la famille Ducatore nous y attendaient déjà, sous la protection de Ferlino et de Coneoti. Mucio était anormalement tranquille, presque somnolent : sur ordre de son père, on l'avait drogué pour éviter tout scandale. Chaperonnées par leur duègne Lycania, qui avait la lèvre tremblante, Scurrilia Rasicari et Clarissima Ducatore faisaient des mines de saintes-nitouches. Dans leurs toilettes de deuil, les deux péronnelles avaient l'air parées pour un bal costumé. Quand nous les rejoignîmes, dònna Clarissima me fit un signe du bout des doigts, et murmura quelque chose comme : « Salut, l'homme au sourire d'or. » Sous la voilette sombre, on voyait surtout la blancheur de ses dents, mais il restait difficile pour moi de trancher entre cruauté et agacerie mutine.

La première partie de la cérémonie publique était un hommage militaire à la dépouille de Regalio. La revue d'armes, puis la raideur orgueilleuse avec laquelle les flammes et les drapeaux ennemis pris au cap Scibylos furent jetés au pied du cercueil intéressèrent un moment les deux donzelles ; mais c'étaient davantage l'identité des officiers, la cambrure des corselets et l'attitude crâne des hérauts qui retenaient l'attention des deux cousines. On sentait qu'elles se retenaient de pouffer, d'applaudir ou d'émettre des commentaires moqueurs. Toutefois, Clarissima se lassa assez vite du spectacle, et, incapable de tenir en place, elle se mit à chuchoter avec Cesarino.

« Alors c'est vrai ? demandait-elle. La Lusinga a chanté ?

— Comment peux-tu déjà le savoir ?

— On ne parle que de ça ! Alors ? Elle n'a pas trop mal vieilli ?

— Sa voix est toujours un enchantement, en tout cas. »

Sous le voile, je vis refleurir un sourire de jubilation méchante.

« Tu vois la Monatore, sur la tribune d'en face ? reprit la fille du Podestat.

— On pourrait difficilement passer à côté de dònna Aspasina, répondit Cesarino avec une nuance de contrariété.

— Il paraît qu'elle est verte de jalousie. Elle pensait que ces obsèques seraient pour elle une nouvelle occasion de plastronner. Mais la Lusinga l'a complètement éclipsée. Ça doit te faire plaisir, non ? »

La petite peste faisait doublement mouche. Elle savourait l'humiliation d'une rivale dont elle enviait la beauté, et elle jouait avec les nerfs de son cousin, qui avait éprouvé pour la Monatore une passion violente et mal éteinte. Cesarino se renfrogna. Leonide Ducatore se retourna légèrement vers sa fille, en esquissant un froncement de sourcils. Clarissima reprit une attitude docile et innocente.

Après l'hommage de l'armée, le Podestat devait faire l'éloge funèbre du défunt. Pour assurer sa sécurité, il avait été convenu que seuls deux hommes l'accompagneraient quand il prendrait la parole devant le peuple. Spada Matado avait été naturellement désigné ; j'étais le second, en tant que compagnon de captivité de Regalio. Nous avons donc emboîté le pas de notre patron quand il est monté sur l'avant-scène du catafalque. Du haut de cette estrade, on dominait la foule comme sur un balcon : bien au-delà de la piazza Palatina, on voyait les rues de Torrescella engorgées de monde, et les toits de tuiles qui dévalaient la colline vers les bas quartiers et la rade. On se sentait exposés comme sur l'étrave d'un navire, étrangement suspendue sur un océan populeux et urbain. Toutefois, la proximité immobile du cercueil dans notre dos nous givrait les reins de façon insidieuse.

Le Podestat ouvrit les bras vers la foule, vers le panorama ensoleillé de la cité et de la mer.

« Citoyens, proclama-t-il, ce jour est un jour de peine. »

Sa longue expérience politique et militaire faisait de Leonide Ducatore un bon orateur. Face à la plèbe ou à l'armée, il abandonnait les niveaux de langue châtiés, les figures complexes, les circonlocutions nuancées. Il pratiquait l'élocution simple : des phrases courtes, un vocabulaire courant. Il ne s'interdisait pas les ornements, mais il n'employait que des ficelles bien basiques : répétitions, oppositions, et clichés suffisamment usés pour être consensuels. Je l'avais entendu un jour prodiguer à son neveu ce conseil plein de cynisme : « Pour être peuple, ton discours doit cultiver la pauvreté. » Malgré son physique ordinaire, Leonide Ducatore pouvait aussi employer une voix de tribun : puissante sans être criarde, modulée de variations et de cadences, suffisamment posée pour conférer de la majesté aux termes les plus ordinaires. Toutefois, même cet organe travaillé ne pouvait être audible par les milliers de personnes qui débordaient jusque dans les rues voisines. Afin de pallier le problème, on avait eu recours à un vieil usage militaire : six hérauts d'armes avaient été répartis aux limites de la place, et reprenaient mot pour mot le discours du premier magistrat. Cela donnait au propos un débit syncopé, créait un écho multiple et intimidant, une harmonie martiale, proche du chant canon.

De façon très convenue, le Podestat commença par faire le panégyrique de Regalio Cladestini. Étoile montante de la classe patricienne, jeunesse déjà éclairée de sagesse, courage lucide face à l'ennemi, toute une brochette de poncifs attendus. Mon patron enchaîna sur les disparus, le podestat Cladestini et Bucefale Mastiggia, et se fendit d'une déploration touchante par sa sobriété, pour ficeler un joli paquet élégiaque à son public. Je ne prêtai qu'une oreille distraite à l'exercice de style : je consacrai toute mon attention à parcourir du regard la foule, les tribunes, les fenêtres et les toits. Le Podestat était dangereusement exposé, et j'étais bien placé pour savoir les cartons meurtriers qu'un tireur entraîné était susceptible de faire avec une arbalète à cric. Je gardais aussi un œil sur le périmètre de phalangistes qui entourait le catafalque : mon patron avait envisagé la possibilité d'un attentat ourdi par des soldats fidèles à Bucefale, et j'étais attentif à tout mouvement non réglementaire au sein de la troupe.

Ce fut en inspectant cet espace considérable et cette foule impressionnante que je finis par le repérer. Il était assez loin, au bas de la place, au premier rang de la plèbe, juste derrière un cordon de gardes. Ce qui m'attira l'œil, c'était son costume : un habit un peu froissé, mais plus riche que les hardes de ses voisins. Et puis cette carrure trapue, ce visage lourd, cette couronne hirsute de cheveux gris s'imposèrent à moi avec une évidence brutale : Le Macromuopo était venu assister aux obsèques de Regalio. Le Macromuopo écoutait le discours du Podestat ; et comme j'étais juste à côté de mon patron, Le Macromuopo m'avait reconnu. Le Macromuopo me dévisageait, avec une raideur impassible.

Je me sentis épinglé par ce regard. J'eus le plus grand mal à réfréner une bordée de jurons. Trente toises au moins nous séparaient, mais c'était comme si la distance était abolie. Je me sentis démasqué, vulnérable, bêtement réduit à l'impuissance par le protocole qui me clouait ainsi, juché sur cet échafaud cérémoniel. Malgré quinze années, malgré ma carcasse asséchée par le métier des armes et ma captivité récente, malgré mon visage démoli, malgré le pourpoint coquet que j'arborais, le vieux maestro m'avait remis. Le vieux maestro me fixait.

Je fis mine de ne pas l'avoir vu. Je ne devais pas me laisser distraire ; si un coup tordu avait été monté contre le Podestat, il ne viendrait pas du peintre. Je repris ma surveillance méthodique, mais j'étais plus troublé que je ne voulais me l'avouer, je me sentais déconcentré ; malgré moi, j'avais l'attention tirée vers cette silhouette familière et redoutée, qui parasitait ma vision périphérique. Je finis par le regarder à nouveau, furtivement. Il ne m'avait pas quitté des yeux.

« Ces hommes n'étaient pas grands par leur naissance, par leur fortune, par leur pouvoir, poursuivait Leonide Ducatore. Ces hommes sont grands parce qu'ils ont sacrifié tout cela avec leur vie. Ces hommes sont grands parce qu'ils possédaient beaucoup, et qu'ils ont tout donné pour la République ! »

L'acclamation monta de la foule alors que les hérauts n'avaient pas fini de reprendre les derniers mots du Podestat. Celui-ci attendit, avec un stoïcisme apprêté, que la clameur retombe. Je profitai du flottement pour respirer profondément, pour essayer de chasser le malaise qui s'emparait de moi.

« Aujourd'hui, reprit mon patron, nous rendons les honneurs à son excellence Cassio Cladestini, à leurs seigneuries Regalio Cladestini et Bucefale Mastiggia, et à travers eux, à tous les Ciudaliens tombés en mer. Puisse cet hommage leur donner la paix. Mais sans la victoire, cet hommage aurait été privé de sens. Mais sans la sauvegarde de la République, cet hommage aurait été une imposture ! »

La plèbe brailla à nouveau son approbation, tandis que les tribunes aristocratiques étaient parcourues par une onde de perplexité. Le discours du Podestat prenait un virage inattendu, chargé d'une dimension politique qui éveillait l'intérêt des patriciens.

« Parce que j'ai redressé le cours de la guerre, parce

que j'ai mené la flotte à la victoire, des bruits ont couru sur mon compte. On m'a prêté l'intention de confisquer ce triomphe. On m'a prêté l'intention de profiter de la concentration des pouvoirs à laquelle la mort de mon collègue nous a réduits. On m'a prêté le projet de me proclamer prince. »

Et ignorant quelques voix enthousiastes qui beuglaient leur accord, il enchaîna :

« Si j'avais nourri un tel dessein, j'aurais trahi ma parole et ma patrie. J'aurais tué une deuxième fois l'homme qui repose ici, et que nous pleurons tous. J'aurais détruit la République. Or je veux vous le dire en face : Cassio Cladestini, Regalio Cladestini, Bucefale Mastiggia ne sont pas morts pour rien. Le pouvoir exceptionnel qui m'est échu par les hasards de la guerre, je n'en abuserai pas. Dans trois mois, les élections pour la magistrature suprême auront lieu normalement. Dans le respect de nos institutions, elles désigneront deux podestats. C'est là l'hommage politique que je rends à tous ceux qui ont donné leur vie pour la République. »

Une ovation puissante monta de la foule ; pas seulement de la populace, mais aussi des rangs patriciens. Sur les gradins, on applaudissait le Podestat, y compris et surtout chez les nobles des factions adverses, bellicistes et ploutocrates. Dans d'autres circonstances, j'aurais savouré la duplicité de mon patron, qui avait su détourner l'éloge funèbre pour en faire une tribune démagogique. Mais la présence du Macromuopo me gâchait le plaisir.

Au milieu de l'agitation et des vociférations, le vieux peintre restait de marbre et ne me lâchait pas. Il y mettait tant d'insistance qu'il me devenait impossible de l'ignorer. Avec hargne, avec amertume, je finis par lui rendre son regard. Quinze ans que je n'avais plus affronté le monstre sacré ; et je renouai avec lui, contraint, muet, en me sentant aussi vindicatif et merdeux que par le passé. J'en perdis le fil de ce que dégoisait le Podestat, qui poursuivait son discours.

Même quand j'eus enfin cédé à la sollicitation de son regard, rien ne transpira sur le visage impavide du maestro. Il avait vieilli, il s'était empâté ; il ressemblait de façon frappante à la vision que j'avais eue de lui en rêve, la nuit de mon retour. Cependant, après tout ce temps, je reconnaissais avec aisance ce menton carré, ces lèvres charnues, ces sourcils broussailleux sous un front massif. J'en éprouvai un vertige bizarre, comme un saut en arrière, la mise entre parenthèses des quinze années où j'avais cru l'effacer de mon existence.

Ce qui était tout aussi troublant, c'était le caractère indéchiffrable de son expression. Il m'observait avec un étrange mélange d'intensité et de froideur, et je ne parvenais pas à déterminer la nature de ses sentiments. Ce n'était pas de l'étonnement. Ce n'était pas de la détestation. Ce n'était pas du mépris. Ce n'était pas la pitié ou la satisfaction qu'aurait pu provoquer le spectacle de ma gueule massacrée. C'était presque de la fascination, mais pendant un moment désagréablement long, je restai incapable d'en saisir la nature.

Et puis brutalement, je compris ce qu'il faisait. Quelque chose dans l'acuité de son regard me donna la clef de ce qui était en train de se passer entre lui et moi. Il ne me contemplait pas à proprement parler ; il ne me défiait pas non plus. Mentalement, il était en train de me croquer. Il enregistrait la morphologie cabossée de ma trogne ; il mesurait l'écartement entre les yeux et les proportions malmenées de ma physionomie ; il prenait note des sillons, des cicatrices et des ridules ; il relevait la dissymétrie entre les pommettes, l'arête brisée du nez ; il repérait les golfes naissants sur les tempes, et la fossette que mon sourire canaille avait fini par creuser sur une seule joue. J'encaissai cette révélation comme une gifle. La rancune, le dédain, la colère : tout cela, je m'y attendais, je le redoutais même un peu, mais je crois que j'aurais avalé la couleuvre. Or, à ma grande stupéfaction, il n'y avait rien de cela chez lui. Ce qui s'était passé entre nous, jadis, il s'en contrefoutait. Tout ce qui l'intéressait, chez moi, c'était le sujet d'étude. Il disséquait le modèle. Il avait pour moi le même regard que celui qu'il avait dû poser trente ans plus tôt sur la Carinita, cette vieille salope, ma très chère mère.

C'est à ce moment de la journée, je crois, que j'ai commencé à dévisser. Je n'en ai pas montré grand-chose ; mais le coup de sang est monté comme une crue d'orage, et j'ai serré la garde de mon épée Fratello Acerini à m'en faire craquer les phalanges. La rage, en moi, a balayé tout le bouillon fangeux des vieux remords et de la culpabilité. J'ai renvoyé au Macromuopo un regard de haine pure, une promesse de meurtre. J'ai cru éveiller chez lui une lueur d'inté-rêt ; il trouvait ma nouvelle expression pittoresque. Il me fallut déployer un effort surhumain pour garder la maîtrise de mes actes, pour m'empêcher de bondir du haut du catafalque et de dévider les intestins de cette vieille charogne à coups de couteau. J'en tremblais de contention. Le Podestat, qui concluait son discours, dut sentir quelque chose car il me lança un bref coup d'œil interrogatif.

Dans un brouillard de fureur rentrée, je prêtai à peine attention aux clameurs et aux ovations qui saluèrent les derniers mots de mon patron. Je le suivis avec les tempes battantes, la poitrine flambée de colère, dangereusement absent à ce qui nous entourait. Ce ne fut qu'en regagnant nos places dans la tribune d'hon-neur que m'apparut d'un coup, avec une clarté cruelle, la façon dont je pourrais me soulager. Je faillis en rire. C'était tellement simple !

En jouant des coudes avec Oricula, je parvins à me glisser dans le dos de dònna Clarissima. Avec une audace très déplacée, je me collai contre elle. Elle eut un mouvement de surprise, mais ne se déroba pas au contact. Je me penchai sur son oreille, au point de respirer l'eau de senteur dont elle avait parfumé la naissance de son cou.

« Pour la saloperie au vieux peintre, vous êtes toujours preneuse ?

— Tu rigoles, ou quoi ? siffla-t-elle entre ses dents, soudain vibrante d'excitation.

— Alors j'ai peut-être ce qu'il vous faut...

— Accouche ! lâcha-t-elle très bas, en appuyant ses omoplates contre ma poitrine.

— Quand vous le verrez, articulai-je, parlez-lui de moi. Racontez que je me suis confié à vous. Et dites-lui que si je suis devenu ce que je suis, c'est grâce à lui. »

Alors même que je prononçais ces paroles, ma colère commença à retomber. Cet accès de rage, cette déception en découvrant l'indifférence du peintre, le désir violent de l'arracher à sa sphère me renvoyaient à quelque chose qui avait une saveur juvénile et ancienne : j'étais soudain frappé de retrouver, sous le cuir couturé de l'assassin, les élans malheureux du freluquet que j'avais été. Qu'est-ce que tu es en train de faire ? murmura la petite part de moi-même qui n'avait pas perdu toute lucidité. Mais il était trop tard pour revenir en arrière : mon tuyau était tombé dans le pavillon délicat de Clarissima Ducatore.

Une fois le câble lâché, plus moyen d'arrêter le tir.

Les obsèques étaient loin d'être achevées. Pour marquer la gratitude unanime de la classe dirigeante à Regalio, et surtout pour éviter de laisser le champ libre à mon patron, deux sénateurs issus des factions adverses rendirent hommage au défunt. Puis, la déambulation mortuaire reprit. Le cortège descendit lentement les ruelles de Torrescella ; la foule était maintenant si dense que certains axes étaient complètement engorgés. La bière s'échouait alors au milieu d'une marée humaine. Velado Fruga, du haut de son destrier, faisait récital du large répertoire de son éloquence troupière, pendant que les phalangistes avaient le plus grand mal à rétablir un passage.

Piazza Smaradina, le chapitre sombre des prêtres du Desséché attendait le défunt. Pour l'occasion, le nécrophore Scharipha en personne s'était déplacé ; cela faisait des années qu'on ne l'avait plus revu dans les murs de la cité. Depuis plusieurs générations, il dirigeait le Culte dans les profondeurs de Dessicada ; il se faisait si rare qu'on se demandait parfois si les prêtres ne se contentaient pas de perpétuer la routine liturgique autour de sa dépouille momifiée. Mais le dignitaire religieux qui attendait ce jour-là sur la chaussée de la piazza Smaradina semblait raisonnablement vivant, même si son existence recluse lui avait donné une pâleur de larve. D'une voix enrouée, il délivra les trois bénédictions des morts, la prière du renoncement, la prière de l'abandon et la prière du ravissement. Puis, le cercueil fut translaté du cortège laïc au cortège religieux, tandis que le chœur guttural des libitinaires et des embaumeurs entonnait la litanie des adieux. La musique glaça la ville comme si un souffle nocturne était remonté des catacombes.

Désormais porté et gardé par une armée de prêtres, Regalio poursuivit sa descente vers le port. La procession religieuse était encore plus poussive que le cortège civil, mais nous la suivions désormais de loin, tenus à distance par les interdits et par le cri aigrelet des flûtes funèbres. Tout ce battage macabre nous amena à la fin de l'après-midi. Une foule hébétée de gravité et de lenteur assista au chargement du cercueil sur la Nef noire. Le mort embarquait pour l'autre monde. Seuls les membres de sa famille proche l'accompagneraient jusqu'à la nécropole. Nous autres, les vivants et les voyeurs, nous nous arrêtions symboliquement sur le bord des quais, tandis que des nuées menaçantes montaient sur l'horizon.

Cette journée me laissa un goût de cendre. Elle me mina plus que je ne voulais l'admettre. Le retour fut

315

interminable ; le Podestat était arrêté tous les dix pas par des solliciteurs, des admirateurs, des quémandeurs, et nous craignions la répétition d'un mouvement de foule aussi incontrôlable que celui qui avait failli le renverser dans la matinée. Ce ne fut qu'à la nuit close que nous pûmes enfin gagner la sécurité du palais. J'étais épuisé, mais d'une fatigue plus nerveuse que morale, car mon entraînement quotidien à la salle d'armes avait eu la vertu de me rendre un certain tonus. Si je m'étais écroulé sur mon lit, si j'avais tout bonnement cherché à fuir dans le sommeil la lassitude malsaine de ces obsèques, les choses auraient tourné différemment. Cependant, à peine dans mes pénates, la solitude et l'obscurité m'offrirent un bouquet amer de réminiscences. Je revis le crâne défiguré de Velado, le visage égaré du sénateur Mastiggia, le voile énigmatique de dònna Lusinga, le sourire équivoque de dònna Clarissima, l'expression scrutatrice du Macromuopo. Derrière chacune de ces figures se dessinait le masque du mort, exsangue, avec son regard d'argent écarquillé. Tout au fond de ma conscience, fantôme discret et insistant, un cercueil continuait à dériver avec indolence sur un fleuve humain, ballotté au hasard de turbulences lentes. Il me fut impossible de m'étendre. J'avais trop peur de ressembler à la dépouille sage et chétive. J'avais trop peur de me retrouver dans un rêve plein d'ombres et de fenêtres.

Je ressortis.

Je quittai la splendeur hautaine et ténébreuse de Torrescella. Je dégringolai les ruelles pentues pour retrouver les quartiers populaires. Malgré l'averse qui se mit à tomber, malgré les rues noires et les carrefours éclairés par de pauvres quinquets, je retrouvai enfin un peu de vie. Une vie louche, pouilleuse, reprisée aux entournures, mais pleine de cette tension animale qui monte dans le soir depuis le pavé et le seuil des tavernes. Je retrouvai par bribes l'harmonie fêlée de mon existence d'antan, le lacis sombre des venelles, des arches et des impasses, la nuit pleine de silhouettes absorbées par leurs vices et leurs plaisirs. Comme un limier remonte une piste, je me laissai guider par les odeurs familières, les relents de crasse et d'urine, les arômes de vinasse chaude, les bouffées de parfum bon marché. J'allai boire de mauvaises piquettes dans divers bouges de la via Mala et de la via Descuartizza. Je perdis quelques pièces en pariant sur un combat de coqs, j'en regagnai le double en intimidant un bonne-teur, je pris plaisir à observer le manège de deux rabat-teurs associés avec un tricheur professionnel. J'aperçus une pute de bas étage en train de se faire sauter sous un porche : ça me donna envie d'une femme. Inévitable-ment, j'échouai via Maculata, chez Diamantina.

Plus qu'un vulgaire bordel, Diamantina dirigeait une maison de débauche. La nuance peut paraître futile aux esprits étroits, mais elle a son importance. Diamantina tenait table ouverte dans une demeure certes un peu vétuste, mais qui singeait le faste d'un palais décadent. On y dansait la gaillarde et la pavane sur des parquets que l'usure avait lustrés ; on y buvait des vins de contrebande à peine coupés ; on y soupait dans une argenterie dépareillée, rachetée à des usu-riers ; les murs lépreux disparaissaient derrière des tentures luxueuses, obtenues de pirates en rut au prix de quelques passes. Les filles étaient à l'image de la maison : aguicheuses, chères et peintes. Mais Diamantina était une dame aux idées larges : elle tolé-rait que ses clients se livrent chez elle à d'autres débor-dements, poésie, musique, jeu, confidences, et même qu'ils s'enculent entre gitons, pour peu qu'ils pensent à la remercier à la hauteur de son hospitalité.

Quand j'entrai chez Diamantina, l'animation battait son plein. Par la porte ouverte, par les fenêtres aux petits carreaux coulaient une lumière rouge et un vacarme discordant de mélodies concurrentes, de rires stridents, de braillées alcoolisées, de polissonneries criardes. Mon arrivée passa inaperçue des clients, mais fut repérée par les videurs. Trois d'entre eux m'adressèrent un salut discret, empreint d'un respect haineux. Quelques années plus tôt, sur la requête de la tôlière, j'avais refroidi un de leurs collègues qui avait voulu s'improviser repreneur de la boutique. Un des gros bras disparut dans un corridor ; il allait prévenir la maîtresse des lieux. Les salons de la dame étaient combles : j'y vis beaucoup de visiteurs, et peu de filles. Dans les alcôves, ça sentait l'abattage.

Diamantina parut assez vite. C'était une matrone sur le retour, grassouillette et fripée, qui persistait à porter des toilettes de jeune chatte affriolante. Le tableau était si grotesque qu'il en devenait touchant. Elle vint à moi en ouvrant ses bras potelés, et m'accueillit avec effusion en me serrant contre sa poitrine généreuse.

« Benvenuto, mon chéri ! s'écria-t-elle. Qu'est-ce que ça me fait plaisir ! Ils disaient que tu étais mort, coulé avec la galère de don Bucefale. »

Elle libéra une table et elle m'y installa, sans me lâcher le bras. Elle nous fit apporter son meilleur vin et un plateau de douceurs sucrées. Elle m'offrit l'agrément de sa conversation pendant un petit moment, un cadeau non négligeable de sa part, une marque d'estime de Diamantina chez Diamantina. Les considérations qu'elle me prodiguait, du reste, étaient très prévisibles : elle déplora un peu la mort de Bucefale, qui avait été de ses clients, elle convint que ces fumiers de Ressiniens ne m'avaient pas loupé, mais elle conclut qu'avec un sourire comme le mien, toutes les filles allaient tomber à mes pieds. Elle me rapporta quelques potins croustillants et anodins sur les milieux crapuleux de la ville basse. Je n'entretenais aucune illusion sur sa cordialité : Diamantina faisait des relations publiques avec un type bien placé qui pouvait lui rendre service à l'occasion. Quand on eut passé assez de temps en politesses, je lui demandai :

« Cardomna, elle est là, ce soir ?

— Bien sûr ! Tu as vu le monde qu'on a !

« — Je peux l'avoir ? »

La maquerelle fit une moue un peu contrariée.

« Je te tiens compagnie, et toi, tu me préfères une largue sans expérience ?

— Tu sais, ça fait plus de trois mois que j'ai rien tiré. J'ai une crampe à courir des chèvres : la première grue que je vais escalader, je serai à peine dedans que je vais partir. Je voudrais pas décevoir une dame raffinée comme toi.

— Mon pauvre biquet. C'est pas humain, la guerre.

— Alors, je peux me la faire, Cardomna ?

— C'est embêtant, tu tombes mal. Les obsèques du petit Cladestini, ça a donné la trique à tout ce qui porte braguette. On ne désemplit pas : une vraie cascade de foutre. En ce moment, elle est prise, ta caravelle.

— Elle en a pour la nuit ?

— Non, mais ça peut durer un peu. Tu ne veux pas que je t'envoie Serene ? Elle était au bain quand je suis venue te trouver. »

Serene était un joli lot, pas encore trop abîmée et plutôt gentille. C'était attentionné de me la proposer. Mais j'avais un passé avec Cardomna, une illusion d'histoire, un peu plus que de simples contrats de location. Il n'y avait pas de sentiments entre elle et moi, mais une certaine habitude, un mirage d'intimité. En baisant Cardomna, j'espérais renouer avec l'homme que j'étais avant la guerre.

« J'attendrai Cardomna. »

Diamantina essaya encore un peu de m'en dissuader, en me proposant d'autres filles, mais je restai sur mon idée. Pour finir, elle fut appelée ailleurs et elle me laissa avec une nouvelle carafe de vin, en disant que la maison m'offrait les rafraîchissements. Je pris donc mes aises sur ma chaise, et je me mis à boire, pour tuer le temps. Je n'avais vidé que deux ou trois verres quand les masques firent leur entrée.

Il s'agissait visiblement de gentilshommes en goguette. Sous les capes courtes de cavalier, on devinait les luxueux pourpoints de deuil qu'ils avaient affichés dans la journée, ainsi que la gaine des dagues et des épées. L'un des arrivants arborait un brillant coûteux sur l'oreille. Tous trois dissimulaient leurs visages derrière des grotesques de carnaval. Ils parcoururent les lieux du regard, en quête de sièges et de filles, et le nouveau venu au bijou s'arrêta sur moi.

« Tiens, tiens ! Mais qui voilà ? s'écria une voix un peu pâteuse. Don Benvenuto en personne ! »

Et comme il s'avisa que j'étais seul, le fâcheux s'invita à ma table, avec ses deux affidés en prime. Je me redressai, la babine retroussée, et je grognai :

« J'attends une dame. Ici, il n'y a plus de place. »

Le masque au brillant s'esclaffa. Derrière les orbites de carton, je devinai des yeux déjà bien injectés par l'alcool.

« Toujours aussi couillu, don Benvenuto ! ricana-t-il. Ça fait plaisir de voir que les Ressiniens ont juste tapé au-dessus de la ceinture. »

Je pris une inspiration profonde, et je posai mes mains bien à plat sur la table.

« Putain, ai-je grondé, ça, c'est pas prudent, Votre Seigneurie.

— Eh ! Il mord, mais protocolairement, commenta l'indélicat.

— Il se trouve que vous avez une sacrée veine, rétorquai-je. Des caves ordinaires joueraient déjà avec leurs osselets. Mais j'ai pas envie de m'emplafonner un patrice, don Dilettino. »

Le fils du sénateur Schernittore poussa un juron comique.

« Vous n'êtes pas drôle, don Benvenuto ! Moi qui voulais m'encanailler incognito !

— Alors complétez le costume. Vous avez passé la journée accroché aux basques de mon patron, et vous n'avez même pas changé de chemise. »

D'un air faussement désabusé, Dilettino Schernittore tomba le masque, bientôt imité par ses deux mignons,

Ronzino et Tignola. Le jeune aristocrate avait déjà la lèvre un peu molle de celui qui a vidé trop de pichets. Même sans l'ébriété qui noyait son regard, il n'avait pas l'air en très bonne forme. Je relevai chez lui les cheveux ternes, les rides précoces et le teint flétri des individus usés par une vie de plaisirs. Dilettino Schernittore n'avait pas participé à la guerre, mais dans un certain sens, je le trouvai aussi éprouvé que moi.

« C'est marrant, don Benvenuto, observa le godelureau, on dirait presque que vous me reprochez d'avoir accompagné son excellence.

— Vos affaires avec mon patron, je m'en balance. Ce que je vous reproche, c'est d'aller asticoter des gens dangereux. »

Un éclair mauvais traversa sa pupille trouble.

« Parce que vous croyez peut-être que moi, je ne suis pas dangereux ? » lâcha-t-il sèchement.

Puis, reprenant son air débonnaire, il ajouta :

« En fait, je suis comme vous, don Benvenuto : je me suis emmerdé pendant toute la journée. Ça me rend irritable. J'ai besoin de me délasser. Auriez-vous l'obligeance de partager votre vin avec moi ?

— Il se trouve que je n'ai qu'un verre. »

Il fit une grimace pas très aimable. Les deux mignons commencèrent à s'agiter. Du coin de l'œil, je ne lâchai pas Tignola, qui m'avait l'air moins gris que les deux autres.

« C'est une impression, ou vous êtes en train de me chercher ? grogna le patrice.

— Je ne cherche rien du tout. C'est vous qui êtes venu vous poser à cette table.

— Bon sang, après ce qui vous est arrivé, j'étais content de vous voir !

— Merci pour la pommade ; je sais bien que ce qui vous intéresse, c'est tous les moyens possibles d'approcher mon patron et sa fille. Notez que je m'en tape la coquille, de vos manœuvres matrimoniales. Mais il faut vraiment être bourré pour me confondre avec une marieuse. »

Le patrice Schernittore ricana.

« Je dois avoir vraiment une réputation très compromise, pour qu'on croie que je vais courir la prétentaine jusque pendant des funérailles. C'est son excellence Ducatore qui pense ce genre de choses ?

— J'ignore tout du fond de la pensée de son excellence.

— Il est très courtois avec moi, ça oui, mais toujours si… Je ne trouve pas le mot… Peu accessible… Quant à Cesarino, il est devenu carrément fuyant. Et vous qui me mouchez de si insolente manière… Je vais finir par croire qu'on ne me goûte guère au palais Ducatore. »

Je ne répondis rien à cela. Je n'avais pas à interférer dans les relations entre ces nobles personnages, sauf quand on me payait pour abréger un différend.

« Vous savez ce que je suis venu faire à ces putains d'obsèques ? poursuivait Dilettino Schernittore. Vous croyez vraiment que j'y ai été faire ma parade nuptiale pour les beaux yeux de dònna Clarissima ? Je suis venu en représentation, ça oui : mais je suis venu représenter mon père, le grand ami de son excellence Ducatore, mon père qui n'est plus foutu de faire dix pas sans avoir les genoux qui tremblent. J'ai passé ma journée à suivre un mort pour satisfaire le sens des convenances d'un autre mort, ou tout comme. Alors vos insinuations, je suis bien tenté de vous les faire bouffer, don Benvenuto. Vous croyez peut-être que je vous ai suivi jusqu'ici ? Je suis comme vous : quand j'ai envie de tirer un coup, je vais aux putes.

— Je suis navré d'apprendre que votre père ne va pas mieux, relevai-je sur un ton neutre.

— À d'autres ! Vous vous en foutez, de mon père, et je n'ai que faire de vos politesses. Je préférerais un verre de vin. »

Il se mit à faire du tapage pour qu'on lui serve à boire et pour qu'on lui envoie de la compagnie. Dans le même temps, il tirait de son pourpoint un jeu de cartes et une bourse plutôt rebondie qu'il lâcha sur la table.

« Une petite partie de scopa en attendant les filles, ça vous dit ? »

Le bougre me prenait par les sentiments. Des mois que je n'avais pas tapé le carton, et s'il y avait quelque chose capable de vous vider l'esprit plus efficacement que le cul d'une donzelle ou qu'un flacon rubis, c'était bien une gentille partie de tripot. En plus, j'étais persuadé que Dilettino ne jouait pas honnêtement ; et à part le duel, je ne connais rien de plus excitant que l'affrontement tricheur contre tricheur. Je fixai avec envie les cartes qu'il était en train de battre nonchalamment. Les couleurs familières défilaient entre ses mains, Deniers, Coupes, Épées, Bâtons, et dessinaient les figures de la tentation. D'une certaine façon, ce que j'étais venu chercher chez Cardomna, c'était Dilettino Schernittore qui me l'offrait : dans la fièvre qui démangeait mes paumes, dans le désir de céder, d'accepter la partie, dans le rappel soudain de tous les petits rituels du jeu, je me retrouvais d'un seul coup, fidèle à moi-même.

Malheureusement pour le patrice, je vis aussi le piège subtil qu'il me tendait. Le jeu est une pente : on commence à la descendre tranquillement, avec plaisir, avec l'illusion de la maîtrise, et puis à mesure qu'on avance, on prend de l'élan, la promenade devient course, cavalcade, dégringolade. Une partie suit l'autre, qui appelle la suivante, qui nécessite une revanche, ce qui impose la belle, qui vous laisse un goût d'inachevé, ce qui fait qu'on relance d'une, de deux, de trois, et quand tout l'argent est d'un côté de la table, alors là plus question de lâcher, c'est à ce moment que le jeu commence vraiment, que les choses prennent toute leur saveur : on s'endette, on mise la solde à venir, le bijou familial, un crédit qu'on n'a peut-être pas, on commence tout doucement à jouer les ennuis des semaines à venir, l'éclat froid des surins dans les impasses. Les cartes révèlent alors leur essence profonde, surnaturelle : elles distribuent réellement votre avenir, à la lueur fumeuse des chandelles, tout au fond de la nuit.

Je voyais bien où Dilettino Schernittore essayait de m'amener. Il ne cherchait pas forcément à me lessiver, mais il voulait m'entraîner dans cette spirale vertigineuse. Dès lors, les filles auraient pu arriver : on leur aurait commandé du vin, on leur aurait fait de la place pour nous porter chance, et on aurait redistribué les cartes, jusqu'au petit matin blafard. Car ce que le fils du sénateur Schernittore cherchait véritablement, c'était à passer du temps avec moi. Rien de tel pour vous rapprocher de quelqu'un que de perdre sa chemise en sa compagnie. Et puis, bien calé contre son dossier, un œil indifférent sur la mauvaise main qu'on vient de ramasser, on bavarde beaucoup. J'étais certain que le patrice en profiterait pour avancer les pions de l'autre partie qu'il était en train de jouer.

En faisant un gros effort, je finis par lâcher :

« Les cartes, ce soir, ça me dit pas trop. »

Dilettino me dévisagea d'un air sincèrement interloqué.

« Vous comptez vraiment me faire avaler un truc pareil ?

— Croyez ce qui vous chante. Mais pour la partie, c'est non. »

Il frappa son paquet d'un coup sec, sur la tranche, contre la table. En prenant à témoin ses deux sicaires, le patrice émit alors ce commentaire :

« Je trouve vraiment qu'on me manque de considération. Ce qui n'est pas très malin. D'accord, je suis un oisif jeune, dépravé, inutile, juste bon à dilapider le patrimoine familial. Je ne le nie pas. Je suis un être profondément méprisable. Seulement, me regarder uniquement sous cet angle, c'est avoir la vue un peu courte. Quand, à mon grand désespoir, mon père en aura fini avec les misères de l'existence, figurez-vous que j'irai occuper le siège qu'il laisse actuellement vacant au Palais curial. Naturellement, je souhaite à mon géniteur bien-aimé encore de longues années de réclusion végétative dans ses appartements désertés ; mais enfin, vous connaissez le refrain, cette vie est une vallée de larmes, etc., etc... Et ce sont les proches que nous chérissons le plus qui nous abandonnent toujours les premiers... Bref, au jour pas si lointain où je deviendrai le sénateur Schernittore, la faction souverainiste devra bien compter avec le trublion décavé que je suis. La faction souverainiste, don Benvenuto, vous savez, celle du Podestat Leonide Ducatore. Dès lors, pouvez-vous vraiment me refuser cette partie de cartes ?

— Et arrêter de me les briser, vous le pouvez vraiment, Votre Seigneurie ? »

Son sourire se fit encore plus narquois. Toutefois, au plissement de ses paupières, je compris qu'il commençait à s'échauffer.

« On vous prête un gros bagout, don Benvenuto, rétorqua-t-il. Pour le culot, d'accord, je vous le concède. Mais pour l'esprit... Franchement, aucun brio. Votre réputation est très surfaite. D'ailleurs, il paraît que physiquement, vous ne valez plus grand-chose. Il y a des bruits qui courent, qui rapportent que vous vous faites rosser en salle d'armes. Ils ont eu la main lourde, les basanés, pour vous laisser dans cet état. Mais finalement, peut-être que vous n'avez jamais été un caïd. Bucefale Mastiggia, c'est bien lui que vous deviez protéger, non ?

— Et toi, mon mignon, t'étais où pendant cette putain de guerre ? Tu tenais l'urinal de papa ? »

Évidemment, je n'aurais pas dû lui jeter ça à la face. Dans un certain sens, je lui donnais raison, ça prouvait bien que j'avais mes nerfs, que j'étais revenu amoché de ma petite croisière estivale. Mais c'était sorti tout seul, le mal était fait, je ne pouvais pas décemment m'aplatir pour rattraper le coup. Et pour dire les choses tout net, il fallait bien que ça gicle, que je me soulage un peu...

C'était juste malheureux que ce soit ce petit coq bien né qui soit venu me regarder sous le nez.

Le gandin devint blanc comme de la craie. Je crus qu'il allait s'étouffer. Ses deux comparses repoussèrent leurs sièges, prêts à me faire ma fête.

« Sac à merde ! gronda le patrice Schernittore. Je pourrais te faire cracher tes dents une deuxième fois.

— Ah oui ? Tu crois ça, Dilettina ? Ou tu espères juste te faire trouer le cul ? »

Je venais de franchir le point de non-retour. C'était une connerie, et même une sacrée connerie, mais comme c'est souvent le cas dans ces moments là, je me sentis porté par une euphorie féroce. Avant même de les voir bouger, je sus que Ronzino et Tignola ouvraient la danse. Je les prévins.

Dilettino était face à moi. Il se mangea la table en pleine figure, et s'écrasa au milieu des clients qui étaient derrière lui, dans un fracas de meubles renversés et de verre brisé. Ses deux mignons allaient me prendre en étau. À gauche, Ronzino chercha sa dague, ce qui me laissa un très bref répit de son côté ; comme je l'avais pressenti, Tignola était le plus dangereux, il m'attaqua aussitôt à mains nues. Je ne me dérobai pas, je ne cherchai même pas à lui faire front. Je lui écrasai les orteils sous ma botte et je lui logeai simultanément mon coude droit dans le plexus, en lançant tout mon poids dans la poussée. Imparable : encore plus efficace qu'un croc-en-jambe. Le sicaire se vautra. Sur ma gauche, Ronzino avait tiré sa lame et prenait son élan pour me planter. Je bloquai son poignet de l'avant-bras gauche, et je me servis du rebond contre la poitrine de Tignola pour lui servir une droite assez sévère sous le menton. Patatras, le gredin avec son vilain couteau : dans les choux pour quelques secondes. Un coup d'œil à Dilettino : il se dépêtrait tout juste de la table et essayait de tirer l'épée ; dans un espace aussi encombré, un réflexe vraiment inepte. Il me laissait le temps de m'occuper de Tignola, que j'avais juste déséquilibré. Le mignon était en train de se relever : un premier coup de pied juste sous la gorge le renvoya sur le plancher, et puis je relevai un peu le genou, et je laissai mon talon retomber sur sa jolie petite gueule de bellâtre, en accompagnant le mouvement avec tout mon poids. Je sentis ses mâchoires craquer sous ma semelle comme du petit bois, et sa nuque claqua de façon sonore contre le sol. Du sang plein la botte ; contrariant, c'étaient mes souliers de parade. Mais un premier souci de réglé.

Il était temps de m'occuper du patrice. Il était maintenant debout, l'épée au poing, mais bien empêtré par les meubles renversés et les badauds qui fuyaient la rixe. N'empêche, j'étais du mauvais côté de la pointe, et il lança une estocade avec l'ambition manifeste de m'embrocher. Une esquive du buste me permit de passer sous sa garde et d'arriver au contact. Son épée lui était désormais complètement inutile. Mais pas le loisir de finasser : je ne voyais pas ce que trafiquait Ronzino, alors, avec un brin de sans-gêne, je balançai un coup de boule très crapule sur le nez de sa seigneurie Dilettino Schernittore. Retour au tapis pour le futur sénateur.

Ronzino essayait de se remettre d'aplomb, mais il titubait, encore sonné. Je ne lui laissai pas l'occasion de reprendre ses esprits : quelques directs au creux de l'estomac achevèrent de l'attendrir. Quand il fut plié en deux, docile et asphyxié, je le saisis par les cheveux, je le soulevai un peu, et je précipitai sa gueule de petite frappe sur l'angle d'une chaise. À deux ou trois reprises, pour ne pas saloper le travail. Le pauvret en cracha une bonne pinte de sang tandis qu'il plantait quelques incisives dans le siège. Deuxième souci réglé.

Puis je tombai sur Dilettino Schernittore, resté pantelant dans une flaque de vin parsemée de cartes à jouer et de tessons de verre ; je tirai tranquillement ma dague Fratello Acerini et je la lui appuyai en travers de la jugulaire.

« Aïe, ai-je ricané. Nous voilà dans la merde, Votre Seigneurie. »

Si les autres clients avaient fui l'échauffourée, les videurs s'apprêtaient à intervenir, armés de couteaux et de gourdins. Sans lâcher le patrice, je leur coulai un regard mauvais, et je grondai :

« C'est presque plié, les pelures. Mais cherchez-moi renaud, et ça va linguer sauce raisiné. À vous de voir. »

Avec leurs tronches de brutes et leur bagage d'analphabètes congénitaux, les gros bras de Diamantina firent finalement preuve d'une certaine finesse ; en tout cas, d'une intelligence plus vive que le spécimen aristocratique qui haletait péniblement en essayant de ne pas s'ouvrir le cou sur ma lame. Les videurs s'arrêtèrent à distance respectable, et firent semblant d'attendre une ouverture.

« À nous, repris-je à l'attention de Dilettino. Maintenant, qu'est-ce qu'on fait ? »

Je le serrais de près, comme un galant sa maîtresse. Il n'était pas bien beau à voir, le patrice : il saignait du nez, et le coup porté en plein museau commençait à lui dessiner deux poches tuméfiées sous les yeux. Dans son regard dégrisé, je voyais danser la peur. Ça me fit méchamment plaisir, alors je le laissai mariner dans sa trouille quelques longues secondes. Mais je ne pouvais pas laisser la situation pourrir : il fallait conclure, vite et net, sous peine de perdre le contrôle.

« Bien, bien, repris-je. Puisque vous semblez à court d'arguments, on va terminer à ma manière. »

Je sentis sa glotte bouger sous le fil aiguisé du surin.

« Vous l'avez dit tantôt, ces obsèques nous ont tapé sur le système, poursuivis-je. Le ton est monté entre nous pour de mauvaises raisons, et puis le vin aidant, on a été un peu loin. Je vous ai peut-être un tout petit peu manqué de respect, je m'en rends compte. Alors je vous prie d'accepter mes excuses les plus sincères. J'espère que vous aurez la bonté de les accepter. »

Il continuait à me dévisager, avec ses coquards perplexes et ses naseaux barbouillés. Il restait bêtement coi, complètement hermétique à l'élégance de la plaisanterie. Il me fallut donc mettre les points sur les i, en lui enfonçant un peu le couteau dans les chairs.

« Évidemment, si vous jugez l'affront impardonnable, il nous reste le point d'honneur. Je pense que l'arrière-cour de Diamantina offre assez de champ pour un duel. »

Cette fois, le message atteignit la cervelle confuse du petit imbécile.

« Je... j'accepte vos excuses, bredouilla-t-il.

— Vous êtes trop bon, Votre Seigneurie. »

Je le lâchai et m'écartai un peu, en rengainant mon arme. Je lançai un sourire doré aux videurs, qui se détendirent imperceptiblement. Comme Dilettino n'était pas bien solide sur ses jambes, je l'aidai à se relever. Il eut d'abord un réflexe défensif, avant de se laisser faire. Je l'époussetai familièrement, tandis qu'il demeurait debout, frissonnant et stupide. À genoux, appuyé contre la chaise qui m'avait servi de billot, Ronzino gémissait par hoquets, à petits sanglots horrifiés. Tignola, étalé sur le parquet, ne bougeait plus. Il avait la figure bizarrement enfoncée ; dans la bouillie de ses lèvres éclatées, sa respiration rapide, irrégulière, crevait en bulles sanglantes. Avec lui, je dus convenir que j'y avais été un peu fort.

Cette explication ne fut pas du tout du goût de Diamantina. Des clients se prenaient souvent le bec chez elle, mais dans ce cas, il était de bon ton d'aller vider la querelle dehors. Ma petite algarade nuisait à la respectabilité de sa maison ; en plus, j'avais eu le front de donner une nasarde à un fleuron de l'aristocratie au beau milieu de ses salons. La maquerelle en oublia son affection pour votre serviteur et l'abreuva d'un flot d'injures parfaitement putassières. Par courtoisie, je laissai dire et je vidai les lieux.

Du coup, je dus me passer des friandises de Cardomna.

Je caressai un moment le projet d'aller secouer une

hôtesse accueillante dans un autre bouge, mais ce n'était guère prudent. Pour essayer d'éviter les problèmes, Diamantina allait probablement faire raccompagner Dilettino chez lui ; une fois dans l'hôtel familial, le patrice pouvait fort bien battre le rappel de ses amis et de ses hommes de main afin de les lancer sur mes traces. La nuit n'était pas terminée, et elle pouvait encore se révéler meurtrière. À regret, je regagnai donc le palais Ducatore.

Je lavai ma botte ensanglantée à une fontaine avant de rentrer. Lupo, qui gardait la porte principale, me gratifia d'un bref salut en m'ouvrant. Bien qu'il fût tard, je répugnais toujours à regagner ma chambre et les fantômes qui m'y attendaient. Je fus tenté par un crochet à la cuisine, mais j'avais déjà pas mal bu dans la soirée, et il fallait que je me méfie, que je ne retombe pas dans le fond d'un cruchon. Et puis j'étais encore rempli d'excitation, j'avais besoin de me calmer. Je traversai donc les corps de bâtiment assoupis et j'allai me poser quelque temps dans les jardins.

Le parc était très noir, très silencieux, un peu lugubre. La pluie qui était tombée plus tôt dans la soirée avait fait taire la berceuse douce des grillons. Dans la nuit montait une fraîcheur pénétrante de rosée, de terre mouillée, d'écorce humide. Une buée flottait, indistincte, au-dessus des parterres de gazon. Dans le fond de la propriété, les arbres haussaient de puissantes encolures, comme des géants somnolents dans un nid de ténèbres. J'allai m'asseoir sur un banc de pierre, le long d'une allée.

Je tâchai de faire le point. J'avais salement dérapé, j'en étais conscient. Le père de Dilettino, le sénateur Ostina Schernittore, avait beau être malade, c'était un ami proche de mon patron, et un allié qui conservait un certain poids politique. Il avait lui-même occupé plusieurs fois la magistrature suprême, et il avait protégé le jeune sénateur Ducatore au début de sa carrière. Le Podestat allait faire une drôle de grimace quand il allait apprendre la façon dont j'avais remis en place le patrice Schernittore. Et pourtant, malgré le regard lucide que je portais sur ma propre sottise, je ne parvenais pas vraiment à m'en inquiéter. D'abord, le Podestat me devait beaucoup, et il était assez fin pour comprendre que des cadeaux somptueux ne pesaient pas autant qu'une gueule massacrée. Et puis je riais encore tout seul du sale tour joué à ce petit couillon de Dilettino, en lui présentant des excuses quand il se voyait déjà mort. Mais par-dessus tout, c'était la castagne qui me rendait euphorique. Même si j'étais encore un peu maigre, l'entraînement en salle d'armes commençait visiblement à porter ses fruits. Certes, je n'avais employé que des techniques de voyou pour me débarrasser de mes adversaires ; mais je savais qu'au matin, la moitié de la ville jaserait sur le compte de Dilettino Schernittore et de ses gardes du corps démolis à mains nues par don Benvenuto. Question réputation, ma cote allait remonter en flèche. J'aurais juste à faire attention aux coupe-gorge montés par les amis de Dilettino ; voilà qui ne me changerait guère de mon travail ordinaire.

J'étais en train de rêvasser, tout à la satisfaction mauvaise d'avoir cassé la figure de mon prochain, quand j'entendis crisser le gravier. Une silhouette obscure descendait l'allée vers moi : dans le parc nocturne, je ne distinguai que le contraste entre le cailloutis grisâtre et une longue robe noire. Elle me fit penser à l'ombre ténébreuse qui avait hanté mon rêve quelques jours plus tôt, et je saisis discrètement la poignée de ma dague.

« Ah ! Enfin ! C'est bien toi, Benvenuto ? » demanda une voix jeune.

Je poussai un soupir, sans répondre, mais je lâchai mon arme.

« J'ai eu du mal à te retrouver, dit Clarissima Ducatore. Tu pourrais prendre une lampe, quand tu te promènes la nuit au jardin. »

Et elle vint s'asseoir sans façon à côté de moi. Je ne

pris pas la peine de lui demander comment elle m'avait déniché ; elle avait dû interroger Lupo. Bien qu'elle fût proche à me toucher, je la distinguais mal ; sa robe se fondait dans la nuit, elle devait toujours porter sa toilette de deuil. Son visage et ses mains n'étaient que des traces floues. Mais le froissement soyeux de ses jupons me parvenait avec une acuité intime, et je la sentais frémissante d'excitation. Si près de moi, si indistincte, je la découvrais terriblement menue. J'en attrapai la bouche sèche.

« Il fallait que je te voie, dit-elle à mi-voix. Ça y est, c'est fait. Je me suis payé Le Macromuopo ! »

J'en éprouvai un léger choc. La rixe avec Dilettino m'avait fait oublier ma colère contre le peintre ; dans un certain sens, la confrontation avec Dilettino avait crevé l'abcès, évacué une grande partie de mon ressentiment contre le maestro. Ce que me révélait Clarissima provoqua en moi des sentiments mêlés, où une appréhension vague et une bouffée d'amertume vinrent gâcher l'élan de satisfaction méchante. Mais la fille du Podestat n'avait aucun de ces scrupules. La petite peste n'avait pas perdu de temps ! Elle était toute vibrante de son triomphe, et elle ne se priva pas de me le faire partager.

Après la fin des obsèques, elle avait prétexté la fatigue pour s'arrêter chez le peintre. Il habitait une maison de Purpurezza, juste au-dessus du port. Lycania avait trouvé cette initiative très suspecte, mais la petite rouée l'avait baratinée, lui avait raconté que le spectacle de la mort lui avait fait prendre conscience de la bêtise de ses caprices, et qu'elle voulait profiter de l'occasion pour se rabibocher avec le maître.

« J'ai bien failli le rater, le barbouilleur, me racontait-elle. Si je ne l'avais pas pris par surprise, il m'aurait peut-être snobée purement et simplement ! Mais quand ils m'ont vue, ses apprentis et ses serviteurs en ont été tout retournés ! Tu penses ! Clarissima Ducatore, dans l'atelier crasseux du maître ! Ils m'ont dit bêtement qu'il venait de rentrer des funérailles ; alors il n'a pas pu se dérober. »

Rien qu'à l'inflexion de sa voix, je pus deviner son sourire cruel.

« D'abord, j'ai un peu joué avec lui. J'ai été encore plus gentille que d'habitude ! J'ai pris un air de gourde confuse et repentante, comme si mon père m'avait fait la leçon. Au début, je sentais bien que je lui cassais les pieds, il semblait avoir la tête ailleurs, comme si je l'avais interrompu dans un truc important. Mais j'en ai tellement rajouté que j'ai fini par forcer sa surprise : il me regardait avec des yeux étonnés, et même avec moins d'assurance que quand il me balance des vacheries. Quand je l'ai trouvé bien mûr, prêt à déposer les armes, je lui ai servi ce que tu m'avais dit à propos de son talent. Je lui ai raconté que quelqu'un que j'aime beaucoup admirait son art, qu'il trouvait que ce qui en fait un maître, c'est qu'il sait peindre l'âme des gens. Il a eu un petit rire méprisant, mais j'ai bien vu que la flatterie l'avait touché. Alors, en continuant à faire ma bécasse, je lui ai sorti qu'il connaissait cet admirateur. Et je lui ai donné ton nom, et ce que tu m'as dit cet après-midi ! Il a pris ça en pleine poire ! Tu aurais vu sa tête ! Il n'a pas moufté, mais il est devenu blanc comme un linge ! Il a un sacré répondant, d'habitude, mais là, il est resté coincé et muet pendant un long moment. C'était incroyable, comme si je lui avais lancé un sort ! Pour finir, avec une voix sans timbre, il m'a dit que j'avais dû me tromper, qu'il ne te connaissait pas, et qu'il me priait de le laisser, parce qu'il avait encore du travail pour une commande du Palais curial. Il est resté cloué sur son siège, même quand on est parties. Scurrilia l'a trouvé très impoli, et je ne me suis pas privée d'en rajouter. Mais je sais bien que c'est ce que je lui ai dit qui l'a pétrifié. »

Elle battit des mains de ravissement.

« Cette fois, je l'ai bien mouché, le vieux hibou ! »

La réaction du Macromuopo me frappa : elle

m'inocula une joie empoisonnée, et elle me fit de la peine. S'il avait été touché par le trait de dònna Clarissima, cela signifiait peut-être que son impassibilité, piazza Palatina, n'avait été qu'un masque ; cela me fit plaisir, parce que je pouvais encore l'atteindre en lui faisant du mal, et parce que cela signifiait qu'il ne m'avait pas effacé de son existence. En même temps, cela m'attrista, parce que comme par le passé, notre seul mode de communication reposait sur l'affrontement. En outre, il avait dû saisir bien des choses qui avaient échappé à mon intermédiaire : par exemple, que la visite de dònna Clarissima était la riposte à son attitude dédaigneuse dans la journée. J'en éprouvai une satisfaction amère : il était loin, le freluquet qui lui tenait front de façon maladroite. À présent, j'étais capable d'utiliser la fille du Podestat pour l'insulter...

« N'empêche, j'ai compris un truc, reprit la fille en question en s'agitant à côté de moi. Ça m'a fait réfléchir, ce que tu m'as dit ; et puis j'ai bien vu qu'il prenait la chose comme une drôle de gifle. Tu lui as fait un sale coup, au Macromuopo, mais tu as aussi été proche de lui. C'est quoi, votre histoire, à tous les deux ?

— Ça n'a aucun intérêt, grognai-je.

— Arrête de te payer ma tête ! Vous avez un secret, tous les deux, ça crève les yeux ! Ce serait une embrouille de truands ou une rancune d'artistes, je suis sûre que ce serait d'une banalité à se décrocher la mâchoire. Mais c'est une histoire entre un peintre et un tueur ! Comment veux-tu que je passe à côté d'un potin pareil ?

— Justement. Ça n'a pas vocation à devenir un ragot. D'ailleurs, je ne vous mens pas. Hormis pour lui et moi, ça n'a guère d'intérêt... »

Par taquinerie, par curiosité, elle se fit insistante, en s'appuyant contre moi. Je fus tenté de la planter là, avec sécheresse, mais la garce savait aussi se montrer minaudière et drôle, et puis dans la nuit, je pouvais humer l'odeur de ses cheveux et le bouquet léger de son eau de senteur. Je restai. Je me fis un peu prier. Confusément, je réalisai que ce petit jeu m'entraînait en territoire incertain, que cela manquait de prudence et de professionnalisme. C'était bien là que résidait tout le sel.

Pour détourner dònna Clarissima du sujet du Macromuopo sans pour autant l'écarter de moi, je lançai une manœuvre de diversion.

« Si vous voulez, je peux vous en donner un autre de ragot : un tout frais.

— Ah oui ? Vraiment ? repartit-elle, partagée entre la curiosité et la suspicion.

— Mais d'abord, qu'est-ce que vous pensez de Dilettino Schernittore ?

— Ce n'est pas un ragot, ça ! C'est une question !

— Je vous donnerai l'info si vous y répondez.

— Tu es bien compliqué ! C'est un ragot à propos de Dilettino Schernittore ?

— C'est bien possible.

— Et il vaut le coup, ton ragot ? Parce que si c'est pour me dire que Dilettino perd gros au jeu ou qu'il se fait sauter par ses mignons, ce sont des choses que je sais déjà…

— Il vaut le coup, mon ragot.

— Bon… J'espère que tu ne me mènes pas en bateau. Alors voyons, Dilettino Schernittore… Mignon, mais un brin négligé, boit un peu trop. Vieille famille, grosse fortune, bel héritage. Tête de linotte. Un bon parti, dans un sens. Très collant : il se sert de Scurrilia pour me faire parvenir des billets enflammés où il recopie les vers du divin Tradittore, avec des rubans ou des roses. C'est gentil, mais je préférerais des bijoux. Il aime les hommes. Je trouve ça dégoûtant, mais ça m'intéresse. Voilà.

— Vous l'aimez bien ?

— Comme ça. Alors, ton ragot ?

— Il y a une heure, je l'ai un peu rudoyé. Et j'ai laissé ses deux mignons sur le carreau.

— Hein ?

— Rassurez-vous, je ne l'ai pas trop abîmé. Mais je crois que je me suis fait un ennemi.

— Tu as rossé Dilettino Schernittore ?

— Juste bousculé. Et officiellement, nous nous sommes séparés en bons termes. Par contre, Ronzino et Tignola sont joliment esquintés… »

Naturellement, elle me demanda le détail de l'affaire, et je lui narrai comment Dilettino m'avait provoqué, ainsi que le petit épisode festif qui avait suivi. J'omis simplement de préciser que l'entrevue avait eu lieu chez Diamantina.

« Quand même, tu es gonflé ! commenta Clarissima. Il voulait juste te recruter comme messager, et tu le tues à moitié ! Qu'est-ce qu'il va penser de moi ? Si ça se trouve, il va croire que c'est moi qui t'ai demandé de lui faire son affaire !

— Ça vous dérange tant que ça ?

— Des fois, il est un peu envahissant, d'accord ! Mais enfin, ça m'amuse bien, sa comédie !

— Toute la question, c'est de savoir qui s'amuse aux dépens de qui. »

Dans la nuit, je discernai l'ovale flou de son visage qui se tournait vers moi.

« Ça veut dire quoi, ça ?

— Vous saviez qu'il court aussi après Aspasina Monatore ?

— Quoi ? »

Et après un instant, elle ajouta :

« Ah ! L'enfant de salaud ! Comment sais-tu cela, toi ?

— Je l'ai vu en train de lui faire sa cour, il n'y a pas quatre jours, au *Palais du Drap* de don Ammirazio. »

Dònna Clarissima se leva avec indignation, et cracha une bordée de grossièretés assez drolatiques sur la gent masculine. Je l'écoutai un moment, en me complaisant dans le rôle suspect du confident pas complètement désintéressé. Dans son dépit, dans sa colère, dans son égoïsme froissé, je n'étais pas sans reconnaître quelques états d'âme qui m'étaient propres. Par certains côtés, elle m'était très proche. Du moins était-ce ce que je voulais croire. Ce ne fut que lorsqu'elle commença à se répéter dans le cours de ses imprécations que je repris la parole.

« L'affront a déjà été lavé, remarquai-je avec une emphase un peu grotesque. Votre chevalier à la triste figure y a veillé.

— Qui ça ? »

Elle partit d'un bref éclat de rire.

« Toi, Benvenuto ? Un chevalier ?

— Au moins, il me reste la triste figure…

— Ta figure n'est pas triste. Elle est effrayante ! »

S'ensuivit un instant de silence. Il me fallait un peu de temps pour encaisser cette nouvelle rebuffade. De son côté, peut-être réalisa-t-elle que ses paroles avaient précédé sa pensée. Au moment où je m'apprêtai à me lever pour prendre congé, elle ajouta très vite :

« Je ne me moquais pas de toi. Pas cette fois. Tu es revenu avec la tête d'un homme marqué… Mais cette laideur… C'est très beau, tu sais. »

Et avec un naturel rare chez elle, elle me posa une paume sur la joue. Elle avait une main fraîche, très légère. Ce contact inattendu faillit me suffoquer. Depuis des mois, je ne connaissais que la violence, la douleur, le calcul, la dissimulation, et voici qu'une des jeunes filles les plus puissantes de la République me faisait cadeau d'une bribe de tendresse. Je ne m'y trompais guère. Ce geste, pour elle, n'avait pas plus de signification qu'une caresse à un animal familier. Mais sa douceur étourdie manqua de me chavirer. Je savourai l'instant, les yeux fermés, comme une gorgée de liqueur. Puis, quand je sentis que ses doigts abandonnaient mon museau couturé, je lui happai le poignet.

« Mais… Qu'est-ce qui te prend ? lâcha-t-elle avec un hoquet de surprise.

— Vous me devez un gage. »

Elle fut secouée par un rire nerveux.

« Ça ne va pas, non ?

— Je vous ai donné Le Macromuopo, répondis-je lentement. Vous me devez un gage.

— Je ne t'ai rien promis. Et puis tu l'avais refusé.

— Quand j'avais refusé de vous livrer le peintre. Maintenant, les choses ont changé.

— Et l'amitié, qu'est-ce que tu en fais ?

— Arrêtez de me prendre pour un con. Je vous avais prévenue : je suis cher.

— Qu'est-ce que tu veux ?

— Votre bouche.

— Va te faire enculer ! Je ne te sucerai pas.

— Je veux juste un baiser. Histoire de vérifier si je suis si beau que ça. Ça ne vous dit pas, d'embrasser un monstre ?

— Si, ça me dirait. Mais je risque seulement d'embrasser un salaud.

— Lui ou un autre, puisque tous les hommes sont pareils… »

Je la lâchai lentement, pour la tester. Elle ne partit pas, elle ne s'offrit pas. Je me levai sans hâte pour lui faire face, je lui soulevai le menton de l'index, et je m'inclinai pour cueillir mon prix de frivolité et d'orgueil. Elle ne desserra pas les lèvres, elle ne ferma pas les yeux. Malgré la nuit, j'étais assez proche pour percevoir son regard : il était fixe et vide, comme si ma propre gueule ravaudée n'avait pas de réalité. Mais en écrasant mon nez camard contre sa narine, je respirai son souffle, précipité, haletant, et je devinai la cadence affolée de son cœur. Désir, panique, répugnance ? C'était difficile de trancher, surtout avec les idées balayées par mon propre désir, qui était en train de monter comme une houle profonde. Mais elle ne se dérobait pas. Alors je l'enlaçai progressivement, avec précaution, comme on se saisirait d'une châsse piégée ;

je me penchai sur son épaule, mes lèvres commencèrent à explorer la naissance de son cou.

Elle se laissa faire, avec une passivité molle. J'attrapai une trique phénoménale, et déroutante, car je n'étais pas bien assuré de l'objet de mon désir. J'avais l'habitude des petites servantes et des gueuses à vendre ; des femmes faciles, dont les robes s'effeuillaient sans problème pour aller droit au but. Clarissima était tout autre. J'avais l'impression de serrer dans mes bras un portant sur lequel on avait suspendu une toilette de luxe. Un corps abstrait, contenu, effacé par les artifices vestimentaires. Sous la robe, le treillage d'osier et de fil de fer du panier s'empêtrait dans mes cuisses ; je ne sentais pas son ventre ni ses seins, mais la barrière rigide du busc ; je m'accrochai dans des fermoirs, des aiguillettes, des têtes d'épingle, qui défendaient la géographie barricadée de cette silhouette patricienne. Cependant, sous l'armure d'étoffes et de bijoux, je devinais une fille gracile et inachevée ; je la découvrais si frêle, elle qui était si forte ; je la sentais sinon consentante, du moins disponible, elle qui était si retorse ; cela me bouleversa avec violence, au point que je craignis d'en éprouver des sentiments, et je faillis la libérer. Ce fut à ce moment précis que quelque chose s'assouplit en elle. Ses mains vinrent se poser doucement sur mes flancs, sou cou s'alanguit, et sa tête se posa légèrement sur la mienne.

« D'accord, d'accord, chuchota-t-elle dans le creux de mon oreille. On va le faire. On va baiser... On va le baiser. »

Une onde glacée me cailla les reins. Je me redressai, partiellement dégrisé.

« On va faire quoi ?

— On va le baiser, murmura-t-elle avec une lenteur lascive. Tu sais bien qui. Le vrai responsable de tes blessures. Celui qui veut me marier avec un vieux métèque... »

C'était à la fois une énormité et une évidence. Je crus d'abord que c'était le subterfuge qu'elle avait trouvé pour se défaire de moi. Mais la petite garce, en me regardant par-dessous, me demanda alors avec une nuance railleuse :

« Tu as peur, Benvenuto ? »

Oui, j'avais peur. Mais je l'écrasai contre moi avec brusquerie, je cherchai ses lèvres avec violence. Cette fois, elle me répondit. Elle embrassait avec maladresse, et ses caresses étaient gauches. J'aurais pourtant dû m'en douter, mais je n'en revenais pas : cette petite peste au langage cru n'avait pas d'expérience. Peut-être même était-elle encore vierge. J'en devins affolé : de trouille, d'un accès de rage parce qu'elle négociait son pucelage au péril de ma vie, et par-dessus tout du besoin sauvage de la pénétrer. Je voulus lui arracher ses vêtements ; je me débattis vainement contre un casse-tête textile de gaines, de corsets, de lacets, de rubans. Même quand le tissu craquait sous mon impatience, il ne délivrait pas la moindre parcelle de peau. Cela la fit rire, et elle chercha à m'aider ; mais elle n'avait pas l'habitude de se déshabiller sans ses femmes, et ses efforts n'étaient guère plus efficaces que les miens. Finalement, plutôt que de sombrer dans le ridicule, je la renversai sur le banc humide, je la troussai d'un seul coup, en lui rejetant ses jupes et ses arceaux en travers du ventre. Elle en eut le souffle coupé, peut-être à cause du contact froid de la pierre, plus probablement à cause de la brutalité. Malgré la nuit, je devinai la pâleur maigre de ses jambes nues, l'étroitesse de son bassin, et la virgule plus sombre sur son pubis. Elle se mit à haleter d'angoisse. J'étais déjà en train de me débraguetter, et en dépit de l'obscurité, elle chercha à distinguer la bite raidie que je lui destinais. Et puis, au moment où j'allais me ruer sur elle, elle m'ouvrit les cuisses, avec un mélange troublant d'impudeur et de timidité.

J'étais grillé. En la baisant, j'étais perdu. Au fond de moi, j'avais la certitude que le Podestat me tuerait s'il apprenait que j'avais défloré sa fille. Mais je ne pouvais plus m'arrêter. Toutes mes souffrances, toutes mes frustrations, toute l'excitation d'avoir cassé trois hommes dans la soirée s'étaient logées dans ma queue dardée, et il fallait que je prenne cette fille effrayée, triomphante, ouverte. J'étais sur elle, je sentais son ventre contre mon gland, un coup de rein me séparait seulement de la catastrophe, quand je trouvai une échappatoire. Pas exactement une solution, encore moins la force d'arrêter, mais un pis-aller.

Je saisis Clarissima par les hanches, et je la retournai d'un coup sec. Elle lâcha un rire un peu offusqué.

« Aïe ! protesta-t-elle. Mais c'est vrai, que tu es brute… »

Et puis soudainement, elle comprit mon dilemme, la tension trop forte entre la pulsion et l'angoisse, et ce que j'avais en tête. Elle chercha à se dégager.

« Non, non, s'écria-t-elle. Pas comme ça ! »

Et comme je la maintenais contre moi, cherchant son anus du pouce, elle prit une grande inspiration, sur le point de crier. Je lui plaquai une main sur la bouche juste à temps. Malgré ses appels étouffés, elle continua à se débattre, et je n'arrivais pas à la trouver, ma bite heurtait son coccyx ou ses fesses aiguës sans se loger dans le bon trou. Mais la panique avec laquelle elle secouait son petit cul portait mon excitation à son comble, et il fallait absolument que j'en finisse. Alors, sans découvrir sa bouche, je lui pinçai le nez entre le pouce et l'index. Elle commença à suffoquer, ce n'était plus qu'une affaire de secondes avant que je la maîtrise complètement.

Elle me mordit, la petite salope. Elle me planta ses dents de toutes ses forces, dans le gras de la paume, là où c'est le plus sensible. Ça me fit un mal de chien. Mais en même temps, je trouvai le bon angle, et la douleur me donna un surcroît de rage. Je défonçai son petit cul aristocratique d'une seule poussée, je m'engageai profondément dans un corridor délicieusement lisse et étroit. Elle poussa un couinement aigu, et puis se mit à sangloter dans ma main saignante.

Ce fut ainsi, par la petite porte, que je m'introduisis dans la famille du Podestat.

# VII

## Principes, *de Corvilio*

La tactique peut être définie comme étant l'ensemble des moyens permettant de parvenir à un ou plusieurs objectifs préalablement déterminés par la stratégie. Ces deux formes de pensée sont indissociables.

Un plan stratégique ne peut être réussi sans le calcul précis des coups, sans le jeu tactique, et inversement des coups tactiques qui se succèdent sans lien logique aboutissent généralement à une mauvaise position.

[...] L'instrument préféré du tacticien est la combinaison, suite de coups provoquant des répliques forcées.

NICOLAS GIFFARD

Des coups violents assenés contre ma porte me tirèrent du sommeil le lendemain matin. J'allai ouvrir, en tendant le dos. Spada Matado en personne se tenait sur le seuil. Le vétéran m'adressa un sourire plutôt réjoui, ce qui me fit augurer du pire.

« Habille-toi en vitesse, me lança-t-il. Son excellence veut te voir. »

Peu après, je marchais sur ses talons, et pas fier, le long des galeries et des escaliers du palais. J'essayai de rassembler mes idées pour improviser une défense ; mais hormis l'argument scabreux selon lequel je n'avais pas touché au pucelage de dònna Clarissima, j'étais sévèrement à sec. Matado finit par nous mener au cabinet de travail du Podestat. Comme nous arrivions, deux valets sortaient, porteurs d'instruments de toilette et d'un plat à barbe souillé. Ils s'effacèrent pour nous laisser entrer.

« Il est là », dit simplement mon compagnon.

Plusieurs personnes occupaient la pièce. Le vieux Scaltro mettait la dernière main à la mise de Leonide Ducatore ; celui-ci, debout près d'un lutrin, piochait distraitement dans une corbeille de fruits tout en parcourant des rôles d'équipage. Simultanément, il dictait des courriers officiels au ministérial Coccio Blattari, assez cavalièrement installé au propre bureau du Podestat. Cesarino occupait un fauteuil dans un coin ; le jeune homme avait l'air à la fois mal réveillé et mal embouché, et il me jeta un regard peu amène quand je fis mon apparition. Sa présence mit le comble à mon malaise ; s'il caressait bien le projet plus ou moins secret d'épouser sa cousine, ma petite frasque nocturne risquait de compliquer passablement nos relations…

Le Podestat ne me prêta qu'une attention distraite. D'un geste, il me désigna un siège, et poursuivit son travail avec le clerc curial. Tandis que je m'asseyais, je devinai Matado derrière moi, qui se campait solidement devant la porte. Face à moi, dans le dos de Coccio Blattari, la pièce était éclairée par une série de fenêtres géminées, dont certaines étaient ouvertes pour laisser passer la brise matinale. Mais nous étions au troisième étage, et de toute manière, le cabinet de travail du Podestat donnait sur la cour intérieure du palais, ce qui compromettait toute tentative de fuite par cette voie.

Il me fallut attendre un bon moment. Le Podestat avait plusieurs documents à dicter. L'un d'eux était un décret adressé au vice-amiral Phaleri, qui renvoyait aux carrières de Monte Cavado un millier de forçats affectés aux galères pour la durée de la guerre. Le deuxième était un courrier adressé au Conseil des Échevins de la Marche Franche, où mon patron se plaignait en termes diplomatiques du brigandage qui menaçait les intérêts commerciaux ciudaliens sur les routes de Vieufié. On comprendra que je ne prêtais guère attention à ces affaires courantes ; intérieurement, je m'efforçais plus que jamais de trouver une ligne pour mon plaidoyer. Charger Clarissima aurait été inélégant, ce qui aurait représenté une seconde faute majeure aux yeux de mon patron ; le chantage était probablement un remède pire que le mal ; le déni catégorique ne faisait que remettre à très brève échéance le problème… J'étais dans de très sales draps.

Coccio Blattari remit la plume à l'encrier, sabla le dernier document, y versa de la cire fondue. Leonide Ducatore se rapprocha du bureau et, retirant ses anneaux, apposa tour à tour le sceau de sa famille et celui de la podestatie. Le ministériel rangea les papiers dans un grand portefeuille de cuir et se leva, mais les deux hommes discutèrent encore un moment. Ils parlèrent de l'ordre du jour de la séance qui devait avoir lieu au Sénat le lendemain, ainsi que de l'exposition des projets de fresque de la Salle des Requêtes, qui venait d'être installée une heure plus tôt. Mon patron dit qu'il irait voir les cartons préparatoires dans la journée, avant d'aller visiter un de ses conseils. Le Podestat et le clerc se séparèrent avec une cordialité familière, et Coccio Blattari nous salua tous en sortant, avec une amabilité plus appuyée pour Cesarino. Scaltro, qui avait fini de pomponner son patron, s'éclipsa en même temps.

Une fois le ministériel et le valet partis, Leonide Ducatore contourna lentement son bureau et s'assit face à moi, dans le fauteuil qu'il avait cédé au secrétaire curial. Il me dévisagea longuement, l'expression impénétrable ; mais ses doigts tambourinaient sèchement la table. Au bout d'un moment qui me parut interminable, il interrompit son manège ; il venait d'apercevoir le bandage sommaire que j'avais noué autour de ma main gauche. Il le désigna de l'index, sans un mot, avec une simple moue interrogative.

« Je me suis blessé hier soir, dis-je, la bouche sèche. Juste une égratignure. »

Il opina brièvement du chef, comme s'il saisissait parfaitement, puis reprit son exaspérant tempo de marche militaire. Cesarino se rencogna sur sa cathèdre, en se croisant les bras. Dans les petits carreaux à croisillons d'une fenêtre ouverte, je pouvais surveiller le reflet démultiplié de Matado, derrière moi ; le vétéran venait d'appuyer sa carrure massive contre la porte, et il se livrait à des étirements de nuque.

Pour finir, le Podestat interrompit soudain son manège.

« Bon, quelle est ta version ? me lança-t-il.

— Ma version ?

— Sur ce qui s'est passé cette nuit. »

Il n'y allait pas par quatre chemins. En même temps, il se montrait elliptique, et je devais aussi prendre garde à cette approche. Mon passé de truand m'avait appris à me méfier des interrogatoires allusifs, un piège fréquemment employé par les alguazils et par les juges.

« Je sais pas trop ce qu'on vous a raconté, éludai-je.

— Ce qui m'intéresse, c'est ce que tu as à me dire, toi. »

Pas moyen de tourner autour du pot, alors je fis une concession qui ne mangeait pas de pain :

« Je crois que j'ai un peu merdé.

— Tiens ta langue, rétorqua-t-il sèchement. Tu oublies à qui tu parles.

— Pardon. Je crois que j'ai commis une erreur, Votre Excellence.

— Tu appelles ça une erreur ?

— Disons un gros impair… »

Il me gratifia d'un sourire mielleux.

« Un juriste qualifierait ton gros impair comme un

crime, observa-t-il. Et plus grave encore : tu as foulé aux pieds l'honneur d'une maison noble. »

Voilà qui s'annonçait au plus mal. J'étais bien placé pour savoir que l'aristocratie ciudalienne s'arrangeait très bien avec le crime ; ce terme, dans la bouche de mon patron, n'avait qu'un poids des plus relatifs. En revanche, dans la bonne société, un homme qui profère le mot « honneur » est prêt à franchir la ligne ; il montre qu'il a du sang aux ongles et que pour tenir sa réputation, il est sur le point de tuer quelqu'un.

« Mesures-tu bien ce que tu me dois ? reprit doucement le Podestat. Il y a deux ans, j'ai épargné ta vie, alors qu'il aurait été tellement plus simple de te faire disparaître. J'ai fait de toi un de mes hommes. J'ai favorisé ton ascension au sein de la hiérarchie des Chuchoteurs. J'ai versé ta rançon. J'ai payé les meilleurs médecins de la République pour te remettre sur pied. Et par-dessus tout, je t'ai accordé ma confiance. Et toi, à peine rentré, comment manifestes-tu ta reconnaissance ?

— Je le nie pas. J'ai commis une faute. Mais je sais pas, tout s'est accumulé depuis ma capture en mer, et hier soir, j'étais pas moi-même.

— Sottises ! me reprit-il avec sécheresse. Hier soir, tu étais parfaitement toi-même. Tu as lâché prise, et c'est le ruffian qui m'a éclaboussé de scandale. »

Que répondre à ça ? Je ne pouvais pas lui donner tort. Dans des circonstances ordinaires, j'aurais répliqué par la provocation et par la violence, comme la veille au soir avec Dilettino Schernittore. Mais j'étais lié par les accords qui faisaient de Leonide Ducatore mon patron, sous contrat avec la Guilde des Chuchoteurs. Pas moyen d'esquiver. La coupe où j'avais trempé mon biscuit, il s'agissait de la boire jusqu'à la lie.

« Il va falloir réparer, énonça le Podestat.

— Ça coule de source, lâchai-je en tentant de la jouer cabotin.

— Je déteste traiter ce linge sale au réveil. Ça me gâche la journée.

— Mettez-vous à ma place, ricanai-je avec une gaieté forcée.

— J'y suis bien contraint, rétorqua-t-il. Tout à l'heure, après être passé au Palais curial, je me rendrai chez le sénateur Schernittore. Tu m'y accompagneras. Tu présenteras tes excuses à don Ostina. »

Je dus ouvrir des yeux ronds.

« Qu'est-ce que tu as à me faire cette tête ? jeta le Podestat avec humeur. C'est trop te demander, peut-être ? Tu as failli casser le nez de Dilettino, quand même. Et un de ses mignons, je ne sais plus lequel, est entre la vie et la mort. »

L'heureuse méprise ! J'avais cru qu'on m'avait convoqué pour m'émasculer : mais seule la rumeur de mon petit accrochage avec Dilettino était remontée jusqu'au Podestat. Le soulagement me coupa mes effets, et j'en perdis ma repartie. Après m'avoir servi un sermon que je suivis d'une oreille distraite, son excellence Ducatore me congédia donc, en m'intimant l'ordre de me tenir prêt à l'escorter.

Je pensais que mon patron gagnerait le Palais curial dans les heures suivantes ; toutefois, les visites qu'il reçut et les affaires qu'il avait à traiter le retardèrent, et il ne put se libérer avant le début de l'après-midi. Voilà qui me laissa tout le loisir de mariner dans mon jus. Certes, Leonide Ducatore ignorait encore la partie fine que je m'étais payée avec sa fille ; mais pour combien de temps ? Parfois, avec un frisson morbide, une petite voix me soufflait qu'il savait déjà, mais qu'il avait gardé le silence pour se donner le temps de réfléchir sur la façon la plus discrète d'en finir avec moi. Et puis je me raisonnais : c'était trop tôt. Ma rixe avec Dilettino avait eu lieu devant une brochette de témoins : il était normal que l'information soit revenue rapidement au Podestat. En revanche, j'avais poussé mon coup de rein au fond d'un jardin enténébré et désert. Même si le scandale devait éclater, il lui faudrait encore quelques heures, peut-être quelques jours, pour transpirer.

Pendant une matinée très inconfortable, j'essayai de trouver une échappatoire. Les solutions les plus évidentes étaient encore d'affronter le problème, soit avec Clarissima, soit avec son père. Un coup de sonde prudent auprès de la domesticité m'apprit que la donzelle était restée enfermée dans ses appartements; même si j'étais un familier du palais, il m'était difficilement possible de me présenter aux portes de la fille du Podestat sans provoquer cancans et soupçons en cascade. J'aurais pu tenter une approche indirecte, faire parvenir à Clarissima un colifichet ou des fleurs, pour tenter de calmer le jeu. Mais je rejetai ce piteux recours. D'un, c'était un geste qui ne me ressemblait pas, qui fleurait donc trop l'hypocrisie et le calcul; s'il était perçu comme tel, il me ferait passer pour un dégonflé et ne contribuerait qu'à envenimer mes rapports avec mon épineuse conquête. De deux, il y aurait toujours des fuites pour agiter les potinières, qui chercheraient à identifier si ces cadeaux venaient de Dilettino ou bien d'un autre soupirant. Si jamais des bavardes racontaient que je faisais ma cour à dònna Clarissima, je ne ferais que m'enfoncer davantage dans l'impasse.

Restait l'option la plus franche. Crever l'abcès, retourner voir le Podestat, lui dire les yeux dans les yeux que je m'étais un peu amusé avec sa fille, mais que j'avais conscience de l'erreur et que je ne boirais plus de cette eau. Une solution nette, les choses mises au clair. Connaissant mon patron, j'étais même persuadé qu'il ne serait qu'à moitié surpris, et qu'il se fendrait d'une considération cynique ou frivole. Je savais aussi que quelques jours plus tard, Matado, Ferlino, Oricula et Sorezzini me tomberaient dessus dans mon sommeil et me jetteraient dans la cour la tête la première, par une fenêtre du quatrième étage. Cette perspective assez brutale finit par inhiber mon accès de sincérité.

Ce fut donc au début de l'après-midi que le Podestat convoqua son escorte privée pour gagner le Palais curial. J'en étais, avec Matado, Lupo et Oricula. Cesarino accompagnait aussi son oncle, impatient de découvrir les projets exposés par trois grands artistes pour la commande du Sénat. C'était une journée de fin d'été ; il faisait chaud et lourd, une atmosphère étouffante qui augurait un retour des orages pour la soirée. Pourtant, par mesure de précaution, il fallut tous nous affubler d'un masque. Si un agresseur cherchait à attenter à la vie du Podestat, il s'agissait de lui compliquer suffisamment la tâche pour nous donner le temps de protéger notre patron ou de poinçonner le fâcheux. Nous sortîmes par une porte de service, et nous remontâmes quelques ruelles et arrière-cours, en évitant les voies les plus passantes. D'ordinaire, j'appréciais ces balades armées. Quatre fines lames en beau pourpoint, la démarche crâne et la main posée sur le pommeau de l'épée, encadrant des aristocrates indolents, ça vous gonflait d'importance son spadassin. Cependant, ce jour-là, je n'étais pas d'humeur fanfaronne. Du coin de l'œil, j'inspectais souvent la silhouette masquée de mon patron, en me demandant quand les choses allaient tourner au vinaigre. Le Podestat bavardait tranquillement avec son neveu, mais cette quiétude ne signifiait rien. Son excellence Leonide Ducatore pouvait déjà avoir arrêté de me livrer au sénateur Schernittore, pour réparer certain coup de boule peu protocolaire…

La piazza Palatina était en pleine effervescence quand nous l'atteignîmes. Des manouvriers démontaient les gradins ; la voirie était encombrée de pièces de charpentes, de tombereaux, de chevaux de bât. Même sur les degrés du Palais curial, il nous fallut louvoyer entre les échafaudages du catafalque en cours de démolition. Le soleil tapait dur sur le pavé, et la cohue débraillée des travailleurs de force s'arrosait généresement le gosier. Toute la place retentissait de lumière, de cris, du heurt rythmé des maillets et du vacarme des ais chutant sur la chaussée. Franchir les portes du Palais nous permit de retrouver une fraîcheur bienvenue, mais guère plus de calme. La Salle des Requêtes était remplie de monde, et son volume bruissait de conversations et d'éclats de voix.

La Salle des Requêtes formait l'entrée du Palais curial. C'était un espace public accessible à tous les citoyens, conçu pour les échanges, les palabres, le règlement des transactions. Des phalangistes y gardaient les portes et les escaliers qui menaient à la Salle des Cent Dix, où délibérait le Sénat, à la Salle des Cartes, à la Galerie Pourpre ou encore aux Entresols, le véritable siège du gouvernement civil. L'endroit bourdonnait d'animation : c'était l'un des nœuds politiques et financiers de la République. On venait s'y montrer, on y prenait le pouls des affaires, on y nouait des contacts, on y répandait des rumeurs, on s'y frottait au pouvoir. À vingt pieds du dallage de marbre, une voûte en berceau suspendait au-dessus des intrigants les gloires vieillies de l'Émancipation de Ciudalia. Des fresques fendillées exaltaient l'œuvre des Libérateurs qui, deux siècles plus tôt, avaient secoué le joug de la Leomance, résisté tour à tour aux invasions du duc d'Arches, du roi Maddan IV, et pour finir du Roi-Idiot. Des panoramas naïfs montraient des guerres de siège et des affrontements en rase campagne, avec des perspectives hésitantes, parfois faussées par la rotondité du plafond ; des cartouches ou des phylactères archaïques, dont les inscriptions s'étaient voilées de vieillesse, ne parvenaient plus à immortaliser les noms des sénateurs et des capitaines de cette époque révolue.

C'était ce ciel aux enduits craquelés que la vanité de mon patron allait livrer aux spatules et aux burins des artisans. Une fois l'œuvre des vieux maîtres tombée en gravats sur le sol palatial, les voûtes de pierre nue seraient couvertes d'une nouvelle couche de mortier, où s'étalerait le triomphe du cap Scibylos.

Dans trois points bien séparés de la salle, des chevalets avaient été disposés pour exposer les projets des artistes en lice. Les délais avaient été trop brefs pour que les peintres fussent en mesure de proposer des toiles préparatoires : ils s'étaient contentés d'esquisses générales au fusain et à la pierre noire, auxquelles ils avaient joint quelques cartons de fragments de l'œuvre, en grandeur réelle, afin que le public pût se faire une idée plus juste du résultat final. Le Podestat se démasqua en pénétrant dans le Palais curial, imité par son escorte, ce qui nous valut d'inévitables embarras et courtisaneries. Néanmoins, mon patron se fraya assez vite un chemin vers le premier projet. C'était celui qui agglutinait le plus de monde, et qui provoquait les discussions les plus vives. Certains se récriaient d'admiration, louaient l'audace créatrice du maître ; d'autres, tout aussi bruyants, se perdaient en invectives contre un tel monceau d'ordures. Avant même d'apercevoir l'œuvre, je devinai qu'il s'agissait du travail de Pugapingi.

Je connaissais les goûts licencieux du Pugapingi, son penchant pour la grivoiserie enrobée de perfection formelle, ce qui lui permettait de passer, selon les sensibilités, pour un novateur génial ou pour un imposteur dégénéré. Je m'attendais bien à un sujet vaguement crapuleux. Je n'en fus pas moins sidéré par ce que je découvris.

Pugapingi avait respecté à la lettre sa commande : il avait représenté les abordages victorieux du cap Scibylos. Mais il affichait tout aussi clairement qu'il se battait la breloque du thème imposé. Au premier coup d'œil, on identifiait la bataille. Et au premier coup d'œil, on comprenait aussi que ça n'avait rien à voir avec la bataille.

Toute la surface était couverte par la représentation de la mêlée. Nulle perspective, nul arrière-plan : le public se retrouvait le nez sur le corps-à-corps. Et quel corps-à-corps ! Pugapingi avait évacué tout ce qui ne l'intéressait pas : il avait désapé les armées. Ici ou là, il avait concédé un accessoire guerrier : tel personnage portait un baudrier, tel autre un casque, tel autre un bouclier. Tous étaient nus comme des vers, d'une nudité musclée et triomphante. C'était la couleur de la peau, claire pour les nôtres, sombre pour l'ennemi, qui suffisait à distinguer les deux camps. Pugapingi avait laissé leurs armes à ses combattants : mais entre les mains de ses athlètes musculeux, il s'agissait moins d'instruments de mort que de prétextes aux poses les plus outrées. Ce foutoir évoquait une gigantesque partouze de sodomites baraqués. Entre les corps contorsionnés, c'est à peine si on devinait une planche de tillac, un tronçon de mât, esquissés pour suggérer la bataille navale. Et pourtant, le peintre n'en avait pas moins placé la mer et la guerre au centre de cet enculage. L'entrelacement furieux des corps dessinait de longues vagues tout au long de sa toile ; la crudité de tous ces hommes nus emmêlés vous frappait avec la violence d'un engagement.

« Quelle connerie ! grommela Matado.

— C'est… indécent », observa Cesarino, sur le ton choqué de la bachelette qui ne demande qu'à se laisser séduire.

Le Podestat ne disait rien. Je vis à son œil qu'il suivait les lignes de force de la composition, qu'il en identifiait la structure secrète. Son regard revenait souvent au centre de l'esquisse, là où il se trouvait, avec les principaux généraux de cette guerre. Car Pugapingi, avec son célèbre culot, avait eu l'aplomb de coller les élites républicaines au cœur de son orgie. Il avait juste arrangé l'histoire à sa sauce, en plus d'avoir effeuillé les dirigeants. Au beau milieu du bordel, Leonide Ducatore, le sénateur Ettore Sanguinella et le patrice Bucefale Mastiggia étaient en train d'emporter le podestat Cassio Cladestini, représenté sans forces, blessé ou mourant. Juste à côté, le vice-amiral Sceleste

Phaleri passait le bras de Regalio Cladestini autour de ses épaules pour lui porter secours. Tous ces grands hommes étaient aussi nus que le reste de la troupe, et dotés d'une musculature héroïque. Pugapingi avait aussi pris la liberté de rajeunir la plupart d'entre eux, sans doute dans le but de les rendre plus bandants. Le fourreau d'une épée de fantaisie masquait fort opportunément le pubis du Podestat ; la position inclinée, de trois quarts profil, du vice-amiral Phaleri lui permettait d'interposer une cuisse vigoureuse entre son entre-jambe et le spectateur. La queue des blessés était bien visible, et pas spécialement flaccide. L'abandon avec lequel ils se livraient était équivoque : leur corps parfait, vierge de toute blessure, et leur expression absente suggéraient davantage l'extase que l'agonie.

L'esquisse faisait scandale. Même si le public d'amateurs d'art et de nobles s'était écarté devant le Podestat, les spectateurs n'en poursuivaient pas moins une dispute virulente. Le vieux Salazzino Prevaricacce, le sénateur de la faction ploutocrate, criait à l'obscénité sous les lazzis de jeunes admirateurs du Pugapingi. Le vieillard prit mon patron à parti, et lui demanda tout à trac si cela ne le gênait pas de parader ainsi le cul à l'air. Cela provoqua quelques rires embarrassés dans l'assistance. Avec un léger sourire, Leonide Ducatore répondit qu'il regrettait juste de ne pas avoir les épaules que l'artiste lui avait prêtées.

Sur un point au moins, Pugapingi avait bien réussi son coup : ses cartons licencieux étaient si provocateurs qu'ils détournaient la plupart des badauds des crayons de ses deux concurrents. Le Podestat tint néanmoins à aller les contempler.

Le deuxième projet était celui qui attirait le moins de curieux. C'était aussi l'œuvre dont j'étais le moins familier : une esquisse de fra Albinello, ce peintre énigmatique arrivé depuis deux ans à peine à Ciudalia. L'artiste avait adopté un angle radicalement différent de celui de Pugapingi ; là où le premier avait tablé sur la transgression, Albinello avait opté pour un traitement très ordinaire. Son esquisse représentait une scène de rue d'une grande banalité. Quatre personnages descendaient la via Descuartizza, qui dégringolait vers le port, ébauché au bout d'une ligne de fuite. Il s'agissait de deux cavaliers — les deux podestats — et de deux piétons, Regalio Cladestini et Bucefale Mastiggia. Nulle escorte militaire pour les flanquer, nulle compagnie aristocratique : ils traversaient simplement la foule quotidienne des artères commerçantes. Eux-mêmes n'arboraient ni armures, ni armes de guerre : ils étaient vêtus de costumes luxueux et des épées civiles ornaient simplement leur côté. Dans les bassins du port, que l'on apercevait au fond de la perspective urbaine, on devinait plus de navires de commerce que de galères. Au premier coup d'œil, tout cela paraissait bien commun ; et pourtant, inexplicablement, je ressentis presque aussitôt une intuition dérangeante, un vertige léger, un vrai sentiment de mystère, comme si je ne voyais pas tout ce qui était exposé à mon regard.

Les hommes de main du Podestat se désintéressèrent rapidement de ces cartons, préférant inspecter la foule qui encombrait la Salle des Requêtes. Même Cesarino décrocha après une inspection superficielle, visiblement déçu de ne trouver aucune accroche dans le projet du maître. Mais mon patron, les sourcils froncés, persista à chercher quelque chose dans la toile. Avait-il éprouvé, comme moi, un sentiment ténu d'égarement devant cette scène si convenue ? Cherchait-il à percer le voile subtil dont fra Albinello avait habillé son vrai sujet ? Pour ma part, plus je regardais ces promeneurs descendant au port, plus je sentais monter en moi un envoûtement diffus, inquiet, fuyant.

La composition, bien sûr, livrait des clefs. Grâce à tout un jeu de grisés et de hachures, fra Albinello avait suggéré l'atmosphère qui baignerait la fresque : une lumière vespérale et oblique, qui créait un contraste tranché entre les façades ensoleillées et celles déjà plongées dans l'ombre. Aux étages des façades, de nombreuses fenêtres étaient ouvertes, et le peintre avait représenté avec un luxe de détails le jeu complexe des reflets dans les carreaux en croisillons ou en culs de bouteille. Cela jetait sur une grande partie de la surface un miroitement déroutant, qui égarait le regard loin des quatre personnages principaux, et participait sans doute au sentiment de vérité cachée.

La position des quatre sujets était aussi, de façon assez évidente, chargée de signification. Leur groupe était dissymétrique. Le Podestat était isolé, dressé sur ses étriers, dans la lumière tombante. Il avait la main levée vers des gens du peuple qui l'interpellaient du haut d'un étage, et son visage accrochait les rayons du soleil. Ses trois compagnons, qui allaient mourir, restaient dans la zone de la rue que mangeaient déjà les ombres. Les deux Cladestini, le podestat et son neveu, étaient partiellement retournés vers le public, qu'ils regardaient bien en face. L'expression du podestat Cassio Cladestini était impérieuse et hautaine, celle de Regalio plus mélancolique, teintée de regret. Il était difficile, en revanche, d'identifier ce qui retenait l'attention de Bucefale. Comme le Podestat Ducatore, il avait l'œil attiré par une fenêtre aux étages ; mais celle-ci était inoccupée ; la pénombre du soir la gagnait, voilait son intérieur d'obscurité.

Leonide Ducatore, du reste, ne regardait pas exactement les citoyens qui l'acclamaient. Son attention semblait flotter un peu plus haut, et en suivant son regard, j'identifiai d'autres procédés mobilisés par fra Albinello. Attiré par le ciel, le regard du Podestat volait en fait au-dessus des toits et allait accrocher, en arrière-plan, le parement ensoleillé du temple du Resplendissant, au sommet de la colline de Purpurezza. Le peintre y avait logé l'un des points de fuite de sa composition, presque au sommet de la fresque, tandis qu'un second avait été placé tout en bas, au niveau du port. Toute la scène était donc partagée entre deux lignes de tension, celle de la rue qui dégringolait vers les bassins du port, et celle du temple, aérienne et dorée. Le Podestat seul ayant l'attention tournée vers le temple, alors que son cheval se dirigeait vers le front de mer, il semblait se redresser avec une énergie secrète, qui en faisait le triomphateur prédestiné de la guerre future.

Le traitement solaire de mon patron, la pudeur dans l'évocation de la mort des autres aristocrates auraient dû donner un équilibre plein de sérénité à cette œuvre. Bizarrement, il n'en était rien. En fait, plus je contemplais ces cartons, plus je croyais en discerner la dynamique cachée, et plus je sentais monter l'inquiétude. Cette scène de rue, paisible et maîtrisée, exsudait une impression de menace larvée, insinuante, insistante. J'avais même le sentiment très déroutant que l'œuvre me rendait mon regard, et un putain de méchant regard, sans comprendre ce qui pouvait motiver une impression aussi saugrenue. Les Cladestini, peut-être... Mais on devinait bien que le peintre les avait représentés comme des victimes plus que comme des mânes vengeurs... Non, quelque chose d'autre transpirait de ce croquis, une malveillance collective, massive, dont je ne parvenais pas à identifier la source...

L'arrivée d'un nouveau venu dans notre petit groupe vint me distraire. Le ministériel Coccio Blattari venait de déboucher de la chancellerie des Entresols, et il s'était joint à nous. Tout en faisant mine de regarder l'esquisse de fra Albinello, il livrait à mon patron diverses informations glanées dans la journée au Palais curial. Il débitait son couplet sur un ton badin, mais à voix basse ; malgré moi, la curiosité me tirait l'oreille de son côté, et je ne consacrais plus qu'une attention distraite à l'œuvre insaisissable du peintre.

Depuis la matinée, le clerc curial avait collecté plusieurs rumeurs, qu'il présentait avec concision et prudence. Il commença par les délibérations prévues à l'ordre du jour du lendemain, au Sénat. Les débats devaient porter sur l'occupation et la fortification de l'île de Qir, au large du cap Scibylos. Ce caillou arraché à la couronne de Ressine, perdu en pleine mer au milieu de brisants dangereux, faisait l'objet de convoitises acharnées chez nos élites. C'était une dépouille qu'on allait se déchirer au Sénat. Il fallait voter qui serait délégué pour superviser la construction d'une forteresse, qui assurerait le commandement militaire de la place, qui fournirait les matières premières, la main-d'œuvre et le ravitaillement pour l'édification de cette base avancée. Des sommes colossales allaient être englouties par la République afin d'assurer sa souveraineté sur cet écueil désolé : Coccio Blattari rapportait donc à mon patron les manœuvres, les tractations et les jeux d'alliance qui se négociaient sous le manteau pour obtenir une part de ce gâteau. Le ministériel soupçonnait même que les intrigues avaient déjà développé leurs ramifications bien au-delà des enceintes de la ville. Un indicateur de la capitainerie du port lui avait ainsi fait remonter une information curieuse : une galéasse marchande affrétée par le sénateur Sanguinella venait de rentrer au mouillage seulement quelques jours après avoir pris la mer, sans avoir écoulé sa cargaison. La raison invoquée à ce retour précipité avait été une avarie ; mais le patron du navire n'avait pas demandé à faire mettre le bâtiment en cale sèche... Pour Coccio Blattari, cela sentait la diplomatie parallèle à plein nez.

En marge des brigues et des calculs aristocratiques, le ministériel évoqua aussi l'apparition d'un foyer de mécontentement populaire dans un quartier de la ville basse. Tout était parti d'une histoire un brin sinistre. Un an plus tôt, les deux fils d'un savetier de la via Strettina avaient disparu ; phénomène malheureusement fréquent dans les quartiers pauvres ou sur la piazza Pescadilla, où des enfants des rues étaient souvent enlevés, embarqués clandestinement et revendus sur les marchés aux esclaves d'Elyssa et d'Ahawa. Mais cette affaire banale avait pris un tour inattendu, car les deux garçons venaient d'être retrouvés, quelques jours plus tôt, dans une impasse infecte proche du cloaque Azoteo. Les gamins avaient été découverts gisant sur le pavé, serrés dans les bras l'un de l'autre ; l'un des deux était mort, l'autre ne tenait plus à la vie que par un fil. Les témoins et les alguazils qui les avaient pris en charge avaient été effrayés par leurs stigmates : les deux garçons avaient eu les yeux crevés puis cousus, mais ces mutilations dataient sans doute de plusieurs mois. Pour ajouter à l'horreur, ces enfants avaient l'aspect de petits vieillards : ils étaient complètement blanchis, leur peau était livide, leurs gencives à moitié édentées, leurs mains déformées par quelque chose qui ressemblait fort à de l'arthrose. L'autre singularité venait de leur tenue ; quoique crottés, les vêtements qu'ils portaient n'étaient pas ceux de leur milieu. Il s'agissait de chainses douces, de pourpoints coquets et de haut de chausses à aiguillettes, taillés dans des étoffes luxueuses. Ces nippes hors de prix sur deux petits gueux martyrisés avaient provoqué une flambée de colère dans le quartier. On n'accusait plus les trafiquants d'esclaves d'aller voler les enfants des pauvres gens, mais bel et bien les grands aristocrates et leurs sorciers. Coccio Blattari précisa que l'agitation, pour l'heure, restait circonscrite à la via Strettina et à la via Bisogna, mais qu'il suffirait de peu pour que l'indignation enflamme tout le quartier des Abattoirs, celui de l'Arsenal et les ruelles populeuses de Purpurezza. Dans ces circonstances, il recommandait à mon patron la plus grande discrétion à propos de son astrologue…

Tout en écoutant Blattari, mon attention errait toujours sur les cartons de fra Albinello. Ce fut cette bizarre histoire des enfants aveuglés, qui, par une association intuitive, me permit soudain de deviner le tableau dans le tableau. Chez un maître comme Albinello, rien n'était gratuit. Or il y avait une anomalie dans le regard d'un de ses quatre principaux personnages. Le Podestat fixait clairement le temple du

Resplendissant ; Cassio et Regalio Cladestini dévisageaient le spectateur sans ambiguïté ; mais que regardait Bucefale ? Une fenêtre vide ? En examinant le dessin, on voyait bien qu'il ne scrutait même pas les ombres de l'intérieur, mais que son attention était captée par le vantail à croisillons de plomb. C'était absurde : pourquoi représenter le vrai vainqueur du cap Scibylos en train de fixer un détail domestique ?

Parce que c'était là, bien sûr, que fra Albinello avait niché la guerre et la menace. Dans les petits carreaux de la fenêtre, il avait représenté avec soin les jeux de lumière vespéraux. Il s'agissait en fait des mirages crayonnés d'hommes en armes. Il y avait un guerrier minuscule dissimulé dans les défauts du verre de chaque carreau ; on comptait des dizaines de carreaux par fenêtre, multipliés par les dizaines et dizaines de fenêtres que le peintre avait distribuées sur les façades. C'était toute une armée qui se tenait ainsi en embuscade, presque invisible, dans ce que l'on prenait d'abord pour un jeu de reflets et d'ombres dans les croisées. Fra Albinello avait pris prétexte des bulles et des irrégularités des vitres pour déformer ces silhouettes guerrières, pour en faire une galerie difforme de grotesques cuirassés. Et pour le peu que l'esquisse laissait deviner, cette armée de monstres cachés était tournée vers le public, concentrait des centaines de regards ébauchés sur le spectateur égaré, qui ne voyait que la ville en paix traversée par quatre aristocrates.

Tout en continuant à discuter, mon patron et le ministériel entraînèrent notre petit groupe vers le troisième projet. J'étais partagé entre une pointe d'appréhension et une curiosité diffuse : c'était l'ébauche du Macromuopo que nous allions découvrir. Compte tenu des rapports compliqués que j'avais renoués avec le peintre, compte tenu de la façon dont j'avais usé de son jeune modèle, je me sentais mal à l'aise à la seule idée de poser les yeux sur son travail... Mais j'étais loin d'imaginer ce qu'il avait osé dessiner. Quand je me retrouvai face à ses cartons, je restai cloué sur place. Armé d'une pierre noire et de fusain, le vieux maître avait purement et simplement exécuté son sujet. Comme j'aurais exécuté un contrat avec un bon couteau. Il nous avait crucifiés.

Le Macromuopo avait été droit au but. Il avait méprisé la recherche plastique d'un Pugapingi, la mise en abîme hermétique d'un Albinello. Il avait opté pour une composition figurative, d'un réalisme soigné, où il avait fixé ce qu'il avait vu de cette guerre. Et même s'il n'avait pas mis le pied sur le pont puant d'une galère, il avait bel et bien vu la guerre ; il nous la renvoyait en plein visage, avec toute la puissance de son trait.

Le peintre avait représenté l'état-major de notre flotte, au soir de la victoire du cap Scibylos, dans la tente de commandement de la galéasse amirale. Sur les côtés du tableau, par les rabats ouverts du pavillon, on découvrait quelques échappées sur la mer en feu : des gréements flambaient, obliques dans le vent crépusculaire ; des coques chavirées sombraient ; des épaves et des corps roulaient sur les flots, tandis que l'horizon était barré par les horizontales agressives des rostres, des avirons et des ponts surbaissés de nos galères. Tout cela, toutefois, n'apparaissait qu'en arrière-plan, réduit par la perspective. Le vrai sujet du Macromuopo, c'était l'assemblée des capitaines victorieux. Il les avait tous croqués, les sénateurs, les patrices et les supracomites : une compagnie triomphante de seigneuries, corsetées d'acier damasquiné et de quartiers de noblesse. Regroupés autour de la table où étaient étalées les cartes de navigation, les officiers adoptaient les attitudes ombrageuses de l'aristocratie guerrière : bâtons de commandement appuyés sur la hanche ; mains posées avec légèreté sur l'épée, l'index élégamment étiré sur le pommeau ; mentons relevés et nuques raidies avec une majesté menaçante ; expressions graves et regards lointains, saturés de la conscience de leur grandeur. Cet ensemble transpirait l'arrogance, la puissance, l'accablante suprématie de Ciudalia ; cela frisait du reste l'excès et la courtisanerie, ce qui introduisait un doute sur l'intention réelle de l'artiste, épopée ou satire.

De façon frappante, tout l'état-major du Podestat était bel et bien épinglé ! Au centre de la composition, en face du spectateur, on identifiait sans peine mon patron. Il était entouré par ses vice-amiraux, le sénateur Phaleri et le sénateur Sanguinella, par les gonfaloniers des régiments Testanegra et Burlamuerte, par les supracomites issus des familles sénatoriales, les patrices Sicarini, Surmaticci, Cotyla, Actanza, Coronazione... Naturellement, Bucefale Mastiggia figurait en bonne place. Le peintre l'avait distingué de plusieurs façons : il l'avait placé au premier rang, un peu sur la droite ; mais surtout, c'était le seul capitaine dont l'armure portait des traces du combat.

J'étais stupéfié par ce que ce portrait de groupe signifiait. Sur un plan purement politique, cela révélait la familiarité du peintre avec le pouvoir. Ce travail témoignait de l'excellence avec laquelle il était renseigné sur l'état-major de mon patron — et je réalisai alors ce à quoi le Podestat et le maître avaient pu consacrer leurs entrevues... Toutefois, les délais avaient été bien trop courts pour que Le Macromuopo ait pu visiter individuellement chacun de ses nobles modèles... Cela impliquait qu'il les avait tous au fond de l'œil, qu'un événement public comme les funérailles de Regalio lui avait suffi pour mémoriser, d'un seul coup, une vingtaine de visages.

Sur le plan artistique, la force du trait était renversante. Ses modèles étaient parfaitement reconnaissables, mais la rapidité d'exécution tendait à les transformer en épures. Les caractères n'en ressortaient qu'avec plus d'expressivité, mis à nu par le mélange de maîtrise et d'urgence. Tous les regards se croisaient ou se fuyaient, dans un entrelacement muet de calculs, de convoitises, de défis, de complicités, de rancœurs, de soumissions. Seuls deux personnages échappaient à cette trame entrecroisée. Le Podestat Leonide Ducatore, au centre, qui posait deux doigts sur le portulan où était figuré le cap, et qui gardait les yeux baissés sur la carte, avec une expression mystérieuse, intérieure, pleine de satisfaction secrète, de gravité souriante. Et puis Bucefale Mastiggia, qui regardait le public avec une franchise brutale, les pupilles un peu dilatées, encore porté par l'ivresse violente du carnage.

Mais pour être honnête, tout cela, je m'en contrefoutais.

Ce qui me cloua sur place, c'est que j'étais au cœur de la toile.

Le vieux monstre m'avait représenté, et bien campé encore, en plein centre, juste derrière Leonide Ducatore. Ce fumier de maestro avait toutefois fait une entorse à la vérité : il m'avait dessiné non avec ma jolie gueule de naguère, que j'arborais encore au cours de la bataille du cap Scibylos, mais avec mon nouveau mufle tordu et couturé. Une évidence vint alors m'accabler : c'était pour me placer dans son tableau que Le Macromuopo m'avait dévisagé de si impertinente manière pendant les obsèques de Regalio… Et c'était pour cela que je lui avais expédié Clarissima Ducatore avec sa petite vengeance fielleuse. Quelle pauvre buse j'avais été !

Or Le Macromuopo allait me faire payer très cher mon gentil coup bas.

Comment l'avait-il appris ? L'avait-il deviné ? L'avait-il déduit ? L'avait-il lu dans l'urbanité raffinée de mon patron, dans les cicatrices qui me balafraient la trogne ? Toujours est-il qu'il avait approché quelque chose, quelque chose de secret, quelque chose de dangereux. Il savait ce que j'avais fait sur la galère Mastiggia.

Sur la toile, par-dessus l'épaule de mon patron, je regardais Bucefale. Avec une intention sans équivoque.

Après avoir contemplé les trois projets, le Podestat voulut s'éclipser rapidement. Toutefois, maintenant qu'il s'était montré dans la Salle des Requêtes, il risquait de se trouver englué dans une nasse d'indésirables et de fâcheux. Nous aurions pu lui dégager la voie en bousculant les parasites les plus collants, mais notre patron désirait éviter de froisser les susceptibilités. Il préféra recourir à un subterfuge.

En devisant avec Coccio Blattari, il gagna la chancellerie des Entresols. Il faisait ainsi croire qu'il allait expédier des affaires courantes avec le clerc curial ; les Entresols forment les bureaux secrets de la République, une administration où sont traités les dossiers fiscaux, diplomatiques et judiciaires. En fait, Leonide Ducatore comptait juste traverser la chancellerie pour filer par la porte de derrière. Il échangea encore quelques mots avec le ministérial devant son cabinet de travail, puis prit congé. Cesarino, Lupo et Oricula furent renvoyés dans la Salle des Requêtes pour donner le change ; Leonide Ducatore nous entraîna vers les étages, Matado et moi. Il nous fit emprunter la galerie des Tabellions ; il s'agissait d'une passerelle couverte qui joignait le Palais curial au dernier étage de l'Hôtel des Monnaies, en enjambant la via Assettina. C'était une voie détournée pour quitter subrepticement le siège du Sénat, d'autant plus sûre que l'Hôtel des Monnaies est gardé par un détachement de phalangistes. En outre, les fenêtres de la galerie des Tabellions offraient un point de vue aérien sur la rue en contrebas et sur un angle de la piazza Palatina : cela permettait de repérer l'itinéraire à emprunter, une fois dehors, pour être assurés de disparaître tranquillement.

Juste avant de quitter l'Hôtel des Monnaies, le Podestat nous fit intervertir nos masques, avant de dissimuler à nouveau nos visages. Puis, nous revînmes quasiment sur nos pas : le palais Schernittore, sis via Comitina, n'était guère éloigné du palais Ducatore. Malgré la familiarité du trajet, je n'en menais pas large : la Déesse seule savait ce que mon patron avait en tête, et j'espérais par-dessus tout que ce n'était pas une image de sa fille culbutée sur un banc de jardin. Naturellement, le Podestat ne laissait rien percer. Alors que nous abordions la via Cavallina, il me demanda même :

« Au fait, qu'as-tu pensé des cartons des maîtres ? »

Pour ma part, je m'interrogeais surtout sur ses intentions réelles. Était-il vraiment intéressé par l'avis d'un type dans mon genre, ou cherchait-il à m'endormir alors que nous allions heurter l'huis du sénateur Schernittore ? Les deux, sans doute. Et je le soupçonnai aussi de me sonder sur mes liens révolus avec Le Macromuopo. Je décidai de rester laconique.

« Ces trois cuistres essaient de vous flouer, grommelai-je. Ils se servent de votre commande comme d'un marchepied pour construire leur propre gloire. »

Matado grogna son approbation.

« C'est de bonne guerre, convint le Podestat. Je préfère même qu'il en soit ainsi : cela me garantit un chef-d'œuvre. »

Sous le masque aux traits lisses, sa voix sonnait amusée.

« Mais je ne sollicitais pas ton opinion sur leurs ambitions, poursuivit-il. C'est sur leur travail que je suis curieux d'avoir ton sentiment.

— Pugapingi est le plus tape-à-l'œil ; s'il est nommé maître d'œuvre, vous aurez une interminable querelle sur les bras, quelques jeunes esthètes s'étriperont au nom de la décence et de l'art, et il vaudra mieux fournir une escorte au peintre. Beaucoup de scandale pour pas grand-chose : des trois projets, c'est le sien qui est le plus candide. À l'inverse, Albinello semble anodin, alors qu'il offre un portrait total de Ciudalia. Il a conçu un tableau à l'image de sa démarche, à l'image de ce que nous faisons en ce moment : une œuvre qui avance masquée. Reste Le Macromuopo. Je n'aime pas ce qu'il a fait. Il peint comme un juge. »

Mon patron inclina un peu la tête de côté. Je n'en étais pas certain, mais j'avais toujours l'impression qu'il se divertissait, alors que l'ébauche du Macromuopo ne m'avait pas spécialement donné à rire.

« Il faudrait vraiment que tu bavardes plus souvent avec Cesarino, observa Leonide Ducatore. Tu as de la méthode. La même concision pour formuler une opinion ou pour résoudre un problème... Quelle belle qualité ! Mon neveu devrait prendre modèle sur toi. »

Difficile d'interpréter sa plaisanterie ; je voyais la façade du palais Schernittore se profiler au bout de la rue, et je n'avais pas trop la tête à démêler les implicites de ce compliment. Du reste, le Podestat enchaînait :

« Pugapingi est peut-être candide, mais c'est aussi un génie. Il a compris que c'est en violentant le bon goût qu'il marquerait les consciences et les arts. On lui crache au visage aujourd'hui, on le vénérera demain. Il bâtit sa postérité. C'est même la raison pour laquelle je ferai obstacle à son projet : je fais du mécénat pour pérenniser ma renommée, pas pour m'effacer derrière l'artiste. Quant à fra Albinello, il ne me convainc pas. Ceux qui ne comprendront pas sa composition l'oublieront, et oublieront aussi son sujet. Ceux qui verront le sens caché se feront une idée bien partagée de notre victoire... Cela ne me séduit guère. Non, décidément, ne t'en déplaise, il ne reste que Le Macromuopo. Il n'est pas innovant, il n'est pas symbolique, mais qu'importe ! Il est sublime et vrai.

— Et ça ne vous dérange pas que la vérité nous englobe, vous, moi et le héros malheureux ?

— Cela prouve que nous n'avons rien à cacher. »

Et c'était le premier magistrat de la République, qui déambulait incognito sous un loup de carnaval, qui me tenait ce beau discours ! Mais il n'était plus temps d'ergoter sur sa conception de la transparence : nous étions arrivés devant l'entrée du palais Schernittore.

C'était une demeure puissante et orgueilleuse, rivalisant en arrogance avec le palais de mon patron. Toutefois, avant même d'en avoir franchi le seuil, on comprenait que le clan Schernittore s'étiolait. Nul attroupement devant le porche fermé, nulle allée et venue entre l'intérieur et la rue. Ce grand hôtel était calme, comme si ses propriétaires s'étaient retirés dans leur domaine à la campagne : dans les beaux quartiers de Torrescella, une telle quiétude sentait la décomposition sociale et politique. Tandis que je me plaçais en couverture derrière Leonide Ducatore, Matado saisit le heurtoir et frappa la porte plusieurs fois. Le bruit se répercuta à l'intérieur comme dans un caveau.

La domesticité aussi était réduite : il fallut attendre un peu avant qu'on vînt nous ouvrir. Le valet qui nous accueillit était connu de mon patron, qui le salua avec affabilité après avoir retiré son masque. C'était un serviteur vieillissant et poli, qui me fit un peu penser à Scaltro. La porterie était assez large pour permettre à plusieurs cavaliers d'y passer de front, mais elle n'était gardée par aucun homme de main. Voilà qui me rassura un peu. Cela confirmait également le déclin de la maison.

La demeure n'était pas vide ; elle était engourdie. De rares voix de serviteurs portaient loin sous les voûtes sonores, derrière les détours des couloirs et des escaliers. Il régnait une atmosphère somnolente, qui sentait le reflux du monde et de la faveur. Ce palais s'assoupissait ; les salles désertées, les galeries étirées s'alanguissaient dans les jeux d'ombre et de soleil, dans les arômes éventés de vieilles boiseries, de pierre usée. Deux enfants jouaient dans le patio sur lequel débouchait la porterie. Des garçons chétifs et bruns, agenouillés à même le sol, qui traînaient les manches de riches pourpoints sur le dallage poudreux de la cour. Ils avaient aligné sur le pavé de grandes figurines de bois peint, se livrant une guerre calme et sérieuse ; mais notre arrivée avait suspendu l'affrontement des jouets, et ils levaient vers nous des yeux curieux. Ils reconnurent aussitôt mon patron. Le plus petit bondit sur pied et courut familièrement vers le Podestat. L'aîné se releva en essuyant gauchement ses genoux sales et se mit à crier :

« Maman ! Maman ! Don Leonide est à la maison ! »

Le Podestat accueillit avec un rire l'effronté qui le chargeait, et le souleva sans façon sur un bras. Le gamin pouvait avoir six ou sept ans ; il ressemblait vaguement à Dilettino.

« Mais qui voilà ! Le vaillant centenier Pabilo ! s'exclama mon patron. Bigre ! Ce que vous avez grandi, ma petite seigneurie ! Sans votre affection pour moi, je ne vous aurais pas reconnu ! »

L'aîné s'approcha à son tour, avec plus de retenue. Il avait peut-être dix ans, et un regard intelligent où se disputaient de la jalousie pour son cadet et la conscience qu'il avait de devoir lui donner l'exemple. De sa main libre, mon patron lui caressa la joue.

« Quant à toi, Centellino, te voici presque un homme ! Encore quelques saisons, et tu pourras embarquer sur la galéasse amirale. »

Le gamin se rengorgea, et lança une œillade infatuée à son frangin qui se tortillait sur l'avant-bras du premier magistrat. Les deux morveux avaient beau habiter un palais qui prenait de la gîte, c'étaient bien des petits rupins : ils n'eurent pas un regard pour nous autres, les spadassins.

Une silhouette élégante apparut sur la galerie du deuxième étage, et s'appuya contre la rambarde de pierre sculptée.

« Oh ! s'écria-t-elle. Pabi ! Descends ! Tu vas salir son excellence !

— Mes amis, la situation se gâte, murmura le Podestat à l'attention des gamins. Voici venir le maréchal de camp.

— Pabi ! continuait la femme, qui se dirigeait vers un

escalier sans quitter la cour des yeux. Si tu ne m'obéis pas avec diligence, tu seras châtié.

— Allons, allons, dònna Fiduccia, reprit mon patron à haute voix. Vous n'allez pas me priver de mes petits officiers !

— Ces enfants sont trop familiers avec vous, répondit-elle en commençant à descendre les marches.

— Je n'en attends pas moins de mes hommes de confiance ! »

Il riait de plaisir, en jouant gentiment les deux gamins contre leur mère. Je ne pouvais m'empêcher d'admirer sa roublardise. Ce badinage innocent, en cassant tout formalisme, le rapprochait aussi de la jeune femme qui arrivait. Quant aux mômes, leurs yeux brillaient de fierté. Cette connivence amusée allait pourrir d'orgueil le cœur des deux gamins, opérer un lent travail de germination au sein de leur personnalité si malléable, et probablement attacher au Podestat la loyauté des jeunes gens qu'ils seraient demain.

Avec un grand sérieux, le premier magistrat demanda à Pabilo la permission de le déposer à terre afin de saluer convenablement sa mère. Par défi et par rivalité avec son grand frère, le mioche refusa. Le Podestat remarqua alors qu'il ne pourrait offrir aux deux garçons les présents qu'il leur avait rapportés de Ressine si on ne lui libérait pas les bras ; le gamin se trémoussa alors pour sauter à terre. Dònna Fiduccia Schernittore, qui débouchait dans la cour, relâchait la robe qu'elle avait plaisamment relevée pour descendre l'escalier. Mon patron se dirigea vers elle et lui prit les deux mains avec un respect affectueux.

« Dònna Fiduccia, quel plaisir de vous revoir !

— Et quelle surprise, don Leonide, rétorqua la dame. N'avez-vous rien de mieux à faire que d'enseigner de mauvaises manières à mes enfants ? »

Mais la façon dont elle abandonnait ses longs doigts fuselés à ceux du Podestat démentait la contrariété de son propos. Il y avait une complicité galante entre ces deux-là, et je cernai un peu mieux pourquoi Dilettino poursuivait Clarissima de ses assiduités. Entre mon patron et le clan Schernittore, il y avait bien plus que la relation d'estime qui liait deux sénateurs.

Dònna Fiduccia Schernittore était la belle-fille du sénateur Ostina Schernittore, et la belle-sœur de Dilettino. C'était la veuve du fils aîné de don Ostina, le défunt patrice Corte, tué six ans plus tôt au cours d'un combat de rue qui n'avait jamais été tiré au clair. Ses fils, Centellino et Pabilo, étaient donc les petits-enfants du sénateur et les neveux de Dilettino. La disparition brutale de leur père, en faisant de leur oncle le nouveau patrice, les avait écartés de l'héritage sénatorial auquel leur naissance les avait initialement destinés.

Dònna Fiduccia avait un physique agréable, sans toutefois être de ces beautés sur lesquelles les hommes se retournent. C'était son assurance qui faisait son charme, l'autorité aimable d'une fille de vieille race accoutumée à plier son monde à sa volonté. Son regard direct, son phrasé distingué, sa démarche étudiée lui conféraient une séduction intimidante. C'était étrange de la trouver dans cette demeure sur le déclin. On l'imaginait plutôt régentant une domesticité pléthorique. Inévitablement, avec l'esprit révérencieux qu'on me connaît, je me demandai jusqu'où le Podestat avait poussé la courtoisie avec elle : riches d'un peu d'expérience, ces femmes de caractère sont souvent de sacrés morceaux au lit. Mentalement, je me mis à confronter les dates, pour déterminer si mon patron était déjà en exil quand le défunt Corte Schernittore avait eu la déveine de trébucher sur le couteau d'un inconnu...

Mais les deux moutards trépignaient. Pabilo se mit à réclamer son cadeau, ce qui lui attira un froncement de sourcils de sa mère. Le Podestat se fit à nouveau le défenseur des gamins, tout en tendant une main vers Matado. Celui-ci sortit de son pourpoint deux petites boîtes en bois précieux, de forme oblongue, un peu plus longues que la paume. Leonide Ducatore les prit, puis en offrit une à chacun des gamins.

« Ce sont des objets fort rares », précisa-t-il.

Les mômes se hâtèrent d'ouvrir les écrins, et contemplèrent un peu dépités les bijoux qu'ils contenaient. Il s'agissait de broches de cuivre en forme de cuillère, ornées d'arabesques argentées. Pour ma part, j'ouvris des yeux ronds en découvrant ces extravagants présents. Le Podestat s'amusa quelques instants de la déception des mioches, puis, bon prince, leur dévoila la nature de ce qu'ils tenaient entre leurs mains.

« Ces bijoux sont des insignes de çorbasi, des capitaines de haut rang chez les janissaires du Royaume de Ressine. La cuillère symbolise celui qui nourrit les troupes, c'est-à-dire celui qui commande. Les officiers qui portaient ces insignes combattaient à la tête de régiments ennemis ; ces colifichets leur ont été pris au cours de notre victoire, au cap Scibylos. »

L'explication ne consola guère Pabilo, trop petit encore pour réaliser la valeur de ce qu'on lui avait donné. Mais Centellino, qui avait tiré le bijou de son écrin, l'y replaça avec déférence, et gratifia mon patron d'un regard trop mûr, avec l'expression vaniteuse et servile de celui qui s'inféode à un chef indiscutable.

« Ce n'est pas un cadeau pour des enfants ! protesta dònna Fiduccia. Ils ne méritent pas un tel honneur, ils n'en mesurent même pas le prix !

— Il faut bien qu'ils l'apprennent, répondit doucement mon patron.

— Vous brûlez les étapes, don Leonide. Vous n'arriverez à rien en les gâtant ainsi.

— Il faut brûler les étapes, sourit-il. C'est le plus sûr moyen d'arriver en tête… Et à ce propos, je crains moi-même d'arriver bien tard. Depuis mon retour, je voulais venir prendre de vos nouvelles, à vous et à don Ostina, sans oublier mes vaillants petits soldats ! Mais les choses se sont tellement précipitées que j'ai manqué à la plus élémentaire des courtoisies. Et il a fallu l'événement fâcheux de cette nuit, entre l'un de mes hommes et don Dilettino, pour que je me soustraie enfin aux servitudes de la chose publique et que je vous consacre un peu de temps. J'en suis d'autant plus navré que cela risque d'entacher ma visite de calcul, alors qu'elle reste motivée avant tout par la plus vive amitié. Mais il me faut dissiper ce malentendu. À ce propos, votre beau-frère est-il là ?

— Je ne crois pas, répondit dònna Fiduccia. Mais nos rapports sont épisodiques, et il ne me tient pas au courant de ses affaires. Je pense qu'à cette heure, il court les salles d'armes, les quais et des établissements à la réputation discutable, dans le but de rassembler une bande armée. »

Elle glissa sur moi un regard neutre. Elle avait compris qui j'étais, mais ne manifestait ni surprise, ni indignation. Peut-être m'englobait-elle dans le même mépris que celui qu'elle nourrissait pour Dilettino.

« C'est bien compréhensible, concéda mon patron, mais c'est aussi un peu inconsidéré. J'aurais préféré régler le différend de façon plus civile.

— Je comprends bien, dit la jeune femme. Mon cher frère était trop échauffé pour réaliser que vous ne pouvez tolérer une telle querelle avec un de vos hommes, fût-elle privée et légitime. Son amour-propre l'aveugle.

— Pensez-vous que don Ostina pourrait le ramener à la raison ?

— Il ne manquera pas de le faire. »

La réponse de dònna Fiduccia sonnait cependant obligée et convenue. Elle était gênée par le tour que la conversation prenait devant ses enfants. Malgré les protestations des deux mioches, elle les renvoya jouer, et elle invita le Podestat à l'accompagner dans ses appartements. Intérieurement, j'eus une hésitation ; ne valait-il pas mieux laisser ces deux-là seuls ? Dans la mesure où j'étais l'objet de leur débat, je me voyais mal leur emboîter le pas avec l'air dégagé et crâne du garde du corps potiche. Toutefois, Matado suivit notre patron, et je réglai ma conduite sur la sienne.

Dans les escaliers qui menaient aux étages, le Podestat prit des nouvelles de son hôtesse. Il enrobait ses questions, du reste très anodines, de compliments indirects, et se fit un peu gourmander pour sa galanterie indiscrète. Les deux nobles badinaient selon les règles de leur monde, et je me dis que j'avais peut-être été excessif en imaginant une histoire entre eux. Chez les gens de qualité, faire assaut de charme est une seconde nature. C'est un divertissement, comme l'escrime, la guerre et la politique. Personne n'est dupe : on s'entraîne à croiser le fer, à toucher et à prendre... On s'engage à mots couverts et à sentiments mouchetés, on soigne la manière sans chercher à conclure, tout le plaisir réside dans la manœuvre et dans le mot d'esprit. Du moins, tant qu'on garde la maîtrise du jeu.

Car parfois, comme dans une salle d'armes, l'accident arrive, on fend l'armure, il y a du sang.

Nul risque de dérive, cependant, entre dònna Fiduccia et Leonide Ducatore ce jour-là. Notre hôtesse nous mena dans un grand salon un peu vide, mais non pas désert. Un autre visiteur y faisait le pied de grue, après que son entretien avec la maîtresse des lieux eut été interrompu par notre arrivée. C'était un prêtre ; j'éprouvai quelque déplaisir à reconnaître la robe claire et le scapulaire sombre d'un de mes tourmenteurs, fra Orinati. Le médecin faisait les cent pas, les mains croisées dans le dos, le parquet à chevrons craquant au rythme de ses allées et venues ; il semblait impatient de repartir, sans doute contrarié d'avoir eu à attendre le retour de dònna Fiduccia. Il manifesta néanmoins de l'étonnement en voyant le Podestat apparaître — puis en m'identifiant dans l'ombre de mon patron.

« Fra Orinati, s'écria le Podestat. Quelle bonne fortune ! Je voulais justement vous remercier ! »

Le prêtre s'inclina avec une sécheresse polie.

« Fra Orinati vient de faire sa visite quotidienne à

mon beau-père, intervint dònna Fiduccia. Il était en train de me dresser un bref bilan quand les enfants m'ont appelée.

— Je suis bien aise de savoir que vous soignez don Ostina, enchaîna Leonide Ducatore. Comment se porte le sénateur ?

— Il est affaibli, répondit le médecin, mais son état n'enregistre pas d'évolution notable. »

Tout en prononçant ces paroles, le regard du prêtre glissa sur dònna Fiduccia, avec une nuance interrogative. C'était à dessein qu'il répondait de façon vague, mais l'exercice était délicat avec le premier magistrat de la République.

« Son excellence est un ami intime de mon beau-père, dit dònna Fiduccia. Vous pouvez lui parler sans réserve. »

Cette licence surprit à nouveau le prêtre, et elle parut même le gêner. Il sembla peser ses mots, puis se décida brutalement.

« En fait, en vous voyant ici, Excellence, j'ai cru que vous veniez prendre des nouvelles de don Dilettino Schernittore et de ses deux amis, énonça-t-il en plantant ses yeux dans les miens.

— C'était aussi le motif de ma visite, répondit uniment le Podestat.

— Je vous prie d'excuser mon audace, reprit le médecin, mais j'ai été appelé au milieu de la nuit pour porter secours à ces trois hommes. Sa seigneurie Dilettino Schernittore a été légèrement commotionnée. Don Ronzino est grièvement blessé au visage, mais ses jours ne sont pas en danger. Malheureusement, quand je suis arrivé, don Tignola était dans un état désespéré ; je l'ai fait transporter à l'Hospice de la Déesse Douce, mais il est mort ce matin.

— Je suis heureux d'apprendre que le patrice Schernittore a eu plus de peur que de mal, dit doucement mon patron. Dònna Fiduccia m'a appris qu'il avait déjà repris ses habitudes. Je suis persuadé que ce sont vos soins experts qui l'ont remis sur pied aussi rapidement.

— Détrompez-vous, rétorqua fra Orinati avec brusquerie. C'est votre amitié pour son père qui l'a sauvé, non mes compétences médicales. »

Un sourire fin effleura les lèvres du Podestat. Il paraissait décidé à traiter l'insolence du prêtre avec bienveillance.

« Je suis vraiment navré, dit-il. Je viens de vous froisser en cherchant à me concilier votre indulgence. Je vous comprends, fra Orinati. Vous avez lutté pour maintenir en vie un malheureux aux petites heures de la nuit, et voilà que le lendemain, vous voyez les maîtres des hommes qui se sont battus frayer avec la meilleure grâce du monde. Cette situation vous est odieuse. Mais tempérez votre révolte, mon ami : si je suis ici, c'est pour réparer ce qui peut l'être, non par mépris pour celui qui a rendu l'âme.

— Alors que faites-vous dans cette maison avec l'homme qui l'a tué ?

— Il vient faire amende honorable.

— Sera-t-il traduit en justice ?

— Si telle est la volonté de sa seigneurie Schernittore, formula lentement mon patron. Toutefois, de nombreux témoignages concordent, fra Orinati. Don Benvenuto a été provoqué, il s'est battu seul contre trois adversaires, et il a délibérément épargné le patrice Schernittore. Tous ces éléments l'amèneront probablement à sortir blanchi d'un procès. »

L'enfoiré de médicastre ! Dans mon coin, je bouillais littéralement ; j'en serrais mes dents flambant neuves ! Et ce ruffian de Tignola, combien de pauvres types avait-il dézingués ? Des péquins trop modestes pour se payer les services astronomiques du maître guérisseur de la Déesse Douce ? Il pouvait monter sur ses grands chevaux, Orinati : d'un, il n'était pas si bon que ça dans sa partie, s'il n'avait pas sauvé son patient ; de deux, il se sucrait tout comme moi, en se faisant payer rubis sur l'ongle par la noblesse qui finançait de la main gauche des sicaires dans mon style. Alors il était bien mal placé pour se draper dans ses principes. Mais je conservai un silence prudent. Du reste, la façon dont le Podestat prenait ma défense me rassurait : malgré le savon qu'il m'avait passé le matin même, il semblait me couvrir. Je représentais un investissement trop important pour être lâché à cause d'une simple sottise… Restait à m'assurer du silence de Clarissima, et ma position ne serait pas compromise.

« Ce qui s'est passé cette nuit est une rixe stupide entre des hommes pris de boisson, que je ne puis pas plus tolérer que vous, poursuivait le Podestat. La mort brutale de don Tignola est insupportable pour moi comme pour vous. Comme pour d'autres : nous ne savons que trop bien comment ces accidents débouchent sur les vendettas absurdes qui endeuillent nos partis. C'est la raison pour laquelle je veux régler le problème avant qu'il ne dégénère. C'est la raison pour laquelle j'ai amené don Benvenuto en cette maison. C'est aussi la raison pour laquelle je souhaite voir aujourd'hui même le sénateur Schernittore. Ce qui me ramène à ma question initiale, fra Orinati : comment se porte don Ostina ? »

Le prêtre pinça des lèvres. Malgré l'urbanité de mon patron, il était assez frotté de noblesse pour percevoir le sens réel du discours qu'on lui avait servi : le Podestat se fichait comme d'une guigne de la mort de Tignola, il ferait obstacle à toute poursuite contre moi et il étoufferait l'affaire en s'arrangeant à l'amiable avec le sénateur Schernittore. Ça ne lui facilitait pas la confidence, à fra Orinati, surtout quand la confidence mordait un peu sur l'éthique. D'un autre côté, son petit baroud avait eu le double avantage de le mettre en paix avec sa conscience et de le faire passer pour un type courageux. Il était temps de rentrer dans le rang, avant qu'un excès de zèle ne vienne gâcher le crédit qu'il avait ainsi gagné à ses yeux et à ceux du premier magistrat. Dònna

Fiduccia lui facilita les choses, en insistant à nouveau sur les liens anciens entre le Podestat et sa seigneurie Ostina Schernittore.

« Vous trouverez le sénateur très amaigri, finit par lâcher le médecin. Pendant les quelques mois où vous avez été absent, le carcinome dont souffre sa seigneurie a eu le temps de se diffuser dans les intestins. J'ignore si des organes voisins sont touchés, mais c'est probable. La digestion est très douloureuse, désormais, ce qui a provoqué une perte de poids et un affaiblissement conséquents.

— Son état est donc plus grave que ce que vous nous laissiez entendre à l'instant, observa le Podestat.

— Oui et non. D'un côté, l'évolution du chancre reste lente. D'un autre côté, cette maladie peut provoquer des complications mortelles très rapides, comme des occlusions ou des hémorragies.

— Laissez-vous entendre que sa vie est menacée à court terme ?

— Une brusque dégradation est possible, oui. Mais je n'ai aucune certitude. Je ne puis vous donner un pronostic sûr : une perforation intestinale l'emportera en quelques heures ; mais il peut aussi lutter contre la maladie pendant des mois, peut-être un an. »

Pour la première fois, le Podestat perdit sa faconde. Il parut affecté, mais avec un causeur aussi roué, il était difficile de savoir si son émotion était sincère.

« Que pouvez-vous faire pour contenir la maladie ? demanda-t-il.

— Pour être franc, peu de choses, Excellence. Je m'efforce surtout de soulager le sénateur.

— À Elyssa, j'ai entendu parler de chirurgiens qui excisaient les membres malades. Avez-vous envisagé cette solution ?

— Il m'arrive aussi de pratiquer ces soins ; mais seules des ulcérations de surface peuvent être ainsi retirées et cautérisées. C'est un traitement très agressif, que j'hésiterais à appliquer à un homme âgé. Dans notre cas, de toute manière, la question ne se pose pas : quand la maladie est viscérale, ouvrir revient à tuer le patient.

— N'y a-t-il pas d'autres remèdes ?

— Je crains que non, Excellence. »

Mon patron se tourna vers dònna Fiduccia, ouvrit les mains dans un geste de compassion.

« Voici une situation bien difficile pour vous, remarqua-t-il avec tristesse. Toutefois… »

Son regard revint à fra Orinati, chargé d'intensité.

« Vous n'êtes pas seulement médecin, poursuivit-il. Vous êtes maître guérisseur, et ministre de la Déesse Douce. Si la chirurgie est impuissante, ne pouvez-vous recourir à la thaumaturgie ? »

Le prêtre haussa les sourcils ; dans son expression, l'ironie le disputa un instant à l'indignation.

« Excellence, finit-il par observer, on ne convoque pas l'intercession de la Déesse comme on requiert la présence d'un médecin.

— J'en suis conscient, fra Orinati. Mais je suis certain que la famille Schernittore est prête à donner beaucoup pour appeler la grâce de la Déesse sur don Ostina. Je serais moi-même disposé à verser des aumônes considérables à l'Hospice pour obtenir la guérison de mon vieil ami. »

Le prêtre secoua la tête, avec un sourire un peu amer.

« Excellence, on ne traite pas avec la divinité comme avec un négociant ou un souverain, objecta-t-il doucement.

— Vous êtes pourtant un guérisseur consacré. Les ordres que vous avez reçus vous permettent de recourir à l'imposition des mains, à l'inversion bénigne, aux rituels de purification.

— C'est vrai, admit fra Orinati.

— Les avez-vous employés ?

— J'en ai employé certains.

— Et cela n'a pas d'action curative plus sensible ?

378

— Cela a soulagé sa seigneurie Schernittore ; mais dans quelle mesure, même pour moi, il est difficile de le dire. Quand j'interviens en tant que médecin, j'ai une idée générale des bénéfices et des risques liés à mes actes ; quand j'intercède en tant que prêtre, je ne suis qu'un instrument entre les mains de la Déesse.

— N'y a-t-il pas une offrande, un sacrifice, une prière majeurs ? Un rituel de guérison plus puissant, qui garantisse l'intervention de la divinité ?

— Cela existe, répondit lentement fra Orinati.

— L'avons-nous tenté ?

— Non, Excellence.

— Pourrions-nous le tenter ?

— Non, Excellence.

— Et pourquoi donc ? »

Le prêtre joignit le bout de ses doigts, dans un geste ambigu, à mi-chemin entre la dévotion et la réflexion. Il médita un instant, peut-être pour peser ses mots.

« Excellence, finit-il par dire, vous ne me parlez pas de foi, mais de magie. Un rituel religieux n'a pas pour fonction de contraindre la divinité : il consacre un sujet, un espace, un moment, pour appeler la bienveillance de la Déesse. C'est tout le contraire d'une formule magique : c'est un geste de soumission.

— Mais si cette soumission amène la guérison du malade ?

— Vous ne mesurez pas ce que vous demandez. Il ne s'agit pas de soigner une migraine ou une cheville foulée. C'est la mort à l'œuvre, c'est l'ordre des choses que vous souhaitez corriger. Vous attendez de la Déesse un vrai miracle. Pour obtenir une grâce aussi exceptionnelle, il faut céder énormément à la divinité.

— Vous me disiez pourtant qu'il ne s'agit pas d'un marché.

— Oh non, Excellence, ce n'est pas un marché. C'est bel et bien une grâce, une grâce d'une ampleur inouïe. Ce que j'essaie de vous expliquer, c'est qu'on ne peut obtenir une telle bénédiction, pour soi ou pour autrui, sans être complètement transfiguré soi-même. Je ne suis qu'un homme, Excellence : si demain, la Déesse m'accordait le pouvoir de guérir don Ostina, je serais probablement consumé, transcendé, aveuglé par la divinité qui serait venue m'habiter. Et sa seigneurie Schernittore aussi serait transformée : la puissance qui aurait purifié son corps viendrait également réformer son âme. Vous ne reconnaîtriez plus l'homme que vous désirez sauver. Pour ma part, je ne crois pas avoir assez de foi pour appeler, ni pour mériter, un tel miracle. Pis encore : il me fait peur. Je m'y perdrais. »

Leonide Ducatore opina légèrement du chef, avec l'attention polie qu'on trouve chez un auditoire compréhensif. Il arborait une expression un peu déconvenue, teintée d'un respect de bon aloi. Cependant, sans que je comprenne bien ce qui se passait, je décelai chez lui autre chose : sa pupille avait pris un éclat singulier et fixe, l'acuité d'une intelligence soudainement à l'affût. Je n'avais perçu que deux ou trois fois cette expression chez lui : la nuit où je l'avais convaincu d'épargner ma vie, un soir où il avait perdu une partie d'échecs contre Cesarino... Et le matin ensoleillé où l'escadre Mastiggia avait enfoncé l'aile droite de la flotte ennemie. Une intuition brillante venait sans doute de lui traverser l'esprit.

« Je dois bien avouer que ces questions me dépassent, dit-il avec humilité. Hélas, je ne suis qu'un profane, et je crains même que ma demande ait pu vous paraître impie. Je vous prie de m'en excuser, fra Orinati, et d'intercéder pour moi auprès de la Déesse : en aucun cas je ne voudrais nourrir des pensées sacrilèges. J'étais uniquement motivé par mon amitié pour le sénateur Schernittore.

— Je comprends, répondit le prêtre. Dans mon sacerdoce, je suis souvent confronté à ce type de requête. C'est humain. Mais c'est à la Déesse de juger : on ne peut se substituer à sa volonté.

— Existe-t-il du moins une prière qui lui soit particulièrement agréable ?

— Bien sûr, Excellence.

— Quelle est-elle ?

— Toute prière désintéressée. »

Le Podestat gratifia fra Orinati d'un sourire tout en dents.

« Alors je La louerai pour Sa Bonté dans le fond de mon cœur, susurra-t-il.

— Puisse-t-elle vous entendre, répondit le prêtre sur un ton incertain.

— Pour en revenir à des sujets moins élevés, pensez-vous que don Ostina sera en mesure de me recevoir ?

— Si vous veillez à ne pas trop le fatiguer, je n'y vois nulle objection.

— Il sera même ravi de vous voir, intervint dònna Fiduccia. Il était avide de nouvelles sur la campagne navale pendant la guerre, et il s'est renseigné sur les décisions prises au Sénat depuis votre retour.

— Parler des affaires de l'État le distraira agréablement de ses soucis de santé, confirma le prêtre. N'oubliez pas, toutefois, qu'il s'agit d'un malade dans un état fragile : soyez attentif aux signes de lassitude, et laissez-le se reposer sitôt qu'il manifestera de la fatigue.

— Je n'y manquerai pas, dit le Podestat. Je dispose moi-même de peu de temps. Je ne pourrai malheureusement pas rester autant que je l'aurais désiré.

— Dans ce cas, nous avons un point commun, Excellence, repartit le prêtre. J'ai d'autres patients qui m'attendent, et il me faut aller les trouver, si vous et dònna Fiduccia m'accordez mon congé.

— Oh, pour ma part, je ne vous retiens pas, se récria le Podestat. Je vous suis même obligé pour la conversation que nous venons d'avoir. »

Dònna Fiduccia elle aussi s'empressa de libérer fra Orinati. Le médecin la salua avec une cordialité empreinte d'estime, et s'inclina devant mon patron en faisant preuve d'une révérence plus formelle. Au moment où il s'apprêtait à quitter la pièce, il ne put s'empêcher de s'arrêter brièvement devant moi. Pas de doute : le gaillard en avait, pour oser me toiser comme il le fit. Il repéra mon pansement de fortune et me lança :

« Une sale affaire, hier soir, don Benvenuto. Cette fois, vous vous êtes bien blessé aux mains. »

Et l'enfoiré de calotin sortit sur cette pointe. Bien sûr, Matado, Fiduccia Schernittore et Leonide Ducatore l'avaient parfaitement entendu. Je vis le regard du Podestat glisser une seconde fois le long de mon bras, jusqu'à ma pogne bandée. Son expression était neutre. Je n'en mouillai pas moins ma chemise d'une suée clandestine.

La rencontre impromptue avec fra Orinati avait bel et bien empiété sur le loisir dont pouvait disposer mon patron, et, dès le départ du médecin, il pria dònna Fiduccia de nous mener au sénateur. La dame s'exécuta de bonne grâce. Elle nous fit quitter son salon, et longer la galerie qui surplombait la cour du palais, avant de gravir une nouvelle volée de marches vers un étage supérieur. Il faisait plus lourd que jamais : dònna Fiduccia s'éventait distraitement avec un mouchoir brodé pendant que Matado déboutonnait son pourpoint et s'épongeait le front d'un revers de manche. Le grand rectangle de ciel qui dominait le patio prenait toutefois un aspect terne et plombé, tandis que l'ombre des balustres pâlissait sur le dallage.

L'entrée des appartements de sa seigneurie Ostina Schernittore était gardée par un seul homme de main ; probablement un ancien soldat, un vétéran aux cheveux rares et à la taille alourdie. Il repoussa devant nous les battants de la porte sur une antichambre assez sobre, où les deux servantes qui faisaient office de gardes-malade tuaient le temps en travaux d'aiguille. Elles plongèrent en une brève révérence au passage de dònna Fiduccia et du Podestat. Le vieux spadassin ouvrit les battants d'une seconde porte, qui donnait accès à la chambre du patricien, puis s'effaça devant nous.

Bien qu'il affichât toujours une expression amène, je crus déceler quelque chose de crispé chez mon patron. Ce n'était pas mon affaire qui pouvait l'affecter ainsi : régler un tel litige représentait une simple vétille en regard des négociations tendues qu'il avait coutume de traiter. Je crus comprendre qu'il redoutait vraiment, dans son for intérieur, ce qu'il allait découvrir dans cette pièce. Ainsi, l'amitié qu'il professait pour le sénateur Schernittore s'avérait sincère : il craignait réellement d'être confronté à la dégradation de l'état du malade.

En entrant chez le sénateur Schernittore, la première chose qui me frappa fut une impression d'espace. La chambre était vaste et haute, dominée par un beau plafond à caissons où chatoyaient armoiries et médaillons. La lumière, pourtant déclinante, étirait des reflets blonds sur un superbe parquet en bois précieux. Mais ce qui attirait l'œil, c'étaient les grandes fenêtres à meneaux, que l'on avait ouvertes par ce temps caniculaire. Elles donnaient sur un panorama splendide : le vaste amphithéâtre de Ciudalia s'inclinant vers la mer, vers la rade envahie de voiles et vers les îles bleutées de Castellonegro et de Dessicada. Les tours des palais de Torrescella barraient çà et là l'horizon marin et les nuées montueuses, déjà sombres, où se levait l'orage. La rumeur de la ville bourdonnait jusqu'à nous, mais atténuée et comme intimidée, sourdine respectueuse de la vie populaire venue se perdre dans le privé palatial. Dans une cité où le regard se heurte sans cesse aux murs, portes et façades, jusque dans les demeures nobles où le confinement reste une protection nécessaire, la découverte d'une telle perspective vous étourdissait à l'improviste, comme une griserie légère.

C'était pourtant là que s'étiolait Ostina Schernittore. Il me fit penser à une vieille épave ensablée sur une grève luxuriante. Un débris décharné et jauni, échoué au centre d'un lit à baldaquin fastueux, beaucoup trop grand pour sa carcasse épuisée. Il était douillettement calé dans un nid d'oreillers et de coussins aux motifs damassés, et une courtepointe moirée couvrait les reliefs anguleux de ses genoux et de ses pieds. Par le passé, je l'avais déjà vu ; quand j'étais encore un béjaune, avant que je ne signe dans les Phalanges, il avait été un politique célèbre, qui avait été élu à plusieurs reprises à la podestatie. Je ne parvenais pas à le reconnaître. Je ne voyais qu'un petit grabataire usé, la peau fripée sur les os, le crâne devenu trop gros sur un cou grêle et sur un buste étriqué. La vie, toutefois, n'avait pas encore abandonné cette momie. Quand nous fîmes notre entrée, un secrétaire lui faisait la lecture ; le sénateur l'interrompit d'un geste de son bras squelettique, et ses yeux caves se fixèrent aussitôt sur mon patron.

« Ah ! Don Leonide ! J'étais persuadé de vous voir aujourd'hui ! »

Il avait la voix rocailleuse et puissante de certains vieillards. À se demander d'où il tirait un pareil organe, avec son soufflet de poitrinaire.

Le Podestat s'inclina avec une politesse souriante. Il avait chassé de ses traits l'appréhension que je lui avais vue un instant plus tôt, et il considérait le sénateur Schernittore avec un air presque enjoué.

« Comment admettre que vous êtes malade, don Ostina ? répondit-il. Vous avez toujours une longueur d'avance sur moi.

— Complimentez-moi également sur mon teint vermeil et sur ma ligne de jouvenceau, et qu'on en finisse avec ces mensonges bêtifiants, gronda l'antiquité. Nous pouvons parler sans fard : je ne suis plus de ce monde qu'à force de volonté et de drogues. Et grâce au dévouement de cette belle personne. »

Il ponctua ces derniers mots d'un sourire assez effrayant, adressé à dònna Fiduccia.

« Je suis heureux de vous revoir avant ma mort, enchaîna-t-il à l'adresse du Podestat. Pendant que vous combattiez les Ressiniens, j'ai mené ma propre bataille ; je n'en ai pas fini, mais le navire craque de toute part, et j'ai craint plus d'une fois qu'il ne sombre avant votre victoire.

— Je viens d'échanger quelques mots avec fra Orinati, répondit mon patron. Il pense que vous avez encore du temps à vivre.

— Vivre ? cracha le sénateur. Quelle foutaise ! Ai-je l'air de vivre ? Survivre, et c'est un bien grand mot.

— Quoi que vous puissiez dire, don Ostina, vous n'avez pas changé. Vous restez l'esprit le plus vif que je connaisse, et c'est un plaisir de vous retrouver ainsi.

— Cessons donc de tourner autour du pot, don Leonide. Vos belles paroles ne m'empêcheront pas de trembler de faiblesse quand on me pose sur ma chaise percée. Parlons plutôt de ce qui vous amène… »

Le vieux fagot tendit vers moi un doigt racorni.

« C'est lui, n'est-ce pas ? demanda-t-il.

— Oui, c'est don Benvenuto, répondit mon patron.

— Qu'il approche ! »

Leonide Ducatore et dònna Fiduccia s'effacèrent, pour m'ouvrir le passage vers le baldaquin. La situation n'était guère plaisante, mais je fis quelques pas en avant, et je me fendis d'une courbette passable, le chapeau posé contre le cœur et une main sur l'épée. Vu de près, Ostina Schernittore offrait un spectacle encore plus éprouvant. La sueur encollait ses derniers cheveux grisâtres sur un épiderme tavelé, son masque funèbre était labouré de sillons d'amertume et de souffrance et, malgré le parfum dont on l'avait imprégné, son haleine refoulait des relents avariés. Il me scruta un moment, avec une fixité terrible, bien que sa tête trop lourde fût en train de branler. Dans ses yeux enchâssés, la sclérotique avait le ton jaunasse du beurre tourné.

« Je vous imaginais plus grand, finit-il par lâcher.

— Je vous en remercie, Votre Seigneurie.

— Par contre, vous avez bien la gueule de l'emploi. »

Je préférai m'abstenir de répondre à ce commentaire.

« Bon, enchaîna-t-il. Allez-y, sortez-moi votre couplet. »

On arrivait au cœur du sujet. On attendait, de part et d'autre, que je me répande en excuses, afin d'étouffer au mieux les velléités de Dilettino de poursuivre sa petite guerre privée. Je dois bien convenir que j'en avais le fondement irrité ; d'un autre côté, j'aurais voulu vous y voir, entre deux monstres de cette envergure. Je m'aplatis donc ; mais encore fallait-il trouver la manière. Manifestement, le sénateur Schernittore n'était pas du style à pratiquer la langue de bois, et encore moins à se la faire servir. Toutefois, je devais rester prudent : pour certains patriciens, le franc-parler est lui aussi un privilège, qu'ils s'arrogent mais qu'ils n'accordent pas forcément à des citoyens crottés dans mon genre. Et je ne devais pas oublier qu'Ostina Schernittore, tout infirme qu'il était devenu, avait été naguère un des premiers personnages de la République. Le débris devait étouffer d'orgueil.

« Votre Seigneurie, marmonnai-je, je suis un homme violent. Dans l'âme, je suis resté soldat. Hier soir, avec le vin, le jeu, les femmes, je me suis comporté en soudard. J'ai commis l'erreur de traiter le patrice Schernittore comme un simple compagnon d'armes avec qui on se prend de querelle. C'est impardonnable : je suis sorti de ma condition, j'ai oublié un instant que la qualité de votre sang, que la grandeur de votre maison m'empêchaient de lever la main sur sa seigneurie votre fils. Je n'invoque aucune excuse : ce serait infondé. Je viens simplement vous rendre compte et me soumettre à votre justice. »

Le sénateur pinça ses lèvres gercées, et baissa un peu la tête, me jetant sous ses sourcils pelés un regard sombre. Il s'éclaircit la voix en expectorant une quinte assez pénible, puis gronda :

« Vous avez tué Tignola. Bravo ! Mais que n'avez-vous achevé Ronzino ? C'est du travail bâclé. Vous ne m'avez débarrassé que d'un seul parasite. »

Ça m'en boucha un coin. Il forçait le respect, l'ancêtre : balancer froidement une énormité pareille, ça vous posait tout de suite son homme. C'était aussi conçu pour me déstabiliser, et pour casser la prudente rhétorique derrière laquelle je m'étais retranché. J'attendis, un peu raide, qu'il en dise plus long.

« Je suis trop vieux et trop malade pour les sima-grées hypocrites, reprit le sénateur. Alors je vais vous dire les choses tout net. Les deux mignons, je ne pouvais pas les sentir : je suis bien content que vous leur ayez claqué le beignet. Quant à Dilettino, c'est un raté. Une petite fiotte qui jette mon argent par les fenêtres et mon nom au ruisseau. Un branlotin brouillon et cupide, qui attend mon dernier souffle avec impatience pour flamber la fortune Schernittore en bals, en toilettes à la mode et en jolis garçons. Seulement… »

Il abaissa davantage la tête. Sous le front osseux et les arcades sourcilières mitées, je ne voyais presque plus ses yeux, mangés par de grands cernes cyanosés. Un coup de vent brusque souffla par les fenêtres. En mer, les nuages devenaient noirs ; quelques éclairs silencieux scintillèrent sur l'horizon.

« Seulement, poursuivit lentement le sénateur, Dilettino est le seul fils qui me reste. Et cela, don Benvenuto, c'est suffisant pour rendre ce petit mer-deux absolument intouchable. Au vrai, je m'en torche, de vos excuses. Elles sont franches comme un âne qui recule. La seule raison pour laquelle je ne vous fais pas liquider, c'est parce que vous êtes l'homme de don Leonide. Sans sa protection, vous auriez été me prépa-rer la place à Dessiccada. Mais gravez-vous bien l'idée dans le marbre : plus jamais vous ne lèverez la main sur Dilettino ! Bien sûr, mon crétin de fils cherchera les ennuis. Il me mentira effrontément, il jurera qu'il abandonne la querelle, alors qu'en ce moment même, il recrute des gros bras pour vous faire passer le goût du pain. Étrillez les seconds couteaux autant qu'il vous plaira, mais ne touchez plus à mon fils, même s'il vient vous pisser à la gueule. Ne touchez plus à mon fils ! Sinon… »

Il reprit un souffle asthmatique. Son crâne émacié et ses mains flétries tremblaient de colère et d'épuisement. Le courant d'air venu de l'extérieur se fit plus frais et plus violent ; la lumière du jour commença à décliner, tandis que les tentures du baldaquin ondulaient avec majesté. Le tonnerre craqua doucement au large.

« Sinon, gronda l'infirme, c'est moi qui m'occuperai de vous. J'ai beau suer d'angoisse sur mon lit de mort, j'ai encore le bras long. Les types que je vous enverrai, moi, n'auront rien du menu fretin que recrute mon cher fils. Je vous soignerai. Je vous adresserai des artistes. Je vous ferai casser les bras, je vous ferai casser les jambes. Et puis je vous ferai jeter dans une porcherie de la via Mala. »

Je restai impavide ; des durs qui avaient tenté de m'avoir à l'intimidation, j'en avais connu assez pour remplir la chiourme d'une ou deux galères. N'empêche, il me fallut un peu prendre sur moi. Ce que me sortait Ostina Schernittore, ce n'était pas du flan. Un vieux vautour comme ça, même grignoté par le crabe, ça pesait drôlement lourd, et il y avait quelque chose de désagréablement crédible dans son histoire de porcherie. »

« Je crois que don Benvenuto vous a bien entendu, intervint doucement Leonide Ducatore.

— Il a intérêt, grommela le sénateur, parce que je n'aurai pas la force de me répéter. »

Son visage se froissa comme une serpillière qu'on essore, tandis qu'une de ses serres se tordait contre son ventre creux. Dònna Fiduccia se précipita à son chevet, s'interposant entre lui et moi, ce qui me donna l'occasion de m'écarter discrètement. La patricienne appela les gardes-malade en se penchant sur son beau-père. Tout en continuant à grimacer, l'ancêtre repoussa les serviteurs et refusa qu'on lui apporte un remède que réclamait dònna Fiduccia.

« Ce n'est rien, marmonna le malade, cela va passer. C'est la contrariété... Ça me donne des aigreurs.

— Nous allons vous laisser vous reposer, Votre Seigneurie, murmura sa belle-fille. Cette malheureuse affaire vous affecte trop.

— Certainement pas ! gronda le sénateur en s'efforçant de maîtriser sa douleur. Je ne vais pas laisser repartir don Leonide... Nous n'avons pas tout réglé.

— C'est déraisonnable, objecta la jeune femme.

— Rassurez-vous, j'aurai sous peu le loisir de me reposer tout mon saoul, ma chère. »

Agenouillée au chevet de son beau-père, la dame se tourna en partie vers mon patron. Il y avait une supplication dans son regard, une sollicitation informulée et pressante. Mais le Podestat demeura calme et immobile, manifestement décidé à ne pas comprendre cette requête muette. Le sénateur Schernittore saisit la main de sa bru, la serra dans un effort tremblotant.

« Vous le direz, à Dilettino, ma chère...

— Que lui dirai-je, Votre Seigneurie ? demanda-t-elle en se penchant à nouveau vers lui.

— Vous lui répéterez le discours que j'ai tenu à ce Benvenuto. Je veux qu'il sache que je ne suis pas dupe, mais que je ne le renie pas. Vous le lui direz, n'est-ce pas ?

— Oui, père. »

Ces deux mots semblèrent apaiser le vieillard, qui s'abandonna dans ses oreillers, respira plus largement et ferma ses paupières chassieuses. « C'est bien, c'est bien », approuva-t-il en secouant un peu la main de la jeune femme, avec une fébrilité sénile. Puis il sembla s'assoupir. Dònna Fiduccia attendit un peu, et chercha à se dégager en douceur de l'étreinte du vieux loup, mais cela suffit à le réveiller. Il avait le regard pleinement lucide. Il n'avait fait que rassembler quelques forces.

« Maintenant, vous allez retourner à vos tâches, ma chère, ordonna-t-il sur un ton péremptoire. Vous me rendrez service en faisant sortir ces incapables, ajouta-t-il en désignant d'un geste vague les servantes et le secrétaire. Je veux rester seul avec don Leonide et ses hommes.

— Ce n'est pas prudent, rétorqua la dame.

— Comme vous y allez ! ricana le sénateur. Don Leonide n'est-il pas de vos amis ?

— Don Leonide ne vous a pas rendu visite depuis plusieurs mois, Votre Seigneurie, et vous n'êtes pas raisonnable. Peut-être lui faudra-t-il trop longtemps pour réaliser que vous dépassez vos limites.

— Quelle sottise ! En vérité, c'est vous qui me fatiguez, madame, avec vos réticences ! Laissez-moi avec le Podestat de la République ! Sa conversation ranimera ma combativité, quand la vôtre ne fait que me débiliter !

— Permettez au moins…

— Il suffit ! Dehors ! Je suis encore maître chez moi ! »

Dònna Fiduccia se releva avec dignité, en rassemblant les plis de sa robe. Elle avait peut-être les lèvres un peu pincées, mais demeurait parfaitement maîtresse d'elle-même. Elle eut même le bon ton de s'excuser de cette scène auprès de mon patron, qui lui répondit qu'il ne connaissait que trop le tempérament emporté du sénateur. Ils convinrent de se retrouver dans les appartements de la dame à la fin de la visite, et la jeune femme fit sortir toute la domesticité avec elle. Quand les portes de l'antichambre se refermèrent, l'ancêtre poussa un long soupir éraillé.

« Enfin ! Nous voici seul à seul, mon cher Leonide ! »

Il agita une main noueuse.

« Faites-vous apporter un siège à mon chevet, et parlons ! »

Pour jouer au repenti rentré dans le rang, je me chargeai de déplacer un fauteuil jusqu'à mon patron. Le Podestat s'assit sans me prêter attention, mais le sénateur Schernittore m'adressa un rictus sarcastique.

« Terminons-en avec cette stupide histoire, reprit le vieux, et puis vous pourrez enfin me raconter votre victoire, mon cher !

— Je suis ravi de vous trouver si arrangeant, don Ostina, sourit mon patron.

— Je ne suis pas arrangeant, je suis mourant. Ça abrège nécessairement le cours des négociations.

— Que souhaitez-vous donc négocier ? demanda Leonide Ducatore avec une fausse ingénuité.

— Vous le savez bien : l'avenir de mon fils. La cause profonde de cette rixe, c'est sa frustration. Il s'est mis en tête de courtiser votre fille, et il a le sentiment que vous cherchez à l'éconduire. C'est cela qui l'a échauffé, au point d'aller regarder votre spadassin sous le nez.

— Oui, c'est probable.

— Quel laconisme, mon cher Leonide ! Ainsi, vous ne voulez vraiment pas de Dilettino pour gendre... Notez, je vous comprends, c'est une branche pourrie.

— Don Ostina, je ne lui ai rien dit de définitif. Mais je vous dois bien une confidence : j'ai effectivement des projets matrimoniaux pour ma fille, et Dilettino n'en fait pas partie pour l'instant. »

Le malade secoua son chef branlant avec amertume.

« Je ne vous en tiens pas rigueur, Leonide ; après tout, moi-même, quand j'avais établi Corte, je lui avais choisi Fiduccia en repoussant force prétendantes de grande famille. Je me vois mal vous demander de faire ce que je n'aurais pas fait moi-même. Ah ! Je ne me suis pourtant pas privé de le corriger, Dilettino ! Mais en pure perte... Ce petit imbécile est maintenant perdu de réputation pour les alliances les plus prestigieuses. Vous savez, je crois qu'il misait sur tout ce que j'avais accompli pour vous afin de compenser sa mauvaise conduite.

— Je n'ai pas oublié tout ce que je vous dois, dit doucement le Podestat.

— Moi, je veux bien vous croire ; mais ce ne sera pas le cas de mon fils.

— Je n'ai pas oublié, don Ostina. Écoutez, je suis venu pour vous le rappeler et pour vous le prouver. J'ai besoin, plus que jamais, de votre conseil, et dans la limite de vos forces, je suis même prêt à vous associer de nouveau à la vie de l'État. Je comptais vous en parler dans un instant. Pour ce qui est de notre alliance privée, je suis tout disposé à multiplier les gestes pour vous et pour votre famille. Si vous le souhaitez, je pourrai veiller discrètement sur Centellino et Pabilo quand vous ne serez plus là, afin de les protéger des désordres de Dilettino. Quant à votre fils, je veux bien envisager une union avec lui : mais je ne pourrai lui accorder que la main de ma nièce, Scurrilia, pas celle de ma fille. Ce serait déjà une belle alliance : il deviendrait ainsi mon neveu, et le beau-frère de Cesarino, qui est un jeune patricien plein d'avenir.

— Oui, oui, c'est une proposition honorable, convint le sénateur Schernittore. Mais je ne suis pas sûr que le petit écervelé s'en contente. Je ne veux pas le défendre, mais parlons net, don Leonide. Je n'ai pas confiance en Dilettino, et c'est précisément la raison pour laquelle son projet me plaît. Quand je mourrai, il dilapidera la fortune et le crédit politique des Schernittore. S'il devenait votre beau-fils, ce mariage ne serait heureux ni pour lui, ni pour votre fille, mais il vous donnerait un ascendant suffisant pour circonvenir le petit crétin. Vous pourriez tirer prétexte des sottises qu'il ne manquera pas de commettre pour lui imposer une tutelle, afin de protéger votre fille et vos futurs petits-enfants. Vous y seriez gagnant, en contrôlant directement notre trésor et notre clientèle ; et à long terme, cela permettrait aussi de sauver le patrimoine Schernittore pour les générations à venir.

— Voilà une combinaison intéressante, je vous l'accorde, répondit mon patron. Mais... »

Il ouvrit les mains de façon désolée.

« Mais je ne puis malheureusement y souscrire, pour des raisons privées et pour des raisons politiques.

— Vous auriez beaucoup à y gagner, don Leonide, malgré le déplaisir d'avoir Dilettino pour gendre.

— Vous oubliez Mucio, don Ostina. Mon aîné, à moi, ne se gouvernera jamais, et ne dirigera jamais la famille. Hélas, l'imbécillité légère qui avait frappé mon père est réapparue chez lui sous une forme plus grave, et je sais bien que les choses ne s'arrangeront jamais pour lui. J'ai déjà un héritier irresponsable, et vous me proposez de prendre Dilettino pour beau-fils ?

— Mais vous avez Belisario. Il est sain : la question de votre succession ne se pose pas.

— Les choses ne sont pas aussi simples, mon vieil ami. Je n'ai pas vu Belisario depuis six ans ; dans les rares contacts que j'ai pu établir avec lui depuis mon retour d'exil, je le sens réservé et fuyant. Je crains que l'Ordre du Sacre n'exerce sur lui une emprise trop forte. Cela me peine à dire, mais il me faut envisager l'hypothèse que Belisario ne rentrera jamais à Ciudalia. Et dans ce cas... »

Son regard durcit.

« Dans ce cas, je n'ai que Mucio, Clarissima et mon neveu Cesarino. Mucio, oublions-le. Clara, elle ne siégera jamais au Sénat. Il ne me reste que Cesarino. Mais si Dilettino épousait ma fille...

— ... alors, après votre mort, il pourrait se prévaloir de son mariage pour contester à votre neveu la position de chef de famille, acheva le vieillard.

— Ne me dites pas que vous ne l'avez pas envisagé, sourit le Podestat.

— Cela m'a traversé l'esprit, concéda un peu légèrement le sénateur Schernittore. Mais je n'ai jamais pensé que Dilettino serait capable de mener à bien un tel coup de force.

— Il suffit d'une opportunité, d'un peu d'argent, de quelques hommes. »

Les deux aristocrates marquèrent une pause. Pendant un instant, je sentis une tension palpable entre le premier magistrat et le vieux nécrosé. Il y avait un non-dit entre eux, un secret ou un soupçon, qui refroidit sensiblement l'atmosphère. Dehors, le ciel devenait noir, et le tonnerre craqua de façon menaçante sur les tours de Castellonegro.

« J'ai une autre raison, reprit mon patron juste avant que le silence ne devînt trop pesant. Une raison politique, comme je vous l'ai dit.

— Les fameux projets matrimoniaux dont vous me parliez tantôt, grimaça le malade.

— En effet. Et pour vous prouver ma bonne foi, je vais vous en entretenir, bien que je ne m'en sois encore ouvert à personne. »

Je ne pus m'empêcher de dresser l'oreille. En même temps, le sujet me gênait passablement aux entournures, pour les raisons que mon délicat lecteur ne saurait manquer de comprendre…

Le Podestat se leva, fit quelques pas dans la pièce. À l'extérieur, les premières gouttes de l'orage zébraient les airs, tandis que les toits de tuiles se mettaient à carillonner en sourdine sous l'averse.

« Clarissima peut jouer un rôle important dans la sauvegarde des intérêts de Ciudalia, dit-il lentement.

— Et faire un très beau mariage, compléta l'ancêtre dans un rire souffreteux.

— Je ne le nie pas, admit mon patron avec une moue cynique.

— Quel est donc ce parti qui réduit à néant les prétentions de Dilettino ?

— Une sécurité. La consolidation de la position de la République sur l'échiquier diplomatique. »

Mon patron contempla la pluie, à l'extérieur, dont les obliques devenaient de plus en plus violentes. L'horizon marin se fondit dans la grisaille ; même le port et les bas quartiers n'apparaissaient plus que brouillés dans les trombes qui balayaient la ville. Une fraîcheur bienvenue se diffusa par les fenêtres ouvertes, mais la vaste chambre du sénateur baignait à présent dans une pénombre crépusculaire.

« Notre victoire au cap Scibylos est un beau fait d'armes, et nous avons porté un coup meurtrier à la marine du chah ; mais en soi, cela n'a rien de décisif. Ce n'est qu'une bataille gagnée ; c'est-à-dire, si glorieuse soit-elle, presque rien sur le plan stratégique. Même si nous avons signé un accord de paix, nul ne s'y trompe, ni au Sénat, ni au Sérail. Ce n'est qu'une trêve. Une simple respiration, dans le cadre d'un conflit beaucoup plus long, où seul l'écrasement définitif de l'adversaire aura du sens. Or l'avantage que nous venons de gagner pourrait facilement être perdu. Eurymaxas n'aurait même pas besoin de réarmer toute une flotte pour reprendre la main : il lui suffirait de conclure une alliance avec un de nos voisins. Notre situation littorale a toujours été fragile. Une attaque combinée par mer et par voie de terre pourrait nous réduire aux abois... Parmi nos voisins continentaux, nous n'avons rien à craindre de la Marche Franche : ses troupes sont inconsistantes, et elle est trop dépendante de nous économiquement. Mais le duché de Bromael... C'est un État puissant, plus peuplé et plus vaste que la République, fort d'un ost aguerri. Seules les difficultés financières de sa noblesse nous permettent de conserver sa bienveillance, au prix de créances hasardeuses. Toutefois, imaginons que demain Eurymaxas inonde d'or le duché ; il a les liquidités pour le faire, et acheter la haute noblesse bromalloise lui reviendrait sans doute moins cher que réarmer toute une flotte. Nous n'aurions plus aucun contrôle sur le duc Ganelon... »

Le Podestat se tourna à nouveau vers le lit à baldaquin. À contre-jour, son visage était sombre.

« Le duc serait libre de nous déclarer la guerre, en invoquant n'importe quel prétexte ; venger le sac de

Kaellsbruck, par exemple. Et au printemps prochain, nous pourrions nous retrouver assiégés par le ban de Bromael, tandis que les dernières escadres du chah reprendraient l'île de Qir et harcèleraient nos côtes dégarnies par les combats sur les frontières. Le duc chercherait juste à nous asphyxier, pour obtenir une paix qui l'exonérerait de sa dette… Mais nous sortirions très affaiblis d'un tel conflit ; annuler la dette de Bromael provoquerait de nombreuses faillites à Ciudalia, une crise financière qui nous saignerait aussi efficacement qu'une défaite militaire.

— Vous envisagez donc de marier Clarissima avec un membre de la famille ducale, déduisit le sénateur.

— En effet.

— Un mariage avec l'un des fils du duc suffirait-il à garantir nos arrières ?

— Pendant quelque temps, un an, peut-être deux.

— Alors ce n'est qu'un expédient.

— Tout à fait. D'autant que le duc a trois fils, issus de deux lits. Cinq, si l'on compte les bâtards qu'il a reconnus. Et la rivalité entre les héritiers est âpre : donner la main de Clarissima à l'un d'eux, c'est multiplier les risques de miser sur le mauvais cheval. À quoi servira ce mariage si demain le mari de Clarissima est tué ou s'il tombe en disgrâce ? Aussi n'est-ce pas à l'un des jeunes princes que je veux donner ma fille. Si je la marie à Bromael, c'est au duc, et au duc seul. »

Pour la première fois, je vis le masque chiffonné du sénateur afficher sa surprise.

« Au duc ? s'écria-t-il. Mais Ganelon est déjà marié !

— Évidemment, c'est un problème, convint le Podestat avec une certaine nonchalance. Mais à tout prendre, ce n'est qu'un obstacle mineur.

— Mineur ? se récria l'ancêtre. La duchesse Audéarde est une femme puissante ! On la dit encore d'une grande beauté ; sa cour attire plus que jamais la noblesse du duché, ce qui lui confère une influence considérable ; sans parler de ses fils ! Et c'est une personnalité de cette envergure dont vous voudriez obtenir la répudiation ?

— Briser un mariage, rien de plus facile. »

Mon patron vint se rasseoir face au lit, le visage empreint d'ironie.

« En vérité, mon vieil ami, c'est la beauté, la courtoisie et le rayonnement de la dame qui sont ses points faibles. Des bruits compromettants sont revenus jusqu'à moi. Par exemple, il y a quelques années, elle aurait accordé une faveur un peu trop marquée à un certain sire de Vaumacel, au cours du tournoi de Gaudemas. J'ignore s'il s'agit d'une information fondée ou d'une calomnie, et à vrai dire, cela m'indiffère. L'essentiel, à mes yeux, c'est qu'il est possible de flétrir la réputation de la duchesse, en particulier en s'appuyant sur les ennemis qu'elle compte aussi dans l'entourage de son mari. Comme Lanval, le prince ducal né du premier lit. Pour le reste... Vingt ans de mariage, l'usure, la perspective d'une alliance avec le triomphateur du cap Scibylos... J'estime que je ne manque pas d'atouts pour asseoir Clara sur le trône ducal.

— Admettons, dit le sénateur. Où ce mariage mènerait-il ? Votre fille serait en butte à l'hostilité des fils aînés du duc et des partisans de la duchesse Audéarde. Sa position à la cour serait très incertaine. Les enfants qu'elle aurait ne tiendraient qu'un rang bien modeste dans l'ordre de succession. Le plus probable, c'est que ce mariage provoquerait des troubles dans l'entourage de Ganelon. Des vassaux remuants comme le comte de Kimmarc pourraient tirer prétexte de la disgrâce d'Audéarde pour prendre à nouveau les armes contre leur suzerain, et mettre en danger la position de votre fille...

— Brillamment raisonné, comme toujours, don Ostina. »

Le Podestat souriait, les yeux plissés d'amusement.

« C'est là le vrai bénéfice d'une union entre ma fille et

Ganelon, poursuivit-il. J'y gagne sur deux tableaux. Tant que Clarissima se maintient sur le trône ducal, c'est une garantie un peu plus solide de paix entre Ciudalia et Bromael. Mais les troubles provoqués par ce mariage servent aussi nos intérêts. Que la noblesse bromalloise se déchire autour de la duchesse répudiée et de la nouvelle épouse ! Que les beaux-fils de Clarissima conspirent contre elle ! Qu'il se dessine même à la cour une ligne de fracture entre un parti ciudalien et un parti bromallois ! Que l'on instrumente ces divisions pour réactiver de vieilles querelles ! Nous ne pouvons pas rêver mieux, don Ostina. Les discordes ainsi générées au sein de la noblesse de Bromael neutraliseront le duché plus efficacement que l'amitié du duc. Que les preux chevaliers de Bromael s'affrontent pour ou contre Clara : pendant ce temps, nos frontières seront épargnées, et nous pourrons concentrer nos efforts sur l'archipel de Ressine. »

Le déluge qui s'abattait sur la ville croulait désormais en bourrasques drues, et les gargouilles du palais crachaient des cataractes rageuses. L'orage soufflait une humidité plus pénétrante dans la pièce, mais Leonide Ducatore, tout au plaisir du jeu prospectif, ne semblait pas voir que le malade commençait à frissonner. Ce fut Matado, de sa propre initiative, qui alla fermer les fenêtres. Il le fit tranquillement, avec son pas chaloupé de vieux soldat. Toutefois, que cette tâche fût remplie par un des hommes du Podestat, et non par un serviteur de la maison Schernittore, formait un empiètement subtil, revêtait un je ne sais quoi de menaçant.

« Naturellement, continuait mon patron, c'est placer Clarissima dans une position difficile. Mais je connais bien ma fille. Elle a beau être très jeune, elle possède déjà le sens du pouvoir et l'esprit d'intrigue, et elle n'a pas froid aux yeux… »

Alors même qu'il prononçait ces mots, son regard glissa sur moi, avec une expression indéchiffrable, qui ne m'en fit pas moins froid dans le dos.

« Parviendra-t-elle à se maintenir sur le trône ducal ? enchaîna-t-il. Difficile de voir aussi loin. Elle est rouée, retorse, entreprenante. Elle serait capable d'apprendre assez vite pour y parvenir... Mais même si elle y échouait, nous pourrions tirer notre épingle du jeu. Ganelon, dit-on, est toujours très vert : sitôt épousée, le vieux sanglier la mettra dans son lit. J'ai bon espoir qu'elle en aura des enfants. Dans ce cas, même si elle venait à tomber en disgrâce, même si elle était répudiée à son tour, nous récupérerions une carte maîtresse. Nous disposerions d'une branche ciudalienne de la famille ducale. Ce surgeon dynastique serait une voie royale pour nous ingérer dans les affaires intérieures du duché ; au pire, cela représenterait un étendard pour rallier les rebelles et les séditieux au sein de la noblesse bromalloise. Bref, un moyen supplémentaire pour maintenir le désordre chez notre puissant voisin...

— Considéré sous cet angle, je saisis mieux le calcul, concéda le vieux Schernittore. Toutefois, sans vouloir vous offenser, mon cher Leonide, ne poursuivez-vous pas un miroir aux alouettes ? Même si vous parveniez à discréditer la duchesse Audéarde, votre plan présente toujours de grosses difficultés. À commencer par l'adhésion du duc à votre proposition de mariage. Quel levier comptez-vous utiliser ?

— Le plus simple qui soit. L'argent. »

Le Podestat croisa les jambes, et s'appuya nonchalamment contre un accoudoir de son fauteuil.

« Dans les mois à venir, je vais faire des bénéfices considérables, poursuivit-il. Une partie non négligeable viendra grossir la dot de ma fille. Ganelon se débat depuis des années dans ses problèmes de trésorerie : l'argent que lui apporterait ce mariage le soulagerait d'une bonne partie de sa dette. Je vais l'acheter, tout simplement.

— Cela sera-t-il suffisant ? Vous le disiez à l'instant,

le chah aussi serait en mesure de l'acheter. Les enchères peuvent se révéler ruineuses, et incertaines.

— Je n'exclus pas que Ganelon mange aux deux râteliers. Mais pour le duc, cette union avec Clarissima est plus sûre qu'une alliance avec Ressine. L'archipel est loin, Ciudalia est voisine du duché. Notre récent succès fragilise les liaisons maritimes entre Elyssa et les anses de Bromael : notre marine pourrait très bien intercepter l'or du chah. De plus, depuis le siège de Kaellsbruck, Ganelon me considère comme le dirigeant ciudalien le plus dangereux pour Bromael : le mariage que je vais lui proposer, à ses yeux, représentera aussi une garantie de stabilité. Cela lui permettrait de tourner l'essentiel de ses forces contre les tribus d'Ouromagne, surtout si la dot de Clara lui permet de financer une campagne durable. Mieux encore : de la même façon que je table sur les discordes générées à la cour ducale par ce mariage, de son côté, Ganelon pourrait espérer me neutraliser parce que cette union ambitieuse éveillera la méfiance de la noblesse ciudalienne...

— C'est inévitable, acquiesça le sénateur. Après votre victoire, si vous unissez votre fille à Bromael, vous vous élèverez beaucoup trop au goût de tous nos pairs. Au Sénat, on cherchera tous les biais pour vous abattre, au moins politiquement.

— Croyez bien que j'en ai conscience, sourit mon patron. J'ai examiné la question, et c'est même le motif pour lequel je souhaitais vraiment vous voir... J'ai besoin de vos lumières. Pas pour définir ma ligne, en fait. Je l'ai tracée, et je crois savoir comment contourner l'obstacle. Mais je vais devoir recourir à... des auxiliaires. Et dans ce domaine, votre collaboration peut m'être des plus précieuses. »

Leonide Ducatore marqua une pause. Il arborait l'expression mystérieuse, intériorisée, que Le Macromuopo avait si bien saisie sur sa toile. Il joua un instant avec l'anneau de la podestatie, puis énonça, sur un ton indolent :

« Je vais abandonner le pouvoir. »

Dans son coin, Matado se permit un rictus amusé. Le sénateur Schernittore s'esclaffa, de son vilain rire quinteux. Le Podestat sembla partager leur plaisante humeur, mais n'en précisa pas moins :

« Ce n'est pas une galéjade. Je compte vraiment abandonner le pouvoir. »

Le ricanement du vieux débris fit progressivement place à une expression incrédule. Matado, quant à lui, fronça un sourcil perplexe. Pour ma part, j'avais du mal à concevoir qu'il ne s'agissait pas d'une plaisanterie… D'un autre côté, mon patron était d'ordinaire beaucoup plus subtil dans ses mensonges et ses manipulations. Aussi incroyable que cela puisse paraître, il nous fallut admettre qu'il parlait peut-être sérieusement.

« Au cours des funérailles de Regalio, poursuivait-il, j'ai déjà annoncé que j'organiserais dans trois mois les élections des nouveaux podestats. Ce que je n'ai pas encore rendu public, c'est que je ne briguerai pas un nouveau mandat.

— C'est… c'est un très beau geste, apprécia le sénateur Schernittore, encore mal remis de sa surprise.

— N'est-ce pas ? releva mon patron. J'espère qu'ils seront nombreux, au Sénat, à penser comme vous. »

Le malade le considéra par-dessous, comme il l'avait fait avec moi. Et sur ses traits usés, le cynisme revint plisser l'épiderme jauni.

« Vous jouez gros jeu, observa-t-il.

— C'est un pari risqué, mais c'est par prudence que je le tente.

— Vous n'envisagez nullement d'abandonner votre carrière politique.

— Bien sûr que non, sourit le Podestat.

— Mais la manœuvre que vous avez en tête n'en reste pas moins périlleuse. Lâcher les rênes pour les reprendre plus tard, c'est de la haute voltige. Ceux qui resteront dans la course pourraient bien vous déborder de façon définitive.

— C'est une probabilité, admit mon patron. En fait, il est même nécessaire qu'on me croie sur la touche. Au cours de cette guerre, en raison des pouvoirs que j'ai concentrés entre mes mains, on m'a soupçonné de vouloir accaparer le gouvernement. Il me faut impérativement dissiper ces craintes : c'est ce que je ferai en abandonnant la magistrature suprême. Au succès militaire, j'ajouterai donc la démonstration de ma probité. Je compte ainsi apparaître comme un modèle de vertu républicaine.

— Et vous misez sur cette réputation pour reprendre la main plus tard. »

Le Podestat esquissa un geste d'approbation, comme s'il s'agissait d'une évidence.

« Et si vos successeurs vous marginalisent ? Sans compter que la mémoire du peuple est très infidèle…

— J'aurai les moyens de durer, répondit lentement Leonide Ducatore, parce que j'ai les moyens d'acheter des fidélités. Les opérations financières conclues au cours de cette guerre vont me permettre d'élargir ma clientèle. Je vais étendre mon réseau, noyauter les corporations d'artisans, les guildes marchandes, les chapitres religieux, les maisons mineures. En contrepartie, je n'attendrai pas des services démesurés : je veillerai simplement à ce que ma renommée brille toujours au firmament de Ciudalia. Citoyen privé, je demeurerai le Triomphateur de Ressine, bien plus longtemps que si j'étais resté aux commandes de l'État. Je me tiendrai en embuscade : et quand la République traversera une nouvelle crise, je m'imposerai comme l'homme providentiel.

— Mais si vous neutralisez Bromael, si vos successeurs remportent de nouvelles victoires sur le chah, la République traversera-t-elle une nouvelle crise ?

— Immanquablement. »

Le ton de Leonide Ducatore était catégorique.

« Vous avez bien piètre opinion de vos pairs, railla le vieux Schernittore. À moins, bien sûr, que vous ne vous fassiez l'artisan secret de cette crise qui vous rappellera à la tête de la République…

— Je n'en aurai pas besoin. Tôt ou tard, les hostilités éclateront de nouveau entre Ciudalia et Ressine. J'aurai alors mon opportunité pour reprendre le pouvoir.

— Si nous essuyons des défaites, je veux bien le croire. Mais si nous remportons de nouvelles victoires ? Notre flotte contrôle désormais les routes maritimes ; l'occupation de l'île de Qir nous offre une tête de pont dans l'archipel. Ce sont des atouts majeurs, qui pourraient faire de vos successeurs les artisans de nouvelles conquêtes. Dans ce cas, vous seriez relégué au second plan.

— C'est ce qu'on pourrait penser… Et pourtant, j'incline à croire que même de nouvelles victoires risquent de déboucher sur une crise grave. »

Le Podestat se carra confortablement dans son fauteuil. Son regard se perdit dans les ombres du plafond, tandis qu'il rassemblait ses idées.

« À tout prendre, reprit-il, qu'est-ce que Ciudalia ? Une flotte de guerre et de commerce. Tout le reste, République, noblesse, ville, arts, n'est que l'écume de notre marine. Cet été, nos galères ont pacifié les flots pour favoriser notre négoce. Mais la plupart de nos pairs n'ont pas compris cette évidence. La guerre, pour eux, est devenue une entreprise de conquête territoriale. Au sein de mon état-major, on s'est même offusqué de la modération avec laquelle j'ai mené les pourparlers de paix ; on m'a considéré comme trop timide, d'aucuns ont été jusqu'à me soupçonner de collusion avec le chah. Le sénateur Sanguinella exigeait que nous occupions Rubiza ; les plus téméraires désiraient pousser l'offensive jusqu'à Mazmana et Ahawa. L'ennemi avait été frappé si puissamment que, peut-être, l'un de ces ports aurait pu tomber… Peut-être… Eh bien, admettons que nous les ayons pris : ces conquêtes auraient été une folie. »

Le sénateur Schernittore hocha lentement la tête.

« Oui, acquiesça-t-il. Je vous suis. Contrôler la mer, c'est une chose ; contrôler des villes et des terres, c'en est une autre.

— Vous y êtes, don Ostina. Détruire ces ports n'aurait eu aucun sens : cela aurait ruiné notre propre commerce. Si nous les avions gagnés, nous aurions dû les conserver. Nous aurions dû implanter des garnisons, quadriller les campagnes pour assurer les ravitaillements d'hiver. Tout cela aurait coûté très cher. De plus, nous aurions dispersé nos forces, ce qui nous aurait affaibli. Je n'ai gagné la bataille du cap Scibylos que parce que j'avais rassemblé toute la flotte ; en occupant un pays conquis, une telle concentration de forces deviendrait impossible. La dispersion nous affaiblirait, tout victorieux que nous sommes. En outre, nos ressources en hommes ne sont pas infinies : notre puissance réside dans nos finances et dans nos navires, pas dans notre population. Pour pallier l'insuffisance numérique de nos troupes, nous aurions dû engager des mercenaires. Cela aussi nous aurait coûté une fortune, pour lever des troupes plus dispendieuses que nos Phalanges et beaucoup moins sûres. La conservation du terrain annexé nous aurait épuisés à moyen terme. Or si je me retire du pouvoir, si dans un an ou deux éclate une deuxième guerre qui se solde par de nouvelles victoires, je mettrais ma main au feu que la faction belliciste nous entraînera dans cette aventure ruineuse… Et, croyez-moi, quand le grand négoce sera tari par une occupation brutale, quand les caisses de la République se videront pour financer des troupes étrangères, quand nos positions étirées se trouveront soumises aux rébellions des insulaires et aux coups de main des dernières forces d'Elyssa, la crise éclatera bel et bien à Ciudalia.

— Et l'on se souviendra alors de votre sagesse, opina le vieillard. On se remémorera votre prudence dans le règlement de ce conflit. Vous avez été modeste dans vos exigences vis-à-vis du chah, et la plupart de nos concitoyens pensent que c'est par bienveillance pour Ressine ; en fait, c'était tout bêtement par économie. Je parie que vous aviez emporté un exemplaire des *Principes* de Corvilio dans vos bagages. *La guerre doit payer la guerre : sans quoi, même le vainqueur en sort navré et à merci de ses ennemis restés hors du pré.* Le tribut que vous avez obtenu de Ressine remboursera peu ou prou la campagne militaire de cet été ; notre commerce, pour un temps libéré de la piraterie, va dégager des bénéfices substantiels. Et vous pensez que l'on se rappellera votre politique avisée quand vos successeurs auront lancé la République dans une offensive ruineuse…

— C'est une de mes options, répondit mon patron.

— Et moi qui pensais benoîtement que vous veniez régler l'accrochage de cette nuit ! ricana le sénateur. Voilà que vous me soumettez une stratégie de confiscation du pouvoir… »

Le vieillard respira profondément, baissa un instant ses paupières chassieuses. Son crâne pelé dodelinait doucement sur les oreillers de plume ; au fond de l'alcôve assombrie par l'orage, il avait la pâleur d'une lune crayeuse. Il commençait manifestement à se ressentir de la fatigue, mais il n'en reprit pas moins la parole :

« Je saisis bien votre ligne générale. Marier votre fille à Bromael pour garantir nos arrières — et accroître votre influence, même si vous vous gardez de m'en dire trop à ce sujet ; abandonner le gouvernement en tablant à moyen terme sur une crise qui vous rappellera à la tête de l'État avec des pouvoirs renforcés… Ce qui vous permettrait d'avoir une autorité suffisante non pour renverser nos institutions, mais pour qu'on les réforme à votre profit, en toute légalité. Intéressant. À la fois prudent et audacieux. Peut-être trop subtil… Mais intéressant, c'est indéniable. Il y a un point, cependant, que je ne comprends pas. »

Il rouvrit ses yeux caves, les fixa sur le Podestat.

« Pourquoi m'en dire autant ? Ce sont des confidences très dangereuses.

— Par gratitude, don Ostina. Je n'ai pas oublié vos bienfaits : je n'ai accédé à la magistrature suprême que grâce à vous. L'imbécillité de mon père avait dissous l'influence de la famille Ducatore ; sans votre parrainage, il y a vingt-cinq ans, ma carrière politique n'aurait jamais pris son essor. C'est à mon tour de vous faire profiter de ma position. Je veux vous associer à mes projets.

— Quel bénéfice en retirerai-je ? grinça le malade. Je suis mourant. Le seul fils qui me reste, c'est un écervelé dont vous ne voulez pas comme gendre. Quant à mes petits-enfants, ils sont bien trop jeunes pour peser sur l'échiquier politique.

— Et pourtant, cette aventure ne vous tente-t-elle pas ? susurra le Podestat. On vous tient pour mort, on vous oublie déjà, et à cause de Dilettino, on considère que la maison Schernittore est finie… Imaginez, quel beau sursaut ! Revenir en politique maintenant, lutter jusqu'au bout, provoquer l'étonnement et l'admiration, remplir à nouveau ce palais avec votre clientèle ! Conclure votre carrière par un nouveau coup, et disparaître en pleine lumière, en pleine gloire ! En outre, l'appui que vous me fourniriez aurait sa contrepartie : je prendrais Pabilo et Centellino sous mon aile, sans autre condition. Je vous offre ma protection pour vos petits-fils, quand vous ne serez plus en mesure de veiller sur eux. Mieux encore : si ma stratégie porte ses fruits, si demain je m'impose durablement à la tête de l'État, vos petits-fils se retrouveront étroitement associés au pouvoir. Parvenus à l'âge adulte, ils seront les pairs de mes successeurs, qu'il s'agisse de Belisario ou de Cesarino. En d'autres termes, je vous rembourse ma dette, don Ostina. Votre protection a jadis sauvé ma maison du déclin ; aidez-moi une dernière fois, et je vous garantis de restaurer la vôtre dans tout son éclat.

— Quelle belle chimère ! ironisa le sénateur. Vous négligez juste un détail : où irai-je chercher les forces pour redescendre dans l'arène ?

— Ah, oui… Ce problème-là… »

Mon patron ouvrit les mains de façon un peu cavalière, comme s'il s'agissait d'une question secondaire.

« Ce n'est pas un obstacle irrémédiable, énonça-t-il. Mon astrologue, Sassanos, est expert en philtres ; il pourra vous donner des drogues pour endormir la douleur et suppléer à votre vigueur. Ces derniers mois, j'ai moi-même consommé certains de ses produits pour lutter contre la fatigue, et je puis vous assurer qu'ils sont d'une efficacité remarquable. Je vous dois cependant la vérité : Sassanos n'est pas médecin, ses potions n'ont aucune vertu curative. La vitalité qu'elles restaureront sera purement artificielle : cela ne vous soignera pas, cela ne vous prolongera pas… J'incline même à penser que ces produits abrègeront plutôt le cours de votre existence. Et que vous vous heurterez à la désapprobation de fra Orinati. Toutefois, pendant quelque temps, vous pourrez de nouveau marcher et travailler. Et si la fin vient plus vite, après tout…

— Vous me proposez donc de brûler mes dernières forces à votre service… C'est une façon assez plaisante de me remercier.

— Nous nous servirons mutuellement. Si vous acceptez ma proposition, vous reviendrez dans la lice précisément quand j'en sortirai. Cela vous offrira une marge d'action conséquente, du moins tant que vous aurez l'énergie d'en profiter.

— Je ne suis pas sûr de saisir le fond de votre pensée… Pour bénéficier d'une telle marge d'action, il faudrait…

— Que vous soyez élu à la podestatie. Vous m'avez bien compris, don Ostina. »

Les deux hommes se mesurèrent du regard. Un

éclair blanc dessina les croisillons des fenêtres sur le parquet, et souligna le réseau douloureusement ridé du visage du sénateur. J'avais peine à imaginer que cette épave pourrait jamais avoir ses chances de siéger à nouveau au Sénat ; et pourtant, j'étais persuadé que mon patron ne bluffait pas.

« Toute la faction souverainiste défendra votre candidature si je la soutiens, reprit Leonide Ducatore. Les transfuges que j'ai ralliés voteront aussi pour vous. Et même nos adversaires politiques, parce qu'ils miseront sur votre disparition rapide... Vous serez élu triomphalement parce que vous représenterez le parti du consensus et de l'attentisme. »

Ostina Schernittore, pour la première fois, parut gagné par la tristesse. Il adressa un sourire amer au Podestat.

« J'ai le profil idéal, en effet, convint-il. Rien de mieux qu'un vieillard au bord de la tombe pour assurer une transition... Ce qui vous intéresse, c'est la paralysie de l'État garantie par mon accession au pouvoir. Et puis ma mort dans l'exercice de mes fonctions, qui ajouterait de l'instabilité à la sclérose. Je ne suis pas certain que la façon dont vous concevez mon retour sur la scène politique soit vraiment digne de notre amitié, don Leonide...

— C'est l'essence même de l'amitié. C'est l'exploitation réaliste des atouts dont nous disposons tous deux dans les circonstances actuelles, dans notre intérêt réciproque. C'est du donnant-donnant.

— Et si avec l'âge, je m'étais pris de goût pour la gratuité ? »

Le Podestat esquissa une moue amusée.

« Alors que tout à l'heure encore, vous négociiez le mariage de votre fils ?

— Même si vous trouvez un moyen pour me rendre l'ombre de ma vigueur, cette décision pourrait bien excéder mes forces morales.

— Ma proposition est brutale, je vous le concède. Et

peut-être effrayante, compte tenu de votre état de santé. Je n'attends pas de vous une réponse immédiate : mon mandat n'expire que dans quelques mois, et pour l'instant, je préfère laisser courir le bruit que je vais me présenter à ma propre succession. En outre, Sassanos va traiter une affaire qui l'éloignera de Ciudalia pour un peu plus d'un mois : cela vous donne un délai de réflexion. J'observe toutefois que vous avez soutenu une conversation fort longue, don Ostina. Est-il abusif d'en déduire que l'action politique vous manque ? Pour ma part, j'incline à penser que reprendre le harnois vous donnerait un second souffle.

— Pourquoi ne pas vous adresser à un autre sénateur de notre parti ? Actanza ou Soberano sont capables, et ils sont en bonne santé.

— Faire un choix de ce type provoquerait des dissensions au sein de la famille souverainiste.

— Mais en les écartant à mon bénéfice, vous les froissez tous.

— C'est vrai. C'est aussi une façon claire de leur montrer que je demeure à la tête du parti, même si j'abandonne pour un temps le gouvernement.

— En d'autres termes, je deviens votre homme de paille.

— Je vous trouve bien sévère », badina le Podestat.

Mais, redevenant grave, il se pencha en direction du malade :

« Ce sera votre dernier mandat, don Ostina. Sous votre magistrature, le négoce au long cours va connaître des bénéfices sans précédent, tandis que l'union de Ganelon avec ma fille, en consolidant nos relations avec le duché, va accroître la confiance et renforcer notre commerce continental. Pour un an ou deux, jusqu'à ce que la guerre éclate à nouveau, Ciudalia victorieuse va connaître une prospérité et un rayonnement exceptionnels. Et aux yeux de l'histoire, c'est votre nom qui sera associé à cette période. Quand la crise que je prévois éclatera, on se souviendra avec nostalgie de votre gouvernement, comme d'une sorte d'âge d'or. Alors certes, je vous propose un arrangement très intéressé. Mais je vous offre aussi de construire votre postérité. Considérez l'ingratitude avec laquelle la noblesse vous oublie déjà... Pouvez-vous vraiment refuser le cadeau que je vous fais ? »

Ce fut un peu plus tard que je pris la parole. Nous venions de quitter le palais Schernittore, et nous étions sur le chemin du retour. Nous avions remis nos masques, et nous rasions les murs des maisons nobles sous les arcades et les encorbellements ; la pluie s'était faite plus clairsemée, mais les gargouilles continuaient à cracher de longs filets d'eau qui rejaillissaient bruyamment sur la chaussée. Je n'hésitai que brièvement avant de parler. Je n'excluais pas que la conversation entre mon patron et le sénateur Schernittore ait comporté quelques gros mensonges, mais ce que j'avais entendu n'en comptait pas moins quantité d'informations mortellement sensibles ; j'en déduisais que mon patron ne m'avait pas retiré sa confiance, et cela me confirmait qu'il ignorait encore ce qui s'était passé entre moi et Clarissima. S'il avait appris que j'avais culbuté la fille qu'il comptait unir au duc de Bromael, mon sort aurait été scellé dans l'instant. En me faisant assister à cet entretien, l'intention du Podestat était sans doute double : d'une part, bien sûr, me forcer à présenter des excuses ; d'autre part, me faire mesurer les répercussions gravissimes qu'un coup de boule crapuleux aurait pu avoir sur sa stratégie. Mais il me connaissait : il savait que j'avais le sang chaud, et il me pardonnait donc cette incartade. D'un autre côté, la confiance dont il m'investissait était à double tranchant : le décevoir à nouveau ne laissait pas d'autre solution que la liquidation de ma petite personne...

Il fallait donc que je parle. Si j'étais resté défiant après cette preuve réitérée du crédit qu'il m'accordait, mon attitude serait devenue suspecte ; et il était vital pour moi que Leonide Ducatore ne soupçonne rien de plus. Sortir de ma réserve passerait pour le signe que j'avais bien capté son message, et que je me détendais parce que je n'avais rien de plus à me reprocher. J'abordai donc un point qui piquait ma curiosité, sans toucher directement au fond du sujet.

« C'est pas la première fois que j'entends parler de Corvilio, observai-je. Juste avant de mourir, Regalio aussi l'a mentionné. C'est qui, ce Corvilio ?

— C'était, corrigea mon patron. Il a vécu sous les premiers rois de Leomance.

— Ah oui ! Quand même ! Pas étonnant que j'aie du mal à le remettre...

— D'autant que sa langue a vieilli, et qu'il est désormais assez difficile à lire. Ainsi, le jeune Cladestini le connaissait ? Il avait reçu une éducation excellente. Quel dommage qu'il soit mort si vite...

— Il délirait à moitié quand il en a parlé. Il a dit des trucs assez confus. Si je me souviens bien, il a parlé de table rase, d'hommes neufs, de nouvelle ville...

— Oui, oui... Le livre XI, opina mon patron. Il pensait bien à Corvilio. Vraiment remarquable ! »

Il marcha un moment en silence, en esquissant quelques zigzags pour éviter des flaques.

« Connais-tu l'histoire de nos institutions ? reprit-il soudain. Sais-tu comment la podestatie est apparue ?

— Pas vraiment, non, fis-je, un peu surpris par son coq-à-l'âne. En fait, je ne me suis jamais posé la question. J'ai toujours pensé que c'était partie intégrante de la République.

— Oh non, répondit Leonide Ducatore. Il s'agit certes d'une institution ancienne, mais la République avait déjà plusieurs siècles quand cette magistrature a été créée.

— Qui gouvernait, auparavant ?

— Le Sénat, de façon collégiale.

— Et ça fonctionnait ?

— Plus ou moins. Cela a fonctionné tant que le chaos provoqué par la prédication d'Ocann a fait régner le désordre chez nos voisins. Mais le Sénat, paralysé par ses dissensions, a été incapable de faire face à la première grande menace venue du continent. C'est pourquoi Ciudalia a été conquise par le Resplendissant, il y a mille ans. »

Je fus distrait un instant. Dans la cour d'une maison voisine, ou peut-être dans une rue proche, il me semblait avoir entendu des appels criards. Matado aussi releva la tête et parut tendre l'oreille. La rumeur, assez fugace, n'eut pas d'écho. J'avais peut-être été inquiété par l'article braillard d'un camelot. De son côté, Leonide Ducatore poursuivait tranquillement :

« C'est Leodegar le Resplendissant qui a créé les podestats. Quand il est entré dans la ville, qui à l'époque ne couvrait guère que le port et la colline de Purpurezza, il a fait exécuter un certain nombre de chefs de famille nobles. Mais il s'est bien gardé de dissoudre le Sénat. Il était entouré de conseillers intelligents, des lettrés comme Adamantin ou Anaximandre, qui lui ont fait valoir qu'il ne pourrait mener de front la guerre sur ses frontières et la refondation politique d'un vieil État comme Ciudalia. Leodegar s'est contenté d'annexer la République au royaume de Leomance. Et il a créé la podestatie pour déléguer le pouvoir à des magistrats qui gouverneraient la cité en son nom.

— Corvilio a été un des premiers podestats ?

— Non, non. Il était d'origine modeste ; même si les monarques de Leomance n'ont pas hésité à anoblir des serviteurs loyaux, il n'aurait pas pu occuper une si haute charge. Je vais y arriver sous peu… C'est donc le Resplendissant qui a mis en place le binôme des podestats. Il avait des raisons pratiques pour confier cette charge à un couple de magistrats. Le podestat civil était le dirigeant chargé de gouverner la ville ; le deuxième podestat était un magistrat militaire et aulique. Militaire, parce qu'il était chargé du commandement des troupes ciudaliennes sous l'autorité royale. Mais c'était aussi un magistrat aulique, parce qu'il représentait Ciudalia au conseil du roi. Comme Leodegar était un monarque guerrier, qui a passé toute son existence à combattre, l'association de ces deux fonctions était logique : ses conseillers, par la force des choses, étaient aussi ses officiers. Même après la mort de Leodegar, quand ses successeurs ont stabilisé ses conquêtes, la tradition s'est maintenue d'envoyer le second podestat à Chrysophée, la capitale royale. »

Je n'entendais plus rien d'anormal. La ville semblait engourdie par la pluie, et son animation familière paraissait assoupie. Cependant, malgré son masque, je devinais une certaine inquiétude chez Matado. Il y avait de la tension dans son attitude, et tout en marchant devant nous, il jetait de fréquents coups d'œil aux fenêtres des étages.

« Sous la monarchie, comme de nos jours, continuait mon patron, le mandat d'un podestat était d'un an. Même si ce mandat était déjà reconductible, cela n'en générait pas moins un renouvellement rapide des magistrats. Le Sénat craignait tout particulièrement qu'un podestat restant trop longtemps éloigné de Ciudalia finisse par oublier les intérêts de la ville au profit de la couronne ; c'est pourquoi, la plupart du temps, les magistrats auliques étaient remplacés au bout d'un an. En revanche, les fonctionnaires ciudaliens détachés à Chrysophée restaient en poste des années. Tel fut le cas de Corvilio. Corvilio a vécu cinquante ans après l'annexion de Ciudalia. C'était un clerc curial, détaché au sein de la capitale royale pour assister les podestats qui s'y relayaient. Dans la mesure où il demeura près de vingt ans à Chrysophée, il devint bien plus familier de la politique royale et des intrigues de cour que les magistrats successifs auxquels il était subordonné. Il finit par s'imposer comme une sorte d'éminence grise, un acteur politique dont la compétence et l'influence excédaient largement ses fonctions officielles. On était alors sous le règne de Leodegar III le Saint. Il s'agissait d'un monarque législateur et éclairé, qui mesura les qualités de Corvilio et l'intégra à son cercle de familiers. La grande œuvre de Leodegar III a été la fondation du cyclothéisme, le syncrétisme qui a associé dans la même doctrine le culte de la personne royale et les religions antérieures, consacrées à la Vieille Déesse, à la Déesse Douce et au Desséché. L'harmonisation des cultes contribua à apaiser les conflits encore vifs qui opposaient les fidèles des divers dieux. Il est très probable que Corvilio fut un des conseillers qui assistèrent le monarque dans l'instauration de cette nouvelle doctrine…

« Malheureusement pour lui, Corvilio fut écarté de l'entourage royal après la mort de Leodegar III. L'avènement d'un nouveau roi entraînait souvent un renouvellement complet des familiers de la couronne, et le Sénat, qui avait pris ombrage de ce secrétaire trop influent, en profita pour le rappeler à Ciudalia. Corvilio devait passer les dernières années de sa vie dans une demi-disgrâce, dans les vieux quartiers de Purpurezza. Il caressait toutefois l'ambition de retrouver une position à la cour, et c'est à cette fin qu'il composa son chef-d'œuvre : les *Principes de gouvernement des cités sujettes*. La citation faite tout à l'heure par don Ostina vient du livre II de cet ouvrage ; quant à ce que tu me rapportes des dernières paroles de Regalio, c'est une allusion à un passage important du livre XI. Les *Principes* de Corvilio synthétisaient ses vingt années d'expérience politique : l'auteur décrivait et analysait les procédés permettant à un conquérant de maintenir sa tutelle sur un État conquis. Corvilio, quoique ciudalien, était loyal à la couronne de Leomance. Mais son traité, en examinant systématiquement les formes et les modes opératoires des soulèvements des cités sujettes, a fini par devenir le livre de chevet des souverainistes ciudaliens, qui désiraient regagner l'indépendance. Paradoxalement, les familles nobles qui affranchirent

Ciudalia de l'autorité royale, il y a deux siècles, étaient sans doute les plus fidèles héritières de la pensée politique de Corvilio...

— Pourquoi diable Regalio en a-t-il parlé juste avant sa mort ? me demandai-je. Ça fait un sacré bail que Ciudalia a recouvré sa liberté.

— Il y a assujettissement et assujettissement, répondit mon patron de façon sibylline. Ce jeune homme était décidément très fin... »

Peut-être allait-il en lâcher un peu plus, mais le cours des événements en décida autrement. Nous étions presque arrivés au croisement entre la via Comitina et la via Cavallina quand éclata un nouveau raffut, beaucoup plus inquiétant. Le bon côté des choses, c'est que le vacarme sonnait assez éloigné ; il provenait d'un endroit hors de vue, en haut de la via Cavallina. Le mauvais côté, c'est que c'était précisément notre chemin, puisque le palais Ducatore donnait sur la via Cavallina. Une cacophonie brutale déchira l'atmosphère pluvieuse : des voix d'hommes, des appels aux armes, quelques hurlements de rage, et puis une braillée affreuse, un vrai meuglement de bête égorgée, suivi d'une nouvelle explosion de cris féroces.

« Merde, gronda Matado. On se bat. »

Nous nous étions figés tous trois, d'un seul mouvement. En soi, une échauffourée ne m'impressionnait guère, et je doutais que Matado en fût effrayé ; mais nous n'étions que deux pour veiller sur la sécurité du Podestat, et la situation pouvait très vite virer à l'aigre. Un cri de douleur résonna dans l'enfilade des rues, accompagné par un éclat de rire narquois.

« Ça se passe devant le palais, énonça tranquillement Leonide Ducatore.

— Il faut prendre le large, trouver refuge chez sa seigneurie Schernittore ou au Sénat, dit Matado.

— Ils font du bruit, mais ils ne sont pas très nombreux, observa notre patron.

« — On ne sait pas où on va se fourrer si on continue, objecta Matado.

— Il suffit d'aller voir, dit le Podestat. Benvenuto, va donc jeter un coup d'œil au coin de la rue. Nous t'attendons. »

Matado et mon patron se dissimulèrent sous un porche, tandis que je franchissais les quelques pas qui me séparaient du carrefour. Le temps que je tourne l'angle, le boucan s'était calmé : s'il y avait eu escarmouche, elle avait été des plus brèves. Il était probable que cela n'avait rien à voir avec nous, mais je craignais un peu une initiative idiote de Dilettino. La via Cavallina monte en suivant une courbe ; depuis le croisement avec la via Comitina, je découvrais la tour du palais Ducatore au-dessus des toits, mais je ne pouvais pas voir sa façade. Des badauds redescendaient précipitamment la rue, comme s'ils fuyaient des troubles. La pluie avait vissé les coiffures sur les crânes, mais certaines silhouettes qui décampaient avait le capuchon tiré un peu trop bas à mon goût. La chaussée se vidait à toute vitesse, comme c'est le cas quand une vendetta ensanglante la ville. J'allais rebrousser chemin lorsque mon regard fut accroché par un des derniers traînards. C'était un grand escogriffe serré dans un pourpoint cintré, qui portait l'épée et la dague au ceinturon. Il suivait le mouvement et quittait les lieux, d'une démarche pressée, mais sans courir. Son visage était couvert par un grotesque de théâtre, le faciès aux narines pincées et aux sourcils arqués du Pédant de comédie. Il me vit lui aussi, et son attention s'arrêta sur mon propre masque, puis glissa sur mes propres armes. Les yeux que j'entrevis derrière les orbites de papier mâché étaient brillants et durs. Mais il fila sans s'attarder.

N'eût été la présence du Podestat, j'aurais peut-être intercepté cet inconnu. Rétrospectivement, je me rends compte que cela aurait considérablement abrégé le cours de mes tribulations et de ce récit, soit qu'il m'eut tué sur ce carrefour, soit que je l'eusse épinglé et démasqué. Mais il était trop dangereux d'exposer mon patron aux hasards d'une confrontation dont je ne maîtrisais rien, et je laissai ce spadassin disparaître. Je revins en arrière, retrouver le Podestat et Matado.

« La zone se vide, leur rapportai-je. Je ne sais pas trop ce qui se passe, mais il y a du suppôt en maraude. Ça sent le coupe-gorge à plein nez.

— Il faut décrocher, dit Matado.

— Nous allons contourner le problème, décida le Podestat. Nous rentrerons par le parc, en empruntant la via Zecchina. »

En passant par les venelles qui desservaient les entrées de service, le détour n'était pas bien long. Toutefois, par prudence, Matado nous entraîna dans une boucle bien plus large, presque jusqu'au pied de Torrescella. Le Pédant, que j'avais brièvement évoqué, lui faisait craindre que j'aie été repéré, et il cherchait à égarer une filature possible. Après une bonne petite trotte, nous finîmes par atteindre une porte discrète qui donnait accès sur le fond du jardin Ducatore. Nous n'avions pas eu d'autre alerte, et nous commencions à croire que la rixe n'avait pas de rapport avec nous. Ce fut en débouchant dans la cour du palais que l'on comprit que quelque chose de grave avait été commis.

L'endroit était en pleine effervescence. Des serviteurs affolés cavalaient en tous sens, et je reconnus Ancelina, armée d'une brosse et d'un seau, qui frottait un coin de pavé avec répugnance. La porterie était fermée, et gardée par Lupo, qui avait tiré l'épée ; c'était bizarre, ce n'était pas son tour de garde, puisqu'il escortait Cesarino peu de temps auparavant. Mais le plus frappant était de voir qu'il était flanqué par les deux barbares d'Ouromagne recrutés par Sassanos. Je n'eus pas le loisir de m'étonner plus longtemps ; dès que nous fîmes notre apparition, des cris éclatèrent :

« Son excellence est rentrée ! Son excellence est en bas ! »

Scaltro, le premier valet, accourut très vite au-devant de son patron. Lui d'ordinaire si maître de lui, il avait la mine bizarrement décomposée, partagée entre le soulagement de voir Leonide Ducatore et des séquelles d'épouvante. Il fut suivi de peu par Cesarino ; le jeune homme venait de boucler à la diable une casaque de cuir sur son pourpoint d'osterlin.

« La Déesse soit louée ! s'écria le vieux domestique. Vous êtes indemne, Votre Seigneurie !

— Que s'est-il passé, Scaltro ?

— Un malheur… Nous avons été attaqués… Un grand malheur… Il y a eu un mort.

— Qui est mort ?

— Le ministériel Blattari. On l'a tué dans la rue, juste devant notre porte. »

Le Podestat blêmit.

« Comment cela est-il arrivé ? demanda-t-il d'une voix blanche.

— Je ne sais pas, Votre Seigneurie, répondit le premier valet. J'étais à l'intérieur. Je n'ai rien vu.

— Qui était de garde ? intervint Matado.

— Coneoti et Sorezzini. Ils sont intervenus, mais ils n'ont rien pu faire. Ils sont blessés tous les deux. »

Ce fut au tour de Matado de marquer le coup. J'étouffai un juron dans ma barbe. Les assaillants avaient dû être nombreux et aguerris, pour neutraliser des combattants de cette trempe. Mais le Podestat reprenait déjà la main, et interrogeait son neveu.

« Je n'ai rien vu, avoua le jeune homme d'un air dépité. Nous étions rentrés depuis quelque temps… Scurrilia m'avait dit que Clara n'allait pas très bien aujourd'hui, et je m'apprêtais à lui rendre visite quand l'attaque a eu lieu… Quand je suis arrivé dans la rue, c'était fini…

— Où sont Coneoti et Sorezzini ? demanda le Podestat.

— Juste à côté, dans le corps de garde, répondit Scaltro. Je leur ai fait installer des lits de fortune ; ils sont conscients, mais Coneoti a perdu beaucoup de sang, et je craignais de les faire porter jusqu'à leurs chambres, au quatrième étage. J'ai envoyé Oricula chercher des chirurgiens à l'Hospice de la Déesse Douce. »

Le Podestat se rendit immédiatement au corps de garde. C'était une pièce borgne ouvrant sur la porterie, où les hommes de faction pendant la nuit venaient s'asseoir et boire un verre pour passer le temps. Les deux spadassins y avaient été installés sur des litières de paille, couvertes à la hâte de draps et de couvertures. Ils avaient été à moitié déshabillés, pour panser leurs blessures. Sorezzini était assis et torse nu ; il avait un bras en écharpe, et un bandage sommaire maintenait de la charpie rougie contre son épaule droite. Coneoti était allongé et blanc comme un linge. Il avait les quilles à l'air, et seul un pan de sa chemise nous épargnait le spectacle de son service trois pièces. Un pansement gorgé de sang lui comprimait la cuisse droite ; juste en dessous de l'aine, un garrot lui cisaillait les chairs. Les deux gaillards devinrent un peu plus livides quand ils virent débarquer Leonide Ducatore.

« Que s'est-il passé ? » demanda mon patron avec une certaine sécheresse.

Les deux blessés échangèrent une œillade fuyante. Ils semblaient répugner l'un comme l'autre à répondre. Finalement, ce fut Sorezzini, qui avait l'air moins éprouvé, qui se résolut à parler.

« On a fait ce qu'on a pu, Excellence, grogna-t-il. On était à l'entrée, tranquilles. Les gens avaient appris que vous étiez au Palais curial, on n'avait pas trop de monde. Et puis on entend des cris, en bas de la via Cavallina ; et on voit don Coccio au bout de la rue, en train de courir bizarrement. Il était déjà touché, je crois. Il appelait à l'aide. Il avait des types aux basques, trois ou quatre, armés de couteaux. Ni une ni deux, on a crié l'alarme, on a dégainé, on a filé lui porter secours. Il était presque arrivé au palais, ça s'est joué à un cheveu. Mais il était moins leste que ses poursuivants, ils l'ont rattrapé. On aurait encore pu le sauver, mais il y en a d'autres qui se sont interposés : on a engagé le combat. Le temps de croiser le fer, ils l'avaient achevé. Et nous, on s'est fait déborder. »

Le Podestat fronça les sourcils.

« Votre récit manque de précision, observa-t-il. Combien étaient-ils ? »

Sorezzini me paraissait de plus en plus mal à l'aise. À côté de lui, Coneoti, qui tirait pudiquement sur sa chemise, semblait se mordre les lèvres.

« Ils étaient quatre, lâcha Sorezzini sur un ton rageur.

— Et ça a suffi pour vous réduire à l'impuissance ? poursuivit mon patron.

— Ils étaient plutôt bons. »

Il évitait le regard de Leonide Ducatore ; j'étais d'accord avec le Podestat, il y avait quelque chose qui clochait dans son attitude. Finalement, ce fut Coneoti, d'un air dolent, qui lâcha le morceau.

« En fait, ça ne s'est pas passé tout à fait comme ça, marmonna-t-il.

— Qu'est-ce qu'on en a à foutre ? cracha Sorezzini sur un ton rageur. Le résultat est le même !

— Ferme ta gueule ! gronda Matado.

— Que s'est-il réellement passé ? demanda lentement le Podestat.

— Sorezzini ne vous a pas menti, Excellence, poursuivit Coneoti dans un filet de voix. Mais il a oublié un détail important…

— C'est bon, c'est bon, garde ton souffle ! l'interrompit son compagnon. Je vais leur dire. »

Mais l'aveu restait pénible à déballer, parce qu'il lui fallut encore prendre une bonne inspiration avant de se mettre à table.

« Ils étaient bien quatre, finit-il par grommeler. Mais

en fait, il n'y en a qu'un qui nous a coupé la route. Et il nous a envoyés au tapis tous les deux, recta, pendant que les trois autres s'acharnaient sur Blattari.

— Un seul ? » releva le Podestat.

Il avait l'air un peu surpris. Mais juste derrière lui, Matado afficha une trogne stupéfaite, et je devais arborer une variante assez proche de son expression. Pour tirer régulièrement en salle d'armes contre les deux blessés, nous savions mieux que quiconque que c'étaient de rudes escrimeurs. Qu'ils aient été vaincus par un adversaire isolé avait de quoi vous couper la chique !

« Ouais, un seul, grogna Sorezzini. Un putain d'enfoiré de bretteur. Il est apparu devant nous comme un diable hors de sa boîte. Sans un mot, sans un avertissement. Juste derrière, Blattari venait de tomber, et il fallait foncer pour le sauver. Comme le gêneur avait un masque, je me suis dis que son champ visuel était un peu réduit : j'ai attaqué en me fendant, au visage, pour lui traverser l'œil. Il m'a paré en opposition, le ruffian ! Je n'ai rien pu faire, sa lame a remonté mon bras, il m'a transpercé l'intérieur de l'épaule. J'ai tout lâché.

— À ce moment-là, j'ai cru que je le tenais, enchaîna à mi-voix Coneoti. Je l'ai attaqué presque en même temps que Sorezzini ; mais le type était prodigieusement rapide. Il a dégagé son épée si vite que je ne l'ai pas vue clairement ; il a rabattu la mienne sur le sol, et presque dans le même mouvement, en se relevant, il m'a allongé une estocade en travers de la jambe. Il m'a tranché l'artère, le salaud. Le sang a tout de suite pissé comme une fontaine, et je suis tombé.

— Moi, je n'avais plus de bras droit, mais j'étais encore debout, gronda sourdement Sorezzini. Il m'a appuyé la pointe de son épée sur la gorge. On était à sa merci, tous les deux, mais il ne nous a pas tués. Il s'est payé notre tête, avec son foutu masque de comédie, pendant que les trois autres saignaient don Coccio comme un cochon.

— Avez-vous pu identifier les assassins ? »

Sorezzini hocha négativement la tête.

« Les agresseurs de don Coccio avaient des capuchons, dit-il. Et notre homme était masqué. Je ne pourrais pas les reconnaître. »

Coneoti n'en savait pas plus que son compagnon. Le Podestat en pinça les lèvres de dépit.

« Où est le corps ? demanda-t-il sèchement.

— Sassanos l'a fait enlever presque aussitôt, intervint Cesarino, qui nous avait suivis. Il l'a fait descendre dans les anciens celliers.

— Est-il toujours avec lui ?

— Je crois, oui, dit le jeune homme.

— Bien, je vais le rejoindre. »

Avant de quitter le corps de garde, Leonide Ducatore pointa un index sur les blessés.

« Vous deux, vous m'avez manqué, énonça-t-il. Je ne vous paie pas pour bayer aux corneilles ni pour vous faire ridiculiser. Encore moins pour me mentir ! Pour l'instant, je vous laisse tranquilles. On va vous soigner. Mais dès que vous serez sur pied, vous aurez intérêt à compenser ce gâchis. Quitte à vous crever en service. »

Alors que nous regagnions la cour, Matado voulut faire une inspection rapide des entrées du palais ; le Podestat refusa.

« Pas tout de suite, dit-il. J'ai encore besoin de toi et de Benvenuto. Venez avec moi. »

Il nous entraîna vers les sous-sols ; je n'eus que le temps de rafler une lampe à huile aux cuisines et d'allumer la mèche à un brandon. Alors que nous dévalions l'escalier assez raide qui menait aux caves, notre patron nous posa les questions pour lesquelles il avait requis notre présence.

« Ça se tient, leur histoire ? demanda-t-il.

— Ça m'en bouche un coin, répondit Matado. Mais je connais mes hommes : ces deux-là sont loyaux.

Coneoti est gravement touché. Et Sorezzini, il était vraiment humilié. J'ai l'impression qu'ils disent la vérité.

— Il y a beaucoup de combattants qui seraient capables de les mettre hors d'état de nuire ?

— Il n'y en a pas des masses qui seraient capables de tenir tête à deux adversaires à la fois, fit Matado. En plus, des sabreurs comme Coneoti et Sorezzini... Vaincre Sorezzini en duel, c'est déjà impressionnant. Les allonger tous les deux, c'est carrément un exploit ! »

Je ne pouvais qu'abonder dans le sens du vétéran : j'avais encore des souvenirs cuisants de la salle d'armes. Rétrospectivement, j'attrapai un nœud à l'estomac. Au croisement de la via Comitina et de la via Cavallina, j'avais été à deux doigts d'interpeller le Pédant. S'il s'agissait bien du spadassin qui avait terrassé mes comparses, le bougre aurait eu toutes les chances de me faire avaler ma ration d'acier. Toutefois, le Podestat se permit un bref sourire, si crispé fut-il.

« Cet exploit est une sottise, jugea-t-il. Notre inconnu a péché par orgueil : nous savons que le gaillard est un bretteur exceptionnel. Sont-ils nombreux en ville, les hommes capables d'un tel coup d'éclat ?

— Pas beaucoup, non, admit Matado.

— Moins de dix, estimai-je.

— Voilà qui va simplifier nos recherches. »

La flamme de ma lampe, inclinée par le rythme de notre marche, éclairait chichement la noirceur des caves, où se dessinaient l'ébauche minérale des dallages et le rugueux des murs. Au fond d'une perspective obscure de piliers trapus et de voûtes en ogive, une lueur falote esquissait l'embrasure d'une porte. C'était la pièce où Coccio Blattari avait été déposé. Le simple fait que Sassanos l'ait emporté si loin sous le palais me faisait craindre le pire.

L'endroit était une ancienne cave à vin, fort basse, voussée comme un tombeau. Il s'agissait d'une petite pièce, probablement ancienne, appartenant peut-être à une construction plus vieille que le palais actuel. Elle était vide, à l'exception du cadavre et de deux bougies posées à même le sol. Le sorcier nous avait entendu arriver et ne daigna pas se retourner à notre entrée. En raison de sa grande taille, il effleurait le plafond poudreux de son crâne ; ses tresses d'ébène avaient accroché des toiles d'araignées poussiéreuses. Il paraissait immense, aussi noir que les ténèbres ramassées dans les angles, et dominait le cadavre de toute sa hauteur. Le Podestat ne se formalisa pas de son impolitesse et rejoignit Sassanos. Au dernier moment, je me rendis compte que le sorcier avait les manches retroussées et les mains humides de sang.

Le spectacle offert par le mort était assez éprouvant. Et l'odeur, car son abdomen crevé refoulait comme une fosse d'aisances. Le Podestat esquissa une grimace de dégoût, et se détourna quelques instants, le temps de se familiariser avec l'horreur.

Coccio Blattari était allongé à même le sol de terre battue, réduit à un dénuement pathétique. Il était nu, superficiellement lavé ; son corps blanchâtre et flasque, abandonné, suffisait à vous serrer le cœur, surtout si vous aviez encore en tête le courtisan intelligent et affable qui gérait les affaires de l'État quelques heures plus tôt. Dans un coin, on avait roulé en boule des hardes ensanglantées, ce qui restait de son élégant costume. Quant à ses blessures, elles étaient atroces. On avait vraiment salopé le travail, et c'est le professionnel qui vous parle.

Il portait quelques entailles aux mains et aux avant-bras, qui attestaient qu'il s'était défendu. Plusieurs plaies barraient sa poitrine ; on avait cherché à le poignarder au cœur, mais comme il s'était débattu, les couteaux avaient glissé contre la cage thoracique ; par endroits, entre les lèvres saignantes, on apercevait l'os. Finalement, on l'avait suriné dans le haut du ventre, juste sous les côtes, avec un tel acharnement que les lames des assassins avaient ouvert un vrai cratère. Et on lui avait crevé les yeux avec la même furie, car ses orbites pleuraient une bouillie noirâtre striée de caillots vitrés. Le pauvre type, on ne l'avait pas loupé. Toutefois, quelque chose clochait dans cette boucherie : la sauvagerie, l'amateurisme avec lesquels on avait massacré Blattari juraient avec l'efficace sobriété du Pédant.

J'allais signaler cette singularité quand le Podestat proféra quelques mots, dont la signification sinistre mit un moment à faire le tour de mon cervelet.

« Qu'est-ce qu'il a dit ? demanda-t-il.

— Il n'a rien dit, répondit Sassanos.

— Il ne fallait pas nous attendre, reprit le Podestat. Faites-le parler.

— Je ne peux pas. »

Mon patron eut l'air sincèrement interloqué, un peu comme moi par ce qu'il venait d'exiger.

« Je ne peux pas, reprit Sassanos. On l'a scellé. Voyez vous-même… »

Le moricaud vint s'accroupir auprès du cadavre. De ses ongles effilés, il désigna d'abord le visage défiguré.

« En lui crevant les yeux, ses meurtriers ont neutralisé toute oculomancie. »

La griffe du sorcier survola ensuite le torse du mort pour s'arrêter au-dessus de l'éviscération.

« On ne l'a pas frappé n'importe où : c'est sous les côtes droites que les tueurs ont percé le ventre, de bas en haut. Ils ont taillé le foie en pièces : l'hépatoscopie sera illisible. Et enfin… »

Le sapientissime saisit la tête du mort à deux mains, et lui força les mâchoires. Dans la cavité buccale, on pouvait apercevoir une poudre cristalline et blanche.

« Ils lui ont fourré une poignée de sel dans la bouche, expliqua Sassanos. La goétie ne donnera rien : je ne pourrai le faire parler.

— Vous voulez dire qu'aucune de ses blessures n'a été faite au hasard ? demanda le Podestat.

— Il n'y aurait que les plaies faciales et abdominales, je pourrais hésiter à me prononcer, dit le sorcier en se relevant. Mais le sel dans la bouche… Non, cela ne fait aucun doute. Il y avait un initié parmi les tueurs ; ou, à tout le moins, les assassins ont reçu les consignes précises d'un initié.

— Et il n'y a pas d'autres rituels pour interroger Blattari ?

— Si, bien sûr. Il n'a pas perdu tout son sang : l'hémocritie reste envisageable. Mais cela ne sera efficace que si le mort est mis en présence de ses meurtriers, ce qui, vous en conviendrez, est une possibilité des plus incertaines… Sinon… »

Sassanos se permit un sourire de hyène.

« Sinon, il nous reste la psychomancie. Les rituels majeurs d'invocation des esprits, le grand art nécromantique. Mais je doute que vous soyez prêt à prendre ce risque. Notre ami a été tué de façon horrible : rappeler son âme pourrait provoquer… un choc en retour, des phénomènes incontrôlés et très néfastes. En outre, je ne pratique que la Basse Magie : pour parvenir à contraindre le défunt, il me faudrait faire un sacrifice majeur. L'anomalie aurait une profonde résonance sur le plan astral ; d'autres magiciens la percevraient sans doute. Et le clergé du Desséché, immanquablement.

— Oui, vous avez raison, convint Leonide Ducatore. C'est trop dangereux…

— D'autant que l'âme n'est encore que dans les premières régions. Elle est sans doute en pleine confusion, elle ne nous fournirait probablement pas d'informations très intelligibles. »

Le Podestat massa ses tempes, puis fixa derechef la dépouille.

« C'était un homme précieux, dit-il à mi-voix. Il me manquera. »

Mais ce qui faisait la force de Leonide Ducatore, c'était sa capacité de réaction. Sans se laisser aller, il entreprit de dresser un premier bilan de la situation, devant le corps supplicié.

« Finalement, nous disposons déjà d'un faisceau d'indices. On a tué don Coccio pour le faire taire, y compris de façon posthume. Dans la mesure où il a tenté de trouver refuge chez moi, c'est que ses informations m'auraient intéressé au plus haut point. L'assassinat a failli échouer, parce qu'il a sans doute été improvisé. La décision d'éliminer notre ami a peut-être été prise dans l'urgence... Et nous savons que le commanditaire est un parti puissant, qui a les moyens d'employer les conseils d'un mage et de louer une des meilleures lames de la ville... »

Le Podestat se tourna vers Matado et moi.

« Commençons par le spadassin. En passant en revue les meilleurs duellistes de Ciudalia, on doit pouvoir resserrer nos hypothèses. D'après vous, qui est capable de terrasser ainsi mes hommes ? Benvenuto, tu as rossé trois adversaires hier soir. Tu aurais pu surpasser Coneoti et Sorezzini ?

— Au sommet de ma forme, avec beaucoup de chance, peut-être... Mais j'ai pas complètement récupéré. En ce moment, j'en serais bien incapable.

— Et toi, Spada ?

— Je prends de l'âge, grommela Matado. Coneoti, j'aurais peut-être pu l'avoir. Mais Sorezzini m'aurait ferré, à coup sûr. Si le ruffian est plus rapide que Sorezzini, c'est qu'il est encore jeune.

— Un homme jeune, un bretteur redoutable et vaniteux, résuma notre patron. Vous avez des noms qui correspondent à ce profil ? »

Matado fit une grimace, et énonça ce qui me brûlait les lèvres.

« Ça ressemble foutrement au style de Bucefale Mastiggia, grommela-t-il sombrement. Et à celui de son frère, Dulcino Strigila. »

Ce fut au tour du Podestat de faire une moue contrariée.

« Si tel était le cas, ce serait très inquiétant, soupira-t-il. C'est une possibilité à considérer avec beaucoup de sérieux… Mais est-ce la seule ?

— Il y a aussi Rabbia Mezzasole, l'âme damnée du sénateur Sanguinella, ajouta Matado. Ce type est froid comme un aspic, et c'est une vraie terreur. On lui connaît au moins trois bottes qui ne sont enseignées dans aucune salle d'armes.

— Parmi les traîneurs de sabre, enchaînai-je, il y a un truand célèbre dans le quartier des Abattoirs. Il s'appelle Bonito Scheggia ; c'est un duelliste professionnel. Sa spécialité, c'est de lancer le gant à n'importe qui, sous le moindre prétexte ; il a une trentaine de victoires à son tableau de chasse. Il gagne sa vie en acceptant les excuses sonnantes et trébuchantes des pigeons qu'il a provoqués… Il a un paquet de vendettas sur le dos, mais il a refroidi tous ceux qui sont venus le regarder d'un peu trop près.

— Le centenier Vezzino Chiodi correspondrait bien aussi, renchérit Matado. Une tête brûlée, la meilleure lame du régiment Burlamuerte. Il s'est illustré à Rubiza et au cap Scibylos. Il y a des rivalités entre les corps militaires, et Chiodi s'est fait une spécialité de défier et d'étriller les officiers des régiments Testanegra et Cazahorca. Il s'est attiré de solides haines, mais personne n'a réussi à le vaincre en combat singulier… Et actuellement, c'est lui qui est affecté à la garde du Palais curial…

— Et il ne faut pas oublier la Guilde des Chuchoteurs, lâchai-je à regret. À première vue, ces coups portés à tort et à travers ne ressemblent pas trop à nos méthodes… Mais si les blessures correspondent à une commande précise, un contrat n'est pas à exclure. »

Le Podestat opina de manière pensive.

« Oui, dit-il, il ne faut écarter aucune hypothèse. Strigila, si le clan Mastiggia n'est pas dupe de notre supercherie ; Mezzasole, si mon ami le sénateur

Sanguinella prépare un coup politique contre moi ; Scheggia, qui peut avoir été recruté par n'importe qui... La Guilde, bien sûr, qui peut aussi avoir été payée par n'importe quel commanditaire fortuné. Seul le centenier Chiodi semble moins suspect ; mais s'il est affecté au Palais curial, il a été en contact quotidien avec don Coccio, et on ne peut exclure non plus qu'il ait été acheté... »

Il se tourna une dernière fois vers le mort.

« Quelle misère, don Coccio, qu'on nous ait privé de la possibilité d'une dernière conversation, lança-t-il au cadavre avec une déception qui me fit froid dans le dos. Mais je ferai mon possible pour découvrir le secret qui vous a coûté la vie. Peut-être est-ce en relation avec ce que vous m'avez révélé ce matin... Qu'avez-vous découvert, qui vous ait valu ce destin épouvantable ? Un complot à propos de la séance qui doit se tenir demain au Sénat ? Ce qu'il y avait dans la galéasse affrétée par Sanguinella ? Un scandale à propos des petites victimes de la via Strettina ? Quoi qu'il en soit, et où que vous soyez, reposez en paix, mon vieil ami. J'irai au fond des choses, je retrouverai ce que vous aviez éventé. Et ceux qui vous ont assassiné paieront le prix, je vous en fais le serment. »

# VIII

## *Traître à la République*

Quiconque préfère à sa patrie un être cher est pour
moi comme s'il n'était pas. Que Zeus le sache, qui lit
dans les cœurs : je ne suis pas homme à me taire
quand je vois l'égarement d'un seul mettre en péril le
sort de tous. Jamais je n'aurai pour ami l'ennemi
public. J'ai conscience que le salut de la patrie est le
salut de chacun et qu'il n'y a pas d'amitié qui tienne
dans une patrie en détresse.

SOPHOCLE

Le lendemain de l'assassinat de Coccio Blattari fut
une journée splendide.

L'orage avait rafraîchi la ville et purifié l'atmosphère. La mer se parait de transparences turquoise,
une brise douce comme une haleine de pucelle
effleurait les rues, quelques moutons étourdis s'effilochaient dans un ciel très bleu. C'était un de ces
jours fragiles où la lumière transfigure le grand
fouillis urbain en mirage de cité idéale : les toits
humides miroitaient de reflets dorés, les murs
chaulés de soleil s'abandonnaient de blondeur, les
détails les plus distants se découpaient vifs comme
des sujets de miniature. Il s'agissait d'un de ces
moments rares où l'espace s'ouvre, vertigineux
et bienveillant, où le monde semble s'offrir, fugace et
éternel...

Naturellement, la vie étant une vieille carne

vacharde, cette journée bénie me réservait l'un des coups les plus tordus de ma petite existence.

L'arrivée au Palais curial suffisait à vous glacer sous ce joli soleil. Les sénateurs se pointaient encadrés de hordes de gardes du corps ; pour un peu, on se serait cru à la grande braderie des seconds couteaux. Pas une seigneurie sans sa meute musclée de fiers-à-bras et de spadassins. Dès les abords de la piazza Palatina, ça fleurait la maroquinerie de guerre et l'acier huilé. Sur les marches du palais, on ne voyait que matamores, porte-glaives, bretteurs et capitans. L'horrible fin du ministérial Blattari avait épouvanté la noblesse ; alors, en bonne logique, la noblesse avait concentré autour d'elle les trois quarts des tueurs de la République.

Leonide Ducatore ne faisait pas exception à la règle. Ce matin-là, nous étions cinq pour l'encadrer lorsqu'il se rendit à la séance du Sénat. La troupe était formée par Oricula, Lupo, Ferlino, par l'inévitable Spada Matado et par votre serviteur ; Cesarino accompagnait aussi son oncle, en arborant une forte épée intimidante au côté. Les blessures de Sorezzini et de Coneoti avaient dégarni les défenses du palais Ducatore ; bien que son statut lui eût permis de réclamer une garde formée de phalangistes, notre patron avait décidé de ne pas y recourir. Il préférait ménager la susceptibilité de ses pairs : malgré l'attentat et la menace contre ses intérêts, il refusait d'arborer trop ostensiblement les attributs de son pouvoir. Coquetterie purement symbolique : ça ne l'avait pas empêché de mettre en disponibilité un officier du régiment Testanegra, le centenier Asso Spoliari, pour le recruter en urgence avec une vingtaine de vétérans. Ce tour de passe-passe lui permettait de se constituer à prix d'or une bande privée deux fois plus nombreuse qu'un détachement officiel.

Pour parer à de nouveaux troubles et pour rassurer les sénateurs, la garde de phalangistes détachée au Palais curial avait été triplée. En arrivant piazza

Palatina, on voyait nettement se dessiner les cordons de fantassins en armure noircie et en chausses rayées, les longues piques dressées vers le ciel comme une rangée de mâts. Cela parachevait plaisamment le tableau : ça donnait le sentiment d'être tombé en état de siège, d'autant que les soldats de la République échangeaient des œillades ombrageuses avec les milices privées des nobles de la République. Pour couronner ce déploiement de force, c'était le gonfalonier Aspe Carneficce, le capitaine du régiment Testanegra, qui avait pris le commandement du détachement curial. Le centenier Vezzino Chiodi, ravalé à des fonctions subalternes par l'intervention de son supérieur, en était réduit à superviser les piquets de garde des entrées du Palais. Il paradait au sommet du parvis quand nous débarquâmes avec le Podestat ; j'en profitai pour scruter le gaillard, au cas où quelque chose dans sa dégaine m'aurait rappelé le Pédant. Il était assez grand, mais il me parut plus charpenté que l'inconnu aperçu la veille ; toutefois, il avait endossé une demi-armure aux spallières articulées, et la cuirasse contribuait à lui élargir la silhouette. Il avait la mâchoire carrée et les joues creuses du combattant endurci ; le poing posé sur la hanche, il toisait les spadassins les plus dangereux des escortes sénatoriales. Alors que nous entrions dans la Salle des Requêtes, je le fixai à dessein, pour nous mesurer du regard et essayer de surprendre quelque chose de familier dans ces prunelles sombres. L'officier ne se déroba pas ; il eut peut-être l'ombre d'un rictus, comme s'il me reconnaissait ; mais désormais, ma gueule révisée et le bijou qui ornait ma gencive me valaient souvent des expressions de ce style. Ces pupilles arrogantes étaient peut-être celles que j'avais vues derrière les orbites du masque, mais rien ne me permit de trancher à coup sûr. Au même moment, il hurlait l'ordre de présenter les armes, et tous les phalangistes se raidirent pour saluer le Podestat.

Leonide Ducatore nous fit traverser rapidement la

Salle des Requêtes ; cette fois, nous avions consigne d'écarter les indésirables, ce qui était clairement inscrit sur la tronche des deux mastars de notre bande, Matado et Ferlino, qui ouvraient la marche. Nous débouchâmes rapidement dans la Salle des Cent Dix.

La Salle des Cent Dix représente le cœur politique de Ciudalia. C'est la chambre où délibère le Sénat. Elle tient son nom des cent dix sièges sénatoriaux, qui reviennent de droit aux chefs des familles nobles de la République. En fait, les caprices de notre histoire donneront l'occasion à un témoin tatillon de décompter cent quinze fauteuils, et les aléas de l'existence font qu'il est rare qu'on en voie plus de quatre-vingts occupés. D'ordinaire, l'absentéisme est d'ailleurs assez fort, et les affaires courantes ne sont traitées que par vingt ou trente aristocrates ; mais ce jour-là était exceptionnel à plus d'un titre, et les sièges sénatoriaux s'avéraient bien garnis. Le reste de la salle, quant à lui, était comble.

Aussi haute et spacieuse qu'une basilique, cette chambre possédait une architecture beaucoup plus sobre. Son plan était carré ; une main courante en bois précieux la coupait en diagonale, séparant l'espace en deux zones, celui du Sénat et celui du public. Dans l'aire parlementaire, les murs sud et ouest étaient meublés d'un long alignement de cathèdres sommées par les armoiries de chaque famille représentée. L'angle sud-ouest était pourvu d'une estrade où étaient disposés les sièges jumeaux des deux podestats, l'ensemble étant couvert par un dais majestueux frappé des trois florins sur fond de sable de Ciudalia. L'autre moitié de la salle, dévolue au public, était nue : on y foulait un dallage de marbre auquel des siècles de piétinement et de passages avaient conféré une usure ecclésiale. Les voûtes étaient fort hautes, dans le vieux style ogival qui avait marqué l'influence du royaume de Leomance. À trois toises au-dessus du sol, les murs se métamorphosaient en une dentelle de pierre, balustrade sculptée et colonnade, qui ornaient la Galerie Pourpre, à l'étage supérieur. C'était aussi depuis les hautes verrières de la Galerie Pourpre que ruisselait la lumière : elle éclaboussait le dallage de la Salle des Cent Dix de flaques azurées et écarlates, car les vitraux de la Galerie avaient pour sujets les premières guerres navales de la République, où dominaient le flot violent de l'océan et le sang des pirates fondateurs.

Les séances du Sénat étaient publiques ; n'importe quel citoyen avait théoriquement accès à la Salle des Cent Dix et pouvait assister librement aux délibérations. Dans les faits, les gueux et les plébéiens qui auraient eu l'idée saugrenue d'y promener leurs pieds crasseux auraient été interceptés très vite par les phalangistes : après avoir été gratifiés d'un cours accéléré de bienséance à coups de gantelets, de solerets et de manches de masse, ils auraient été balancés du haut du parvis sur le pavé de la piazza... Par la force des choses, le public était donc trié sur le volet. Une deuxième tradition non écrite, et fort ancienne, avait hiérarchisé les places. Dans la mesure où les différends étaient monnaie courante entre les maisons nobles, tous les sénateurs se rendaient au Palais escortés de quelques hommes de main. Les spadassins s'entassaient donc dans la moitié de la salle réservée au public, pour rester à portée de leur patron. D'un côté, les aristocrates en grande tenue ; de l'autre, la cohue belliqueuse des bretteurs et des gardes du corps. C'était l'occasion assez privilégiée de coudoyer le porte-glaive contre lequel, pour quelque rivalité patricienne remontant à plusieurs générations, vous vous étiez déjà expliqué trois ou quatre fois à l'épée et à la dague de main gauche. Multipliez cette petite tension par le nombre de sénateurs venus débattre, puis par les effectifs des escortes échouées dans la Salle des Cent Dix, et vous vous ferez une idée du gentil climat de paix civile qui stimulait les débats. Il va sans dire que la presse ordinaire des clercs, des bourgeois et des grands négociants fuyait le rez-de-chaussée, et se réfugiait prudemment à l'étage, le long de la Galerie Pourpre.

De fait, les séances du Sénat reposaient sur un équilibre subtil : du côté des parlementaires, on usait de l'éloquence tandis que du côté des hommes de main on faisait assaut d'intimidation. La limite entre les deux espaces étant des plus minces, il existait une certaine perméabilité entre action politique et bravade spadassine. Un coup d'éclat politicien pouvait sceller quantité de duels ou de réconciliations entre les gentilshommes de fortune ; un déséquilibre trop sensible dans le rapport de force entre les gros bras était susceptible de provoquer des infléchissements surprenants dans les décisions gouvernementales.

Et voici que la partition se compliquait de l'assassinat du ministériel Blattari et d'un ordre du jour brûlant, l'attribution des charges et des marchés de notre victoire. Rien d'étonnant, dès lors, que la Salle des Cent Dix fût comble. Nous flanquâmes le Podestat jusqu'à l'entrée de l'aire parlementaire, et nous nous déployâmes juste contre la main courante qui nous séparait des sièges sénatoriaux. Toutefois, pour ma part, je tournai immédiatement le dos à leurs seigneuries et je parcourus le public du regard. Ce que je découvris au rez-de-chaussée comme sur la galerie ne me plut guère...

Jamais je n'avais compté autant de bretteurs à la Chambre. Toutes les fines lames de la République s'étaient donné rendez-vous au Palais curial ; il était impossible de faire deux pas sans frôler une casaque de cuir clouté ou le fourreau d'une arme de duel. Au milieu de cette brillante cohorte, je reconnus quantité de visages familiers, dont j'avais toutes les raisons de me défier. À cinq pas tout au plus de notre groupe, Rabbia Mezzasole avait pris position avec les hommes de main du sénateur Sanguinella ; le spadassin semblait rêvasser, les bras nonchalamment croisés, le regard dans le vague. De la part de l'âme damnée du principal opposant de notre patron, ce mélange de proximité physique et d'indifférence affectée relevait d'une forme subtile d'intimidation. Le gaillard était un peu plus vieux que moi, et ses cheveux, impeccablement coiffés, étaient striés de mèches gris acier ; mais il avait la silhouette sèche et mince du combattant tout en nerfs, et son immobilité même transpirait la menace. Plus je le détaillais, plus je me convainquais qu'il faisait un candidat très crédible pour endosser le rôle du Pédant.

Rabbia Mezzasole n'était toutefois pas le seul fâcheux de la fête. Un peu plus loin, les hommes du clan Mastiggia formaient un groupe bien compact et bien sombre, car ils arboraient toujours des vêtements de deuil. Dulcino Strigila, une main posée sur le pommeau de l'épée, jetait de fréquents regards en arrière vers la porte donnant sur la Salle des Requêtes, comme s'il attendait quelqu'un. Pour finir, ce fut à l'étage qu'il finit par apercevoir quelque chose qui sembla apaiser sa nervosité ; je tentai d'identifier l'objet de son attention, mais la foule qui se massait contre la balustrade était dense et je ne parvins pas à distinguer ce qu'il cherchait des yeux. Par contre, je découvris dans le public deux gaillards dont l'association me fit salement grimacer. Mon ami Dilettino Schernittore était venu assister à la séance du Sénat ; malgré ses luxueux atours, on ne pouvait pas louper ses coquards joliment symétriques. Le déplaisant de l'affaire, c'était qu'il se trouvait flanqué d'un grand échalas au charme débraillé, aux oreilles percées d'anneaux d'argent et à la nonchalance féline, dans lequel je reconnus le fameux Bonito Scheggia. Le sénateur Schernittore, finalement, dépréciait son fils : Dilettino avait été capable de débaucher l'une des pires crapules de la ville basse, un escrimeur de première force et d'une moralité pour le moins aussi irréprochable que la mienne... Et Bonito était un sicaire très cher : j'imaginais mal que le jeune Schernittore l'ait recruté juste pour le plaisir de la conversation.

Dans mon dos, je ne prêtai pas grande attention au lancement des débats. Leonide Ducatore avait pris place sur le fauteuil de sa fonction, à côté du siège vide de son défunt collègue. Un héraut proclamait l'ouverture de la séance, selon des formules archaïques et tarabiscotées. Ce protocole un peu longuet était du reste en porte-à-faux avec l'attitude ordinaire des sénateurs. Plutôt inattentifs, ceux-ci tapaient souvent la conversation pendant que leurs pairs prenaient la parole ; il était de notoriété publique que certains traitaient leurs affaires privées pendant les séances. Les plus âgés piquaient parfois une petite sieste quand un discours ou une polémique tiraient en longueur. Leurs seigneuries s'agitaient aussi énormément : quand les uns entraient, les autres sortaient. Les aristocrates vieillissants se trouvaient taquinés par les petites misères de l'âge : certains, travaillés par la goutte, étaient incapables de rester longtemps en position assise ; d'autres, tourmentés par leur vessie, s'éclipsaient régulièrement pour aller dégorger un maigre jet. Les sénateurs dans la force de l'âge participaient à ces allées et venues, pour saluer un ami, pour distraire un adversaire, pour aller boire une coupe rapportée à la main courante par l'un de leurs hommes. Ces déambulations souvent bruyantes n'avaient rien d'innocent : sortir afin de se dégourdir les jambes ou de visiter les latrines donnait l'occasion de glisser quelques mots à un messager, pour prendre très vite des dispositions privées adaptées à l'évolution des débats, ou pour renseigner un ami ou un parent inquiété par certaines mesures en cours d'adoption. Quand un conflit très vif opposait plusieurs partis au Sénat, le jeu était à l'usure : on faisait traîner les choses sciemment jusqu'aux petites heures de la nuit, afin que les plus vieux et les moins motivés rendent les armes. On gardait parfois des collègues en réserve, qui arrivaient au Palais curial avec un retard de deux ou trois heures, pour être suffisamment frais afin de relancer l'assaut contre les thèses antagonistes. Il était arrivé à quelques reprises qu'un parti minoritaire avait emporté la décision, quand il avait su épuiser une partie de la majorité adverse. En règle générale, la première heure n'était consacrée qu'à l'échauffement parlementaire et aux escarmouches préliminaires. Je pouvais m'en désintéresser.

Je continuai à scruter le public, tout en me repassant les maigres indices que nous avions collectés sur l'assassinat de Blattari. La veille au soir, quand il était apparu que la petite cuisine de Sassanos ne donnerait rien, le Podestat n'avait pas perdu son temps : il avait immédiatement cherché à apprendre, par des moyens plus classiques, à quoi le ministériel avait occupé ses dernières heures. Il m'avait envoyé fureter au Palais curial, et j'avais glané quelques informations. Coccio Blattari avait rencontré du monde après sa dernière entrevue avec mon patron ; malheureusement, le clerc curial n'était pas resté dans son cabinet de travail, mais avait pas mal circulé dans l'édifice. Or il y avait foule, en particulier dans la Salle des Requêtes, car la bonne société était curieuse de découvrir les projets des peintres ; les phalangistes qui me rancardèrent, distraits par tout ce peuple, ne purent donc me préciser avec qui le ministériel s'était abouché. Un planton avait noté que Blattari avait quitté les Entresols assez précipitamment, mais qu'il ne semblait ni blessé, ni effrayé, juste préoccupé. Le coupe-gorge avait probablement été préparé sur la piazza Palatina : quelques mouchards, placés en faction sur les axes principaux, avaient dû être chargés d'avertir le groupe de tueurs sur la direction prise par le ministériel. À mon grand étonnement, j'appris que les assassins étaient tombés très vite sur leur cible, tout en bas de la via Cavallina, à bonne distance du palais Ducatore. Par malchance pour eux, une patrouille de trois alguazils était intervenue, ce qui avait donné l'occasion à Blattari d'échapper une première fois au guet-apens. Les soldats du Guet, quant à eux, avaient été proprement étrillés ; un seul avait survécu, mais bien mal en point. Au total, les meurtriers avaient donc dévissé cinq combattants pour poinçonner leur client. À défaut de m'en dire plus sur l'identité des tueurs, ça confirmait qu'ils avaient une sacrée motivation doublée d'une jolie férocité.

J'avais passé la suite de la soirée à laisser traîner mes oreilles en faisant la tournée des tavernes, en quête de tuyaux et rumeurs sur l'assassinat. Je ne m'étais guère fait d'illusions : si le coup avait été monté par des professionnels, la tournée des estaminets n'avait d'intérêt que purement éthylique. Toutefois, il existe parfois un maillon faible dans l'organisation de ce genre d'opérations : si l'attentat avait été décidé dans l'urgence, peut-être les guetteurs avaient-ils été recrutés à la hâte… L'enrichissement soudain d'un mendiant ou d'un ribaud avait souvent pour corollaire une beuverie dans un débit de boissons, et une brusque hausse de la popularité du petit veinard chez les pouilleux de ses amis. J'avais donc approché les groupes les plus bruyants et les plus imbibés dans un certain nombre de bouges, dans l'espoir de tomber sur la branche pourrie du complot. J'avais fait chou blanc. Le coup avait été parfaitement maîtrisé.

Cette affaire se présentait sous un jour inquiétant. La brutalité du meurtre, son mode opératoire ésotérique, la disparition des exécutants confirmaient l'implication d'un commanditaire puissant. J'aurais mis ma main au feu que le gracieux personnage qui avait lancé le contrat tout comme ceux qui l'avaient exécuté se trouvaient ce matin-là dans l'enceinte du Palais curial. Je ne trouvais qu'un bénéfice à cette situation, mais non des moindres : ce meurtre avait tellement bouleversé la maison Ducatore que nul n'accordait plus d'attention aux vapeurs de Clarissima. La veille, j'étais passé à un cheveu de la catastrophe : Cesarino s'apprêtait à rendre visite à la péronnelle, inquiet de son indisposition. Si le ministériel Blattari n'avait pas eu la courtoisie de se faire découper sous les fenêtres du palais Ducatore, le Desséché seul savait ce que la petite garce, avec sa langue acérée et son vocabulaire cru, aurait pu raconter au cousin si bien élevé... Je devais une fière chandelle à don Coccio et à ses assassins! La diversion qu'ils avaient occasionnée m'avait accordé un petit sursis, assez de temps pour me reprendre et pour échafauder quelques stratagèmes destinés à me couvrir...

La première option, c'était la fuite en avant. C'est bien connu : quand le vin est tiré, il faut le boire. Pour garantir le silence de Clarissima Ducatore, il suffisait de remettre le couvert. En faire vraiment ma maîtresse, plus ou moins consentante, pour la rendre aussi coupable que moi. Dans les bordels, il n'était pas rare qu'on trouve de jeunes catins amourachées du souteneur qui les avait jetées au ruisseau et qui les frappait comme plâtre. Il existe chez certains ventres féminins un sentimentalisme canin qui les pousse à aimer leur bourreau... Sous les grands airs et le verbiage acide de Clarissima Ducatore se cachait peut-être un doux petit cœur de victime, prêt à battre pour le ruffian qui la cognerait. Après tout, la gamine était encore en bouton : son initiation sentimentale et érotique restait à faire. Peut-être se plierait-elle à ma gouverne, et découvrirait-elle son plaisir dans le secret, l'humiliation et la fessée.

Évidemment, je n'avais aucune certitude de réussir dans ma pédagogie. En fait, je pouvais même nourrir quelques doutes raisonnables sur la docilité de l'élève... Et dans ce cas, le remède se serait avéré incommensurablement pire que le mal. J'ai beau avoir l'imagination féconde, je dois confesser que je n'osais même pas me représenter la cruauté de la vengeance du Podestat si jamais il venait à apprendre que j'avais non seulement déniaisé sa fille, mais que je l'avais formée aux pratiques qui font les putains soumises. J'avais donc fini par envisager une autre ligne, qui perdait en piquant ce qu'elle gagnait en prudence.

C'était la conversation entre mon patron et le sénateur Schernittore qui m'avait fourni une échappatoire inespérée : je connaissais désormais l'identité du parti que le Podestat destinait à sa fille. J'avais aussi appris les profits que Leonide Ducatore comptait tirer de cette union. Pour Clarissima, ces informations étaient inestimables. Avec un peu de doigté, il me serait facile de les échanger contre le silence de la donzelle.

Pendant que je ressassais ces considérations sentimentales, le Sénat se fendait d'une touchante déploration sur la mort de Coccio Blattari. Le Podestat avait tenu à ouvrir la séance par un éloge funèbre du disparu, et avait déclaré avec solennité qu'il ferait tout ce qui était en son pouvoir pour démasquer et châtier les assassins. Les sénateurs des trois partis avaient renchéri sur l'hommage au mort comme sur la condamnation du meurtre. Cette unanimité vertueuse et endeuillée avait de quoi vous tirer des larmes. Quelques spéculations sur l'origine du coup furent formulées ici ou là. Le vieux Prevaricacce vitupéra la perfidie des « agents de l'étranger » ; le vice-amiral Sceleste Phaleri demanda si le cabinet de travail et le domicile du ministérial étaient placés sous séquestre, et insinua que ses dossiers touchaient peut-être des affaires dangereusement sensibles ; le sénateur Gateggia Monatore s'enquit de façon sibylline sur la situation financière de la victime. Ces interventions exprimaient sans doute des interrogations sincères, sinon effrayées, de la part de certains patriciens ; on pouvait aussi se demander dans quelle mesure hypothèses et suggestions ne relevaient pas, dans bien des cas, du rideau de fumée. La présence de Dulcino Strigila et de ses affidés dans le public m'amena à chercher des yeux le sénateur Mastiggia. Le vieux chef de clan siégeait bien dans l'assemblée. Il demeurait silencieux et immobile. Dans sa rigidité de statue, l'orage couvait plus que jamais, comme si l'éloge trouble rendu à Blattari persistait à ne lui parler que de la mort de son fils.

La terrible fin du ministériel avait beau frapper les consciences, l'ordre du jour était quand même consacré à une affaire autrement importante : le partage des dépouilles du traité de paix. Une fois que les sénateurs eurent consacré une durée décente à l'expression de leur indignation, on jugea bon de remettre le traitement du crime à plus tard, quand on disposerait de nouveaux éléments. Et on passa à la curée : la question de l'île de Qir.

Ce fut le Podestat, avec sa voix bien posée d'orateur, qui tourna élégamment la transition :

« La compétence de ce grand serviteur de l'État que fut Coccio Blattari nous manquera cruellement, Messeigneurs, dans le défi qui nous attend désormais. L'occupation de l'île de Qir, arrachée à l'ennemi, est une entreprise ambitieuse sur le plan naval, logistique et militaire. On m'a parfois reproché la modestie de cette conquête, mais Qir est une position stratégique, susceptible d'assurer notre contrôle sur toutes les routes maritimes de l'Archipel si nous savons y implanter rapidement une base solide. C'est la mission qui nous incombe dès aujourd'hui. C'est la tâche que nous allons entreprendre en élisant les meilleurs d'entre nous, pour leur déléguer les pouvoirs civils et militaires qui leur permettront de construire et d'armer le port de Qir.

— Cela représente une dépense exorbitante ! coupa soudain le sénateur Rapazzoni, au milieu des sièges ploutocrates. Pourquoi ne pas avoir annexé un port ressinien ?

— Je ne peux qu'abonder dans le sens de sa seigneurie Rapazzoni, appuya Ettore Sanguinella. Cela nous aurait considérablement simplifié les choses.

— Cette question a déjà été débattue et tranchée au cours des pourparlers avec les représentants du chah, répondit le Podestat. J'entends bien vos réserves,

Messeigneurs ; mais la paix a été conclue selon ces termes, et nous ne pouvons plus revenir sur ces dispositions.

— C'est vrai, nous sommes des gens trop civilisés pour déchirer le traité et reprendre la guerre, admit Sanguinella avec un air patelin qui souleva quelques rires dans les rangs bellicistes.

— Reprendre l'offensive à la veille de l'hivernage ? releva mon patron. Voici une initiative bien hasardeuse. En surprenant nos escadres, le mauvais temps pourrait y faire des ravages et renverser la fortune des armes. Vous le savez aussi bien que moi, don Ettore ; vous ne cherchez qu'à rappeler une fois de plus, devant l'assemblée, votre désaccord avec la modération nécessaire pour obtenir la fin du conflit.

— De la modération ? s'esclaffa Sanguinella. De la timidité, oui !

— Une timidité entérinée par l'état-major dont vous étiez membre.

— Mais nous avons toujours été en désaccord avec cette démonstration de faiblesse, intervint le sénateur Surmaticci. Mon fils, supracomite sous le commandement de don Sceleste, a lui aussi protesté contre cette clémence déplacée pour le chah ! Et ce, dès le début des pourparlers ! Don Leonide, vous avez profité de la disparition du podestat Cladestini pour prendre au nom de la République des dispositions que votre collègue, s'il avait été vivant, n'aurait jamais acceptées !

— La belle affaire, de faire parler les morts, ricana Cernicalo Actanza dans les rangs souverainistes. La vérité, c'est que si Cladestini avait conclu la guerre comme il l'avait commencée, il aurait eu grand mal à empêcher les janissaires d'occuper Castellonegro. »

La saillie provoqua un tollé dans le parti belliciste. Pendant quelque temps, sénateurs souverainistes et bellicistes s'apostrophèrent avec violence, dans le plus complet désordre. Certains membres de la faction ploutocrate se riaient de la querelle, mais d'autres se mêlèrent aux vociférations.

« Verser un tribut pour l'occupation de Qir, alors que nous sommes les vainqueurs ! cria une voix. Jamais Cladestini n'aurait souscrit à une telle folie !

— Je n'ai pas l'habitude de soutenir le parti de la guerre, mais pour une fois, je suis d'accord avec sa seigneurie Sanguinella, s'époumonait le vieux Prevaricacce. Il fallait pousser l'offensive, s'emparer des villes ! Cela aurait dispensé le trésor d'avoir à financer cette entreprise ruineuse ! »

Au milieu du tohu-bohu, j'entendis Cesarino marmonner d'un air inquiet :

« Ça ne va pas... Ça ne va pas du tout...

— Qu'est-ce qui cloche ? lui demanda Matado.

— Les ploutocrates se rangent du côté de l'opposition belliciste. C'est anormal. Ils devraient soutenir mon oncle, pour essayer de gagner des marchés sur Qir. Ce ne sont pas des imbéciles... Il y a quelque chose de concerté derrière tout cela... »

Alors qu'ils échangeaient ces quelques mots, un mouvement attira mon attention au milieu du public. Le centenier Chiodi était en train de fendre la foule des gardes du corps dans la direction de Dulcino Strigila. Il était suivi par un type armé, plutôt carré, qui dissimulait son visage sous un capuchon ; l'inconnu boitillait légèrement et portait un manteau assez modeste, mais il me semblait aussi vigoureux que tous les traîneurs de lame qui infestaient le parterre. Cette arrivée inattendue aiguillonna ma méfiance, d'autant que parvenus à hauteur de Strigila, le centenier et son mystérieux compagnon le saluèrent et tinrent des messes basses avec lui. L'encapuchonné nous tourna le dos, m'empêchant de l'identifier.

Pendant que j'étais ainsi distrait, le Podestat avait réussi à reprendre la parole.

« J'entends bien les motifs de votre désapprobation, disait-il. Je n'y souscris pas, mais je vous accorde qu'ils sont fondés sur un souci réel du bien public. J'attire cependant votre attention sur ceci : la conclusion rapide de la guerre, le versement du tribut cédé par le sublime souverain nous permettent d'équilibrer nos comptes. Si le conflit s'était poursuivi, même en débouchant sur des conquêtes territoriales, l'effort militaire prolongé aurait porté préjudice aussi bien au trésor qu'au commerce. Vous êtes inquiets de la double dépense que représentent la fortification de Qir et le paiement de son loyer ; ne voyez-vous pas tout le parti que nous pouvons en tirer ? Une fois Qir dûment armée, il nous suffira de refuser de payer le chah pour provoquer un nouveau casus belli. Si le chah est prudent, compte tenu de l'avantage stratégique donné par notre flotte intacte et par notre nouveau port, il abandonnera ses droits sur l'île sans combattre, et nous confirmera ainsi dans notre hégémonie. S'il est d'humeur belliqueuse, vous aurez la guerre que vous appelez de vos vœux... Mais pour que nous soyons en position de force, il nous faut occuper Qir ! Il nous faut, dès aujourd'hui, lancer sa colonisation ! Quelle que soit notre ligne politique, nous devons nous mettre d'accord sur ce point !

— Il nous faudra plus de quelques mois pour faire de Qir une forteresse, observa Sanguinella. Ce que vous nous présentez comme une étape dans la conquête de l'archipel va en réalité provoquer un statu quo pendant plusieurs années, le temps que nous fassions de Qir une base suffisamment puissante pour résister à une offensive. Dans l'intervalle, vous donnerez le temps à Eurymaxas de reconstituer ses forces. Occuper un port, sur Rubiza, par exemple, nous dispenserait de ce délai.

— Occuper une ville ennemie nécessiterait beaucoup plus de troupes que la construction d'un nouveau port militaire, objecta Sceleste Phaleri. Faudrait-il dégarnir nos frontières continentales pour garantir notre domination sur les îles ? »

On aurait pu croire que les discussions, aussi serrées

fussent-elles, allaient se cantonner à la question straté-gique et esquiver les non-dits et les enjeux personnels. Malheureusement, il y avait dans l'assemblée un indé-licat déterminé à remuer le fond du pot, quitte à écla-bousser du monde.

« Assez ! hurla une voix vibrante d'indignation. Assez de faux-semblants ! Assez de mensonges ! Finissons-en avec toute cette dissimulation ! Jouons cartes sur table ! »

Le sénateur Tremorio Mastiggia venait de se dresser, hâve, terrible, l'œil injecté. Je pressentis tout de suite, au fond de mes os, la catastrophe imminente. Le vieillard se tenait debout, frémissant, comme porté, comme suspendu au sommet d'une vague de désespoir et de rancœur. Ses mains maigres et sa tête grisonnante tremblaient de colère mal ravalée. Son cri avait d'abord claqué avec une puissance tonnante, puis s'était égaré dans les aigus tant il avait du mal à maîtriser son émo-tion. Malgré l'appréhension glacée qui coulait le long de ma moelle, j'éprouvai brièvement pour le vieux sénateur la fascination inexplicable qu'on ressent face au monstrueux ou à l'échafaud.

Mastiggia fixait mon patron avec une haine dévas-tée ; et je dois admettre que j'admirai alors le Podes-tat, qui rendit un regard poliment perplexe au père de l'homme qu'il avait fait tuer.

« Don Tremorio, dit-il avec un calme parfait, il me semble au contraire que nous traitons dans la transpa-rence de questions essentielles.

— Foutaises ! brailla le vieux Mastiggia. De la comé-die ! On amuse la galerie ! Mais c'est une partie tru-quée : les jeux sont déjà faits !

— Soupçonneriez-vous le débat entaché d'accords secrets et de manœuvres partisanes ? »

La repartie du Podestat, formulée avec un impercep-tible sourire, dérida les rangs souverainistes, mais les bellicistes et la plupart des ploutocrates restèrent her-métiques au trait d'esprit. Sceleste Phaleri, qui devinait

446

que le vent tournait, essaya de cacher son inquiétude ; le sénateur Sanguinella se rencogna dans sa cathèdre, soudain en retrait, l'expression bien trop neutre pour être honnête.

« Je vous prends au mot ! rétorqua le vieux Mastiggia. Des accords secrets ! C'est le fond du scandale ! À qui profite la paix ?

— La paix profite à tous, répondit uniment mon patron.

— La paix profite aux vivants, pas aux morts, gronda le vieillard.

— Nous nous éloignons de l'ordre du jour, don Tremorio, observa doucement le Podestat.

— Oh que non ! Nous sommes au cœur de la question ! Car mon fils a été tué juste avant l'ouverture des négociations, dans des circonstances plus que troubles. Ne m'interrompez pas ! Je suis tout sauf un imbécile aveuglé par le chagrin, Ducatore. Je ne suis pas la dupe sénile que vous avez cru jouer. Je ne me suis pas contenté de pleurer la mort de mon fils : j'ai eu tout le temps de méditer sur sa disparition. J'ai examiné les circonstances, j'ai pesé les faits, j'ai croisé les rumeurs ; j'ai confronté la mort brutale de Bucefale avec la paix brusquée qui l'a suivie. Cet abordage où mon fils a perdu la vie est une clef ; c'est le tournant de notre diplomatie, c'est l'angle mort où se cache la vérité. Une vérité bien répugnante, si j'ai vu juste. Une vérité criminelle, oui ! criminelle ! La conclusion d'un arrangement privé entre le premier magistrat de la République et le souverain ennemi ! Oui, j'ose le dire haut et fort : une forfaiture ! »

Un silence stupéfait suivit cet éclat. Quelques rictus incrédules flottaient sur les visages des sénateurs souverainistes, mais on sentait aussi l'incertitude vaguer au fond des prunelles ; car à moins d'avoir perdu la raison, il était peu probable que Tremorio Mastiggia ait lancé une accusation aussi grave sans de solides atouts dans sa manche. La plupart des ploutocrates ouvraient des yeux ronds : leur surprise semblait sincère, et il parut évident que si on les avait impliqués dans la fronde, on leur avait caché le coup principal. Même les bellicistes affichaient à présent une prudente réserve, peut-être gagnés par l'inquiétude devant le caractère frontal de l'attaque.

Le Podestat, seul, restait de marbre.

« Don Tremorio, je veux bien croire que le désespoir vous égare, énonça-t-il sur un ton glacial. Toutefois, mesurez bien la gravité de vos allégations. Vous passez les bornes. Vous me calomniez. Vous portez atteinte à mon honneur de patriote, à ma dignité de patricien et à la majesté de mes fonctions.

— Je ne fais rien que vous n'ayez déjà perpétré, cracha le vieux Mastiggia. Cet homme… »

À ma grande épouvante, le père de Bucefale Mastiggia se tourna brièvement vers le groupe que nous formions autour de Cesarino, et, sans l'ombre d'une hésitation, il pointa sur moi un index accusateur.

« Cet homme est bien votre maître-espion ?

— Cet homme est à mon service, répondit froidement le Podestat. C'est de notoriété publique.

— Alors pourquoi cet homme a-t-il survécu à l'abordage où mon fils est mort ? »

La trouille, pour moi, c'est une vieille maîtresse. Une longue sangsue visqueuse, nichée dans les replis de mon ventre et dans le canal de mes vertèbres, furtive comme un ver solitaire, mais toujours prompte à mordre quand la situation patine, quand les couteaux sont tirés, quand l'ennemi charge. Elle s'y connaît alors pour m'entortiller l'intestin, pour me sucer l'échine, pour me coller une gentille chair grenue. Mais à force de la fréquenter, j'ai fini par m'y habituer ; c'est un peu comme la face rongée d'un lépreux, le premier regard est éprouvant, mais à la longue, on finit par se blinder. La trouille, j'avais donc cru l'apprivoiser, je lui avais rogné les crocs, je savais pavoiser pour la traiter avec mépris, pour garder le masque crâne du dur à cuire. N'empêche, ce coup-ci, j'accusai le choc. Debout en plein Sénat, vibrant de courroux vengeur, le vieux Mastiggia me pointait au centre de tout ce que la République comptait d'élites et de tueurs. Je crus que j'allais me liquéfier. Tous mes muscles se transformèrent en gelée, et il fallut que je cale en vitesse mes pouces dans mon ceinturon d'armes pour neutraliser la tremblote qui menaçait de me secouer la harpe. Le plus atroce, c'est que des centaines de regards, dociles, effarés ou suspicieux, avaient été accrochés par le geste théâtral de Tremorio Mastiggia, avaient suivi la direction pointée par ce long doigt osseux, avaient traversé l'espace libre entre les sièges curiaux et le public, et convergé vers la carcasse anecdotique de votre serviteur.

D'un seul coup, tout le Palais curial s'était tourné vers moi.

Épinglé. Pire que le pilori.

Soudain, Ciudalia s'avisait de l'existence très louche de Benvenuto Gesufal.

Mais s'il y avait un type qui ne perdait pas son sang-froid, c'était bien le Podestat. Il n'avait pas cillé. Il s'était composé une expression d'orgueil froissé ; il affichait une colère légitime, tempérée par la gravité de ses fonctions et par une pointe de pitié pour la détresse du vieillard. Du très grand art : même moi, sachant ce que j'avais fait sur son ordre, je lui trouvais un air de sincérité indiscutable.

« Don Tremorio, dit-il sur un ton posé, vous savez aussi bien que moi comment cet homme a survécu à l'abordage. Vous le savez même mieux que moi : toute la ville a vu que vous avez été accueillir don Benvenuto sur le port, que vous l'avez remercié publiquement. Quelle est donc cette inconséquence ? Pourquoi vouloir jeter le discrédit sur l'homme qui, de votre propre aveu, a tenté de sauver votre fils ?

— Pour une raison très simple, grinça le vieux Mastiggia. Parce qu'on a cherché à me berner.

— Vous berner ? Qui vous aurait berné ? Lors de son retour, vous avez été le premier à adresser la parole à don Benvenuto.

— Ça ne l'a pas empêché de me mentir.

— Don Tremorio, voyez ce visage ! Voyez les stigmates laissés par le combat. Nombreux sont ceux ici qui peuvent attester que don Benvenuto, lorsqu'il a embarqué avec votre fils, était indemne. Voyez comme il est défiguré ! Il a lui-même failli trouver la mort avec don Bucefale.

— C'est un mensonge, s'entêta le vieux Mastiggia.

— Comment pouvez-vous soutenir une telle contre-vérité ?

— Il ne s'agit pas d'une contrevérité. Et ce n'est pas moi qui soutiens cela. »

Pour la première fois depuis mon retour à Ciudalia, je vis sourire le sénateur Mastiggia. Sa triste mine se fendit d'une grimace amère, suant la joie envenimée, et j'eus l'impérieuse envie de serrer les fesses et de rentrer la tête entre les épaules, parce que je saisis alors qu'il savourait ce moment, qu'il avait la certitude de tenir sa vengeance, qu'il armait son estocade. Pour la première fois aussi, je devinai quelque chose s'écailler dans la belle assurance de mon patron : Tremorio Mastiggia triomphait trop ostensiblement, et Leonide Ducatore comprit, trop tard, que le vieux hibou l'avait piégé.

« C'est vrai, j'ai cru que cet individu avait tenté de secourir mon fils, reprit le sénateur en pointant de nouveau sur moi un index vindicatif. C'est vrai, j'ai cru que Bucefale avait connu une fin absurde, tué dans une rencontre de hasard alors que la guerre était déjà gagnée. Mais on m'avait abusé. J'en ai maintenant la certitude. Car le conte que m'a fait ce Benvenuto des derniers moments de mon fils est incohérent. Il ne concorde pas avec le récit rapporté par ce second témoin ! »

L'index tendu du vieux Mastiggia m'abandonna alors, glissa sur l'assistance, pour s'immobiliser sur l'inconnu qui venait de rejoindre Strigila. Le type fit deux pas en avant, avec une démarche lourde, presque cadencée, et arracha son capuchon d'un geste brusque. Autour de moi, mes compagnons le dévisagèrent d'un œil perplexe ; mais avant même de mettre un nom sur ce profil fruste, je sentis mon cœur faire une embardée de cheval fou. Car bien qu'il fût amaigri et bizarrement déplacé au milieu du Palais curial, je ne pouvais pas me tromper sur le costaud qui arborait ce crin ras, cette peau tannée, ce mufle rageur. Devant tous les sénateurs, à moins de vingt pas, l'enseigne Suario Falci venait de surgir du royaume des morts !

Brutalement, le monde s'écroula. Le beau dallage de marbre de la Salle des Cent Dix perdit son assise, et avec lui les degrés vénérables dégringolèrent, le parvis arrogant prit de la gîte et les fondations du Palais curial plongèrent ; tout cela se déroba sous mes pieds, entraînant pêle-mêle dans la glissade la colline de Torrescella, ses palais, ses beffrois, ses jardins, en avalanche avec les autres quartiers, avec les temples, les lupanars, les échoppes, les remparts, les arsenaux et les quais de pierre usée, jusqu'aux jetées les plus avancées des pontons et de la digue : la ville entière chavira, s'abîma, se disloqua dans le gouffre béant des vérités nues. Suario Falci, vivant, à Ciudalia ! J'étais grillé ! Cuit, raidi, mûr pour rendre les clefs !

« Voici l'enseigne Suario Falci, clamait le vieux Mastiggia, la voix tremblante d'exultation féroce. Voici l'un des héros du cap Scibylos : il était le lieutenant de mon fils, il fut le premier officier ciudalien à mettre le pied sur un navire ennemi quand la bataille s'est engagée. Et il était encore avec mon fils quand celui-ci a trouvé la mort, trois jours plus tard, au large de Rubiza ! »

Falci se tourna brièvement vers moi. Il n'esquissa pas un geste, mais il m'adressa le même regard plissé de haine, le même rictus en incisives jaunies, le même tic de la paupière que lorsqu'il m'avait vu m'acoquiner avec Psammétique, sur l'épave de la galère Mastiggia. À côté de lui, Strigila me toisait, gonflé de mépris et de menace. Plus près encore, Rabbia Mezzasole me jaugeait d'un œil qui pétillait d'ironie cruelle. Ils étaient ligués. C'était un coup monté.

« Je reconnais cet officier, dit lentement le sénateur Sanguinella. Don Bucefale servait sous mon commandement, et cet homme était effectivement son bras droit.

— C'est quoi, ce bordel ? me souffla Matado à l'oreille, en se collant contre moi.

— Ils disent la vérité, marmonnai-je du bout des lèvres. C'est bien Falci. S'il va à la marmite, on épouse tous la veuve.

— On ne peut pas l'endormir, pas ici, gronda très bas le vétéran.

— S'il fargue, on est tous incurables, répondis-je.

— S'il fargue, c'est toi qui es sapé. »

Je sentis une pointe aiguë peser de façon insistante sur mes lombaires.

« Tu bouges pas, soupira le bras droit du Podestat. Tu la boucles. Et si ça marque mal, tu restes ferme à la louche. »

Cesarino jeta un coup d'œil effaré dans mon dos, là où mon ami Matado me chatouillait le creux des reins avec son poignard.

« Qu'est-ce que…

— Une précaution, l'interrompit Matado. Ça ne me plaît pas plus qu'à vous, Votre Seigneurie, mais je prends des dispositions pour limiter la casse. »

Dans un sens, il n'avait pas tort. Il faisait même la démonstration de son efficacité : il avait cerné le problème en deux temps trois mouvements, et opté aussi sec pour la solution de repli la plus sûre. En bon officier, il avait décidé de garantir les arrières du Podestat en sacrifiant la position la plus compromise. Mon gros problème, c'est que j'occupais cette position.

« Qu'on prenne le temps de confronter le témoignage

de l'enseigne Falci et les mensonges de Gesufal, tonnait Mastiggia. La contradiction paraîtra si flagrante que la trahison éclatera en plein jour !

— Vous perdez la tête, don Tremorio, intervint le sénateur Actanza. Le Sénat ne s'est pas constitué aujourd'hui en cour de justice.

— Mais il s'agit d'une instance de gouvernement, contra Sanguinella, et l'établissement de la vérité est un préalable nécessaire à la délibération.

— Vous avez raison, don Ettore, convint le Podestat. Toutefois, dans le cadre de nos débats, la coutume de la cité n'accorde le droit de parole qu'aux membres de cette assemblée. Légalement, nous ne pouvons entendre dans cette enceinte ni Benvenuto Gesufal, ni Suario Falci.

— Eh bien, si ces hommes ne peuvent parler ici, moi, j'en ai le droit ! gronda le vieux Mastiggia. Moi, je peux répéter les propos contradictoires qu'ils m'ont tenus.

— Nous sortons complètement de l'ordre du jour ! » coupa assez sèchement le Podestat.

Mon cœur se serra devant la pauvreté de l'argument. J'avais douloureusement conscience de la faiblesse de cette objection, surtout chez un esprit aussi fin que celui de mon patron ; et cela n'échappait pas non plus à l'assistance, dont la plupart des membres suivaient maintenant le débat avec une stupeur incrédule. Mais Leonide Ducatore ne rendait pas les armes ; pour rattraper l'impression déplorable qu'il venait de produire, il enchaînait déjà :

« Vous êtes terriblement affecté par la perte de votre fils. Quand nous sommes ainsi frappés par un sort cruel, notre premier mouvement est de rechercher des responsables, dans l'espoir de venger les disparus et d'y trouver de l'apaisement. Mais prenez garde à ne pas substituer des boucs émissaires aux vrais coupables ! Vous n'êtes pas juge en cette affaire, et le Sénat, aujourd'hui, n'est pas un tribunal. Pour sincère qu'il soit, votre témoignage n'en sera pas moins subjectif. Au lieu d'obtenir la justice à laquelle vous prétendez aspirer, vous ne ferez que jeter votre désarroi sur la place publique ; vous vous exposerez bien plus que vous ne me menacerez ; vous courrez le risque de devenir l'instrument de calculateurs sans scrupule, qui pourraient se servir de votre chagrin pour déstabiliser l'État. Qui sait ? L'arrivée miraculeuse de ce second survivant, de façon si opportune, pourrait bien être un artifice de l'ennemi. Sous prétexte de venger votre fils, don Tremorio, vous pourriez fort bien servir les intérêts de ceux qui l'ont tué !

— C'est astucieusement tourné, repartit le sénateur Sanguinella, mais ce n'en est pas moins une construction spécieuse. Vous oubliez un peu vite que don Tremorio est partisan de la guerre et que ce qu'il veut dénoncer aujourd'hui est une intrigue qui nous aurait conduits à une paix infamante. Présenter don Tremorio comme la dupe des Ressiniens est aussi insultant qu'absurde. Absurde, car en vérité, qu'est-ce que le chah gagnerait à relancer la guerre ? Militairement, il est vaincu. Il ne pouvait rêver de conditions plus favorables que celles qu'il a obtenues. En fait, Excellence, l'habileté que vous déployez pour discréditer don Tremorio et censurer le témoignage de ces hommes éveille au contraire ma curiosité. Je trouve, moi, que nous devrions les entendre, tous les trois. »

Un murmure d'assentiment parcourut les rangs bellicistes.

« Nous perdons un temps inutile, s'irrita le sénateur Actanza. Quoi qu'il se soit passé sur la galère de don Bucefale, l'île de Qir est à nous, et nous devons en disposer.

— Vous parlez de perdre du temps, rétorqua Sanguinella. C'est bien du temps que nous allons gaspiller à fortifier Qir ! Suivez donc ma pensée, don Cernicalo : si nous établissons aujourd'hui la preuve d'une entente illicite entre le podestat survivant et le souverain ennemi, le traité de paix peut être rompu sur l'heure par le Sénat. Nous reprenons les hostilités par surprise, nous annexons Rubiza et Ahawa, et nous disposons de notre tête de pont à Ressine à peu de frais, avec la possibilité de lancer une seconde offensive dès le printemps ! À mes yeux, c'est toute la politique de la République qui est suspendue à ce qui s'est passé sur la galère de don Bucefale ! »

Cette fois, l'approbation des bellicistes fut plus bruyante.

« Il faut mettre cette décision aux voix, cria le vieux Mastiggia. Il faut voter pour que l'assemblée accorde le droit aux deux témoins de s'exprimer devant elle ! »

S'ensuivit un nouveau tohu-bohu. La majorité des sénateurs bellicistes renchérissaient sur la demande du père de Bucefale, soutenus par certains ploutocrates. Quelques souverainistes donnaient de la voix pour dénoncer un coup de force parlementaire dont la légalité était douteuse. Cernicalo Actanza braillait à la tentative de déstabilisation et stigmatisait chez le parti adverse le but intéressé de rafler le maximum de charges sur Qir après une négociation de façade. Ses attaques ne firent que redoubler les cris hostiles autour de Tremorio Mastiggia et d'Ettore Sanguinella ; et même si Actanza faisait front, on sentait bien le flottement gagner les rangs souverainistes. Les opportunistes récemment ralliés au Podestat, les Monatore, les Punzone, ou le vice-amiral Phaleri, restaient cloués sur leur siège, conscients que le revers politique qui menaçait mon patron les discréditerait durablement.

À côté de moi, Cesarino me dévisageait avec perplexité. Je le vis sur le point de me parler, puis se raviser. Sans doute avait-il ravalé la question qu'il avait au bord des lèvres. J'avais la certitude que Leonide Ducatore lui avait dissimulé ma mission réelle sur la galère Mastiggia, et la sortie de Tremorio Mastiggia comme l'apparition imprévue de Suario Falci avaient représenté pour lui une révélation aussi frappante que pour la plupart des sénateurs. Le doute s'était insinué dans son expression. Il voyait Matado me tenir en respect ; il ne connaissait que trop mes petits talents ; il savait ce dont son oncle était capable ; et c'était un garçon intelligent... Il était en train de réaliser, en pleine crise, que j'avais probablement poinçonné un de ses amis. Dans son regard où montait une lucidité soupçonneuse, je voyais lever un autre péril, qui fragilisait le cœur du clan Ducatore.

Le Podestat, toutefois, refusait de se laisser dépasser par la situation. Il levait les deux bras, pour réclamer l'attention, et il lui fallut un moment pour obtenir un silence relatif. Quand il reprit la parole, j'eus la confirmation que les choses tournaient vraiment à l'aigre.

« Allons au fait, Messeigneurs, lança-t-il avec force, sans rien laisser paraître du trouble qui devait l'étreindre. J'ai voulu modérer la colère de don Tremorio parce que je pensais que tous, ici, réalisaient comme moi la fragilité de ses présupposés. Tel n'est pas le cas. Je ne veux pas faire obstruction au débat public. Je ne veux pas le ralentir, non plus, par un vote inutilement long. Clarifions tous les doutes. Je suis disposé à laisser don Tremorio exposer les contradictions qui l'amènent à formuler ses accusations diffamatoires. Ne serait-ce que pour en démontrer le caractère infondé ! »

Un mouvement de satisfaction ironique parcourut les sièges bellicistes, pendant que les souverainistes reprenaient visiblement confiance. Moi, j'étais glacé. Une partie au moins de mon sale boulot allait être déballé en ma présence, en plein Sénat. Je comprenais le calcul de mon patron : refuser la consultation proposée par le vieux Mastiggia aurait représenté un aveu ; accepter la mise aux voix, ç'aurait été la perdre, vu la collusion entre bellicistes et ploutocrates, et ce camouflet aurait créé une dynamique défavorable au sein de la Chambre, qui pouvait enhardir l'opposition et lui rallier les indécis et les timorés. Compte tenu du vent de fronde qui soufflait sur l'Assemblée, Leonide Ducatore se savait incapable pour l'heure de contrôler le Sénat ; il préférait donc limiter le débat à un affrontement individuel contre le sénateur Mastiggia. Mais ce faisant, il lui donnait la parole. Certes, publier la rumeur peut être une stratégie efficace pour la canaliser ou pour la réfuter. Cependant, le risque à courir était terrible : si Leonide Ducatore ratait son coup, c'était la destitution pour lui, l'échafaud pour moi. Et le couteau que Matado me piquait gentiment au creux des vertèbres me privait pour l'heure de toute initiative personnelle : le vétéran n'attendait qu'un prétexte de ma part pour me réduire définitivement au silence.

« Dites ce que vous avez à dire, don Tremorio, lança avec hauteur le Podestat.

— Ce dédain ne sera pas suffisant pour vous blanchir, gronda Mastiggia. Ce n'est pas par honnêteté que vous me laissez la parole, c'est parce que vous vous savez acculé. Jugez par vous-mêmes, Messeigneurs ! Les versions des deux survivants de la bataille où mon fils a été tué comportent des incohérences flagrantes ! Benvenuto Gesufal, pour commencer, m'a raconté comment il avait défendu mon fils au cours de l'abordage : d'après lui, c'est en se battant aux côtés de Bucefale qu'il a été touché au visage, et la gravité des blessures l'ayant mis hors de combat, mon fils a alors été débordé par l'ennemi et saigné à mort. En revanche, Gesufal ne m'a jamais parlé d'autres survivants. Suario Falci, quant à lui, présente une version des faits complètement différente : d'après lui, il y avait douze prisonniers ciudaliens à la fin des combats ; Benvenuto Gesufal n'en faisait pas partie : il discutait alors avec un dignitaire du Sérail, monté sur la galère prise par les janissaires. Et il avait encore le visage indemne ! De telles divergences sont éloquentes : quelqu'un a produit une version mensongère de la disparition de mon fils !

— C'est une évidence, intervint mon patron. Reste à savoir si ce n'est pas l'officier Falci qui vous a mystifié.

Il suffit de considérer les cicatrices de don Benvenuto pour juger de la crédibilité de son témoignage.

— Ces blessures ont pu lui être infligées par la suite, dans le but de le couvrir !

— Allons donc ! repartit Leonide Ducatore. Des coups de cette gravité ? Don Benvenuto a failli perdre la vie, c'est visible. En outre, plusieurs personnes pourraient affirmer que ces blessures sont vieilles de deux mois, et remontent donc à l'abordage. À commencer par fra Orinati, le guérisseur de l'Hospice de la Déesse Douce, qui a examiné don Benvenuto à son retour. Don Sceleste, qui a versé la rançon de don Benvenuto, pourrait d'ailleurs nous donner son éclairage à ce sujet. »

Le vice-amiral Phaleri eut l'air passablement ennuyé de se retrouver ainsi pris à parti dans la querelle. Il se redressa dans sa cathèdre, la bouche un peu pincée, mesurant visiblement ses mots avant de formuler une réponse.

« Je ne suis malheureusement pas médecin, observa-t-il en préambule. Les prisonniers que j'ai libérés à Mazmana étaient en très mauvaise condition. Parmi eux, Benvenuto Gesufal, le gonfalonier Velado Fruga et sa seigneurie Regalio Cladestini paraissaient grièvement blessés. Don Regalio est mort presque tout de suite. Gesufal et Fruga, de constitution plus robuste, ont survécu. Leurs plaies semblaient relativement anciennes, et plutôt infectées. Mais il faudrait interroger le barbier de bord pour avoir une appréciation plus précise.

— Je suis d'accord avec vous, don Sceleste, rebondit le Podestat. Il serait intéressant de collecter le témoignage de cet homme, ainsi que des codétenus de don Benvenuto. Nous ne pouvons trancher la question sur la seule dénonciation d'un rescapé délivré étrangement tard.

— Cela ne fera que renforcer les soupçons qui pèsent sur Gesufal, s'obstina le sénateur Mastiggia. Je me suis renseigné auprès de ses compagnons de captivité. Il ne les a rejoints que quelques jours avant leur libération ; auparavant, il semble avoir été gardé au secret. En outre, la mort de Regalio Cladestini prouve que les prisons ressiniennes sont aussi dangereuses que le champ de bataille : d'après les deux officiers survivants de la galéasse Cladestini, don Regalio était indemne quand il a été capturé. Ce sont les terribles conditions de sa détention qui ont amené sa fin. Il pourrait être arrivé un accident semblable à Gesufal, après qu'il se soit livré sur la galère de mon fils.

— Voici des spéculations bien aventurées, observa le Podestat. C'est avec des hypothèses aussi légères que vous comptez étayer vos attaques contre moi ?

— Oh que non ! J'ai aussi des faits bien vérifiés. Pour commencer, la fortune que vous avez consacrée à ce Gesufal. Car vous avez versé sa rançon, Ducatore ; pour un vulgaire homme de main, vous avez payé autant que pour la libération d'un patrice ! Et que dire des médecins et des orfèvres que vous avez recrutés pour réparer sa bouche édentée ? Voilà un serviteur qui vous indispose tant dans votre état-major que vous le renvoyez à Ciudalia à la première occasion ; et un mois plus tard, vous dépensez sans compter pour le tirer des geôles ennemies et lui redonner figure humaine !

— Don Benvenuto fait partie de ma maison, répondit froidement mon patron. Vous le savez aussi bien que moi : on ne peut abandonner un serviteur fidèle sans fragiliser la loyauté de toute une clientèle.

— Et pourquoi donc les Ressiniens ont-ils demandé une rançon pour Gesufal ? Il n'est pas noble, il n'occupait aucune charge officielle. La coutume, en mer, c'est de tuer ou de réduire en esclavage les prisonniers de basse extraction. Comment les Ressiniens pouvaient-ils savoir que cet homme de peu valait autant qu'un aristocrate ? Je ne vois qu'une possibilité : Gesufal était votre émissaire secret.

— Ridicule, s'esclaffa le Podestat. Don Benvenuto

est un garde du corps, pas un diplomate. Il ne parle même pas le ressinien, et nos ennemis considèrent comme des barbares ceux qui ne pratiquent pas leur langue. Ce qui pique ma curiosité, pour ma part, ce sont les conditions de la libération de l'enseigne Falci. Qui a payé sa rançon ? N'a-t-il pas négocié sa liberté contre une tentative de déstabilisation du gouvernement ? »

La provocation faillit marcher. À quelques pas de moi, je vis Suario Falci bondir sous l'outrage. Il fit mine de s'avancer vers les sénateurs et il allait crier quelque chose quand Strigila et le centener Chiodi se précipitèrent pour le maîtriser. Ça s'était décidé sur le fil. Si Falci était intervenu dans le débat, Leonide Ducatore aurait eu beau jeu de constater l'irrégularité, d'en déduire que ses soupçons étaient fondés et de discréditer le parti adverse.

« C'est moi qui ai payé la rançon de l'enseigne Falci, révéla le vieux Mastiggia.

— Mais par quel moyen avez-vous su qu'il était prisonnier ? riposta Leonide Ducatore. Capturé en même temps que don Benvenuto, l'enseigne Falci ne figurait pas sur la liste des captifs examinée par l'état-major au moment des pourparlers de paix. Vous, en revanche, vous apprenez par un canal occulte qu'il est entre les mains des Ressiniens et vous rachetez sa liberté ! Et vous avez pourtant le front de m'accuser de négociations parallèles ! »

L'argument fit mouche sur la Chambre. Certains bellicistes perdirent un peu de superbe, tandis que quelques sourires sardoniques fleurissaient chez les souverainistes. Je lâchai un discret soupir de soulagement. Mon patron était sur le point de rétablir la situation, en jetant le soupçon sur son adversaire. Ce fugace espoir fut toutefois mouché comme une chandelle. Le sénateur Sanguinella se leva avec raideur et lança d'une voix forte :

« Don Tremorio n'a jamais traité, directement ou

indirectement, avec Ressine. C'est moi qui lui ai appris que Suario Falci était entre les mains de l'ennemi. »

La déclaration fit sensation. Après un instant de stupeur, les sièges sénatoriaux se mirent à bruire d'exclamations étouffées et de commentaires. Il était visible que nombre de parlementaires, jusque dans la faction belliciste, perdaient pied devant ce nouveau rebondissement ; et l'inquiétude sourdait de cette agitation offusquée, tandis que chez les spadassins, la tension devenait palpable. Mais le Podestat, quant à lui, considérait le chef du parti de la guerre avec un sourire mordant.

« Ainsi donc, don Ettore, vous disposez de contacts privés avec l'ennemi ?

— Bien sûr que non, répondit Sanguinella sur un ton rogue. Du moins, pas avant le rachat de Falci, qui a été fait avec l'argent de don Tremorio, mais sur un de mes navires. Ma source n'était pas ressinienne, mais ciudalienne.

— Et peut-on savoir qui est cet homme bien renseigné ?

— Cet homme bien renseigné vient de mourir. Il s'agissait du ministérial Blattari. »

Cette fois, la révélation fit l'effet d'un coup de tonnerre. Tout le Sénat éclata en cris, en imprécations, en apostrophes concurrentes. Cernicalo Actanza prit Sanguinella à partie, l'accusant de salir la mémoire d'un mort ; le vieux Prevaricacce, avec un entêtement sénile, en appelait à une purge des agents ennemis infiltrés dans l'enceinte du Palais curial ; le sénateur Surmaticci clamait qu'on découvrait à qui profitait le crime. Cette fois, il fut impossible de calmer le tumulte. Le Podestat dut se lever et hausser la voix à son tour pour se faire entendre au milieu du vacarme.

« D'où Blattari tenait-il cette information ? cria-t-il. Il n'a jamais quitté Ciudalia, même pendant la guerre.

— C'est l'un des codétenus de Gesufal qui avait été chargé secrètement du message, répondit Ettore

461

Sanguinella. Tout le monde, dans cette assemblée, sait que le ministériel Blattari disposait d'un réseau de renseignement étendu et efficace. Sans doute l'homme qui a rapporté cette information en faisait-il partie.

— Quel prisonnier ? demanda le Podestat.

— Je l'ignore ; don Coccio a gardé le silence sur son identité quand il m'a contacté. Mais son information était juste : au large de Rubiza, un de mes navires a effectivement pris contact avec un chebec royal du chah, dont les officiers ont ouvert les négociations pour libérer Suario Falci. »

Je tombais des nues. J'avais été planté par l'une des épaves dont j'avais partagé la geôle. Qui avait servi de balance ? Je doutais que ce fût Velado Fruga : si les hommes du chah lui avaient proposé ce marché, il l'aurait négocié contre des soins pour Regalio Cladestini. Restait le jeune Lucinello Mascatti, avec sa jolie gueule brouillée de trouille dans les cachots de Mazmana, et le mépris dont il m'avait abreuvé ensuite aux funérailles de Regalio... Ou bien Palangano et sa faconde chaleureuse, Palangano le marchand jeté dans une cellule de prisonniers de guerre, Palangano qui parlait couramment la langue de l'ennemi... Le petit patricien foireux ou le négociant cordial. Si Sanguinella disait vrai, un de ces deux toquards m'avait copieusement enfumé.

« J'ai du mal à vous croire, observait le Podestat. Tout le monde, ici, connaissait l'amitié qui me liait à don Coccio. S'il avait eu connaissance de l'existence d'autres prisonniers, il s'en serait ouvert à moi.

— C'est en raison de cette amitié que le ministériel Blattari a été tué en bas de chez vous ? » railla Tremorio Mastiggia.

L'insinuation fit sensation, mais le vieux sénateur enchaînait déjà :

« Après tout, vous avez voulu distinguer mon fils, et il en est mort. Votre affection se paie au prix fort !

— Cet amalgame est scandaleux ! se récria mon patron avec un éclair de colère. Don Coccio a tenté de trouver refuge dans ma demeure ; deux de mes hommes ont été grièvement blessés en essayant de lui porter assistance.

— Vos hommes jouent décidément de malchance, ricana Mastiggia. Gesufal aussi a été grièvement blessé en essayant de porter assistance à mon fils.

— Et malgré cet attentat commis à votre porte, Excellence, vous avez refusé une garde officielle, renchérit Sanguinella. C'est très courageux, mais cela peut aussi prêter aux malentendus.

— Ces constructions ne tiennent pas debout, s'insurgea Leonide Ducatore. Dans le but de discréditer ma ligne pacificatrice, il est évident que le parti belliciste monte à mon égard une campagne diffamatoire. En me fragilisant, vous désirez en fait casser l'accord de paix. Ce procédé attente à mon honneur et à l'intelligence de nos pairs : prenez garde que je ne vous en demande des comptes.

— De quelle façon ? riposta le vieux Mastiggia. En nous envoyant Gesufal ? »

Des rires et des cris virulents saluèrent cette saillie. Autour de moi, les gros bras des escortes se daubaient sur mon dos. J'étais en train de me liquéfier.

« À ce propos, rebondit le sénateur Sanguinella, où était Gesufal au moment du meurtre du ministérial ? »

Mon patron eut une hésitation infime. Je saisis ce qui la motivait. Il était déplacé pour le Podestat de la République de répondre à une telle question : cela le mettait, de fait, dans la situation d'un prévenu ayant à rendre compte, et cela remettait en question sa position d'autorité. D'un autre côté, refuser de répondre ou manœuvrer de façon dilatoire aurait paru très suspect. Il fallait trancher entre ces deux options, et Leonide Ducatore se décida assez vite pour la transparence. Malheureusement, je ne fus pas le seul à percevoir son flottement, et beaucoup, parmi les sénateurs, l'interprétèrent comme un trouble d'une autre sorte.

« Vous empiétez sur mes prérogatives, don Ettore,

observa sèchement Leonide Ducatore. En vous improvisant procureur avec le premier magistrat de la République, vous vous montrez bien cavalier avec nos institutions. Néanmoins, par souci de clarté, et pour dissiper toute équivoque, je vais satisfaire à votre requête. Quand don Coccio a été assassiné, don Benvenuto n'était pas dans ma demeure : il était avec moi, et nous rendions visite au sénateur Schernittore.

— En êtes-vous absolument certain ? demanda lentement Sanguinella.

— Pensez-vous que je perds l'esprit ? rétorqua le Podestat. Ou croyez-vous, comme don Tremorio, que je suis un menteur ?

— Je ne cherche qu'à dégager la vérité, protesta le meneur belliciste en reprenant son expression madrée. Je ne vous accuse nullement de chercher à la dissimuler... Mais ce que vous affirmez ne concorde pas avec ce que j'ai appris des circonstances entourant le meurtre du ministérial Blattari. »

Il joignit ses mains, qu'il avait grasses et fortes, et joua pensivement avec les pierres qui ornaient ses bagues.

« Voyez-vous, reprit-il, quand j'ai appris que Coccio Blattari avait été tué, j'ai moi aussi cherché à me renseigner sur cet attentat. J'ai envoyé quelques hommes glaner des informations, j'ai activé le réseau de mes amis et de mes relations. Or ce que j'ai appris ne concorde pas avec ce que vous dites ; tout comme le témoignage de Gesufal ne concorde pas avec celui de Falci. »

Et se tournant vers l'ensemble des nobles, il ajouta avec une emphase tribunicienne :

« Voici les faits, Messeigneurs ! D'après mes sources, son excellence Ducatore a bien rendu visite à don Ostina, hier, dans l'après-midi. Je l'ai appris de la bouche même du fils de don Ostina, le patrice Dilettino Schernittore. Mais lorsque le patrice est rentré chez lui, à la fin de l'orage qui a balayé la ville, le Podestat et son escorte étaient déjà repartis ; or c'est à la fin de l'averse que le ministériel a été tué. Plus frappant encore : des témoins ont reconnu Gesufal, seul et armé, en haut de la via Cavallina, quelques instants après l'assassinat ! »

Je faillis m'en décrocher la mâchoire ! Ça, c'était un beau coup d'arcan ! Sanguinella savait que j'étais au croisement entre la via Cavallina et la via Comitina juste après la boucherie. Je revis le regard du Pédant braqué sur moi, et j'eus la certitude que c'était le spadassin qui m'avait reconnu et qui m'avait balancé au sénateur. Ce qui impliquait que Sanguinella trempait dans l'assassinat, qu'il n'avait pas peur de nous le faire comprendre, et qu'il retournait ma rencontre fortuite avec un des tueurs contre nous, en me désignant à la vindicte publique comme un meurtrier probable.

« Là, tu es dans une sacrée merde, chuchota charitablement Matado à mon oreille.

— Je serais curieux de connaître l'identité de ces témoins, contre-attaquait déjà le Podestat avec beaucoup d'à-propos.

— Mon propre secrétaire, don Lusinga, intervint le vieux Mastiggia. Il revenait du Palais curial, où il avait été traiter mes affaires. Il connaît Gesufal. L'un de mes fils le lui avait présenté il y a quelques jours. »

Ça puait vraiment le coup monté ; c'était tellement gros que j'avais bon espoir qu'on flairait le faisan, chez les seigneuries. D'un autre côté, dans ce genre d'affaires, j'avais bien conscience que la vérité ou le mensonge avaient un poids très relatif... L'important, c'était le bénéfice qu'on pouvait en retirer. Lusinga avait-il vraiment été présent ? Le type était si insignifiant qu'il pouvait bien avoir échappé à ma vigilance... Ou s'agissait-il juste d'un homme de paille, chargé de se substituer au Pédant au cours d'une procédure officielle ?

« Il est effectivement possible que nous ayons été en chemin au moment de l'assassinat, admit le Podestat. Mais je doute que votre secrétaire, si physionomiste soit-il, ait pu reconnaître don Benvenuto. Par mesure de sécurité, moi et mon escorte, nous étions masqués. »

Tremorio Mastiggia ricana, et expliqua avec une condescendance narquoise :

« Même avec un loup de carnaval, même par temps pluvieux, un passant avec des dents en or reste très repérable.

— Ces contradictions sont très troublantes, don Leonide, observa Sanguinella. Vous dites d'abord que Gesufal était chez le sénateur Schernittore, puis vous admettez qu'il a pu se trouver dans la rue. Étiez-vous toujours avec lui ? Avez-vous été témoin du meurtre de Coccio Blattari ?

— Bien sûr que non ! J'étais juste en route quand don Coccio a été tué. Don Benvenuto faisait partie de mon escorte ; je l'avais envoyé un peu en avant, c'est à ce moment-là que le secrétaire de don Tremorio a dû le croiser.

— Gesufal a donc été seul pendant un moment ?

— Au croisement de la via Comitina et de la via Cavallina, un court laps de temps. Trop peu pour participer au meurtre, car ma demeure est assez éloignée de ce carrefour.

— Je ne doute pas de votre bonne foi, ironisa Sanguinella, mais la mémoire nous joue parfois des tours... Après tout, il y a quelques instants, vous nous disiez encore que Gesufal était en votre compagnie au palais Schernittore au moment de l'assassinat... »

C'était le coup de grâce. Tout le Sénat entra en ébullition. Une cacophonie vengeresse éclata sous les hautes voûtes de la Salle des Cent Dix. La plupart des souverainistes, effrayés par les proportions du scandale, lâchèrent le Podestat. Les rats quittaient le navire. Les bellicistes et les ploutocrates se déchaînèrent contre votre serviteur : j'eus l'honneur insigne de voir la foule écumante de leurs seigneuries brandir vers moi des index dardés et des poings haineux, tandis que mes oreilles tintaient d'une clameur furieuse remplie de noms d'oiseaux, de diatribes accusatrices et de sentences radicales. Une vraie curée. Dans un coin rétracté de ma cervelle, mon mauvais esprit se gondolait, bien conscient du fait que je n'étais qu'un biais. Je n'avais pas d'importance : j'étais juste la brèche par laquelle les pairs de mon patron comptaient s'engouffrer pour ternir sa gloire et ruiner son prestige politique. N'empêche, ça me faisait une belle jambe. J'étais carbonisé.

Loin de se calmer, le tollé se nourrissait de lui-même. Les sénateurs clabaudaient avec la férocité d'une meute en plein hallali ; certains d'entre eux, menés par le vieux Mastiggia, étaient venus se camper juste au pied de l'estrade de la podestatie et hurlaient sous le nez de mon patron en gesticulant. De notre côté de la salle, les spadassins restaient silencieux, mais la température était en train de dégringoler à grande vitesse. Les bretteurs se mettaient sur le qui-vive, rejetaient leurs manteaux, faisaient discrètement jouer les lames dans les fourreaux. La situation allait devenir incontrôlable, alors Leonide Ducatore fit ce qu'il lui restait à faire. Il brûla ses vaisseaux.

Il lui fallut du temps pour se faire entendre. Sa voix était couverte par le tumulte, et il dut s'y reprendre à plusieurs reprises avant d'obtenir une attention houleuse et hostile.

« Je n'ai aucun doute sur l'innocence de don Benvenuto, proclama-t-il. Mais je conviens que quelques coïncidences malheureuses peuvent jeter le trouble dans cette assemblée ! D'autant qu'elles se trouvent présentées de façon orientée par certains... Néanmoins, dans la mesure où je suis moi-même visé, je conçois que mon discours vous paraisse entaché de partialité. C'est pourquoi, dans le but de prouver à tous ma bonne foi, j'ordonne l'ouverture d'une enquête sur les circonstances de l'abordage de la galère de don Bucefale. »

C'était une concession de taille, mais elle ne fit

qu'exciter les railleries et les quolibets chez les bellicistes, qui voyaient mal comment on aurait pu empêcher des investigations. Pendant ce temps, pour la première fois depuis l'ouverture de la séance, Leonide Ducatore me regarda. Il était debout, d'un calme plein de raideur, et très pâle. Il me fixa, l'expression neutre, et ce fut ainsi, les yeux dans les yeux, qu'il enchaîna :

« Pour les besoins de l'enquête, j'ordonne également la mise aux arrêts de don Benvenuto Gesufal. Il sera tenu à la disposition de la cour chargée d'instruire cette affaire. Par cette mesure, j'atteste solennellement mon désir de faire toute la lumière sur la mort de sa seigneurie Bucefale Mastiggia et sur celle du ministérial Coccio Blattari. Par la bonne volonté que don Benvenuto mettra à informer la justice, je suis certain que tous les soupçons qui pèsent sur sa personne seront bientôt dissipés. »

Ben voyons.

Plaisante histoire, non ?

C'est ainsi que j'ai été donné par mon propre patron, à cause d'un des seuls crimes que je n'avais pas commis. Objectivement, je le comprenais, le grand homme. Il cédait un peu de terrain, il laissait du mou pour sauver les apparences, il comptait sans doute reprendre rapidement la main après avoir livré des gages évidents de sa bonne foi. Sauf que les gages, ils avaient la gueule balafrée de Benvenuto Gesufal. Et que Benvenuto Gesufal, il n'avait pas spécialement la vocation d'un têtard. Alors d'accord, je saisissais bien que la manœuvre du Podestat était tactique et réfléchie : ça ne me dispensa pas, sur le coup, de ressentir une furieuse pulsion de meurtre. L'enfoiré ! Le putain de fils de pute d'enculé ! Après toute la soudure que j'avais déjà envoyée pour lui, me faire porter la médaille ! La charogne rupine ! Le marle crapoteux ! La croqueuse embourdillée !

Sans le poignard que Matado me piquait dans le

creux des reins, j'aurais conclu très vite cette histoire à la mode des bas quartiers. J'aurais bondi au-dessus de la main courante, violé l'espace parlementaire, et pris la responsabilité d'élections anticipées !

Seulement voilà : il y avait Matado et son couteau. Finalement, le Podestat, vous et moi, on doit beaucoup à Matado.

Il ne perdait pas le nord, le vieux briscard. Aussi sec, il ordonna à Oricula de me désarmer. Le porte-glaive soigné vint se planter devant moi, avec un pauvre sourire désolé, genre *rien de personnel, hein, Benvenuto, mais c'est comme ça, c'est la vie, je ne suis qu'un brave petit soldat*, et il me demanda poliment de lever les mains. Oricula devant, Matado derrière : il était absurde de tenter quoi que ce soit. Je levai les bras bien sagement, et Oricula me soulagea de mon ceinturon d'armes. Avec un pincement au cœur, je le regardai enrouler la ceinture autour des fourreaux de mes lames Acerini. Je n'avais même pas pu étrenner ces merveilles. Décidément, ça devenait une sale habitude, de me faire dépouiller…

Négligence ou coup de pouce ? Oricula se contenta de l'épée et de la dague, et oublia de me fouiller. Il me restait une petite précaution bien aiguisée, nichée dans son étui sous ma manche gauche ; toutefois, il était prématuré de défourailler dans l'immédiat. Le centenier Vezzino Chiodi fondait déjà sur moi, escorté par deux phalangistes ; et de toute manière, la Salle des Cent Dix concentrait assez de tueurs pour me garantir un sacré coup de froid si je faisais mine de prendre l'air.

Vezzino Chiodi vint se planter devant moi.

« Benvenuto Gesufal, me lança-t-il, en vertu du décret prononcé par son excellence Ducatore, vous êtes déclaré de prise de corps. Veuillez me suivre.

— Nous sommes les hommes du Podestat, intervint Matado. Nous pouvons assurer sa garde. »

Le centenier Chiodi le toisa avec une arrogance amusée.

« Don Spada, sourit-il, je n'aurais pas été en service commandé, j'aurais relevé le gant avec grand plaisir. Mais vous n'êtes que l'homme de Léonide Ducatore ; moi, je suis un officier sous commandement du Podestat de la République. Livrez-moi Gesufal, ou je vous arrête avec lui. »

Matado haussa les épaules, s'écarta, et la pointe insistante qui m'avait chatouillé les lombaires s'évanouit. Je n'y gagnai guère au change : les deux phalangistes vinrent m'encadrer. D'accord, ils paraissaient plus entraînés au combat en ligne qu'à l'arrestation de ruffians : le garde-chiourme sur ma gauche m'accrocha par le dos du pourpoint, une sottise que n'importe quel alguazil se serait gardé de commettre. N'empêche que c'étaient de gros costauds cuirassés, bardés de suffisamment d'acier pour me garantir quelques fractures des phalanges si je cognais dans le tas. Eux, par contre, avec leurs cubitières, leurs grèves et leurs gantelets, avaient de quoi allonger des chiquenaudes dévastatrices. En ajoutant le centenier Chiodi, j'avais affaire à un trio de choc, autrement compliqué à dézinguer que les trois mignons corrigés chez Diamantina. J'étais serré, et bien serré.

Vezzino Chiodi entreprit de m'évacuer rapidement hors de la Salle des Cent Dix. Il ouvrit la marche, écartant les spadassins des escortes sénatoriales, tandis que je suivais, encadré par mes cerbères et à moitié propulsé par le goujat qui fripait mon costume à cent florins. Je savais où ils me conduisaient : aux étages. Le beffroi du Palais curial comporte plusieurs cachots où sont enfermés les prisonniers de marque. On me destinait cet honneur insigne, qui confirmait d'une certaine façon que j'avais bien grimpé quelques échelons dans la société. Le seul problème, c'est que ce perchoir carcéral était souvent le dernier appartement que l'on occupait en ville avant le bannissement ou la décollation. Et s'il n'y avait eu que cela... Mon passé de truand et mes habitudes plus récentes dans les cercles dirigeants me donnaient un aperçu assez déplaisant de ce qui m'attendait au cours de l'enquête. La torture fait partie des procédures normales de l'investigation. Et ce coup-ci, je n'allais pas tomber entre les grosses pattes d'un janissaire un peu échauffé : j'aurais droit à la crème de la crème du personnel judiciaire, les tourmenteurs ordinaires du Tribunal des Neuf, des spécialistes de l'agonie stabilisée et de l'extorsion d'aveux. Si le Podestat ne trouvait pas un stratagème pour me faire sortir vite fait, j'allais me payer une sacrée rigolade dans les jours à venir. Mais le Podestat avait-il seulement intérêt à me faire sortir ?

Alors même qu'on m'entraînait vers la sortie de la Salle des Cent Dix, j'essayai frénétiquement de rassembler mes idées, de définir une ligne, avant qu'il ne fût trop tard. Le Podestat avait-il intérêt à me soustraire à la justice ? Oui, cent fois oui ! En fait, il avait même trop intérêt à me faire dégager, et je courais un très gros risque d'intoxication alimentaire ou de suicide dans ma triste cellule. D'un autre côté, ma disparition pourrait contribuer à son discrédit, et ce genre de recours ne servirait pas forcément son rayonnement et ses ambitions. J'avais déjà encaissé à Sepheraïs : peut-être me ferait-il confiance, peut-être considérerait-il que j'avais le buffet d'un vrai dur. Peut-être me laisserait-il au soin des juges et des bourreaux, à charge pour moi de serrer ce qui me restait de dents et de fesses pendant quelques mauvais quarts d'heures, histoire de démontrer par mon stoïcisme que les attaques contre Leonide Ducatore étaient un tissu de mensonges... C'était très envisageable, comme option. Après tout, j'étais un Chuchoteur : mon affiliation à la Guilde me contraignait au silence, sous peine du châtiment des Trois Traits. Ensuite, quand j'aurais été convenablement massacré et blanchi, mon cher patron m'offrirait de nouveaux cadeaux de luxe, il remettrait peut-être

Ancelina dans mon lit, et il m'exhiberait partout comme un trophée, comme l'exemple vivant du dévouement dont on était capable pour lui.

Est-ce que j'en serais capable ? Est-ce que je pourrais tenir, écartelé sur un chevalet, des heures, des jours durant ? Je commençais tout juste à me remettre de mes blessures, je peinais encore à accepter ma gueule fracassée : aurais-je encore la force d'endurer des sévices dix fois plus vicieux ? Aurais-je encore assez de volonté pour garder le silence, pour mentir sous la morsure des clous, des coins, des tenailles ? Je me sentais trop diminué. Je n'y croyais pas, je n'avais plus assez de réserves, plus assez d'inconscience, plus assez de hargne pour y croire ; et pourtant, sauf à vouloir ma condamnation par la Justice comme par la Guilde, il le faudrait ! Charmant dilemme : souffrir mille morts ou périr. Et même si je tenais le choc, même si à force de supplices supportés bouche cousue, je parvenais à convaincre mes bourreaux, comment sortirais-je de cet enfer ? Quelles séquelles, cette fois, me faudrait-il subir ? Les poucettes broyaient les doigts, et me rendraient incapable de garder une arme en main ; les brodequins faisaient éclater les os des jambes et des pieds, et me laisseraient bancal ; l'estrapade désarticulait tous les membres, et ferait de moi une épave tremblotante. Résister ? À quoi bon ? Ne valait-il pas mieux accueillir avec joie les bonnes âmes soudoyées pour m'aider à me pendre dans ma cellule ?

Et alors que nous quittions la Salle des Cent Dix, une nouvelle idée terrifiante me traversa l'esprit. Clarissima ! Il y avait aussi Clarissima !

Ma détention allait m'empêcher de régler la question de la donzelle. Plus moyen d'acheter le silence de la gamine avec mes renseignements, maintenant que j'étais privé de liberté… L'annonce de mon arrestation et du chahut curial qui l'avait provoquée risquait fort de délier la langue de la petite garce. J'étais neutralisé, conspué, soupçonné des crimes les plus noirs : dònna

Clarissima ne pouvait rêver de meilleure occasion pour régler ses comptes avec moi, et me dénoncer comme un satyre libidineux. Cette fois, j'étais bel et bien refroidi, tout ce qu'il y avait de plus roide. Et j'aurais beaucoup de chance si le Podestat se contentait de me faire garrotter ou étouffer dans ma cellule... Aucune issue. Je n'avais plus qu'une solution : tirer mes billes, et dare-dare, avant que le premier interrogatoire ne me laisse dépiauté et pantelant.

Mes gardiens m'entraînaient à présent à travers la Salle des Requêtes. Ils me dirigeaient vers les escaliers, mais ils avaient fort à faire pour écarter la presse. La foule, toutefois, était ici différente : elle n'était plus composée de gros bras et de porte-glaives, mais de commis, de clercs, de nobliaux et de gras négociants. Faute d'avoir bien compris ce qui se passait dans la Salle des Cent Dix, ils me dévisageaient avec plus de curiosité que d'hostilité. Mais voici qu'au milieu du troupeau, mes yeux accrochèrent une figure familière : la gueule un peu tuméfiée de mon excellent ami, le patrice Dilettino Schernittore. Il bichait, le gandin ! Il devait en mouiller ses chausses ! Il était si ravi du tour que prenaient les événements qu'il était descendu de la Galerie Pourpre pour avoir le plaisir de me voir défiler entre mes argousins. Juste derrière lui, j'aperçus la trogne désabusée de Bonito Scheggia : le mauvais garçon réalisait sans doute que mon arrestation le privait d'une prime rondelette. Mais Dilettino, quant à lui, ne se sentait plus pisser. Il me toisait avec une arrogance triomphante, comme s'il avait voulu me terrasser de son regard poché. C'était piteux de mesquinerie, mais compte tenu des circonstances, ça me donna un petit reflux gastrique.

« Eh ! Dilettina ! ai-je croassé. Tu sais que ton paternel m'a remercié d'avoir défoncé ta Tignola chérie ? »

Le centenier Chiodi se retourna vers moi, l'air furieux, en me grondant de la fermer. Mais du coin de l'œil, j'avais vu le patrice Schernittore perdre sa

473

morgue, et virer livide. Alors, en espérant ne pas prendre tout de suite un méchant horion dans la poire ou dans l'estomac, je braillai malgré tout :

« D'accord, d'accord, don Vezzino. Mais c'est triste de pas pouvoir présenter des condoléances pour la mort d'une vieille maîtresse.

— Fumier ! cracha Dilettino. Sale enculé de merde ! »

Et le cave marcha sur moi, la main déjà posée sur la poignée de sa dague. Vezzino Chiodi grommela un juron, se désintéressa de moi et s'interposa en vitesse. Mes deux chiens de garde eurent un instant de distraction. L'instant de trop. J'ouvris le bal.

Le gros costaud qui me traînait comme un sac de raves apprit, un peu tard, qu'il ne faut jamais porter la main n'importe comment sur un type dans mon genre. Je projetai mon bras droit en arrière, je lui saisis fermement le ceinturon derrière les reins tout en verrouillant l'avant-bras qu'il avait dans mon dos par une clef solide : sur ma lancée, je pesai de tout mon poids sur sa ceinture, ce qui manqua de lui luxer le coude, et je lui expédiai une béquille derrière le genou. Simultanément, je lui balançai un taquet dans le menton, du talon de ma paume gauche, tout en lui crochetant les yeux avec les doigts. Il n'eut même pas le temps de crier. Bloqué, fauché, aveuglé. Il partit à la renverse, et je l'accompagnai dans sa chute en poussant à fond sur sa mâchoire. Notre dégringolade sur le dallage fit un sacré raffut de ferblanterie, laissa mon homme sur le carreau, à moitié assommé, tout en me permettant de filer sous la poigne de son compagnon, qui avait réagi un poil trop tard. Le gaillard se rua sur moi. Sans chercher à me relever, je l'esquivai à nouveau, et dans ma roulade, j'arrachai l'épée de celui que j'avais endormi. Toujours au sol, j'empoignai l'arme à deux mains, par la poignée et par le ricasso, et j'allongeai au phalangiste un coup assez vicieux, de bas en haut, en glissant la pointe de l'arme sous la ventrière de sa cuirasse. La lame lui transperça le bas-ventre et les intestins, et le gros veinard poussa un glapissement de goret égorgé.

Autour de nous, ce fut la débandade. Le temps de bondir sur mes pieds, et je ne voyais déjà plus qu'une foule de talons, de dos et de nuques, se bousculant pour fuir le carnage et le repris de justice, inexplicablement libre et armé d'une lame ensanglantée. À quelques pas, Dilettino s'était figé, pétrifié par la trouille et par son inénarrable connerie. Derrière lui, Bonito Scheggia était aussi sous le coup de la surprise, mais je savais que ça ne durerait guère et que le ruffian n'allait pas tarder à me tomber dessus. Vezzino Chiodi se retournait tout juste, et ouvrit des yeux ronds en découvrant le désastre. Il dégaina aussi sec, en hurlant l'alarme. Déjà Scheggia se secouait et entrait dans la danse, la main sur l'épée.

Face à ces deux-là, je n'avais pas l'ombre d'une chance. Je fis glisser le couteau planqué dans ma manche jusque dans ma main gauche, et je le jetai sur le centenier. De façon prévisible, l'officier fit une feinte de buste, et le surin ricocha sans mal sur son épaulière d'acier. Mais ça me donna le quart de poil d'instant de diversion pour détaler avant de me trouver engagé. Je bondis vers la sortie du Palais. Et compris ma sottise.

Le piquet de garde avait été triplé. Alertés par les cris du centenier Chiodi, une horde de phalangistes franchissaient les portes et se ruaient à ma rencontre. J'allais me faire proprement larder. Dérapage assez sévère, demi-tour. Scheggia et Chiodi, lames au clair, étaient quasiment sur moi. Ça sentait la brochette. J'obliquai en donnant un rude coup de collier pour frôler les cartons de Pugapingi. En passant, je fauchai les chevalets, et les esquisses du chef-d'œuvre valdinguèrent dans les quilles des deux spadassins qui me serraient. Le temps qu'ils se dégagent de la partouze épique, j'avais repris quelques foulées d'avance.

Gros problème : où aller ? Retourner dans la Salle des Cent Dix, c'était l'assurance de terminer plus troué qu'une pelote d'épingles. Restaient les étages. Je me jetai vers les escaliers. Alors que j'avalais les premières marches quatre à quatre, j'eus une illumination ! La galerie des Tabellions ! En traversant la chancellerie des Entresols, je pourrais fuir le Palais curial par la galerie des Tabellions et par l'Hôtel de la Monnaie, comme le Podestat quand il désirait s'éclipser discrètement. Il me restait encore une chance ! Ça me donna des ailes, et je m'envolai littéralement vers les Entresols.

J'avais à peine mis le pied sur le palier que mes espoirs s'évanouirent. Les Phalanges n'avaient pas seulement été renforcées autour du Palais curial : l'entrée des Entresols était elle aussi gardée, et deux soldats cuirassés me chargeaient, en me barrant l'issue. Il n'y aurait eu qu'eux, je les aurais sans doute affrontés, sans chercher à les abattre, juste pour forcer le passage. Malheureusement, le centenier Chiodi et Bonito Scheggia remontaient les escaliers sur mes talons, suivis par la cavalcade puissante d'une dizaine de fantassins lourds : le temps d'engager les deux soudards qui me faisaient face, j'aurais été balayé par l'arrière. Sans savoir ce que je faisais, je bondis latéralement, et je me lançai à l'assaut d'une nouvelle volée de marches. Au milieu de la galopade qui martelait les degrés que j'abandonnais, j'entendis Vezzino Chiodi partir d'un méchant rire. Le foutu gaffre, il se payait ma fiole. Il avait raison. Je m'enfuyais désormais vers le beffroi. Droit vers les geôles.

Seulement voilà : ma retraite était coupée, je n'avais plus le choix. Le souffle court, le cœur emballé, les cuisses aussi dures que du bois, je cabriolais comme une chèvre de montagne, toujours plus haut, toujours plus vite, vers le cul-de-sac vertigineux que m'offrirait la plate-forme du beffroi. L'escalier, spacieux et droit tant que j'avais remonté les étages du corps palatial, se transforma en tourniquet étriqué quand j'attaquai l'ascension de la tour. Conscients que j'étais fait comme un rat, mes poursuivants avaient ralenti, et j'avais creusé un peu la distance. Vous parlez d'un bénéfice ! Ça n'allait pas m'empêcher de jouer les assiégés, seul contre toute la garnison, pour un petit baroud qui ne pouvait se terminer que par un très sale quart d'heure ou par un saut de l'ange.

Je venais de dépasser la porte attrayante d'une première cellule lorsque la lumière se fit. Littéralement. J'y voyais clair dans ce colimaçon ; j'y voyais clair parce qu'il y avait de loin en loin d'étroites fenêtres percées dans le mur, le long des marches. Puisqu'il faudrait sauter, autant le faire au plus tôt. Je me ruai sur la première ouverture venue : faute de loquet, je fis voler en éclats les carreaux de verre et les croisillons de plomb. Je ne vis que du ciel. Tant pis, pas le temps de réfléchir. Le chambranle était étroit, et je me coupai aux tessons en le franchissant, d'un seul élan. Du vide. Trop tard : j'étais passé, je tombais.

La sensation de planer, ébloui, lâché, avec le cœur et les tripes qui me remontaient dans les amygdales, et la certitude tactile que j'allais me fracasser vingt toises plus bas, sur le pavé.

En fait, je ne chus pas de trop haut. La fenêtre que j'avais traversée dominait de deux toises le toit du corps principal du Palais. Je me reçus un peu rudement sur un pan incliné de tuiles, dans un gros fracas de vaisselle brisée ; mais surpris par le choc comme par la pente, je perdis l'équilibre et dinguai encore sur quelques pas. Je ne parvins à m'arrêter qu'à un cheveu du bord, au-dessus d'un abîme qui plongeait sur la piazza Palatina. Autour de moi, des nuées de pigeons prirent un essor affolé, dans une bourrasque crépitante de plumes, et je vacillai un instant, aveuglé, étourdi, au bord du gouffre. Pas le temps de traîner. Je me redressai, et le spectacle qui s'offrit à moi faillit me souffler par sa splendeur.

Je l'ai noté en préambule de ce pénible épisode : la journée était magnifique. D'un seul coup, perché sur la bordure du toit du Palais curial, je découvris Ciudalia comme je ne l'avais jamais vue. Au-dessus de moi, à portée de bras, un firmament démesuré, un vertige d'azur, une ivresse de vide et de soleil. En contrebas, la ville nichée dans les replis des collines littorales : un chevauchement de toits ocre, un paradis mystérieux aux sillons de terre cuite, crevassé du lacis étroit des rues et des venelles, comme un épiderme quadrillé de ridules. Çà et là, la carapace tuilée était percée par le faîte de grands arbres et par le parement altier des tours et des beffrois. Au cœur de la ville, le dôme du temple d'Aquilo rutilait comme un astre enchâssé, tandis qu'au sommet de Purpurezza, les longues bannières du culte du Resplendissant ondoyaient sur le sanctuaire fortifié. Le port, ses quais grouillants de monde, la futaie embroussaillée de ses mâts et de ses vergues me semblaient à portée de main. Au bout de la baie, les remparts noirâtres de Castellonegro haussaient leurs courtines crénelées, fragiles comme un jouet. Et juste sous mon pied, la rupture nette du toit, l'abîme ouvert sur la place, les façades étrécies vers le sol lointain, que pointillait une populace réduite aux dimensions d'une fourmilière.

Des cris, juste derrière moi, et je revins aux dures réalités de l'existence. Une petite brise remontée du front de mer me rappela tout le branlant de ma position, juché au-dessus du vide, sur l'avancée d'un toit. Mes poursuivants venaient de découvrir la fenêtre fracturée ; Chiodi jurait, mais ne perdait pas la tête, ordonnait à un de ses hommes de redescendre pour qu'on me coupe les issues au sol. Un soldat était déjà en train de s'extraire par le chemin que j'avais ouvert ; mais son armure le gênait, et il n'était visiblement pas rassuré. Si je décampais, je pouvais encore prendre un peu de champ.

Pour lutter contre le vertige, je fis abstraction de ce qui se passait en bas. Le niveau du sol, pour moi, c'étaient les terrasses les plus hautes de la cité, voilà tout. Je remontai le long du faîtage et je filai vers le coin le plus éloigné du beffroi. Et je me retrouvai drôlement avancé : aucune échappatoire, sinon une chute mortelle sur la chaussée. Le Palais curial occupe la superficie d'un pâté de maisons : il est cerné de rues, il ne s'appuie sur aucun bâtiment mitoyen. J'avais l'air fin : où que j'aille, je me retrouvais face au vide. Je me mis à galoper en tous sens, acculé, comme une poule affolée devant le renard.

Trois phalangistes avaient pris pied sur le toit ; plus préoccupant encore, Bonito Scheggia avait réussi à se faufiler entre deux soldats. Les hommes d'armes commençaient à marcher vers moi avec des précautions un peu pataudes ; mais le spadassin trottait devant eux plein d'aisance, l'épée et la dague tirées. Le soleil faisait briller ses lames et les anneaux qu'il portait aux oreilles, un sourire sardonique plissait sa face brune. Il me considérait presque avec amitié, le crevard : mon évasion lui avait remis le pied à l'étrier. Mort ou vif, pour lui, je représentais un joli pactole ; et le renfort des soldats lui garantissait ma déconfiture.

J'étais presque mat. Et puis, in extremis, la dernière chance ! La galerie des Tabellions me traversa à nouveau l'esprit ! Même si le piquet de garde des Entresols m'en avait bloqué l'accès, le toit de la galerie devait communiquer avec celui de l'Hôtel de la Monnaie. Je me précipitai sur le bord de la toiture, du côté de la via Assettina : la galerie était bien là, en contrebas, une arche de pierre blonde percée de fenêtres, qui joignait le Palais curial au bâtiment d'en face. Le problème, c'est qu'elle était construite deux étages plus bas ; deux étages palatiaux, du genre majestueux et hauts de plafond. Vue de l'altitude où les hasards de l'existence venaient de me hisser, cette foutue galerie ressemblait plutôt à une passerelle, voire un arc-boutant, un caprice d'architecte élancé et frêle, pas plus large qu'une planche d'échafaudage. De part et d'autre, un sacré plongeon, d'une telle hauteur que la rue vous fuyait comme un puits. C'était du suicide. À cette distance, on ne pouvait que rater un machin aussi étroit. Mais je n'avais plus le choix : Scheggia était presque sur moi. Je sautai le pas.

Le toit de la galerie arriva sur moi à toute vitesse — un peu latéralement. Je crus que j'allais le rater... Et puis je me ramassai violemment sur la couverture, en faisant exploser un paquet de tuiles. Je faillis en lâcher mon épée. Ma cheville gauche se tordit, des débris de terre cuite rebondirent autour de moi et passèrent par-dessus bord. Après un instant fabuleusement long, ils ricochèrent sur le pavé, et des cris lointains remontèrent de la rue. J'étais un peu sonné, mais il fallait que je me secoue d'urgence. Très haut, au-dessus de moi, j'entendis Scheggia beugler un juron bien vulgaire, et malgré mes pieds talés, ma cheville chiffonnée, mes coudes râpés et mes vertèbres tassées, ça me colla une joie sauvage ! Pour encrister don Benvenuto, il fallait se lever tôt !

Je me relevai. J'avais mal partout, et une gniaque à démolir toute une taverne. En traînant un peu la jambe, je gagnai le toit de l'Hôtel de la Monnaie. Une fois sur le faîte, je me retournai brièvement. Loin au-dessus, plusieurs silhouettes armées se détachaient à contre-jour sur le ciel. Je les gratifiai d'un sourire tout en or et d'un doigt aimablement obscène. C'était peut-être pousser la délicatesse un peu loin. Sans hésiter, Scheggia rengaina ses armes et s'accroupit au bord du vide, une main posée sur l'avant-toit. Je pris la poudre d'escampette avant d'en voir davantage, malgré ma cheville qui criait grâce. Un instant plus tard, un fracas de tuiles brisées m'apprit que le sale type avait visé juste. L'enfoiré de raquedal ! Risquer tous les os de son corps pour une poignée de florins !

Moins vaste que le Palais curial, l'Hôtel de la Monnaie n'en est pas moins un bâtiment assez étendu, qui adopte la forme d'un quadrilatère irrégulier autour d'une cour centrale. J'avais encore un petit répit avant que les soldats redescendus sur ordre du centenier Chiodi n'y répandent l'alarme, mais il était imprudent malgré tout d'y chercher des escaliers. Je pris donc la tangente pour aller visiter des toits voisins. J'avais parcouru une quinzaine de pas quand je sentis un méchant frelon me frôler l'oreille. Deux enjambées de plus, et c'était une tuile ronde qui volait en éclats juste à côté de ma botte. J'accélérai en courbant l'échine. Un coup d'œil au-dessus de mon épaule me confirma que les problèmes ne me lâchaient pas la grappe. Bonito Scheggia était déjà en train d'escalader la pente du toit de l'Hôtel de la Monnaie ; et au sommet du beffroi curial, j'entrevis deux phalangistes inclinés dans une posture caractéristique : les gaillards étaient en train de retendre des arbalètes à cric ! Malgré mes cabrioles, je devais faire un carton tentant sur les espaces dégagés des toits de la ville. Et pas moyen de me planquer derrière une cheminée, avec Scheggia qui me collait au train. Plus qu'une solution : mettre le maximum de distance entre moi et les tireurs avant qu'ils n'aient rechargé leurs armes.

Ce qui impliquait de franchir une nouvelle rue.

À peu près parallèle à la via Assettina court le viale Strozzato, un axe assez large, et par malheur pour moi, dépourvu de porche ou de passage couvert. Je risquais bien d'être bloqué. Par chance, une maison située en face de l'Hôtel de la Monnaie avait plusieurs étages à encorbellements. Les décrochages successifs au-dessus de la rue la rapprochaient de mon perchoir. Vu d'en haut, l'espace à franchir n'en restait pas moins océanique ! Pour atteindre l'autre rive, il faudrait planer comme un milan ! Cette fois, c'était à peu près sûr, j'allais incruster mes dents, vraies et fausses, dans le pavé ! Mais c'était ça ou le caisson traversé par des viretons d'arbalète, et je ne savais que trop que sans armure, un ou deux coups au but suffiraient pour me faire cracher mon dernier souffle. Pas le temps de chercher le sens du vent : je beuglai un bon coup pour me fouetter les sangs, je profitai de la pente du toit pour prendre de la vitesse, je quittai la couverture de tuiles rondes, je rebondis à l'arraché sur une gargouille qui saillait au-dessus du vide, et je me jetai en plein ciel.

J'avais l'attention braquée sur la maison d'en face, sur mon corps lancé dans ce bond insensé, pédalant comme un fou dans une détente désespérée. Mais tout tirait vers le bas : mes yeux, mes cent trente livres de viande, le cuir que j'avais enfilé sous mon absurde pourpoint de godelureau, l'arme à laquelle je m'agrippais encore. Les cinq étages qui me séparaient de la chaussée m'aspiraient comme un appel d'air, et je perçus sous mes semelles un précipice urbain entretissé de cordes à linge. Après une éternité, je m'écrasai n'importe comment, sur l'avant-toit que j'avais visé.

Je me reçus assez mal. Pour tout dire, je me vautrai même assez rudement, et comme le versant était pentu, je me mis à déraper en arrière... Sous le choc, cette fois, j'avais lâché l'épée, qui dégringola joyeusement et disparut en tourbillonnant par-dessus bord. Je me plaquai contre le dos rugueux des tuiles avec plus de passion que pour le corps d'une belle fille, et je me stabilisai alors que j'avais déjà un pied dans le vide. Des exclamations effrayées remontaient du viale Strozzato, où mon arme pouvait fort bien avoir planté quelqu'un. Je n'eus pas le scrupule de regarder en arrière. Encore un peu sonné, je remontai vers le faîte à quatre pattes.

« Bordel de merde ! Mais où tu vas comme ça ? »

C'était Bonito Scheggia qui venait de m'interpeller ainsi depuis l'Hôtel de la Monnaie, avec un soupçon d'irritation. J'en gloussai de rire, comme un sale gamin qui se tient les côtes après une blague très idiote, et en même temps mon cœur contrebattait une gigue endiablée, suffoqué d'avoir joué de si près avec la camarde. J'avais à peine franchi le faîtage que deux tuiles explosèrent dans un cri de cruche brisée. J'aurais pris un peu le soleil sur mon point de chute, j'aurais été propre-

482

ment cloué par mes amis arbalétriers. J'étais encore loin d'être tiré d'affaire.

Très, très loin, même !

Une nouvelle rue s'interposait entre moi et les toits voisins. Et cette fois, les demeures qui me faisaient face étaient nettement plus hautes que celle sur laquelle j'avais atterri. Impossible de risquer une nouvelle voltige : j'étais sûr de m'aplatir contre un mur. Les pignons des toits latéraux, quant à eux, étaient aussi plus élevés. Ça puait le cul-de-sac. Un regard en arrière me confirma que la situation tournait au vinaigre. La pente du toit derrière laquelle je m'étais réfugié était insuffisante pour me protéger des arbalétriers, bien trop en surplomb sur la plate-forme du beffroi. Quant à Scheggia, il venait de repérer la gargouille qui m'avait servi de point d'appui pour sauter au-dessus du viale Strozzato, et il était en train de prendre son élan. S'il parvenait à franchir l'obstacle, j'étais dans de très sales draps, car je n'avais plus que mes paumes écorchées à opposer à son épée.

Je redescendis sur la bordure du toit, à rechercher frénétiquement dans les façades en vis-à-vis des fenêtres par lesquelles j'aurais pu tenter de me jeter. À l'estime, je savais qu'il ne restait plus que quelques tours de manivelle aux deux arbalétriers pour que les arcs d'acier de leurs armes soient tendus : si je restais statique, j'avais la certitude de terminer percé comme un fût. Le sort jouait contre moi : la plupart des fenêtres des étages qui me faisaient face avaient des embrasures étroites, à l'ancienne mode. Il y avait bien une large croisée, soutenue par un meneau sculpté, mais ses volets intérieurs étaient fermés ; ils étaient en bois plein, et ils me semblaient assez massifs pour qu'un corps lancé de toutes ses forces y rebondisse avant de s'abandonner à une galipette d'un comique définitif. Mes yeux s'abaissèrent sur l'altitude mortelle qui me séparait de la chaussée, trop conscient que le linge tendu en travers de la rue ne suffirait pas à amortir la chute… et alors même que j'entendais le choc plutôt grotesque de Scheggia se ramassant sur mon toit, j'aperçus une planche de salut.

Très exactement sous mes pieds. Une planche, une vraie. Enfin, plus précisément, une poutre.

La bâtisse sur laquelle je me rongeais les sangs était une maison de maître. Sous le toit s'étendait un grenier, un espace avec une charpente vaste comme une carène de navire, où devaient s'entasser des quantités de sacs de blé et de froment. Et comme la plupart des greniers, celui-ci communiquait directement avec la rue, au dernier étage, par une porte ouvrant sur le vide ; les marchandises étaient hissées ou déchargées par un palan suspendu au-dessus du chambranle. C'était la poutre de ce treuil qui saillait du mur, sous l'avancée de mon toit. Évidemment, ce madrier n'était pas exactement à ma portée. Il me paraissait même foutrement bas, et à peine plus large qu'un barreau de chaise. Mais je n'avais vraiment pas le temps de faire ma difficile… Je décrochai du toit. La rue se rua à ma rencontre ! Au même moment, le volet de la fenêtre fermée résonnait comme un tambour, fendu par un trait d'arbalète.

Je m'étais laissé tomber, et j'avais touché juste. Mes pieds frappèrent la poutre qui me séparait d'une fin stupide et brutale… Mais j'avais trop présumé de ma cheville malmenée : le choc la replia, mes semelles dérapèrent, tout le bonhomme suivit, et je repris ma dégringolade ! Je heurtai la poutre de la poitrine : la violence du coup expulsa tout l'air de mes poumons, je vis trente-six chandelles, mais j'eus le réflexe d'enrouler les bras autour du madrier. Je restai suspendu comme un sac, les jambes ballant dans les airs, une oreille et une joue amoureusement râpées contre le grain dur du bois. C'est que je l'embrassai avec fureur, ce corbeau-là ! Jamais je n'aurais cru qu'on pouvait s'attacher si étroitement à une pièce de charpente ; et croyez-moi, devoir la vie à une potence, pour Benvenuto Gesufal, c'était assez raide.

Quand j'eus un peu repris mon souffle et mes esprits, j'avisai la porte du grenier. Comme je pouvais m'y attendre, elle était fermée ; mais à cette hauteur, elle était conçue pour résister aux intempéries, pas aux indésirables. Je me suspendis à bout de bras au palan, je me balançai un peu, et j'envoyai une solide ruade avec mon pied valide. Le battant rompit au deuxième choc, et s'ouvrit à la volée sur la pénombre bénie d'un intérieur. Un dernier mouvement pendulaire, et je sautai à l'intérieur, où je me rétablis souplement.

Presque souplement.

Ma cheville foulée me lâcha une fois de plus, et je m'étalai en fait assez piteusement. Mais par les Quatre Dieux ! Qu'il était accueillant, ce plancher semé d'échardes, de grains et de crottes de souris ! Quelle jouissance, de se cogner à plein front contre un sol si solide, si stable et si horizontal ! Malheureusement, je n'avais pas le loisir de savourer cette volupté. Il fallait que je vide les lieux en vitesse, avant que Bonito Scheggia ne vienne me rejoindre dans ce nid douillet.

J'étais couvert de bosses, de bleus et d'écorchures, j'avais une jambe qui ralinguait de travers, mais j'avais aussi le cœur qui me jouait une vraie sarabande ! Je pouvais m'en tirer ! Je devais me tirer ! J'eus tôt fait d'aviser la trappe du grenier, et de me laisser glisser le long d'une échelle jusqu'à l'étage du dessous. Un escalier s'offrit plaisamment à moi pour la suite de la promenade. J'y croisai du monde : tout d'abord trois enfants qui jouaient sur une marche, et qui me regardèrent avec naturel, comme si j'étais un visiteur tout à fait normal ; puis, un palier plus bas, une servante qui faillit lâcher un plateau d'argenterie en m'apercevant. « J'ai pas fini, je vais remonter », lui dis-je au passage avec un grand sérieux, et la surprise lui cloua le bec le temps que j'atteigne le rez-de-chaussée. Trouver la porte d'entrée fut simple comme bonjour : le temps de la déverrouiller, j'étais dehors. Dans la rue. Sur cette bonne vieille chaussée de pavés bien durs, à me mêler à la foule, à l'ombre des façades et des encorbellements. J'en étais étourdi de dépaysement et de ravissement.

Ça ne dura pas. Un cri tomba des toits. Bonito Scheggia, finalement, n'avait pas compris par quelle acrobatie je m'étais défilé, ou n'avait pas osé me suivre. Mais du haut de son perchoir, il m'avait repéré, et il se mit à hurler :

« Via Imbosca ! Il est via Imbosca ! Il descend la rue vers Benjuini ! »

Le foutu roquet. J'essayai de prendre mes jambes à mon cou, mais je boitillai bas et je risquais de manquer de ressort. Il fallait que je me dérobe en vitesse à la vue du fâcheux, en obliquant au premier croisement venu, pour essayer de disparaître au milieu du peuple. Je tournai donc au premier carrefour... Pour me retrouver aussitôt encadré par deux ombres. Elles semblaient sorties de nulle part, des recoins des arcades. Les deux gaillards m'emboîtèrent le pas. Ce n'étaient ni des phalangistes, ni des alguazils ; ils étaient plutôt bien sapés, l'un en bourgeois, l'autre en clerc... et même en clerc curial. Je m'apprêtai à briser le pharynx du premier lorsque je vis l'affreuse cicatrice sur sa joue. C'était Croix des vaches.

« Tout doux, don Benvenuto, me dit le clerc avec la voix de Rosso Dagarella, on est là pour vous couvrir. »

De sous son chapeau, il me lança une œillade qui pétillait de malice.

« Quelle crampe ! apprécia-t-il. On a même pas eu le temps de vous filer le sel, au Palais, vous aviez déjà passé le torchon. Le dab de la décarrade ! C'est qu'il a fallu qu'on creuse, pour savoir où vous alliez retomber. »

Sous le coude, il me glissa un poignard joliment équilibré.

« Ouvrez bien vos esgourdes, reprit-il, on est à la bourre. Chiodi a rameuté la moitié des gaffres du Palais et les a encarrés à vos basques. Ils ont dû entendre l'autre emmanché, sur son toit. Vous allez calter, et en vitesse. Mon long et moi, on va attendre les sacres. On va en chouriner deux-trois, vite fait, pour leur donner les fumerons et puis on s'évaporera. Vosgnasse, carrez-vous bien profond, dans une de vos planques à Purpurezza. On se ramarrera. »

Ce fut tout. Les deux Chuchoteurs firent demi-tour d'un seul mouvement et se fondirent au milieu des badauds. J'accélérai à nouveau, en dissimulant dans une manche le couteau que m'avait laissé Dagarella. J'avais peut-être parcouru une centaine de pas quand je perçus, dans une rue voisine, la galopade froissée de métal d'une bande de phalangistes. Des sous-officiers braillaient pour dégager le passage. Je me mis à courir, en ignorant la douleur qui lançait dans ma cheville. Sans transition, les cris se firent plus hachés et plus gutturaux. Certains avaient des accents furieux, plusieurs semblaient gagnés par la panique. Dagarella et Croix des vaches avaient dû lancer leur coup de main. L'escarmouche fut brève, mais j'étais certain que les deux assassins avaient laissé, sciemment, quelques blessés graves sur le pavé pour arrêter toute la troupe.

J'avais assez de temps pour disparaître. J'abandonnai la direction du quartier Benjuini pour emprunter un itinéraire plein de détours dans les vieilles ruelles qui escaladaient la colline de Purpurezza. Je me croyais tiré d'affaire. J'étais presque arrivé à hauteur de la Fontaine au Pampre quand quelqu'un me reconnut.

« Eh ! Benvenuto ! »

Comble de malchance, le type m'avait surpris, en débouchant en même temps que moi dans une patte-d'oie. Il était à ma hauteur, il levait une main charnue vers mon épaule. Je pris les devants. Je l'agrippai par le col, je le propulsai brutalement sous un porche — le gaillard pesait son poids — je le cognai contre une porte hérissée de têtes de clou, je logeai la lame de mon couteau dans les bourrelets épais de son cou. J'allais lui trancher la gorge quand je reconnus ce visage

massif, ces sourcils broussailleux, cette couronne hirsute de cheveux gris. Nous étions face à face, les yeux
dans les yeux, proches comme deux tourtereaux qui
vont se rouler une pelle.

« Eh bien ! Qu'est-ce que tu attends ? me cracha-t-il
à la figure. Vas-y ! Tue-moi ! »

C'était Le Macromuopo.

# IX

## *Le Macromuopo*

Tu m'as menti, Wang-Fô, vieil imposteur : le monde n'est qu'un amas de taches confuses, jetées sur le vide par un peintre insensé, sans cesse effacées par nos larmes. Le royaume de Han n'est pas le plus beau des royaumes, et je ne suis pas l'Empereur. Le seul empire sur lequel il vaille la peine de régner est celui où tu pénètres, vieux Wang, par le chemin des Mille Courbes et des Dix Mille Couleurs. Toi seul règnes en paix sur des montagnes couvertes d'une neige qui ne peut fondre, et sur des champs de narcisses qui ne peuvent pas mourir. Et c'est pourquoi, Wang-Fô, j'ai cherché quel supplice te serait réservé, à toi dont les sortilèges m'ont dégoûté de ce que je possède, et donné le désir de ce que je ne posséderai pas.

MARGUERITE YOURCENAR

Qu'est-ce qu'il trafiquait là, le vieux génie ?

Comme s'il n'avait pas assez de choses à faire ! Tyranniser ses apprentis, peindre le portrait de ma bonne amie Clarissima, poser l'enduit d'une fresque, encaisser l'or d'une commande, engrosser un petit modèle potelé ! Ce n'était pourtant pas les obligations académiques qui lui manquaient ! Au lieu de cela, le voici qui traînait sa bedaine alourdie dans les coupe-gorge de Purpurezza, seul par-dessus le marché, gaspillant son temps précieux en un vagabondage louche qui ne pouvait que l'amener à faire des mauvaises rencontres. Pire encore : des mauvaises rencontres avec une tête mise à prix, des contentieux personnels mal réglés et un couteau au fil bien aiguisé.

« Décide-toi ! haleta Le Macromuopo. Frappe, ou relâche-moi. Tu m'étouffes !

— Qu'est-ce que vous foutez là ? »

J'avais grondé ces mots du ton le plus rageur, les babines retroussées sur mes crocs de métal, l'œil plissé de méchanceté. Mais même s'il était à moitié étranglé, le vieux bouc n'avait pas peur. Il avait perçu l'effort que j'avais dû fournir pour éviter de l'appeler « Maestro ».

« Si je te voulais du mal, je ne t'approcherais pas seul dans la rue, grommela-t-il. Lâche-moi, petit couillon. Tu nous rends grotesques, et repérables. De toute manière, tu n'aurais même pas besoin de cet outil pour me tuer. »

Rien que pour la semonce, j'eus la furieuse tentation d'aller rayer la porte à travers sa carotide. Le barbouilleur n'avait pas changé : même le couteau sous la gorge, il restait trop gonflé de lui-même pour s'empêcher de donner des leçons.

« Qu'est-ce que vous foutez là ? répétai-je en accentuant la pression.

— Je rentrais chez moi, siffla-t-il, à demi suffoqué. J'habite à deux pas, tu sais bien.

— Et comme par hasard, vous tombez sur moi. Oubliez le trompe-l'œil, ou je vous transforme en nature morte.

— Je savais que tu viendrais dans ce quartier. Je voulais t'aider.

— Alors vous en saviez plus que moi, ricanai-je. Il y a une heure, je ne me doutais pas que je me retrouverais sur cette colline.

— Dans ce cas, quelqu'un le savait pour toi. On me l'a dit, au Palais curial, juste après ton évasion.

— Qui vous l'a dit ?

— Un clerc curial. »

Je desserrai un peu mon étreinte.

« Quel clerc curial ? »

Le Macromuopo reprit quelques grandes inspirations. Il était congestionné par l'asphyxie et par la colère.

« J'ignore qui c'est, finit-il par dire. Un homme bien renseigné, en tout cas. Je suis sûr que je l'ai déjà vu, mais pas au Palais curial. C'est très bizarre. J'ai pourtant la mémoire des visages... »

J'eus la certitude qu'il s'agissait de Dagarella. Je relâchai le peintre. Le Macromuopo se frotta un peu le goitre en faisant la grimace, puis me lança un coup d'œil furieux de sous ses sourcils broussailleux. Il ôta son chapeau informe et me le jeta presque à la poitrine.

« Tiens, mets ça, dit-il, et ferme ce clapet, ça brille. Je ne tiens pas à ce qu'on te reconnaisse en ma compagnie. »

Je louchai avec surprise sur le couvre-chef démodé qu'il m'avait fourré dans les mains quand il ajouta :

« Suis-moi. »

Il partit d'un pas lourd, en me poussant de l'épaule pour se ménager un passage vers la rue. J'étais stupéfié par les nerfs qu'il manifestait : il me tournait le dos, il s'en allait d'une démarche tranquille, comme s'il lui avait suffi d'écarter le fer qu'il avait sur le cou pour penser qu'il avait restauré son autorité sur moi. Je pouvais le planter. Je pouvais filer. Il était persuadé que je n'en ferais rien. J'en éprouvai un nouvel accès de haine pour lui : parce qu'il avait raison. Le petit rapin de jadis se serait sans doute esquivé ; mais il savait que le professionnel que j'étais devenu agirait avec plus de calcul et de retenue. Comme autrefois, il savait mettre les êtres à nu. Je m'enfonçai son galurin grotesque jusqu'aux yeux, et je lui emboîtai le pas.

Il m'avait dit la vérité : il rentrait chez lui. Dans le lacis des ruelles de Purpurezza, il n'y avait que peu de distance à parcourir pour gagner son logis. Cependant, il prit tout son temps. Il respirait pesamment, et il épongeait parfois son crâne chauve. Ce n'était pas l'inquiétude qui le faisait suer : son allure était trop placide. Je compris qu'il avait dû se presser pour arriver au plus vite sur la colline de Purpurezza depuis le Palais curial, et que c'était cela, plus que nos retrouvailles un peu viriles, qui lui avait donné chaud. Le long de la via Sudorosa, qui est populeuse dans la journée, je le laissai creuser la distance devant moi, afin d'éviter qu'on ne nous voie ensemble. Il ne se donna même pas la peine de se retourner pour vérifier ma présence. Quand il obliqua dans la via Scoscesa, un raidillon escarpé qui grimpe vers les contreforts fortifiés du temple du Resplendissant, je le rattrapai progressivement, car il soufflait pour gravir les degrés inégaux. C'était dans cette rue, presque au sommet, qu'il avait sa tanière.

Purpurezza est le plus vieux quartier de Ciudalia : les venelles y sont plus étriquées que dans le reste de la ville, à tel point qu'on peut frôler des coudes les façades opposées de certains coupe-gorge ; sous ses sédiments d'ordures et de crottin, le pavé est bosselé, poli comme un lit de galets, et le passage des charrois, au fil des siècles, a fini par creuser des ornières dans la chaussée de pierre. Les maisons sont antiques, lépreuses et bancales. Certaines s'accotent en grappe aux pans ruinés du premier rempart de la cité, d'autres ont parasité les corps de bâtiment de très vieux palais, bâtis il y a plus de mille ans, avant la conquête de la ville par Leodegar. Ici, les murs penchent ou se bombent, un rhumatisme séculaire déforme le chambranle des portes, les façades décrépites se parent du fantôme de fenêtres murées depuis des générations…

La demeure du Macromuopo ne faisait pas exception à la règle : c'était une grosse bâtisse carrée, noircie par les traînées pluviales et par la suie des fumées de l'arsenal, qui étaient rabattues sur la colline quand soufflait un vent de mer. Aux étages, de rares fenêtres géminées semblaient épier la rue, hostiles comme des soupiraux de prison. Il n'était guère étonnant que Clarissima m'ait parlé de « l'atelier crasseux » du peintre. Ce qu'ignorait sans doute la fille du Podestat, c'était que cette vieille maison avait été, au temps des rois de Leomance, une commanderie des chevaliers du Sacre. En raison de ce passé glorieux, elle recelait un trésor, un trésor qui n'avait rien à voir avec un dépôt d'or ou d'argent, un trésor immatériel qui faisait que Le Macromuopo, malgré sa fortune, n'avait jamais envisagé de s'installer dans le quartier Benjuini ou à Torrescella.

Le Macromuopo s'arrêta devant sa porte, une vraie poterne dérobée, renforcée de ferronneries arborescentes, et décrocha un gros trousseau de clefs de son aumônière avec un geste qui m'était terriblement familier. Il ouvrit, poussa l'huis, s'y engagea en m'invitant à le suivre d'un signe de tête. Il fallait descendre quatre marches, un peu affaissées en leur centre, pour se trouver dans l'entrée. C'était un ancien corps de garde, étroit et austère, dont le plafond voussé et les murs en pierres de taille vous accueillaient dans une fraîcheur de cave. Le peintre referma derrière moi, et me dit :

« Rends-moi mon chapeau. »

Il tripota un peu son couvre-chef avec un œil suspicieux, comme si j'avais pu lui refiler des poux.

« Je monte à l'atelier, ajouta-t-il. Je vais donner leur après-midi à mes élèves. Évite de te faire remarquer. Va à la cuisine, en attendant. Tu connais le chemin. »

Il se dirigea vers l'escalier en colimaçon qui menait aux étages. En le voyant gravir les premières marches, posant par habitude une main sur le pilier central frotté d'usure, j'éprouvai un vertige violent. La maison de la via Scoscesa reprenait ses droits : la familiarité de ce hall d'entrée, de cet homme montant son escalier, me frappa comme la vision du jour chez un dormeur arraché à un rêve. J'eus le sentiment que rien n'avait changé, que j'avais quitté ce logis la veille. Quinze ans de mon existence parurent flotter et, sinon s'annuler, du moins se diluer, comme un songe qui perd ses couleurs au réveil. Sept ans de service armé dans les Phalanges, huit ans de semi-clandestinité criminelle, la défense et la chute de Kaellsbruck, la flotte de Ressine en feu, les meurtres du voïvode Bela et de Bucefale, les cachots de Sepheraïs et l'ivresse palatine de Torrescella, jusqu'au scandale terrible qui venait de faire de moi un ennemi public, tout cela s'éventa, ternit, s'affadit. J'étais soudain rattrapé par une réalité simple et domestique que j'avais reniée depuis des années, et qui revenait me surprendre par sa permanence même. Dans l'écheveau emmêlé de mon existence, je retrouvai un fil que je croyais perdu. J'en ressentis un malaise puissant, complaisant, presque heureux, et pendant un instant j'eus non pas une impression de déjà vu, mais la sensation déroutante de voir cette maison familière par les yeux d'un autre.

Mes nouvelles dents me firent mal, inexplicablement.

Le Macromuopo disparut au tournant de l'escalier, et je repris mes esprits. J'obliquai à droite, vers la cuisine. Cette pièce aussi s'était figée dans le passé. Vaste, étouffée de voûtes brisées qui se croisaient trop près du sol, elle avait conservé son esprit presque monacal. L'âtre béant, le grand évier de pierre usée, la longue table de réfectoire semblaient trop imposants pour une maison particulière ; mais ces aménagements étaient pratiques pour un chef d'atelier qui nourrissait à demeure une dizaine d'élèves. Seules deux fenêtres étroites comme des archères éclairaient cet antre et, sans le feu qui brasillait doucement entre les chenets, l'espace aurait sombré dans une obscurité troglodyte. Dans les rayons de jour tombés obliques, la pénombre se peuplait d'un bric-à-brac ordonné. Sur le plateau ciré des maies s'alignaient sagement pots de grès, jattes, cruches et huiliers ; sur les murs miroitaient des cuivres aux reflets noyés ; aux arches basses pendaient un fouillis entrelacé d'herbes aromatiques, des brassées de livèche et de tanaisie, les longues grappes blanches des aulx tressés.

L'endroit n'était pas inoccupé. Il possédait son vieux

lare : aussi immuable que la maison, Misa était assise à son plan de travail, et elle épluchait en silence une botte de légumes. Je restai un peu interdit en l'apercevant. Le Macromuopo était si éloigné des contingences et la cuisinière était si effacée qu'il n'avait pas dû penser que je la croiserais. Elle me jeta un bref coup d'œil, sans interrompre sa tâche. Il était inutile de m'esquiver, et je savais qu'elle avait l'habitude de voir des apprentis affamés hanter sa cuisine. J'allai me poser à côté de la porte, sur une chaise un peu raide, dont les chevilles grinçantes et le bois patiné me ramenèrent eux aussi quinze ans en arrière.

« Tiens, le fils à Carinita, commenta Misa. Tu te serais pas assis dans ton coin, je t'aurais pas remis. »

Elle, je ne pouvais que la remettre. Nerveuse et sèche comme une branche noueuse, elle avait le visage menu d'une pomme blette, la bouche pincée des anciens. Dans ses mains rougeaudes et fortes, craquelées de rugosités et de cals, le couteau courait avec une vivacité d'alevin. Sur un front fripé et petit, toujours la même coiffe démodée et sévère, qui ne dévoilait rien de la racine des cheveux ; toujours le même tablier immaculé, sanglé comme une armure sur une poitrine asséchée ; toujours la même robe informe de paysanne, délavée de propreté et d'usure. Peut-être avait-elle le nez un peu plus busqué et des pattes-d'oie plus profondes, peut-être la loupe qui lui marquait le menton avait-elle grossi… Mais pour le reste, je la trouvais égale à elle-même, comme si elle avait découvert dans sa besogne modeste, perpétuellement recommencée, quelque mystérieuse recette d'immortalité.

Quand elle eut fini de peler ses carottes et ses panais, elle rassembla à petits gestes les épluchures, qu'elle entassa dans son tablier replié. Elle trotta jusqu'à une corbeille proche d'une porte de service, où elle les fit tomber. Je me souvins qu'elle les gardait pour son clapier, aménagé dans une arrière-cour étroite. Après s'être époussetée avec soin, elle passa ses mains usées dans une jarre remplie d'eau de pluie, ouvrit une huche, en tira une miche de pain aux noix dans laquelle elle coupa une tranche généreuse. Elle l'arrosa d'huile d'olive et me l'apporta, en y ajoutant aussitôt un gobelet d'hypocras.

« Mange donc, dit-elle. T'as pas bonne mine. »

Ce n'était pas exactement de la bienveillance de sa part, plutôt une routine, non dénuée de sénilité maternelle. Elle nourrissait les gens, c'était son existence. Ce parfum de pain à l'huile, le bouquet sucré de l'hypocras me grisèrent comme des arômes d'enfance. Par son indifférence, par son réflexe nourricier, la vieille Misa effaçait le spadassin, le fugitif, le meurtrier ; elle me traitait comme jadis, comme le galopin que j'avais été dans une autre vie. Ce pain aux noix, ce vin mêlé de miel et de cannelle, c'était peut-être bien son secret de jouvence. Le monde, pour elle, c'était du travail et des douceurs. Le reste importait peu.

Sur un point, elle avait raison : j'avais faim. J'avais même les crocs. Les émotions au Sénat et mon petit numéro de voltige m'avaient creusé une dalle d'enfer. Je dévorai son casse-croûte en trois coups de dent, j'avalai son cordial en deux gorgées. En se rasseyant, elle m'adressa un demi-sourire. Chez moi, elle ne voyait toujours pas le loup, juste le brave garçon qui a bon appétit. Elle reprit tranquillement son couteau et entreprit de couper ses carottes.

Peu après, j'entendis du chahut dans la maison. La rapinaille décampait. Ça dévalait l'escalier en cascade, ça galopait avec la délicatesse d'un troupeau de taurillons, ça braillait comme une bande d'écoliers lâchés dans les rues. Je craignis un instant qu'il n'y ait dans le lot un ou deux gueulards pour faire un crochet gourmand à la cuisine : la nouvelle que Benvenuto Gesufal avait trouvé refuge chez le Macromuopo se serait alors propagée dans tous les bouges de la ville en moins d'une heure. Mais le vieux maître savait tenir ses troupes : il avait dû menacer d'un châtiment terrible le premier qui irait dévaliser son cellier — je ne me souvenais que trop des corvées de blanc de plomb, quand il fallait extraire le pigment macéré de son écrin de vinaigre et de purin... La porte d'entrée claqua sur le dernier apprenti, et la ruelle s'animait déjà de cris, de rires, de chansons paillardes. Les rares passants devaient raser les murs : tout un atelier en goguette, c'est presque aussi inquiétant qu'un quarteron de truands. Un instant, j'enviai ces béjaunes, qui allaient claquer leur petite monnaie en piquette et en parties de dés, et qui devraient se cotiser pour payer une fille à l'un d'eux...

Le peintre ne se dérangea même pas pour me convoquer. « Monte ! » cria-t-il du haut des marches. J'abandonnai donc la cuisine et je gravis l'escalier en colimaçon. Je savais où il m'attendait. Même si je n'avais pas connu la maison, je n'aurais pu rater son atelier. C'était le trésor de cette vieille bâtisse : au deuxième étage, une porte était entrouverte sur un flot de lumière.

Le Macromuopo avait installé son atelier dans l'ancienne salle capitulaire de la commanderie. C'était une pièce spacieuse et haute de plafond, en belle pierre blanche ; le manteau de sa cheminée s'ornait encore des armoiries sculptées de l'Ordre du Sacre, un astre radieux dont les rayons dessinaient une rose des vents. Les dimensions de la salle permettaient au vieux maître d'y faire travailler tout son monde, et d'y mener de front plusieurs projets, y compris sur de très grandes toiles. Mais la merveille, c'était la qualité de la lumière. Le mur nord, le plus exposé au soleil, était percé de sept vastes fenêtres : un alignement de quatre baies rectangulaires, elles-mêmes sommées de trois autres ouvertures aux linteaux arrondis. À l'origine, ce mur ajouré participait à l'âme religieuse de la commanderie : les rayons qui éclaboussaient le dallage et les murs clairs célébraient la puissance du Resplendissant, et le nombre même des fenêtres symbolisait les sept vertus du chevalier consacré. En investissant les lieux, Le Macromuopo avait détourné l'architecture sacrée au bénéfice de la peinture. Il avait installé des volets articulés aux sept fenêtres, qu'il employait pour moduler à sa convenance le jour pénétrant dans son atelier. La maîtrise de la lumière était un des secrets de son art : en fonction du temps, de l'heure de la journée et des combinaisons de ses volets, il pouvait varier à l'infini l'exposition, la clarté et les ombres de ses sujets.

Je m'arrêtai pourtant au seuil de cette chambre claire. Je ressentis de l'appréhension à m'avancer dans toute cette blancheur, comme si c'eût été m'exposer dangereusement. Rentrer dans l'atelier, ce n'était pas seulement renouer avec mon passé ; c'était pénétrer dans un univers de symboles et de transparences, où je craignis d'être démasqué une seconde fois, plus cruellement peut-être que dans la Salle des Cent Dix. En me voyant interdit à la porte, Le Macromuopo, qui se tenait debout dans un torrent de lumière, haussa un sourcil perplexe. J'allais me couvrir de ridicule. J'indiquai alors le miroir, dressé non loin d'un chevalet voilé.

« Couvrez-le », dis-je.

Le peintre n'eut qu'une hésitation infime ; il comprit ce à quoi je faisais allusion, il se dirigea vers la glace et la tourna contre un mur. J'entrai alors à pas précautionneux, comme on se risque dans un bouge rempli de coupe-jarrets. J'avais raison de me méfier. Ma jeunesse était bien là, tapie en embuscade : j'avais à peine fait deux pas qu'elle me saisit à la gorge, sensible, restaurée, indemne. L'odeur si particulière de l'atelier, que j'avais cru oublier, me tourna la tête avec la force d'une eau-de-vie. Les vapeurs de colle et de lessive refroidie, l'esprit acide du lait de chaux me piquèrent les sinus ; malgré la violence détergente de ces émanations, je décelai également tout un nuancier de senteurs plus subtiles. Flottaient aussi des effluves plus chaleureux de cire et de sève de figuier, mêlés aux arômes pulvérulents de la cendre, du charbon pilé et des terres argileuses. Une touche de corruption poussiéreuse se mariait à ces parfums insipides, peut-être la fragrance moisie du brun à la momie.

Alors que j'étais sous le coup de ces sensations, Le Macromuopo marcha sur moi et me saisit les mains. D'autorité, il les ouvrit. Il les inspecta longuement, en silence. Du pouce, qu'il avait plus carré et charnu que le mien, il tâtait les nodosités et les cals de mes paumes, il étalait la saleté que j'avais ramassée sur les toits, il s'attardait sur la plaie encore sensible que m'avait laissée la morsure de Clarissima, il frottait les croûtes de mes éraflures toutes fraîches — à moins que ce ne fût le sang du soldat que j'avais éventré. J'ignorais s'il était initié à certains arts secrets, s'il pratiquait la chiromancie ; cela importait peu, du reste. L'artiste avait l'œil assez affûté pour rechercher l'âme de l'assassin dans mes pognes crasseuses.

Il me relâcha assez brusquement. Sur un établi, il partit pêcher une planche à dessin, sur laquelle il cloua une feuille de vélin ; il me la tendit sans un mot, avec un style de plomb. Comme je le dévisageai avec perplexité, il me les fourra d'office dans les mains, puis il s'empara d'un fauteuil relégué dans un coin, le traîna jusque devant moi, au milieu de l'atelier, et se posa dessus. Il se redressa, me fixa avec un œil dur.

« Dessine-moi », ordonna-t-il.

Je me sentis stupide, avec ces outils de peintre entre les doigts. Et égaré. Jamais je n'avais vu Le Macromuopo s'offrir comme modèle. Cette inversion des rôles avait l'absurdité d'un songe. Je pris le parti d'en rire.

« C'est fini, tout ça, ricanai-je.

— Tu es ici chez moi, rétorqua le vieil artiste. Je ne te livrerai pas. Je ne te demande qu'une chose : dessine-moi.

— J'ai tout perdu. Je vais gâcher votre vélin.

— S'il n'y avait que cette feuille, grommela-t-il. C'est

tout mon enseignement que tu auras gâché, si tu ne te sers pas de ce style. Dessine-moi. »

Un instant, je faillis me laisser fléchir. La pointe métallique, d'instinct, s'était logée entre le pouce, l'index et le majeur ; les proportions du visage me revenaient, et le tracé d'un quadrillage préparatoire ne me parut pas insurmontable... Mais c'était une chimère. J'avais dit la vérité : j'avais perdu toute ma technique. Au mieux, je ne pourrais produire qu'une esquisse informe, remplie de défauts naïfs, grossièrement enfantine. Par dépit, par facétie, je fus tenté de gribouiller une obscénité bien poilue. Je m'en abstins aussi ; c'était une autre façon de me laisser piéger par le passé. Je me contentai de déposer le matériel sur une table.

« Tu as peur, dit Le Macromuopo.

— C'est absurde, répondis-je. Ça n'a pas plus de sens que si je vous défiais au couteau.

— Ce n'est pas un défi déloyal que je te lance. Autrefois, tu en aurais été capable.

— Autres temps, autres mœurs, grimaçai-je.

— Tu te trompes, Benvenuto. Tes cicatrices, tes exploits douteux, ta célébrité ou ton infamie, tout cela, ce n'est qu'un vernis. Tu n'as pas changé. C'est pour cela que tu refuses de dessiner. C'est pour cela que tu m'as jeté Clarissima Ducatore à la figure. La haine que tu éprouves pour moi n'a pas varié, et comme tu ne sais pas la régler, tu la retournes contre ton propre talent. »

Je disciplinai la flambée de colère que je sentais monter en moi. Éclater, c'eût été lui donner raison. À la place, je lui adressai un rictus sardonique.

« Maestro, c'est fini, et bien fini, le temps des sentences et des leçons de morale, lui dis-je avec une douceur venimeuse. Vous qui êtes si brillant, vous devriez avoir l'intelligence de vous en rendre compte... Votre pédagogie savante et vos nobles principes ont accouché d'un des plus grands truands de la République. Vous n'allez quand même pas me resservir le plat ! Vous avez vraiment envie que je vous brise les doigts ou que je flanque le feu à votre atelier ? Vous voulez que je vous dessine ? Topons là ! Pour vous encadrer, je n'ai pas besoin d'un style ou d'une lame. À très grands traits, voilà mon sujet : un homme vieillissant, que son génie bien réel a fini par condamner à la cécité et à la solitude. Un maître qui méprise ses commanditaires et ses admirateurs, et qui s'émerveille de tout ce que les hommes détestent secrètement en eux. Un magicien qui à force de sublimer le réel en a perdu le sens. Un type tellement gonflé de lui-même et du prisme déformant avec lequel il regarde le monde qu'il finit par substituer l'art à tout le reste, à l'amour, à la famille, à la religion, à la loi, à la morale. Du coup, ce vieil imbécile risque sa vie et sa réputation en poursuivant une chimère : il pense pouvoir m'offrir une rédemption par l'art. Quelle foutaise ! L'art ne rachète rien, surtout pas une conscience. C'est la clef de votre échec avec moi : c'était vous, le naïf, et c'était moi, le réaliste. »

Il haussa les épaules.

« Des mots, tout cela, dit-il. Regarde où cela t'a mené.

— C'est ça qui vous intéresse, hein ? Vous m'avez aidé par esprit de revanche. Vous payez de bonté mon ingratitude. La vengeance par la compassion, le luxe suprême ! Ça vous donne bonne conscience, ça efface toutes vos erreurs. »

Il hocha négativement la tête.

« Tu te trompes. C'est peut-être par mauvaise conscience que je te propose mon aide.

— Est-ce que ce n'est pas plutôt parce que vous appartenez à un réseau ? Le quidam qui vous a dit où me retrouver, il n'est pas sorti de nulle part. Si vous ne servez pas les intérêts de quelqu'un, il n'a pas pu vous convaincre en claquant des doigts ; pourtant, je sais qu'il n'a pas pu vous adresser plus de quelques mots.

— C'est vrai, mais cela a été suffisant.

— Qu'est-ce qu'il vous a raconté de si persuasif ?

— Il m'a dit que maintenant que je t'avais perdu avec mon projet de fresque, il était peut-être temps de réparer les dégâts. Et il a ajouté que je te trouverais ici, à Purpurezza. »

Je le considérai avec une incrédulité affichée.

« Et d'abord, qu'est-ce que vous fichiez au Palais curial ?

— La même chose que toi : mon travail. Je fixais les physionomies de mes modèles. Qu'est-ce que tu voulais que j'y fasse ? La politique, ça me dégoûte ! Ce que j'ai vu tout à l'heure n'a rien fait pour m'en guérir...

— Ça ne vous empêche pas de travailler pour Leonide Ducatore. »

Il ouvrit les mains, avec un fatalisme courroucé, mais il n'ajouta rien.

« Ça ne m'explique toujours pas pourquoi vous me proposez votre aide, repris-je.

— Je te l'ai dit, grogna-t-il. C'est une forme de réparation. L'homme qui m'a abordé au Palais a raison : je t'ai compromis dans l'esquisse que j'ai exposée dans la Salle des Requêtes.

— C'est ça que je ne comprends pas : vous me plantez d'abord en beauté, et puis après vous m'offrez l'asile. »

Il secoua sa tête argentée avec colère.

« J'ai été stupide, grommela-t-il. Je suis entré dans ton jeu, et voilà où cela nous a menés ! Bon sang, Benvenuto, j'ignore tout des horreurs que tu as pu commettre ! Je sais bien que tu es un homme de main, mais à partir du moment où tu as quitté cette maison, j'ai cessé de te surveiller. Quand je t'ai aperçu aux funérailles du jeune Cladestini... »

Il leva ses doigts forts vers mon visage.

« Je t'ai trouvé changé, poursuivit-il, et... pittoresque... Je savais que tu avais participé à la bataille du cap Scibylos, et j'envisageais la possibilité de t'esquisser à l'arrière-plan de la fresque. Mais le soir même, quand Clarissima Ducatore est venue me cracher ta haine à la figure, ça m'a donné un vrai coup de sang. C'est pour cela que je t'ai placé juste derrière le Podestat : pour que toute la ville te voie défiguré. Sur le coup, je n'ai pas pensé que l'on pourrait y découvrir autre chose... Et puis, tout à l'heure, le sénateur Mastiggia a commencé à t'attaquer, et j'ai réalisé, bien trop tard, que l'on pouvait faire une autre lecture de mes cartons...

— La faute à pas de chance ! ricanai-je. Un méchant quiproquo, me voilà dans la merde, et vous vous découvrez un remords paternel pour la petite crapule ! Comme c'est touchant ! »

En fait, je lui soupçonnais une autre motivation bien moins noble : la trouille. Il connaissait trop bien les arcanes du pouvoir pour ignorer les rumeurs qui faisaient de moi un Chuchoteur. Dagarella, en l'approchant au Palais avant de s'évaporer à ma recherche, avait dû lui coller une jolie frousse : il lui avait fait comprendre que la Guilde le tenait pour responsable de la destruction de ma couverture. Pas besoin d'en dire plus. Le Macromuopo avait dû se sentir forcé de me porter assistance, sous peine de s'exposer à des représailles.

Le peintre ne répondit pas tout de suite à mes sarcasmes. Il me dévisagea, avec la lassitude du vieux pédagogue face à l'élève rétif. Puis, avec un soupir, il grommela :

« C'est toujours à cause d'elle que tu m'en veux. »

Il avait l'air presque déprimé, mais sa remarque me pinça désagréablement le ventre. Il avait raison, bien sûr. C'était d'ailleurs pour ça que je le haïssais tant.

« C'est vieux, grondai-je. J'ai eu le temps d'oublier.

— Et elle ? Tu crois qu'elle a oublié ?

— Elle a fait pire. Elle m'a maudit. Je n'existe plus pour elle. »

Il ébaucha un sourire désabusé.

« Tu m'avais volé, quand même, Benvenuto. Ce coup-là, pour elle, c'était le comble du déshonneur. C'est pour cela qu'elle a dit qu'elle te reniait. Mais crois-tu vraiment que tout son cœur entrait dans ses paroles ?

— Elle m'avait déjà renié des années auparavant, quand elle m'a placé ici. »

Il se leva brutalement, avec colère.

« Comment peux-tu encore dire cela ? s'écria-t-il. Est-ce que tu mesures ce qu'elle t'a donné ? Tu ne m'aimes pas, d'accord ! Mais quelle éducation aurais-tu reçu, si elle ne t'avait pas mis en apprentissage chez moi ? Bon sang ! Elle qui était illettrée, elle a vu la vérité en toi ! Elle ne cherchait pas seulement à te caser : elle avait compris que tu avais quelque chose de particulier, quelque chose de rare. Tu avais un don, Benvenuto ! Un don que tu as jeté aux orties ! La plupart de mes élèves ont du talent : ils feront de bons imagiers, ils courront une carrière honnête, et puis on les oubliera. Mais toi, tu avais quelque chose de plus ! Toi, tu avais un regard ! Tu avais la singularité, tu avais l'intuition du vrai, un sens inné de l'éblouissement figural ! C'est parce qu'il y avait cette richesse en toi que j'ai été si exigeant ! C'est parce que tu promettais tant que j'ai veillé à ce que tu apprennes à écrire, que j'ai été si inflexible sur la rigueur, que je t'ai amené dans les collections privées de mes clients, chez les Balsamire, les Prevaricacce, les Phaleri ! Imagine ce que tu serais aujourd'hui, si seulement tu m'avais détesté un peu moins ! Tu aurais eu la technique nécessaire pour te libérer de mon enseignement et pour ouvrir ton propre atelier ! Tu aurais été de ceux qui exposent au Palais curial ; et je t'aurais craint, bien davantage que Pugapingi, et peut-être plus qu'Albinello !

— La belle affaire, observai-je sur un ton narquois.

— Ton ironie, c'est l'aveu même du gâchis… Mais je te donne raison sur un point : j'ai tort de récriminer. C'est trop tard. Tu as fait ce que tu as fait, tu es devenu cet homme-là… »

Il passa la main sur son visage, mais c'était de ma gueule cassée qu'il parlait.

«Entre toi et moi, il n'y a plus rien, admit-il. Mais avec ta mère, c'est différent.

— Un type comme moi n'a pas de mère, Maestro. »

Et pour la première fois, je prononçai ces quelques mots sans aigreur.

«Oui, c'est possible, convint-il. Cependant, la mère de ce type-là, elle a toujours un fils. Tu l'as vue, récemment ?

— Je ne sais même pas si elle est vivante ou morte. »

Il fut secoué par un rire sans joie.

«Et pourtant, tu l'as vue. Tu l'as vue pas plus tard qu'avant-hier. Pendant les obsèques de Regalio Cladestini, quand tu m'as toisé sur la piazza Palatina, tu n'as pas pu la rater. Elle était venue avec moi ; elle était à côté de moi. »

Il m'en boucha un coin, le barbouilleur. Piazza Palatina, je n'avais vu que lui au milieu du peuple. Est-ce que j'avais vraiment pu ignorer la présence de la vieille catin ? Ne cherchait-il pas à m'enfumer ? Il dut percevoir quelque chose dans mon expression, car il ajouta :

«Tu ne l'as pas vue, hein ? Toi qui savais si bien observer, tu n'as même pas été capable de reconnaître ta propre mère...

— Je faisais mon boulot, grognai-je. Je cherchais des tueurs, pas des fantômes.

— Un fantôme ? Oui, peut-être... Elle s'est usée, elle a blanchi, et l'ovale de ce visage que j'aimais à peindre s'est émacié... Mais elle est toujours aussi droite, toujours aussi fière. Chez certaines personnes, la beauté ne disparaît pas avec la vieillesse : elle se transforme, elle s'épure. C'est le cas chez elle.

— Vous la mettez toujours dans votre lit ?

— Petit con ! »

Il se leva, se mit à arpenter son atelier, les mains dans le dos, une expression de fureur contenue sur ses traits lourds.

« Tu ne te demandes pas ce qu'elle faisait avec moi, piazza Palatina ? finit-il par aboyer.

— Elle suivait le mouvement. Toute la ville y a été de son sanglot sur Regalio.

— C'est ce qu'elle a dit, bien sûr. Mais c'était un mensonge. Bon sang, Benvenuto ! C'est pour te voir, toi, qu'elle a voulu qu'on se faufile au premier rang ! Elle te dévorait des yeux ! Le patrice Cladestini, elle ne le connaissait même pas de réputation : c'est sur tes balafres et sur ton nez cassé qu'elle pleurait. Et pendant ce temps, tout ce que tu trouvais à faire, c'était me sortir ton numéro de matamore !

— C'est peut-être pas plus mal, grommelai-je. Je l'aurais vue avec vous, ça aurait rien arrangé…

— Arrête donc de te dérober ! Ce n'est pas pour le plaisir de ma compagnie qu'elle s'est rendue piazza Palatina avec moi, c'est parce qu'elle craignait de s'y perdre, dans les maisons nobles, et de passer à côté de la seule personne qui lui importait vraiment, c'est-à-dire toi. Elle t'a peut-être dit qu'elle te reniait, et pourtant elle ne peut pas s'empêcher de s'enorgueillir de son mauvais fils. Quand le bruit a couru que tu étais entré dans la maison Ducatore, elle est devenue encore plus fière qu'autrefois. Elle n'en disait mot, elle mettait un point d'honneur à ne jamais faire allusion à toi ni à ta réussite, mais tout le monde savait, dans son quartier, de qui elle était la mère, et il fallait la voir défiler dans les ruelles de Benjuini, dans sa robe rapiécée, la nuque bien droite, une jarre ou une corbeille à linge juchée sur la tête comme une tiare. Et puis, à la fin de la guerre, la nouvelle de la disparition du patrice Mastiggia lui a porté un coup très dur, quand la rumeur a rapporté que tu avais été tué sur sa galère. En quelques semaines, elle a pris dix ans. Alors ta réapparition, ton retour, ta traversée de la ville sous l'escorte du clan Mastiggia… Tu imagines comme ça a pu la secouer. C'est pour cela qu'elle a voulu te voir. T'avoir cru mort, pour elle, c'est un peu comme si cela t'avait lavé de tes fautes. Je pense aussi qu'elle a réalisé que si tu perdais la vie, elle ne se relèverait pas de ne pas t'avoir pardonné.

— Et comme je suis grillé, comme j'ai déjà la tête sur le billot, vous vous êtes dit que vous alliez nous jouer la grande scène de la réconciliation ? Très peu pour moi, Maestro. Vous vieillissez ; vous devenez sentimental.

— Appelle cela comme tu veux, Benvenuto. Ta mère est âgée. La vie ne l'a pas épargnée. Il est peut-être temps que vous fassiez la paix, tous les deux.

— Je ne suis pas homme à faire la paix, Maestro.

— Si tu ne le fais pas pour elle, et encore moins pour moi, fais-le pour toi ! Règle une fois pour toute ces vieilles histoires. Ça te libérera, pour affronter ce qui t'attend. »

L'argument me fit ricaner, et contrairement à ce que crut le vieil homme, pas seulement pour me défendre de ses bons sentiments. Je trouvais vraiment quelque chose de risible dans cette main tendue. Le Macromuopo ne comprenait pas la portée de son propos ; ou alors, il faisait preuve d'un cynisme grossier.

« Je ne tiens pas encore à faire la paix avec moi-même, si c'est ce que vous voulez dire. Les rabibochages, l'effacement des dettes, tout ce bazar larmoyant, c'est bon pour ceux qui renoncent, pour ceux qui se savent au bord du trou. Pour ma part, je patauge peut-être dans une fosse à ordures, mais je ne suis pas prêt à laisser couler. Je ne suis pas encore mort. Je vais me battre. Je vais tirer ma peau de ce foutu merdier. Et pour ça, Maestro, j'ai besoin de toute ma rage, de toute ma haine, de toute la colère que j'ai accumulée depuis l'enfance. Alors c'est non, définitivement non : je ne solde rien. Ma vieille maman a des remords ? Tant mieux ! Vous voudriez qu'on oublie nos petites mésententes ? Allez vous faire foutre !

— Tu as tellement besoin de nous détester pour exister ? Quand te décideras-tu à arracher ces œillères ?

— Vous avez fait de ma mère une putain. C'est aussi simple que ça.

— Elle a été ma maîtresse, Benvenuto, pas ma putain. Et ton père était déjà mort...

— Mon père était disparu !

— Ton père était mort, Benvenuto. On n'a jamais retrouvé trace ni du navire, ni de l'équipage.

— Et vous en avez profité, espèce de vieux salaud. Elle était dans la gêne. Elle vous a vendu son cul.

— Je ne l'ai jamais payée.

— Même quand elle posait à poil devant tout l'atelier ?

— C'est incroyable ! Toujours cette vieille scie ! »

Il fit quelques pas en pinçant les lèvres, pour essayer de modérer son exaspération, puis revint se camper devant moi, en me regardant bien en face.

« Tu as quel âge, maintenant ? lâcha-t-il. Trente-quatre ? Trente-cinq ? Tu as tué combien d'hommes ? C'est bien pour ça que Ducatore t'a embauché et que ta tête est mise à prix, non ? Et tu oses encore te draper dans ta pudibonderie pour juger ce que ta mère a fait dans cette maison ? Que tu rejettes tout ce que je t'ai enseigné, la noblesse de l'art, passe encore ! Mais tu sais très bien que Carinita n'a pas été mon seul modèle ! Des hommes nus, et même des cadavres, j'en ai dessiné, et j'en ai fait dessiner. Tu crois peut-être que je les ai baisés ? Pour saisir l'humanité, il faut la connaître, Benvenuto ! Quand je peins Clarissima Ducatore ou Ettore Sanguinella, j'ai besoin de savoir ce qu'il y a derrière les corsets, les bijoux, les buscs et les justaucorps. J'ai besoin de cette science du corps pour saisir l'esprit. Seuls les ignorants confondent ce que ta mère a fait dans cet atelier avec de la prostitution ! Elle s'est dévoilée, elle ne s'est pas livrée. Tuer des hommes pour de l'argent, c'est ça, l'obscénité ! Tu es bien mal placé pour jouer les censeurs.

— Ouais. N'empêche que l'oseille que vous recevez par la main droite, c'est celle que je touche par la main gauche. On a les mêmes clients, Maestro. On palpe le même pactole : les dividendes du trafic, les dépouilles de guerre, les héritages captés, les marchés véreux, les influences achetées. Vous ne vous salissez peut-être pas directement, mais vous n'êtes pas plus propre que moi. Alors vos leçons de décence, vous imaginez ce que j'en fais ! Vous êtes comme moi, un homme à vendre, et c'est parce que vous avez adhéré à ce système que vous avez acheté ma mère.

— Ce sont mes œuvres que je vends, pas moi.

— Mon rayon, c'est plutôt les basses œuvres, mais à un détail près, vous voyez bien qu'on se ressemble...

— Des calembours, de l'esprit facile... Tu refuses de parler vrai.

— Détrompez-vous, je suis très sérieux. Vous et moi, à quelques nuances près, on fait le même boulot. On est des domestiques, on s'occupe du service, et en échange, on profite des restes.

— Parce que tu considères que tout ce que réalisent nos élites, c'est le mal ? Et que travailler pour elles, c'est se rendre complice ?

— Je dis simplement que vous et moi, on mange au même râtelier : alors arrêtez de me jouer les pères-la-vertu.

— Ils se servent de moi, c'est vrai. Ils m'utilisent pour construire leur image, pour étaler leur fortune et leur prétention, pour accroître leur rayonnement et pour bâtir leur postérité. Mais je ne suis pas seulement un instrument pour eux. Je leur offre aussi autre chose : un refuge, une sublimation, un objet qui dépasse le support matériel et sa valeur marchande, une ouverture sur une perception différente du monde. De ces hommes de pouvoir et d'argent, je fais des contemplatifs. Grâce à l'art, je les rappelle à leur humanité, dans sa dimension la plus haute. Ils me paient, mais je les rachète.

— Vous n'êtes qu'un prétexte. C'est en admirant vos

cartons et ceux de vos collègues que des esthètes ont organisé l'assassinat de Coccio Blattari.

— Je ne prétends pas réaliser des miracles. Mais l'art forme la sensibilité ; s'il n'empêche pas les crises, il les déplace sur un terrain plus figuré, il incite à résoudre les conflits de manière plus symbolique. Il civilise.

— Vous avez vu ma gueule, Maestro ? Ce sont des gens suprêmement civilisés qui me l'ont arrangée.

— Tu te serais consacré à l'art, on ne t'aurait pas défiguré. »

Sa repartie me fit derechef ricaner, par sa candeur, par l'obstination avec laquelle il voulait s'aveugler, donner un sens à son œuvre. En même temps, quelque chose me serra le cœur. D'une certaine façon, il avait raison. Si j'avais été plus docile dans ma jeunesse, si je ne l'avais pas volé pour éponger de stupides dettes de jeu, j'aurais pu connaître une vie radicalement différente. Inexplicablement, cela me fit peur ; comme si une ombre venait de s'insinuer en tapinois dans le cours de mon existence pour condamner toutes les issues et s'assurer que, désormais, j'étais bien acculé au fond de mon destin de truand.

« Vous savez, Maestro, je me suis bel et bien consacré à l'art, ai-je lâché après un instant.

— L'art de quoi ? L'escrime ? La guerre ? Des savoirfaire, des disciplines, je veux bien. Mais ce n'est pas de l'art. Tu ne peux pas confondre l'excitation du combat, le sentiment de puissance conféré par une victoire, avec le dépassement esthétique.

— Qu'est-ce que vous en savez ? Vous vous êtes déjà battu en duel ? Vous avez déjà liquidé une cible ? La passe d'armes impeccable, le meurtre net et sans bavure, ce n'est pas seulement euphorisant, c'est élégant. C'est exactement comme la peinture : il faut une vision d'ensemble, il faut un geste naturel, travaillé et précis. C'est un art de l'exécution.

— Tu as vraiment l'âme pourrie, Benvenuto.

— Mais la corruption, c'est la civilisation ! C'est vous qui m'avez appris ça, en sautant ma mère. Et il n'y a pas que ça que vous m'avez enseigné. Vous savez pourquoi je suis aussi bon dans ma partie ? Parce que je suis un artiste. Parce que c'est vous qui m'avez formé. Je ne blague pas, Maestro. Tous les fondamentaux, c'est vous qui me les avez apportés. La méthode, la rigueur, la définition, c'est vous. La construction du regard, le sens de l'espace, du terrain, du placement, c'est vous. Le rapport entre l'œil et la main, c'est vous. Les notions en anatomie, c'est vous. La subordination de la morale à d'autres valeurs, c'est vous. Tout ce que j'ai eu à faire, ç'a été d'adapter vos principes à d'autres pratiques. Mais contrairement à ce que vous croyez, j'ai bien profité de vos leçons. »

Il ne me répondit pas tout de suite, et je crus que je l'avais enfin mouché. Et puis le mépris envahit son visage.

« Tu n'as rien d'un artiste, articula-t-il lentement. Tu es resté ce que tu étais : un vulgaire voleur. »

On aurait peut-être pu continuer ainsi un moment. On aurait sans doute pu renchérir dans les délicatesses aigres-douces, les politesses à l'eau-forte et à la pointe sèche, la nostalgie frelatée du bon vieux temps… Ou bien on aurait pu conclure le débat de façon abrupte. Le Macromuopo était peut-être à deux doigts de capituler, d'admettre qu'il n'y avait rien à sauver chez moi ; il aurait peut-être sorti un cruchon de Vinealate, et trinqué avec moi à notre vieille inimitié. De mon côté, j'étais très conscient du poids du couteau de Dagarella, dans la manche de mon pourpoint, et je n'avais pas écarté la possibilité de trancher définitivement la question. Allez savoir… Rien de tout cela n'eut lieu.

Une troisième voix s'éleva dans l'atelier ; une voix grave, posée, bien éduquée.

« J'arrive à point nommé, dit-elle. Cette relation entre l'art et le meurtre, c'est fascinant. »

Il se tenait derrière la porte entrouverte de l'atelier. Il ne se dissimulait pas particulièrement, mais par contraste avec la lumière qui éclaboussait la pièce, le couloir et son escalier étroit paraissaient très sombres. Il avait la taille élancée et le costume long, aux plis chamarrés et lourds, d'une silhouette que j'avais croisée en rêve. La seule tache claire, dans cette silhouette obscure, provenait de sa figure : un masque joufflu de chérubin triste. Sous son manteau ample, il serrait un paquet qui paraissait encombrant, et l'espace d'un instant, j'eus l'illusion déroutante qu'il essayait d'y cacher le cadavre d'un enfant étranglé.

Le couteau jaillit dans ma main. Mais Le Macromuopo, avec le courage imbécile du propriétaire sûr de son droit, s'était déjà interposé entre moi et l'intrus.

« Qui êtes-vous ? lâcha-t-il sur un ton rogue. Que faites-vous chez moi ? Comment êtes-vous entré ? »

De la senestre, qu'il avait maigre, noire et griffue, le visiteur ôta son masque.

« Bonjour, Maestro, dit Sassanos. Nous avons été présentés au palais Ducatore : vous me reconnaîtrez, je pense. Bonjour, don Benvenuto. Je suis vraiment ravi de vous retrouver.

— Comment êtes-vous entré ? s'obstina le peintre.

— Eh bien, le plus naturellement du monde, par la porte. Un étourdi avait oublié de la fermer.

— Quand bien même ! Ma maison n'est pas un moulin : nul ne vous y a invité.

— J'ai été quelque peu cavalier, j'en conviens, et je vous prie d'accepter mes excuses, Maestro. Mais si j'avais respecté les formes, aurais-je eu l'agrément de trouver don Benvenuto ? »

Prudemment, je fis quelques pas en arrière. Je concentrai mon attention sur le sorcier, mais j'évitai soigneusement de croiser ses yeux. Mentalement, je dressai une barrière numérique, en comptant des florins, pour tenter de contrer les tours qu'il pourrait me jouer. Dans la pénombre du palier s'épanouit l'éclat nacré de son sourire.

« N'ayez crainte, dit-il. Je suis venu animé par les meilleures intentions.

— Qui vous a envoyé ici ? rétorqua le peintre. Son excellence Ducatore ? L'homme du Palais curial ?

— Me permettez-vous, à tout le moins, d'entrer dans votre atelier ? éluda le moricaud.

— Jusqu'à présent, vous vous êtes très bien passé de mon accord.

— Un peu d'urbanité calmera la tension que, j'en ai peur, mon arrivée impromptue a pu causer... »

Néanmoins, sans attendre la permission du Macromuopo, le sorcier franchit le seuil et s'avança dans la pièce. Le noir brillant de sa chevelure, les passements et les brocards de sa longue cape miroitèrent dans le soleil, mais quelque chose dans toute sa personne demeura obscur ; on aurait presque pu croire qu'il avait entraîné dans son sillage la pénombre du couloir, comme un navire s'enroule dans une écharpe de brume.

« Qui vous a envoyé ? répéta le peintre.

— Eh bien, dans une certaine mesure, je suis ici de ma propre initiative. Mais il s'agit d'une initiative concertée, car je m'en suis ouvert à son excellence Ducatore.

— Son excellence sait que Benvenuto est chez moi ? »

Sassanos se permit une moue amusée.

« Je n'ai pas vu l'intérêt de le lui cacher, dit-il.

— Qu'est-ce que vous me voulez ? grondai-je sur un ton hargneux.

— Ah ! Une question essentielle ! ironisa le sorcier. À dire vrai, je veux vous aider, don Benvenuto. Je veux vous soustraire aux recherches dont vous êtes l'objet, et vous soustraire aussi à cet entretien avec votre bienfaiteur... Quelque chose me dit que je suis arrivé à point pour empêcher des mots un peu vifs.

— J'ai pas besoin de vous pour disparaître, grognai-je.

— Ma présence seule suffit à prouver que vous serez très vite débusqué.

— J'en suis pas à ma première cavale. Si cette vieille croqueuse de peintre ne m'avait pas donné, vous ne m'auriez pas localisé. Il y a deux ans, après l'affaire de la Maison aux Lauriers, vous avez été incapable de me retrouver.

— Le Macromuopo ne vous a pas livré, don Benvenuto. J'ai remonté votre piste seul. Beaucoup de choses ont changé depuis l'incident de la Maison aux Lauriers… À l'époque, vous étiez un agresseur anonyme, un peu comme les assassins du ministériel Blattari. Je n'avais aucun indice, aucun fil. Mais voilà des mois que nous partageons le même toit : ne vous en déplaise, nous sommes devenus… des familiers. Même si je vous ai enseigné une saine méfiance vis-à-vis des miroirs, cela ne suffit plus à vous garantir contre mes investigations. Et malheureusement… malheureusement, votre identité est aussi connue par le Sénat. Ce que je viens de faire, d'autres l'accompliront. Au moment même où je vous parle, plusieurs bandes sillonnent les rues à votre recherche, menées par le centenier Chiodi, par Dulcino Strigila, par votre ami Dilettino Schernittore et son nouveau suppôt, Bonito Scheggia. Pis encore : sur le plan astral, je sens fleurir différents charmes oraculaires, et même de dangereux rituels de décorporation. Vous êtes traqué dans l'espace profane comme dans l'entremonde, don Benvenuto. Si vous vous attardez dans cette maison, vous serez capturé, et Le Macromuopo sera compromis. Si vous refusez mon aide, quoi que vous fassiez, ceux qui vous donnent la chasse et leurs limiers mantiques vous lèveront avant la nuit. En d'autres termes, vous n'avez pas le choix : vous avez besoin de moi.

— Vous cherchez à me piéger.

— Pour discourtoise qu'elle soit, votre défiance est légitime, répondit le sorcier. Mais je suis moi-même quelqu'un de prudent, et je ne m'expose pas à la légère.

514

Si j'avais été animé d'intentions malveillantes, je ne serais pas venu en personne… Toutefois, comme je doute que ces paroles suffisent à vaincre vos réticences, voici quelque chose de plus probant. »

Il écarta son manteau, et en sortit le colis mystérieux qui l'encombrait. Enroulées dans une de mes vieilles capes et dans leur ceinturon de cuir noir, c'étaient mes deux lames Fratello Acerini. Accroché à la garde de l'épée, un masque de carnaval apportait une touche burlesque. Sassanos me tendit l'ensemble sans rien ajouter. À la vue de ces deux armes, que j'avais cru définitivement perdues, mon cœur battit plus vite ; mais une pointe d'inquiétude se mêlait à cette heureuse surprise. Je me sentis dans la peau du loup qui flaire un appât trop goûteux. Je me gardai bien de toucher aux objets qu'on me restituait.

« Qui me dit que c'est pas empoisonné ? »

Sassanos parut trouver ma remarque divertissante. Sans un mot, il déposa son paquet sur le fauteuil qu'avait occupé Le Macromuopo, puis dressa ses mains ouvertes à hauteur des yeux. Je me mis en garde, alarmé par ce qui ressemblait à un début de gestuel, avant de réaliser qu'il voulait juste montrer qu'il ne portait pas de gants. Ma réaction fit naître un sourire sardonique sur son long visage scarifié. Tranquillement, il saisit la dague Acerini de la main droite, la tira de son fourreau, appuya la pointe sur sa paume gauche et se piqua au sang.

« Faut-il procéder de même avec l'épée ? » demanda-t-il.

Je hochai négativement la tête. Ça ne prouvait pas grand chose, mais c'était mieux que rien. Sans me quitter des yeux, le moricaud lécha sa plaie. Ce coup de langue me procura un dégoût vague, comme si le sorcier avait déballé son pénis devant nous.

« Si ces gages vous paraissent suffisants, dit le sorcier, il est temps pour nous de prendre congé.

« — Que comptez-vous faire ? demanda Le Macro-muopo. Ramener Benvenuto chez son excellence ?

— Certainement pas. Pour l'instant, le Podestat ne peut pas délier ce qui s'est passé au Sénat. Je vais aider don Benvenuto à gagner un lieu sûr. Vous comprendrez, Maestro, que je ne puisse vous en dire plus, pour votre propre sûreté. »

Pendant qu'il parlait, je m'approchai de mes armes, qu'il avait abandonnées sur le fauteuil. Tout en regrettant de ne pas avoir emporté de gants, je saisis l'épée et la dague. Je ne sentis rien de particulier, ni piqûre, ni corps gras, ni influence, juste le poids merveilleusement équilibré des deux lames. Après une inspection rapide du ceinturon d'armes, je le bouclai sur ma taille.

« À la bonne heure, commenta Sassanos, vous reprenez figure humaine.

— Si c'est un coup fourré, rétorquai-je, je vous crève. »

Le sorcier contempla brièvement les établis et les chevalets.

« Maestro, j'aurais beaucoup aimé m'entretenir avec vous des couleurs, des figures et des nombres, dit-il, mais je devrai me passer de ce plaisir. Ce serait imprudent pour nous trois. Sachez que son excellence Ducatore vous est reconnaissante pour l'à-propos avec lequel vous avez caché don Benvenuto. Je doute que son excellence vous en parle de vive voix, mais vous recevrez un témoignage indirect de sa gratitude. Pour l'heure, je vous renouvelle mes excuses pour mon irruption, et je vous enlève ce gentilhomme. »

Je n'étais pas sûr de vouloir suivre le sapientissime, mais j'étais effrayé par la rapidité avec laquelle il m'avait déniché. L'explication était probablement simple : Le Macromuopo m'avait sans doute donné. Quand il avait congédié ses apprentis, il en avait envoyé un au palais Ducatore. Mais je ne pouvais ignorer les avertissements du sorcier sur les recherches entreprises par ses pairs. Je décidai de sortir avec lui, puis d'évaluer très vite la situation, une fois dehors. Et je n'étais pas mécontent de m'esquiver hors de la maison du peintre.

Lui et moi, nous prîmes congé de façon plutôt froide. Il ne se donna même pas la peine de nous raccompagner au rez-de-chaussée. Toutefois, alors que j'emboîtais le pas au moricaud et que j'étais déjà sur le seuil de l'atelier, Le Macromuopo m'arrêta d'un signe. Il se rendit rapidement dans le fond de la pièce, ouvrit avec une des clefs de son trousseau une petite cassette renforcée de fer, et en revint avec une bourse de cuir au cordon luxueux, qu'il me tendit avec une certaine brusquerie.

« Vous me refaites le coup de la grandeur d'âme ? ricanai-je, sans esquisser un geste.

— Tes fonds vont être bloqués. Tu en auras besoin. »

C'était à la fois vrai et faux. S'il eût été suicidaire de reprendre l'argent que j'avais déposé chez des changeurs, ni la Guilde ni le Podestat — si toutefois il désirait réellement me garder en réserve — ne me laisseraient à court de liquidités.

« J'ai pas besoin de votre charité.

— Ce n'est pas de la charité, gronda-t-il. C'est le prix du portrait de Clarissima Ducatore.

— Ah, évidemment, si ça vous débarrasse... C'est bien pour rendre service. »

Par bravade, je happai l'argent, avec une vivacité d'escarpe. Dans le creux de mon poing, la bourse me parut joliment lestée.

Elle pesait, comme une âme perdue.

# X

## *Des chemins incertains*

L'étrange — l'inquiétante route ! le seul grand chemin que j'aie jamais suivi, dont le serpentement,
quand bien même tout s'effacerait autour de lui, de
ses rencontres et de ses dangers — de ses taillis crépusculaires et de sa peur — creuserait encore sa
trace dans ma mémoire comme un rai de diamant
sur une vitre. On s'engageait dans celui-là comme on
s'embarque sur la mer. À travers trois cents lieues de
pays confus, courant seul, sans nœuds, sans attaches,
un fil mince, étiré, blanchi de soleil, pourri de feuilles
mortes, il déroule dans mon souvenir la traînée phos-
phorescente d'un sentier où le pied tâtonne entre les
herbes par une nuit de lune, comme si, entre les
berges de nuit, je l'avais suivi d'un bout à l'autre à
travers un interminable bois noir.

JULIEN GRACQ

Juste avant de sortir, j'inspectai rapidement le manteau et le masque que m'avait apportés Sassanos. Je ne
décelai ni épingle, ni tache suspecte, ni ourlet gonflé
ou décousu. Je me résolus à courir le risque d'endosser
ces frusques, tandis que le sorcier rajustait son propre
masque. Dehors, il faisait lourd ; au-dessus des toits, le
ciel prenait une teinte plombée, et l'atmosphère devenait mate. La fin de l'après-midi réservait sans doute
de nouveaux orages. Sous mon loup et mon manteau,
je me mis très vite à transpirer.

Une fois dans la via Scoscesa, j'attendis que nous

soyons un peu éloignés de la maison du peintre, puis je lâchai :

« J'ai pas confiance. Je vais faire mon paquet tout seul. Mon bon souvenir au patron.

— Ne commettez pas cette erreur, dit doucement le sorcier.

— Après le déballage au Sénat, vous comprendrez que j'aie la migraine. Votre gentil coup de main, ça pue l'empilage.

— Je vous ai dit la stricte vérité, tout à l'heure, à propos des charmes tissés à votre recherche. Certains d'entre eux sont très rares, et me troublent moi-même. En ce moment précis, il y a... de la Magie Vive, une forme très archaïque et très atypique d'invocation qui court dans les rues et dans l'entremonde. C'est sur votre piste. Sans ma protection, ça vous trouvera, aussi sûrement que je vous ai localisé.

— Avec un bon tuyau, la magie, c'est facile.

— Vous soupçonnez donc votre vieil ami, Le Macromuopo, de vous avoir vendu ? releva Sassanos sur un ton léger. D'après vous, ce serait lui qui m'aurait aussi renseigné sur la façon dont vous avez semé Scheggia et Chiodi par les toits ? Ou sur votre brève rencontre avec deux collègues via Imbosca, juste avant qu'une patrouille de phalangistes ne tombe dans une embuscade ? »

Je pris le temps de digérer ces insinuations. Le sapientissime en profita pour poursuivre :

« Je comprends que vous éprouviez de la méfiance à mon encontre et à celle de son excellence. Mais ce qui s'est passé au Sénat, c'est ce pour quoi vous êtes payé. Vous faites écran. En vous évadant, vous avez garanti votre part du marché : votre silence. Vous avez fait ce qu'on attendait de vous. Le contrat qui vous lie à la maison Ducatore est toujours valide ; vous êtes compromis, mais pour une période seulement. À terme, vous restez une carte intéressante dans le jeu de son excellence. Je suis venu uniquement pour vous aider à disparaître quelque temps.

— Vous avez déjà remarqué que les mots vous remuent différemment selon le causeur ? Quand un type dans votre genre parle de disparaître, ça réconforte comme un baiser de veuve.

— Cette métaphore galante me touche beaucoup, badina le sorcier. Elle est sans doute appropriée : je vous invite à vous joindre à moi. Je disparais, moi aussi.

— Pardon ?

— L'opposition accuse son excellence de collusion avec le chah ; dans ces circonstances, vous comprendrez que ma présence dans l'entourage du Podestat devient encombrante. Je m'éclipse donc. J'avais un voyage à faire : c'est l'occasion. Et je vous propose de m'accompagner, du moins jusqu'à ce que vous trouviez un refuge sûr.

— Vous m'embarquez dans votre histoire pour aller chercher Belisario ?

— Je ne vous entraînerai probablement pas jusqu'à Sacralia. Mais je vous offre de quitter avec moi la ville, et le territoire de la République. »

Cet échange nous avait presque mené en bas de la via Scoscesa, et il fallait que je prenne une décision en arrivant au carrefour avec la via Sudorosa : si je devais me séparer du sorcier, mieux valait le faire vite, avant qu'il n'ait le temps de m'attirer dans un traquenard ou de me chanter une sérénade à sa façon. Il devina sans peine mon hésitation et mes réticences.

« La question qui vous agite, c'est de savoir si je vous tends un piège, dit-il alors que nous descendions les dernières marches de la ruelle. Est-ce que je cherche à vous éliminer dans un lieu discret ? Pour y voir clair, mettez-vous à la place de son excellence. À brève échéance, il a intérêt à vous faire taire, et il pourrait très bien m'avoir ordonné de me débarrasser de vous. À long terme, s'il parvient à détourner les soupçons qui pèsent actuellement sur lui, il peut se servir de vous contre ses ennemis, en faisant de votre vendetta personnelle l'instrument de sa politique. Vous le connaissez aussi bien que moi. Selon vous, quelle solution a-t-il privilégiée ? »

Même si je n'avais guère confiance en Sassanos, je devais bien admettre que son raisonnement ressemblait aux calculs de mon patron.

« Vous me proposez quoi ? grognai-je. Filer par le port ?

— Non, répondit-il. Nous perdrions trop de temps à attendre l'appareillage d'une nef ; et il y a trop de monde dans un équipage. Nous partirons par la route. Deux chevaux loués nous attendent dans les écuries de *La Corne de Narval*. Dans une heure, nous serons hors les murs.

— Et pour franchir les portes, vous comptez vous y prendre comment ? Vous allez envoûter tout le piquet de garde ?

— Je dispose d'un charme encore plus puissant : un laissez-passer officiel. »

Disait-il vrai à propos des sorts accrochés à mes basques ? Allez savoir ! Ce qui était certain, c'était que je l'avais déjà vu à l'œuvre, lui, et que je connaissais l'existence d'autres sorciers dans les clientèles aristocratiques. Il était plus que probable qu'au sein de la faction qui avait tenté un coup de force au Sénat, il y avait un ou deux invocateurs capables de lancer à mes trousses des fouineurs discrètement cauchemardesques. Je savais me garantir contre la curiosité des hommes, pas contre celle des ombres. Quand nous débouchâmes via Sudorosa, je décidai de suivre Sassanos, au moins jusqu'à la sortie de la ville.

En mettant mes pas dans ceux du sorcier, je compris que nous étions à la fois semblables et dissemblables. Comme moi, c'était un animal rompu à la traque, à la dissimulation et à l'esquive ; mais c'était un animal d'une espèce différente. Il faisait ce que j'aurais fait :

pour gagner *La Corne de Narval*, il adopta un itinéraire erratique, tout en crochets, en détours et en faux-fuyants. Et pourtant, le prendre pour guide me devint très vite insupportable ; aucun de ses choix ne correspondait à ceux qui auraient été les miens. Quand j'aurais remonté une artère importante en me fondant dans la foule, il optait pour des voies détournées et peu fréquentées ; quand j'aurais préféré me perdre dans un lacis de ruelles, il décidait de traverser la diagonale exposée d'une place. À deux reprises, il nous fit frôler des patrouilles d'alguazils de si près que je pus sentir, malgré la macération cartonneuse du masque, les odeurs de sueur et d'ail dégagées par les hommes d'armes.

Même quand je me retrouve englué dans le merdier le plus noir, d'ordinaire, Ciudalia me rassure, Ciudalia me console. La rue ciudalienne, c'est mon pré carré, mon terrain de chasse, ma tanière labyrinthique. Je puise une force et une tendresse familières à fouler son pavé déchaussé, à me faufiler entre ses façades dédaigneuses, à respirer ses haleines de vieille pierre, d'épices et de pissotière. Or voici qu'en suivant Sassanos, je marchais comme en ville étrangère… Cette dérobade sinueuse aux allures de promenade bouleversait mes routines et mes habitudes, multipliait les raccourcis interminables et les détours tronqués, révisait mes trajets quotidiens, jusqu'à construire l'illusion de traverser un décor. Cela crevait les yeux : Sassanos ne se déplaçait pas dans la même ville que moi. On aurait juré qu'il prenait un plaisir pervers à contrarier tous mes repères, à détricoter la trame invisible de mes traîneries et de mes maraudes. En fait, c'était probablement son but. Il brouillait ma piste de la manière la plus efficace qui soit : en me désorientant moi-même sur mon propre territoire.

Il n'y avait pas que la flânerie déroutante de Sassanos pour rendre la ville inquiétante. L'orage qui menaçait dans un ciel de plus en plus lourd s'amassait également dans les venelles, sur les places, sur les marchés, sur les parvis des bâtiments publics. Ciudalia est bavarde, Ciudalia est bruyante, et sa cacophonie criarde s'harmonise à l'humeur de sa populace. Or j'entendais bien que sa voix plurielle et familière grondait d'excitation et de tension : le chant braillard de la cité se chargeait d'indignation, de curiosité, d'inquiétude complaisante. Des nouvelles du Palais curial avaient dégringolé les rues en pente de Torrescella, elles ricochaient de bouche à oreille, elles balayaient les quartiers avec l'impétuosité de ruisseaux grossis par l'orage. Dans les lavoirs, aux tables des tavernes, à l'étal des échoppes, aux margelles des fontaines, sur le pas des portes, on ne parlait que des nouveaux scandales qui venaient d'éclater au Sénat. L'accusation portée par Tremorio Mastiggia contre le Podestat était sur toutes les lèvres, mais le citoyen ordinaire se souciait peu de démêler si elle était vraie ou fausse : ce qu'il y voyait, c'était surtout la menace d'une nouvelle vendetta aristocratique, qui risquait de laisser sur le carreau nombre de petites gens. Toutefois, ce qui revenait plus souvent encore, c'était le récit horrifié de mon évasion. Aux bribes de conversation que je saisissais, il n'était que trop clair que j'étais devenu une célébrité. J'appris ainsi que j'avais tué plusieurs phalangistes dans la Salle des Requêtes, que j'avais rossé une deuxième fois Dilettino, que j'avais volé au-dessus des toits par sorcellerie, et que j'étais entré en guerre contre le centenier Chiodi au milieu de la via Imbosca, au cours d'une bataille rangée entre mes truands et les soldats du régiment Burlamuerte. J'ai beau avoir de l'ambition, le costume qu'on me taillait était un peu large pour moi. Sous la lippe boudeuse de son masque, je n'imaginais que trop bien le sourire sarcastique de Sassanos.

Derrière le zonzonnement de ruche agitée, je devinais des mouvements plus troubles. Remuez l'eau d'une mare : avec la vase, les larves et les sangsues remontent. Autour de moi, je savais bien que le flot urbain grouillait d'agitateurs : les daubeurs de la faction belliciste chargés de déstabiliser le Podestat, les batteurs du parti souverainiste qui chercheraient à détourner la colère populaire sur des boucs émissaires, sans oublier tous les faisandiers des bandes à qui profite le désordre. Ils farcissaient les terrines de contes haineux, et je ne tenais guère à savoir si ma biographie enjolivée par leurs soins me vaudrait les honneurs d'un lynchage populaire.

Le ciel virait au noir, et les premières gouttes tièdes d'une averse rebondissaient sur le pavé quand nous débouchâmes à *La Corne de Narval*. L'établissement était vaste : il accueillait les calotins qui faisaient le pèlerinage d'Aquilo, les intendants et les maquignons descendus des bourgs des collines, les marchands venus trafiquer depuis la Marche Franche ou Carroel. La cour était encombrée de bêtes de bât et d'hommes de louage : s'y pressaient apprentis, portefaix, muletiers et gros bras à petits prix, sans oublier une nuée de mômes pouilleux qui offraient leurs services de guide et chapardaient avec l'effronterie d'une bande de passereaux. L'endroit était suffisamment populeux pour que nous puissions nous y faufiler incognito. Les précautions prises en chemin nous garantissaient d'avoir semé d'éventuels gobe-mouches ; et la brutalité avec laquelle la pluie se transforma en déluge, éparpillant tout le monde sous les auvents et les porches de l'auberge, contribua à rendre notre entrée inaperçue.

Naturellement, c'était un leurre.

Nous venions de nous jeter dans une nasse.

On évita pourtant la salle commune ; on se rendit droit aux écuries. Sans tomber le masque, Sassanos se présenta sous un nom d'emprunt et réclama deux montures qui avaient été réservées plus tôt dans l'après-midi. Quand j'étais gamin, comme tous les garnements de mon quartier, je ne m'étais pas privé de bondir à califourchon sur les mules des camelots et sur les chevaux d'attelage des rouliers ; mais ça ne suffisait pas à faire de moi un bon cavalier... La perspective de me tanner le fessier et de m'écraser les génitoires ne me chantait guère : peut-être cela contribua-t-il à me distraire. Compte tenu de la pluie, le palefrenier nous invita à entrer dans l'écurie le temps de seller nos bêtes. Je n'y vis pas malice. Grave erreur.

À peine à dans la pénombre du bâtiment, j'aperçus les reflets de ce jour mouillé jouer sur les lames des épées nues. Mais il était trop tard. Deux gaillards embusqués claquaient déjà les portes dans notre dos.

Je réagis d'instinct. Je tombai sur Sassanos.

Je ne pris pas le temps de dégainer ma dague ; ça n'aurait pas servi à grand-chose. Un pas chassé me plaça derrière le sorcier. Il était plus grand que moi, mais une béquille rapide suffit à le déséquilibrer. Je lui crochetai le cou dans mon bras droit, et je verrouillai la prise en appuyant ma main gauche sur sa nuque, tandis que la droite était bloquée par mon coude gauche. Avec la trachée prise en ciseau, il se mit aussitôt à suffoquer, étranglé par son propre poids. Réduit au silence, le sapientissime, ce qui n'était pas un luxe pour moi. Une simple torsion sur sa nuque suffirait à lui briser les cervicales. Il chercha à se débattre, mais ça ne fit qu'accélérer l'asphyxie. Il était frêle et osseux, il ne tiendrait pas le choc longtemps. L'enfoiré essaya de me griffer, mais il empêtra ses serres d'oiseau dans les lacets de mes manches. Ça valait mieux. Je le soupçonnais d'employer des venins rares en guise de vernis à ongle.

Je l'entraînai brutalement de côté, pour m'adosser à la paroi d'une stalle. Je venais de gagner un répit très fragile, le sorcier muselé en guise de bouclier.

« Jolie paire, et joli spectacle, dit une voix narquoise. Les loups se mangent entre eux.

— Vous m'approchez, je le lessive, grondai-je en retour.

— C'est bien tentant. »

Toutefois, les gaillards qui nous entouraient ne bougèrent pas. Dans la pénombre, j'en comptai cinq ; ce n'étaient ni des phalangistes, ni des alguazils. Ils portaient des pourpoints ordinaires, mais ils étaient calmes, placés idéalement pour condamner toute issue, et ils avaient la détermination tranquille de vieux soldats. Leurs épées courtes d'infanterie, leurs dagues de coutiliers, leurs ceinturons d'armes sortaient visiblement d'un arsenal militaire. Ça empestait. Je n'avais pas affaire à du bas étage.

Une sixième silhouette sortit des ombres du fond de l'écurie. Il s'agissait du type qui venait d'émettre des commentaires sarcastiques. Je le reconnus à son gabarit tout en nerfs, à sa chevelure sombre striée d'acier : c'était Rabbia Mezzasole. Je venais peut-être de tomber entre les griffes du Pédant. Je venais à coup sûr de tomber dans celles du sénateur Sanguinella. À cette plaisante découverte vint se superposer une pointe d'incertitude. Un doute vraiment désagréable : je voyais mal Sassanos s'acoquiner avec Ettore Sanguinella, il n'était peut-être pour rien dans ce guet-apens. Dans ce cas, non seulement je facilitais la tâche à ce diable de Mezzasole, mais je me couvrais de ridicule. Tant pis. Les dés étaient jetés, je préférai garder le sorcier en couverture.

« Échec, observa Mezzasole, en s'arrêtant néanmoins à distance respectueuse.

— J'ai pas dit mon dernier mot, aboyai-je, tout en me disant que si l'homme de main de Sanguinella me tombait dessus avec ses comparses, j'étais cuit.

— Il ne te reste qu'une carte, Benvenuto, et c'est une mauvaise brème. Tu l'abats, tu perds ta chemise.

— Je veux voir, fanfaronnai-je.

— Tu es pressé. Je comprends : ton excuse s'étouffe. Mais tu te trompes de table. On joue pas au même jeu, toi et moi. La donne a changé.

— Arrête ton charre, Rabbia. Je sais ce qui m'attend.

Si tu dégages pas avec tes laquais, je t'allongerai avant d'y passer. »

La menace parut le réjouir. Il m'avait remis, comme si le masque comptait pour rien. Mieux encore : pour avoir tendu cette souricière, il avait su avant moi que je descendrais à *La Corne de Narval*. Il avait raison : je n'avais plus rien en main. Tout le monde semblait anticiper chacun de mes mouvements.

« Ton ami a l'air de plus en plus contrarié, remarqua tranquillement l'âme damnée de Sanguinella. C'est une mort très stupide : serré comme un cafard, quand on est blanc comme une colombe…

— Il y a pas que lui qui manque d'air. Dégage.

— Je vais faire un geste pour détendre l'atmosphère, me répondit Mezzasole. Je veux pas de viande froide. Tu vas voir, je souhaite vraiment qu'on sorte tous d'ici sur nos deux jambes. »

Et il ordonna à ses comparses de rengainer. Certains spadassins affichèrent une expression un peu déçue, mais ils s'exécutèrent avec discipline. Mezzasole me gratifia d'un sourire de fouine.

« Tu vois, Benvenuto, je suis raisonnable. »

Je desserrai un peu ma prise sur la trachée de Sassanos, pour lui permettre d'inspirer un filet d'air.

« Un mot, lui glissai-je à l'oreille, et je vous mets la tête sens dessus dessous. »

Sous le masque de chérubin, que notre pas de deux avait un peu déplacé, je n'entendis qu'un halètement pénible.

« À la bonne heure, commenta Mezzasole, on est passé pas loin d'une tragique méprise. »

Ce qui avait l'air de beaucoup l'amuser.

« Te fous pas de ma gueule, Rabbia. Comment tu m'as trouvé ?

— Il n'y est pour rien, me répondit-il en désignant le sapientissime d'un geste négligent.

— Ça me dit pas comment tu m'as trouvé.

— Terriblement facile, rétorqua-t-il avec une pointe

de dédain. Quelques mouchards, un brin de jugeote. Sa seigneurie Sanguinella fait surveiller le palais Ducatore depuis le meurtre de Blattari. Peu après que ton patron a quitté le Palais curial et est rentré chez lui, un de ses valets est parti réserver deux chevaux dans cette auberge. Curieux, non, quand on sait que Leonide Ducatore possède une magnifique écurie ? Ça m'a rendu perplexe. J'ai décidé de venir attendre ici avec quelques amis. Et qui voilà ? Cette vieille branche, Benvenuto Gesufal en personne, à peine chiffonné après sa retentissante évasion ! »

Je ravalai un juron. Qu'ils l'aient voulu ou non, c'étaient bien Sassanos et le Podestat qui m'avaient jeté dans le panneau. Quel besoin d'un cheval pour vider les lieux ! Je relâchai néanmoins un peu plus ma prise sur le sorcier ; après tout, s'il était dans le même pétrin que moi, mieux valait lui laisser recouvrer ses esprits. Seul, j'étais grillé. Avec l'aide d'un de ses tours, on avait peut-être une chance de s'esquiver... Ce fut alors que Mezzasole proféra quelque chose de vraiment surprenant.

« Vous devez avoir une rude envie de déguerpir, ricana-t-il. C'est votre jour de chance. On va vous aider. »

Il savoura un instant l'ambiguïté de son propos, puis ajouta :

« C'est pas des histoires. On n'est pas là pour vous faire la peau. Juste pour nous assurer que vous allez filer.

— Alors je vous prends au mot ! Barrez-vous ! »

L'homme de main de Sanguinella hocha négativement la tête.

« Non, non, non, Benvenuto. C'est pas comme ça que ça se danse. En haut lieu, on veut être sûr que vous vidiez bien les lieux. Donc, on vient avec vous. Tu es tricard, alors on va vous conduire gentiment hors les murs. Tu te rends compte du bol que tu as ? Non seulement on ne te sèche pas, mais en plus on va te fournir l'escorte.

— C'est quoi, cette flanche ? Tu me prends pour un empaillé ?

— C'est la vérité vraie. Juré craché.

— Je mords pas. Ton patron veut que j'en mange.

— Écoute, il y a rien à comprendre. C'est mauvais pour la santé de chercher le pourquoi du comment. Moi, je fais ce qu'on me demande de faire. Le sénateur me dit : "Abrège-moi ce gêneur", j'abrège le gêneur. Le sénateur me dit : "Va faire le poirier sur la piazza Pescadilla", je vais faire le poirier sur la piazza Pescadilla. Le sénateur me dit : "Fais sortir Benvenuto Gesufal de la ville", je fais sortir Benvenuto Gesufal de la ville. Tu devrais plutôt être content. Maintenant, si tu as envie de jouer au héros, on peut se battre. Mais on est six : tu vas prendre une volée et on te jettera quand même dehors. À toi de voir. »

J'étais à peu près certain qu'il cherchait à m'enfumer. Essayait-il de protéger le sorcier ? Tentait-il de me prendre vivant ? Je revoyais encore Ettore Sanguinella charger ma barque en plein Sénat, quelques heures plus tôt. Comment avaler que le ténor belliciste voulait maintenant me mettre au vert ? Le problème, c'est que je manquais dramatiquement d'options. Au péril de sa vie, Sassanos parla alors, le souffle encore court :

« Faites ce qu'il dit. Il est sincère. »

Mezzasole haussa un peu les sourcils, les bras légèrement écartés, les paumes ouvertes. L'innocence incarnée, en justaucorps de buffle, les hanches ceintes d'armes de duel.

« Tu vois, Benvenuto. Même l'astrologue de son excellence…

— Arrête ton numéro. Je veux des garanties.

— Je t'ai donné ma parole.

— J'ai pas confiance.

— Tu devrais. Tu m'insultes. C'est impoli.

— Je veux une preuve. »

Il m'adressa un sourire plus incisif qu'une lancette de chirurgien.

« Tu es toujours en vie, Benvenuto. »

Si vous avez lu ce récit jusqu'à cette page, c'est que vous êtes d'une notable inconscience. Vous devez appartenir au fretin des fouineurs et des indiscrets, à ces étourneaux qui ne résistent pas à un fumet de ragots et de linge sale. Tant pis pour vous. Avec ce que vous avez appris, vous y êtes déjà, dans les draps où je me suis roulé, tout poissé de sang, de mensonge et de trahison. Et votre cas ne s'arrange pas. Non seulement vous avez pris connaissance des intrigues criminelles de la maison Ducatore, mais voilà que vous venez d'en apprendre un peu trop sur les manœuvres de la maison Sanguinella. Car, si stupéfiant que cela puisse paraître, il y eut jusqu'à un certain point une collusion entre les deux ennemis politiques.

J'en fus à la fois la victime et le miraculé. Et croyez-moi, j'en fus aussi le plus étonné.

Rabbia Mezzasole avait dit vrai. Lui et ses sbires se chargèrent effectivement de nous escorter. Ils eurent même la courtoisie de nous laisser prendre la porte de notre choix. Je n'avais aucune idée de notre destination, mais Sassanos semblait avoir un itinéraire en tête et il opta pour le Castelletto Grande. Le sorcier et moi, nous quittâmes donc *La Corne de Narval* sur deux haridelles, encadrés par six spadassins la main sur la garde de l'épée. La pluie tombait en rafales, les toits et les gargouilles pissaient de longs jets brutaux, un ruisseau furieux bouillonnait sur la chaussée, avalait les bottes des sicaires et les sabots des chevaux. Cinglé par la bourrasque, fouetté par les gouttières, je grelottais sous mon cuir imbibé et mon masque gondolé. À quelque chose malheur est bon, le déluge avait vidé les rues. Mais je ne n'en étais pas moins dans mes petits souliers. Ma monture renâclait sous l'orage, et comme je me sentais aussi à l'aise sur cette selle qu'une duègne juchée sur un escabeau, je redoutais l'écart qui m'enverrait étreindre une enseigne ou embrasser le pavé.

Il n'y avait pas que les sautes d'humeur de mon canasson qui me tracassaient. Je me demandais comment cette improbable virée allait se conclure. J'avais le plus grand mal à croire que Mezzasole nous offrait gracieusement ses services. Je le voyais encore me toiser dans la Salle des Cent Dix, aux côtés de Suario Falci et de Dulcino Strigila. Il y avait anguille sous roche, c'était certain. Pourquoi nous faire quitter la ville, sinon pour nous mener à l'abattoir ? Comptait-il nous soustraire à l'enquête ouverte par le Podestat, pour effacer les traces de l'implication de son propre patron dans l'assassinat de Blattari ? Voulait-il nous massacrer hors les murs et abandonner nos corps dans les fossés, afin de maquiller le meurtre en un duel fatal ? Sitôt dehors, dans le faubourg de Camporeale, il faudrait me préparer à vendre chèrement mon carafon.

Malgré les trombes d'eau qui giflaient la ville, il y avait un embarras devant le Castelletto Grande. La garde avait été renforcée, et les contrôles d'ordinaire assez lâches étaient soudain devenus tatillons. Les soudards, rendus hargneux par ce surcroît de travail sous la bourrasque, passaient leurs nerfs sur le badaud, fouillaient les sacs et les chargements, regardaient sous le nez le quidam qui avait envie de faire une promenade par ce plaisant crachin. Rabbia Mezzasole prit le laissez-passer des mains de Sassanos et se chargea de négocier avec le dizainier qui contrôlait la porte. Je n'entendis guère ce qu'il lui dit ; mais je suis à peu près sûr qu'il affirma que le sénateur Sanguinella se portait garant de nous. Quoi qu'il en soit, il obtint gain de cause : la soldatesque bouscula le peuple crotté qui nous avait précédé pour nous ouvrir un passage. Le Castelletto Grande forme à lui seul une vraie petite forteresse : pour le franchir, il faut emprunter une chaussée assombrie de tours et de remparts, serrée entre deux poternes fortifiées. Si l'on cherchait à nous arrêter, c'était le lieu idéal ; il suffisait de baisser les herses devant et derrière nous, et de garnir le chemin de ronde de quelques arbalétriers. Les gens de guerre abrités sous les portes nous regardèrent passer d'un air peu amène, mais n'esquissèrent pas le moindre geste. L'ombre de la seconde arche forte, chargée de relents d'urine et d'une atmosphère de pierre humide, nous amena jusqu'à la grisaille tonitruante d'un nouveau rideau de pluie. Nous étions sortis.

Pourtant, les hommes de main de Sanguinella ne nous lâchèrent pas. Une fois le fossé dépassé, ils continuèrent à nous flanquer dans les rues de Camporeale. Le faubourg, accroché aux versants qui dominent le sud-est de la baie, avait fini par former un nouveau quartier de Ciudalia. Le long de ses ruelles en zigzags, Mezzasole et ses seconds couteaux s'obstinèrent à patauger à nos côtés. Si les choses devaient tourner court, nous ne tarderions plus à être fixés. Dès que l'un des spadassins esquisserait un geste suspect, je m'apprêtais à talonner furieusement, en laissant au sorcier le soin de se tirer tout seul du guêpier où il nous avait fourrés. Je n'étais sûr ni de moi ni de mon cheval. Le rossard était trempé, il avançait la tête basse, sa crinière pendait filasseuse comme une serpillière gorgée, et je n'étais pas certain qu'il répondrait au doigt et à l'œil, surtout pour piquer un galop sur cette côte bien raide que dévalait un ru en crue. De mon côté, je me sentais déjà la croupe douloureuse ; en plus, comme j'avais les idées ailleurs au moment de notre départ, je n'avais pas pensé à ajuster les étriers à ma taille, et mon assiette ne s'en trouvait pas améliorée. Je craignais un sévère gadin. Si je ne parvenais pas à pousser ma monture, ils me poignarderaient au ventre et dans les reins. Si je me vautrais, ils n'auraient qu'à se pencher pour m'égorger.

Nous venions de dépasser les dernières maisons du

faubourg quand les hommes de main firent halte. La route striée de ruisselets crayeux se perdait dans l'ombre houleuse d'un bois de pins. Il y eut un instant de flottement. Devant moi, au lieu de détaler, Sassanos venait d'arrêter son cheval et se retournait à moitié. Je tirai brutalement sur les rênes de ma monture pour le contourner.

« Temps de merde », commenta Mezzasole.

Il porta une main désinvolte au capuchon qui lui gouttait sur le nez.

« À la prochaine », conclut-il avec naturel.

Puis, sans se presser, il tourna les talons, suivi par ses comparses. Ils redescendirent tranquillement la principale rue de Camporeale, vers les remparts, les tours et les toits des palais de Ciudalia, noyés dans les trombes rageuses remontées de l'océan.

Ainsi débuta ma cavale. Le matin, j'étais encore un des familiers de l'homme le plus puissant de la République — j'avais certes quelques soucis, mais, dans ce milieu, qui ne traîne pas son comptant de casseroles ? Le soir, je prenais le chemin de l'exil dans un costume à tordre, le pli de l'aine cisaillé sur l'échine d'un mauvais cheval. D'accord, je pouvais m'estimer heureux : j'étais toujours en un seul morceau. Pourtant, il serait excessif d'affirmer que j'exultais… J'ignorais où j'allais, j'avais les lombaires nouées à force d'attendre un guet-apens qui ne venait pas, je ne savais toujours pas sur quel pied danser avec le sorcier, et pour dire les choses toutes crues, je commençais à avoir drôlement mal au cul !

Après le départ de Mezzasole et de ses gros bras, Sassanos ne s'était pas attardé. Nous avions traversé la pinède qui bordait la route de Vinealate, giflés par un bouillon de gouttes froides et d'aiguilles de pin, dans une tourmente de ramures froissées et de cimes ployées. Derrière chaque tronc, derrière chaque buisson de genêt, derrière chaque virage, je guettais la mort en embuscade. Mais nous étions bien seuls. Rien à craindre, sinon la rafale qui arracherait une branche maîtresse à notre passage. Alors que nous sortions du bois, la pluie se fit moins drue. Nous remontions à présent un coteau étagé en de longs champs en terrasses, où alternaient vignes, potagers et lopins complantés de blé, de lin et d'oliviers. Les céréales étaient couchées par l'averse, la colline grondait de sources pluviales, quelques fermes trempées affrontaient leurs volets clos aux grisailles de brume et de pluie.

Il n'y avait pas un chat sur la route ; pourtant, Sassanos ne la suivit guère. Après une brève hésitation à un croisement, il s'engagea sur un chemin de terre défoncé, aux ornières noyées. C'était un tortillard qui courait à flanc de colline, le long des berges et des oliveraies, à bonne hauteur au-dessus de la baie. Nous le longeâmes un petit moment, jusqu'à ce que l'après-midi tire à sa fin, que l'averse s'épuise en ondée clairsemée. Dans les dernières gouttes d'orage, le ciel commença à s'éclaircir, et les perspectives retrouvèrent leur profondeur, avec cette netteté surnaturelle qui suit la pluie. Au loin, dans l'atmosphère délivrée, l'horizon marin réapparut, vierge de voiles, d'un bleu de nuit strié d'écume. Dans son écrin littoral, voluptueuse et hautaine, Ciudalia émergeait majestueusement du déluge. Un soleil timide, entre deux nuages, vint effleurer son diadème de tours et de dômes. La ville scintilla comme une courtisane au sortir du bain, vénéneuse et parée. Cette vision me mordit le cœur plus méchamment que l'invite d'une belle fille. Entre mes dents serrées, je la traitai de tous les noms. Tels furent nos adieux.

Un nouvel embranchement nous amena, par un sentier capricieux, jusqu'à un vallon niché entre deux collines boisées. Au milieu d'une prairie maigre sommeillait une bergerie. La cahute était vieillotte ; un toit à un seul pan, dont des pierres maintenaient les tuiles rondes, gîtait vers un enclos vide. L'endroit était désert, mais par-delà la forêt de pins qu'assombrissait le soir, on entendait aboyer des chiens. Nous n'étions sans doute pas loin d'un hameau. Sassanos mit pied à terre, et je ne fus pas mécontent d'en faire autant, encore que j'eus l'impression de marcher en canard. Le moricaud repoussa la porte de guingois qui fermait la masure. L'intérieur était désolant de silence et de vétusté ; une pièce abandonnée, obscure, qui sentait la paille moisie et le suint refroidi. Alors qu'il m'avait fait la gueule sur tout le chemin pour des raisons que je devinais aisément, il me sembla que le visage du sorcier se déridait insensiblement. Quelque chose, dans ce taudis, lui plaisait.

« Cette bergerie dépend du Casale Bianco, un des domaines de sa seigneurie, dit-il. Elle est inoccupée jusqu'au retour des transhumances. Nous pourrons y passer la nuit. »

Nous y fîmes entrer les chevaux, par souci de discrétion. Avec la tombée du jour, une fraîcheur pénétrante remontait du pré gorgé et des murs de pierre. Comme une rustaude, j'allais faire mon fagot aux lisières proches. J'amassai assez de branches mortes pour entretenir un foyer pendant quelques heures, mais mon bois était mouillé : il donna une fumée épaisse qui encombrait les bronches et piquait les yeux. Accroupis en vis-à-vis sur le sol de terre battue, nous pûmes néanmoins nous sécher un peu. J'avais serré la bourse du Macromuopo dans mon aumônière, mais je n'avais ni fiasque ni quignon de pain, et Sassanos ne semblait pas mieux pourvu que moi. Après les émotions, après les intempéries et le voyage, la famine grondait au creux de mon estomac. À tout hasard, je sondai quand même Sassanos, des fois qu'il aurait eu un casse-croûte planqué au fond de sa musette. Derrière la fumée, il m'adressa un sourire cruel.

« Le jeûne ouvre l'esprit », me dit-il.

Ça s'engageait bien ! Le sapientissime n'était pas très

épais, et il ne devait pas être un gros mangeur. Sauter un repas, ça ne devait pas trop le chagriner. Mais moi, j'avais la dalle ! J'en vins à le soupçonner de garder quelques provisions par-devers lui, et de se serrer la ceinture juste par rancune. Voilà qui aurait été très mesquin de sa part, mais qui lui aurait bien ressemblé. Je me souvenais d'une certaine cruche devant laquelle j'avais failli crever de soif, deux ans plus tôt, juste parce que le moricaud avait décidé de me rendre bavard. En outre, la perspective de passer une nuit dans ce lieu désert avec un type aussi malsain ne m'enchantait guère ; mais s'il avait du mal à avaler mes privautés de *La Corne de Narval*, il valait mieux crever l'abcès avant que la brune nous ait rattrapés.

« Bon, d'accord, grommelai-je, tout à l'heure, à l'auberge, j'étais sur les nerfs. On a pris un mauvais départ. Mais avouez que j'avais de quoi me méfier. »

Il me dévisagea sans me répondre.

« Votre façon de me retrouver chez Le Macromuopo, admettez que c'était louche. Et comme par hasard, vous me jetez tout droit dans les bras de Rabbia Mezzasole ! Je me suis maîtrisé, vous savez. J'aurais pu vous tuer comme ça. Et vous êtes même pas blessé. Contrairement à ce que vous pensez peut-être, j'ai pris soin de vous... »

Le faciès basané du sorcier fut éclairé par une nuance d'ironie.

« Malheureusement, don Benvenuto, je ne cache pas de victuailles, énonça-t-il lentement. Mais je suis sensible à vos excuses... »

Je haussai les épaules, vexé d'avoir été si facilement percé à jour.

« Je sais pas trop si c'est des excuses, grommelai-je. Disons que c'est des explications.

— En somme, nous avons tous deux de la chance, sourit le sapientissime. Nous avons de la chance d'être des hommes si raisonnables. Sans quoi, vous m'auriez cassé la nuque étourdiment, à *La Corne de Narval* ; sans quoi, j'aurais cherché à tirer vengeance de la brutalité avec laquelle vous avez porté la main sur moi. Je ne tenterai pas de vous mentir, don Benvenuto : vous m'avez humilié, je n'ai pas le pardon facile, et il y a là matière à une mauvaise querelle entre des gens comme vous et moi. Toutefois, nous ne sommes pas seulement des individus dangereux ; ce qui fait de nous des êtres d'exception, chacun à notre manière, ne se limite pas à notre flexibilité morale mais comprend aussi notre capacité de subordonner nos sentiments à notre intérêt. La situation dans laquelle nous nous trouvons nous impose la collaboration, qu'elle nous plaise ou non. Je tairai donc mes griefs pour quelque temps. Qui sait ? Le hasard vous donnera peut-être l'occasion de racheter ce déplorable incident, ce qui diminuerait le passif.

— Je suis pas mécontent de vous l'entendre dire, concédai-je.

— Toutefois, même en laissant de côté le caractère personnel du différend, je vous invite à méditer un fait très préoccupant. Vous vous êtes trompé, don Benvenuto. Vous vous êtes trompé sur mon compte.

— Je suis pas le seul, me récriai-je. Vous nous avez menés tout droit dans une souricière ! »

Il haussa imperceptiblement les épaules.

« J'ignorais que les hommes de Sanguinella nous attendaient, admit-il, mais ce n'était pas une erreur. J'avais dressé des charmes de protection : si j'ai été surpris, c'est parce que Mezzasole et ses laquais ne nous menaçaient pas. S'ils avaient été animés de mauvaises intentions, je les aurais sentis depuis le bout de la rue. La nature de votre erreur est très différente. En me traitant comme un ennemi, ce n'est pas seulement à moi que vous risquez de porter préjudice, mais à vous. Si je me détourne de vous, si je décide de poursuivre seul mon chemin ou si je viens à mourir, vous serez complètement démuni contre les initiés qui continuent à vous chercher. Pensez-y, la prochaine fois qu'il vous prendra l'envie de me tordre le cou.

— Nous sommes sortis, observai-je. Ça doit être plus dur de me trouver.

— Ne placez pas une confiance excessive dans la distance ; cela n'a un sens que très relatif dans l'entre-monde. Vous devriez vous en douter, puisque vous savez que je n'ai pas perdu le contact avec le logocrate Psammétique.

— Et vous comptez m'entraîner loin, comme ça ? En ville, vous m'avez dit que vous ne me baladeriez pas jusqu'à Sacralia.

— Non, en effet, car ce serait imprudent. Je doute que la nouvelle de ce qui s'est passé aujourd'hui nous précède dans la Principauté du Sacre ; mais si par extra-ordinaire cela arrivait, et que vous fussiez reconnu avec moi, cela ruinerait mon entreprise. Je pensais en fait me séparer de vous à mi-chemin, à Bourg-Preux.

— Qu'est-ce que j'irais trafiquer dans ce trou ?

— Vous vous y cacheriez, en attendant que le vent tourne. Vous ne seriez plus sur le territoire de la République, ce qui vous permettrait déjà de vous soustraire aux poursuites légales…

— Et pour vos foutus collègues, je serais assez loin ? »

À travers la fumée, je vis un sourire fin plisser sa face scarifiée.

« Assez loin, je ne saurais l'affirmer ; mais à l'abri, très certainement.

— Ça veut dire quoi, ça ? Vous y connaissez quelqu'un qui me protégera ?

— Non, non, pas du tout. En fait, vous serez livré à vous-même à Bourg-Preux, et il faudra vous débrouiller pour vous y faire oublier. Il y a certes, dans cette ville, quelques érudits éminents que je serais ravi de rencontrer. Malheureusement, ce serait inconsidéré ; je devrai me montrer aussi discret que vous.

— Alors, comment je pourrai échapper à la clique ésotérique des bellicistes ?

— C'est la ville elle-même qui vous dissimulera.

Depuis sa fondation, Bourg-Preux est une zone de turbulences spirituelles... Cela remonte à la bataille de la Listrelle, il y a deux siècles, à la fin de la guerre des Grands Vassaux. De puissants maîtres du savoir sont morts en s'affrontant sur ce qui devait devenir le site de la ville : certains rituels majeurs ont été interrompus ou viciés au cours des combats. Une déferlante de magie a échappé au contrôle de ceux qui ont été tués, des portes ont été mal refermées. Il en reste toujours des stigmates : des distorsions, des boucles temporelles, une instabilité tellurique. Ce sont ces anomalies qui vous protégeront : à Bourg-Preux, l'entremonde est un chaos labyrinthique, où les sorts auguraux sont tordus, où les esprits décorporés s'égarent. Sur le plan astral, vous vous effacerez dans cette ville comme un oiseau dans une forêt.

— Et je vais faire quoi, là-bas ? Je vais pas y passer ma vie ?

— Vous y attendrez que les choses se tassent. Son excellence vous fera sans doute parvenir des instructions en fonction de l'évolution de la situation à Ciudalia. Au pire, je reprendrai contact avec vous lors de mon retour. Il se fera, au plus tard, à la fin de l'automne ; avant que les grands froids ne rendent impraticables les Landes Grises et les routes de Vieufié. »

On ne causa pas beaucoup plus ce soir-là. Sur le coup, je crus que le sorcier me faisait la tête, malgré ses beaux discours ; mais je devais découvrir au cours des jours suivants qu'il était de tempérament taciturne. De toute façon, la disette n'incitait guère à la convivialité... On ne parla pas du tout de l'étrange comportement de Mezzasole et de ses hommes, par exemple. C'était inutile. Le sapientissime et moi, on s'était assez frottés au pouvoir pour comprendre ce que signifiait ce brusque revirement. Le sénateur Sanguinella se livrait à un double jeu : publiquement, il participait à l'offensive politique contre le Podestat ; par-derrière, il lui donnait un discret coup de pouce et limitait la casse. Si Leonide Ducatore perdait la partie, Sanguinella lui enfoncerait probablement la tête sous l'eau ; mais si le Podestat parvenait à résister à la déstabilisation, Ettore Sanguinella se ménageait des garanties pour se soustraire au retour de bâton. Le chef de la faction belliciste aurait probablement pu s'arranger pour nous aider à sortir sans même que nous nous en apercevions ; mais ce n'était pas ce qu'il voulait. Il était nécessaire que Mezzasole et ses hommes nous coincent et nous escortent, parce qu'il était indispensable que Leonide Ducatore apprenne tôt ou tard que son adversaire lui avait fait une fleur. À la réflexion, il y avait peut-être un autre motif à ce coup de main. Le meneur belliciste était de mèche avec Tremorio Mastiggia parce qu'ils appartenaient au même parti ; toutefois, je n'avais pas oublié la colère d'Ettore Sanguinella au cap Scibylos, quand la désobéissance de Bucefale nous avait apporté la victoire tout en bafouant son autorité. Assez ironiquement, sa position publique l'amenait à défendre l'homme qui l'avait ridiculisé. Me permettre de quitter la ville, c'était sans doute sa façon de me remercier pour mon coup de couteau sur la galère Mastiggia.

Pour autant, je ne devais pas moins me méfier du sénateur Sanguinella. Maintenant qu'il avait joué sa carte truquée et réglé la dette qu'il estimait avoir à mon égard, il redevenait le chef de la fronde dressée contre mon patron. Ma prochaine rencontre avec Rabbia Mezzasole pouvait très bien se solder par une tuerie.

Ce fut en remuant ces agréables pensées que je tâchai de trouver un peu de repos. Je cherchai en vain un coin confortable dans la bergerie. Le sol de terre battue était bosselé par le piétinement du bétail, et j'eus beau l'épousseter, je n'en fus pas moins réduit à m'allonger sur des fétus de paille pourris et quelques crottes sèches. Le grand luxe. La tête calée sur un poing, les yeux fixés sur le feu qui nous asphyxiait plus qu'il ne nous réchauffait, je délassai ma carcasse endolorie mais je résistai au sommeil. Je craignais toujours un coup tordu, une filature qui aurait mené des indésirables jusqu'à notre tanière, et je gardais l'oreille dressée. Je continuais aussi à me défier de Sassanos. Le sapientissime était resté assis en tailleur, ses grandes mains posées l'une sur l'autre dans son giron, paumes en l'air. Il se balançait de façon rythmique, presque imperceptible, mais aucun son ne sortait de ses lèvres. La nuit plongea graduellement la bergerie dans une obscurité mystérieuse, que le brasillement humide de notre petit feu peinait à repousser. À travers les ombres et la fumée, je ne distinguais plus que la silhouette ténébreuse du sorcier, sa face scarifiée engloutie dans l'opacité de ses tresses d'ébène.

Je vérifiai discrètement que j'avais ma dague à portée de main.

Je me dis que la nuit serait longue.

... C'était plus tard, bien après le coucher du soleil. C'était dans la nuit, et c'était même au cœur de la nuit, car il faisait abominablement noir. Je ne me souvenais plus d'être ressorti, mais j'étais dehors, sur un chemin. Je marchais. Je marchais dans les collines. Je m'étais perdu. Depuis les basses terres soufflait un vent vif, un vent chargé d'iode, qui ânonnait des couplets funèbres dans les ramures d'arbres que je devinais à peine. Une brise de mer. Je devais être retourné sur le chemin que nous avions emprunté au cours de l'après-midi. Je devais me trouver sur les hauteurs, au-dessus de Camporeale et de la baie.

Il y avait plusieurs choses qui clochaient. D'abord, je ne comprenais pas trop ce que je trafiquais dehors, si loin de la bergerie. Qu'est-ce qui m'avait pris de sortir ? J'avais dû avoir envie de vider ma vessie. Je ne voyais que ça. Ce devait être la raison pour laquelle je n'avais pas mon ceinturon d'armes : pas pratique de pisser avec des fourreaux qui vous battent les guibolles. Mais pourquoi ne m'étais-je pas soulagé contre un mur ?

Qu'est-ce qui m'avait pris de m'écarter autant ? Une pudeur ridicule, la trouille de déballer mes affaires dans le voisinage du sorcier ? J'avais peut-être voulu lâcher l'écluse tranquille, contre un arbre de la lisière, et je m'étais perdu. Je m'étais perdu. Ce devait être à cause du ciel. Ni lune ni étoiles dans ce ciel : un noir primal, absolu, si épais qu'il ressemblait à des draperies de catafalque. Allez vous y retrouver, par une sorgue pareille !

La disparition des étoiles, c'était bizarre, mais il y avait sans doute une explication. De nouvelles nuées d'orage devaient boucher le firmament. Toutefois, je me sentais pénétré par une anxiété insidieuse, insistante, absurdement proche de la panique. Je flairai une autre anomalie. Dans cette nuit épaisse, battue par le vent de mer, je pressentais du monstrueux, sans parvenir à mettre le doigt dessus. C'était peut-être pour cela que je m'étais égaré. Quelque chose d'impalpable, mais de puissamment inquiétant, m'avait désorienté.

Ce fut en trébuchant dans cette angoisse informe que, brutalement, j'identifiai l'origine de mon malaise. Les astres n'étaient pas seuls à faire défaut : je ne percevais pas les lumières de Ciudalia.

Si j'étais bien revenu sur le chemin que nous avions emprunté, j'aurais dû voir la ville. Certes, pour protéger la cité des incendies, un couvre-feu est théoriquement imposé. Toutefois, il existe de nombreuses dérogations, et dans les faits, presque personne ne respecte la règle. J'aurais dû découvrir la constellation fragile des étincelles urbaines. J'aurais dû entrevoir les quinquets louches des tavernes et des lupanars des bas quartiers ; j'aurais dû deviner l'éclat rouge des fourneaux de l'arsenal ; j'aurais dû avoir l'œil attiré par le scintillement des lumières aux fenêtres des palais de Torrescella ; j'aurais dû me repérer à la haute flamme du fanal sacré, qui flambait nuit et jour au sommet du temple du Resplendissant. Or je ne distinguais rien. La baie tout entière dormait dans un noir de poix. Un gouffre de ténèbres avait dévoré Ciudalia.

Je frissonnais, cinglé par le souffle océan qui courait dans cette nuit immense, sur un littoral déserté, quand j'entendis les premiers appels. Des cris lointains, à moitié avalés par la distance, étaient emportés par le vent. Au début, je ne parvins pas à démêler s'il y avait une voix ou plusieurs. Les sons qui me parvenaient étaient ténus, étirés, plaintifs. Parfois, j'avais l'impression qu'il s'agissait d'un timbre masculin ; l'instant d'après, j'aurais juré entendre un écho féminin. Je me sentis gagné par un sentiment d'urgence. Je fouillai des yeux les ténèbres, cherchant à identifier l'origine de cette rumeur. Et je vis quelque chose.

Beaucoup plus bas, sur la colline, je discernai une lueur. Un halo fantomatique, cendré comme un éclat de lune, qui clignotait par intermittence en se déplaçant entre les troncs noueux d'une oliveraie. Cela ressemblait à la lumière d'une lanterne sourde, projetée sur le sol. Cela dessinait de grandes ombres fantastiques dans le réseau reptilien des racines. Cette pâleur était mobile ; elle se déplaçait même rapidement, elle paraissait voleter entre les oliviers. Mais ses mouvements étaient étranges : loin de suivre une trajectoire rectiligne, le halo procédait par bonds et par virages fantasques. Il filait sur quelques pas, s'arrêtait, obliquait, revenait sur ses pas, furetait de sinueuse manière, piquait soudain une pointe de vitesse, hésitait, tournait en rond… Cela dessinait dans la nuit une danse désordonnée et gracieuse, pleine d'une vivacité incertaine, presque sauvage. Je commençais à me laisser charmer par ce spectacle mystérieux quand je compris enfin ce que les voix criaient.

*Benvenuto.*

Elles m'appelaient.

La peur me dégrisa d'un seul coup. Je me rendis compte que j'avais failli céder à une fascination hypnotique pour la luciole lunaire. Ça me fouetta les sangs.

Je pris mes jambes à mon cou, en trébuchant sur le cailloutis traître du chemin. Je faillis m'étaler à plusieurs reprises, et les chocs dans mon pied gauche rappelèrent à mon bon souvenir ma cheville douloureuse. À contrecœur, je dus ralentir, crainte de me vautrer. Du coin de l'œil, je devinais toujours la sarabande luisante plus bas sur la colline, dont les entrechats suivaient une direction vaguement parallèle à la mienne. J'aurais dû me réfugier dans le bois de pins qui me dominait, sur l'autre versant du chemin, mais j'éprouvais une répugnance inexplicable à m'y résoudre. Il faisait déjà si noir. M'enfoncer sous le couvert des arbres, c'était angoissant comme descendre l'escalier d'un caveau.

Les appels ne me lâchaient pas. Ils ne se rapprochaient pas, mais maintenant que je les avais compris, mon oreille s'était faite à leurs timbres fluets et lointains. Je distinguais mieux les différentes voix. Et je les reconnaissais. Il y avait bien des hommes et des femmes. Ils se relayaient, absurdement réunis, comme si tous mes familiers s'étaient donné le mot pour une fête nocturne, pour une battue de minuit, où j'endossais le rôle du gibier. J'entendis les appels moqueurs d'Oricula et de Sorezzini, ceux un peu compassés de Cesarino, puis les ordres autoritaires de Matado ; la voix railleuse de Clarissima me cloua le cœur d'une pointe d'inquiétude ; Dilettino se mit de la partie, sur un ton rageur, bientôt repris par les cris haineux du sénateur Mastiggia. Puis ce fut le tour de Diamantina, et même de Cardomna, qui semblait regretter que je l'aie ratée quelques jours plus tôt. Le timbre rogue du Macromuopo vint bientôt se mêler aux apostrophes des catins.

Chaque nouvelle voix me traversait de surprise, relançait une stupéfaction inquiète qui me brouillait les idées. Je me sentais des velléités brutales de répondre, de dévaler la pente vers cette lumière dansante. Je devais tendre ma volonté pour continuer à fuir. Il aurait vraiment fallu que je m'écarte davantage, que je disparaisse dans le sous-bois ténébreux que je longeais. Mais de ce côté-là aussi, je sentais sourdre la peur. Il y avait quelqu'un, ou quelque chose, qui me pistait patiemment juste derrière l'ombre des pins. Je ne pouvais plus me tromper sur les bruits furtifs que laissait échapper la lisière. Parfois, le craquement sec d'une branche morte ; parfois, un froissement feuillu de broussaille ; parfois, un trottinement sournois sur un tapis de brindilles… Si c'était une bête, c'était une bête qui m'avait repéré et qui me traquait.

Pris entre deux angoisses, je me résignai à poursuivre sur le chemin. Je devinai son sillon pâle entre deux berges de nuit. Après tout, il me reconduirait bien jusqu'à la bergerie. Cette pensée pleine de bon sens me redonnait un peu de cœur au ventre quand les appels, en contrebas, prirent une tournure sinistre. Des cris complètement improbables se mêlèrent à ceux de mes connaissances. J'eus un peu de mal à identifier ce timbre d'homme jeune, à la diction élégante, qui jurait avec le racolage vulgaire des putains et les injonctions de Matado et du Macromuopo. Puis, dans un frisson glacé, je le reconnus : c'était Regalio Cladestini. Je ne pus m'empêcher de revoir son visage cireux, les yeux couverts de pièces d'argent. Je faillis en faire dans mes chausses : les voix des morts venaient s'ajouter à celles des vivants… Car d'autres ombres se joignirent bientôt à Regalio. Cette voix suave et maniérée, infléchie de paternalisme, c'était celle de don Mascarina, le maître assassin qui m'avait formé et que j'avais dagué deux ans plus tôt, pour abréger une agonie affreuse. À qui ce braiement inepte et ces interpellations amicales, sinon à ce crétin de Copa Purgamini, qui pourrissait par mille pieds de fond au large de Rubiza ? Je n'étais pas loin de claquer les dents d'effroi, mais je ne parvenais toujours pas à obliquer vers la pinède. Plus de doute possible, le sous-bois bruissait d'une galopade légère et boitillante qui se maintenait à ma hauteur en exhalant une respiration chuintante. Tant que les voix resteraient à distance, fussent-elles celles de spectres, je ne me résoudrais pas à affronter cette chose obscure qui me talonnait. Mais je n'étais pas très sûr de ma résolution. Si dans le chœur des défunts retentissait soudain l'appel impérieux de Bucefale Mastiggia, j'étais à peu près certain de céder à la panique.

Bucefale ne m'appela pas. Ce fut bien pire. Une voix lamentable s'éleva dans la cacophonie des morts et des vivants, une voix de femme vieillissante, saturée de regret et d'amertume. Elle chevrotait, voilée par l'âge et par l'effort. Elle ne criait pas la même chose que les autres. Elle ne criait pas mon nom, mais un diminutif affectueux, que je n'avais plus entendu depuis près de trente ans. Ce sobriquet niaiseux me suffoqua. Ce n'était pas de la peur : ma poitrine fut ravagée par une émotion terrible, une bourrasque de détresse, et je sentis malgré moi mes yeux se gonfler de larmes. C'était plus que je pouvais en supporter. Je quittai le chemin. Je bondis me réfugier sous la nef ténébreuse des arbres.

Mon poursuivant forestier me coupa très vite la route. En franchissant la lisière, j'avais eu l'impression de m'ensevelir dans une marée de ténèbres, et pourtant, je n'avais pas complètement perdu la vue. Des champignons malades et des vers luisants allumaient une phosphorescence fade sur la couche d'aiguilles de pin ; les fûts massifs des troncs s'y détachaient, malveillants et noirs comme des puits. Sur la rémanence fantomale, je perçus aussi la silhouette de mon chasseur, plus comme une tache que comme une forme. C'était petit et ridiculement malingre. Terriblement chétif, même : à peine si ça me parvenait à la poitrine. Ça s'arrêta devant moi, dans une posture souffreteuse.

« L'écoute pas chanter, chuchota la voix cassée d'une petite fille, c'est rien qu'une menteuse. »

En deux pas flageolants, la créature se colla presque contre moi. Sa tête trop lourde pour son corps maigrelet semblait l'entraîner en avant. Je ne distinguais presque rien d'elle, mais je crus deviner des mèches clairsemées sur un crâne livide.

« Viens, souffla la voix de petite fille, je vais t'aider à te cacher. »

Des doigts friables et froids se glissèrent dans ma main. « Viens ! » Et elle chercha à m'entraîner plus loin dans le bois.

Je me réveillai en sursaut, glacé de sueur, avec le palpitant qui faisait des bonds de cabri. En un geste réflexe, je frictionnai ma paume contre mon pourpoint. Ma main me dégoûtait, comme si elle avait été souillée. Je m'étais endormi ! Bougre de crétin ! Je m'étais endormi !

Je toussai dans l'atmosphère enfumée de la bergerie. J'avais dû m'assoupir un moment : du feu, il ne restait que quelques braises, et tout le reste de l'abri était noir comme un four. Je ranimai les flammes avec un peu de bois. Les ombres filèrent danser dans les coins, sur les solives et derrière la croupe des chevaux. Drapé dans son manteau, Sassanos dormait. Allongé sur le côté, il me tournait le dos, mais je devinai son torse soulevé par une respiration régulière. Ça me rassura vaguement : au moins, il n'avait pas profité de mon sommeil pour me jouer un tour à sa façon. D'un autre côté, j'étais furieux ! La fine équipe de bras cassés qu'on formait, lui et moi ! Première nuit de cavale, et on piquait du nez comme des vieilleries ! Je me calai bien droit sur mon séant, en grimaçant un peu parce que mes fesses gardaient un souvenir cuisant de la selle. Tant mieux, après tout, si ça m'empêchait de me rendormir.

Je me sentais confusément anxieux. J'avais encore des traînes de mauvais rêves emberlificotées dans les méninges, et je dressai l'oreille malgré moi, attentif aux rumeurs du dehors. Mais je n'entendis nul cri ; en fait, il n'y avait même pas de vent. Il régnait un grand calme nocturne, rompu seulement par le chant timide de deux grillons, que la fraîcheur et la fin des beaux jours rendaient hésitants. Tout semblait paisible. Je me détendis insensiblement, ce qui n'était pas forcément une bonne chose, car la lassitude revint peser sur mes paupières. Je m'agitai un peu, je me frottai les yeux. Si seulement j'avais eu un flacon de vin, un jeu de cartes, un cornet de dés ! Quelque chose pour secouer la fatigue ! De fil en aiguille, je pensai au dénuement dans lequel nous commencions ce voyage. Un peu d'argent, deux mauvaises rosses, mes lames Fratello Acerini et la suffisance du sorcier. Vous parlez d'un équipage ! Pas même une miche de pain ou une couverture. Et Bourg-Preux, ce n'était pas la porte à côté. Ça promettait une route à la dure ! Grâce à mon passé dans les Phalanges, je savais que je pourrais le supporter, même si ça ne m'enchantait guère... Mais le sapientissime, avec ses belles phrases et sa complexion filiforme, combien de temps pourrait-il avancer à ce régime ?

Quand vous montez la garde, il n'est pas trop recommandé de ressasser. Vos songeries ont tendance à tourner en rond en bégayant une cadence de berceuse, et vous glissez de la veille à la somnolence aussi doucement que la main d'un tire-laine dans l'aumônière d'un bourgeois. Je me redressai brutalement, en écarquillant les yeux avec effort. C'était un frôlement contre le mur le plus éloigné qui m'avait sorti de ma torpeur. Quelle guigne ! J'avais replongé ! Et en plus, il y avait des rats dans cette turne !

Impossible d'estimer combien de temps j'avais encore sombré. Pas trop longtemps : le feu n'avait pas beaucoup baissé. Mais quelque chose, dans l'atmosphère, avait changé. Les grillons s'étaient tus. En revanche, par-delà le bois, j'entendais l'aboiement féroce des bâtards du Casale Bianco. Un des chevaux s'était réveillé ; il tournait vers moi son long museau stupide en roulant un œil rond. Ses oreilles s'agitaient, comme si le hurlement des chiens de ferme éveillait son inquiétude. Pour ma part, je tirai ma dague et je fouillai du regard la jonchée de paille pourrie. Il n'était pas dit que je partagerais ma piaule avec une saleté de rongeur. Mais mon ami raton semblait avoir du métier : il se faisait discret. Je m'usais inutilement les lanternes à essayer de le repérer. J'allais abandonner quand j'entendis un nouveau bruit, juste derrière moi.

Je me retournai d'une pièce. De ce côté-ci, le mur de pierres nues était à portée de main, et il n'y avait rien entre moi et lui. Je réalisai alors que c'était à l'extérieur que quelque chose frôlait la bicoque. Ça me colla une petite palpitation, et je m'en voulais en même temps de me montrer émotif comme une donzelle. La nuit à la cambrousse, c'est toujours plein d'un raffut animalier à vous faire dresser les cheveux sur la tête. Ça jappe, ça glapit, ça hulule, ça miaule des cris d'écorché. Même le brame d'une chevrette ressemble au râle d'un poitrinaire égorgé. J'avais passé trop de temps en ville, j'avais perdu l'habitude de ces rumeurs sauvages. Dans ma folle jeunesse, quand je maraudais par les bois et les champs avec les Phalanges, le grondement d'un ours ne m'aurait pas empêché de dormir sur mes deux oreilles...

Reste qu'il y a des limites aux explications naturelles.

Quand quelque chose s'abattit sur les tuiles, pile au-dessus de ma tête, je bondis sur mes pieds avec le cœur qui dansait la séguedille. Un filet de poussière descendit de la charpente. Les chevaux bronchèrent, battirent le sabot. Après un instant de répit, la créature sur le toit détala. Elle traversa la toiture en diagonale, en heurtant les tuiles à petits coups saccadés. Je perçus un choc sourd dans l'herbe, pas très loin de l'entrée. Elle avait sauté.

Ce pouvait être une fouine. Ces sales bêtes aiment se percher et s'introduisent souvent dans les maisons. Mais les chiens du Casale Bianco hurlaient maintenant à la mort, et les canassons s'ébrouaient, contaminés par la peur que j'essayais d'étouffer. La porte de la bergerie grinça doucement, pas exactement comme si on la poussait, plutôt comme si on pesait contre elle. Et la chose sur le seuil se mit à gratter lentement les vieilles planches disjointes. De façon incroyable, Sassanos continuait à dormir, malgré le vacarme fait par les chevaux et par les chiens. Quitte à passer pour une poule mouillée, je me penchai vers le moricaud et je lui secouai l'épaule. Il ne réagit pas. Comme le grattement devenait de plus en plus insistant, je rabattis le sorcier sur le dos en lui balançant des mots pas aimables. Il ne s'éveilla pas. Il semblait plongé dans une narcose trouble ; ses yeux roulaient sous ses paupières sombres, et ses lèvres dévidaient silencieusement un charabia incompréhensible.

La chose, dehors, émit un rire désagréablement flûté. Je ne pouvais plus me leurrer, ce n'était pas un animal, et pourtant j'avais l'impression qu'elle promenait à plaisir de longues griffes sur le battant vermoulu. J'étais à peu près certain qu'en collant un œil contre les interstices de la porte, elle pouvait me voir en train de baigner dans mon angoisse. Elle finit par parler.

« Benvenuto, chuchota-t-elle en détachant bien les syllabes, Benvenuto. »

Elle avait un timbre enroué de petite fille.

Finalement, ce fut Sassanos qui me tira du sommeil.

Il était incliné sur moi, ses longues tresses me balayaient presque le visage ; et il avait posé deux doigts sur ma bouche.

« Chut, murmura-t-il. Il y a des gens qui approchent. »

Le feu s'était éteint, mais on discernait vaguement les formes dans la pénombre. Une lueur grisâtre rampait sous la porte ; ce devait être l'heure indécise qui précède le lever du soleil. Les chevaux dormaient, serrés l'un contre l'autre. Je me sentais ankylosé et sale, l'esprit encore brumeux de mauvais songes, mais je fis ce qui s'imposait. Je tirai doucement l'épée et la dague hors du fourreau, et j'allai me blottir contre le mur, à côté de l'entrée. Dehors, à l'exception de quelques chants d'oiseau, il régnait un grand calme. La nature reposait encore, dans cette nuit finissante. Mais ça ne voulait rien dire. Je n'eus pas à attendre longtemps pour vérifier que le sorcier avait eu raison.

À une certaine distance, j'entendis le borborygme de quelqu'un qui s'éclaircissait la voix, suivi d'un crachat sonore. Puis les herbes du pré furent froissées. On marchait vers la bergerie, à une allure assez tranquille ; il y avait là plus d'un client, mais ils ne semblaient pas très nombreux. C'étaient peut-être des paysans de la ferme voisine ; cependant, quand ils furent arrivés à quelques pas, je perçus un crissement discret de cuir, un cliquetis indistinct, et je me tins en alerte, paré au pire. Une ombre vint obscurcir la clarté vague qui passait sous la porte. Un choc massif ébranla le battant, juste à côté de mon épaule, et une voix rogue prononça quelques mots que je ne compris pas.

Demeuré au milieu de la bergerie, Sassanos sembla se détendre.

« Tout va bien, dit-il, ce sont mes hommes. »

Et il passa devant moi pour aller leur ouvrir. Dans l'embrasure de la porte, je vis s'encadrer la carrure impressionnante des deux Ouromands. Sassanos les invita à entrer d'un geste comminatoire. Les deux barbares s'exécutèrent sans se presser. Le plus grand dut baisser la tête pour passer le chambranle. D'un seul coup, la bergerie parut toute petite.

« Où étiez-vous ? demanda le sorcier assez sèchement. Je vous attends depuis hier soir. »

Ce fut le plus vieux des deux mercenaires qui répondit, dans un baragouin rugueux. Il écorchait péniblement le ciudalien, en le truffant de termes léoniens et même de quelques mots de dialecte d'Ouromagne. Cela me rappela le sabir que nous employions souvent dans les Phalanges, dont près de la moitié des effectifs étaient étrangers. À ce que je compris, les deux brutes ne connaissaient pas la région et s'étaient égarées ; elles avaient cherché la bergerie une bonne partie de la nuit. Le vieil Ouromand se moqua aussi de la bêtise de son compagnon, qu'il avait empêché d'aller frapper à la porte de toutes les fermes pour se renseigner.

Le colosse en question était chargé comme une mule. Pendant que son comparse parlait, il appuya une longue hache contre le mur et fit glisser de son épaule la sangle de deux sacs, qu'il jeta à nos pieds. Sassanos s'empara du plus léger.

« Ce sont vos affaires », dit-il en me désignant l'autre.

Dans le balluchon, je découvris une couverture, du linge, des habits de voyage, une paire de souliers de marche et même deux couteaux dans leur étui. Tout provenait de mon coffre, au palais. En revanche, à ma grande déconvenue, je n'y exhumai ni dés ni argent. Le moricaud inspecta aussi ses affaires, de façon plus sommaire. Il s'assura juste de la présence d'une cassette en bois précieux, ornée des marqueteries anguleuses de l'artisanat ressinien. Dans la foulée, le plus grand des barbares sortit de son sac une miche de pain, du lard et du fromage, ainsi que deux outres de vin. Ma fringale se rappela à mon bon souvenir et contribua à dissiper le malaise résiduel que m'avaient laissé mes cauchemars.

Alors que nous prenions un en-cas à croupetons, Sassanos me présenta ses gros bras. Le plus vieux s'appelait Dugham, le monstre se nommait Cecht, et ils étaient tous deux des guerriers du clan Arthclyde. Les Ouromands m'adressèrent un vague signe de tête, le strict minimum pour ne pas paraître ouvertement hostiles. Dans la pénombre de la bergerie, leur regard de givre vous épinglait comme des prunelles de loup. J'avais fréquenté quelques Ouromands dans les régiments de la République, mais il s'agissait la plupart du temps de types à moitié civilisés, originaires des régions frontalières théoriquement soumises au duché de Bromael. Mon ami Welf, par exemple, avait bien le type clair de ces contrées froides, mais il parlait notre langue sans accent et, après ses années de service, il était resté à Ciudalia où il s'était fait naturaliser. Les deux hommes de Sassanos, en revanche, étaient de vrais sauvages. Même à l'époque lointaine où Ciudalia avait été annexée à la Leomance, leur tribu ne s'était jamais soumise au Royaume, malgré des défaites sanglantes. De nos jours, les guerriers du clan Arthclyde formaient toujours le fer de lance des raids que les barbares d'Ouromagne lançaient régulièrement contre le duché de Bromael. À mesure que l'aube répandait sa clarté indécise dans notre abri, je distinguai mieux les tatouages bleus qui s'enroulaient sur les mains, sur le cou et sur une partie du visage de ces hommes. Ces lascars étaient des païens, des pillards et des meurtriers. C'étaient aussi des combattants d'une brutalité inouïe. Je ne me souvenais que trop du massacre de l'enseigne Scelarina, juste sous mes yeux, au cours du siège de Kaellsbruck : des baraques tatouées et munies de haches, comme le gros Cecht qui mangeait paisiblement devant moi, avaient balayé cent phalangistes le temps de disputer une partie de cartes.

« Nous voici à pied d'œuvre pour le voyage, dit Sassanos en achevant de manger. Nous laisserons les chevaux ici ; les gens du Casale Bianco seront avertis dans la journée de leur présence et les ramèneront à *La Corne de Narval*. Nous poursuivrons à pied. Si l'un des hommes du sénateur Sanguinella s'est montré bavard, il y a fort à parier que nos poursuivants rechercheront deux cavaliers, et non quatre marcheurs. »

Abandonner les canassons, je n'avais rien contre. Nous avancerions plus lentement, mais au moins je ne soupirerais plus après un bain de siège… Cela dit, la feinte du sorcier me paraissait cousue de fil blanc. Un groupe de quatre personnes comprenant un métèque bien foncé et deux barbares tatoués, ça ne risquait pas de passer inaperçu dans l'arrière-pays ciudalien…

« Nous éviterons les routes principales tant que nous serons sur le sol de la République, poursuivait le moricaud. Nous passerons au large des grands carrefours, Vinealate et Linoborgo, mais nous tâcherons aussi de contourner les villages. Ces précautions nous feront perdre deux ou trois jours, mais elles accroîtront considérablement nos chances de franchir la frontière sans incident. Et elles épargneront mes forces… »

Le sapientissime me lança un bref coup d'œil, sous ses paupières rusées.

« Je sais bien ce que vous craignez, don Benvenuto, observa-t-il. Sachez simplement que j'ai les moyens de distraire l'attention de la plupart des gens que nous croiserons. Malheureusement, cela a un coût, et c'est l'une des raisons pour lesquelles je préfère emprunter des chemins secondaires et des zones peu habitées. En attendant, je vais vous mettre à contribution jusqu'à ce que nous passions dans la Marche Franche. Grâce à votre passé militaire, vous devez bien connaître l'arrière-pays ?

— On peut dire ça, grommelai-je en me remémorant les centaines de lieues que j'avais parcourues en tous sens, quand je plastronnais en demi-armure noire et chausses rayées, le casque accroché au ceinturon, la pique ou l'arbalète sur l'épaule.

— Parfait. C'est vous qui nous guiderez, au moins jusqu'à Montefellóne. Au-delà, Cecht et Dugham connaissent la région de Vieufié, et ils pourront vous relayer. »

Moi aussi, j'avais traîné mes solerets de soudard sur les routes encaissées des collines de Vieufié, et j'avais quelque souvenir de ce massif dépeuplé. Je me gardai bien de m'en vanter. Je n'avais pas envie que les deux brutes soupçonnent que j'avais pu voyager vers Bromael ; et encore moins qu'ils se doutent que j'avais combattu à Kaellsbruck. Ils avaient l'air d'avoir la cervelle épaisse, mais je me méfiais du vieux Dugham dont les pattes-d'oie étaient plissées de malice. Mieux valait passer sous silence tout ce qui pourrait établir un rapport entre votre serviteur et l'arbalétrier perfide qui avait assassiné le voïvode Bela, juste avant l'assaut contre Kaellsbruck…

Si j'avais des doutes sur l'endurance du sapientissime, il ne fallut que quelques heures pour les dissiper. Le havresac jeté sur l'épaule, le moricaud avançait sans désemparer, d'une démarche économe et légère. Moi qui me l'étais imaginé comme un rat de bibliothèque, j'eus tôt fait de ravaler mes préjugés. Sassanos avait le pas du vieux trimardeur, du chemineau qui a roulé sa bosse sur les routes poudreuses. Vu sous cet angle, il était très différent de son maître Psammétique, qui était attaché à son confort au point d'encombrer le pont d'un navire de guerre avec ses poufs, ses tapis et ses esclaves.

Les deux Ouromands aussi étaient de sacrés marcheurs. De la part de ces deux-là, ça ne me surprenait guère. Ils devaient avoir dans les mollets toute une existence de maraudes, de brigandages, de pillages, de poursuites et de débandades ; malgré la nuit qu'ils avaient gaspillée à tourner sottement dans les collines, ils avalaient le chemin à grands pas, l'air aussi frais que s'ils étaient sortis d'un lit de plumes. Leurs sacs, pourtant, paraissaient plus lourds que les nôtres. Comme ils étaient toujours vêtus de ces absurdes pourpoints de ville qui leur donnaient la dégaine de deux forçats en costume de bal, je supposai qu'ils avaient serré leurs armures dans leurs balluchons. Dugham avait accroché dans son dos une épée barbare, de facture archaïque, avec un énorme pommeau et une lame deux fois plus large que ma splendide Acerini. Quant à Cecht, il avait posé sa longue hache à l'horizontale sur ses puissantes épaules, et il appuyait ses deux mains sur le manche, les bras déployés en travers du chemin.

À mon grand déplaisir, il apparut vite que c'était moi, le lambin de la bande. L'abandon des chevaux n'était pas une initiative si heureuse. Quand nous quittâmes la bergerie, poser le pied gauche par terre me faisait un mal de chien, et bien que la douleur s'atténuât au cours de la matinée, j'avais quand même une jambe de tortillard. Pour un ancien soldat qui avait conservé du jarret, il en cuisait drôlement de se retrouver à la traîne, surtout en serre-file d'un lettré basané et de deux pillards au front bas. Je m'échinais à en attraper des suées, mais j'avais le ripaton indocile ; ornières, nids-de-poule, caillasses et dénivelés étaient autant de chausse-trapes où je me retordais la badine, et aïe ! et ouille ! et aïe aïe aïe ! et je vous passe les jurons plus colorés ! Bref, je me retrouvais loin derrière, le boulet de service distancé par ses comparses infatigables.

Pendant une pause grignotage que nous fîmes vers la mi-journée, je me taillai un bâton de marche et je déchirai une de mes chemises pour bander ma cheville. Sassanos vint s'asseoir à côté de moi avec une sollicitude suspecte. Je grimaçais en essayant de me rechausser quand il se mit à me parler.

« Pas trop de mauvais rêves, cette nuit, don Benvenuto ? »

Je m'arrêtai dans mes efforts, le talon coincé au-dessus du cou-de-pied de la botte, et je lui lançai un regard furibond.

« Vous les avez sentis, n'est-ce pas ? poursuivit le sorcier avec une certaine indolence. Il ne s'agissait pas de cauchemars ordinaires : il y avait là des volontés et des esprits bien réels, et ils cherchaient à vous atteindre… »

Il m'adressa un sourire ambigu.

« Je vous ai protégé, mais je n'ai pas cherché à vous aveugler. Vous avez eu un aperçu de leurs sortilèges. Parmi ceux qui vous recherchent, il y a une femme. Elle est très vieille, au-delà de ce que vous imaginez. C'est elle qui pratique la Magie Vive. Si je ne l'avais contrecarrée, elle aurait peut-être réussi à vous soumettre, à faire de vous une victime et non un survivant. »

Il effleura mon épaule, d'un geste qui se voulait amical.

« Ne levez plus jamais la main sur moi, murmura-t-il. Plus jamais. »

Je savais que ce périple était incertain, et les propos de Sassanos n'étaient pas faits pour me rassurer. J'imaginais bien qu'il y avait du danger derrière nous, et sûrement devant, parce que les estafettes curiales nous avaient certainement devancés en remontant les routes au galop. Toutefois, j'avais l'espoir que le plus dur était passé. Mon évasion du Sénat était si ébouriffante et mon échappée hors de Ciudalia si improbable que sortir du pays, en comparaison, me paraissait un jeu d'enfant. Mes espoirs étaient trompeurs, et les insinuations du sapientissime se révélèrent être tout sauf du flan. La mort, sinon pire, nous attendait bien au tournant.

Le voyage, pourtant, ne s'annonça pas trop mal. Au bout de deux jours, ma cheville s'était remise bon gré mal gré, et même si ça me coûtait encore quelques faux pas douloureux, j'avais ajusté ma foulée sur celle de mes compagnons. C'étaient les prémices de l'automne, mais nous eûmes de belles journées de fin d'été. Un ciel très pur projetait l'ombre tachetée des pins sur les sols de rocaille, argentait le feuillage des oliviers et faisait trembler les horizons bleutés. Lopins et vergers éclataient de couleurs et de parfums : les collines et les plaines, entre les bosquets sombres des pinèdes, étalaient la langueur blonde des blés, les parallèles mauves de la lavande, le vert tendre des citronniers. Je me rendis compte assez vite que les deux Ouromands n'avaient pas jugé bon de s'encombrer de provisions. En une étape, nous eûmes dévoré tout le pain, le lard et le fromage qu'ils avaient apportés. Mais compte tenu de l'opulence des campagnes, cela n'avait rien de préoccupant. Cela nous permettait de voyager léger, tout en nous nourrissant sur le pays. Nous n'avions que dix pas à faire hors des chemins pour cueillir pêches, figues, raisins, et même quelques abricots tardifs.

Évidemment, ce régime très fruitier finit par nous valoir quelques désordres gastriques. Quand on passe sa journée à crapahuter, se payer une courante par-dessus le marché, ça n'est pas si bucolique qu'on pour-rait le croire, et puis ça aggrave la soif. Ce furent les deux Ouromands qui nous apportèrent le remède : ils se mirent à voler des poules. Au début, je craignis le pire. Je n'imaginais que trop bien la tête de la paysanne qui surprendrait un gros musclé de trois cents livres, la couenne couverte de symboles tribaux, en train de faire son marché au milieu de son poulailler. Soit la péron-nelle se ferait fendre le crâne avant de l'ouvrir, soit elle irait semer une belle panique dans son hameau. Dans les deux cas, l'alerte remonterait jusqu'à la forteresse de Róccabucatta, et la campagne serait quadrillée par des patrouilles de phalangistes au bout d'un ou deux jours. Toutefois, les barbares trompèrent mes inquié-tudes en se révélant d'un doigté surprenant. Ils par-taient en maraude un peu avant l'aube, visitaient les clapiers et les basses-cours discrètement et réapparais-saient dans les premiers rayons de soleil, de jolies pou-lardes ou des garennes dodus au fond du bissac. Je ne dis pas qu'il n'y eut pas de casse : deux ou trois chiens de ferme durent avoir le cou proprement tordu. Mais enfin, les deux lascars connaissaient leur affaire. Ils avaient du métier, c'était certain.

En plus d'être des pilleurs de poulailler patentés, les Ouromands avaient toutes les élégances du soudard : ils pétaient et rotaient sans retenue, et ils ne cher-chaient pas spécialement à se dissimuler pour aller pis-ser ou déféquer. Quand un raisin un peu vert leur travaillait les entrailles, ils baissaient leurs chausses juste au bord du chemin. Sassanos se montrait indif-férent à cette grossièreté. Quant à moi, je les insultais de bon cœur pour leurs manières dégoûtantes, mais cela me rappelait mes années de service, et dans un sens c'était assez réconfortant. À tout prendre, sans l'appréhension d'être rattrapé et piégé, cette traversée de l'arrière-pays aurait pu être agréable.

La nuit, l'expérience se faisait plus saumâtre. Comme nous évitions les villages, nous cherchions des coins déserts pour nous reposer. À l'occasion, les ruines d'un moulin ou d'un oratoire, une grange abandonnée firent l'affaire ; mais la plupart du temps, nous ne trouvions qu'un bois et nous nous installions sur le tapis d'aiguilles de pin et de feuilles mortes. Si les journées étaient chaudes, les soirées étaient frisquettes, et l'aurore vous cueillait avec son atmosphère crue. La nuit, on sentait bien que l'automne lançait ses avant-gardes. Un petit feu de camp, une couverture et deux couches de vêtements n'étaient pas du luxe. En plus, dormir à la dure quand vous avez quinze lieues de vagabondage quotidien dans les quilles et les intestins en relâche, c'est une plaisanterie qu'on trouve très vite de mauvais goût. Le matin, quand on se remet en marche, on en conserve les jambes roides et les reins tout froissés.

L'inconfort, toutefois, n'était que le cadet de mes soucis. La nuit se déployaient d'autres menaces, impalpables et sournoises. Les deux barbares et moi, nous nous partagions les veilles. Le vieux Dugham les prenait plutôt à la légère, et il n'était pas rare que nous le retrouvions assoupi. Son compagnon, quant à lui, s'acquittait de cette corvée avec beaucoup de sérieux, mais ça ne me rassurait guère. Cecht avait une trogne au moins aussi balafrée que la mienne : des bourrelets cicatriciels zébraient son cuir chevelu et une vieille blessure, en lui écrasant l'arcade sourcilière, lui avait en partie refermé une paupière ; au bout de quelques jours, je m'étais rendu compte qu'il ne me voyait pas quand je marchais du côté de son mauvais œil. Le gaillard était fort comme un bœuf, mais à moitié miraud. Du coup, quand les deux barbares étaient censés monter la garde, je ne dormais moi-même que d'une oreille, ce qui ne contribua pas peu à me donner une petite mine. Sassanos aussi veillait à sa façon, même s'il avait l'air de se reposer. En fait, il s'agitait souvent dans son sommeil, et il lui arrivait de marmonner dans une langue inconnue, ce qui excitait la nervosité de Cecht. Au matin, le moricaud n'avait pas l'air plus frais que moi.

C'était le soir, quand nous nous apprêtions à nous coucher, que le sorcier se livrait aux rituels les plus visibles. Dans la mystérieuse cassette rapportée par les Ouromands, il prenait d'abord une bourse remplie de sel ; il en répandait une pincée aux quatre coins de notre camp, en chuchotant des formules de conjuration. Puis, il employait un peu de cendre pour tracer un symbole stylisé sur son front ; comme il l'effaçait au matin, il me fallut quelque temps pour comprendre ce que c'était. Il s'agissait d'un troisième œil. Enfin, quand la lune était visible, il remplissait à ras bord une petite coupe d'eau claire, et il y contemplait longuement le reflet de l'astre nocturne. Une fois qu'il avait fini, il ne buvait jamais cette eau ; il la jetait dans les flammes. La plupart du temps, il se livrait à ces pratiques d'un air distant, comme si nous n'existions pas. Mais un soir, peut-être le quatrième ou le cinquième, alors que nous n'étions plus très loin de Montefellóne, il prit la parole en versant le liquide augural dans les flammes du foyer. « Il y a des troubles à Ciudalia, dit-il. Spada Matado et le centenier Chiodi se sont affrontés au milieu de la piazza Smaradina. Le sang a coulé. » Et comme je le pressai de questions, il ajouta en haussant les épaules : « Je n'en ai pas vu beaucoup plus. Je dois me montrer prudent : notre vieille amie est toujours aux aguets. Elle est plus tenace que je ne l'imaginais. Elle ne nous a pas retrouvés, mais elle reste sur notre piste. »

Parce que Sassanos protégeait notre bivouac, ou parce que mon sommeil était très entrecoupé, mes mauvais rêves se diluèrent. Ou bien ils se firent moins prégnants : je les oubliais très vite. Je pus toutefois vérifier que le sorcier ne mentait pas, que rôdait toujours un ballet d'ombres autour de nous. Dans la nuit qui suivit le petit tour de voyance du sapientissime, le gros

Cecht m'inquiéta. Il me réveilla au bout de quelques heures pour le relayer dans la garde du campement. D'habitude, il se contentait d'une bourrade et d'un vague grognement. Mais cette fois-là, il essaya de me parler. À la différence de Dugham, il ne pratiquait pas le ciudalien ; il écorchait juste des rudiments de léonien, langue que moi-même je n'avais plus baragouiné depuis un bail. Au début, je ne comprenais rien à ce qu'il essayait de me communiquer avec insistance. Je l'aurais envoyé balader sans l'expression inscrite sur son mufle ; son faciès mal équarri, d'ordinaire apathique ou placide, transpirait l'inquiétude. Au bout d'un moment, je crus saisir une partie de ce qu'il voulait me raconter. Juste en dehors du cercle de lumière de notre feu, il avait vu une petite fille. Je ne parvins pas à en capter plus, mais visiblement, cette gamine égarée dans un bois lui avait collé une jolie frousse. Le lendemain matin, Dugham, fort réjoui par cette histoire, devait se payer la tête de son compagnon. Pour ma part, je passai une fin de nuit très inconfortable, la trouille nichée au fond du ventre, les yeux écarquillés sur la forêt enténébrée.

Le plein jour ne se trouvait pas exempt de danger, lui non plus. C'était la période des récoltes : des paysans emplissaient les lopins, les champs, les vergers. Les grands domaines des maisons nobles et des laboureurs recrutaient de la main-d'œuvre supplémentaire : tout un peuple de journaliers et de travailleurs saisonniers traînait sur les routes. Même si nous empruntions des chemins secondaires, nous ne passions pas une heure sans croiser des muletiers poudreux, des vendangeurs écrasés sous leur hotte, des bandes babillardes de cueilleuses de lavande. Les deux premiers jours, je redoutais ces rencontres, malgré l'assurance que m'avait donnée le sorcier. Sur ces sentes de campagne, on frôlait souvent le passant : j'imaginais difficilement comment le métèque et les Ouromands pourraient se fondre dans le paysage. Pourtant, Sassanos ne m'avait pas menti : même les femmes ne semblaient pas inquiétées par les deux barbares. En général, on nous saluait au passage, avec la réserve un peu défiante qu'on peut éprouver pour des étrangers du village voisin. Je ne lus nulle peur, nul étonnement dans le regard des paysans. Le sapientissime avait bien voilé quelque chose dans notre apparence, ou dans l'esprit des culs-terreux.

Il y eut cependant des alertes. Le troisième jour, nous descendions un chemin dans le vignoble qui s'incline vers la plaine de Pigraticola. Les vignes étaient peuplées de vendangeurs et de manouvriers, et nous devions souvent nous écarter devant les charrois. Personne ne nous accordait une attention particulière, et je commençais à m'habituer à cette indifférence singulière. Seulement voilà qu'au milieu des glaiseux se profila un type sinistre. Il était seul, à pied, et il remontait le chemin face à nous. Il n'était pas très épais, pas très grand non plus ; mais c'était un prêtre. Il portait la robe sombre et le scapulaire macabre du culte du Desséché. Certes, il n'avait pas l'air bien solide : une chiquenaude du gros Cecht aurait suffi à briser ce vautour décharné. Malheureusement, jamais les barbares n'auraient osé lever la main sur un prêtre du Desséché : à la seule vue du calotin, les deux brutes devinrent nerveuses comme des biches effarouchées. Moi non plus, je n'en menais pas large. Ses orteils osseux, qui pointaient entre les sangles de sandales usées, étaient blancs de poussière ; l'étoffe reprisée de sa robe, la légèreté de son balluchon, la patine de son bâton témoignaient assez de son existence vagabonde. Il s'agissait d'un gyrovague, qui courait les routes, mendiait dans les fermes et les villages ; dans un sens, c'était encore pire que de croiser toute une procession d'embaumeurs rattachés à une nécropole. Les gyrovagues sont des fouineurs, des prêtres itinérants qui recherchent les morts perdus. Ils ont le nez fin pour débusquer les vieux cadavres et les histoires pas très nettes. Bien sûr, on ne planquait pas de refroidi dans nos musettes, mais ça ne nous rassurait pas pour autant. Ma conscience était encombrée de macchabées, les barques de Dugham et de Cecht devaient être aussi joliment chargées, et je n'osais imaginer les crimes pervers dans lesquels Sassanos avait dû tremper. Frôler un nécrophage du culte des défunts sur une route perdue de cambrousse, voilà qui constituait une rude poisse. Surtout si le gyrovague flairait dans notre sillage un fumet de vieille charogne…

Le prêtre marchait tout en vivacité et en nerfs, et pourtant courbé, renfermé en lui-même. Il arriva à notre hauteur sans se donner la peine de relever le nez, concentré sur l'ornière dont il suivait le sillon. Je l'entendis marmonner quelque chose, sans saisir s'il s'agissait de la bénédiction ambiguë de son culte — « Le Dieu vous accorde miséricorde » — ou d'une litanie religieuse. Il nous croisa, nous dépassa. Je commençais à respirer quand j'entendis son pas s'interrompre. Il se retourna brusquement, nous dévisagea avec des prunelles hantées, enfoncées dans des orbites rongées de cernes.

La guigne !

Si incroyable que cela puisse paraître, les deux Ouromands se tassèrent sur eux-mêmes, la tête rentrée dans les épaules. Je ravalai l'injure que je n'aurais pas manqué de servir à quiconque m'aurait ainsi toisé dans la rue. Sassanos rendit son regard au fâcheux, et pendant un instant interminable, je craignis une catastrophe, avec votre serviteur haché entre des feux magique et théurgique. Puis, sur un ton aimable, le moricaud prononça quelques mots dans une langue étrangère. Le prêtre mendiant cligna des yeux de hibou, l'air très surpris, et répondit dans le même jargon. Le sorcier et le calotin échangèrent un salut très cérémonieux, et l'indésirable reprit son chemin. Les barbares soufflèrent.

Un peu plus loin, j'interrogeai nerveusement le moricaud.

« Qu'est-ce qui s'est passé ? Il nous a reconnus ?

— Je ne pense pas, répondit Sassanos. Il ne nous a pas vus tels que nous sommes, en tout cas.

— Mais alors, pourquoi il s'est arrêté comme ça ?

— Il a senti quelque chose. Il n'a pas percé l'illusion, mais il a deviné le pouvoir qui en émane.

— Il avait la gueule d'un type qui vient de frôler un nœud de vipères. J'aime pas ça du tout. »

Le sorcier émit un rire sifflant, qui me fit froid dans le dos.

« Il a dû nous prendre pour des nécromants, me glissa-t-il à mi-voix.

— Hein ? Comment ça ?

— Il a dû deviner quelque chose des esprits qui nous environnent… Vous savez bien lesquels.

— Vous l'avez charmé, pour qu'il nous lâche aussi vite ?

— Non, non ; cela aurait été fatigant, et dangereux. Je l'ai juste berné. Je l'ai salué selon une formule secrète, qui lui a fait accroire que j'étais un myste de son Culte.

— Un myste ?

— Un initié aux mystères du Desséché.

— Et vous n'en êtes pas un ? »

Sassanos m'adressa son sourire supérieur.

« Puisque je l'ai berné… »

Il avait beau frimer, le moricaud n'avait pas la conscience tranquille. Il ne fut pas le dernier à allonger le pas dès que le prêtre eut disparu au tournant. D'un commun accord, on accéléra la cadence pendant le reste de la journée. On suivit un trajet tout en détours, en empruntant des sentiers et des chemins vicinaux. Au soir, on grimpait l'autre versant de la vallée et on installait notre campement dans la forêt de pins et de chênes verts qui dominait les vignobles. La nuit fut calme. Pourtant, le lendemain nous réservait une mauvaise surprise.

Nous étions repartis, et nous suivions une allée forestière quand les sous-bois retentirent d'échos inquiétants. Remonté des lisières, tout un charivari de cris, d'aboiements, d'appels de cor traversait les futaies. Le vacarme était encore lointain, mais il semblait largement déployé, les hululements des chiens et les coups de trompe rebondissant dans les collines. Nous fîmes une brève pause pour tendre l'oreille. Sassanos ferma les yeux afin de mieux écouter, à moins qu'il ne se concentrât sur une autre perception. « Je ne vois pas le prêtre », dit-il. Cela ne me rassura qu'à moitié. Même si nous avions contourné Vinealate, la région de Pigraticola était le grenier de Ciudalia, et de nombreuses familles patriciennes y possédaient des domaines. La meute qui clabaudait aux orées pouvait très bien sortir de chenils bellicistes. Les deux Ouromands paraissaient très nerveux ; c'en était frappant, ces barbares épais gagnés par une peur qu'ils avaient peine à dissimuler. Je devinai que ce n'était pas la première fois qu'on lâchait les chiens à leurs basques. La noblesse de Bromael se ruinait en équipages de chasse ; les barons bromallois étaient connus pour leurs mâtins et pour leurs dogues, capables d'attaquer des ours. À force de piller des basses-cours, mes amis Cecht et Dugham avaient déjà dû se retrouver courus comme des renards.

« Ils sont encore un peu loin, murmurait le sorcier, et je perdrais trop de temps à me projeter jusqu'à eux… Je ne ressens pas de menace ouverte, mais… Ce n'est pas net. »

Il ouvrit soudain les yeux. Ses pupilles étaient bizarrement dilatées.

« C'est un des chiens, lâcha-t-il. Un des chiens est anormal. Il faut fuir. »

On ne se le fit pas dire deux fois. Heureusement que ma cheville était remise, parce que les deux Ouromands furent les premiers à détaler, et même s'ils ne se révélaient pas très véloces, les rustres étaient increvables. Cecht ouvrit d'abord le passage, chargeant tête baissée hors des chemins battus, arrachant ronces et broussailles, fouettant ceux qui le suivaient des branches qu'il froissait. La brute avait mauvaise vue et ne connaissait pas le pays. Je craignis qu'il ne nous égare et qu'il ne se mette à tourner en rond, ou bien qu'il fuie étourdiment des rabatteurs pour nous jeter tout droit sur leurs complices en embuscade. Mais son compagnon avait plus de jugeote : au bout de quelque temps, il se mit à lui crier dessus, et il reprit la tête. Le vieux Dugham avait la trouille, lui aussi, mais il était malin, et il apparut très vite qu'il avait l'expérience de ce genre de situation. Il nous fit abandonner les hauteurs, descendre dans les vallons et dans les combes. Au bout d'un moment, il entendit quelque chose qui le rassura, et nous entraîna sur une pente assez raide jusqu'à un val ombreux où un ruisseau fuyait sur un lit de sable et de galets. Nous pataugeâmes dans la source sur une centaine de pas, puis remontâmes le coteau opposé. Dugham ralentit, car il inspectait le sol ; il s'arrêtait parfois pour inspecter des traces ténues, des crottes sèches. Il nous imposa un parcours complètement erratique, en trottinant le long des voies animales qu'il repérait. Vers le milieu de la matinée, dans un bosquet clairsemé, il nous imposa une pointe de vitesse sur une centaine de toises ; puis il s'arrêta net, nous fit revenir aussi vite sur nos pas, et obliqua dans une autre direction.

Étions-nous bien la cible d'une battue, ou s'agissait-il tout simplement d'une chasse à courre lancée sur la piste d'un sanglier ? Nous n'en sûmes rien, car vers le milieu de la journée, il devint évident que nous avions semé la meute : le vacarme des chiens et des cors avait glissé sur notre gauche et s'amenuisait. Dugham plastronnait, gonflé de fatuité. Sassanos, toutefois, ne voulut pas marquer de pause. Il semblait toujours humer quelque chose qui ne lui revenait pas, et voulait abattre la plus longue route possible au cours de la journée.

Au soir, il demanda à Dugham de trouver un site discret au bord d'un cours d'eau pour établir notre campement. Le vieux pillard flairait la fraîcheur comme un poivrot assoiffé ; il ne lui fallut pas très longtemps pour repérer un petit torrent, et il dénicha les ruines d'un moulin à aube, envahi de ciguës et d'amarantes. Alors que les Ouromands écrasaient les mauvaises herbes et préparaient un feu, le sorcier me fit signe de le suivre. Il descendit un peu en aval de notre bivouac. Quand nous fûmes hors de portée de voix, il s'accroupit sur la berge, et tira de sa besace la cassette mystérieuse où il serrait ses talismans.

« Ce matin, notre vieille amie était à deux doigts de nous débusquer, dit-il.

— C'est elle qui a lancé cette chasse à nos trousses ?

— Je n'en suis pas certain, mais l'un des chiens était différent. Son aboiement était perceptible dans l'entre-monde : c'était un psychopompe, il se déplaçait sur deux plans d'existence. De nombreux maîtres ciudaliens savent soumettre des esprits humains, drogués ou morts ; mais convoquer un esprit animal relève de la Magie Vive, et sur le territoire de la République, c'est un art rarissime. C'est pourquoi je pense qu'il s'agit toujours de l'œuvre de la même personne, cette magicienne qui vous recherche depuis votre évasion. »

Je restai coi. À part lâcher quelques jurons bien sentis, je me sentais sévèrement à court d'option. Le moricaud s'assit en tailleur, tira de son coffret une mince tablette de plomb et un style aiguisé. Il les déposa dans son giron, puis saisit une chaînette d'argent dissimulée sous sa robe, et la fit passer au-dessus de sa tête. Y était suspendu un bizarre pendentif : un couteau fin comme une lancette, glissé dans un fourreau délicatement orfévré. Il tira le canif hors de sa gaine, l'aligna avec soin à côté de son matériel d'écriture.

« Elle est trop tenace, reprit doucement Sassanos. Nous lui avons échappé aujourd'hui, mais elle nous retrouvera si nous ne la contrecarrons pas. Nous arriverons bientôt à Montefellóne, et nous y serons plus vulnérables. Nous ne pouvons courir le risque qu'elle nous repère avant d'être en vue de Bourg-Preux. Il va falloir faire plus que fuir et nous dissimuler. »

Le sorcier semblait vouloir reprendre l'initiative, ce qui était peut-être préférable, mais en définitive ne me rassurait guère. Je le soupçonnais de nous avoir écartés des deux Ouromands pour éviter de les effrayer. La nuit n'allait plus tarder. Le ciel restait pâle mais les sous-bois, autour de nous, commençaient à s'assombrir, et le chant de l'eau vive devenait d'une crudité pénétrante.

« Je vais égarer notre amie, poursuivit le sapientissime, mais pour y parvenir, je vais avoir besoin de votre aide. C'est vous qu'elle recherche. C'est vous qui devez la tromper.

— Je suis pas sûr que ça me plaise.

— Soyez sans inquiétude : je me charge de la partie rituelle. Tout ce que je vous demande, c'est un peu de sang.

— Je suis pas sûr du tout que ça me plaise... »

Il m'adressa son sourire de hyène.

« N'ayez aucune crainte, je ne veux nullement vous asservir. Au contraire : je vais vous délier. Je vais vous prendre... un tout petit peu de vie, juste quelques gouttes, et je vais les disperser au fil du courant. Ce sang va courir le long de ce torrent, gagner les confluents, se diluer dans les bras morts, s'étirer au hasard des méandres et des rapides, se dissoudre dans quelque rivière ou quelque fleuve et, qui sait, peut-être gagnera-t-il la mer. Cela désorientera complètement les esprits qui vous pistent.

— Et à moi, ça me fera quelque chose ? »

Il hésita un instant, faillit dire quelque chose, se ravisa. Et sembla soudain opter pour la franchise.

« Oui, ça vous fera quelque chose.

— Ça me fera quoi ?

— Ça vous privera... d'une infime partie de votre âme. À peine un soupir. Quelque chose de négligeable comme une rognure d'ongle ou quelques cheveux pris dans un peigne. Ne vous en effrayez pas. Chaque fois que vous avez tué un homme, vous en avez perdu cent fois plus. »

Il me scrutait par-dessous, son long visage scarifié et sa chevelure d'ébène déjà fondus dans les ombres du soir. Sa sincérité même me parut suspecte, me faisant penser à ces escrocs qui vous roulent au culot, qui vous disent bien en face comment ils vont vous lessiver, sur le ton d'une plaisante ironie destinée à endormir votre méfiance. D'un autre côté, je ne me rappelais que trop les rêves inquiétants de la bergerie, la réaction du prêtre mendiant, l'angoisse du gros Cecht lorsqu'il avait cru voir une petite fille rôder près de notre camp. Il fallait bien trancher. Je pris ma décision à l'instinct.

« Allons-y », grognai-je en m'asseyant face au sorcier.

Il m'ignora d'abord. Il appuya la tablette de plomb sur un de ses genoux et traça des symboles biscornus à chacun de ses angles. Ses lèvres énonçaient des mots silencieux. Il releva ensuite les yeux sur moi.

« Il me faut votre main gauche, celle du cœur, dit-il. Je vais prélever le sang : rassurez-vous, juste une estafilade. »

Je lui tendis ma pogne. Il la saisit avec délicatesse, me la fit ouvrir. Ses propres mains, malgré leur grain sombre et les ongles effilés qui les prolongeaient, étaient étonnamment douces, et ce contact me mit mal à l'aise. Comme Lẹ Macromuopo quelques jours auparavant, il inspecta ma paume, suivant de son pouce griffu la cicatrice maintenant à peine perceptible laissée par la morsure de Clarissima. C'était presque le même geste, et j'en ressentis un inexplicable vertige.

« Très cohérent, commenta le sorcier. Vous avez la *main nécessaire*, qui révèle un homme actif, orgueilleux, capable de réactions impulsives tout comme de calculs élaborés. Voici une jolie ligne de tête, bien distincte de la ligne de vie, et une très belle ligne de

569

chance ! Par contre, la ligne de cœur et la ligne de vie sont peu marquées…

— Abrégez le numéro de bateleur, grondai-je. Je vous ai autorisé à couper, pas à fouiller. »

D'un geste désinvolte, il saisit son stylet orfévré, dont la lame courte et triangulaire me fit penser au couteau avec lequel Psammétique s'était tailladé le bras.

« Je ne veux pas me montrer indiscret, précisa Sassanos. Mais le geste que je vais faire va vous transformer quelque peu. Nous pouvons en profiter pour retoucher un caractère déficient… Qu'en dites-vous ? Vie ou cœur ? »

Il me fallut un instant pour réaliser ce qu'il me proposait, et la réponse s'imposa d'elle-même.

« Vie ! »

Il posa la pointe de son couteau sur la ligne qui séparait la base de mon pouce du creux de la paume, et incisa rapidement, presque jusqu'au poignet. Il me retourna la main très vite et appliqua la plaie contre sa tablette de plomb. Après un instant, il me relâcha.

Tandis que je pressai ma coupure, il étala mon sang sur la tablette ; puis, saisissant son style entre ses doigts souillés, il calligraphia un texte en tout petits caractères, dans une écriture que je ne connaissais pas. Il se balançait rapidement d'avant en arrière, mais demeurait parfaitement silencieux. L'atmosphère devenait crépusculaire, et il devait avoir du mal à distinguer ce qu'il écrivait sur un support aussi terne. J'eus le sentiment déplaisant que nous étions épiés, et je relevai les yeux pour inspecter les alentours, soudain persuadé que les Ouromands nous avaient espionnés. J'aperçus en amont la lueur du petit feu que les barbares venaient d'allumer dans les ruines du moulin, et leurs ombres accroupies à côté du foyer. Il n'y avait personne dans le voisinage.

Quand il eut fini d'écrire, Sassanos brandit la tablette devant mon visage.

« Énoncez votre nom », dit-il.

Je m'exécutai.

« Soufflez sur le talisman. »

Je lâchai une brève expiration, qui me laissa bizarrement étourdi, le cœur battant. Dans le crépuscule finissant, le moricaud me gratifia à nouveau de son sourire cruel.

« Maintenant, prenez le talisman, ordonna-t-il. Brisez-le contre une pierre, et lancez les fragments dans le courant.

— Je croyais que vous vous chargiez du rituel.

— C'est ce que j'ai fait, et je peux aussi achever le charme sans vous. Mais je ne veux pas que vous me soupçonniez de vous jeter un sort néfaste. Briser une tablette d'envoûtement est un acte grave. Je préfère que vous le fassiez. »

J'éprouvai une appréhension renouvelée. Disait-il vrai, ou avait-il besoin de mon concours actif pour un sortilège dont il me cachait la signification véritable ? Entre mes doigts, la feuille de plomb pesait désagréablement lourd. Le Desséché seul savait quels blasphèmes Sassanos avait pu graver sur ce métal mou. Allait-il vraiment me protéger, ou allait-il m'ensorceler ? Il m'avait dit lui-même qu'il n'avait pas apprécié mes privautés dans les écuries de *La Corne de Narval* : peut-être ce sort allait-il sceller une revanche bien sournoise. Malgré la nuit qui tombait, il me fixait avec une once de dérision. Il ne comprenait pas seulement mon dilemme, il s'en délectait.

« Vous n'allez pas vous coucher, quand même, don Benvenuto. »

Cette raillerie me mit en rogne. Je fus bien tenté de lui balancer son charme dans la figure. D'un autre côté, il avait tapé juste. Des jours que je languissais après une partie de cartes ou un cornet de dés… Il m'offrait l'occasion de parier sur un autre jeu. Pourquoi pas, après tout ?

Avec colère, je précipitai la tablette contre une roche qui affleurait sur la rive. Le métal plia et se tordit, et il me fallut frapper à coups redoublés pour le rompre. Je ramassai les morceaux et les lançai d'un coup sec. Ils tracèrent une courbe dans le soir où s'allumaient les premières étoiles, plongèrent sans bruit dans l'eau noire que torsadait un friselis trouble. Sassanos rangea ses affaires d'un air placide. Depuis mon poignet gauche, je sentis un coulis froid remonter mes veines vers le cœur, à mesure que les tessons de plomb devaient s'enfoncer dans l'onde nocturne.

Au bout de huit jours de voyage, nous atteignîmes Montefellóne.

Depuis la veille, le pays commençait à changer. Les collines devenaient plus escarpées, les vallées plus encaissées. Les pins sylvestres et les genêts se raréfiaient, les oliveraies disparurent au profit des châtaigniers ; les bosquets comprenaient désormais plus d'érables, de charmes et de chênes verts. Les champs laissés en jachère produisaient une herbe plus riche, que paissait un bétail où baguenaudaient moins de chèvres et plus de vaches. La dernière nuit avait été froide.

Montefellóne se dressait sur un étroit promontoire, étiré en longueur, qui s'avançait dans une campagne riche en pâtures et en lopins. La ville n'était pas bien grande, mais haussait orgueilleusement ses remparts ébréchés au-dessus de coteaux fort raides, où s'accrochaient des vergers et des vignes. Bien qu'intégré à la République, le bourg était davantage tourné vers l'intérieur des terres que vers la mer. Au premier coup d'œil, on devinait une rusticité semi-montagnarde, une opulence rurale, un enracinement au terroir bien différent de la respiration marine qui anime Ciudalia. C'était une zone frontalière, la vraie porte du continent ; et par le passé, Montefellóne avait été disputée avec acharnement. Au cours de la guerre d'indépendance de Ciudalia, la ville avait été prise et reprise par l'armée du duc d'Arches, par les Phalanges républicaines, par l'ost royal de Leomance. Deux siècles plus tard, les stigmates de ces sièges et de ces occupations étaient encore visibles : les murailles superposaient un mélange biscornu d'architectures défensives, qui témoignaient des destructions et des fortifications successives.

Les trois florins de Ciudalia n'en flottaient pas moins dans les couleurs de la ville, et nous avions tout intérêt à faire profil bas en y entrant. Bien sûr, il aurait été plus prudent de contourner le bourg ; toutefois, cela nous aurait valu ensuite un voyage très pénible. Montefellóne était la dernière étape avant les collines de Vieufié ; or si le bourg avait pu retrouver la prospérité après la guerre, ce n'était pas le cas des villages et des seigneuries des hautes terres, plus loin au sud. D'une région jadis peuplée et cultivée, il ne restait plus qu'une contrée montueuse et désertée, obscurcie par la forêt, où la plupart des chemins s'égaraient, où les dernières ruines n'accueillaient plus que le loup et l'épervier. Nous avions besoin de provisions pour traverser cette contrée sauvage, car elle ne nous permettrait plus de vivre sur le pays. Bien sûr, les deux Ouromands auraient pu s'y débrouiller en chassant, mais cela nous aurait alors considérablement ralentis, et Sassanos ne devait pas musarder en chemin s'il comptait gagner Sacralia et revenir à Ciudalia avant l'hiver. Sans compter que les collines de Vieufié possèdent un climat moins clément que le littoral ciudalien, et que nous aurions besoin de couvertures et de vêtements plus chauds. Et puis, même si nous n'en parlions guère, Sassanos et moi, nous en avions plein le dos, des campements à la belle étoile, du pillage de poulaillers et des fruits un peu verts. Un bon repas et une nuit dans un lit nous remettraient d'aplomb avant d'affronter les mauvaises routes de Vieufié.

Il fallut grimper un raidillon assez pentu pour arriver aux portes de Montefellóne. Non loin du pertuis, trois pendus tiraient la langue sur un gibet noirâtre qui servait de perchoir à corbeaux. Il s'agissait d'effrayer les brigands qui écumaient les routes entre Ciudalia et la Marche Franche ; bien que je ne sois jamais tombé aussi bas dans la carrière crapuleuse, ce genre de spectacle ne me nouait pas moins la gorge de la manière qu'on imagine. Sassanos, qui se méfiait du Guet, avait prévu de nous présenter comme des artisans verriers en route pour un chantier à Bourg-Preux. Mais dans la mesure où nous ne transportions pas de marchandises, nous n'avions pas à payer le tonlieu, et les hommes d'armes qui gardaient l'entrée de la ville ne s'intéressèrent pas à nous. Plus que jamais, j'étais impressionné par l'aisance avec laquelle le sorcier émoussait les perceptions ; normalement, la dégaine plantigrade des Ouromands aurait dû nous valoir des tracasseries à n'en plus finir.

Le bourg était animé et populeux. Par certains aspects, il ressemblait assez à un quartier de Ciudalia : les venelles étaient pavées, les façades étaient pour la plupart en pierres de taille, et de larges fenêtres à meneaux ornaient certains étages ; sur les placettes chantaient doucement d'antiques fontaines, et les ruelles sinuaient comme des méandres, pour protéger les habitants des canicules d'été et de la bise hivernale. Mais nombre de détails juraient, qui attestaient que nous étions aux frontières de la République. Les remparts n'étaient jamais loin, et rappelaient que Montefellóne n'était qu'une étroite bourgade étirée sur un éperon rocheux, non une vaste cité aux nombreux faubourgs. Certaines maisons avaient des encorbellements à colombages et des pignons aigus dominant la rue, à la mode bromalloise ; çà et là, les toitures étaient en lauzes ou en ancelles, et non plus en tuiles rondes.

On parlait ciudalien dans la rue, mais le brouhaha des bavardages, des marchandages et des criées chantait aux oreilles une ritournelle provinciale. L'accent local avait les inflexions vieillottes de la campagne, et la langue des petites gens pratiquait couramment des tournures démodées. Comme à Ciudalia, les étrangers

étaient nombreux, mais ils étaient moins cosmopo-
lites. Pour la plupart, ils venaient des pays voisins ;
beaucoup de marcheurs, quelques cavaliers, et nul
marin. Le léonien était la seule langue étrangère à
concurrencer le ciudalien, même si une oreille exercée
pouvait percevoir des variantes entre les dialectes
preux-bourgeois et bromallois. La ville n'en était pas
moins animée : les marchands et les artisans de la
Marche Franche et du duché, à peine arrivés, faisaient
leurs premières affaires à Montefellóne, tandis que les
voyageurs qui s'apprêtaient à quitter la République se
réapprovisionnaient, et cherchaient souvent à se fournir en bêtes de bât et en hommes d'escorte.

Nous fîmes nos propres emplettes. Il nous fallait des
vêtements chauds, mais nous n'avions pas le temps
d'attendre qu'un tailleur nous les confectionne sur
mesure : nous nous fournîmes donc chez un fripier. Je
me procurai à bas prix un sayon plutôt rustique, doublé
de peau de lapin, et de vieux gants reprisés ; Sassanos
acheta une longue cape sans apprêt qui avait sans
doute été portée par un frère mineur, et un capuchon
qui ressemblait à un sac. Les deux Ouromands, avec
leur bon goût infaillible, optèrent pour de puants gilets
en peau de mouton. Avec ces défroques, nous avions de
suite l'air plus miteux, ce qui n'était pas un mal si cela
pouvait tromper la curiosité des indiscrets et la cupidité des voleurs de grand chemin. Je fis ressemeler mes
souliers, et j'acquis un chiffon doux, une pierre à aiguiser et un flacon d'huile pour entretenir mes armes.
J'hésitai un long moment devant l'éventaire d'un artisan fléchier, qui vendait hors de prix une vieille arbalète à pied-de-biche ; mais l'arme était bien trop chère
en regard de sa piètre allure, et j'y renonçai. Le marchand proposait des arcs de chasse d'une qualité bien
meilleure, mais je suis un médiocre archer, et j'abandonnai l'idée de me procurer une arme de tir. Cecht et
Dugham s'arrêtèrent avec une sorte de déférence
devant une forge mobile, installée sur la plus grande

place de la bourgade. Un camelot faisait l'article des réalisations des maîtres forgerons en mauvais ciudalien ; les artisans étaient des gaillards petits, trapus, aux bras musculeux et velus, qui portaient sur leur torse nu d'épais tabliers de cuir. Ils déployaient une telle énergie à manier le soufflet ou à frapper l'enclume en cadence qu'il me fallut quelques instants pour réaliser que leur taille était vraiment inférieure à la moyenne. C'étaient les premiers nains que je rencontrais. Il s'agissait sans doute de ferronniers de Bourg-Preux, où une petite communauté d'expatriés s'était installée depuis deux siècles.

Alors que nous vaquions en ville, il devint évident que nous étions toujours protégés par la magie de Sassanos. Pas plus que les gardes des portes, les badauds ne prêtaient attention à notre présence. Les deux barbares pouvaient frôler l'étal des changeurs, des orfèvres et des prêteurs sur gages sans éveiller la moindre méfiance. Cette situation ne présentait pas que des avantages. On nous bousculait sans arrêt, la plupart du temps sans un mot d'excuse, ou alors on nous lançait à la figure des jurons bien sentis. Il y avait quelque chose de burlesque dans la fréquence avec laquelle le gros Cecht se faisait marcher sur les pieds par des gringalets qui lui arrivaient à peine à l'épaule. Mais il fallait aussi prendre garde aux chevaux et aux rares charrois, car nous risquions d'être renversés. Les marchands étaient singulièrement distraits, faisaient passer sous notre nez des clients arrivés après nous, s'embrouillaient en nous rendant la monnaie. Le charme était si puissant qu'à deux reprises, chez le fripier et chez l'huilier, les négociants oublièrent purement et simplement de me faire payer. Je fus abominablement tenté de m'esquiver ; mais je craignais malgré tout un esclandre qui aurait ruiné notre anonymat, et je dus me faire violence pour signaler à ces étourdis que je leur devais quelque chose.

Quand nous finîmes par gagner une auberge, on

nous oublia à notre table. Il me fallut appeler à plusieurs reprises pour que le tavernier vînt prendre notre commande, qui lui sortit aussitôt de la tête. En définitive, nous dûmes aller nous servir nous-mêmes sur les broches qui rôtissaient dans l'âtre, et remplir des pichets aux tonneaux du fond de la salle commune, sans qu'un marmiton ou qu'une fille de salle s'en offusquât. À notre retour, nos sièges étaient pris par des buveurs qui ne se dérangèrent nullement pour nous rendre la place. Comme l'auberge était comble, nous échouâmes sur l'escalier qui montait à l'étage pour nous asseoir et prendre notre repas. Nous étions comme transparents.

Du moins pouvions-nous écouter ce qui se racontait sans passer pour des fouineurs. L'essentiel de la clientèle était formée par des étrangers à Montefellóne : marchands, artisans, commis, rouliers et muletiers, et ici ou là quelques forestiers et gens de guerre. Ceux qui venaient du littoral parlaient de la victoire remportée par notre flotte et de la façon dont le Sénat commençait déjà à se déchirer, à propos de la mort suspecte de Bucefale Mastiggia et de l'assassinat de Coccio Blattari. Partis peu de temps après nous de Ciudalia, ils ne nous apprirent pas grand-chose sur la façon dont la crise avait évolué, sinon pour faire état d'un pourrissement prévisible : les bandes armées se multipliaient dans la capitale, et les premières escarmouches avaient éclaté. Les pérégrins qui venaient de traverser Vieufié, quant à eux, disaient que les routes étaient de moins en moins sûres : des voyageurs disparaissaient, et la rumeur courait qu'une grosse bande de brigands écumait maintenant la forêt de Cluse. À ce sujet, un homme de guerre faisait lentement le tour des tables pour racoler le chaland. C'était visiblement un trimardeur, dont le manteau avait pâli au soleil et dont les bottes étaient craquelées d'usure. Il se présentait sous le nom de Gaidéris, prétendait être un centenier de la Marche Franche, et proposait la protection de ses hommes d'armes pour la traversée de Vieufié contre une jolie somme d'argent. Malgré son teint hâlé et le caractère usagé de son équipement, il me paraissait un peu jeune et beaucoup trop enjôleur pour être un officier, et je soupçonnai chez lui l'aigrefin acoquiné avec les voleurs de grand chemin. Il passait à chaque table, échangeait des plaisanteries, saluait les gens qu'il connaissait ; mais, pas plus que les autres, il ne sembla s'aviser de notre présence sur les premières marches de l'escalier. Je me faisais l'effet d'être devenu un fantôme. La sorcellerie de Sassanos distillait en moi un malaise de plus en plus inconfortable.

« C'est dingue, ai-je fini par grommeler. On dirait qu'on est invisibles.

— Nous ne le sommes pas, rectifia le sorcier. Nous passons juste pour des gens insignifiants.

— Je connais des types qui savent faire ça ; mais je n'en avais jamais rencontré qui sont capables de le faire pour leurs compagnons. »

Le moricaud se contenta de sourire avec un soupçon de dédain.

« Il y a un truc que je pige pas, poursuivis-je tout en me disant que je me risquais sur un terrain dangereux. Avec des talents comme les vôtres, qu'est-ce que vous trafiquez au service d'un patron ?

— Vous voilà bien curieux.

— Ça me chiffonne. Je me dis que vous perdez votre temps, à servir les ambitions d'un autre. Vous avez largement les moyens de faire cavalier seul.

— Croyez-vous ?

— Je suis sûr que vous auriez la possibilité de ramasser très vite l'argent, l'influence et les hommes pour faire ce que vous voulez.

— C'est possible.

— Et pourtant vous restez au service de notre type.

— Pas vous ?

— Moi, c'est différent.

— À votre façon, vous êtes aussi dangereux que moi,

observa le sorcier. Vous êtes sans scrupule, vous êtes intelligent, vous savez tuer, vous êtes très bien renseigné sur la haute société. Et pourtant, vous aussi, vous restez au service de notre mentor.

— C'est différent, m'obstinai-je. Moi, je suis une pierre qui roule. J'ai pas le choix, une fois que j'ai commencé à descendre une pente, je suis forcé d'aller au bout.

— Je suis peut-être comme vous.

— J'en doute. Un type qui sait tordre l'esprit des autres est parfaitement libre. »

Sassanos venait de terminer sa viande. Il lécha ses doigts un à un avant de me répondre, pour avoir le loisir de peser sa réponse.

« Vous avez raison sur un point, finit-il par admettre. Je ne suis pas exactement au service de notre ami. Lui et moi, nous nous sommes accordés sur un échange de bons procédés. Ce dont vous me parlez, c'est de l'exercice d'un pouvoir ; or le pouvoir est une servitude. Je n'ai pas nécessairement envie de m'y soumettre. C'est la raison pour laquelle je reste dans l'ombre de notre grand homme. S'il met à ma disposition son réseau d'influence, il est inutile que je bâtisse le mien.

— Du coup, vous êtes dépendant de lui. C'est ça que j'ai du mal à avaler.

— Je dirais plutôt que nous sommes associés. Nous avons le même but, lui et moi.

— Pourtant, lui, c'est le pouvoir qu'il cherche.

— En effet, mais il ne peut l'exercer que s'il dispose d'un trésor essentiel, du trésor que nous cherchons tous les deux, et que nous pouvons nous apporter mutuellement.

— Quelque chose de plus précieux que le pouvoir ?

— Bien plus précieux : le temps. Voyez-vous, son influence politique me permet d'épargner toute l'énergie que je dilapiderais à construire ma propre clientèle, et mon art lui gagne un temps précieux qu'il gaspillerait en espionnage et en renseignement. Notre association démultiplie nos potentialités. »

Ce qu'il me sortait, à tout prendre, était une évidence. Pourtant, il me livra cette confidence avec une conviction inhabituelle, comme s'il consentait à me révéler une information clef. Il avait une arrière-pensée, mais ce soir-là, il ne s'ouvrit pas davantage. À la réflexion, le fait qu'il se chargeât personnellement de regagner Belisario me parut soudain plus cohérent. Garantir la succession du Podestat, c'était aussi une question de temps.

Nous ne nous attardâmes guère dans la salle commune. Nous avions huit jours de marche dans les quilles, et de méchantes routes devant nous dès le lendemain. La perspective d'étirer nos carcasses fatiguées dans un vrai lit eut tôt fait de nous envoyer au premier. Toutefois, nous ne prîmes pas de chambre : nous en avions les moyens, et cela aurait pu paraître plus prudent, mais d'un autre côté, de simples marcheurs qui étaient en fonds pour se payer un tel luxe auraient pu provoquer la perplexité. On se contenta du dortoir que partageaient la plupart des clients. Comme il était encore tôt dans la soirée, il n'y avait quasiment personne, et on put se réserver quatre lits corrects au fond de la pièce. Les puces et les ronflements étaient bien sûr à craindre, mais quand vous avez déjà pioncé au fond d'un cul-de-basse-fosse ou dans la promiscuité d'une galère, la chambrée d'une auberge vous paraît douillette comme un château enchanté.

Je venais de me laisser tomber avec délice sur un matelas très passable quand un pas retentit dans l'escalier. Un type s'encadra dans l'entrée du dortoir ; je crus qu'il s'agissait d'un autre couche-tôt, et je n'y fis pas attention jusqu'au moment où je me rendis compte qu'il traversait la salle droit vers nous. Je le reconnus : c'était le jeune gaillard qui offrait la protection de sa troupe. Il lança quelques mots en léonien sur un ton plutôt joyeux. Comme nous le dévisagions tous les quatre, stupéfaits qu'il s'adresse à nous, il hésita un instant, puis se mit à parler en ciudalien, avec un accent preux-bourgeois.

« Le bonsoir, compagnons, dit-il. Peut-être préférez-vous cette langue. »

Le fâcheux était à peu près de ma taille, plutôt mince, mais sous son manteau défraîchi et une jolie cotte d'armes brodée de feuilles, je devinai une casaque de cuir clouté. La lame qu'il portait au côté était une forte épée dont le maniement nécessitait une certaine vigueur ; un long brassard de cuir protégeait l'avant-bras gauche du gêneur, ce qui me fit deviner qu'il était un archer. Malgré sa jeunesse et son air aimable, je flairai le combattant expérimenté.

Sassanos fut le premier à revenir de sa surprise.

« Bonsoir, maître, répondit-il. Je préfère en effet le ciudalien. Je crains que mon léonien ne soit plus livresque que parlé…

— Alors il vaut mieux que nous en restions au ciudalien, sourit l'importun. À trop fréquenter les marchands, j'ai oublié mes lettres, et je crains de ne plus savoir soutenir une conversation en léonien classique. »

Hormis son accent, il parlait un ciudalien très pur. Il avait d'ailleurs les cheveux très noirs, et son mélange de courtoisie et de jeunesse me fit penser à Cesarino. Pourtant, j'eus aussi la certitude irraisonnée qu'il n'avait rien à voir avec Ciudalia. Malgré la barbe de quelques jours qui lui mangeait les joues, il avait le nez droit, les pommettes hautes et les yeux en amande des statues datant de l'âge d'or du royaume de Leomance.

« Permettez-moi de me présenter, poursuivit-il. Je suis Gaidéris de Bourg-Preux, centenier de la compagnie des Convoyeurs. Je veille sur la sécurité des voyageurs qui entrent dans la Marche Franche. Je n'ai pas souvenir de vous avoir jamais croisés, compagnons.

— Je suis le maître verrier Soffiatore, mentit Sassanos avec aplomb, et ces trois hommes sont à mon service. Je suis honoré de faire votre connaissance, don Gaidéris.

— Un homme avec de belles manières et qui parle le léonien classique doit nécessairement être un maître dans son art, rétorqua notre visiteur. Je suppose que vous êtes appelé dans la Marche Franche pour quelque riche commande ?

— Pas exactement, biaisa Sassanos. J'ai entendu dire que l'Académie des Enregistrements de Bourg-Preux contenait de précieux ouvrages sur l'art du vitrail sous la royauté. Je me rends dans votre ville pour les étudier.

— Dans ce cas, une fois que vous serez arrivé, adressez-vous au vénérable Jorge Autoscriptor. C'est le libraire chargé des copies et des emprunts au sein de l'institution. Malheureusement, il serait plus prudent de taire ma recommandation : les écolâtres de l'Académie ont conservé un bien mauvais souvenir de mes brèves études… »

Un sourire facétieux parcourut le visage de Gaidéris, qui lui donna brièvement l'expression d'un gamin turbulent.

« Est-ce la première fois que vous gagnez la Marche Franche ? enchaîna-t-il.

— En effet, répondit Sassanos.

— Je m'en doutais, et c'est à ce sujet que je voulais vous toucher un mot. Avez-vous entendu parler des routes de Vieufié ?

— J'ai cru comprendre qu'elles sont en mauvais état, et mal fréquentées.

— C'est le moins qu'on puisse dire. Malheureusement, la région est sauvage, et des bandes sans foi ni loi dépouillent les voyageurs isolés. Pour parer au brigandage, j'organise des convois. Le prochain est prévu pour après-demain et regroupe déjà une vingtaine de personnes, sous la protection de mes dix hommes de guerre. Je ne demande qu'une contribution de cinq florins par voyageur : en contrepartie, vous avez l'assurance de gagner Bourg-Preux en toute sécurité.

— Vingt florins pour nous tous, cela revient cher, observa le sorcier.

— Pour quatre vies, c'est un prix assez dérisoire. »

Le jeune gaillard avait lâché cela avec tant de légèreté qu'il était difficile d'estimer s'il s'agissait d'une boutade ou d'une menace. Son assurance ne me revenait pas, en tout cas. Pour un simple chef de routiers, il avait trop de bagout, trop d'éducation, trop de charme.

« Cela fait plusieurs mois qu'il se passe des choses horribles du côté des bois de Cluse, poursuivit-il. Depuis que la République de Ciudalia est entrée en guerre contre l'archipel de Ressine, elle a vidé ses forteresses à la frontière, et quand le chat dort, les souris dansent. Enfin, quand je parle de souris... Ce serait plutôt des rats nombreux et féroces. Un triste sire, que l'on connaît sous le sobriquet du Rempailleur, s'est imposé à la tête de plusieurs bandes de coupe-jarrets et met la route en coupe réglée. Lui ne se contenterait pas de vous soulager de vingt florins.

— Mes serviteurs sont des hommes solides, observa Sassanos.

— Je vois ça. »

Gaidéris scruta Dugham et Cecht avec un œil évaluateur. J'avais l'impression désagréable qu'il cherchait à percer le sortilège du sorcier.

« Écoutez, don Soffiatore, je ne tiens pas à vous forcer la main, reprit-il. Je vous ai fait une offre : vous avez encore la nuit et toute la journée de demain pour y réfléchir. Ma protection n'est pas donnée, mais elle est sûre. À vous de voir.

— Je vous promets d'examiner la question, dit Sassanos.

— Vous avez déjà fait un long voyage, observa le jeune gaillard en reportant son attention sur le moricaud, et je ne doute pas que vous soyez plein de ressources. Au lendemain d'une guerre entre le Sénat de Ciudalia et le chah Eurymaxas, il ne doit pas être simple de traverser la République pour un sujet ressinien. Mais Vieufié est une région dangereuse et étrange. Ne soyez pas trop confiant en l'abordant. »

La surprise priva Sassanos de parole pendant un instant, et me coupa proprement la chique. En fait, le mauvais plaisant était complètement insensible aux illusions !

« Vous avez le regard perçant, apprécia le sapientissime, beau joueur.

— Je n'ai aucun mérite, c'est de famille », répondit Gaidéris, énigmatique.

Il nous salua de la main, et s'apprêta à partir.

« Pensez à ma proposition, lança-t-il encore. Dans la Marche Franche, je ne suis pas le seul à avoir des yeux pour voir. »

Le lendemain, on décampait au chant du coq.

Après une nuit pas si réparatrice que cela, passée l'oreille aux aguets, on vida les lieux dès les premières lueurs du jour. Le soleil n'était pas encore levé que nous franchissions les portes de la ville, qui venaient tout juste d'être ouvertes par un piquet de garde ensommeillé. On allongea le pas sur une route de campagne, à travers des prés où s'attardaient les écharpes d'une brume matinale. Même s'il n'était pas ciudalien, la pénétration d'esprit dont Gaidéris avait fait preuve était inquiétante. Naturellement, il était hors de question d'accepter sa proposition : le convoi qu'il formait comportait inévitablement des négociants ciudaliens, et il aurait été difficile de se garantir à la fois contre la curiosité de ces compatriotes et contre celle du petit officier aux yeux de furet. Nous n'avions plus qu'à espérer que le gandin ne bavarderait pas trop avant son départ de Montefellóne.

De façon inattendue, au bout d'une heure de marche, ce fut le vieux Dugham qui nous lâcha un début d'explication sur la surprenante clairvoyance du centenier. Dans son galimatias, il raconta que ce n'était pas la première fois qu'il entendait le nom de Gaidéris. Par le passé, il avait déjà voyagé dans la Marche Franche ; il ne précisa pas ce qu'il y trafiquait alors, mais son sourire canaille était assez éloquent. À l'époque, un officier nommé Gaidéris pourchassait les truands qui brigandaient sur les routes, et se trouvait redouté pour la rapidité et l'efficacité de sa bande d'archers. Comme ce souvenir remontait à vingt ans, et que l'officier qui nous avait abordé la veille paraissait à peine avoir cet âge, le vieil Ouromand déduisait que notre homme était le fils de celui qu'il avait connu de réputation. Toutefois, plus tard, alors que le barbare nous avait un peu distancés, Sassanos murmura :

« Dugham se trompe sur un point. Ce Gaidéris n'est pas le fils de l'autre. C'est le même homme. »

Je lui jetai un coup d'œil dubitatif.

« Ce godelureau sort tout juste des jupes de sa mère, objectai-je. Il n'était peut-être même pas né quand Dugham est venu pour la première fois dans la région.

— Ne vous laissez pas abuser par son allure juvénile. Gaidéris nous a avoué quasiment la vérité à son propre sujet : *je n'ai aucun mérite, c'est de famille*. Le sang du Peuple ancien s'est mêlé à celui des hommes dans sa parenté ; n'oubliez pas que Bourg-Preux a compté des elfes parmi ses fondateurs. Cela explique tout : ses grâces adolescentes, sa longévité probable, sa capacité à voir à travers les apparences. C'est fascinant : ce n'est qu'un bâtard, ou le descendant d'un bâtard, et pourtant il a écarté mon sortilège comme il aurait tiré un rideau. Imaginez l'acuité d'un elfe authentique !

— Vous trouvez ça fascinant, qu'on vous tienne en échec, vous ?

— C'est très stimulant, intellectuellement. Cela corrobore ce que la tradition rapporte sur les dons des elfes.

— Et il y en a beaucoup, à Bourg-Preux, de ces individus stimulants ?

— À ma connaissance, très peu. Mais il en reste quelques-uns. L'un des échevins de la Marche Franche, par exemple, un certain Melanchter. Vous en entendrez sans doute parler, mais vous aurez peu de chance de le rencontrer ; c'est un personnage influent, mais secret. »

Quand le jour acheva de se lever, nous étions déjà loin de Montefellóne. La bourgade étirait ses vieilles murailles dans la lumière rasante, réduite aux dimensions d'une miniature de codex. Derrière s'étendaient les riches terres de la République, un damier vallonné de bosquets, de champs, de vignes et de villages, qui s'estompaient dans les lointains dorés, jusqu'au mirage de l'océan dissimulé derrière les horizons. Nous abandonnions ce pays de cocagne, car devant nous se dressaient les collines de Vieufié.

J'aurais bien aimé avoir une petite conversation avec le plaisantin qui avait donné le nom de « collines » à ce massif : sans doute un cosmographe de cour qui n'avait jamais mis les pieds hors des jardins paysagés de Chrysophée, à l'époque du Vieux Royaume. En tout cas, je peux jurer que la pente qui vous coupait le souffle et les jambes, quand vous attaquiez le piémont de Vieufié, vous chassait de l'esprit tout espoir de promenade dans une campagne aimablement onduleuse. Ça grimpait sec ! Avant une heure de marche, on pouvait compter tous les toits de Montefellóne en contrebas, on devinait les tours de Vinealate dans une perspective bleutée, et les barres nuageuses qui accrochaient les rayons du soleil, loin au nord, étaient peut-être celles qui roulaient sur la côte et sur Ciudalia. On avait beau monter, les contreforts boisés qui nous dominaient n'avaient pas l'air de rapetisser. Ils s'épaulaient les uns aux autres, ventrus et menaçants comme des nuées d'orage.

On dépassa les dernières prairies, où étaient éparpillés des burons trapus et des bergeries modestes, puis nous atteignîmes les essarts. Les versants de Vieufié fournissaient une grande partie du bois de marine qui approvisionnait l'arsenal de Ciudalia, et l'effort de guerre venait d'ouvrir d'énormes coupes au flanc des monts. Au milieu des abattis et des sols charrués par le transport des fûts, on voyait fumer des camps de charbonniers et de bûcherons. Dans cette dévastation hérissée de souches, crevée d'ornières, labourée par les fers des chevaux de trait, j'éprouvai une réminiscence troublante. Je me sentis bizarrement noué par la désolation des fins de bataille navale, que ce fût celle du cap Scibylos ou la prise de la galère Mastiggia. Ici comme là-bas, cela sentait la violence, l'épuisement et la cendre. La guerre me rattrapait, alors même que je croyais lui avoir échappé.

En raison de ces coupes intensives, la lisière n'avait rien d'une orée verdoyante. La limite entre les terres exploitées et la forêt était marquée par une tranchée brutale en pleine futaie, qui ouvrait sur une colonnade hostile et ténébreuse. Sans transition, on passait du soleil au crépuscule, de l'espace ouvert à une nef ombreuse, de la République de Ciudalia à une terre étrangère.

En franchissant cette bordure, nous passions aussi une frontière. Nous avions réussi notre évasion. Pourtant, ni le sapientissime ni moi, on ne se fendit de mômeries ni d'embrassades. Certes, nous ne pouvions plus légalement être poursuivis par les alguazils ou par les Phalanges. Mais si nous étions mouchardés, rien n'empêchait nos ennemis de lancer à nos trousses des bandes privées de tueurs appointés. J'étais bien placé pour savoir que la Guilde des Chuchoteurs exécutait des contrats dans tous les pays voisins. Plus que jamais, nous devions creuser la distance. En fait, ce furent les deux Ouromands qui manifestèrent de la bonne humeur. Pourtant, ils étaient encore très loin de chez eux, mais ils en prenaient la direction, et sans doute ces monts inhospitaliers leurs rappelaient-ils leurs terres natales. Ils avaient l'air plus fringants ; ce qui, très franchement, leur donnait une touche alarmante, car la sauvagerie n'en affleurait que plus vive dans leur démarche revigorée et dans leurs rictus de loups.

Une fois que nous fûmes engagés dans les bois, le chemin se fit moins raide. La route sinuait en fait dans les combes et les vallons, entre les plus hauts sommets. En raison de l'épaisseur des ramures, on ne distinguait plus grand-chose du paysage ; mais à la fraîcheur qui s'attardait sous les arbres, on devinait que la masse hirsute des monts nous enserrait. Vers le milieu de la journée, une clairière étriquée nous découvrit un panorama sauvage. Notre route s'y divisait. La voie la plus ancienne, bien empierrée mais mordue par les mauvaises herbes et les broussailles, descendait doucement sur la gauche jusqu'à une rivière étroite, aux remous rapides et sombres. Un antique pont de pierres enjambait le cours d'eau, mais des touffes de graminées avaient colonisé les interstices où le mortier s'était effrité ; un bras de la rivière avait creusé un méandre sur l'autre berge, contourné le pont, raviné la route, et rendait le vieil ouvrage d'art à peu près inutile. Le cours d'eau était ombragé par des hêtres pleureurs, eux-mêmes dominés par une falaise au sommet de laquelle s'élançaient un pan de muraille et une tour évidée. L'autre chemin, plus large mais aussi plus défoncé, filait grimper à flanc de coteau et se perdait sous une futaie abandonnée, où penchaient plusieurs arbres morts. À la croisée veillait une statue ancienne, inclinée par une lassitude légère, polie par les siècles et par les intempéries. Ses traits étaient quasiment effacés, il lui manquait le nez et un bras, mais on pouvait néanmoins reconnaître la Vieille Déesse à sa longue robe plissée, au voile qui couvrait ses cheveux et à la petite roue que tenait son unique main. Le piédestal de la statue était constellé d'inscriptions et de graffitis : les lettres bien gravées comme les gribouillis malhabiles se chevauchaient jusqu'à former une trame illisible. Des prières, des supplications, des actions de grâces : cela me fit un peu froid dans le dos. Il fallait que la peur règne sur certaines portions du chemin pour qu'on réclame ainsi la faveur de la déesse, génération après génération.

Quand j'avais traversé Vieufié, des années auparavant, je faisais partie d'un détachement de trois cents phalangistes chargés de la protection du Podestat. Je n'étais alors qu'un simple homme du rang, et je n'avais pas spécialement fait attention à notre itinéraire. Ce croisement ne me rappelait rien, et j'aurais été bien en peine de choisir une direction. Heureusement, les barbares avaient déjà escorté des marchands, et connaissaient mieux la région. Dugham désigna d'abord le pont abandonné.

« Route vieille, dit-il. Chevaux plus passer. Arbres, fantômes, mauvaises terres grises. Rapide pour Sacralia, mais pas se perdre ! »

Puis, montrant le chemin creux qui escaladait les collines :

« Route Bourg-Preux. Arbres, montagnes, voleurs. »

Sassanos considéra un moment la rivière et le chemin empierré qui se perdait au-delà.

« Ce doit être la vieille route de Plaisance, précisa-t-il. C'était l'ancienne capitale du duché d'Arches : ce fut la dernière ville détruite par le Roi-Idiot, juste avant la bataille de la Listrelle. Je serais curieux de visiter ces ruines, mais elles se trouvent à plusieurs jours de marche de Bourg-Preux. Je préfère que nous arrivions au plus tôt dans le chef-lieu de la Marche Franche, pour que je n'aie plus à vous protéger contre la dame qui vous poursuit de ses assiduités, don Benvenuto. Nous prendrons la route de Bourg-Preux, Dugham. »

Pendant ce bref échange, Cecht s'était écarté de notre groupe et dirigé vers la statue. Le colosse avait levé ses yeux myopes vers le visage mutilé, puis avancé sa patte crasseuse vers la main de la déesse. Sa pogne carrée s'était posée sur les doigts de pierre, s'y était attardée un instant. Curiosité, superstition ou piété ? Il me fut impossible d'interpréter ce geste, tant le faciès couturé du barbare restait inexpressif. Du reste, son compagnon l'interpellait déjà, sur un ton mi-alarmé, mi-railleur, et la brute se détourna de la déesse.

Avant de repartir, les deux Ouromands posèrent leurs sacs et y prélevèrent leurs armures, qu'ils s'aidèrent mutuellement à enfiler. Il s'agissait de broignes incroyablement archaïques, des tuniques de cuir recouvertes d'écailles et d'anneaux cousus. Presque aussi lourdes que des corselets d'acier, ces brigandines protégeaient assez bien contre les coups de taille, et fort mal contre les coups d'estoc. Leur état témoignait assez des nombreux combats que les rustres avaient livrés : l'armure de Cecht, en particulier, ravaudée de bric et de broc sous toutes les coutures, était une vraie bigarrure de macles de fer, de lamelles de bronze, de plaquettes d'os.

« Splendide, apprécia Sassanos en considérant les deux barbares dans leurs oripeaux guerriers. Je vais suspendre le charme qui nous donne de la discrétion. Ces magnifiques harnois devraient dissuader tous les malandrins de la région. »

Sûr qu'ils en mettaient plein la vue, les Ouromands, avec leurs tatouages, leurs armes primitives, les longues mèches qui balayaient leurs balafres malgré leurs nuques rasées. Ça impressionnait peut-être le détrousseur timoré ; malheureusement, ça ne nous protégea ni du vent, ni de la pluie, ni du froid. À mesure qu'on gravissait les collines, on s'enfonçait dans le mauvais temps. Oubliées, les belles journées de la fin de l'été. Au-dessus de la forêt, le ciel vira rapidement au gris limaille. Dès l'après-midi qui suivit notre départ de Montefellóne, il se mit à pleuvoir, et je crois bien que cela n'arrêta pas un seul instant pendant quatre jours pleins. D'accord, ça ne croulait pas comme les trombes orageuses qui décapaient Ciudalia ; mais à tout prendre, j'aurais peut-être préféré une bonne bourrasque, suivie par une éclaircie. Les nuages accrochés par les monts nous compissaient avec une constance morne. Des ondées froides alternaient avec des crachins brouillasseux, qui se transformaient en averses pointues, puis se clairsemaient en grosses gouttes éparses, avant de nous balayer sous des averses drues et ventées, pour s'épuiser lentement et pissoter en bruines interminables. Ça n'en finissait pas de tomber, en postillons, en formation, en rideaux, en obliques, et je vous passe les cascades glacées quand une petite brise agitait les feuillages chargés d'eau. Non seulement ça descendait, mais ça remontait aussi. Une brume poisseuse levait au-dessus des sols gorgés, des herbes couchées, des ronceraies perlées, et se lovait autour des troncs assombris. Mille et un ruissellements coupaient le chemin dans une chanson tristement rigolarde, et finissaient par remplir vos bottes de soupe refroidie. On avait beau faire le dos rond, à la longue, la pluie perçait les étoffes, dégoulinait le long du nez, filait dans l'échancrure du col, s'insinuait sous le buffle, vous engluait le haut de chausses sur les guibolles. J'étais à tordre, et mes pieds étaient lestés par deux paquets de crotte.

La nuit, ça ne s'arrangeait pas. On cherchait bien des arbres aux ramées denses pour planter notre camp, mais ça n'empêchait pas la mousse de suinter, ni les gouttières de vous tambouriner sur la calebasse. On avait le plus grand mal à trouver un bois qui prît feu, et ce n'était pas la fumée épaisse qu'il crachait qui réussissait à nous sécher. Impossible de dormir, roulés dans des couvertures et des manteaux mouillés : on subissait en grelottant l'obscurité interminable de ces insomnies pluvieuses. Même les provisions que nous avions achetées à Montefellóne étaient trempées : le pain et les tourtes se désagrégeaient, les fruits moisissaient, le fromage pleurait du petit-lait au fond de nos musettes.

Nous n'étions pas seuls sur cette méchante route, mais les rencontres étaient rares. Les voyageurs se déplaçaient en caravanes frileuses, qui comportaient rarement moins de dix personnes. Tous ces chemineaux étaient armés, au minimum de bâtons et de dagues ; il n'était pas rare de voir des artisans munis de haches ou de marteaux, et les escortes de marchands comportaient quelques soudards. Notre troupe était bien plus modeste, mais la haute taille et l'équipement pittoresque des Ouromands faisaient sensation. Quand nous croisions d'autres marcheurs, ils nous dévisageaient avec hostilité et crainte. Sassanos maintenait son capuchon enfoncé jusqu'au menton, et je gardais la bouche scellée de crainte que mon sourire ne tape dans l'œil d'un indiscret. Tout cela manquait un peu de cordialité, mais il était clair que de part et d'autre, les groupes qui se frôlaient désiraient prendre du champ le plus vite possible.

Des naïfs auraient pu suivre cette route en se contentant de lutter contre les intempéries. Cependant, pour des gens avertis, des indices rappelaient ici et là combien la région était dangereuse. De temps en temps, de modestes monticules étaient repérables dans le sous-bois, non loin du chemin. D'aucuns étaient isolés, d'autres regroupés par deux ou par trois. Quelques-uns étaient signalés par un bâton de marche, planté plus ou moins de guingois. Certaines de ces tombes étaient anciennes, et disparaissaient sous les broussailles et les feuilles mortes ; mais il en était d'autres dont la terre avait été fraîchement remuée...

De loin en loin, nous distinguions des traces de bivouac. Parfois dans d'étroites clairières, plus souvent sous le couvert de la forêt, presque toujours au bord d'une source ou d'un étang. On repérait les herbes écrasées, les broussailles et les mûriers arrachés sur un périmètre plus ou moins large autour des cendres de foyers. Des ordures souillaient souvent les limites de ces campements de fortune. Parfois, les sols semblaient bouleversés, piétinés par des empreintes trop nombreuses, ou retournés par des sangliers en quête de restes. Dans l'après-midi du deuxième jour, alors que nous traversions une chênaie aux troncs moussus, on tomba sur des débris sinistres. Juste au bord du chemin, un camp de taille moyenne avait été abandonné dans un grand désordre. Une couverture déchirée, des souliers dépareillés, des pots brisés étaient éparpillés dans une glèbe labourée par les traces de pas. Une mule crevée, la panse gonflée par la décomposition, faisait déjà corps avec l'humus bourbeux. Une corde avait été nouée à l'une des branches maîtresses d'un chêne, et pendait, tranchée assez haut. Sous cette potence improvisée, il y avait des excréments humains, et le sol gorgé ne parvenait pas à boire une barbotine sanglante. Un peu plus loin dans l'épaisseur du bois, une large bande de corbeaux croassait et craillait, se déchirant quelque festin funèbre.

« Eh bien, il semble que nous entrons dans la forêt de Cluse », observa calmement Sassanos.

Ce jour-là, on poursuivit notre route tous les sens en alerte. Comme il avait la vue basse, Cecht fermait la marche, sa large carrure couvrant nos arrières. Dugham et moi, nous progressions un peu en avant, de chaque côté du chemin, fouillant des yeux les sous-bois brouillés de pluie. Le sapientissime cheminait au centre, la tête inclinée, sans doute concentré sur quelque vigilance intérieure. Mais la forêt sombra dans un crépuscule ruisselant sans que nous ayons été menacés. Pour installer notre camp, on s'écarta très largement du chemin, et on se mussa à flanc de coteau, sous un rocher qu'ombraient trois chênes tordus. Le temps d'allumer un feu humide et d'avaler un repas gluant, la nuit nous avait engloutis dans des ténèbres froissées d'eau et de vent. Je me pelotonnais dans mon sayon spongieux et mes couvertures imbibées quand le gros Cecht fronça le nez. Il se releva, saisit sa hache, fit quelques pas et sortit quasiment du halo de lumière. Il nous tournait le dos, le mufle dressé, et il me sembla qu'il flairait l'atmosphère embuée. Au bout d'un moment, Dugham l'interpella ; ils échangèrent quelques mots dans leur langue. Dugham finit par lâcher une réplique moqueuse, à laquelle Cecht rétorqua avec colère, mais sans se retourner.

« Que se passe-t-il ? demanda Sassanos.

— Cecht pas bien, ricana Dugham. Dire sentir deuxième feu. Cecht crétin ! Sentir feu à nous ! »

Le sorcier se leva à son tour et vint se placer à côté du colosse.

« On ne discerne aucune lumière, dit-il. Toutefois... »

Il posa une main noire sur l'épaule massive du barbare, et demeura un moment silencieux. Je me rendis compte qu'il était en train d'harmoniser sa respiration avec le souffle lent de l'Ouromand.

« Cecht a raison, finit-il par ajouter sur un ton songeur. Nous brûlons du chêne, et l'on sent une fumée différente... une essence un peu vénéneuse... du bois d'if, peut-être... Il y a aussi des odeurs de viande grillée... »

Il donna une tape amicale sur l'échine de la brute, comme il aurait flatté l'encolure d'un bon cheval, et il revint s'asseoir près du feu.

« Il s'agit probablement du bivouac d'un autre groupe de voyageurs, qui aura trouvé un abri meilleur que le nôtre, conclut-il. Malgré tout, restons prudents. »

Dans la mesure où c'était un exploit de fermer l'œil sous cette foutue flotte, son conseil était assez facile à suivre. On organisa nos tours de garde habituels, mais on était toujours deux ou trois à rester bien réveillés, à sursauter sous le filet glacial lâché par une branche, à tendre nos doigts gourds vers le feu, à moucher nos naseaux rougis. La minuit devait être passée depuis longtemps, j'en avais fini avec ma veille, et je venais de réussir à piquer du nez quand je fus secoué par une sensation bizarre. J'eus l'impression qu'on me bousculait : j'ouvris les yeux, pour me retrouver cinglé de plein fouet par un vrai déluge, brutal et bref, qui fit cracher et siffler notre petit feu. J'étais couché à même le sol, je me rendis compte que personne ne me touchait, mais j'avais toujours l'impression qu'on me balançait, comme si deux plaisantins avaient agité le lit où pourtant je ne me reposais pas. Je me redressai d'un seul coup, en même temps que mes trois compagnons, et tout redevint stable. Une myriade de gouttières continuait à nous arroser, mais avec une violence décroissante.

Je lâchai une bordée de jurons, sans comprendre ce qui venait de se produire. Sassanos venait de se lever, une main posée sur le rocher suintant qui nous surplombait.

« Vous avez senti ça ? s'écria-t-il assez bêtement.

— Je viens de me faire saucer grave, grognai-je, le cœur battant. C'est quoi, ce bordel ? »

Le sorcier n'avait pas l'air effrayé, plutôt enthousiaste ; ce qui, vous pensez bien, ne contribuait pas du tout à me rassurer. Les deux barbares avaient l'air aussi effarés que moi.

« Ça vient du sol, dit le moricaud en souriant.

— Qu'est-ce qui vient du sol ?

— Le sol a tremblé. Cela arrive dans cette région. Rappelez-vous ce que je vous ai dit... Cela confirme que nous approchons de Bourg-Preux.

— Et ça vous fait marrer ?

— Tant que les secousses ne sont pas trop fortes, cela n'a rien d'inquiétant. En fait, je trouve rassurant que nous touchions bientôt au but... »

Dugham reprit assez vite ses esprits, et entreprit de ranimer le foyer que la trombe chue des feuillages avait quasiment éteint. Mais Cecht, qui ne comprenait visiblement rien à ce qui venait d'arriver, demeura un moment campé sur ses jambes, la nuque raide, le museau flottant entre peur et menace. Pour finir, le demeuré brandit sa hache en un geste de défi et lâcha trois puissantes braillées dans la nuit. Dugham l'apostropha, et il s'efforça de le calmer. Je n'étais pas mécontent qu'il s'en charge, parce que le gros Cecht m'avait l'air drôlement remonté et que je manquais un peu de vocabulaire pour lui réclamer poliment de fermer sa grande gueule.

Question dérangement, Sassanos se posait là, lui aussi. Mais dans un autre style. S'il se rassit en s'emmitouflant, son visage scarifié, faiblement éclairé par les quelques flammes que Dugham avait sauvées, trahissait une jubilation rentrée.

« Mesurez la puissance de ce pouvoir, finit-il par murmurer sur un ton rêveur. Voilà deux siècles que cette magie a été déchaînée et… elle affecte encore la région… Ni à la Grande Bibliothèque d'Elyssa, ni chez les mages-initiés qui gardent les sépulcres divins, je n'ai jamais éprouvé quelque chose d'aussi démesuré… Bien sûr, ceux qui ont libéré tout ce pouvoir ne sont plus… On peut visiter leurs tombeaux à Bourg-Preux, dit-on. Mais sont-ils vraiment morts ? Vous l'avez senti comme moi, don Benvenuto : leur force est encore capable de secouer la montagne. Ils sont toujours là, à leur façon. Dans l'eau de la Listrelle, dans la roche de Vieufié, dans les fondations de la ville qui fut bâtie sur le champ de bataille… Dans la mémoire de ceux qui savent. »

Ce fut le lendemain que nous découvrîmes les pendus.

Cela faisait un moment qu'on s'était remis en route ; en fait, on devait être pas loin de la mi-journée, bien qu'il fît aussi sombre qu'au soir. Le chemin longeait un mont plutôt revêche. À gauche, la rocaille qui affleurait sous les feuilles mortes et les racines grimpait assez roide dans la pénombre, tandis que sur notre droite la pente dévalait si abrupte qu'on voyait les feuillages des arbres presque sous nos pieds. Tout au fond de ce val encaissé grondait un torrent, dissimulé par la végétation et par une brume translucide. Cela faisait bien deux heures que nous montions, en sinuant laborieusement le long des tours et détours de la route, qui épousait tous les accidents du relief. Ce fut en approchant des sommets qu'on les aperçut.

Le chemin se faufilait dans un col étroit, dominé par deux éminences boisées. S'y pressaient de nombreux ifs et quelques sapins, mais un hêtre immense et à moitié mort s'élevait au-dessus de toutes les frondaisons. Exposés à des lieues à la ronde, suspendus aux plus hautes branches, deux corps y étaient battus par le vent et par la pluie. Ils étaient livides, grotesques : on les avait pendus nus.

On les repéra d'assez loin, et on marqua un temps d'arrêt. Chaque fois que je croise un pendu, je ne peux m'empêcher d'y voir un présage très personnel, et ça me plombe le moral. Les deux Ouromands n'avaient pas l'air ravis non plus, ayant sans doute une glotte aussi sensible que la mienne. Seul Sassanos demeura indifférent. On n'échangea pas un mot. Même si cette rencontre était sinistre, elle était plutôt bon signe pour les innocents voyageurs que nous étions supposés être. La pendaison, d'ordinaire, c'est une exécution pour l'exemple. Il y avait fort à parier que les deux marioles qui avaient épousé la veuve étaient des larrons tombés entre les griffes de baillis. On interpréta la pantomime comme un avertissement lancé aux voleurs de grand chemin, et on reprit notre marche.

Cependant, à mesure qu'on approchait du col et de ses deux vigies, je me sentais de plus en plus tendu. Il y avait quelque chose qui me chiffonnait, et ce n'était pas seulement l'idée de passer sous le vent des cadavres. Des détails clochaient. À commencer par l'altitude à laquelle on avait hissé les macchabées… Certes, plus le gibet est élevé, plus la leçon est marquante. Mais en l'occurrence, on avait quand même choisi le plus grand arbre du secteur et on avait accroché les faloudes aux plus hautes branches, à dix ou douze toises du sol. Il fallait une sacrée motivation pour brancher aussi haut deux clients qui ne devaient pas être spécialement coopératifs, et le tout sans échelle, vu que la pendaison avait eu lieu au milieu de nulle part. De toute manière, je n'avais jamais vu une échelle assez haute pour permettre de grimper au faîte d'un hêtre...

Cette bizarrerie m'amena à distinguer d'autres anomalies. Les deux corps avaient l'air on ne peut plus refroidis : vu la façon dont les têtes roulaient sur les poitrines, il était évident que leurs cervicales étaient en miettes. Et pourtant, ils bougeaient de façon anormale. Un pendu, c'est un poids mort qui tire de toute sa viande vers le plancher des vaches ; or ces deux-là manquaient de raideur. La brise les balançait un peu trop, et leurs membres dansaient avec une grâce gauche quand un coup de vent ployait tout le hêtre. À mesure que nous en approchions, je ne parvenais plus à en détacher mon regard. Je les voyais mal, car les branches les plus basses commençaient à me les masquer, et une pluie fine s'obstinait à m'aveugler. Pourtant, quand je fus presque sous leurs pieds, je les découvris difformes : leur peau me parut fripée, leurs jambes bizarrement dissymétriques, leurs ventres exagérément bombés, et leurs têtes boursouflées. Je crus soudain saisir ce qu'ils étaient et comment on avait pu les hisser aussi haut.

« C'est pas des pendus, ricanai-je. C'est des épouvantails. »

Sassanos, qui s'était arrêté à côté de moi, avait levé son long visage sombre vers les deux pantins.

« Oui, confirma-t-il pensivement. Horrible, n'est-ce pas ?

— Qu'est-ce que vous leur trouvez d'horrible ? C'est que des épouvantails !

— Oui, très exactement : des épouvantails. »

Ses lèvres esquissèrent un sourire malsain.

« Je crois que je distingue les coutures, précisa-t-il, et il me semble que celui de gauche pleure de la paille. L'épiderme est un peu flasque, mais avez-vous remarqué la finesse des détails ? Cette corne un peu rougie aux extrémités des voûtes plantaires, la présence des orteils, des toisons pubiennes, des sexes rabougris... Connaissez-vous beaucoup de farceurs capables d'une reconstitution si minutieuse ? Ces pendus sont bien des mannequins, mais des mannequins d'un genre particulier : on a dû dépecer deux hommes pour les doter d'une peau aussi parfaite. »

J'avais pas mal de coups saignants à mon actif, j'avais encaissé mon comptant de plaies et de bosses, mais la mienne, de couenne, se fit grenue de trouille quand j'admis que le sapientissime me disait la vérité. Plus moyen de décrocher mes mirettes exorbitées des deux poupées qui giguaient au-dessus de nos têtes. Sassanos avait vu juste, de bout en bout. On avait cousu les peaux avec du gros fil ; par ses paupières déchirées et ses lèvres béantes, l'un des pantins semait des fétus emportés par le vent.

« Au moins, voici un petit mystère élucidé, remarqua tranquillement le moricaud. Nous savons désormais pourquoi le maître truand de cette forêt est appelé le Rempailleur... »

Tournant la tête, il fronça les sourcils, et parut tendre l'oreille.

« Je crains d'ailleurs que nous n'en apprenions un peu trop sur lui. »

Il ferma les paupières, posa un doigt griffu sur son front, se concentra brièvement. Puis, ouvrant les yeux sur des paupières dilatées, il s'écria :

« Demi-tour ! Ils sont dans le bois, juste au-dessus. Ils approchent ! »

Hormis les longs murmures du vent et le crépitement irrégulier de la pluie, les lieux semblaient aussi mornes que pendant les jours qui avaient précédé. Mais les deux pitres qui se balançaient aux tringles vous piquaient singulièrement l'imagination. Comme un seul homme, on tourna les talons et on redescendit le chemin, sans courir, mais avec la démarche précipitée du foireux qui tient à atteindre les latrines à temps pour sauvegarder sa dignité. J'ôtai mon capuchon pour avoir les oreilles dégagées et un angle de vue plus large. Tout restait tranquille. On dévala la route péniblement gravie un peu plus tôt, et au bout de deux cents pas, je commençai à éprouver un vague sentiment de ridicule. Nous avions presque atteint le virage qui nous soustrairait au spectacle des écorchés quand les choses tournèrent à l'aigre.

Dans les bois qui nous dominaient retentit un long sifflement. Un coup d'œil en arrière me permit d'apercevoir trois silhouettes sous les pendus. Les types étaient aussi crottés que nous, pas particulièrement impressionnants, mais ils avaient des couteaux et des épées disparates aux poings, et ils trottaient sur nos traces. Les Ouromands et moi, on vous aurait étrillé ces trois gueux le temps de vider un godet ; mais il était évident qu'ils n'étaient pas seuls. Sous le couvert des arbres devait se faufiler toute une grappe de coupe-jarrets ; en engageant le combat on risquait l'encerclement et la curée, comme des loups déchirés par une meute de clabauds. On décampa.

Nous abordions le tournant à fond de train quand Cecht, qui fermait la marche, cracha un borborygme. Dugham gronda quelques mots dans sa langue. Les deux barbares galopaient toujours, et je ne compris pas tout de suite ce qui se passait. Et puis j'aperçus l'empennage de la flèche qui s'était fichée dans le dos de Cecht, et j'en vis une seconde lui traverser le bras gauche, au-dessus du coude. À peine le temps de réaliser que nous étions canardés, et d'autres traits jaillirent des feuillages, dardés avec une précision mortelle. Mon sac fut transpercé, et me sauva probablement la vie. Deux projectiles sur le point de clouer le sorcier dévièrent de façon aberrante. Je braillai quelque chose comme « À couvert ! » et d'un seul élan, on se jeta hors de la route, vers le fond du val.

Il y avait de quoi se rompre les os. Le dévers était abrupt, presque un ravin, avec un terrain très bouleversé. Les arbres s'agrippaient sur un sol qui se dérobait en creux accidentés, dans un fatras de rocs et de ronces, où branches mortes et broussailles nous crochaient les jambes et nous déséquilibraient au-dessus du vide. Bondissant comme une chèvre folle, j'eus besoin de mes deux mains pour me rattraper où je pouvais, et ça ne m'épargna pas les glissades mal maîtrisées, les chocs ni les éraflures. Dans mon sillage, j'entendais les deux Ouromands valdinguer en avalanche, dans une sonnaille de métal et un fracas de bois brisé. Cecht me dépassa brièvement en chutant sur les fesses ; stoppé plutôt rudement contre un arbre, il se maintint en équilibre au-dessus d'une nouvelle ravine. Il profita de ce bref arrêt pour casser la pointe de flèche qui saillait hors de son biceps ; l'ayant jetée, il saisit la penne à l'arrière de son bras, et l'arracha d'une seule traction, qui délivra une longue giclée de sang. Son museau couturé affichait juste un poil de contrariété. Sans chercher à atteindre l'empennage qu'un sinistre farceur lui avait planté entre les omoplates, il reprit la dégringolade sur mes talons.

En très peu de temps, on touchait le fond. Soudain, on se retrouva baignés de buée dans le rugissement du torrent, et on plongeait dans une onde glaciale, mousseuse d'écume, qui se précipitait entre des rochers glissants et des branchages pelucheux. Je me reçus assez mal dans ce bouillon : ma cheville convalescente se tordit dans le lit de pierres dures et me lança violemment, tandis que le froid me coupait le souffle. J'étais désorienté, mais j'avais pied, et je pus lutter contre le courant, en claquant des dents, pour atteindre la rive opposée. Sous les reflets métalliques de la surface, j'eus la vision comique de grosses écrevisses qui se dispersaient à reculons. Dugham avait pris de l'avance ; il était en train de s'extraire du flot, et il essayait vainement d'escalader une berge qui n'était qu'un chaos de roches et d'arbres morts drossés par le torrent. J'avais perdu Cecht, pourtant juste derrière moi peu auparavant. Sassanos pataugeait à deux pas ; ses vêtements gorgés étaient plaqués sur son corps maigre, et tout comme moi, il fumait de froid. J'étais au milieu du gué quand l'onde fut soulevée par un gros impact derrière moi. Encore à moitié aveuglé, j'entrevis une silhouette émergeant hors de l'eau, une silhouette qui ne portait pas de broigne. Pas le temps de réfléchir. Je tirai la dague et je poignardai l'inconnu en plein cœur. Ça se joua à un cheveu. Je sentis sous mon menton le contact sans force de la lame destinée à ma carotide.

Pendant ce temps, Dugham jurait avec application, dans plusieurs langues. Il ne parvenait pas à grimper sur la rive opposée : le terrain était trop escarpé, hérissé de chablis, impraticable. La situation était en train de tourner court. Malgré le mugissement de l'eau, on percevait le raffut que faisaient de nombreux poursuivants en dévalant dans les broussailles, juste au-dessus de nous. Nous n'aurions pas le temps de sortir du torrent. Je réalisai alors que Cecht n'avait même pas plongé : il était resté sur la rive, il nous tournait le dos, avec son absurde banderille ; il tenait sa hache à deux mains, toute sa force ramassée, et s'apprêtait à affronter l'ennemi. Je dégainai l'épée. Malgré l'arrière-garde que nous offrait Cecht, nous étions dans la pire position possible. J'avais de l'eau jusqu'à la taille, je grelottais, les galets n'étaient même pas stables sous mes bottes. Même doté de deux lames merveilleusement équilibrées, je savais que j'allais me faire entrelarder si l'adversaire était déterminé.

Une première vague d'écorcheurs jaillit des taillis devant Cecht. J'eus à peine le temps de deviner les fers des badelaires et des fauchons, le colosse se ruait déjà au contact. L'Ouromand porta un coup atypique, de bas en haut, et éventra le premier ruffian de l'aine au sternum ; sans relever sa hache, il fracassa la mâchoire du deuxième d'un coup de pommeau. Il ne put éviter la lame d'un troisième, qu'il encaissa latéralement, en pleine poire. Avec le sang, je crus bien distinguer l'envol d'un lobe d'oreille. Cecht accusa à peine le choc, pas plus que s'il venait d'essuyer une simple gifle. Sa hache traça un tourbillon meurtrier et je vis une tête sauter comme une vulgaire balle.

Si redoutable qu'il fût, Cecht ne pouvait défendre la berge à lui tout seul. Sur les côtés surgissaient d'autres routiers, et tout en évitant le gros housekarl, ils sautaient dans le torrent, pour nous prendre en tenaille. Ils étaient nombreux, et on ne les voyait pas tous : on devinait encore du mouvement plus haut, derrière les feuillages et la brume. Dugham abandonna l'idée de fuir et vint nous rejoindre, Sassanos et moi, au milieu du cours d'eau. Sans un mot, on tomba d'accord pour protéger le sorcier. Dugham fit front à la petite bande qui remontait le courant depuis l'aval : il tira sa large épée hors du fourreau et adopta une posture archaïque, l'arme brandie à deux mains au-dessus de la tête, la pointe dardée vers l'ennemi. Pour ma part, je me tournai vers l'amont, où un groupe dispersé pataugeait vers moi en serrant de longues miséricordes et de courtes épées de fantassins. Je me mis en position de combat, terriblement conscient de ma vulnérabilité : je ne voyais plus ni Cecht, sur ma gauche, ni Dugham, dans mon dos. Il suffirait que l'un des deux plie et je serais éreinté avant même d'avoir pu réagir. Pour corser l'affaire, on allait en découdre immergés jusqu'à la ceinture. Le courant violent et la résistance de l'eau me privaient d'un jeu de jambe que le fond instable, du reste, rendait bien périlleux ; en plus, je ne pourrais employer que des gardes hautes, ce qui restreignait davantage mes manœuvres.

Derrière moi, j'entendis tinter brièvement des lames. Une plainte gargouillante, ponctuée par le rire de Dugham, fut suivie par une bordée de jurons et de cris rageurs, puis par un terrible fracas de fer. Au moment où ce combat s'engageait, deux des ruffians qui s'étaient portés à ma rencontre lancèrent leur attaque. J'improvisai une feinte, en battant la surface de l'eau du plat de ma lame. Les éclaboussures voilèrent un instant le champ de vision des deux soudards, et me donnèrent l'opportunité de placer une estocade mortelle dans la bouche du premier. Malheureusement, le torrent entravait par trop mes mouvements, et je ratai le second. Effrayé par le destin brutal de son comparse, il décrocha de façon pataude, pour attendre trois autres coupeurs de gorge sur le point d'arriver. Je me fendis d'un rictus féroce, mais je savais bien que s'ils chargeaient ensemble, j'étais cuit.

Sassanos se décida alors à entrer dans la danse. Et ce qui n'était qu'une explication raisonnablement saignante vira au cauchemar de détraqué.

Je sentis une piqûre à la base de la nuque, presque rien, et d'un seul coup, j'eus la sensation déroutante de m'écrouler à l'intérieur. Je me fis l'effet d'une outre qu'on crève et qui se vide. Tout reflua en moi, la perception précise de l'ennemi, le froid mordant qui engourdissait mes guibolles et mon ventre, la peur de mourir et la rage de vivre, et l'instinct qui me permettait de placer mes coups à l'estime, avant même de réfléchir. C'était pire qu'un malaise, car je ne perdais pas vraiment conscience : tout cela se rétracta, comme si une volonté puissante m'aspirait hors de moi. En un instant, je me retrouvai gobé comme un œuf.

Je titubai. L'épée et la dague se mirent à peser dans mes mains comme des sacs ; mes pieds glissèrent dans la caillasse, emportés par le courant ; le grondement du torrent me parut assourdi, et le monde se fit terne et insipide. Je faillis tomber. Les quatre coupe-jarrets se rendirent compte que je fléchissais : lames dardées vers moi, ils s'avancèrent pour me faire un sort, et je sus que j'étais perdu, incapable de parer seulement un coup de pointe.

Alors tonna la voix du sorcier, puissante et basse, juste dans mon dos. Il coassa des versets discordants dans un idiome obscène, qui m'écorcha littéralement la gorge. Dans son timbre dissonant, il y avait une sorte de choral désaccordé où je reconnus un accent bizarrement plébéien. Il cracha un mot de pouvoir, et le réel vola en éclats. Tout le val fut secoué par une déflagration de silence, je fus ébloui par un déferlement de noirceur, j'eus l'impression d'être soufflé comme une feuille. Je perdis le fil, le cœur affolé et l'esprit éparpillé.

Je faillis me laisser couler, et j'aurais peut-être pu me noyer dans une demi-toise d'eau. Une poigne noire et maigre me maintint à la surface. Quelqu'un parlait, mais ma tête pesait un bon quintal, et j'avais l'impression qu'une mélasse épaisse s'infiltrait dans mon crâne par mes deux oreilles.

« Debout, don Benvenuto ! Debout ! » finis-je par comprendre, tout en ayant la certitude qu'on s'adressait à quelqu'un d'autre. On me gifla, mais je me sentais peu concerné.

« Réveillez-vous ! criait Sassanos. L'affaiblissement de vos sens vous a protégé. Relevez-vous ! J'ai besoin de vous ! »

Je fis un effort pour accommoder ; j'y voyais mal, très trouble. Du sapientissime qui était penché sur moi, je ne discernai qu'une silhouette gigantesque et imprécise, parfois double. Je tentai de me relever, tout se mit à tourner, mais le moricaud me souleva avec une force que je ne lui soupçonnais pas, et je me retrouvais debout, vacillant, les bras tirés par la dague et l'épée que je n'avais pas lâchées. Je ne sentais plus le froid. Ma vue était horriblement floue : tout bavait, tout coulait, comme si le monde était un lavis trop imbibé.

« Vite ! s'impatientait Sassanos. Vous n'êtes pas le seul à reprendre vos esprits : il faut agir avant que l'ennemi ne se ressaisisse. »

Je voulus lui demander ce qu'il avait fait, mais je balbutiai un bredouillis sans queue ni tête. Sous la poussée du courant, j'avais un mal de chien à conserver mon équilibre. Je commençai toutefois à distinguer la présence d'autres personnes. Dugham, à moitié effondré dans l'eau, s'était raccroché des deux mains sur son épée, et inspirait péniblement, luttant contre l'évanouissement. Quelques truands avaient disparu, peut-être aspirés par les rapides ; d'autres étaient recroquevillés le long de la berge ou contre des rochers ; plusieurs avaient le nez et les oreilles qui saignaient. Certains commençaient à se mouvoir, avec une hébétude de somnambules.

« Il me faut un prisonnier, vivant et maîtrisé ! reprit Sassanos sur un ton rempli d'urgence. Aidez-moi ! Tout de suite ! »

Ces paroles firent lentement le tour de ma cervelle commotionnée, tandis que je m'interrogeais confusément sur la relation entre la prononciation de certains mots et leur signification. J'essayai de rengainer mon épée pour me libérer une main, mais j'eus un mal de chien à trouver l'ouverture du fourreau. Pendant ce temps, Sassanos s'était déjà porté au-devant des quatre ruffians qui avaient failli m'étriller. Un cadavre me heurta mollement la hanche, avant de glisser sur le côté, emporté par le flot. Sa bouche ensanglantée abandonnait un nuage rougeâtre dans son sillage.

Sassanos choisit sa victime et me la montra du doigt. L'homme était jeune, trempé, crasseux. Il haletait, les paumes écrasées contre les paupières, comme s'il avait été aveuglé. Il avait lâché son épée, dont on devinait l'éclat terne sous l'eau, au milieu des galets. Je remontai péniblement le courant jusqu'à lui, et je lui balançai un direct lesté par la garde de ma dague. Mon geste fut imprécis et débile ; la pichenette n'aurait pas fait reculer une donzelle. Mais le ruffian était sévèrement sonné : le coup le déséquilibra et je dus le rattraper. Il se débattit faiblement, en écarquillant des yeux injectés. Je l'immobilisai par une clef de nuque, en faisant un effort terrible, les bras secoués de tremblements. Sa résistance s'évanouit très vite, mais il pesait de tout son poids contre ma poitrine, et je me sentais au bord de l'épuisement et de la chute.

« Je vais le préparer, murmura le sorcier. Cela prendra un court moment. Quand il sera prêt, il faudra lui donner la mort selon un mode spécifique : vous devrez l'étrangler ou l'étouffer, en l'empêchant d'expirer le moindre souffle. Vous serez capable de le faire ? »

Je hochai faiblement la tête.

« Passez-moi sa ceinture, bafouillai-je. Ça devrait aller. »

Le sapientissime dégrafa très vite le ceinturon du coupe-jarret et me le tendit ; je l'enroulai autour de la gorge du voleur en le croisant sur sa nuque, et je serrai juste un peu, histoire d'en faire un garçon docile. Le moricaud saisit son petit couteau cérémoniel et déchira de haut en bas le justaucorps et la chainse du ruffian ; il trancha aussi les cordons de sa braguette, coupa dans le haut de chausses et lui mit les couilles à l'air. L'homme était maigre ; on pouvait compter ses côtes soulevées par la panique et un début d'asphyxie. Il avait la chair de poule ; sur sa peau laiteuse, on voyait de nombreuses piqûres de puces, en particulier autour du bas ventre.

Sassanos se mit à couper. Il hissa un pied du coupe-jarret hors de l'eau, le cala contre son épaule, et entreprit de taillader le gras de la fesse à moitié soulevée. Le client lança un gargarisme étranglé, essaya de se débattre, et je dus m'arc-bouter pour le garder sous contrôle. Le sorcier lâcha la jambe du truand, se mit à entailler sa poitrine. Le sang noyait les plaies, mais Sassanos imprimait à son couteau des gestes complexes et précis, et je compris qu'il inscrivait quelque chose dans la chair. Il incisait l'homme comme il avait gravé la tablette de plomb, quelques jours auparavant. Quand il abandonna le torse, ce fut pour s'attaquer au visage. Une main fermement posée sur le sommet de son crâne, il entreprit de ciseler l'arcade et la joue gauche du type. Le gaillard était à la fête : même garrotté, il se débattait de plus en plus violemment, et je sentais mes forces me fuir à toute vitesse. Du coin de l'œil je devinai que ça s'agitait un peu partout. Les trois autres truands qui nous entouraient étaient en train d'émerger. Sur la berge, Cecht était tombé à genoux et respirait comme un soufflet de forge, absent à lui-même ; mais alentour, plusieurs malandrins étaient en train de ramasser leurs armes avec des gestes gauches.

Sassanos s'écarta de sa victime. Tout en rinçant sa lame dans le torrent, il murmura :

« Le sang, le souffle, le mouvement. »

Puis il ajouta :

« Tuez-le. »

Il fallait faire vite, et je n'avais plus d'énergie. J'eus recours à un vieux coup des bas quartiers. En me retournant, je passai la ceinture entortillée au-dessus de mon épaule, et je soulevai le tailladé d'une traction, comme j'aurais chargé un sac sur mon dos. Quand vous avez un peu de nerf, ce charriage-là est imparable : radical, quasiment une potence. Seulement, avec les jambes et les bras en chiffonnade, l'affaire devenait autrement délicate. Le client se débattit en spasmes brutaux, son échine plaquée contre la mienne ; sa tête me heurta rudement la nuque, ses pieds firent jaillir l'écume sous leur ruade. Je n'avais presque plus de force dans les mains, la ceinture glissait entre mes doigts mouillés. Avec un sursaut rageur, je tirai une nouvelle fois en avant, le bec presque dans l'eau, en brûlant ce qui me restait de hargne. J'entendis son cartilage craquer contre mon oreille, et je le sentis mourir sur mon dos. Il était temps. Mes genoux lâchaient.

J'aurais coulé sous le poids du mort si Sassanos ne s'était pas précipité pour me soulager du corps. Je crus que c'était pour m'aider. En me redressant, je vis qu'il n'en était rien. Le sorcier avait happé le cadavre comme un fauve s'empare d'une proie. Il l'avait allongé contre un rocher, débarrassé de son garrot et il le couvrait comme une maîtresse ; d'une main, il lui pinçait les narines, tandis qu'il l'embrassait à pleine bouche. Il appuya brusquement sur la poitrine entaillée, et il aspira goulûment l'air recraché par le mort.

Autour de nous, la situation virait au pire. La truanderie secouait son hébétude, les trois larrons qui étaient à côté de moi étaient en train de se mettre en garde. Ceux qui étaient près de Cecht voulurent profiter de son malaise : ils s'approchèrent en titubant du colosse agenouillé, et un, puis deux coups d'épée encore maladroits rebondirent contre les écailles de sa broigne.

Sassanos se releva alors. La dépouille qu'il laissa glisser dans le courant était hideuse : écorchée, étranglée, nue, violée, flasque comme un vieux sac. Le sorcier, quant à lui, était effrayant : il me semblait grisé, éployé, grandi. Une vie malsaine animait sa longue chevelure en tortils vipérins, ses yeux dilatés miroitaient comme la surface de l'eau, toute sa silhouette fumigeait une buée obscure. Il me fixa, hypnotique comme un serpent, parut vouloir me révéler quelque chose, un aveu capital, le genre de secret qu'on ne délivre que juste avant de monter sur l'échafaud ou de se trancher les veines. Mais il ne dit rien. Il me souffla dans la figure.

Il souffla une haleine de fièvre, une exhalaison chargée de parfums corrompus, un soupir de nécropole embaumée. Ma tête partit en arrière, chavirée par un vertige balsamique, et je me sentis emporté par une onde de force, comme un palais dont toutes les fenêtres claquent dans une bourrasque. Je crus que j'étais soulevé, arraché à l'étreinte glaciale du torrent. Mes bras s'ouvrirent de façon instinctive, pour embrasser la respiration trop vaste qui effleurait mon visage. Je fermai les yeux, le temps de cligner les paupières. Quand je les rouvris, j'étais au cœur du monde, avec une acuité inouïe, et je n'étais plus le même homme.

Cecht hurla. Je ne sus si c'était le sortilège du sapientissime qui l'avait réveillé, ou si un troisième coup d'épée, plus cuisant, venait de l'arracher à la stupéfaction. Son cri craqua à travers bois, chargé de rage libérée, et brusquement il était debout, ivre de fureur, au milieu de ses ennemis. Sa hache tourbillonna en un éclair d'acier, dispersa dans le même mouvement une parabole de sang et de feuilles.

Les trois coupe-jarrets, en me voyant distrait, étaient sur le point de me tomber sur le râble. Rien qu'à la crispation de leurs pognes sur leurs armes, rien qu'à la tension dans leurs épaules, je sus qu'ils allaient bouger. L'épée et la dague jaillirent dans mes mains, et en un instant je passais sous leurs gardes maladroites, je portais trois bottes à l'instinct, je perçais trois corps d'une fragilité déconcertante. Leur mort même me parut anecdotique, sinon que j'éprouvai avec une précision tactile les résistances successives que les textiles, la graisse, les muscles, les os et les organes opposèrent à mes lames. Je me sentais brutalement gonflé d'une vigueur fabuleuse, de sens aiguisés jusqu'à l'agression. Ces hommes qui tombaient, je pouvais en voir chaque poil de barbe, chaque ridule, chaque pore. Mais mon œil était attiré par la splendeur glacée du torrent bien plus que par ces viandards crasseux. L'onde grise, où s'effilochaient des arabesques pourpres, chatoyait de reflets fluides comme du vif-argent ; l'écume bouillonnait en milliers de bulles blanches contre des pierres où mousses et lichens formaient des géographies ramifiées ; la brume superposait des voilages où dérivaient des myriades de gouttelettes en suspension. L'eau grondait avec tant de force que j'avais l'impression qu'elle croulait en cataracte dans mon crâne, et pourtant je discernai chaque rigole, chaque clapot, chaque jaillissement, chaque crissement de galet. Le froid me mordait à nouveau les jambes, au point que j'avais l'impression d'être traversé par le courant, mais c'était maintenant une sensation vivifiante, un coup de fouet, cette jouissance douloureuse qui vous arrache des cris. Tout m'était éblouissement.

Cependant, le sentiment qui enfla chez moi, ce fut

un accès d'angoisse sauvage, irraisonné, étranger à la trouille familière que je savais apprivoiser.

Je commis un carnage.

Je tombai au milieu des ruffians que Dugham avait affrontés, et mes deux lames Acerini firent merveille. L'eau n'entravait plus mon élan ; j'étais capable de bondir de rocher en rocher avec la vivacité d'un chat. Jamais mes feintes n'avaient été si rapides, jamais je n'avais porté d'estocades alliant tant de précision et de puissance. Je n'avais même pas à croiser le fer : je trompais les défenses, je glissais sous les parades, j'étrillais et j'embrochais, je faisais le vide comme un faucheur couche un champ de blé.

Quand le cours d'eau fut engorgé de cadavres, je me ruai sur la rive. Cecht était toujours debout, mugissant, fumant de sueur et de sang. Lui aussi s'était livré à une véritable boucherie : autour de lui étaient éparpillés des corps mutilés et des membres tranchés, et le colosse beuglait, rempli d'une démence triomphante. Face à lui, sur la pente escarpée du sous-bois, il y avait encore une bonne quinzaine de truands, mais ils restaient à distance respectueuse, et je pouvais sentir leur peur au flottement qui animait leur groupe. Au milieu, je repérai un type assez grand, d'une carrure comparable à celle de Dugham, qui tenait une flèche encochée sur un arc à double cambrure. L'archer était encapuchonné, et je ne distinguai de son visage qu'un menton carré hérissé par un chaume blondasse. Entre les pans de son manteau, je devinai l'éclat mat d'une cotte de mailles, et plusieurs couteaux à dépecer glissés dans les gaines de son ceinturon. L'homme m'avait vu. Pourtant, étrangement, il ne banda pas son arme vers moi, ni vers Cecht. Je voulus mettre à profit cette indécision. Si je tuais le chef, j'avais la certitude de mettre en fuite toute la bande. Je fondis sur lui.

Dans mon dos, j'entendis des cris d'alerte. Je n'en tins pas compte : il me fallait agir en un éclair si je voulais saigner le Rempailleur avant qu'il ne se reprenne et ne m'épingle en pleine poitrine. Dans des circonstances normales, cela aurait été du suicide ; mais je me sentais porté par une vigueur démesurée, par la soif de meurtre, par la certitude de loger quelques pouces de fer dans ce cœur de taxidermiste. Je dépassai Cecht, je fonçai sur ma cible.

Un dernier cri de Dugham, rempli d'une urgence désespérée, me sauva probablement la vie. Je ne compris pas ce qu'il hurlait, car il braillait dans son dialecte barbare, mais je saisis qu'il s'adressait à son compagnon, non à moi. J'entendis le cliquetis des anneaux hétéroclites, le souffle de la hache ; je me jetai au sol d'instinct, et je sentis un appel d'air frôler ma tignasse. Je rebondis sur le sol en me contorsionnant comme un furet, je voltai pour faire face au colosse, et je le pris en pleine poire. Cecht s'était jeté sur moi de tout son élan : il chargeait, la hache brandie, et je mangeai en plein râtelier le coude de son bras dressé. La brute faisait bien une fois et demie mon poids : je décollai sous l'impact, je sentis ma lèvre supérieure éclater contre mes dents, je perdis mon épée. Mais j'étais toujours conscient en touchant le sol. Dans sa face sanguinolente, Cecht roulait des yeux de fou furieux. Les blessures qu'il avait encaissées et le numéro de Sassanos avaient un peu trop secoué sa faible jugeote ; il ne me reconnaissait plus. Une roulade me permit d'éviter un nouveau coup de hache, qui laboura le sol juste derrière mon dos : je pris sa cheville droite en ciseaux entre mes pieds et je tentai de le faire chuter. Autant essayer de déraciner un arbre : le monstre resta inébranlable, souleva derechef son arme en projetant sur moi une pluie de terre et de gravillons. Plus le temps de finasser. Alors qu'il armait son coup, j'avais bondi sur pied, je passai sous sa garde pour l'attaquer au corps à corps. J'eus l'impression de me jeter contre une muraille, muni d'un malheureux couteau. Sa grande taille me perturbait dans mes repères ; je parvins à glisser ma dague sous les écailles de la broigne, je le plantai en pleine poitrine, mais je ratai le cœur. L'Ouromand grogna à peine. Avec sa patte d'ours, il me gifla à toute volée, et cette fois je vis trente-six chandelles ; je titubai en arrière, sonné, traversé par la sensation que toutes mes fractures faciales venaient de céder une seconde fois. Dans un brouillard, je vis danser la hache, et je crus que c'en était fini, quand Dugham bondit, saisit l'arme de son compagnon à deux mains en hurlant à tue-tête.

Malgré ce que je venais d'écoper, je repris mes esprits en un éclair. Je me jetai sur mon épée. Dugham luttait avec Cecht pour essayer de le calmer. Je me dégageai en deux bonds, pour faire face aux truands.

Il n'y avait plus personne. Le Rempailleur et ses sbires avaient détalé. Je sentis monter en moi une frustration sauvage, irraisonnée, dangereuse. Pour éviter de retourner saigner ce gros abruti de Cecht, je me lançai seul sur les traces de quinze mauvais drôles. C'était complètement insensé, au moins aussi stupide que la façon dont Cecht avait essayé de me massacrer.

« Ça suffit ! » cria Sassanos.

Et comme je me retournai vers lui, tenté soudain de lui faire avaler ses injonctions avec une bonne longueur d'acier, il ajouta en riant :

« Un peu d'humanité, que diable ! »


La tuerie avait tourné court aussi vite qu'elle avait commencé. Par je ne sais quel miracle de persuasion, Dugham était en train d'apaiser Cecht, mais je restais à bonne distance du colosse. Il haletait péniblement, couvert de sang, une flèche brisée dans le dos, la moitié d'une oreille tranchée ; toutefois, je craignais un sursaut de bête blessée, le retour de flamme de la brute décérébrée. Je me trompais. Au bout d'un moment, Dugham laissa son compatriote et vint me voir. Il m'apostropha avec colère.

« Benvenuto envie crever ! s'emporta-t-il. Pas écouter

Dugham ! Dépasser Cecht par main gauche ! Mauvais côté ! Mauvais œil Cecht ! Cecht pas reconnaître ! »

Sassanos, qui prenait pied sur la rive, avait l'air de trouver le quiproquo très drolatique.

On ne traîna pas sur place ; on ne chercha ni à se soigner ni à se sécher. Les ruffians pouvaient revenir à la charge, et il était trop risqué de prendre ses aises pour recoudre des estafilades ou extraire une pointe de flèche. Pas question de regagner le chemin, non plus ; on y aurait été trop repérables, surtout pour des truands avides de vengeance. Restait un sacré problème : Vieufié n'avait rien d'une campagne où l'on pouvait couper à travers champs. Hors des sentiers battus, on avait toutes les chances de se perdre dans une forêt accidentée, trouée de ravines et de fondrières. Sassanos et Dugham tombèrent d'accord sur une solution : descendre le torrent où nous nous étions si élégamment illustrés. L'Ouromand et le sorcier espéraient qu'il se jetait dans la Listrelle : il suffirait ensuite de remonter la rivière pour arriver à Bourg-Preux. Mais ils prévoyaient un voyage difficile : en aval de Bourg-Preux, la Listrelle n'est pas navigable, et ils craignaient une progression très pénible dans une vallée ensauvagée et abrupte.

On mit les bouts dès qu'ils eurent pris cette décision. Ce qui ne veut pas dire qu'on fila à travers bois comme des chevreuils… Le cours d'eau zigzaguait dans un val encombré de rochers, de ronciers, d'arbres morts ; les biefs étaient souvent étroits, les cascades nombreuses, et il fallait sans cesse s'aider des mains pour progresser dans les éboulis suintants et les chablis pourrissants. L'étrange vigueur que m'avait donnée le sorcier se transformait sournoisement en état fébrile : mes perceptions exacerbées devenaient insensiblement duveteuses ; l'excitation qui m'avait porté se mêlait d'idées bizarres, et je sentais des débuts de courbatures nouer mon dos, mes bras, mes jambes. Je recommençais à souffrir du froid, et ma lèvre éclatée me lançait. Cecht fermait la marche d'une allure pesante, en ahanant à chaque pas. Il continuait à saigner, au bras, à la poitrine et à la tête, et il devait semer une jolie piste derrière nous. Je me demandais combien de temps il pourrait continuer à avancer : j'ignorais la gravité de ses blessures par flèche, mais je savais bien que je n'y avais pas été de main morte à la dague. Du moins ne crachait-il pas de sang : j'avais loupé les poumons.

J'eus l'impression qu'on pataugeait interminablement dans un crépuscule transi, toujours plus revêche à mesure qu'on descendait les degrés brisés du cours d'eau. En fait, on atteignit la Listrelle plus tôt que prévu, peut-être vers le milieu de l'après-midi. On aurait pu se réjouir de la justesse du calcul de Dugham et de Sassanos, mais le paysage ne s'y prêtait guère. Notre torrent s'élançait au-dessus de récifs ébréchés, et s'abattait en une immense colonne d'écume et de brume dans le flux déchaîné d'une rivière en crue. Pas d'erreur, la voie d'eau n'était pas navigable. Au fond d'une gorge qu'assombrissait une forêt accrochée aux falaises, la Listrelle précipitait un maelström de vagues brunâtres, opaques, dans un grondement de tonnerre. La violence des rapides était telle qu'on sentait le sol frémir sous nos bottes ; l'atmosphère était si chargée d'écume et de vapeur qu'on ne distinguait même plus la pluie.

Les berges de la rivière étaient balayées par des tourbillons qui baignaient les branches basses des arbres voisins ; les rives se révélaient impraticables. Les versants de la gorge disparaissaient à moitié sous une ramée sombre et n'auguraient rien de bon. On ne voyait pas vraiment par où nous aurions pu remonter vers l'amont. L'épuisement et le froid nous rattrapaient. On s'installa sur une corniche qui surplombait d'assez haut le cours tumultueux de la Listrelle. De toute manière, il fallait profiter de la pauvre lumière du jour pour bander nos plaies.

Assommé par l'effort qu'il venait de fournir, Cecht tomba lourdement sur les fesses. Il reprit laborieusement son souffle ; il m'ignorait, mais ce n'était peut-être pas délibéré. Il concentrait toute son énergie pour lutter contre la douleur. Au total, il avait encaissé sept blessures, et même s'il avait souffert au cours de notre retraite, il ne s'était jamais laissé distancer. Sassanos sortit de sa boîte à mystères des flacons d'huile, des aiguilles et du fil, et proposa de recoudre les blessures du gros Ouromand. Cecht accepta le matériel de couture, mais refusa les cautères et les soins du sorcier. Il désirait suturer lui-même les lésions qui lui étaient accessibles. Le gros problème provenait du tronçon de flèche qui était fiché dans son échine : non seulement le trait lui était inaccessible, mais en plus il lui clouait l'armure sur le paletot. Et une broigne, ça ne se déchire pas comme un vulgaire pourpoint.

Il n'y aurait eu que la flèche, je crois bien qu'on l'aurait laissée en place, le temps de trouver un barbier qui aurait su l'extraire en limitant les risques d'hémorragie. Mais il fallait refermer les autres blessures, en particulier mon méchant coup de dague, et il fallait donc tout retirer, brigandine et dardillon. Avec l'accord de Cecht, ce fut Dugham qui s'y colla, à la barbare. Le vieil Ouromand attaqua au couteau les rivets des anneaux de la broigne, un à un, tout autour de l'empennage brisé ; puis il perfora le cuir, au risque de poinçonner son compagnon. Quand il atteignit la peau, il ouvrit largement la plaie, cherchant la pointe de flèche avec sa lame d'une propreté douteuse. Le colosse hurla, de souffrance et de rage. Son tortionnaire finit par arracher le trait, triomphant, dans une giclée de sang. Je crus que j'allais tourner de l'œil à la place de Cecht. Dugham l'aida à retirer son armure et ses vêtements souillés d'humeurs coagulées, et entreprit aussitôt de lui recoudre le dos. Torse nu, avec ses plaies saignantes dans un coffre velu tout en nerfs, en muscles et en cicatrices, le gros housekarl était encore plus impressionnant que lorsqu'il était équipé en guerre. N'empêche ; sans cautère, je me dis que le monstre risquait de claquer les dents de fièvre dans les deux jours...

De façon très obligeante, Sassanos m'offrit ses services pour recoudre ma lèvre fendue. Je fus tenté de l'envoyer paître, avec sa serviabilité suspecte, mais j'avais la gamelle trop cabossée pour refuser ce nouveau ravalement. Lui et moi, on partagea donc un moment d'intimité, rempli de piquant. Il se penchait très près de mon visage, il louchait sur mon babin qu'il reprisait avec une coquetterie de cousette, certainement ravi de me faire mal pour me rendre service. Je dois lui concéder qu'il avait l'air de connaître son affaire. Je n'osai trop approfondir les raisons de ce savoir-faire.

Quand il eut fini, il inspecta son œuvre avec satisfaction. En me retroussant la lèvre, il contempla aussi mon dentier, qu'il effleura d'un de ses grands ongles.

« Très beau travail, apprécia-t-il. L'orfèvre Celari s'est surpassé. »

Je refermai mon clapet hermétiquement dès qu'il me lâcha la frimousse. Il eut l'air amusé.

« Je me demande comment vous pouvez vous intéresser à des trucs pareils après avoir eu aussi chaud aux fesses, grommelai-je sans desserrer les dents.

— Oh !... Vous me trouvez superficiel ? »

Il nettoya son aiguille et entreprit de ranger son nécessaire à couture, l'ombre d'un rictus sur sa face bistre.

« Qu'est-ce que vous nous avez fait, là-haut, près de la route ? » demandai-je à mi-voix.

Il haussa ses épaules étroites.

« Le strict nécessaire, dit-il.

— De la sorcellerie, murmurai-je.

— Si vous voulez.

— De la putain de magie noire. »

Il s'esclaffa, en prenant un air supérieur.

« Si vous voulez, répéta-t-il avec une pointe de mépris. Ou plutôt non. Magie blanche, magie noire, cette classification n'est pas seulement vulgaire, elle est inexacte. Elle ne fait pas honneur à votre intelligence. Alors si vous tenez vraiment à savoir dans quel rituel vous avez trempé, ce que nous avons accompli, vous et moi, c'est de la Basse Magie.

— Et c'est pas de la sorcellerie ?

— Cessez de raisonner comme le rustre que vous n'êtes plus, don Benvenuto. Qu'elle soit Basse, Haute ou Vive, la magie est toujours de la théurgie. Elle procède toujours de la divinité.

— Vous voulez me dire que votre petit rituel pervers, c'est un machin religieux ?

— Dans une certaine mesure... Mais pas dans le sens où vous l'entendez. Je n'ai sollicité de nul dieu la grâce de vous transcender en champion.

— Je comprends rien à vos salades. Vous me dites que c'est divin et que c'est pas divin.

— Croyez-vous que la divinité se limite aux dieux ? »

Je remâchai un instant sa question. Le sous-entendu ne me plaisait guère.

« Je suis sans doute trop borné pour comprendre, grognai-je. Mais il y a un truc que j'ai pigé : vous lui avez volé son âme, au type qu'on a refroidi, vous et moi.

— Son âme ? Pourquoi se contenter d'une seule ?

— Pardon ? »

Il me gratifia de son sourire de hyène.

« Je lui en ai soustrait trois. C'était un minimum, pour vous redonner un peu de cœur au ventre, don Benvenuto. »

On tira une nuit assez misérable, à grelotter au-dessus du confluent. On se passa de feu, de crainte de révéler notre présence. Je me mis d'accord avec Dugham pour qu'on se partage le tour de garde de Cecht ; mais ça ne servit pas à grand-chose. Le vieil Ouromand continua à me considérer avec hostilité ;

quant au colosse, il était muré dans son combat pour la survie. En plus, notre geste était inutile. Personne ne put fermer l'œil : dans les ténèbres, la Listrelle faisait un vacarme infernal, et la brume crachée par les rapides vous transperçait jusqu'aux os.

Au petit matin, Dugham fit toutefois une trouvaille qui nous redonna un peu espoir. Il était parti vadrouiller dans les alentours, pour lutter contre l'engourdissement et vider sa vessie. Il revint assez vite, l'air fanfaron. Il avait déniché un vieux sentier envahi de friches, qui courait le long de la gorge de la Listrelle. C'était probablement un ancien chemin de portage. Abandonné depuis des lustres, il était envahi d'herbes folles, de ronces et de taillis ; çà et là, des glissements de terrain l'avaient coupé, et nécessitaient une progression dangereuse au milieu des éboulis. Mais on retrouvait toujours, de loin en loin, la trace à moitié effacée qui nous permettait de remonter vers l'amont. En définitive, le plan du vieux pillard et du sorcier s'avérait viable.

Cecht était livide, au petit matin. Il avait perdu beaucoup de sang, et résister à l'humidité glacée pendant toute une nuit avait déjà de quoi saper les forces d'un homme bien portant... Pourtant, quand il fallut reprendre la route, il se leva lentement, et il progressa derrière nous, obstinément, de la démarche d'un somnambule. Il paraissait si épuisé qu'il semblait perpétuellement sur le point de s'écrouler. Et cependant, il mit ses pas dans les nôtres, opiniâtrement, presque jusqu'au soir.

Vers la fin de l'après-midi, le grondement de la Listrelle se fit plus caverneux encore. Il s'y mêlait un autre vacarme, qui résonnait entre les falaises de plus en plus escarpées, comme si l'eau entrechoquait des roches de façon rythmique. Sassanos s'arrêta, prêta l'oreille. Son visage scarifié s'éclaira d'une lueur de compréhension.

« Vous entendez ? cria-t-il pour se faire entendre dans le fracas de la rivière. Vous entendez le martèlement ? Et cette odeur de brûlé... Ce sont des forges hydrauliques ! Nous y sommes ! Ce sont les forges hydrauliques de Bourg-Preux ! »

# XI

## *La voie obscure*

C'est ici le village de la Mort. C'est la maison céré-
monielle de la Mort. C'est ici la matrice. Je vais ouvrir
la maison.
  La maison est fermée et je vais l'ouvrir !

> *Formule chamanique, rituel funéraire de la
> tribu des Kogi, Sierra Nevada de Santa
> Marta, Colombie*

C'est ici qu'on arrive à la croisée des chemins, vous
et moi.

Bien sûr, c'est la faute de ce sinistre plaisantin, notre
ami moricaud. S'il était ravi d'être arrivé à Bourg-
Preux, c'était surtout pour se débarrasser de votre serviteur. Il refusa d'entrer dans la ville, en alléguant
l'urgence et le secret de son autre mission, la plus
importante : la visite impromptue au fils perdu du
Podestat. Je lui fis remarquer que Cecht était pas loin
de rendre les clefs, et qu'il aurait besoin de se retaper,
mais Sassanos écarta mon objection d'un haussement
d'épaules. Il s'étonnait que je me soucie de la santé d'un
type qui avait failli m'équarrir. Il était persuadé que
Cecht avait encore de la ressource ; et il préférait le
soigner à l'ombre, dans un village, plutôt que dans le
chef-lieu de la Marche Franche. Du moins est-ce ce
qu'il me raconta. Il me recommanda de me faire
oublier en ville, et surtout de n'en pas sortir. Je devais

attendre de nouvelles consignes. Peut-être le Podestat m'enverrait-il un émissaire ; mais Sassanos pensait que le plus sage était de guetter son retour. Quand il reviendrait de Sacralia, au bout d'un ou deux mois, il me dénicherait à Bourg-Preux pour définir la suite des opérations.

Pendant longtemps, je crus qu'il s'était payé ma tête. En fait, avec le recul, je me rends compte que même s'il m'avait dissimulé un ou deux détails, le sorcier était sincère en me donnant ces instructions. Mais les choses ne se passèrent pas ainsi.

Nos adieux ne furent guère chaleureux. Sassanos était trop content de se délester du malfrat en cavale ; quant aux Ouromands, il faut bien avouer que je les quittais en froid. Ce n'était pas plus mal. Ça nous dispensa des pitreries viriles qu'on commet pour masquer ses sentiments, entre mâles.

J'entrai seul à Bourg-Preux.

Et c'est ici qu'on arrive à la croisée des chemins, vous et moi.

Parce que pendant que je ramenais ma fiole fraîchement recousue dans les rues crottées de Bourg-Preux, Sassanos et ses deux Ouromands traçaient leur chemin plein sud, à travers les campagnes de la Marche Franche puis les Landes Grises, vers un but que j'ignorais et qui n'était pas tout à fait Sacralia. Or ce qu'ils trafiquèrent, les trois bougres, eut des répercussions gigantesques, et je me sens soudain un peu cloche, à jouer les bêcheurs avec mes petites misères et mes exploits discutables, pendant que ces trois-là allaient nourrir le poupard le plus fumant des quatre ou cinq dernières générations. Et là, voyez-vous, je m'interroge. Qu'est-ce que je raconte ? Mon histoire, ou celle de ce joyeux luron, mon ami le sapientissime ? Idéalement, il faudrait que je vous rapporte les deux récits, en parallèle, en essayant de vous tenir en haleine avec un entrelacement narratif à la mode des romans de chevalerie. Il serait même de bon ton que je joue les modestes, que je rapporte brièvement mes grenouillages de seconde zone pour m'effacer derrière les prouesses d'un sorcier basané et de deux pillards d'Ouromagne. Ensuite, je renouerais les fils des deux branches, et vous vous diriez que palsambleu ! don Benvenuto, c'est pas seulement une sale ordure, c'est aussi un saprès raconteur d'histoires ! Vous lui pardonneriez presque, au bagouleur...

Ouais.

Mais à vrai dire, j'en ai pas grand-chose à battre, de me faire pardonner. Je sais qui je suis, c'est pas joli joli, mais c'est comme ça. Et puis j'ai pas envie de me casser le trognon à vous lécher le *Conte du Moricaud*. À vrai dire, j'en ai plein les poulaines, de cette confession. J'avais commencé plein d'entrain, en ricanant tout seul du bon tour que j'allais jouer à la moitié de l'aristocratie ciudalienne, mais j'avais pas du tout mesuré la galère où je m'embarquais. J'en ai des pages et des pages, de cette histoire. Je ne sais plus où les planquer, je croule littéralement sous le vélin. À force de gratter, j'ai les doigts qui tirent, de la corne sur le pouce, le poignet qui crie grâce et même une crampe qui me remonte dans le coude. Je suis devenu un spécialiste de la fabrication des encres, du polissage à la pierre ponce et de la taille des plumes d'oie. Afin de ne pas éveiller les soupçons, je suis forcé de courir tous les parcheminiers de la ville : c'est qu'il ne faut pas piquer les curiosités par une trop grosse commande papelardière. Je n'en dors plus la nuit. Il me ronge, ce récit, et pas seulement à cause du travail... Il suffirait que quelqu'un se doute de l'existence de ce manuscrit, et je serais raide, plus que raide, tout ce qu'il y a de plus calenché. Ce que je couche par écrit, ça me vaudrait une avalanche de contrats, payés rubis sur l'ongle par la moitié des familles nobles de Ciudalia, par le Sublime Souverain de Ressine, par la duchesse de Bromael, par le plus influent des échevins de la Marche Franche, par quelques lettrés venimeux de la Grande Bibliothèque d'Elyssa, sans oublier mes très attentionnés collègues de la Guilde.

Et vous, oui, vous ! mon très cher lecteur ! Vous vous prélassez bien au chaud, sur votre coussiège favori ou dans la cathèdre de votre cabinet de lecture, en tournant d'une main indolente les pages de ce volume où je risque bien de perdre ma santé, ma vie, sans compter ma réputation. Est-ce que vous mesurez seulement ce que j'ai sué, d'angoisse et de labeur, sur l'ouvrage que vous avez le culot de parcourir comme un conte divertissant ? Vous vous rendez compte de ce que je risque, à vous dévoiler ainsi les dessous de la politique ciudalienne ? Vous croyez peut-être que je fais ça uniquement par plaisir ? Ou par malveillance ? Vous croyez qu'on accouche d'un pavé pareil seulement pour l'agrément de cafarder ?

Tant de légèreté, tiens, ça me dégoûte !

Alors pour l'épopée du sorcier et de ses deux primates, vous repasserez. Moi, j'en ai ma claque, de l'historiographie !

Et estimez-vous heureux que je vous raconte la fin de mon histoire, à moi !

Face à tant d'ingratitude, je pourrais bien tout laisser en plan !

# XII

## *Exil*

Ou sont les gracieux galants
Que je suivoie ou temps jadis,
Si bien chantants, si bien parlants,
Si plaisants en faits et en dits ?

FRANÇOIS VILLON

À peine débarqué à Bourg-Preux, je me sentis en exil.

La ville ne ressemblait en rien à Ciudalia. Elle me sembla plus petite, très biscornue, si anarchique que l'œil avait du mal à s'y repérer. Encaquée derrière des murailles trapues qui me parurent mal entretenues, elle penchait à flanc de colline, dominée par de rares tours, dont la plus forte arborait un gibet qui menaçait le troupeau des toits ; les bas quartiers s'étalaient sur les rives d'un lac aux eaux glauques, au centre duquel un gros temple à rotonde était érigé sur une île. Le lac alimentait la Listrelle, qui avait creusé une gorge au pied même de la tour du gibet. L'embouchure de la rivière mugissait d'un vacarme infernal : la violence du courant faisait tourner de grandes roues à aubes qui actionnaient les forges hydrauliques. Les gorges de la Listrelle, à cet endroit, formaient un vrai dédale troglodyte, crachant flammes, nuages de suie et de vapeur ; j'appris plus tard que c'était la Nainerie, le quartier des ferronniers de Bourg-Preux.

Vue de l'extérieur, Bourg-Preux paraissait occuper une superficie comparable à celle du quartier Benjuini, à Ciudalia. Mais une fois qu'on était rentré dans les murs, le bruit, le désordre, l'entassement urbain vous tournaient la tête ; pour le voyageur que j'étais, cette ville était un labyrinthe braillard, inquiétant par son étrangeté.

Oubliée, la belle architecture de Ciudalia. Bourg-Preux est une ville de torchis et de bois. Du moins s'agit-il de l'impression qui me frappa en pénétrant dans ses rues fangeuses, même si le rez-de-chaussée des demeures bourgeoises était souvent en pierres de taille, même si les bâtiments publics étaient fortifiés. Sur cent maisons, quatre-vingt-dix-neuf étaient à colombages. Mais qu'on n'aille pas s'imaginer des chaumières ou des baraquements rustiques : les façades étaient aussi hautes que celles de Ciudalia. Elles étaient plus étroites, à la mode bromalloise, le pignon donnant sur la rue : cela vous découpait un ciel en dents de scie, très loin au-dessus de la tête du badaud. Du moins pour ce que l'on pouvait apercevoir du ciel, mangé par les enseignes, par le linge, par les décrochements successifs des encorbellements, par les avant-toits des greniers. Les charpentes très ornées lançaient au-dessus de la rue une dentelle arborescente tout en courbes et en angles aigus ; les moises, les entraits et les blochets y étaient sculptés de figures animales ou grotesques. Cela créait le sentiment déroutant que les toits étaient formés par les coques retournées de nefs princières.

Dans les principales rues charrières, le long des axes commerçants, les façades étaient peintes de couleurs vives, aux teintes lavande, vert pomme, sang de bœuf. Certaines demeures s'enorgueillissaient de boiseries entièrement sculptées ; aux étages paradaient des façades en lanterne où s'alignaient de longues rangées de fenêtres étroites, chatoyantes de vitraux. Dans les motifs végétaux qui s'entrelaçaient sur la menuiserie et sur les verrières, je devinais l'influence elfique dont m'avait parlé Sassanos. Mais n'allez pas vous imaginer je ne sais quelle splendide bourgade. Ces hôtels ouvragés étaient des joyaux enchâssés dans un écrin de crasse.

Il suffisait de se risquer dans une ruelle ordinaire pour se retrouver au fond d'un long corridor noirâtre, cerné de façades borgnes, de murailles lépreuses, de bicoques branlantes. Des étançons mordaient sur la voirie pour soutenir des maisons vétustes, dont les étages penchaient, dont les chambranles baillaient, dont les châssis déformés avaient scellé leurs volets. On y pataugeait dans un bourbier semé de tessons de poterie, d'épluchures, de paille pourrie, de crottes piétinées, de flaques grasses. Loin de nettoyer cette bauge, la pluie ne faisait que la transformer en marigot saumâtre ; un ruisseau limoneux, marbré de reflets huileux, stagnait tristement au milieu de la chaussée. On enfonçait dans cette mélasse jusqu'aux chevilles, le museau emporté par la puanteur, en louvoyant pour éviter les ordures balancées des étages. Je me dis que j'allais mener joyeuse vie, dans ce dépotoir.

Et quelle foule, dans ces venelles putrides ! Un peuple de gagne-petits, de bonimenteurs et de vendeurs à la criée vous cornait aux oreilles. Vendeurs de nèfles, de cresson et d'oublies, marchands hors la halle, porteurs d'eau, laitières, fromagères, clocheteurs, rétameurs, charlatans thaumaturges, tout un ramassis de culs-terreux, de marlous, de petites gens clabaudaient à pleine gueule, avec un coffre à vous fendre le tympan. Se déversait également dans les rues un flot de domestiques : cuisinières, lavandières, chambrières, apprentis et valets, qui profitaient d'une course pour jacter avec les connaissances, qui marchandaient âprement avec les vendeurs de quatre saisons pour filouter sur l'argent des maîtres. Çà et là, des rouliers, des bandes de ramoneurs, des patrouilles du guet jouaient les gros bras pour se frayer un passage. Des bourgeoises majestueuses comme des naves, des ecclésiastiques du culte du Resplendissant ou de la Vieille Déesse vaquaient de loin en loin au milieu du populaire.

Ce qui aurait pu paraître banal à un rat des villes dans mon genre me troublait, en fait, profondément. Peut-être les jours et les nuits passés sur les chemins de campagne m'avaient-ils ensauvagé. Mais la vérité, c'est que le peuple de Bourg-Preux n'avait rien à voir avec celui de Ciudalia. La langue n'était pas la même ; ici, l'on parlait le léonien, dans son patois preux-bourgeois. Grâce à mon passé de soudard, je me débrouillais dans ce dialecte, encore que mon vocabulaire usuel fût très circonscrit aux registres de l'insulte, du juron, de l'ordure et de la gaudriole... Mais c'était une chose d'échanger des blagues troupières entre phalangistes, dans un baragouin mêlant trois ou quatre idiomes ; c'en était une autre de s'ensevelir dans une ville grouillante, où la langue étrangère vous submergeait comme une marée.

Les vêtements étaient d'une antiquité inimaginable. Les gens du cru s'habillaient dans un goût affreux, dans une mode que nos grands parents auraient déjà jugée poussiéreuse ! C'était pis que ringard, plus périmé que suranné, au-delà du désuet : un vrai conservatoire du costume ! J'ouvrais des yeux ébaubis sur des bliauts fendus, des aumusses à fourrure, des corsets à manches amples, des gonelles à longues capuches, des chaperons entortillés ! En quittant la République, j'étais remonté de deux bons siècles. Je serrai sur moi le sayon miteux acheté à Montefellóne ; au milieu des nippes locales, mon haut-de-chausses moulant, ma braguette à aiguillette et mon pourpoint à crevés auraient placardé mon origine comme le nez au milieu de la figure.

Le plus dérangeant, toutefois, ne venait ni du jargon ni de la garde-robe. Bourg-Preux est un champignon qui a poussé sur les ruines du royaume de Leomance : y ont échoué, à l'origine, des réfugiés et des combattants des quatre coins de la Transestrie. C'était encore visible, à la diversité des tailles, des types et des visages. Les gens y avaient globalement la peau plus claire et les cheveux moins sombres qu'à Ciudalia ; çà et là, on croisait certes des gaillards au teint olivâtre et au faciès brutal, mais plutôt que des bâtards ressiniens, je soupçonnais les descendants de sang-mêlé Uruk Maug, venus des confins de l'Ouromagne. Beaucoup de passants avaient la carnation pâle et le poil blond-roux de Bromael. Le plus dépaysant venait toutefois des personnes de petite taille. Mêlés à la foule, on manquait souvent de piétiner des nains, voire des galapiats encore plus fluets. Pour éviter d'être renversés dans la cohue, les nabots criaient encore plus fort que les camelots, des choses aussi fleuries que « Poussez vos culs ! » ou « Gare aux couilles ! ».

Dans ce tourbillon pittoresque, il n'y avait qu'une institution qui m'était familière. Une ville aussi animée et aussi riche comportait, inévitablement, sa pouillerie. Il me fallut peu de temps pour repérer, au milieu des chalands, le peuple furtif des trimards, des escarpes et des faisandiers. J'identifiais des mendiants suspects, faux aveugles et lépreux maquillés, accompagnés d'enfants infirmes qu'on avait mutilés à la scie et au couteau ; çà et là, je flairai le manège louche des rabatteurs et des guetteurs, le mouvement sinueux des tire-laines au milieu de la presse. Derrière ce petit artisanat de la dépouille, il devait y avoir de plus gros poissons, férocement dentés, et toute une économie crapuleuse prospérait sans doute dans les bas-fonds de Bourg-Preux. Ça ne me rassurait guère. J'étais un étranger sans relations, sans protections : je n'ignorais pas que je pouvais représenter une cible privilégiée pour la truanderie locale. J'espérais qu'il n'y avait pas de contacts entre les cagous du cru et la bande du Rempailleur ; mais je savais que j'avais intérêt à rester sur mes gardes.

En franchissant les portes de la ville, je m'étais renseigné auprès d'un sergent. J'envisageais de louer une chambre, mais pour avoir des adresses, je voulais me tuyauter dans une taverne qui ne fût ni trop chère ni un coupe-gorge. Le soudard m'avait recommandé *Le Gay Picquier*, sur la Place d'Armes ; mais comme il parlait avec un accent à couper au couteau, je n'avais pas compris la moitié de son itinéraire, et naturellement, je me perdis. Ayant fini par échouer sur un marché, j'avisai enfin l'enseigne d'une auberge, *Aux Armes d'Arches*. L'établissement occupait l'une des belles demeures de la ville, pimpante de boiseries peintes, de fenêtres à vitrages colorés, de portes à ferronneries délicates. Les clients qui s'attardaient sur le seuil paraissaient être de gras bourgeois et de puissants marchands ; je faillis passer mon chemin, certain que la maison était trop chère à mon goût. Toutefois, alors que je dépassais l'auberge, j'entendis une musique très douce sortir par les fenêtres, à moitié couverte par les rires et les conversations. C'était un air très vieux, plein d'un charme nostalgique, qui me poigna en pleine rue, l'oreille tendue, le cœur troublé. Quelques notes de luth, qui allégeaient soudain ma fatigue et ma désorientation, qui prêtaient une harmonie étrange, subtile, au vacarme des voix étrangères. Je revins sur ma décision. J'entrai *Aux Armes d'Arches*.

La salle était aussi bruyante que la rue, mais nettement plus accueillante. Dans la pénombre vespérale, le feu d'un grand âtre faisait miroiter les cuivres suspendus aux murs et les plateaux lustrés de longues tables en chêne. L'air embaumait comme une rôtisserie ; après le voyage pénible que je venais de faire, ce parfum de grillade me mit l'eau à la bouche. Les buveurs, malgré leurs costumes démodés, étaient pour la plupart des hommes riches : gros négociants, changeurs d'or, maîtres artisans, descendus dans cette auberge pour sceller des accords autour d'un pichet. Dans le lot, je repérai quelques concitoyens en affaire avec des bourgeois locaux. Je m'installai prudemment dans un coin sombre, non loin de la porte.

Par malchance, à peine avais-je mis les pieds dans la

salle, la plaisante mélodie qui m'y avait attiré s'était tue. Au bout de quelques instants, un chœur de joyeux drilles entonna une chanson à boire, faisant sauter les tables sous leurs bocks, en lançant de grands éclats de rire. C'était beaucoup plus approprié dans ce cadre, mais ça me laissa sur un bizarre sentiment de frustration, et je serais ressorti sans la puissante attraction des fumets de cuisine.

L'aubergiste ne se fit guère attendre. Je le pris d'abord pour un garçon de salle ; il avait la taille d'un gamin de six ans, mais le gaillard affichait un embonpoint respectable et un visage matois, sillonné de rides souriantes. Pour circuler dans la cohue, il juchait un plateau sur sa tête, et l'on voyait filer au ras des tables cruchons, godets et chopines ; afin de ne pas être culbuté par sa clientèle, il braillait à pleine voix, à la mode du pays. Du moins ce qu'il clamait était-il moins grossier, dans le style « Poussez les bouchons ! » ou « Place aux mousses ! ». Il m'aborda directement en ciudalien, accoutumé à reconnaître la clientèle étrangère, et je lui commandai un pichet de vin et une tourte à la viande. Il me fit un brin de conversation, curieux de découvrir cette nouvelle tête. Il avait des manières affables, un peu comiques, et il s'empressa de se présenter, maître Jobelin Muguet ; une politesse purement intéressée, dans le but de me soutirer mon propre nom. Je lui servis un patronyme de fantaisie, don Bergolino ; une plaisanterie amère que seul un natif de Ciudalia aurait pu comprendre. Il avait cependant l'esprit vif. Ayant repéré du premier coup d'œil mon équipage crotté, les gaines de mes deux lames et ma lèvre fraîchement suturée, il me demanda des nouvelles de la route de Vieufié ; je prétendis être arrivé dans le convoi du centenier Gaidéris, ce qui ne s'avéra pas très malin, car le petit drôle s'étonna que sire Gaidéris ne soit pas encore venu vider une chopine à sa santé.

J'étais en train d'attaquer ma tourte quand s'éleva dans un coin de la salle une mélodie très étrange, remplie de fraîcheur désenchantée. Le luth me remua au point que j'interrompis mon repas, pourtant succulent. Je n'étais pas le seul à être frappé par la ritournelle ; quelques clients se retournèrent pour chercher l'origine de la musique, et les conversations baissèrent d'un ton. L'air était différent de celui qui m'avait attiré dans cette auberge, mais il était joué par le même musicien, et il possédait une âme émouvante, la sensibilité des plus grands artistes qu'il m'avait été donné d'entendre au cours des fêtes données par le Podestat.

À la table où l'on braillait une chanson à boire peu de temps auparavant, au milieu d'une compagnie nombreuse et plutôt louche, je découvris deux ménestrels. Deux damoiseaux dans toute la grâce de la jeunesse, avec des minois à faire saigner le cœur des filles, qui chantaient mezza voce en s'accompagnant du luth. Le joueur de mandore était brun comme une nuit sans lune, l'autre blond comme un soleil d'hiver. Ils étaient entourés par tout un groupe de buveurs qui faisaient tache dans cet établissement huppé : novices décavés, écoliers en goguette, joueurs de cartes aux museaux chafouins, ribauds en repérage, et quelques bachelettes visiblement énamourées, mais un peu trop rousses et un peu trop dépoitraillées pour être tout à fait pucelles. À côté du gandin qui pinçait divinement les cordes de son luth, un nain à moitié chauve, avec les yeux larmoyants et la truffe écarlate, était en train de vider un hanap cul sec sous les gloussements de la moitié de la tablée. Et pourtant, dans ce tableau équivoque, la musique faisait régner une étrange harmonie, et j'y vis presque un sujet que Le Macromuopo aurait pu fixer sur sa toile. Derechef, j'éprouvai une sensation troublante de consolation, comme si la beauté de la mélodie me lavait des fatigues et des horreurs de la route.

Elle ne dura guère. Le nain reposa son hanap à grand fracas sur la table, sous les acclamations et des hurlements de rire, et il postillonna une chanson paillarde à pleine voix. Le musicien brun s'interrompit, son visage délicat s'éclaira de gaieté, et il accompagna le refrain vulgaire du poivrot. Le second ménestrel prit le nain par les épaules, le colla avec une affection burlesque contre son sein et le reprit en canon. L'instant de magie se dissipa, mais il restait difficile d'ignorer la tablée des deux baladins. Leurs compères, pris de boisson, braillaient de plus en plus fort et de plus en plus faux. Certains martelaient la table, d'autres avaient apporté avec eux des casseroles et des marmites avec lesquelles ils entreprirent de faire un tintamarre abominable, qui cassait les oreilles de toute la salle, mais faisait rire les deux musiciens. Je finis par deviner que cette curieuse bande préparait un charivari, et je compris un peu mieux la tolérance, peut-être mâtinée de crainte, dont ils bénéficiaient de la part des autres clients et du propriétaire.

J'étais en train de finir mon repas quand cette plaisante compagnie prit congé à grand fracas de bancs tirés et de tabourets renversés. Le blondinet interpella le petit aubergiste et proclama qu'il offrait les boissons, que maître Muguet n'avait qu'à les ajouter sur son ardoise. Les joyeux lurons passèrent devant moi, visiblement éméchés. Je jetai un coup d'œil curieux sur les deux baladins. Leurs costumes étaient bizarrement dépareillés : le justaucorps du luthiste était d'une élégance fastueuse, brodé de passementeries complexes, fermé par des boutons de nacre ; le pourpoint du blondin était en simple futaine, froissé et débraillé, et avait les coudes brillants d'usure. Pourtant, malgré la modestie de sa mise, il portait des gants d'osterlin.

Je m'étais bien gardé de leur lancer un regard appuyé, mais le blondinet remarqua mon œillade. Il s'arrêta pile devant ma table, aussitôt flanqué par son compaing musicien. Ils me toisèrent tous les deux, et je réalisai trop tard, avec une alarme subite, pourquoi j'avais été ainsi envoûté. Cette arrogance charmeuse, cette grâce insupportable, ces silhouettes élancées et ces yeux de chat dans des têtes mignardes : je m'étais fait piéger par des elfes !

« Suis-je à votre goût, messire le mélomane ? » me demanda le blondin d'un air pince-sans-rire.

En un instant, je repensai aux vins opiacés de Valanael, au regard aiguisé de Gaidéris, à la fascination de Sassanos, à la façon dont mon ami Welf s'était trouvé ensorcelé quand il avait navigué jusqu'aux côtes des Cinq Vallées… Et moi, à peine débarqué à Bourg-Preux, j'avais la mauvaise fortune de dénicher deux histrions elfiques qui s'y attardaient encore !

« Par malheur pour vous, point ne suis une dame ! » poursuivit le freluquet, plein de morgue grivoise.

Ses compagnons s'esclaffèrent et se rassemblèrent autour de ma table. Je me trouvai soudain cerné par des goliards facétieux, des malandrins ricaneurs, des donzelles aguicheuses, sans oublier le nain, qui venait d'appuyer ses deux coudes et sa barbe hirsute sur ma table, en louchant d'une châsse globuleuse sur mon pichet. Je m'en trouvai fort incommodé. Pour une arrivée en catimini, j'avais décroché la timbale ! Je décidai de ne pas provoquer les drôles, moitié par souci de discrétion, moitié par crainte des tours d'elfes. Je dis très platement que j'avais apprécié la musique.

« L'amour des chansons révèle l'âme bien née, reprit le blondinet. Soyez l'échanson qui nous offre une tournée ! »

Ses affidés approuvèrent bruyamment. De façon terriblement prévisible, le nain fit trembler ma table sous son poing en beuglant : « Une tournée ! Une tournée ! » J'étais furieusement tenté de jouer les méchants garçons pour disperser ces parasites, mais je me réfrénai par prudence. Je marmonnai que c'eût été avec plaisir, mais qu'il me restait trop peu d'argent. J'eus droit aussitôt au concert de casseroles et aux huées de toute la compagnie :

« Grippe-sou !

— Avare !

« — Savate ! Hou ! Hou !
— Mathelineux !
— Chat fos !
— Coquinaille !
— Savate !
— Mesel !
— Valet de Maître Fify !
— Hou ! Hou !
— Punais !
— Boullougneux !
— Savate ! »

Le Nain, qui me fixait d'un air furibard, s'écria :

« Je lui casse la gueule ? Je peux ? Dis, Eirin, je peux ? »

Le blondin frotta la tonsure du rase-crotte en disant :

« Non, non, Mère-Folle ; nous ne sommes mauplaisants, juste gens frivoles. N'agissons point en ruffians. Nous sommes attendus pour un beau charivari ; il est malvenu de faire faux bond au mari et à l'épousée ! Pas de rixe, pas de horion ni d'échauffourée ! Il faut que nous présentions en de beaux atours. Pour châtier l'avaricieux, il reste un recours : le jugement facétieux ! »

Ce fut une explosion de joie autour du godelureau, qui me regardait d'un air sévère tout en tirant sournoisement une moustache de Mère-Folle, ce qui imprima une abominable grimace à la trogne du nabot. De son autre main, le plaisantin brandit un index autoritaire et proclama avec un sérieux de haut justicier :

« Eirin Main d'Argent, Grand Prévôt des Étourdis, Duc des Sacripants, rend la sentence qui suit : le Don ciudalien, pour s'être rincé l'oreille sans offrir de vin, pour lésiner sur l'oseille, pour me reluquer comme un objet de désir (vilain débauché !), est condamné à ouïr, sans nul contredit et sans aucun fiel, un beau concetti d'Annoeth le Ménestrel ! »

La condamnation fut approuvée avec une chaleur excessive, encore que le nain arborât une expression déçue. Le musicien m'adressa une révérence ironique, saisit son luth, posa une main fuselée sur les cordes. Il me scruta par-dessous, avec intensité, pendant un instant interminable. Ses yeux étaient d'une nuance de bleu extraordinaire, d'un cyan très pur. Avec un sourire aimable, il finit par improviser quelques vers, sans me quitter du regard :

> *Voyeur embarrassé de se trouver en vue,*
> *Avare de monnaie mais prodigue en estime,*
> *Messire Bouche-Cousue ne paye point de mine !*

La pointe fut saluée par des applaudissements clairsemés et par des ricanements railleurs. Quelques voix narquoises reprirent « Messire Bouche-Cousue ! Messire Bouche-Cousue ! », et un « Savate ! » incongru jaillit à l'arrière du groupe. Étouffant de rage rentrée, je levai mon verre au musicien, qui me rendit mon salut avec grâce. Le Grand Prévôt des Étourdis se désintéressa alors de votre serviteur, et s'écria :

« Compagnons ! Allons huer ce nuptial cortège ! Tirons du barbon l'argent du vin de culaige ! »

Une véritable acclamation accueillit l'apostrophe, et à mon grand soulagement, la bande se détourna pour gagner la sortie. Le nain fut le dernier à partir, avec un regard chargé de regrets pour mon pichet. Je crois bien qu'il avait projeté de le voler à l'arraché, mais il était finalement moins stupide qu'il n'en avait l'air : il avait compris que j'étais du genre à clouer les mains sur les tables.

Une fois les noceurs sortis, le petit aubergiste se précipita vers moi et se répandit en excuses. Il affirma hautement qu'il se tenait prêt à intervenir, en quoi je le soupçonnais fort de mentir ; mais il prétendit avoir préféré laisser les choses se tasser, sachant qu'Eirin Main d'Argent et sa troupe ne s'attarderaient guère, puisqu'ils partaient semer le trouble dans la fête de mariage de l'usurier Grindion Pesot.

« Main d'Argent n'est pas un mauvais garçon, me confia maître Muguet à voix basse, mais comme il vous l'a dit, il commande à la Compagnie folle de Bourg-Preux. Ses farces et ses pitreries lui valent souvent de méchantes affaires, dont il s'est tiré jusqu'alors avec une chance insolente. Mais durera-t-elle ? Si vous voulez mon avis, trop de filles séduites, trop de bourgeois cocus, trop de dettes de jeu : notre Prévôt des Étourdis vit sur le fil. Aussi, gardez-vous de lui. Il vous a repéré, et il est suffisamment taquin pour vous resservir quelque gentillesse à sa façon : il ne vous fera point de mal, notez bien, mais je n'en dirais pas autant de ses fréquentations… Sachez aussi qu'il est surveillé par les hommes du capitaine Melanchter. À votre place, j'éviterais soigneusement de me frotter à la Compagnie folle, à l'avenir. »

Je remerciai l'aubergiste de son conseil en lui laissant un pourboire, malgré la somme absolument déraisonnable qu'il me réclama pour une tourte et une pinte de vin. Dans la mesure où je le payai en florins, et non en sous de la Marche Franche, je le suspectai de m'avoir grugé sur le change. Je lui demandai néanmoins s'il pouvait me conseiller une adresse où louer un galetas : le carotteur insista bien sûr pour que je m'installe dans son établissement, où les tarifs étaient absolument hors de prix. Quand je lui eus bien fait comprendre que je n'avais pas les moyens de l'engraisser, il me recommanda à regret une de ses connaissances, une certaine dame Plectrude, qui avait plusieurs chambres de louage dans la Maison du Dizainier, rue de la Pironnerie.

Quand je sortis des *Armes d'Arches*, le soir assombrissait les rues, et une cloche fêlée sonnait la fermeture des portes de la ville. J'embauchai un petit va-nu-pieds pour me guider jusqu'à la rue de la Pironnerie. Il fallut grimper des venelles plutôt pentues et glissantes, qui montaient vers les bâtisses fortifiées de la ville haute ; la rue de la Pironnerie, toutefois, se trouvait à mi-coteau. Le gamin m'abandonna devant une grande maison un peu penchée, dont la façade s'ornait de galeries étroites et d'escaliers assez raides. Il y avait foule en la demeure : quelques vieux suçaient leurs chicots devant un feu, une volée de gamins chahutaient dans les corridors et dans les escaliers, des pécores taillaient des bavettes. Je pris bien soin de préciser que je venais sur la recommandation de l'aubergiste Jobelin Muguet, ce qui me valut d'être introduit auprès de la maîtresse de maison. Elle me reçut sans façon dans sa cuisine, qui était vaste comme une grange et aurait pu accueillir la garnison d'un château. La dame était une bourgeoise bien mûre, mamelue et fessue, avec les lèvres pincées de cupidité et l'œil rond d'un oiseau ; elle régentait en despote ses filles, nièces et brus, qui préparaient une bâfrée de régiment. Il parut évident que ma dégaine de spadassin ne plut guère à la rombière, pas plus que mon accent ciudalien. Elle monta donc ses prix, et il me fallut marchander avec la pie-grièche. Elle poussa les hauts cris quand je lui dis que je la paierais en florins, non en sous, et ajouta au loyer le tarif du change. On finit par toper sur un accord : pour quatre florins la semaine, je serais logé, nourri et blanchi ; l'évacuation des eaux usées, l'eau, les chandelles et le bois restaient à ma charge. J'avais l'impression de me faire flouer, mais d'un autre côté je ne comptais pas rester plus de deux mois, et je me disais qu'arroser ma propriétaire l'inciterait à la bienveillance. J'aurais besoin de sa discrétion pour faire mon trou incognito.

La chambre était peut-être chère, mais elle était confortable et commode. Perchée au deuxième étage, elle ouvrait sur une galerie qui communiquait avec une venelle par un escalier extérieur ; je n'avais pas à passer par le domestique, ce qui me convenait fort. La porte était assez épaisse et fermait avec une serrure à loqueteau. La pièce était petite, à peine éclairée par une fenêtre étroite ; un poêle à carreaux de faïence occupait le coin opposé à la porte, un lit tout joufflu d'édredons et de coussins s'étirait le long d'un mur, flanqué d'un coffre rustique, patiné à la cire d'abeille. Ce qui m'étonna, ce fut de voir, alignés à côté d'un gros fagot de bois et d'un pot d'aisance écaillé, trois grands seaux d'eau remplis à ras bord. Comme je faisais remarquer à ma logeuse que j'étais plus homme à boire du vin que de la lavure, la rombière me lança une œillade dédaigneuse.

« On voit que vous n'êtes point pays, me dit-elle. Toute cette eau, c'est règlement de l'échevinat. La terre tremble souvent à Bourg-Preux : elle renverse les chandelles, éparpille les braises des foyers. Pour parer aux incendies, chaque bourgeois doit avoir en son habitation de quoi éteindre les départs de feu. Et d'ailleurs, si le sol branle, filez sous votre porte, ou dessous votre lit. »

Je m'enfermai dans mon petit chez-moi, fermement décidé à faire le mort. À vrai dire, pour commencer, ce ne fut pas très difficile. Je consacrai mes premiers jours preux-bourgeois à une orgie de paresse.

Pour bien apprécier tout le luxe d'une chambre d'hôte, il faut avoir avalé par dizaines les lieues de mauvais chemins, il faut avoir essuyé des étapes pluvieuses, des soirées frisquettes, des nuits humides et des aubes pénétrantes. Il faut souffrir les pieds talés, les mollets durcis, les genoux roidis, les adducteurs usés, les vertèbres tassées par la marche. C'est alors qu'une modeste piaule se transforme en antichambre de paradis ! On passe d'abord par une douloureuse délivrance : ôter dans la peine ses souliers crottés, tirer ses chausses toutes raidies de crasse, incrustées dans le talon et entre les orteils, où elles vous ont râpé avec aigreur à chaque foulée de chaque arpent de chaque lieue parcourue. Mais une fois la guibolle désapée, quelle volupté de poser ses paturons, écartelés d'enflure et d'ampoules, sur un beau plancher lustré, bien lisse et bien frais, plutôt que sur un cailloutis fangeux ou dans un herbage trempé ! Quel soulagement de déboucler le ceinturon, de laisser choir l'aumônière et les fourreaux qui vous ont lesté les hanches de si longues journées, au point de vous imprimer un sillon rosé dans l'épiderme ! Quel bonheur de tomber le manteau empesé d'eau de pluie, de se dépouiller du pourpoint de buffle qui vous compressait dans votre chemise gorgée, de balancer en tire-bouchon la chainse macérée de transpiration !

Et offrir ses doigts gourds au rayonnement du poêle ! Absorber par les paumes la chaleur qui vous remonte dans les bras, qui vous hérisse le poil, vous transperce de son haleine bienfaisante, vous ensommeille comme une rasade d'eau-de-vie ! Et se rôtir l'échine et les fesses, en sentant tous les muscles du dos qui se dénouent un à un, dans un abandon plus langoureux que l'effeuillage d'une pucelle !

Après ça, quand on tombe enfin dans le lit qui vous sourit de toutes ses courtines, la jouissance devient positivement indicible, et franchit les bornes de la décence. La fraîcheur des draps, la mollesse du matelas, l'étreinte duveteuse de l'édredon, la caresse de l'oreiller, tout cela vous arrache des gémissements d'aise ! On s'alourdit de vingt quintaux de plénitude tandis que la carcasse s'étire, les muscles se défroissent, les articulations se dégrippent, les os craquent et les paupières s'effondrent. On se demande comment diable on a pu oublier qu'un lit pouvait offrir de si divins délices ! Aussi, croyez-moi, pendant les deux jours qui suivirent mon arrivée à Bourg-Preux, je ne boudai pas mon plaisir ! Je me roulai dans la cosse, je me prélassai dans la torpeur, j'embrassai du traversin, je m'anéantis dans la paillasse ! Si le sol instable de la ville trembla, je pionçai, trop béat pour m'en rendre compte.

Seulement voilà, chez moi, la crise de flemme est symétrique à la flamme que j'éprouve pour une nouvelle maîtresse. Les premiers temps que je ferre un joli brin de fille, je suis increvable : je brûlerais des nuits entières à lui rendre de vigoureux hommages. Et puis, au fil des jours, la nouveauté s'étiole, la passion s'émousse, le désir s'amollit. J'ai encore goût à culbuter la donzelle, mais je retrouve aussi un certain penchant pour le sommeil. À l'inverse, pendant mon troisième jour de repos, ma cagnardise se fit moins intense. Je commençai à ouvrir l'œil. Quoique toujours caressant, le lit ne me comblait plus de transports léthargiques. J'avais de vagues fourmis dans les jambes. Mes draps bouchonnaient, mon oreiller creusait. Le meuble et moi, il nous restait encore de jolies perspectives matelassières, mais le beau de la passion était fini.

Émergeant des abîmes narcotiques, une idée finit par se frayer dans ma cervelle somnolente. Mon sommeil avait été sans rêve ; ou du moins, si j'avais rêvé, je n'en conservais aucun souvenir. Ainsi, Sassanos avait dit vrai : quelque chose, dans Bourg-Preux, semblait me protéger contre les sortilèges qui m'avaient assailli sur la route. Je craignais juste un peu de ne pas en savoir plus sur les désordres magiques qui rendaient la terre instable et mes songes hermétiques… Et cela ne me délivrait pas pour autant des vendettas probables : en perdant ma trace dans ce que le sapientissime appelait l'entremonde, les sorciers de la faction belliciste se douteraient bien que j'étais terré à Bourg-Preux. Mais pour me dénicher, il faudrait avoir recours à des méthodes plus conventionnelles : envoyer des agents, payer des mouchards, mener une enquête. Si je me claquemurais bien dans ma chambre, je pouvais espérer donner le change quelques semaines.

Je fis mes comptes. En additionnant les pièces que j'avais en poche pendant mon évasion du Sénat et la bourse donnée par Le Macromuopo, il me restait cinquante-deux florins. C'était très loin des sommes rondelettes qui dormaient sous séquestre dans les coffres de mes banquiers, mais cela me permettrait d'attendre le retour de Sassanos. Je n'avais plus qu'à lézarder. Ça présenterait le double avantage de m'ensevelir dans l'oubli et de faire durer mon pécule. Au cours des jours qui suivirent, j'entretins donc ma fainéantise. Je commençais mes journées par une grasse matinée, j'inaugurais mes après-midi par une longue sieste, et je couronnais mes soirées en me couchant avec les poules. Dans les intervalles, je cultivais l'oisiveté, je déclinais les satisfactions de ne rien faire. Les cloisons étant fort minces, j'épiais le voisinage. J'essayais de comprendre les conversations, je tentais de surprendre les grincements de sommier, je ricanais des scènes de ménage. La chambre du dessus était occupée par un petit clerc timide, le visage tout piqué de scrofule, qui se trouvait être le bouc émissaire des garnements du quartier. Le minable avait toutefois une habitude bizarre : une petite heure après être rentré chez lui et s'y être enfermé à double tour, il se mettait à marmonner tout seul. Cela durait fort avant dans la nuit ; je voyais quelques rais de lumière filtrer par des interstices de mon plafond. Toutefois, à peine sa chandelle soufflée, il se taisait. Ce mystère m'occupa trois soirées entières ; le drôle était-il toqué, ou pratiquait-il la magie ? Je finis par improviser un échafaudage, le coffre juché sur le lit et moi perché par-dessus le bazar, pour rapprocher l'oreille de son plancher. Il me fallut encore un bon moment pour saisir ce qu'il trafiquait, jusqu'à ce que j'identifie le grattement léger d'une plume sur un parchemin. En fait, le gagne-petit faisait de la copie, et ânonnait les textes qu'il reproduisait. Pour le peu que j'en compris, ce devaient être des articles de loi assez arides. Sans doute le scribouillard arrondissait-il ainsi un revenu famélique. Cette découverte me laissa fort désappointé : rien d'excitant dans cette affaire. De fait, les nuits suivantes, le marmottement monocorde descendu des poutres finit par me porter sur les nerfs, et après une semaine, j'aurais volontiers étranglé le plumitif besogneux.

Au cours de ces journées bien occupées, mes divertissements majeurs se réduisaient à vider mon pot de chambre du haut de la galerie et à recevoir les brus de dame Plectrude qui m'apportaient mes repas. Elles étaient toujours désignées parmi les plus laides. Faute de grives, je me serais bien contenté de merles, mais on avait dû leur faire la leçon sur les mœurs dissolues des gentilshommes ciudaliens, et les cageots s'esquivaient avec une pudeur effarouchée. En plus, j'étais tombé dans une maison bien tenue !

Au bout de huit jours de ce régime, je me barbais de royale manière.

La terre trembla à trois ou quatre reprises, ce qui m'apporta de fugitives distractions. La première fois, je dois avouer que je n'en menais pas large. C'est une chose d'avoir subi une secousse allongé sur le plancher des vaches, c'en est une autre de faire la même expérience au deuxième étage d'une grande bicoque de bois. Toute la chambre se mit à tanguer, la charpente grinça et craqua, et la porte se débattit dans ses gonds comme si un malotru avait essayé de la forcer. Je me fis l'impression de me retrouver dans la cabine d'un navire par forte houle, à ceci prêt que j'étais à cinquante lieues de la mer la plus proche. Toutefois, les convulsions étaient fort brèves, et comme elles ne généraient nulle panique dans la population du cru, je finis par me faire une raison.

En deux mots, à l'exception de ces brefs tape-culs, le menu des distractions était des plus maigres, et je me mis à tourner en rond dans ma jolie chambrette. J'essayai de me raisonner pour éviter de faire des sottises. Après tout, j'avais connu des séjours autrement plus pénibles, sur les galères de la République, dans les catacombes de Purpurezza ou dans les cachots de Sepheraïs. Mon petit pied-à-terre de la rue de la Pironnerie m'offrait confort et tranquillité. Mais c'était bien ça le problème : la tranquillité. Requinqué par une semaine de flemmardise, j'avais la bougeotte, le nez en l'air et la braguette qui démangeait. Une poignée de dés et d'osselets me roulaient au fond du crâne ; je me sentais la tentation de taper le carton et l'envie de lustrer les bancs de deux ou trois tavernes, histoire de regarder comment allait le monde, surtout celui qui offrait de la vue au balcon.

La volonté roidie contre l'appel du tripot, je cherchais à m'occuper l'esprit. Je remâchais mes griefs contre mon patron : après tout, non seulement j'avais casqué pour son compte en Ressine, mais je me retrouvais en exil par sa faute, parce qu'il n'avait pas hésité à me balancer pour sauver sa peau. Certes, il m'avait dépêché son sorcier pour me sortir de la République ; mais si je ne m'étais pas évadé du Palais curial par mes propres moyens, aurait-il seulement levé le petit doigt pour m'épargner l'estrapade ? L'ennui aiguisait ma rancœur, je dressais la liste de tout ce que son excellence Ducatore me devait, je relativisais ma petite incartade avec sa fille (après tout, je ne l'avais pas déflorée !) et je me complaisais dans l'opinion que j'étais l'honorable victime de l'ingratitude des grands. Ce fut sans doute en remuant ces rêvasseries dangereuses que j'en vins à concevoir mon grand projet. Vous savez bien lequel. Vous le tenez entre vos mains. Ce furent la litanie exaspérante du copiste de l'étage du dessus et une confidence de Sassanos qui m'en donnèrent l'idée.

Ainsi, le Podestat voulait maîtriser le temps ? Ainsi, la prise en main de sa succession était pour lui une façon de perpétuer son œuvre politique ? Eh bien j'allais lui en donner, moi, de la postérité ! Cette confession, c'est ma revanche à moi, c'est le coup de poignard posthume, c'est le graffiti obscène barbouillé sur le monument du grand homme. Leonide Ducatore voulait parader sur les plafonds du Palais curial ? J'allais écrire la légende de la fresque à ma façon, démasquer le chattemiteux, instiller le poison lent qui ne frapperait qu'après sa mort et la mienne, ruiner le tombeau glorieux qu'il comptait se bâtir dans la mémoire de la République ! Je me gardai bien d'écrire le premier mot de ce récit dans ma petite chambre de la rue de la Pironnerie. Dans la situation qui était la mienne, cela aurait relevé de la plus totale inconscience ; et puis je comptais bien sur Leonide Ducatore pour réhabiliter ma réputation à Ciudalia, à plus ou moins long terme. Il était donc prématuré de commencer à coucher par écrit cette drolatique histoire ; en outre, je n'avais ni plume, ni encre, ni parchemin, et encore moins les liquidités pour me procurer un matériel si coûteux. Mais le projet mûrit à ce moment-là, pendant ces longues journées d'ennui, à attendre que les heures tournent vers un avenir incertain.

À force de préméditer ces petits plats revanchards, je me mis à gamberger de façon plus lucide sur la position que j'occupais. Pour commencer, qui me poursuivait ? Le clan Mastiggia, à coup sûr. Mais y avait-il d'autres cavaliers dans la pavane ? Après s'être assuré que je filais hors les murs, à quel jeu se livrait le sénateur Sanguinella ? Le Pédant et ses sbires étaient-ils sur ma piste ? S'il s'agissait d'un homme d'Ettore Sanguinella, sans doute s'était-il détourné de mon cas ; mais si c'était un exécuteur de Tremorio Mastiggia, j'avais tout intérêt à numéroter mes abattis. Et qui était donc la dame qui avait hanté mes rêves sur le chemin ? Une ensorceleuse, capable de convoquer les mânes des vivants et des morts, qui avait cherché à briser ma volonté dans mon sommeil… J'avais ma petite idée : je gardais souvenir de la façon dont la Lusinga avait envoûté l'assistance par son chant, au cours du banquet funèbre de Regalio Cladestini. J'avais donné dans le panneau, au point de vouloir me rencarder sur la belle, sans réaliser qu'elle était sur le retour. La cinquantaine, d'après Oricula, ce qui est un âge bien ranci pour une courtisane… Certes, la charmeuse était voilée, mais la voix était parfaite, la silhouette fine comme celle d'une bachelette. Avait-elle fait illusion ? Était-elle une artiste plus enchanteresse que divine ? À propos de la magicienne qui me recherchait, Sassanos avait dit : elle est très vieille, au-delà de ce que vous imaginez. Cinquante ans, c'est un âge très imaginable. Pouvait-il s'agir de la même personne ? Oricula lui-même avait-il pu être berné par la rumeur ? Et puis d'abord, qu'est-ce que ça pouvait signifier, au-delà de ce que j'imaginais ? Avais-je une aïeule décatie aux basques, qui prolongeait sa vie avec des philtres infects et du sang de jouvencelle ? D'autres détails me revenaient, comme cette affaire à laquelle le ministériel Blattari avait fait allusion, quelques heures avant de se faire massacrer par des tueurs versés en nécromancie... Une histoire d'enfants aveuglés, infirmes comme des vieillards, retrouvés près du cloaque Azoteo, ce qui avait provoqué une flambée de colère populaire dans la via Strettina. Depuis, j'avais été aux premières loges pour voir opérer la sorcellerie de Sassanos, dans la forêt de Cluse, et je n'avais que trop bien vu comment on pouvait dévorer une âme. Y avait-il d'autres stryges, dans les palais patriciens de Torrescella ? De très vieilles choses corrompues qui puisaient leur longévité secrète dans le rapt et le supplice des enfants des rues ? La dame de mes pensées était-elle de cette espèce ?...

Ces spéculations inquiètes me remirent en tête le pauvre type que nous avions massacré dans le torrent, Sassanos et moi. Je revis l'avidité monstrueuse avec laquelle le sapientissime s'était emparé du souffle du mort, je frissonnai en pensant que la sorcière qui me recherchait était probablement de la même trempe. Toutefois, cette vilaine réminiscence m'amena à toucher du doigt quelque chose d'autre, des détails auxquels je n'avais pas prêté attention jusqu'alors, mais qui prenaient un relief singulier avec un brin de recul. Après coup, je découvrais des anomalies dans l'embuscade dont nous avions été la cible. Ce n'était pas l'attaque en soi qui me paraissait anormale : les truands étaient beaucoup plus nombreux que nous, et il était dans l'ordre des choses qu'ils aient tenté de nous faire un sort et de nous dépouiller. Mais à la réflexion, il y avait des bizarreries dans tout cela. La façon dont ils avaient fui, par exemple. D'accord, on avait fait un joli carnage, et Sassanos avait employé la sorcellerie, deux raisons solides pour provoquer la débandade des ruffians ; cependant, ce qui m'apparaissait très étrange, c'était le moment choisi par la bande pour décarrer. Tant que Cecht avait fait front, tant que j'avais suriné dans la flotte, ils s'étaient incrustés ; mais quand Cecht et moi, nous nous étions battus comme des chiffonniers, au moment même où nous étions devenus vulnérables, ils s'étaient évaporés. Voilà qui n'était guère logique. Et maintenant que j'avais commencé à tirer le fil, d'autres incohérences m'apparaissaient. Quand nous avions essayé de prendre la tangente, sur la route, des archers avaient essayé de nous abattre. Cecht avait été salement aligné, et sans mon sac, j'aurais sans doute eu le coffre transpercé. Mais à la fin de la fête, quand le type que j'avais cru identifier comme le Rempailleur nous avait tenu dans sa ligne de mire, il n'avait pas tiré. Pourtant, le gros Ouromand avait fait de la charpie de tout ce qui lui était tombé sous la hache, et moi, j'étais en train de foncer droit sur l'archer. Je crois même que nos regards s'étaient croisés. À sa place, je n'aurais pas hésité ; et compte tenu de sa pratique du dépeçage, j'avais du mal à croire que les scrupules avaient pu arrêter sa flèche. Qu'est-ce qu'il avait trafiqué ? Nous avait-il épargnés ?

De fil en aiguille, je revis l'arc qu'il avait entre les mains. Un arc à double courbure, pas un grand arc d'if comme on en emploie dans la Marche Franche ou dans le duché. Ce type d'arme, je ne le connaissais que trop, mais pour l'avoir vu en mer, dans les pattes de janissaires ressiniens. Qu'est-ce qu'un maître truand des bois de Vieufié bricolait avec un arc composite ? Pour le peu que j'en avais distingué, le gaillard n'avait rien d'un métèque : la barbe que j'avais aperçue était plutôt blondasse. Et pourtant, sa spécialité, le dépeçage et l'empaillage de peaux humaines, était aussi un des raffinements de la civilisation ressinienne ! D'ailleurs, Sassanos avait reconnu le truc au premier coup d'œil !

Et puis pourquoi diable le Rempailleur s'amusait-il à dépecer les voyageurs et à suspendre ses trophées au bord du chemin ? C'était là œuvre d'écorcheur plus que de voleur ; en d'autres termes, pour quelqu'un qui voulait prélever son petit péage personnel sur une route, c'était très stupide. Cela encourageait la clientèle à s'armer jusqu'aux dents, à marcher en bandes, à faire des détours : toutes choses franchement préjudiciables à un brigandage prospère. Dans cette affaire, il y avait vraiment quelque chose qui ne tournait pas rond. Du coup, j'étais de moins en moins sûr du rôle que le sapientissime avait rempli dans cette étripade ; et pourtant, personne n'y avait été au chiqué ! On avait abandonné le pré pavé de cadavres ! Je restais persuadé que si on ne s'était pas défendus comme des loups, on aurait terminé proprement écorchés ; mais quelque chose, à la fin du combat, avait tourné de façon inattendue. Le problème, c'est que je ne parvenais pas à saisir ce qui avait brouillé la donne.

J'avais beau essayer de ne pas trop m'y attarder, mon jeu contenait une autre inconnue. Une inconnue de quinze ans, à la poitrine menue et à la langue acérée. Clarissima avait-elle tu notre petit secret, ou m'avait-elle balancé ? Cette histoire-là, c'était ma vie à pile ou face, et malheureusement j'étais bien trop loin pour savoir sur quel côté la pièce était retombée. La damoiselle était jeunette, orgueilleuse et je lui avais fait mal, pas seulement là où j'avais pris mon plaisir ; par-dessus tout, j'étais bien placé pour savoir qu'elle était osée, vindicative, inventive dans sa manière de régler ses comptes. Tout cela ne m'incitait guère à l'optimisme... Je l'imaginais bien se livrer à des mômeries larmoyantes, languide, mutique et les yeux rougis, jusqu'à ce qu'une bonne âme comme Scurrilia ou le gentil Cesarino lui extorque sa terrible confidence. Après quoi... Le Podestat serait au courant dans l'heure.

D'un autre côté, Clarissima était jeunette et orgueil-leuse, justement ! Elle avait un âge où la honte bride souvent l'aveu, et une trop haute opinion d'elle-même pour reconnaître son humiliation. Les rapports qu'elle entretenait avec son père étaient compliqués. Elle aimait la gloire de son géniteur, qui faisait d'elle la fille du Podestat et participait à la haute idée qu'elle affi-chait d'elle-même ; mais par ailleurs, je la soupçonnais de se montrer turbulente parce qu'en profondeur, elle souffrait de la distance qui avait toujours existé dans leur relation. Elle s'ingéniait à exaspérer Leonide Ducatore pour exister à ses yeux ; or admettre qu'elle avait été culbutée par un second couteau était plutôt sordide et risquait fort de décevoir la statue paternelle. Je tenais peut-être là ma chance. Toutefois, même si elle avait gardé pour elle le plaisant récit de notre fre-daine, je ne devais pas me bercer d'illusions. D'une manière ou d'une autre, la petite peste chercherait à me faire payer.

Tout cela me dessinait des perspectives d'avenir très moroses, et conspira insensiblement à rendre ma chambrette oppressante. À force de ressasser, mes pensées tournaient en rond, et l'inactivité couplée aux idées noires finit par me priver de sommeil. Les nuits s'étiraient, traversées par les rumeurs confuses de la ville : chamailleries d'amoureux, raffut brutal de rixes, feulements de matous en rut, heures criées par les patrouilles du guet, couplets entonnés par des ivrognes de retour des tavernes… Une ou deux fois, il me sem-bla percevoir un écho mélodique d'une grande beauté, qui errait dans les rues endormies, vite dissous dans le dédale des venelles. Allongé dans le noir, les yeux grands ouverts sur les pinceaux de lumière tombés de la chambre du copiste, je luttais de plus belle pour résister aux avances aventureuses de la cité nocturne.

J'essayai d'adopter une autre discipline pour repous-ser l'appel de la rue. J'eus recours à la consolation des vieillards et des mélancoliques : la plongée dans les souvenirs. Malheureusement, ayant mené une existence des plus remplies, plutôt en mal qu'en bien, mon passé était pavé de chausse-trapes. Dans les coins et recoins de ma mémoire béaient quantité de coupe-gorge, de fosses à demi rebouchées et de portes mal verrouillées. Je devais me faufiler avec soin dans cet espace clair-obscur, comme un larron se risque sur le territoire d'une bande rivale, de peur d'exhumer au détour d'une rêverie des fantômes mal oubliés, un vieux fumet de remords, une séquelle de conscience...

Je me revis petit rapin désargenté, toujours prêt à fuir l'atelier pour courir la gueuse et me faire payer des pots par des buveurs mieux pourvus ; avec un certain bonheur, je retrouvai des images de Ciudalia non pas telle que je la connaissais, mais telle que je l'avais connue — maternelle, mystérieuse, splendide ! — quand j'étais encore un godelureau étourdi. Malheureusement, cela m'amena à me rappeler ma passion naissante pour le jeu, la façon dont j'avais été plumé par de mauvaises fréquentations, et l'argent volé au Macromuopo pour soustraire mes os à la caresse du gourdin. Persuadé que ce larcin me vaudrait la corde, j'avais naïvement couru m'engager dans les Phalanges ! Quel petit couillon j'avais été ! Et pourtant, quelle heureuse décision ! Certes, ma première année avait été des plus rudes : les privations, les brimades, les coups, rien ne m'avait été épargné. Et ce dont j'avais le plus souffert, c'était alors d'avoir été cantonné à la forteresse de Róccabucatta, à trois jours de marche de Ciudalia ; autant dire, pour le freluquet que j'étais, à l'autre bout du monde ! Pourtant, c'étaient bien les Phalanges qui avaient fait de moi un homme ; en un an, on m'avait enseigné l'essentiel : boire, me battre et tuer. Plus la leçon capitale : ne jamais s'avouer vaincu. J'avais appris à manier la pique et l'arbalète sur les terrains de manœuvre, les rudiments de l'épée en salle d'armes, les finesses du couteau dans les rixes de soudards ; et déjà, les vertus du silence, quand un homme était mort d'avoir dérouillé un peu trop. J'avais vu du pays, j'avais plastronné dans ma demi-armure noire et mes chausses rayées, j'avais appris le courage, le vrai, celui qui avait fait de moi un double-solde, le combattant de première ligne qui regarde l'ennemi dans le blanc des yeux avant de lui fendre le crâne ou de lui dévider les boyaux. Et j'avais fait l'expérience si rare de l'amitié, d'une amitié sans arrière-pensée et sans calcul, celle qui soude les frères d'armes au cœur du danger. Mon ami Welf, le seul type sur lequel je pouvais encore compter, c'était un ancien des Phalanges.

Par malchance, cette glorieuse page de mon existence avait connu une conclusion amère. Les horreurs de Kaellsbruck, notre coup de force suivi par notre trahison, mon premier assassinat politique, le triomphe à Ciudalia préparant, au bout de quelques semaines à peine, la chute du Podestat et la disgrâce de ceux qui avaient servi sous ses ordres... Voilà un autre volet de ma vie que je n'aimais guère me rappeler. J'avais quitté les Phalanges profondément désabusé. Certes, j'avais été rapidement approché par les Chuchoteurs, qui avaient pressenti dans le vétéran en rupture de ban une recrue prometteuse. Ma foi, j'avais été flatté d'être ainsi courtisé par l'organisation criminelle la plus dangereuse de la République, et il est vrai qu'en matière de combat et de crapulerie, l'initiation que j'avais reçue de don Mascarina, le maître assassin, avait parachevé en moi le tueur. Mais je ne pouvais repenser à don Mascarina sans revoir cette dernière nuit où je l'avais retrouvé dans son jardin, les paupières et la bouche cousues, après qu'on lui eut arraché les yeux et tranché la langue. L'image de cette tête suturée et vivante me hantait, sans doute parce qu'elle préfigurait ce qui m'attendait si je trahissais. La Guilde avait fait de moi un homme important, sans nul doute, mais aussi une créature traquée. Ces lignes, par exemple, suffiraient à me valoir le supplice des Trois Traits...

Parcourant ainsi les chapitres de ma vie, il

m'arrivait de sombrer dans la rêvasserie ou dans la somnolence. Alors que ma conscience flottait, aux limites du sommeil, un souvenir lacunaire vint me visiter, énigmatique et frappant comme un songe. Je vis un sol inondé de soleil, une chaussée de dalles ou de pavés, toute lissée d'usure. Je me tenais très proche du pavement, comme assis ou à genou, penché sur le damier de vieilles pierres. Les ombres des passants glissaient parfois sur le pavage, découpées avec une grande netteté par la lumière d'été. J'avais l'oreille remplie de cris, d'appels, du cahot des charrois et du braillement des mouettes. Une main d'enfant brune était en train d'épousseter un coin de pavé avec beaucoup d'application.

La première fois que cette image surgit au hasard d'une rêverie, je me sentis suffoqué par une émotion intense, si brute que j'étais incapable de distinguer si elle était heureuse ou triste. L'impression fut si forte que le souvenir se déroba, comme un oiseau effarouché. Je tentai en vain de le saisir à nouveau. La réminiscence s'évanouit, et tous les efforts que je fis pour la susciter à nouveau ne servirent qu'à la diluer davantage. Cependant, quatre ou cinq heures plus tard, alors que je glissai mon pot de chambre sous le lit, quelque chose dans ma position courbée, dans le geste de ma main effleurant le plancher, ranima sans prévenir l'image familière et étrangère, cette portion de pavé éclaboussée de lumière. Cette fois, j'éprouvai même le granuleux des gravillons et la chaleur de la pierre sous ma paume, je sentis l'odeur sèche de la poussière, mêlée à de puissants effluves de marée. C'était tellement fort que je pressentis un trésor enfoui, une merveille mystérieusement cadenassée au plus profond de ma mémoire. Je me redressai, grisé, et à nouveau, je perdis tout.

Le souvenir joua ainsi à cache-cache pendant deux ou trois jours. À l'improviste, je saisissais une bribe, je me sentais gagné par l'émotion ; mais au moment où j'allais me rappeler, le fragment estival se délitait, me plantait tout dérouté, plein de cette irritation que vous laisse le mot sur le bout de la langue. Et puis un soir où j'astiquais mon épée Acerini, l'image ressurgit en cati-mini, la main de l'enfant accompagnant les va-et-vient du chiffon imprégné d'huile le long de la lame. Je rusai avec ma mémoire indécise ; je me concentrai sur ma tâche, en essayant de me vider l'esprit. Appâtée par mon indifférence calculée, la réminiscence sortit du bois, l'image en appela une autre, des voix claires remontées d'un lieu lointain retentirent, et tout cela se mit en place ; brutalement, avant même d'identifier le souvenir, je ressentis un accès de panique, certain que j'avais tiré au plein jour quelque chose de très ancien et de très mort, mais il était trop tard pour refermer les fenêtres, la révélation s'engouffrait en force, et je sus alors ce que j'avais réveillé tout au fond de mon passé.

La main d'enfant frottait avec application un coin de pavé. Elle procédait avec un soin méthodique, chassait les fétus de paille, les gravillons, les résidus de saleté et de sable incrustés dans les interstices, tourmentait par-fois des bestioles dérangées dans leurs affaires minus-cules. Ensuite l'enfant se penchait au ras du pavé, il soufflait à petits coups pour chasser la poussière la plus fine, qui se soulevait en nuages irritants pour les narines et pour les yeux. Une fois qu'il avait obtenu une belle surface, à peine rugueuse, vierge de toute impu-reté, il relevait le regard vers le port. Je revis avec un éblouissement le miroitement des reflets sur l'eau des bassins ; tout cela se passait sur les quais, non loin du quartier des abattoirs. Après un instant, l'enfant tirait de sa manche effilochée le morceau de charbon de bois qu'il venait de chiper du côté de l'Arsenal. Penché sur son coin de voirie, il commençait à dessiner. Sur la vieille chaussée, des flots se mettaient à danser, le res-sac s'insinuait entre les pavés, des vagues s'enroulaient autour des lézardes, la houle se soulevait au-dessus des dallages déchaussés. À la surface de cet océan de pierre et de charbon, des navires apparaissaient : galères et galées aux bordées toutes striées d'avirons, chebecs manœuvrés par des gabiers noirâtres, galéasses imposantes hissant les trois deniers de Ciudalia, hourques aux coques rondes, nefs aux châteaux pavoisés d'écus. Des brises invisibles tendaient une forêt de voiles et de vergues, entortillaient flammes et enseignes dans un entrelacement de vaguelettes et de courbes, parallèles aux ondulations de l'océan. Quand la flottille prenait de l'ampleur, quand elle larguait les amarres, quand elle commençait à voguer plus avant sous le pied des chalands, certains passants s'arrêtaient. Pour la plupart, c'étaient des hommes rudes, des portefaix aux muscles noueux, des ouvriers de marine, des matelots tout brûlés de soleil et de sel. Ils jetaient un œil bienveillant sur la flotte qui prenait le large à la surface d'une mer de pavés, et lançaient un ou deux mots gentils à l'enfant.

Le garçon se redressait alors, et fixait le badaud bien en face, en grimaçant dans la lumière brutale. De son index noirci de crasse et de charbon, il désignait un navire, toujours une galéasse, toujours au centre de la fresque, et il disait : « C'est la *Speranza*, c'est le bateau de mon papa. Il est quartier-maître. Il s'appelle Justo Gesufal. Tu as entendu parler de la *Speranza* ? Tu sais quand elle reviendra ? » Certains gaillards haussaient les épaules, et répondaient que non, ils ne connaissaient pas la *Speranza*, qu'ils ignoraient quand elle retournerait mouiller au port ; la plupart du temps, c'étaient des étrangers, des gens qui parlaient mal le ciudalien, qui venaient à peine de débarquer. Mais les autres, ceux qui étaient du pays, ou ceux qui n'en étaient pas à leur première escale, ceux-là perdaient alors le sourire. Quelques-uns partaient sans mot dire, le regard devenu moins assuré ; quelques autres se mettaient à pester contre l'enfant, en lui reprochant soudain d'encombrer le passage, de gêner la circulation des charrettes et des mules. Les plus compatissants passaient leur main dans la tignasse du garçon, et lui disaient doucement de rentrer chez lui, qu'il n'avait rien à faire sur le port. L'enfant, toutefois, faisait la sourde oreille. Il reprenait ses dessins. Ce n'était pas la première fois qu'on ne savait pas répondre à ses questions, il avait l'habitude. Il se disait qu'à force d'attendre, la *Speranza* finirait bien par doubler la digue, ce soir, demain ou après-demain, ou la semaine prochaine.

Quand ce putain de souvenir refit surface, je restai un moment stupéfait, le chiffon arrêté juste sous le ricasso de l'épée. J'en avais le souffle coupé et les yeux qui brûlaient. Jamais je n'aurais soupçonné que j'avais gardé ça, enfoui au plus profond de mon crâne cabossé. Et pire que tout, je retrouvais l'émotion intacte, l'espoir fou, tourmenté, obstiné, qui niait la petite boule d'angoisse lovée au creux de l'estomac. Tout l'absurde de cette situation, c'est que j'étais complètement incapable de me rappeler les traits de Justo Gesufal. Mais le plus risible, le plus insupportable, le plus terrible, c'est que me revenait aussi la conséquence de ces barbouillages. À cause de ces foutus dessins, recommencés patiemment jour après jour sur le pavé, ma mère avait fini par me prendre par la main, un beau matin, pour m'emmener en haut de la via Scoscesa. Pour m'emmener dans l'atelier d'un jeune peintre.

C'était à cause de ces foutus dessins que Le Macromuopo avait commencé à peindre la Carinita ! Que Le Macromuopo avait baisé ma mère ! Que Le Macromuopo avait pris la place de mon père !

Le voisinage dut croire qu'on assassinait le locataire si discret de dame Plectrude. Hurlant de rage contre moi-même, je fracassai mon pot de chambre contre la porte, je fendis les carreaux du poêle sous l'impact du coffre, je retournai mon lit douillet contre le mur. Quel insensé ! Quel dément j'avais été d'aller fouiller jusque dans ce passé-là ! Comment avais-je pu m'enfoncer si loin, commettre cette folie ? Comment faire face au petit gniard qui gribouillait des bateaux sur la chaussée ?

En tout cas, c'en était fini de la quarantaine. Je ne pouvais plus rester seul avec moi-même. Ce soir-là, je bouclai mon ceinturon d'armes, je jetai mon manteau sur mes épaules et je sortis en ville.

Je ne partis pas bille en tête me murger au fond d'une taverne. Le simple fait de prendre l'air me changeait les idées. Je commençai par me livrer à un repérage discret du quartier ; je flânai l'air de rien pour me familiariser avec le secteur, en inspectant minutieusement les rues, les croisements, les venelles, les passages, les impasses, les escaliers, les arrière-cours. Je prenais tout mon temps, en notant scrupuleusement l'emplacement des enseignes, des fontaines, des petites statues dans leurs niches aux carrefours, en mémorisant le nombre d'arcades de telle boutique, la forme d'une girouette, l'inclinaison d'un pignon ; tout ce qui pourrait m'être utile pour m'orienter au premier coup d'œil, même par une nuit noire, dans le dédale urbain.

Le premier soir, je me contentai de rôder autour de la rue de la Pironnerie, et cette promenade précautionneuse, en m'occupant l'esprit, me calma un peu. Par la suite, j'élargis progressivement le rayon de mes maraudes. En remontant le coteau, on arrivait assez vite sur la Place d'Armes, un espace pavé, assez pentu, délimité par quelques-uns des plus grands édifices de la ville. À l'est, toute la place était flanquée par l'Académie des Enregistrements, l'institution qui faisait la célébrité de Bourg-Preux et que Sassanos aurait sans doute apprécié de visiter. Construit en pierres, le bâtiment était vaste, de dimensions presque monumentales, mais s'avérait d'un aspect très décevant. On aurait cru un vieux palais de Purpurezza, complètement décrépit, où différentes architectures s'enchevêtraient de façon anarchique. Les corps de bâtiment étaient dominés par un beffroi croulant qui, à ma grande stupéfaction, penchait visiblement sur la place ; tout un réseau d'échafaudages et d'étais le maintenait dans un équilibre fragile, mais je n'aurais pas aimé passer dans son ombre quand il soufflait une bise un peu forte ou quand le sous-sol s'ébrouait.

Sur la face nord de la Place s'élevait la Maison Forte ; c'était en fait le siège de l'échevinat de Bourg-Preux. Ce petit palais, flanqué de quatre tourelles, possédait un rez-de-chaussée de forteresse et des étages ornés de balcons et de galeries, de colonnades délicatement sculptées, de vitraux enchâssés dans de vastes fenêtres ogivales. Les portes de la Maison Forte étant gardées par des hommes de guerre lourdement cuirassés, je préférais rester à distance respectueuse. Assez ironiquement, ce fut aussi dans un angle de la Place d'Armes que je découvris *Le Gay Picquier*, la taverne que je n'avais pas su trouver le jour de mon arrivée. Situé face à l'Académie des Enregistrements, le débit de boisson était fréquenté par quelques soldats du Guet et par quantités de clercs.

Au-delà de la Place, les rues continuaient à grimper de façon fort raide, au point de se transformer ici ou là en volées de marches. Elles étaient dominées par un château allongé comme une étrave ; le fort se révélait plutôt sinistre car ses murailles étaient noires et sa tour la plus imposante égayée d'un gibet. J'appris plus tard qu'il s'agissait de la Capitainerie. Cette petite forteresse se dressait sur un éperon qui dominait la Ville Basse, le lac de Croquerive et les gorges où s'engouffrait la Listrelle. Les fortifications étaient couvertes de suie car les fumées des forges de la Nainerie baignaient souvent la ville haute d'épais nuages. Le site offrait un très beau point de vue sur le temple de la Vieille Déesse, construit au milieu du lac, et sur le réseau arachnéen de pontons et de ponts de bois qui quadrillaient le plan d'eau. Mais le pied des remparts empestait le métal brûlé ; parfois, un miasme douceâtre vous prenait aussi à la gorge, car on laissait pourrir les pendus sur la potence de la

Capitainerie. De plus, en rôdant sous les murailles de la forteresse, je finis par éprouver une sensation déplaisante, une vague alarme, l'intuition d'être suivi ou épié. Malgré quelques feintes, tours et détours, je ne pus repérer nul indiscret. À la longue, j'acquis l'impression diffuse que le voyeur était planqué quelque part dans la forteresse, tapi derrière une archère ou sur le chemin de ronde. Je ne m'attardai guère dans les environs.

En descendant les rues qui filaient vers le lac, j'arrivais d'abord dans les quartiers marchands de Bourg-Preux : la rue du Pavois par laquelle j'étais entré dans la ville, la place du Marché, la rue de la Monnaie où étaient installés les bancs des changeurs et des usuriers, les rues des Febvres, des Texiers, de la Fusterie où se concentraient nombre d'ateliers. C'était à l'angle de la rue du Pavois et de la place du Marché que se trouvait les *Armes d'Arches*. Un peu plus loin, je découvris une autre auberge, *Le Dernier Carré*. Le bout de la place ouvrait sur le lac : la berge, non pavée, était un bourbier piétiné où étaient échouées de nombreuses barques de pêche et quelques barges. Des pontons enfonçaient leurs pilotis vaseux assez loin sous la surface. De cet endroit, on découvrait l'architecture massive du temple de la Vieille Déesse, un grand édifice octogonal, flanqué d'absides et d'arcs-boutants, dominé par un dôme de bronze verdi. Au-delà, un quartier lépreux, constitué d'un entassement de bicoques cagneuses et de venelles louches, couvrait la rive opposée du lac.

Ces explorations m'occupèrent quelques jours. Même si j'allais parfois vider un verre dans une taverne, je m'interdisais les *Armes d'Arches*, je restais muet à ma table et, une fois dehors, je me faufilais le capuchon tiré sur le nez. J'essayais d'éviter les ennuis, ce qui incluait malheureusement les parties de dés et de cartes. Dans la rue du Mortier, je visitai néanmoins l'échoppe d'un barbier pour me raser et retirer les fils qui suturaient ma lèvre. C'était une erreur, mais je m'en rendis compte trop tard : en me tirant sur le babin, le barbier ouvrit un œil émerveillé sur mon râtelier en or. Il essaya d'ouvrir la conversation à ce sujet. J'improvisai un gros mensonge pour essayer de me couvrir : je lui racontai que j'avais été capitaine de galée avant la guerre, et que c'était un orfèvre ressinien qui m'avait refait les dents, après une bagarre contre un équipage concurrent sur le port d'Ahawa. Le type goba mon conte d'un air admiratif. N'empêche ; je craignais bien qu'il en parle à tout le voisinage.

Le temps passait, ma bourse se vidait. Elle s'allégeait même plus vite depuis que j'avais remis le nez dehors... Ma logeuse avait fait tout un foin à cause du mobilier que j'avais esquinté, et pour éviter de me prendre de querelle avec la rombière, j'avais dû rembourser les dégâts sur le poêle. Et puis un verre par-ci, un godet par-là, un friand chaud acheté dans la rue, une visite chez le barbier, autant de petits ruisseaux qui filaient hors de mon escarcelle... Je dus aussi me fournir en bois de chauffe. Dans la Marche Franche, la mauvaise saison arrive plus vite que sur le littoral. Le matin, le brouillard remonté du lac s'éternisait sur la ville ; et, au bout de trois semaines, les premières gelées déposèrent des fleurs de givre sur les croisillons de ma fenêtre. Je brûlais donc mes économies en pichets et en fagots ; j'estimais cependant qu'il me resterait assez jusqu'au retour de Sassanos, que j'attendais désormais dans les deux ou trois semaines.

Une nuit que je sortais du *Dernier Carré*, alors que pinçait déjà un froid assez vif, je vis des silhouettes surgir en courant de la rue des Foulons. Il faisait bien noir, mais à la lumière des fenêtres de l'auberge, et à la pauvre lueur d'un quinquet à l'angle de la place du Marché, je crus bien distinguer deux gourdins et un reflet fugace sur la lame d'un couteau. Quatre gaillards poursuivaient un fuyard, qu'ils acculèrent sur un ponton. Règlement de compte classique : ce n'était pas mes affaires, et je me détournai pour rentrer chez moi.

Malheureusement, j'entendis la voix du petit malin qui venait de se faire coincer au-dessus de l'eau glacée.

« Eh bien, mes amis, je vais devoir m'expliquer… »

Malgré son essoufflement, je reconnus le timbre charmeur du Grand Prévôt des Étourdis. Un peu surpris, je m'arrêtai, et je jetai un œil par-dessus mon épaule. La nuit était profonde, une brume légère commençait à flotter au-dessus des eaux obscures. Difficile pour moi de distinguer autre chose que des silhouettes sombres sur un décor de poix. Toutefois, il me semblait bien que l'imbécile qui venait de se faire cerner sur des planches branlantes avait l'allure longiligne et élégante de mon ami Main d'Argent. Les gaillards qui le serraient étaient plus costauds que lui ; pour ce que je pouvais en voir, un ou deux me paraissaient même joliment râblés. Je décidai de regarder le spectacle de loin. J'étais curieux de voir ce que le Grand Prévôt des Étourdis allait tenter pour se tirer de ce mauvais pas ; je pourrais ainsi vérifier par moi-même si la fascination pour les elfes éprouvée par Sassanos était fondée… Et dans le cas contraire, je ne serais pas mécontent de voir le fâcheux encaisser une tourlousine.

« Entre gens polis, commençons par bavarder…

— Ferme ta grande gueule, grogna une voix mauvaise. C'est nous qui allons causer, mais on va pas y passer la nuit. On a un message pour toi, le joli cœur. Un message de maître Pesot, tu sais bien, le changeur qui a une petite femme à croquer. Maître Pesot, il peut plus renifler les sérénades sous sa fenêtre. Ça l'empêche de dormir, ça lui casse les esgourdes. Alors il nous a dit de te dire de te patiner, et au galop, encore.

— J'ai bien entendu, rétorqua Main d'Argent sur un ton un peu narquois. Ne m'avez-vous vu courir ?

— C'est pas ce que j'appelle courir, grommela le gros bras. Mais t'inquiète : on va t'aider à débâcher, nous autres.

— Vous serez battus si vous me faites souffrir. »

L'homme de main ricana.

« J'ai les fumerons, mon bon seigneur, j'en ferais presque dans mes chausses.

— Tant qu'il en est temps, je tiens à vous prévenir qu'il est imprudent d'essayer de me férir en tournant le dos à quelqu'un de mes amis.

— Ben voyons, on me l'a jamais faite, celle-là ! rétorqua le meneur en s'avançant sur le ponton.

— Bouche-Cousue ! Oh ! Nettoie-moi ce ramassis ! »

Il me fallut un long instant de perplexité pour réaliser que, oui, malgré la brume qui se levait, malgré la nuit épaisse piquetée de rares lampions, malgré les cinquante pas qui me séparaient du lieu de l'explication, c'était bien moi que le gandin venait d'interpeller. J'en jurai dans ma barbe ; voilà ce que ça rapportait, de jouer les voyeurs. Malheureusement pour moi, un des malfrats se retourna pour assurer ses arrières, et il dut deviner ma silhouette dans les ténèbres de la place.

« Eh ! Gaidon ! Y a vraiment un cave qui reluque. »

Deux autres gaillards se tournèrent pour inspecter les lieux, dont le chef de la bande. Ça empestait le dérapage. Je levai mes mains vides bien en évidence.

« Vous emballez pas, les gars, grommelai-je, je le connais pas, ce type. »

Il n'entrait pas dans mes projets de tremper dans une sale affaire. Les ribauds ne m'avaient pas l'air très brillants, mais ils étaient quand même quatre : je n'avais que ma dague et un couteau sur moi, et je soupçonnais Eirin de chercher à se défiler en me chargeant de tout le paquet. Et puis s'il y avait du grabuge, ça risquait fort de ruiner mon incognito. Le Grand Prévôt des Étourdis irait chercher ailleurs une solution à son problème… Du moins était-ce ce que je pensais.

Malheureusement, les quatre brutes en décidèrent autrement.

« Eh ! T'as entendu cet accent, Berchan ?

— Ouais. On dirait un Ciudalien. Un putain de cabri.

— M'étonne pas qu'on l'ait pas vu dans le noir, ce boucané ! »

— Qu'est-ce tu fous ici, le singe ? Tu veux ta part de coups de trique ? »

Évidemment, j'aurais dû avaler la couleuvre. J'aurais dû jouer les têtards craintifs, m'aplatir devant eux, m'esquiver la queue entre les jambes pour leur laisser le champ libre. Si encore ils avaient fait l'impasse sur la ménagerie, j'aurais peut-être pu faire un effort. Mais là, quand même, ils avaient dépassé les bornes ! Me traiter de métèque, moi ! Moi, Benvenuto Gesufal ! Confondre Ciudalia avec les îles aux ratons ! Si j'avais la peau un peu mate, c'était parce que j'étais hâlé, pas bronzé ! Et puis qu'est-ce qu'ils pouvaient en voir, d'abord, à la brune ? Quant à mon accent, il n'y avait pas plus civilisé dans tout le Vieux Royaume ! C'étaient eux qui causaient comme des bouseux !

Inutile de préciser que mon sang ne fit qu'un tour. Et que mon niveau de langue s'en ressentit...

« Faudrait arrêter de manger de la merde, les culs blancs, grondai-je. Ça donne de l'aérophagie. »

Et patatras. Incorrigible. Il fallait que je remette ça.

Le meneur, sans doute le distingué Gaidon, ne goûta pas particulièrement le caractère fleuri du compliment. Laissant à ses comparses le soin de surveiller Main d'Argent, il franchit rapidement la distance qui nous séparait. Le plus simple pour moi aurait été de tirer la dague et de planter le gros tas ; mais si je laissais un mort sur le carreau, les carottes étaient cuites. J'allais devoir jouer tout en finesse. Je luttai contre le réflexe qui aimantait ma paume vers la poignée de mes surins. Il me fallait régler le problème à mains nues.

Le ribaud se précipita en levant son gourdin en diagonale, dans le but de me fracasser la terrine. Pas très futé, le mastard. Je me jetai sur lui avant qu'il n'ait amorcé son coup, histoire de griller son allonge ; de l'avant-bras gauche, je bloquai le poignet de sa main armée, tandis que je menaçai son mufle d'un direct du droit. Le gros malin tenta d'éviter mon poing d'une esquive du buste, mais je ne cherchais nullement à le frapper. La feinte me donna l'occasion d'accrocher solidement son poignet droit pour neutraliser le casse-tête, et je fis un petit écart sur sa gauche pour glisser une jambe derrière son genou, mon épaule sous son aisselle, et puis accrocher son sale museau par la main que j'avais remontée dans son dos. La clef le paralysa. Il tenta bien de m'étrangler avec son bras gauche, mais je lui avais crocheté la mâchoire avec mon pouce et un œil avec l'auriculaire : une poussée sous l'aisselle et la béquille sous le genou le déséquilibrèrent. Le mauvais plaisant se vautra, et je lui enfonçai la trogne dans la fange, en pesant de tout mon poids. La voirie aurait été pavée, il y aurait eu de quoi l'assommer. La boue ayant amorti le choc, il fallut que j'en rajoute un peu. Je laissai tomber mon genou sur sa fiole, cent trente livres de méchanceté en pleine poire. Sa pommette et ses dents craquèrent. Pour conclure proprement, j'ajoutai une châtaigne sur la tempe. Tout droit au pays des songes, le gros Gaidon.

Je me relevai en ramassant le gourdin du larron. De l'autre main, je saisis ma dague, et je m'avançai tranquillement vers les trois ribauds et leur client.

« C'est qui, Berchan ? grommelai-je. C'est toi ? Ou c'est toi ? Parce qu'il y a une histoire de cabri que je voudrais tirer au clair… »

Les ruffians se mirent en garde, mais malgré l'obscurité, je pouvais deviner leur peur. Je venais d'envoyer leur chef au tapis comme j'aurais balancé un gros sac. Il ne me restait plus qu'à souffler sur le menu fretin pour le disperser.

« Merde alors ! Vous vous appelez tous Berchan ? Vous me faites un prix de groupe, mes levrettes ? »

Ils n'étaient pas rassurés, mais ils étaient trois, et chacun peinait à se défiler devant ses complices. J'allais devoir rentrer dans le tas, ce qui me chagrinait parce que je risquais quand même d'y prendre un mauvais coup, et surtout parce que je serais forcé de frapper pour tuer. Je tentai alors un dernier coup d'esbroufe : je lançai le gourdin en cloche par-dessus les larrons, en direction d'Eirin. Je priai pour que le Grand Prévôt des Étourdis ne soit pas un ballot qui laisserait tomber l'arme dans l'eau, ruinant ainsi mon effet. Il n'en était rien. Main d'Argent leva un bras avec indolence et saisit le gourdin au vol comme il aurait été pêcher un flacon sur une étagère. Avec ma main libérée, je m'emparai de mon couteau.

Les ribauds commencèrent à reculer, en montrant les crocs. On joua aux matous qui la ramènent à l'intimidation, le crin hérissé et les yeux mauvais ; ils s'écartèrent à pas très lents, et je m'approchai les deux lames dardées, tout en restant juste hors de portée.

« On se reverra, le Ciudalien, me dit l'un d'entre eux avant de décrocher.

— Quand tu veux, ma poulette. »

Ils finirent quand même par abandonner le terrain. Quand ils eurent disparu par une venelle, Eirin s'approcha de moi, l'air dégagé, le gourdin posé sur l'épaule.

« Très impressionnant, observa-t-il sur un ton léger.

— Je sais pas ce qui m'empêche de te casser la gueule à leur place, grondai-je.

— C'est sûr, ce serait comique.

— Tu as failli me coller dans un beau merdier, Main d'Argent. Et en plus tu t'es payé ma tête l'autre soir. Ça commence à faire beaucoup.

— Je suis un battant, rétorqua-t-il avec ironie, j'aurais géré cette clique. Je ne te dois pas tellement, Bouche-Cousue. Ces quatre échalas buvaient mes coquefabues. À propos de boire, tu nous dois une tournée ! Fêtons la victoire en gouleyante équipée !

— C'est ça, c'est plutôt une volée que je te dois. Dégage avant que je porte le premier toast.

— On se reverra, comme disaient les ribauds ! Tu nous le paieras, ce verre ; et j'offre un tonneau ! »

Cette nuit-là, je filai me terrer chez moi, non sans avoir multiplié les détours pour égarer d'éventuels indiscrets. Je craignais autant la curiosité de Main d'Argent que celle des seconds couteaux. J'avais sans doute évité le pire, mais ce qui s'était produit restait très contrariant. Je ne doutais pas que les larrons chercheraient à se rencarder sur mon compte ; fort heureusement, je n'étais pas le seul Ciudalien à Bourg-Preux, et ils n'avaient pas vu grand-chose de mon portrait. Eirin m'avait donné le gentil sobriquet de Bouche-Cousue, qui ne les mènerait nulle part vu que je m'étais fait découdre. En restant discret, je pouvais raisonnablement espérer passer entre les gouttes. La mort dans l'âme, je résolus de mettre terme à mes petites sorties, pour un moment tout du moins. Je n'en éprouvai que plus d'acrimonie vis-à-vis de ce foutu plaisantin, le Grand Prévôt des Étourdis. J'avais voulu voir comment un elfe se tirait d'un mauvais pas... Pour ça, j'avais vu ! Pas une égratignure, le gandin, pendant que je me colletais avec les gros bras ! Saleté de baratineur ! J'aurais dû lui en allonger une avant de le quitter, pour le compte !

Le lendemain, je passai une journée morne, une soirée déprimante et une nuit d'insomnie. Je me barbifiais sévère entre mes quatre murs, en m'interdisant de trop rêvasser, de crainte de ce qui pouvait surgir au coin du bois. Le jour suivant fut pire ; les heures s'étaient figées dans une poisse cafardeuse, et j'avais les nerfs à vif d'attendre que le temps passe. Ce qu'il faisait, mais à une allure de limace, et de limace pas pressée. Avec des pauses. Des pauses si longues que parfois, je le soupçonnais de revenir en arrière... Je ne sais trop comment, je touchai au soir sans avoir transformé ma ceinture en nœud coulant. Je n'en étais pas moins à deux doigts de crever d'ennui quand j'entendis du bruit dans la rue ; non les rumeurs quotidiennes, mais un vrai chambard, un tapage discordant et grotesque, qui mêlait des flageolets aigus, des hurlées avinées, un tintamarre de casseroles. Je réalisai avec surprise que le tumulte ne venait même pas de la rue de la Pironnerie, mais du coupe-gorge qui desservait mon escalier. S'éleva alors un air de luth au milieu du potin, et une voix admirablement posée chanta :

> *Voyeur embarrassé de se trouver en vue,*
> *Avare de monnaie mais prodigue en estime,*
> *Messire Bouche-Cousue ne paye point de mine !*

Aussitôt, un chœur de brailleurs se mit à beugler dans un ensemble approximatif : « Bouche-Cousue ! Bouche-Cousue ! » Je jaillis hors de chez moi en crachant une bordée de jurons. Mon arrivée sur la galerie fut saluée par une acclamation railleuse. Deux étages plus bas, pataugeant dans le ruisseau où je vidais mon pot de chambre, la Compagnie des Étourdis au grand complet se serrait dans la venelle.

« Foutez-moi le camp, bande de raseurs ! »

Ma saillie ne servit qu'à m'attirer un concert de huées et de sifflets. Jouant des coudes entre des hauts-de-chausses reprisés et des robes échancrées, j'aperçus le crâne chauve de Mère-Folle.

« Je lui casse la gueule ? tonna le nain. Je peux ? Dis, Eirin, je peux ?

— Pas très avisé, Mère-Folle ma doucette, rétorqua Main d'Argent. Ce bagarreur-né t'en mettrait plein la tinette. Saluons plutôt Bouche-Cousue mon sauveur, valeureux héros, batailleur d'agresseurs ! Louons sa prouesse ! Célébrons sa courtoisie ! Un elfe en détresse lui doit l'honneur et la vie ! »

Une nouvelle clameur résonna dans tout le quartier, retentissante de bassines martelées et d'ovations rigolardes. C'était à se prendre la tête entre les mains. En un instant, ce troupeau d'imbéciles venait de détruire des semaines d'efforts et d'incognito. Je fus tenté de m'enfermer chez moi, mais je savais qu'ils auraient fait le siège de ma porte, ce qui aurait été encore plus catastrophique. Les menacer ou les agonir d'injures n'aurait servi à rien sinon à les échauffer davantage : ils faisaient corps, beaucoup me semblaient déjà ivres.

Quoique nombreux, ils ne paraissaient guère redoutables : en d'autres circonstances, j'aurais cassé quelques dents pour disperser les importuns... Mais en faire des ennemis m'aurait certainement valu, par des biais détournés, une délation rapide auprès des truands que j'avais affrontés ou auprès des autorités de la ville. J'étais coincé. Le moindre mal consistait encore à accepter leur hommage, en espérant me dépêtrer ensuite des gêneurs.

La mort dans l'âme, je descendis donc les marches pour me prêter à la farce. On me fit un triomphe : on me souffla au visage des haleines fleuries, on me flatta la croupe, quelques ribaudes pressèrent leurs seins contre moi, je dus taper sur des doigts qui investiguaient du côté de ma bourse, même le nain s'essaya à grimacer un sourire rempli de chicots. Main d'Argent m'accueillit avec le sourire modeste du tombeur qui se sait irrésistible.

« Alors comme ça, tu as réussi à me suivre, foutu fouineur !

— Que vas-tu penser ? répondit le joli cœur. Je suis bien trop paresseux pour me fatiguer en manèges cauteleux. J'ai juste sondé mon ami maître Muguet sur cet étranger vu dans son estaminet ; l'aubergiste a dit qu'au fil de la discussion, tu t'étais enquis d'une chambre en location. Il a ajouté que plein de sollicitude, il t'a envoyé gîter chez dame Plectrude. En toute amitié nous venons te rendre grâce... et te rappeler que tu dois quelque vinasse ! »

Ces derniers mots furent salués par un tonnerre de vivats et d'acclamations. J'acquis alors la certitude que je n'étais pas sorti de l'auberge...

Ainsi s'ouvrit l'un des épisodes les plus glorieux de mon existence. En me laissant entraîner par la Compagnie folle dans les rues de Bourg-Preux, je me jurai de saisir la première occasion pour m'éclipser. Seulement voilà, après quelques pichets, la chaleur humaine dont j'avais été sevré, les chansons paillardes, le rentre-dedans commerçant des catins, tout cela me tourna un peu la tête, et ce soir-là, je m'attardai plus que de raison. Il faut dire qu'installé à la table d'une taverne, Eirin balaya ce qui me restait de prudence en sortant un paquet de cartes écornées. Après tout, puisque je devais donner le change, autant le faire de plaisante manière. J'acceptai une partie du bout des lèvres, juste pour faire un quatrième, en proclamant que j'étais prêt à céder ma place… Tu parles ! J'avais à peine touché ma première main que je me sentais transporté par une félicité empoisonnée. À la fermeture, je tapais toujours le carton.

C'était inévitable : j'y revins le lendemain. Je faisais une belle sottise, je le savais jusqu'au fond de ma moelle, mais je me racontais des histoires. Je me disais que je passerais seulement une deuxième soirée avec les noceurs, juste histoire d'endormir leur curiosité, et puis que je disparaîtrais à nouveau… Le joli conte ! J'étais déjà ferré. Ce fut le jeu, bien sûr, qui me fit perdre la tête ; restait aussi que dans cette bande trouble, les deux elfes exerçaient sur moi une séduction insidieuse, agaçante, si subtile que je ne m'en rendis compte que bien plus tard.

À Bourg-Preux, on pratiquait d'autres jeux qu'à Ciudalia. J'en connaissais certains que j'avais appris dans les Phalanges, comme la prime ou le malheureux. Mais il s'avéra qu'Eirin et un de ses comparses, un écolier vieillissant du nom de Coquimbert, étaient d'authentiques érudits en matière ludique. Pour faire un sort à mes finances, je m'essayai donc au *mau-content*, au *glic*, à la *triomphe* et au *piquet*. Eirin et Annoeth voulurent en outre m'initier à des jeux compliqués, le *quintille* et la *soupirante*, qu'ils prétendaient très populaires dans les Cinq Vallées, mais qui étaient si riches en combinaisons que je soupçonnais les deux roublards d'inventer les règles au fur et à mesure. Fatalement, au bout de trois jours, j'étais plumé.

Envolé, mon maigre pécule ! Il ne me restait plus un liard en poche, j'avais mon loyer à payer, et il fallait bien vivre ! L'automne avançait, les forêts qui ombraient Bourg-Preux du côté de Vieufié viraient aux pourpres et aux fauves qui précèdent les frimas. Je me dis que le retour de Sassanos n'était plus qu'une question de jours : en faisant un peu lanterner ma logeuse, je pourrais filer à la cloche de bois, avec une ardoise impayée.

Malheureusement, le moricaud traînait en chemin. Les jours filèrent, les semaines s'égrenèrent, et je ne vis rien venir. Mes relations avec la grosse Plectrude devinrent tendues ; je lui promettais chaque matin mes loyers pour le lendemain, et dès qu'un coup heureux m'avait permis de récupérer de la menue monnaie, je me dépêchais de tout miser aux cartes, dans l'espoir de me refaire. Naturellement, la chance tournait toujours. Mère-Folle et Coquimbert trichaient, mais à ce jeu-là j'étais meilleur qu'eux. En revanche, je ne comprenais pas comment Eirin s'y prenait pour rouler une tablée. Le résultat, toutefois, ne variait guère : je quittais presque toujours ces parties complètement ratissé. De toute manière, si par extraordinaire je remportais le pot, je dépensais mes gains en tournées, car la tradition était de régaler la Compagnie folle.

Quand les premières neiges tombèrent sur la ville, je dus admettre que Sassanos ne reviendrait pas ; du moins pas avant le printemps. Avait-il été retardé sur le chemin de Sacralia ? Les blessures de Cecht lui avaient-elles fait perdre trop de temps ? Était-il bloqué dans la principauté des chevaliers du Sacre ? Ou m'avait-il purement et simplement abandonné ? J'étais livré à moi-même, sans le sou, avec pour seule activité la furie d'accumuler des dettes.

À Ciudalia, on ne voit que rarement la neige, peut-être une fois tous les quatre ou cinq ans. La plupart du temps, quelques flocons s'égarent au milieu d'une averse, et s'évanouissent en touchant le sol. Parfois, la nuit dépose un fin liséré blanc sur les tuiles et les pavés, destiné à disparaître une heure après le lever du soleil. Mais dans la Marche Franche, c'était une autre chanson ! Si les premières neiges fondirent assez rapidement, transformant les rues en un marigot glacial, elles furent suivies par d'autres chutes, et je compris très vite pourquoi les Landes Grises et les chemins de Vieufié étaient impraticables. En fonction des jours, ça tombait en duvet paresseux, en gros flocons mous, en poussière cristalline. Quand une bise coupante soufflait dans la ville des courants d'air acérés, on voyait des tourbillons de poudreuse s'entortiller aux carrefours et remonter les ruelles en farandole. Les toits pliaient sous d'énormes couettes blanches ; la nuit, dans ma petite chambre, j'entendais la charpente grincer et gémir. Si un coin de ciel bleu apparaissait entre deux nuées grises, de gros paquets croulaient en avalanche dans les rues, pour la plus grande joie des enfants et l'effroi des passants. Et n'allez pas croire que la chaussée était plus propre ! Certes, au milieu de la nuit, quand il venait de neiger, on enfonçait dans une belle courtepointe crissante ; mais dès potron-minet, la voirie redevenait infecte. Le piétinement des hommes et des animaux, les eaux usées rejetées sur les seuils, les potées nocturnes balancées par les fenêtres creusaient des lavures noirâtres et des fumures puantes dans les congères. Un petit coup de gel là-dessus et vous patiniez sur du verglas jaunasse et des colombins en marbre.

Je grelottais dans ce froid de loup. Les plombs de mes petits carreaux accrochaient des vaguelettes de neige et de givre, la galerie qui donnait sur ma porte était festonnée de stalactites, mon escalier s'était transformé en piège mortel. Le prix du bois de chauffe avait triplé ; autant dire que mon poêle restait froid et que ma respiration fumait en ma chambrette.

Ce fut dans ces conditions que je devins l'un des piliers de la Compagnie folle. J'appris à y vivre en parasite : je profitais de la chaleur des auberges, je me nourrissais aux crochets des parieurs heureux, des champions de la triche ou des buveurs à qui la joyeuse bande extorquait des tournées. Je sus me rendre indispensable quand il s'agissait de calmer des clients énervés : je cognais alors, histoire de couvrir la Compagnie. Eirin et Mère-Folle nous entraînaient fréquemment dans de douteuses sarabandes : courres à la pucelle ou à la grand-mère, décrochages d'enseignes, joutes d'aveugles... Un des grands divertissements de la Compagnie était la parade du cocu : le jeu consistait tout d'abord à identifier une femme infidèle, puis à tomber sur son mari trompé, le maîtriser, le ligoter et l'envoyer chevaucher à l'envers sur une mule par les rues de la ville. La farce faisait bien rire le bon peuple aux dépens du cornard. Toute la rouerie de l'entreprise venait du fait qu'une fois sur deux, l'épouse volage avait été séduite par le charmant Eirin.

Notre principale source de revenus était le Charivari. Il était de tradition que la Compagnie folle s'invite aux mariages : elle y festoyait en pique-assiette, elle y menait grand tapage. Par la suite, elle escortait les mariés jusqu'à leur porte : depuis la rue, elle égayait la nuit de noces de couplets salaces, de huées, de fracas de casserole. Pour pouvoir s'enfiler en paix, les nouveaux épousés devaient verser une taxe, le vin de culage. La somme était modique si les époux étaient fringants, elle était plus salée s'il s'agissait de secondes noces, elle devenait astronomique si un barbon venait de s'unir à une bachelette, ou si une veuve avait attiré dans son lit un jeune étalon.

Ces facéties nous valaient souvent des algarades un peu chaudes. Mère-Folle et quelques drôles de la Compagnie faisaient le coup de poing, et mon concours fut apprécié dans plus d'une échauffourée. Les deux elfes ne se salissaient jamais les mains dans ces pugilats, et pourtant leurs attitudes étaient très dissemblables. Annoeth restait généralement en retrait, sans afficher de crainte, mais un peu méprisant pour cette violence grossière ; il faut dire qu'il veillait avec un soin jaloux sur son luth. Eirin, quant à lui, cultivait l'art de chercher chicane et de souffler sur les braises. Il faisait partie de ces têtes brûlées que j'avais soigneusement évitées pendant des années : trublions caustiques, asticoteurs compulsifs, provocateurs par plaisir. Main d'Argent, pourtant d'un ordinaire fort gai, ne semblait jamais plus heureux que lorsqu'il venait de franchir les limites, de nous jeter dans des situations impossibles. Quand les horions, les tabourets et les chopines se mettaient à voler, il tirait satisfaction à rester au cœur de la mêlée en pérorant pour jeter de l'huile sur le feu. Mais il ne s'abaissait jamais à donner ne serait-ce qu'une chiquenaude. Cela nous forçait à garder constamment un œil sur lui, à intercepter les pieds de chaise, les cruchons et parfois les couteaux qui lui étaient destinés. Ce fut dans ces chahuts qu'à ma grande surprise je finis par développer une certaine complicité avec Mère-Folle ; car s'il n'avait guère d'allonge, le nabot était dur à l'encaisse, doué pour les coups fourrés, et nous nous retrouvions souvent associés pour défendre le Duc des Sacripants.

Il va sans dire que je m'étais assis sur ma discrétion, et plutôt deux fois qu'une. Certes, personne ne soupçonnait ma véritable identité, et à la vérité, bien peu de monde devait connaître mon nom d'emprunt, don Bergolino. En revanche, Bouche-Cousue le Ciudalien était devenu une figure dans le milieu des bouges, des tripots et des tavernes. C'était le type patibulaire qui causait peu, qui jouait beaucoup et qui cassait des dents, froissait des côtes et luxait des épaules quand on cherchait des poux au Grand Prévôt des Étourdis. Je faisais bien attention à ne pas sortir la dague, à ne tuer personne. Je tapais vite et fort, mais avec mesure et raison. N'empêche : je finis par me faire une réputation de mauvais coucheur. J'eus même l'honneur insigne d'être repéré par les hommes du Guet. Quand nous croisions une patrouille, quand quelques hommes d'armes buvaient dans le même établissement que nous, il y avait toujours un ou deux gaffres pour me toiser d'un air pas aimable. Décidément, c'était plus fort que moi : où que j'aille, il fallait toujours que je me fasse des amis dans la maréchaussée. Eirin, qui avait intercepté les œillades ombrageuses que j'échangeais avec les Archers du Guet, s'en divertissait en secret. Cependant, il me confia un jour :

« Tu m'en vois navré, mais ces tristes soudoyers ont dû renseigner Melanchter à ton sujet...

— C'est qui, ce Melanchter ? J'ai déjà entendu parler de lui à plusieurs reprises. Tu connais ce type ?

— C'est le capitaine en cette belle contrée, le chef pérenne de nos escouades armées. Je l'ai fréquenté en des âges plus heureux ; il était plus gai et plus insoucieux. Mais c'en est fini de cette jeune indolence... C'est un être aigri, plein de fiel et de souffrance : garde-toi de lui, de ses accès de défiance. »

On est bien en droit de se demander ce qui m'avait pris de m'incruster dans la Compagnie folle... Je brûlais la chandelle par les deux bouts, je me faisais remarquer par quantité de fâcheux, y compris des gens puissants et peu recommandables. Dans sa course en avant, Eirin risquait tôt ou tard de m'entraîner trop loin. Je ne pouvais pas faire mieux pour me griller. J'en étais conscient, certes, mais à mesure que les semaines passaient, que ma conduite glissait de la légèreté à l'inconséquence, de l'imprudence à la déraison, mon inquiétude se diluait. La folie de cette joyeuse bande engourdissait mon sens des réalités, brouillait ma perception du danger. L'esprit de groupe, la fête permanente, la convivialité imbécile forgée dans les beuveries y étaient pour quelque chose... Mais en profondeur, j'étais enjôlé par un autre charme, par la séduction diffuse qui nimbait les elfes. Il va sans dire que les deux gandins savaient y faire pour paonner, taper dans l'œil des donzelles et parader au milieu d'une rue, dressés sur leurs ergots. Toutefois, derrière les tours d'embobelineurs perçait chez eux une autre grâce, moins tapageuse, plus spontanée, peut-être innée. Ils exerçaient sur ceux qui les approchaient l'ascendant de ces charmeurs qui, plus que le désir ou la jalousie, inspirent un rêve illusoire d'identification.

Même s'ils étaient de mèche dans toutes les farces, même s'ils étaient tous deux l'âme de cette fête sans fin, ils se révélaient pourtant aussi différents que le jour et la nuit. Et pas seulement parce que l'un avait une chevelure d'ébène tandis que l'autre était blond comme les blés. Ils étaient contradictoires, et pétris de paradoxes. Annoeth se parait dans des pourpoints somptueux, taillés dans des étoffes princières, enrichis de galons et de brocards d'une finesse étourdissante ; mais il n'enfilait que rarement des gants, et l'on pouvait souvent admirer ses mains un peu longues, d'un raffinement très féminin, sur les cordes de son luth. À l'opposé, Eirin se promenait dans de vieilles hardes dépenaillées ; fagoté à l'as de pique, un bouton arraché par-ci, un lacet dénoué par-là, un pan de chemise sur les fesses et le col débraillé, il ne quittait pourtant jamais ses gants d'osterlin, même quand il jouait aux cartes ou tripotait une fille. Le parler des deux galants, fantasque par sa préciosité et par je ne sais quelle musicalité, présentait lui aussi des nuances sensibles. Leur phrasé suivait des cadences distinctes, et ils n'avaient pas le même accent. Eirin avait de légères inflexions preux-bourgeoises ; elles sonnaient incongrues dans son exquise frimousse, lui donnaient le piquant d'une duchesse déguisée en bergère. Annoeth s'exprimait avec des modulations vieillottes, déconcertantes pour qui se laissait capter par son timbre velouté et sa jeunesse éclatante.

J'appris assez vite, vers le début de l'hiver, qu'Annoeth n'appartenait pas vraiment à la Compagnie folle. Il n'était même pas un habitant de Bourg-Preux. Un peu comme moi, c'était une pièce rapportée, à ceci près qu'il venait de bien plus loin. C'était un authentique elfe des Cinq Vallées, qui se disait juste en visite. Il prétendait qu'il n'avait pas pris la mer pour débarquer sur le littoral du Vieux Royaume ; il n'avait pas gagné Bourg-Preux par les routes du commerce. Pour atteindre la Marche Franche, il lui avait donc fallu accomplir un périple fabuleux : il avait voyagé en traversant le continent. Au début, j'eus le plus grand mal à croire un conte pareil, d'autant qu'à le voir si gracile et si élégant, je peinais à concevoir qu'il avait parcouru des solitudes immenses, retombées dans l'oubli, semées de dangers légendaires. Les questions candides qu'il me posait parfois sur Ciudalia finirent pourtant par me convaincre qu'il ne connaissait pas la République. En revanche, il évoquait avec une familiarité distraite les Futaies Bleues, les Marches Crépusculaires, des régions reculées avec lesquelles la République, la Marche Franche ou le duché de Bromael avaient perdu tout contact depuis l'effondrement du Vieux Royaume...

Cela ne conférait pas seulement à Annoeth l'aura de l'aventurier arrivé du fond de l'horizon par des chemins mystérieux. L'elfe affirmait souvent qu'il ne faisait qu'une étape à Bourg-Preux, qu'il ne tarderait guère à repartir. À l'entendre, il était sur le départ, il n'avait qu'à jeter son balluchon sur l'épaule, et le lendemain, il serait déjà loin. Chaque journée qu'il passait avec nous avait un parfum de sursis. Lorsque les premières neiges fermèrent les routes, je crus tout de même qu'il serait bloqué pendant quelques mois, qu'il remettrait la suite de son périple au printemps ; quand j'eus la naïveté de le dire, les deux elfes me rirent au nez, sans même se donner la peine de m'expliquer ce que j'avais sorti de si comique. Dans les jours qui suivirent, je les observai plus attentivement au cours de nos virées en ville. Ni le manteau neigeux ni le verglas ne gênaient leur démarche insolente ; ils en jouaient d'ailleurs pour semer ceux à qui ils avaient glissé une poignée de neige dans le cou. Le froid le plus mordant ne les affectait guère ; Eirin sortait souvent sans surcot, dans son justaucorps déboutonné, que l'usure rendait très léger... Une fois de plus, je dus réviser mes déductions. Annoeth disait sans doute vrai quand il affirmait que l'hiver n'était pas un obstacle à ses vagabondages. Quand je m'en rendis compte, à ma grande surprise, je ressentis une intense déception, mâtinée d'une pointe d'inquiétude. Cela m'avait rassuré de penser que le départ du musicien serait remis à plus tard. Je réalisai avec effarement qu'à mon insu, je m'étais attaché au gandin ; ce fut à ce moment, un peu tard, que j'admis être tombé sous le charme des deux mignards. Et pourtant, s'il en parlait souvent, Annoeth ne semblait pas pressé de partir. Parfois, il prenait la résolution d'organiser une fête d'adieu, qu'il oubliait le lendemain. En une ou deux occasions, Mère-Folle et Coquimbert raillèrent sa promptitude à nous quitter ; le musicien rétorqua alors qu'ils étaient bien pressés de le mettre à la porte, alors qu'il venait à peine d'arriver. Mère-Folle me confia un jour que cela faisait plus d'un an que le voyageur avait posé son sac à Bourg-Preux ; et cependant, Annoeth avait l'air sincère dans ses protestations... C'était encore un autre aspect déroutant chez les elfes : leur perception du temps différait de la nôtre.

Parfois, aux petites heures de la nuit, quand une partie de nos compagnons avaient roulé sous les tables ou troussaient des gueuses dans les coins d'une taverne, Annoeth jouait des mélodies des Cinq Vallées, chantait des villanelles ou des sextines, murmurait des contes du pays des elfes. La musique poignait comme l'enroulement d'un songe, répétitive, indécise et mouvante. Les histoires étaient fantasques, à la fois tristes et drôles, pleines d'une sagesse empreinte de folie douce. La plupart de ces fables m'échappaient sitôt racontées, un peu comme un rêve vous fuit au réveil. Il faut préciser que je les écoutais généralement avec un sérieux coup dans l'aile, tout en fixant une attention trouble sur mes cartes, fermement décidé à gagner cette millième partie de maucontent.

Je me souviens pourtant d'un de ces contes, à cause de la conversation qui le suivit. C'était au cours d'une nuit de la fin de l'hiver. Nous avions échoué au *Gros Brochet*, un des bouges les plus sordides de la ville, situé en face du temple d'Ululata, sur le Marché au Poisson. Coquimbert, ivre mort, s'était écroulé sur notre table ; Eirin, Mère-Folle et moi, nous nous étions partagé son argent pour relancer notre partie de triomphe. Annoeth, à califourchon sur le banc voisin, grattait méditativement son luth. Il n'était pas loin, mais à la lueur falote d'une pauvre chandelle, il s'abî-mait presque complètement dans l'ombre. Parfois, il jetait un coup d'œil distrait sur notre brelan, qui voyait croître inexorablement les piles de pièces disposées devant Eirin. Et puis soudain, comme si une mouche venait de le piquer, Annoeth interrompit sa musique et nous considéra avec intensité.

« Quel magnifique auditoire ! s'émerveilla-t-il à mi-voix. Voici un homme, un elfe et un nain ! Public parfait pour l'histoire qu'on nomme le *Dit du Très Ancien* ! »

Toutefois, il n'entreprit pas tout de suite de nous narrer son conte. Il semblait savourer sa trouvaille, ses yeux très bleus souriant dans la pénombre. Eirin, qui distribuait les cartes, soupira :

« Oh non ! Quelle idée ! Tu ne vas pas exhumer cette resucée… »

Le regard du musicien n'en pétilla que davantage. Il posa une paume contre la caisse de son luth, mais ne toucha pas les cordes. D'un timbre étouffé, comme voilé par une immense distance, il psalmodia :

« Quand le Très Ancien sut que son temps allait tou-cher à sa fin, il fit appeler ses trois enfants pour un dernier entretien. C'étaient trois fils qu'il avait conçus de différentes compagnes ; devenus des seigneurs reconnus par les bois et les montagnes, ils étaient dans la force de l'âge et édifiaient leurs lignées. Avant de succomber aux ravages accumulés des années, le Très Ancien désirait confier un secret à ses enfants. Nul ne connaît ce qu'il a légué à ses plus proches parents, à moins que le secret se révèle être le conte lui-même... Le premier des fils, le plus fidèle, loyal comme un porte-emblème, proclama hautement : "Ce secret est le plus précieux des héritages ! Notre devoir sacré est de le soustraire à tous les outrages ! Je l'inscrirai sur la stèle de la plus impérissable pierre ; et l'inscription éternelle, je la cadenasserai derrière les verrous d'un coffre-fort, je l'enfouirai dans les profondeurs derrière des portes d'or et des murs d'une énorme épaisseur ! Alors je me forgerai des armes pour une garde d'airain." Il fit ainsi qu'il disait : celui-là fut le père des Nains. »

Mère-Folle martela bruyamment la table, faisant sauter la monnaie en tous sens.

« Ah ! Ça, ça me plaît ! rugit-il. C'est bien des sornettes d'elfe, mais ça me plaît !

— Le deuxième fils, poursuivit Annoeth, était indépendant et aventureux. Il s'écria : "Ce secret n'est important que pour nos aïeux. Pourquoi donc nous imposer un si lourd fardeau dans l'existence ? Je n'ai pas à me soucier de faits antérieurs à ma naissance. Si je cherche des secrets, j'en trouverai qui seront à moi ! Mais celui-ci me déplaît, je l'oublierai, je n'en voudrai pas." Il fit ainsi qu'il disait : celui-là fut le père des Hommes. Le dernier fils rêvassait, brumeux comme s'il sortait d'un somme ; c'était le plus inconstant et le plus aimé parmi les frères. Ce fut d'un air souriant qu'il adressa ces mots à son père : "Tout cela est insensé : Père, ce secret n'en est plus un ! J'en tirerai des couplets à chanter au milieu des festins ! Un mystère n'est précieux que lorsqu'il nourrit la tradition. Tu peux nous quitter heureux, je composerai mille chansons !" Il fit ainsi qu'il disait : celui-là fut le père des Elfes. »

Mère-Folle s'esclaffa derechef !

« Ah ! Ah ! Je suis sûr que c'est une blague inventée par un nain ! »

Annoeth se contenta de sourire, comme l'elfe de son conte, sans rien ajouter, et sans que je parvienne à comprendre s'il s'était interrompu ou s'il avait conclu son histoire.

« Comment ménager notre supériorité si tu vas conter nos antiques indignités ? plaisanta Eirin.

— Pourquoi ? intervins-je. C'est une histoire vraie ?

— Dans tous ses discours, répondit Eirin, Annoeth est dans le vrai ; s'il brode toujours, ce n'est qu'ornement des faits.

— C'est bizarre, observai-je. Les elfes sont le peuple le plus secret au monde.

— Te paraissons-nous des gens si dissimulés ? railla le Grand Prévôt des Étourdis.

— Naguère, il n'en était pas ainsi, dit doucement Annoeth. Nous parlions librement, comme le rapporte mon récit. Mais la défiance a gagné le cœur des gens de notre pays quand l'apostolat du Dévoreur nous attrista de sa nuit.

— Tu es vraiment soûl ! protesta Eirin. Tu te mets à pontifier !

— Ne sommes-nous pas ici par respect de la vraie tradition ? » objecta doucement le musicien.

Eirin haussa les épaules. Il fit mine de s'occuper à rafler les mises d'une partie qu'il venait à nouveau de gagner. Tout en battant les cartes, je réfléchissais à ce que venait de dire Annoeth.

« Si je t'ai bien suivi, vous deux, vous n'êtes pas comme les autres elfes, risquai-je. Vous êtes toujours comme ceux d'avant. Vous n'avez rien à cacher.

— Oui, tu nous as bien compris, opina le luthiste.

— Et je crois même deviner quel est ce fameux secret du Très Ancien… C'est la magie, non ? »

Eirin poussa un soupir consterné en roulant les yeux de façon comique.

« Intéressante interprétation, apprécia Annoeth.

— Ah non ! m'écriai-je. Pas de faux-fuyant ! Si vous n'avez rien à cacher, répondez par oui ou par non !

— C'est un peu plus compliqué, dit le musicien. On peut savoir ce qu'est la magie sans pouvoir la pratiquer. Tu sais d'où viennent mes mélodies, mais saurais-tu les jouer ? Néanmoins, cela est vrai, je peux te parler des arts magiques.

— Alors prouve-le-moi ! Tiens ! J'ai une question pour toi ! Un jour, j'ai rencontré un magicien... Attention, pas un charlatan, un vrai sorcier, pourri jusqu'à la moelle... Il m'a raconté un truc bizarre, que sa magie était à la fois divine et pas divine. Tu peux tirer ça au clair ?

— Je crois comprendre, en effet. Mais il faut d'abord que je t'explique qu'il existe une nuance entre universel et unité. Coquimbert fera, je pense, un parfait exemple à méditer. Il est tombé ivre mort, mais est-il l'essence de l'ivresse ? Tu as toi aussi fait un sort aux nombreux cruchons de notre hôtesse. L'ivresse fait la poivrade, mais l'ivrognerie n'est pas l'ivresse. Avaler quelques rasades est source, non essence, d'allégresse. La clef de ce que tu veux saisir siège en cette altérité : le divin transcende en dieu, et non le dieu en divinité.

— Je capte rigoureusement rien à tes salades ! Arrête de me baratiner.

— C'était une analogie pour représenter les choses au mieux. L'essence de la magie est dans le divin, non dans les dieux, même si parfois les dieux accordent des dons surnaturels. Car voici l'envers du jeu : il existe un Tout spirituel dont nous sommes les parties, vivants et défunts, dieux et mortels. La source de la magie vient de ce plérôme universel. Maîtriser les arts secrets, c'est user du divin comme un dieu, en respectant ses décrets, en se dressant contre eux, ou sans eux. »

Malgré son obscurité, le discours d'Annoeth réveilla un souvenir chez moi. Je revis Sassanos se dresser maigre, ténébreux, ruisselant, encore ivre de la force qu'il venait de voler à un mort, et je me rappelai ce qu'il m'avait craché à la figure quand je l'avais accusé de pratiquer la magie noire.

« Ouais, grommelai-je, ça me dit quelque chose, ton bavardage. Ce putain de sorcier, il m'avait sorti un truc qui y ressemblait… Une sorte de classification de la magie… Ah oui, ça me revient : la Haute Magie, la Basse Magie et la Magie Vive.

— Aïe ! Ma pauvre tête ! se lamenta Eirin. Tu parles taxinomie !

— Ce magicien t'a confié des principes bien ésotériques, s'étonna Annoeth, des savoirs qu'un initié voudrait laisser accroire hermétiques. Dans ce qu'il t'a enseigné, tout est absolument véridique. Le pouvoir du sacerdoce est la Haute Magie : c'est la foi et le rite qui adossent la grande théurgie des prélats. Mais le théurge s'épuise dans la grâce accordée par son dieu ; son esprit brûle et s'attise dans l'embrasement de ce feu. La Basse Magie plagie le rite sans servir aucun culte : elle est fréquemment impie, ses envoûtements sont des insultes à l'ordre des religieux. Reste enfin le plus beau de ces arts, le pouvoir réel des dieux qui brille dans les astres et les regards : la Magie Vive, l'harmonie parfaite entre le monde et l'esprit, offrant la thaumaturgie à l'âme qui étreint l'infini. »

Je ruminai un peu ce que venait de me dire le musicien, tant et si bien que je perdis une nouvelle partie. À propos de la Basse Magie, il ne m'avait pas appris grand-chose : c'était l'art que pratiquait Sassanos, et tout ce que j'en avais vu faisait plutôt froid dans le dos. Ce qui me surprenait davantage dans le discours de l'elfe, c'était sa perception dithyrambique de la Magie Vive ; cela ne correspondait guère à l'idée que je me faisais de la sorcière qui m'avait traqué. La contradiction n'en était peut-être pas une : Annoeth avait parlé des écoles de magie, non de l'usage qu'on pouvait en faire.

« Moi-même je suis curieux de savoir quelle personne

a pu t'enseigner les noms des arts mystérieux, remarqua Annoeth.

— Un type qui m'avait recruté pour l'escorter, répondis-je de façon évasive. Il avait les chevilles tellement enflées qu'il parlait un peu trop, m'est avis. J'ai pas compris tout ce qu'il racontait, mais j'avais retenu ce truc...

— Au vrai, cela ne m'étonne point. Dès le début, j'ai deviné autour de toi des présences, un lacis de charmes entretissés, des résidus de puissance... »

Le luthiste me scrutait avec son regard rieur, cyan comme un horizon marin. Je me souvenais de l'aisance avec laquelle Gaidéris, qui n'était qu'un bâtard d'elfe, avait écarté l'illusion de Sassanos ; la pénétration d'Annoeth me fit un peu froid dans le dos. Je fus tenté de lui demander ce qu'il voyait ; j'espérais qu'il ne percevait que l'envoûtement mineur pour lequel j'avais donné un peu de sang, mais je craignais aussi qu'il ne distingue le rituel noir au cours duquel j'avais tué un homme. Cette inquiétude, malheureusement, me troublait les idées... Pas un seul instant, je ne me doutai qu'il pouvait voir un autre sortilège.

Pour faire glisser la conversation vers un sujet moins dangereux, je me tournai vers Eirin.

« Et toi alors ? Tu fais partie de la même tradition ? Tu n'as pas de secrets ?

— Tu peux te brosser si tu cherches à m'extorquer mes trucs pour tricher, répondit-il avec un sourire aimable.

— Et si je te demande autre chose ?

— Tu peux essayer... »

Je me creusai un peu pour poser une question qui nous éloignerait du terrain traître où j'avais failli m'empêtrer. Ce fut en voyant Eirin ramasser un pli qu'une idée me vint en tête.

« Tu ne quittes jamais tes gants, remarquai-je. C'est en rapport avec ton surnom ? Ça veut dire quoi, Main d'Argent ? »

J'avais lancé ces mots à la volée, pressé de changer de sujet. Je n'avais pas pris le temps de réfléchir que ces gants, après tout, pouvaient dissimuler une infirmité ou une maladie... Mais le Grand Prévôt des Étourdis était d'une dextérité qui ne laissait pas imaginer une telle disgrâce. Pourtant, à peine avais-je parlé que je réalisai avoir commis une bévue. Quelque chose se figea chez Eirin, son visage d'ordinaire si gai devint lisse comme une eau dormante ; et je sentis de la tension chez Annoeth, dans le silence parfait qu'il ménagea alors. Au bout d'un instant qui me parut interminable, Eirin énonça sur un ton songeur :

« Ce nom... Main d'Argent...

— Je demandais ça comme ça, hein, me hâtai-je de le couper. Si j'ai gaffé, c'est pas la peine de répondre. Je voulais pas t'offenser.

— Non, il n'y a nulle offense, répondit-il lentement. Depuis tout ce temps... Il faut juste que j'y pense... C'est presque oublié.

— Il n'y a pas si longtemps, intervint doucement Annoeth.

— Oh si, musicien ! soupira Eirin. Je vis ici, maintenant. C'est vraiment ancien pour les gens y demeurant... »

Il posa délicatement ses cartes, presque avec tendresse, les figures contre la table. Avec un sourire un peu triste, il poursuivit :

« Pourquoi Main d'Argent ? Cent bruits courent à ce sujet. J'en décompte autant que des poux sur un barbet... Des cuistres prétendent qu'il s'agit d'une antiphrase pour un chef de bande qui perd toutes les occases... Il est des ragots, des cancans, des médisances et des fabliaux qui me prêtent de la chance... Les voleurs chuchotent que je les coiffe en larcins ; les tricheurs ergotent que j'ai trop de cartes en main ; les cocus sanglotent que je pelote des seins... Trop de jalousies brodent sur mon sobriquet, mais ces inepties ne t'avancent pas d'un pet. Je vais décevoir ton goût pour le stupéfiant : si tu veux savoir... »

Eirin retira lentement son gant droit.

« ... je suis juste Main d'Argent. »

La main qu'il posa sur la table me serra le cœur. Elle était forte, presque autant que les miennes, bien plus que celles d'Annoeth ; mais elle paraissait complètement flétrie. De grosses veines grisâtres saillaient sur l'épiderme fané, les doigts avaient des articulations épaisses comme des nœuds, la peau fripée était constellée de taches de vieillesse. Le contraste était si choquant avec la taille svelte et le visage juvénile du Duc des Sacripants que je crus presque qu'il s'agissait d'un nouveau tour, que cette serre froissée était celle d'un vieillard qui se prêtait à une farce. Mais nul plaisantin ne se cachait dans le dos d'Eirin. Ce membre parcheminé appartenait bien au damoiseau.

La raison du sobriquet me sauta aux yeux. Les ongles de cette vieille cuillère étaient anormaux : les lunules en étaient presque noires, de cette teinte malsaine que donnent les hématomes à des doigts cruellement pincés. Le reste de la corne était bombé, couleur d'argent terni, strié de quelques taches repoussantes comme des incrustations de crasse. L'effet était grotesque : on aurait cru la main d'une morte, aux ongles vernissés de poison.

Je mangeai quelques jurons dans ma barbe.

« Qu'est-ce que c'est ? murmurai-je. C'est une maladie ?

— On pourrait le dire, mais c'est une affection rare... »

Eirin remit son gant, l'expression inhabituellement pensive.

« Et j'ai vu bien pire, ajouta-t-il, alors j'oublie cette tare. »

Il reprit son air narquois, mais son regard restait sans chaleur. Inexplicablement, je sentis une grande tristesse émaner d'Annoeth.

Nous continuâmes à jouer, mais un froid était tombé sur notre table. Eirin ne s'attarda guère ; les cartes le lassaient, prétendit-il, il préférait aller voir ailleurs. Il nous fit comprendre qu'il désirait se passer de compagnie. Un peu dépités, nous refîmes quelques parties de triomphe, Mère-Folle, Annoeth et moi, mais nous ne mettions guère d'entrain à taper le carton. Le nain et le musicien étaient toutefois plus troublés que moi : cette nuit-là, par extraordinaire, je finis par ramasser la mise.

L'argent que j'avais gagné m'aurait permis de rembourser quelques loyers en retard ; cependant, j'étais ivre, le départ d'Eirin m'avait laissé sur une impression de malaise, et j'avais besoin de me changer les idées. Je me payai donc une fille, avec laquelle je passai le reste de la nuit dans une chambre malpropre de la rue du Rempart. Je me réveillai assez tard avec les idées embrouillées, les cheveux qui tiraient et la bouche aride. Dans la lumière crue du matin, la gueuse que j'avais chevauchée me parut nettement moins fraîche qu'à la lueur flatteuse d'une chandelle : la façon dont elle se grattait me fit craindre d'avoir attrapé ses morpions. Je parvins à lui soutirer un gobelet de piquette pour me remettre la tête en place, et je me dépêchai de filer, non sans avoir vérifié le contenu de mon aumônière.

Le vacarme de la rue me carillonna aux oreilles une cacophonie migraineuse. En plus, c'était le dégel : la chaussée disparaissait sous une bouillasse transie. On enfonçait jusqu'aux chevilles dans un gruau glacé où émergeaient des îlots de neige fondante et des ordures dégivrées. Une pluie morne tombait des toits et des enseignes, et tout cela baignait dans une buée pénétrante, grise comme l'âme d'un suicidé. Chaque pas faisait rejaillir une soupe noirâtre, et en remontant les rues vers mon petit chez moi, je fus bientôt plus crotté qu'un souillard. J'avais pris soin de me faufiler comme une ombre dans mon escalier pour éviter ma logeuse, et j'étais en train de saisir ma clef quand j'aperçus quelqu'un sur la galerie, devant ma porte. Cela me fit un coup au cœur, juste avant que je ne reconnaisse Annoeth.

Le musicien était appuyé contre la rambarde, et il levait un minois réjoui vers les gouttières pissouillantes et le ciel couleur serpillière.

« Tiens ! Salut, Bouche-Cousue ! » me lança-t-il sans m'accorder un regard.

Je m'arrêtai, un peu perplexe ; mais il était seul, armé en tout et pour tout de son luth.

« Heu… Salut. Tu voulais me voir ? »

Il eut l'air surpris.

« Te voir ? Mais pourquoi donc ? Que t'inspire…

— Ben, c'est que tu es pile devant ma porte. »

Il se frappa le front.

« Oui ! Une chose imprévue !… J'avais bien un message à te dire ! Il m'est sorti de la tête à force d'attendre ton retour…

— Ah ? Et c'est quoi, ce message ? »

Il fronça les sourcils, d'un air d'intense concentration.

« Ce que je peux être bête, marmonna-t-il. Je deviens plus distrait chaque jour… À force de patienter, mon humeur s'est faite vagabonde, et je me suis délecté des mélodies secrètes du monde… Cela m'a donné l'idée d'une chanson à deux voix ! Écoute ! »

Il leva un index en souriant. Je crus que le gandin allait me pousser la chansonnette, mais il fit plus extravagant : il demeura silencieux et statique, avec une expression ravie. Pour ma part, tout ce que j'entendais, c'était la criée concurrente des petits métiers, les hurlées des charretiers sur leurs attelages embourbés, les insultes que braillaient les badauds éclaboussés, l'aboiement morne des chiens, le meuglement des bêtes menées au marché… Je ne comprenais guère l'inspiration que l'elfe pouvait puiser dans ce raffut. Je le lui dis, et cela le fit rire.

« Tu as l'oreille bouchée ! s'esclaffa-t-il. N'entends-tu

point la chanson des gouttes ? Du haut des toits qui dégèlent, elles giclent et jaillissent en cadence : elles chutent en ritournelle, elles machicotent un rythme de danse ! C'est un thème de rondeau !...

— Ouais, si tu veux... Mais c'est pas ça que tu devais me transmettre, hein...

— Ah pardon ! C'est vrai ! Je m'éparpille... Quelle cervelle d'oiseau ! Mais j'ai l'esprit si plein de quadrilles que j'ai de nouveau perdu le fil de ce que je voulais dire... Tiens ! T'ai-je entretenu du prochain départ auquel j'aspire ?

— Heu... Oui, ça, tu m'en as déjà parlé...

— Bien sûr ! Je t'ai confondu avec ceux que je vais visiter ! En rêvant, je suis venu chez toi et non chez mes vieux amés... C'est auprès d'eux que je dois dire que mon séjour est fini. Si tu veux, viens avec moi : je te présenterai ces amis. »

Son histoire me paraissait un peu embrouillée, et j'insistai pour vérifier qu'il était sûr de s'être trompé de destinataire. Avec beaucoup de légèreté, il m'affirma que c'était probable, et que dans le cas contraire, sa commission lui reviendrait en cours de route. Comme j'avais fini par m'habituer au tempérament évaporé des deux elfes, je me contentai de cette réponse. J'étais un peu las, j'avais soif et j'aurais eu besoin de repos, mais tout ce qui m'attendait chez moi, c'était une chambre glaciale et les jérémiades de ma propriétaire. J'acceptai donc la proposition d'Annoeth, en espérant que ses connaissances nous offriraient un petit vin chaud. Dans un sens, je me sentais également flatté par son invitation... Je restais toutefois sur mes gardes ; cela ressemblait aussi à une opération de rabattage pour une plaisanterie de la Compagnie folle.

Annoeth m'entraîna vers la ville basse, et comme nous nous dirigions vers la place du Marché, je pensai que nous allions nous arrêter dans l'une des auberges voisines, *Aux Armes d'Arches* ou au *Dernier Carré*. Cependant, le musicien dépassa ces établissements tentants et nous mena au pont de bois qui raccordait la ville au temple de la Vieille Déesse ; je crus que nous ne ferions que traverser l'île consacrée pour emprunter ensuite le second pont, qui nous ramènerait vers les bas quartiers du Marché au Poisson et de la rue du Rempart, mais il n'en fut rien. Annoeth se dirigea tranquillement vers le portail du temple. Cela m'étonna un brin ; rien dans le comportement des deux elfes n'avait jamais laissé deviner une quelconque piété, et j'ignorais même s'ils reconnaissaient la Vieille Déesse dans leurs croyances. Je me mis à soupçonner une entrevue secrète, organisée sous le masque de la dévotion, et je me demandai plus que jamais ce que je venais trafiquer dans cette affaire. Peut-être Annoeth cherchait-il à être protégé ; le plus crédible, toutefois, c'était qu'il voulait s'amuser de l'embarras de ses interlocuteurs… Une fois de plus, mes hypothèses se révélèrent très éloignées de la vérité.

À Bourg-Preux, le temple de la Vieille Déesse est le plus grand édifice de la ville. Après la chute du royaume de Leomance et la destruction de Chrysophée, il a été élu comme siège matriarcal : c'est là que la Sophonte, la grande prêtresse de la Déesse, rend ses oracles. Le sanctuaire est presque aussi vaste que le temple d'Aquilo, à Ciudalia, mais il paraît encore plus impressionnant car il se dresse isolé au centre du lac de Croquerive, et parce que sa robe de pierre et son dôme de bronze tranchent dans la cité de bois et de colombages. Sur les talons d'Annoeth, je franchis le seuil monumental et je pénétrai sous les arches obscures, piquetées de rares bougies. Une assemblée clairsemée de fidèles semblait égarée sous la rotonde crépusculaire. J'y aperçus quelques prêtres et pas mal de vieilles bigotes. Au centre du chœur, la statue de la Déesse se dressait fantomatique. Elle était plus mystérieuse que l'idole mutilée qui veillait sur la route de Vieufié ; ici, la Déesse était voilée, elle dressait sa silhouette fatiguée sous une accumulation d'étoffes précieuses et de gazes qui étaient renouvelées chaque année, au cours de la fête du Bain de la Déesse. Une unique lampe à huile, déposée à ses pieds, donnait un éclat tremblé aux pierres semi-précieuses et aux brocarts des mantilles superposées. Son piédestal était tapissé par un fouillis de parchemins griffonnés, d'ex-voto gravés et de phylactères déroulés, car la Déesse est sensible aux offrandes écrites.

Annoeth, toutefois, ne témoigna nul intérêt pour la Déesse ; il ne se fendit même pas du soupçon de génuflexion que j'esquissai, histoire de ne pas me faire remarquer par le clergé et par les croyants. Le musicien se détourna du centre du temple pour gagner l'un des bas-côtés. Il s'arrêta devant une absidiole fermée par une grille, dans un des espaces désertés du sanctuaire. Je me demandai plus que jamais où il m'avait entraîné : il n'y avait personne dans ce coin-là. Avait-il à nouveau oublié ce qu'il avait projeté de faire ?

Il me fit signe d'approcher. La grille contre laquelle il s'appuyait était un magnifique ouvrage de ferronnerie, où le fer avait été travaillé en forme de treille, chaque barreau étant enlacé par un tortil de tiges métalliques où s'épanouissaient des feuillages d'argent et des fleurs illuminées à la feuille d'or. La chapelle ainsi fermée disparaissait à moitié dans la pénombre ; mais, à ma grande stupéfaction, j'y distinguai deux longues tables de pierre sur lesquelles reposaient des gisants. Bien que je ne sois guère religieux, cela me laissa interdit : depuis près de mille ans, tous les rites funéraires sont l'apanage exclusif du culte du Desséché. La présence de ces tombes dans le plus grand sanctuaire de la Vieille Déesse était plus qu'une incongruité : c'était une hérésie.

Annoeth saisit les barreaux à deux mains et appuya son front contre une ramille de métal. Il dit très doucement :

« Je te présente mes deux amis. »

N'eût été la peinture légèrement écaillée, on aurait

pu prendre les gisants pour des dormeurs. Ils étaient dépourvus de la raideur un peu majestueuse qu'on trouve souvent sur les stèles. Les statues étaient d'un réalisme frappant, dans le drapé des tissus, dans le naturel des poses. Leurs sujets en étaient des elfes.

Le premier d'entre eux était un guerrier ou un chevalier ; il était allongé sur le dos, la tête un peu rejetée en arrière, mais son attitude était davantage celle du voyageur épuisé qui sommeille là où il est tombé que celle d'une dépouille en grand arroi. Une paire de gantelets et un casque extravagant, au cimier en forme de cygne, étaient posés à côté de lui ; il avait attiré son épée sur sa poitrine, un peu de biais, et la somnolence avait relâché l'étreinte de sa main sur la garde. Dans le geste de ramener son arme, il avait à demi tiré son manteau sur ses jambes, créant un plissé d'une complexité virtuose. Sur son visage flottait une expression incertaine où se mêlaient l'épuisement, la mélancolie et peut-être la fierté. Deux grands lévriers de Valanael étaient assis à ses pieds ; dans une posture criante de vie, l'un tournait son museau vers la droite, l'autre vers la gauche.

La deuxième statue était celle d'un lecteur. Allongé sur le flanc et accoudé sur sa couche, la tête reposant sur la main, l'elfe lisait un livre sur lequel il avait posé des doigts fuselés. Les paupières baissées sur le volume, il semblait retiré en lui-même, livré tout entier à une contemplation songeuse. Nulle arme ni armure dans sa mise : il portait des vêtements de voyage d'une élégance toute simple. Il me fallut quelques instants pour distinguer des détails supplémentaires : sous le livre était étalée ce qui ressemblait à une carte céleste et, niché dans le manteau du liseur, un chat dormait roulé en boule.

« Voici le prince Ossirian de Valanael, et près de lui Gilliomer le Clairvoyant, reprit Annoeth à mi-voix. Ce sont des amis chers à mon cœur et je viens les saluer dès lors que j'ai le triste bonheur de passer en leur cité.

— Leur cité ?

— Bien qu'ils n'en soient pas les fondateurs, c'est ici

qu'ils sont tombés, et la ville fut bâtie en leur honneur. Car à la fin de la Guerre des Grands Vassaux ils surent rallier vaincus et troupes guerrières pour défier le Roi-Idiot. Ils créèrent la Compagnie des Preux, livrèrent bataille sur ces rives dans un engagement affreux où croassait la mort vive. Hélas ! Ils combattirent et moururent pour vous, les Hommes brouillons. C'est ainsi qu'ils disparurent, plongeant les elfes dans l'affliction... »

Annoeth s'interrompit un instant, et sa douleur ne semblait pas feinte. Il étreignait maintenant les barreaux avec force, comme s'il souffrait de ne pouvoir approcher des deux tombeaux. J'éprouvai un léger vertige. Si ces deux défunts étaient bien les créateurs de la Compagnie des Preux, cela impliquait qu'ils avaient été tués deux siècles plus tôt, au cours de la bataille de la Listrelle. Me revint aussi à l'esprit une allusion de Sassanos, sur les tombeaux des magiciens qui avaient ravagé la contrée au cours de la guerre, et que l'on pouvait toujours voir à Bourg-Preux... J'avais du mal à faire le rapprochement entre ces gisants et mon plaisant compagnon de beuveries.

« Je ne t'ai pas seulement amené ici pour partager mon chagrin, poursuivit Annoeth. Je désirais aussi compléter ce que je t'ai dit en fin de nuit. Regarde le monument de Gilliomer : tu y noteras des astres et des documents, plus un sphinx sous la forme d'un chat. Ces trois symboles signifient que Gilliomer était archimage : il usait des trois magies. Dans l'histoire, il n'y eut que sept sages d'une telle érudition. C'est par lui que j'ai appris les arcanes de la tradition.

— Tu as vraiment suivi son enseignement ? Pour de vrai ? Pas seulement dans des livres ?

— Il me parlait souvent, oui.

— Sans vouloir te vexer, c'est le genre de truc que j'ai un peu de mal à avaler...

— Et pourtant, je ne suis pas très vieux.

— Et tu étais là, avec eux ?... Pendant la bataille de la Listrelle ? »

Son expression se teinta d'amertume.

« Je ne les ai pas suivis, je n'ai pas fait partie de leurs preux. J'étais loin quand ils sont morts en arrachant la victoire. J'en éprouve de terribles remords, je pleure leur triste gloire. Je ne suis qu'un bavard vagabond... Mais il reste en la cité quelques-uns de leurs vieux compagnons, des vétérans oubliés qui tentèrent en vain de les sauver. Melanchter le capitaine couvrit de son propre bouclier le prince chu sur la plaine... Eirin faisait partie de leurs rangs. On lui prête de sanglants exploits : de là vient sa main d'argent, car il frappa dans le ban du Roi un Archonte nécromant. Son stigmate en est le prix. »

J'ouvris des yeux ronds.

« Eirin ? On parle bien du même ? Le Grand Prévôt des Étourdis ?

— Que vois-tu d'étonnant à cela ?

— Tu veux dire qu'Eirin est un putain de héros ?

— Il se croit plutôt honni car il accomplit son coup d'éclat trop tard pour sauver les siens. »

Je ruminai un moment ce que venait de me dire Annoeth. S'il ne cherchait pas à m'embobiner, ce qu'il me révélait sur ce foutriquet d'Eirin était sidérant. Je ne connaissais que des bribes de l'histoire de la Guerre des Grands Vassaux, essentiellement concernant le rôle que Ciudalia y avait joué. C'était la rébellion de la ville contre la couronne qui avait été la cause de la catastrophe : la guerre avait d'abord opposé les troupes insurgées de la République renaissante contre l'armée loyaliste du duc d'Arches. Et comme le conflit s'était éternisé, le roi Maddan lui-même était intervenu à la tête de son ban. L'ost royal avait balayé les Phalanges en rase campagne non loin de Vinealate et avait mis le siège devant Ciudalia. C'était le recours aux bons services de la Guilde des Chuchoteurs qui avait sauvé la ville : Maddan IV avait été étranglé sous sa tente, au milieu de son camp, à l'emplacement qui deviendrait le faubourg de Camporeale. Son épouse était alors enceinte, mais il n'avait pas d'autre héritier, alors les grands vassaux du royaume, les ducs liés par le sang à la dynastie, s'étaient disputé la couronne. Ainsi s'était ouverte la guerre civile qui avait déchiré la Leomance.

Le reste, je le connaissais moins bien. J'ignorais tout du détail des batailles qui avaient opposé les grands seigneurs de Leomance ; mais ce que je savais, c'est qu'au bout de plusieurs années, une nouvelle puissance s'était levée au milieu du royaume déchiré. Les quatre Archontes, les dignitaires les plus puissants du Culte du Desséché, en se conformant à leur sacerdoce, entre-prirent de faire respecter le testament du monarque défunt. Il s'agissait de la perpétuation de la dynastie et de la restauration de la paix, sous l'autorité du fils pos-thume du roi Maddan. L'enfant était né, et on lui avait donné le nom du fondateur de la dynastie, Leodegar. Mais ce Leodegar-là était un enfant chétif, qui aurait dû mourir en bas âge ; la rumeur courait que seule la magie des Archontes l'avait maintenu en vie, qu'il était infirme de corps et faible d'esprit. Ce fut lui que l'on surnomma le Roi-Idiot, et les quatre Archontes lui imposèrent leur tutelle. Ils rallièrent certains des féo-daux affaiblis par la guerre, et voulurent soumettre l'État désuni au pouvoir de Leodegar VII ; comme ils se heurtèrent à l'opposition d'autres seigneurs, militaire-ment plus puissants qu'eux, ils eurent recours à des alliances avec les tribus Uruk Maug, et ils employèrent la nécromancie pour soutenir leur cause. La guerre vira alors au cauchemar, un cauchemar qui vit flamber le royaume, qui ravagea sa capitale Chrysophée, et qui ne devait s'achever qu'au cours de la bataille de la Listrelle.

Ce qui relevait à mes yeux de ce passé légendaire prenait soudain corps, devant moi, dans le temple de la Vieille Déesse. Ces deux tombeaux gardaient les restes des seigneurs elfes qui avaient fini par intervenir dans le conflit pour abattre la nécromancie des Archontes.

Et Eirin lui-même aurait porté la main sur un des grands prêtres du Desséché...

« Eirin ne parle jamais de tout cela, observai-je au bout d'un moment. Pourquoi me déballer ces vieilles histoires ?

— Pourquoi ne t'en ferais-je pas part ? Mais tu as peut-être bien raison, je ne suis pas qu'un bavard. J'ai perçu des choses en toi qui, comme nous, te placent à l'écart. J'ai vu des traces d'effroi, les ombres d'un sortilège noir, un exil plein de tristesse, une victoire trop cher payée... Tu étouffes ta détresse en t'amusant de nos simagrées. »

Il pouvait difficilement trouver mieux pour me clouer le bec. J'eus la désagréable impression que rien, chez moi, ne lui était vraiment inconnu ; je fus tenté de lui demander s'il savait vraiment qui j'étais et ce que j'avais fait, mais je tins ma langue. Peut-être n'était-ce qu'un escroc qui lançait des hameçons pour en apprendre plus. Peut-être que tout ce qu'il m'avait raconté n'était qu'un tissu de mensonges, destiné à m'épater et à me faire parler. Après tout, moi, je ne savais rien d'Annoeth.

Il se frappa soudain le front en écarquillant les yeux.

« Ah ! Ça y est ! Ça me revient ! s'écria-t-il. J'ai bien un message à te donner ! J'ai rencontré ce matin un homme qui voulait te parler.

— Hein ? Et c'est seulement maintenant que tu me l'annonces ?

— Ça m'est sorti de l'esprit...

— Et c'est qui, ce type ? Tu le connais ?

— Je ne l'ai jamais vu jusqu'alors.

— Et il t'a donné son nom ?

— Heu... Il ne me l'a pas dit... Il affirmait être de ton bord... Il te donnait rendez-vous au *Dernier Carré* ; tu le trouveras à tous les coups, à ce qu'il m'a assuré.

— Et c'était un métèque ?

— Un métèque ?... Qu'entends-tu par ce terme ?

— Un type un peu nègre. Un basané, quoi !

694

« — Un individu bronzé ? Qui aurait un peu ton épiderme ? »

Je ravalai le chapelet d'injures qui se bousculaient sur mes lèvres.

« Un type bien plus bronzé que moi, grondai-je, foncé comme un bon marron. »

Annoeth haussa les épaules, et me répondit avec un sourire vaguement fat :

« Je n'en ai aucune idée. À nos yeux, tous les Humains paraissent nés dans la même portée. »

J'abandonnai le musicien illico et je filai chez moi pour y récupérer mon épée. J'étais à peu près sûr que le quidam qui avait abordé Annoeth était Sassanos, mais je ne devais pas écarter la possibilité d'un coup tordu. Une fois lesté de mes deux lames, sans oublier un couteau niché dans la manche, je redescendis vers le *Dernier Carré*.

L'auberge n'était pas un des bouges de la ville ; il ne s'agissait pas d'un établissement comme *Le Gros Brochet* ou *Chez Tromblon*, où un rendez-vous aurait furieusement ressemblé à un guet-apens. *Le Dernier Carré* était une taverne assez honnête de la place du Marché, moins chère que les *Armes d'Arches*, où venait boire une clientèle d'artisans, d'apprentis et de boutiquiers. L'endroit paraissait indiqué pour une rencontre pacifique. J'inspectai néanmoins les abords de l'auberge avant de m'y risquer ; n'ayant rien flairé qui ressemblait à une nasse, je franchis l'entrée.

Depuis le seuil, je lançai un coup d'œil circulaire dans la salle. Je ne découvris ni groupe suspect, ni individu louche cherchant à se fondre dans un coin sombre. Au milieu des habitués, je distinguai bien quelques voyageurs fraîchement arrivés, dont certains avaient l'air assez éprouvés par les rigueurs de l'hiver, mais à ma déconvenue je ne repérai ni Ouromands musculeux, ni Ressinien efflanqué. J'avais beau parcourir l'endroit des yeux, pas l'ombre d'un moricaud scarifié. Je commençais à me sentir mal à l'aise quand mon regard accrocha un grand escogriffe, assis seul et bien en évidence au centre de la pièce, qui me scrutait d'un air goguenard. Le type était mince et large d'épaules, avec les mains épaisses et le cuir brûlé du vieux marin, mais des yeux trop clairs et des cheveux trop blonds pour être Ciudalien. Il me matait, ses pattes-d'oie un peu cruelles plissées d'amusement, ses lèvres gercées fendues sur un large sourire. Cette apparition me coupa la chique, et cela le fit rire de toutes ses dents. Puis je me précipitai sur lui en jurant.

« Welf ! Bordel de merde ! Welf ! »

Il se leva et ouvrit les bras pour m'accueillir.

« Eh oui ! Ce bon vieux Welf ! »

On s'étreignit avec la force de deux lutteurs sur le point de se colleter.

« Merde alors ! Welf ! Je suis scié ! Mais qu'est-ce que tu fous ici ?

— Dis tout de suite que tu n'es pas content de me voir ! s'esclaffa-t-il.

— Plutôt, que je suis content de te voir ! Je t'attendais pas du tout, mais qu'est-ce que je suis heureux de revoir ta sale gueule !

— Franchement, question sale gueule, tu peux parler !

— Ouais, ça va, hein ! Je peux encore réviser la tienne ! Mais réponds-moi, merde ! Qu'est-ce que tu fais à Bourg-Preux ?

— Eh bien, je cherchais un certain... heu... Bouche-Cousue, c'est bien ça ? »

Je fis la grimace.

« Ah non ! Pas toi ! J'en ai marre de ce surnom débile...

— Alors... comment faut-il t'appeler ?

— Mon vrai nom, c'est Bergolino.

— Bergolino ?... »

Il eut l'air un peu étonné, et ce fut à son tour de faire la moue.

« Décidément, tu as un drôle d'humour... Bergolino. Je ne m'y ferai jamais. »

Ça ne l'empêcha pas de m'étreindre à nouveau avec chaleur. Il puait la sueur refroidie, la vieille crasse et le feu de bois, et sous son manteau de voyage, je sentis les épaisseurs d'un surcot fourré et d'un pourpoint matelassé. Il paraissait à peine débarqué d'un voyage hivernal sur les chemins de Vieufié, en comparaison duquel le mien serait passé pour une innocente plaisanterie. Une lueur de rire nichée au coin de l'œil, on se prit aussitôt le bec pour savoir qui offrait un pot. Finalement, quand on fut installés devant deux cruchons, on reprit la conversation.

« J'en reviens pas, dis-je en lui levant mon verre. J'aurais jamais cru que ce serait toi qu'on m'enverrait. J'étais persuadé que dès la fin de la guerre, tu avais remis les voiles sur la Colorada, et que tu étais retourné pirater dans l'Archipel ou à Llewynedd... »

Il haussa une épaule.

« C'est l'hivernage, tu sais, répondit-il. Il faut bien tuer le temps passé à terre...

— Tu peux pas imaginer ce que ça me fait plaisir de te voir ! Putain ! Tu as traversé Vieufié en hiver ! Tu as dû sacrément en baver ! »

Une expression incertaine flotta un instant sur sa face burinée, et il me lança un bref regard par-dessous.

« Je me les suis gelées, et grave, acquiesça-t-il sans rire. Et j'ai perdu des compagnons de route du côté de Cluse... »

En retrouvant son sourire, il heurta la garde de la vieille épée d'infanterie qu'il portait sous son manteau.

« Mais j'ai encore quelques tours dans mon sac. J'ai su tirer mes os de ces traquenards. Et l'essentiel, c'est que je sois arrivé en un seul morceau, non ? »

J'acquiesçai avec chaleur, en lui reservant un godet. Dans la foulée, je sommai Welf de me raconter ses aventures. Il gonfla les joues de manière comique.

« Foutre ! Si je te raconte tout, on n'est pas rendus ! »

Et avec un soupçon d'ironie, il ajouta :

« En plus, je suis sûr que ça te laisserait sur le cul...
Mais, franchement... Bergolino... tu ne crois pas qu'on
a des sujets plus urgents à traiter ?

— Plus urgents ? relevai-je.

— Oui, malheureusement, plus urgents... »

Le sérieux qu'il avait mis dans ces derniers mots me
refroidit quelque peu.

« Alors tu viens vraiment de sa part, à lui ? repris-je
en baissant le ton.

— Oh oui, répondit-il en faisant traîner ses syllabes.

— Je savais même pas qu'on était dans le même
bateau, toi et moi, remarquai-je.

— C'est un peu ta faute, repartit Welf. Quand tu es
entré à son service, il y a deux ans, il s'est rappelé le
petit travail qu'on avait fait pour lui, toi et moi, à
Kaellsbruck. Il ne t'en a pas parlé parce qu'il a l'habitude de cloisonner, mais il a demandé à Matado de me
rechercher. Il payait bien, alors j'ai dit oui. Pendant un
moment, d'ailleurs, je n'ai pas eu grand-chose à faire.
Et puis voilà : il a commencé à me confier des affaires.
C'est comme ça que je me suis retrouvé sur tes traces.

— Et tu m'as dégoté facilement ? »

Il ricana.

« Tu es une vraie tête de linotte... Je suis à peine
arrivé d'hier, et je n'ai eu qu'à me pencher. Ton véritable nom, c'est sûr, il ne dit rien à personne ; mais le
Ciudalien avec des dents en or qui se fait appeler
Bouche-Cousue et qui écume les tavernes en compagnie de deux elfes et d'un nain, il est connu comme le
loup blanc. C'est pour ça que je me suis adressé au
premier elfe que j'ai croisé, et te voilà ! Pour te dire les
choses toutes crues, je suis drôlement étonné que tu
sois toujours en vie. »

La remarque chatouilla un peu ma susceptibilité,
d'autant que par un réflexe très gamin, je fus tenté de
lui opposer les terribles efforts que j'avais accomplis
pour mener une existence retirée. Mais je ne pouvais

me dissimuler qu'il avait raison, et que j'avais une sacrée chance qu'il ait été le premier à me retrouver.

« C'est vrai, grommelai-je, je me suis un peu relâché. Faut dire qu'une fois que les deux elfes m'ont mis le grappin dessus, ç'a été dur de m'en dépêtrer… »

Une expression sardonique traversa son regard.

« Avant, quand je te parlais de Llewynedd, tu avais l'air de me trouver un peu toqué, observa-t-il. Tu me comprends mieux, maintenant, non ?

— Je me suis fait embabouiner comme un tendron.

— Sauf que toi, tu n'es pas un marin qui fait escale. Ça aurait pu te coûter cher, la grande ducasse aux elfes.

— Je suis toujours aussi tricard à Ciudalia ?

— Pas seulement à Ciudalia. Dans la correspondance curiale, le Sénat a fait savoir au duc de Bromael et au Conseil des Échevins de la Marche Franche que l'arrestation d'un certain Benvenuto Gesufal serait considérée comme un geste très gracieux vis-à-vis de la République. Son excellence Leonide Ducatore a dû apposer son sceau sur ces courriers, pour attester de sa bonne foi dans le scandale Blattari…

— Sainte merde !

— Je ne dis pas que les échevins feraient immédiatement arrêter ce Benvenuto Gesufal s'ils le localisaient ; mais ils savent que le type a de la valeur pour le Sénat. Ils risquent de le garder à l'œil, et ils pourraient bien s'en servir comme monnaie d'échange dans une affaire ou une autre… Bref, notre homme pèse son poids d'embrouilles. Je voudrais pas être à sa place.

— Ce courrier, il est déjà arrivé ?

— Tu rigoles ? Tu crois que le Sénat a traîné, après le cirque provoqué par l'évasion spectaculaire de qui tu sais ? Le courrier, il a dû arriver en même temps que toi !

— Oh la la ! Je suis mal… »

Toute ma bonne humeur s'était envolée en quelques instants. Après des semaines passées à m'étourdir dans la Compagnie folle, le dégrisement était brutal. Si effectivement le Conseil de la Marche Franche avait été avisé de mon existence, mes bouffonneries dans le sillage du Grand Prévôt des Étourdis pouvaient me coûter très cher. Eirin me l'avait dit lui-même, mon signalement avait dû remonter jusqu'au capitaine Melanchter, et Melanchter était un des échevins. Avait-il fait le lien entre Bouche-Cousue et le fugitif réclamé par le Sénat ? Le rapport lui avait-il échappé, ou me laissait-il du mou en attendant de voir ?

Welf avait lui aussi perdu sa faconde. Maintenant qu'il ne riait plus, je lui trouvais un air fatigué, quelque chose d'un peu usé. Je découvrais presque autant de fils blancs que de cheveux blonds dans sa tignasse ; les rides s'étaient creusées dans son visage tanné, incrustaient de méchants sillons à travers le front, marquaient le rictus dédaigneux qui naissait aux ailes des narines et aux commissures des lèvres. Ses yeux d'un bleu de givre étaient un peu caves, assombris par un mélange de tension et de fatigue. Sûr que le voyage n'avait pas dû être drôle, mais je devinais chez lui une érosion plus profonde, l'empreinte plus définitive du temps et des désillusions. Il avait une expression intense, presque pressante, dans sa façon de me regarder, et je me demandai alors s'il n'éprouvait pas la même impression en me dévisageant. Voire une impression démultipliée, vu tout ce que j'avais encaissé.

« Je te dois une sacrée chandelle, admis-je à mi-voix. Tu serais pas arrivé, je crois que j'aurais complètement dévissé.

— C'est à ça que servent les amis, répondit-il avec un demi-sourire.

— Qui t'a envoyé ? Sassanos ou le patron en personne ?

— Le patron, indirectement. Je ne suis pas un intime de la maison, comme tu as pu l'être.

— Et Sassanos ? Il est rentré ? »

Welf hocha négativement la tête.

« Pas que je sache. En tout cas, pas quand j'ai été chargé de te retrouver. »

Il avait repris un air grave, presque ombrageux. Il n'avait pas l'air de placer une confiance démesurée dans le sapientissime.

« Et qu'est-ce qui s'est passé, à Ciudalia ? enchaînai-je en continuant à baisser le ton.

— Une belle cagade ! ricana-t-il. Le Podestat a failli casquer, et il a dû faire de drôles de contorsions pour sauver les meubles. Mais il est retombé sur ses pieds. C'est un sacré équilibriste... Enfin, pour l'instant, du moins. La ville est quasiment en état de guerre.

— Mets-moi au parfum.

— Je ne te donnerai que les grandes lignes. Les manœuvres des politicards, je suis ça de loin. Après la fameuse séance au Sénat où le type que tu sais a fait une sortie remarquée, le Podestat a bien failli être destitué. C'est à ce moment qu'il a dû charger la barque de son ex-homme de confiance, pour se désolidariser de lui, du moins officiellement. Mais là où il a joué très finement, c'est qu'il a décidé d'accompagner le mouvement : il n'a pas seulement décidé l'ouverture d'une enquête sur le meurtre de Coccio Blattari et sur... heu... les agissements de qui tu sais sur la galère Mastiggia. Il a appuyé de tout son poids pour donner des moyens exceptionnels aux magistrats du Tribunal des Neuf dans leurs investigations. Des trucs qui clochaient ont commencé à apparaître, qui n'accusaient pas forcément qui tu sais. Ça a jeté le doute dans certains esprits, et le Podestat s'est servi de son réseau d'amis et d'obligés pour que ce doute se diffuse... Tant et si bien que les sénateurs de la faction ploutocrate ont soupçonné anguille sous roche, et qu'ils ont pris de la distance avec la cabale belliciste. Sur le plan politique, ça a un peu rééquilibré le rapport de force. Nos brillants dirigeants ont alors adopté une ligne qu'ils maîtrisent bien : ils ont décidé d'attendre les élections, qui ont eu lieu il y a un mois. Tout le monde était persuadé que Leonide Ducatore n'obtiendrait pas un nouveau mandat ; après, ce serait plus simple de le mettre à terre... »

Il s'interrompit le temps de se resservir à boire. Sa pupille pâle pétillait d'ironie.

« Il les a tous baisés, ricana-t-il. Je ne sais pas précisément comment il s'y est pris, mais j'ai ma petite idée. Il a dû prendre contact avec Ettore Sanguinella et lui proposer un arrangement secret. L'enquête sur la mort du ministériel Blattari remontait des pistes un peu imprévues, qui mouillaient autant le parti belliciste que la faction souverainiste ; le sénateur Ducatore a dû convaincre le sénateur Sanguinella que c'était un peu couillon de se saborder mutuellement, alors qu'une entente raisonnable pouvait leur être profitable à tous les deux. Bref, pendant la campagne, même s'ils se sont présentés l'un contre l'autre, en fait ils marchaient main dans la main...

— Le Podestat a brigué un nouveau mandat ?

— Il a fait mieux : il l'a arraché ! Bon, pas tout seul, parce que Sanguinella occupe l'autre siège, mais enfin c'est quand même un sacré redressement ! »

Il s'agissait d'une jolie manœuvre tactique, sans aucun doute ; toutefois, ce n'était pas la belle opération que croyait Welf. Pour quelqu'un comme moi, qui avais entendu le Podestat exposer ses desseins au vieux sénateur Schernittore, cette réélection représentait une position de repli, la perte d'une occasion unique de se construire une image de père de la patrie. Le revirement était un revers. Leonide Ducatore avait dû abandonner le projet de se retirer du pouvoir au faîte de la gloire : pour rester en position de force, il avait dû intriguer, composer avec un de ses principaux rivaux, et les responsabilités qu'il continuait à assumer terniraient l'éclat de sa victoire militaire. La réapparition de l'enseigne Suario Falci et ma décarrade acrobatique hors du Palais curial avaient ruiné ses calculs démagogiques... Même en faisant abstraction des griefs personnels qu'il pouvait nourrir contre moi, il y avait quelque chose qui me mettait mal à l'aise dans le changement de cap du Podestat. Je savais bien qu'il n'abandonnerait pas son ambition de confisquer les rênes de la République ; mais à présent qu'il avait dû lâcher l'idée de se tailler un costume d'homme providentiel, il ne lui restait plus qu'une option : le coup de force. Désormais, pour surmonter la crise, il allait devoir suivre des règles que je connaissais bien : frapper plus vite, plus fort et plus méchamment que les autres. Dans un délai des plus brefs, il lui faudrait passer le torchon. Et dans ces circonstances, je m'interrogeais plus que jamais sur ce que ma vie pesait à ses yeux…

« Même si le Podestat a su rester en place, sa position reste fragile, poursuivait Welf. La rue est déchirée entre les partisans de la famille Ducatore et ceux du clan Mastiggia. Le premier scandale a eu lieu quelques jours à peine après ton départ. Deux bandes de spadassins se sont affrontées piazza Smaradina ; au cours du combat, il y a eu des morts. Spada Matado y a tué le centenier Vezzino Chiodi…

— Matado ? Il a vaincu Chiodi ?

— Je ne dis pas qu'il l'a eu à la loyale, même si c'est ce qu'il a raconté ensuite. Ils se seraient affrontés en duel. C'est la thèse que le Podestat a soutenue, qui a permis à Matado d'échapper à la justice. Je ne sais pas au juste ce qui s'est passé sur la piazza Smaradina, je n'y étais pas. Mais on dit partout que Chiodi est tombé dans un guet-apens. En tout cas, ça a flanqué la zizanie dans le régiment Testanegra. Le gonfalonier Aspe Carneficce s'est rangé du côté des Mastiggia, mais ce n'est pas le cas de tous ses officiers ; au sein du régiment, le centenier Spoliari a encore réussi à débaucher une vingtaine de vétérans de Kaellsbruck pour compléter la garde privée de la maison Ducatore. Le palais du Podestat est une vraie garnison, maintenant. Et les troubles se sont envenimés quand ont éclaté les premières émeutes. Les entrepôts de l'armateur Furca ont été incendiés par les marins et les commis de ses concurrents, jaloux du nouveau monopole ; ça a provoqué une cascade de merde. Le feu a failli se propager à l'Arsenal ; les ouvriers ont lutté contre les flammes et ont eu peur de perdre leur gagne-pain. Ils se sont ralliés au parti Ducatore, et depuis, le port est devenu une zone de conflit entre bandes rivales, qui se rangent dans le camp Ducatore ou dans le camp Mastiggia, mais qui ne répondent plus à aucun ordre. En plus, la destruction des entrepôts de la maison Furca a provoqué une flambée de la valeur des épices, qui a eu pour répercussion une augmentation des denrées courantes. Le mécontentement a gagné les quartiers populaires de Purpurezza et de Benjuini ; comme les Ducatore et les Mastiggia se renvoyaient la responsabilité du problème, la plèbe a commencé elle aussi à se diviser en factions. Il y a des incidents, des querelles, des bagarres, des morts. Les vengeances personnelles viennent se greffer sur le conflit entre les deux maisons nobles, et le bordel est en train d'échapper à tout contrôle...

— Putain ! Quelle foigne !...

— Ouais, une drôle de ribote... Et encore, je ne t'ai pas tout dit. Je suis rudement content de t'avoir retrouvé, mais enfin tu imagines bien que j'ai pas fait tout ce chemin juste pour le plaisir de la conversation. Il y a un autre problème, et celui-là, il te touche de près, même si tu n'es pas le seul concerné. Il y a des fuites hors du palais Ducatore. Quelqu'un qui renseigne l'extérieur. On ne sait pas qui est la casserole, mais c'est une certitude. Et tiens-toi bien : en une occasion au moins, ça te concernait. À ce moment-là, ta vie n'a tenu qu'à un fil.

— Qu'est-ce que tu veux me dire par là ?

— On m'en a pas confié davantage. Je crois qu'on ne voulait pas éveiller la méfiance du gobe-mouche, au cas où il aurait eu les oreilles grandes ouvertes. »

Je crachai une bordée de jurons. La première chose qui me revint à l'esprit, ce fut la nasse que Rabbia Mezzasole m'avait tendue à *La Corne de Narval* ; son histoire de guetteur posté aux portes du palais Ducatore se tenait, mais la rapidité avec laquelle il avait réussi à m'intercepter s'expliquait encore mieux si on l'avait renseigné de l'intérieur. Je pensai aussi à l'inquiétante battue dans les bois de Pigraticola, mais j'écartai assez vite cet épisode ; nous étions déjà loin de Ciudalia quand on nous avait donné la chasse dans cette région, et c'était plus probablement la sorcellerie que le bavassage d'un cafard qui nous avait mis en danger.

« Tu as au moins une idée du moment où on m'a balancé ? demandai-je à Welf.

— Quand tu étais en voyage, répondit-il. Depuis que tu es ici et que tu n'as plus donné de nouvelles, bizarrement, tu as semblé à l'abri des ragots. »

Voilà qui confirmait mes hypothèses. Restait à identifier le mouchard. Après tout ce que j'avais traversé avec lui, je pouvais raisonnablement écarter Sassanos. Qui demeurait en lice ? Bien sûr, le minois de Clarissima me trotta dans la tête ; elle était fureteuse, elle avait de solides raisons de m'en vouloir, et si le Podestat continuait à communiquer avec moi, cela signifiait qu'elle n'avait pas parlé de notre petit secret. Cette méchante embrouille lui ressemblait bien, c'était certain ; mais malgré tout elle n'était pas dans le premier cercle des hommes de son père, et pour me dénoncer aussi vite à Mezzasole, il avait fallu quelqu'un dans la confidence de mon patron. Qui restait-il ? Matado, qui ne m'aimait pas, qui m'avait neutralisé au Sénat dès que Falci avait surgi d'entre les morts... Et Cesarino, dont je revis le regard effaré quand il avait enfin réalisé que je pouvais avoir liquidé Bucefale Mastiggia... Ces deux-là faisaient des taupes plausibles, pour des raisons différentes. Matado pour mener un double jeu, pour infiltrer le camp ennemi en faisant au besoin des sacrifices nécessaires, tout en continuant à servir les intérêts du Podestat... Et Cesarino par révolte, par un sens inepte de la justice. Ou parce qu'il redoutait le retour de son cousin Belisario Ducatore...

«Et tu as des instructions? repris-je à mi-voix. Qu'est-ce que je dois faire?

— Fais ton paquet, répondit Welf aussi doucement. Barre-toi. Décanille.

— Encore? Mais pour aller où, bordel?

— Ça, j'en sais rien. Et je veux même pas le savoir. Mais décampe, mon vieux. Quand je me suis mis en route, je savais déjà que tu étais sur le fil; en arrivant ici, je me suis rendu compte que tu étais carbonisé. Tu as la tête sur le billot. Les Mastiggia veulent t'écorcher vif. La République veut river ton cul sur la sellette et te casser tous les os du corps pour obtenir des aveux. Le traître dans l'entourage du patron te balancera dès qu'il entendra parler de toi. Les échevins de la Marche Franche connaissent ton existence... Et toi, pauvre couillon, tu viens de passer des mois à faire le mariole aux vu et au su de toute la ville... En ce moment, je ne sais même plus si je parle à un vivant ou à un mort.

— C'est pas aussi simple, grommelai-je. Si je m'éloigne de Bourg-Preux, je ne serai plus protégé contre les sorciers qui me cherchent.

— Si tu restes à Bourg-Preux, tu seras coincé par les autorités ou par des assassins. Et même si tu leur glisses entre les doigts... Écoute, tu connais le patron. Tu es grillé; si tu lui désobéis, c'est quelqu'un d'autre qu'il t'enverra.»

Je me pris la tête entre les mains. Welf avait raison sur toute la ligne. J'étais devenu un énorme problème. En fait, c'était même miraculeux qu'il n'ait pas attendu que je sois ivre, bien vulnérable dans une taverne, pour me poignarder et solder les comptes. Cela aurait sans doute représenté la solution la plus satisfaisante pour le Podestat. Seul le compagnonnage ancien qui nous liait, Welf et moi, avait dû le dissuader de choisir cette option. Toutefois, même cette vieille amitié ne pourrait pas être un rempart bien durable face à la nécessité.

« D'accord, grommelai-je. D'accord. Je vais m'escamoter. Mais je dois me planquer dans quel trou ? »

Il eut une grimace indécise.

« Je peux pas te dire. Évite le duché, en tout cas : il y a trop de liens entre sa noblesse et la nôtre. Il te reste les Landes Grises, Sacralia, l'Ouromagne…

— Ouais, grognai-je. Mort et enterré…

— Tu as la corde au cou.

— Et toi, Welf, tu m'aideras à filer ?

— Qu'est-ce que tu crois que je suis en train de faire ?

— Tu peux faire un bout de route avec moi ? »

Il hocha la tête d'un air désolé.

« Je peux pas… Bergolino. J'ai autre chose à faire, un sale boulot en plus, pour le compte du patron. Ça me ferait vraiment plaisir, tu sais, ça me rappellerait le bon vieux temps, les maraudes par les bois et les champs, quand on avait pas tout ce merdier sur les bras. Mais c'est fini. On ne serait bons qu'à se mettre en danger l'un l'autre, tous les deux. C'est fini… »

Je sortis seul du *Dernier Carré*, avec le moral au ras du ruisseau. Maintenant qu'il fallait reprendre la fuite, Bourg-Preux m'apparaissait soudain accueillant et familier : j'y avais fait mon trou, et je m'y découvrais avec étonnement une vague sensation de chez soi. Je commençais à soupçonner que le vrai drame du banni n'était pas le déracinement, mais une succession de déracinements, qui perduraient même pour les petits veinards finalement amnistiés et rappelés dans leur patrie. À la fin de l'exil, on devait souffrir de la nostalgie de l'exil.

Ces idées moroses, je les cultivais sous l'avant-toit de l'auberge, en parcourant des yeux la place du Marché. Le bourbier engorgé de neige fondante était labouré par les empreintes humaines et animales ; l'eau sourdait au fond de chaque trace, et de vastes mares reflétaient un ciel éteint dans les zones inondées. Reprendre la route dans ces conditions serait tout sauf une partie de plaisir. En plus, je serais seul : d'autant plus vulnérable pour affronter les frimas, la faim et les mauvaises rencontres. Et la question restait entière : j'ignorais où je pourrais chercher un nouveau refuge…

L'idée qu'Annoeth était sur le départ s'insinua en douce dans le fond de ma caboche : peut-être pourrais-je lui proposer de m'associer à ses voyages. Il paraissait bien connaître des régions dont j'ignorais tout : en échange de ses services de guide, je lui offrirais mon escorte. Marché de dupe, sans doute : il était désormais plus dangereux de voyager sous ma garde que sans moi… Je finis par écarter cette option, non par scrupule, mais par prudence. Rien ne me disait qu'Annoeth partirait effectivement dans un bref délai ; en revanche, si je lui touchais un mot de mon projet, la Compagnie folle organiserait une fête d'adieu qui se solderait par des jours de beuveries et qui claironnerait ma disparition prochaine dans la moitié de la ville… J'avais déjà beaucoup trop cafouillé. Si je devais filer, ce serait sans prévenir et sans embrassades.

En louvoyant entre les flaques et les gouttières, je pris le chemin de la rue de la Pironnerie. Je voulais récupérer mes affaires rapidement, et m'esquiver avant que ma logeuse ne se doute que j'allais lui faire cadeau de mon ardoise. En remontant les rues, je réfléchissais à la conduite à tenir. Par chance, il me restait quelques pièces de mes gains. J'avais de quoi survivre une semaine ou deux, et acheter les effets dont j'aurais besoin pour voyager à la mauvaise saison. Cependant, me tenaillait toujours le problème de la destination. Si je cheminais vers le sud ou vers l'est, je savais que je traverserais les campagnes de la Marche Franche : une région peuplée, bien cultivée, occupée par de nombreux villages. Ses principales routes menaient toutefois au duché ; certes, j'aurais trouvé facilement à m'enrôler dans les troupes de divers seigneurs bromallois, et je n'y aurais pas été le seul mercenaire ciudalien. Mais l'avertissement de Welf me dissuada de choisir cette voie.

Restait la route des Landes Grises, dont j'ignorais tout, sinon des contes assez sinistres. C'était le chemin que Sassanos avait emprunté pour se rendre à Sacralia. Peut-être devais-je me lancer à la recherche du sapientissime ; les blessures de Cecht pouvaient l'avoir retardé au point d'arriver trop tard chez les chevaliers du Sacre pour envisager un retour avant l'hiver. Il était possible qu'il soit tout bêtement en train d'attendre un temps plus clément à Sacralia. Dans ce cas, je pouvais encore le rattraper et solliciter son conseil. C'était certainement la solution la plus raisonnable… Cependant, je ne parvenais pas à me déterminer dans ce sens. Et s'il était arrivé quelque chose à Sassanos ? S'il avait trouvé la mort dans une autre embuscade, qui aurait mal tourné, celle-ci ? Les Landes Grises avaient une réputation bien pire que les collines de Vieufié, et le moricaud s'y était risqué avec seulement deux compagnons, dont un qui ne tenait debout que par miracle… En outre, pour aller au fond des choses, il y avait un autre motif à mes réserves. Rechercher Sassanos, c'était encore une manière de remettre mon sort entre les mains d'autrui. Or ça me déplaisait. L'enjeu, c'était ma peau, et je me dis qu'il était peut-être temps de me reprendre en charge. De me débrouiller, sans les rituels corrompus du moricaud, sans la dangereuse insouciance des elfes ou les rappels à l'ordre de Welf. De traiter le problème à ma manière.

Je m'échauffais tout seul en suivant cette pente. Vrai, quoi, j'avais assez merdouillé. Il était temps que je me réveille ; une fois que j'aurais redressé la barre, on allait voir ce qu'on allait voir ! J'en avais au service de tous les fâcheux qui me les brisaient depuis trop longtemps. Marre, de porter la médaille ! Ça allait chauffer ! Comme ça, on me cherchait ? Eh bien ! on allait me trouver !

Ces sottises étalaient un pauvre baume sur ma déprime de fugitif, mais elles n'avaient rien de la simple rodomontade. Ces hâbleries revanchardes m'aidaient à apprivoiser une idée folle que j'avais repoussée depuis des mois, mais que l'extrémité où j'étais réduit stimulait avec virulence. J'en avais plein le dos, de me dérober face à la menace. Je ne suis pas spécialement tête brûlée, mais je suis hargneux ; et depuis que je suis entré dans les Phalanges, j'ai toujours pensé que la manière la plus efficace de régler un problème était de l'affronter. Or voilà qu'on m'ordonnait de détaler toujours plus loin, de calter à dache, de me chercher un terrier bien profond à l'autre bout des terres connues… On me demandait de fuir. On s'attendait à ce que je m'éclipse. N'était-ce pas le moment idéal pour rentrer ?

Au fond, je savais bien que c'était une ânerie monumentale. Alors je tournais autour de l'idée sans me l'avouer trop clairement, en fanfaronnant dans un radotage intérieur qui ne réglait rien aux vraies questions.

En remuant ces idées confuses, j'étais presque arrivé chez moi quand je m'arrêtai face à l'étal d'un savetier de la rue du Pavois. C'était une échoppe devant laquelle je passais presque chaque jour, mais à laquelle je n'avais jusqu'alors consacré qu'une attention assez distraite. Toutefois, la perspective de mon prochain départ rendait maintenant ses articles plus intéressants. Sur l'éventaire, je remarquai la présence de grands houseaux de cuir, fermés par de nombreux boutons, qui protégeaient la jambe jusqu'au-dessus du genou. Si je devais patauger sur des chemins en pleine débâcle, ces accessoires seraient précieux pour me protéger contre la boue et l'eau glacée. J'interpellai le marchand, qui me proposa un prix exorbitant, susceptible de vider mon escarcelle. Je protestai que ses guêtres n'en valaient pas le dixième, et je me pris un peu le chou avec le boutiquier, qui faisait un scandale parce que j'osais mettre en cause la qualité de ses produits.

Son apprenti nous écoutait d'une oreille distraite, en ressemelant une paire de brodequins.

Ce fut ainsi, en marchandant de stupides houseaux, que je faillis être tué.

J'avais obtenu un rabais du savetier, mais son prix restait élevé, et je m'apprêtais à lui faire le coup du client qui décroche quand quelque chose me chiffonna chez son apprenti. Le béjaune venait d'arrêter son travail ; l'alêne suspendue au-dessus de sa semelle, il jetait un coup d'œil dans la rue. Où plutôt, vu la façon dont il levait le nez, sur la maison dans mon dos, qui faisait face à l'échoppe. Il se tenait bien tranquille, profitant sans doute de mon barguignage avec son patron pour faire une petite pause. Mais je crus deviner dans son regard une expression très particulière : une forme d'incompréhension qui se muait en un début d'incrédulité. Or cette mimique-là, je la reconnus : c'était la surprise de la victime qui voit arriver trop tard le coup mortel.

Au milieu d'une phrase, je me jetai de côté.

Dans le tapage urbain, j'entendis à peine le coup : un claquement sec de coffret brutalement refermé. Le marchand devant lequel je me tenais un instant auparavant fut déporté en arrière, comme si on lui avait balancé une bonne bourrade. Il ouvrit des quinquets étonnés, et puis tomba assis au milieu de ses chutes de cuir et de ses souliers. Un petit empennage torsadé saillait en biais à l'échancrure de son col, comme une amulette de pacotille. Le savetier ne donnait pas le sentiment de souffrir, il avait juste l'air interloqué, et puis il se mit à cracher du sang. Le vireton qu'on m'avait destiné l'avait traversé de part en part : il était foutu.

Du coin de l'œil, je devinai une fenêtre entr'ouverte au premier étage de la maison opposée. Je ne m'attardai pas pour admirer le paysage : s'il y avait un second arbalétrier, je pouvais encore me retrouver cloué sur un étalage de savates. Je franchis la rue en trois bonds, en bousculant un fustier chargé de planches qui m'insulta copieusement. Je me plaquai contre l'entrée de la bicoque d'où on avait tiré ; j'étais protégé par l'encorbellement de tout ce qui pouvait venir des étages, mais je ne comptais pas m'éterniser. À part le menuisier qui me couvrait d'injures, le voisinage poursuivait ses occupations ordinaires ; j'imaginais bien que ça ne durerait pas. Pour l'instant, l'apprenti fixait d'un œil ahuri son patron en train de mourir ; un badaud venait de s'arrêter, et demandait si le savetier se sentait mal. Quand il réaliserait qu'il avait un carreau fiché sous le larynx, la rue allait connaître une jolie poussée de fièvre. Mais il fallait accélérer le mouvement, alors je heurtai violemment le marteau de la porte et je braillai à l'assassinat.

Mon but, c'était surtout d'effrayer le tueur, de l'empêcher de recharger son arme. C'est que j'avais la pratique de ce genre de situation… Le choix de l'arbalète impliquait plusieurs choses. Tout d'abord, le tueur était seul, ou il avait un complice tout au plus, mais il ne s'agissait pas d'une bande, sans quoi il aurait été plus sûr de me coincer pour me larder à l'arme blanche. Ensuite, l'homme me savait dangereux, pour préférer m'abattre à distance. Enfin, le type avait fait un repérage, pour identifier mes habitudes et se trouver un poste de tir dans un lieu où je passais régulièrement. Mon bonhomme était un professionnel. Et j'étais bien placé pour savoir qu'un professionnel qui rate son coup se replie en vitesse, avant d'avoir un gros paquet d'emmerdements suspendus à ses chausses.

Mon tintamarre à sa porte servait cet objectif : le pousser à s'esquiver. Je beuglai trois ou quatre fois, et je filai moi aussi. Mais pas pour m'enfuir. À Bourg-Preux, les maisons ont rarement des murs mitoyens ; bâties les unes à côté des autres, il existe généralement un espace étriqué qui les sépare. Il ne s'agit même pas de venelles ; ce sont des boyaux infects, où les ordures s'accumulent et où les badauds pressés par une envie subite vont lâcher l'écluse ou couler un bronze. J'avais autre chose à faire que jouer les précieuses : je me faufilai dans un de ces passages nauséabonds pour accéder à l'arrière de la maison du tireur. J'y perdis du temps car j'enfonçai jusqu'aux genoux dans des congères fondantes, tout un paquet de neige balayé hors de la rue et rejeté au-dessus de la fange. J'avais presque atteint le bout du cloaque quand les premiers cris de panique retentirent dans mon dos, autour de la boutique.

J'avais vu juste. J'avais à peine jeté un œil à l'angle opposé de la maison que j'aperçus mon homme. Il était déjà dehors, en train de remonter une venelle vers la ville haute. Je n'avais pas de certitude, mais mon instinct me soufflait que c'était l'enfoiré. Il ne courait pas, il marchait juste d'un bon pas. Vêtu d'un manteau de voyage, le capuchon rabattu, il me tournait le dos et je ne distinguai pas grand-chose de sa personne ; en outre, il n'avait pas d'arbalète sur lui. Mais la gaine d'une épée dépassait sous l'ourlet de la cape. Même moi, je ne me déplaçais en ville qu'exceptionnellement avec une arme aussi visible.

Je le laissai prendre un peu de champ. On s'égosillait maintenant du côté de la boutique du savetier : glapissements de peur, vociférations indignées, appels au Guet. Le tueur n'était pas le seul à vouloir prendre ses distances : mieux valait que je ne me laisse pas engluer dans ce cirque, d'autant que Bouche-Cousue était connu par les Archers du Guet, et pas très populaire dans leur corporation... De plus, je préférais m'assurer que le tireur était bien seul. S'il avait un complice et qu'ils étaient tous deux affranchis, ils chercheraient plus à se séparer qu'à se rejoindre... Mais il valait mieux rester prudent. J'attendis qu'il soit loin avant de mettre mes pas dans les siens.

Le type se déplaçait avec assurance, comme s'il connaissait le quartier. Il privilégiait les venelles les plus étroites et les ruelles détournées, mais il dut malgré tout emprunter la rue de la Vieille-Draperie sur une trentaine de pas, avant d'obliquer dans un nouveau coupe-gorge. La Vieille-Draperie est un axe assez fréquenté de la ville haute, pas très loin de la Place d'Armes ; même en maintenant une certaine distance, je remarquai que plusieurs personnes avaient l'attention accrochée par mon homme. Quelques commères le dévisagèrent d'un œil effronté, trois moutards lui adressèrent des grimaces en riant et firent mine de lui emboîter le pas en chahutant ; un ou deux badauds lui jetèrent des regards curieux. C'était très étrange ; quelque chose chez lui piquait l'intérêt, mais ne provoquait ni peur ni hostilité. Malheureusement, rien ne me permettait de deviner ce qu'il cachait sous son manteau.

Quand il s'enfila à nouveau dans les passages les plus exigus, je me rendis compte qu'il incurvait sa course. Il allait éviter la Place d'Armes et le quartier de la Capitainerie. Sans doute voulait-il redescendre dans les rues commerçantes au bord du lac. Cela faisait déjà un petit moment que je le filochais, et j'étais à présent à peu près sûr qu'il était seul. Nous nous trouvions à quelques pâtés de maison de la rue de la Pironnerie, et j'avais acquis une assez bonne connaissance de ce coin de la ville. Je lâchai mon client pour passer sous l'arcade d'une bicoque traversière et galoper dans une enfilade d'arrière-cours : le raccourci allait me permettre de lui couper le chemin.

Je faillis le perdre : en arrivant à l'angle où je comptais lui jouer un petit numéro de tombe-dessus, je me rendis compte que j'avais mal calculé mon coup. Il ne descendait nullement la voie sur laquelle je voulais l'intercepter. Du coin de l'œil, j'entrevis un pan de manteau qui s'engouffrait entre deux maisons, grimpant les marches inégales d'une traverse malpropre. Étouffant un juron, j'attendis quelques instants, puis je remontai en douce vers le passage. Je risquai une œillade prudente vers le sommet de l'escalier : il donnait sur une cour intérieure ou sur une placette. Je ne vis que les galeries sur les façades de hautes maisons en bois, mais l'arbalétrier avait poursuivi son chemin. La dague nue et planquée sous le sayon, je grimpai les marches à mon tour. L'escalier débouchait bien sur une cour, mais c'était un cul-de-sac. Le gaillard attendait tranquillement au centre du patio, à une dizaine de pas. Il ne daigna se retourner que lorsque je posai le pied sur la dernière marche.

Je compris alors pourquoi les passants l'avaient remarqué. Sous le capuchon, il portait un masque : un grotesque de théâtre, avec un faciès insolent aux narines pincées et aux sourcils arqués. Ainsi donc, j'avais affaire à une connaissance, mais on ne peut pas dire que j'en fus réconforté. Je revis Coneoti et Sorezzini ensanglantés dans le corps de garde du palais Ducatore, et je me demandai un peu tard si, à vouloir jouer au plus fin, je ne m'étais pas jeté dans la gueule du loup.

« Tiens, tiens, mais qui voilà ? ricanai-je pour donner le change. Sa seigneurie Pédantesque en personne ! C'est vraiment très attentionné de m'avoir suivi aussi loin… »

Il ne se donna pas la peine de me répondre. Son masque ne lui couvrait pas le bas du visage, et je pus apprécier le sourire méprisant que dessinaient des lèvres bien dessinées. Il rejeta sa cape en arrière, découvrant un élégant pourpoint à crevés, à la dernière mode ciudalienne. Au moment où je portais la main à l'épée, il dégaina la sienne. C'était une longue lame de duel, sans apprêt mais d'excellente qualité, presque aussi bonne que mon Acerini. Il m'en salua avec une certaine désinvolture, et mon cœur battit plus vite. J'eus la certitude que cette arme ne m'était pas étrangère, mais je ne parvins pas à me souvenir dans quelles circonstances je l'avais déjà vue.

Je m'avançai un peu en biais, pour ne pas conserver l'escalier dans mon dos. Il me suivit des yeux mais ne bougea pas d'un pouce car je restais à plus de quatre pas. Il m'offrait tranquillement le duel, et après le coup d'arbalète de la rue du Pavois, cela me parut très bizarre. Pour ce que j'en avais appris sur l'assassinat de Coccio Blattari, le Pédant était un bretteur de première force. Pourquoi tenter de me planter de loin alors qu'il avait sans doute la technique pour le faire de près ? C'était singulier, et un soupçon vint me titiller. Ce masque dissimulait peut-être un autre spadassin que celui de la via Cavallina.

« Je peux savoir qui t'envoie avant qu'on passe aux choses sérieuses ? »

Son rictus s'élargit, plein d'une arrogance amusée. Comme l'épée, le sourire me rappelait quelqu'un. Mais le Pédant ne condescendit pas à me gratifier d'un seul mot. Ce qui était certain, c'est que le type faisait preuve d'une sacrée assurance. Finalement, c'était peut-être le vrai. J'avais un moyen de le vérifier ; sans crier gare, j'engageai le combat.

Je manquai d'être tué dès la première passe d'armes. Une simple fente à gauche lui permit de passer sous ma pointe et de m'allonger une estocade en quarte, qui faillit m'épingler en pleine gueule. J'eus tout juste le réflexe de dévier son épée vers l'intérieur du plat de la dague, mais il parvint quand même à me toucher. Le fil de sa lame me caressa le front ; je sentis à peine la coupure, mais une sensation de fraîcheur sur la tempe m'apprit que je saignais. Sans ma parade de la senestre, j'eus la certitude que l'estoc m'aurait traversé l'œil jusqu'au cerveau. Je ne pris pas le temps de m'en effrayer, et je ripostai aussitôt. Il enroula mon épée sans effort et se fendit d'une détente foudroyante ; cette fois, je dus m'effacer et battre en retraite, mais j'entendis le col de mon pourpoint se déchirer sous la morsure du fer. Il avait été à un cheveu de m'égorger, et moi, je n'avais même pas réussi à l'inquiéter.

Il ne se fatigua pas à me serrer. Il attendit tranquillement au centre de la cour, son petit sourire suffisant plaqué sur les lèvres. Il était sûr de lui, et de mon côté je savais maintenant que j'affrontais un authentique maître d'armes. Rien dans sa technique ne m'était étranger, mais il était d'une vivacité stupéfiante. Il avait été bien près de me poinçonner au cou et à la tête ; je me mis en tierce, la dague en garde haute pour me protéger le visage. C'était plus prudent ; j'espérais aussi qu'en défendant ainsi le haut du corps, il croirait me tromper en attaquant les jambes. S'il agissait ainsi au cours de l'assaut suivant, je pourrais peut-être gagner la mesure. À distance, d'une simple torsion du poignet, il désigna mes guibolles de la pointe de l'épée, et il me gratifia d'un petit rire silencieux. Cette fois, sans même que nous ayons à nouveau croisé le fer, je ressentis une sueur froide. Il lisait en moi comme dans un livre ouvert.

Il n'eut pas la charité de me laisser savourer ma petite poussée de trouille. Il fondit sur moi et dès que nos lames se touchèrent, je sus qu'il était en train de caver pour écarter ma pointe. Plutôt que d'esquiver, je tentai de contrecaver pour lui rendre la pareille tout en me jetant sur lui. C'était une manœuvre téméraire : nos deux vies à pile ou face, dans une passe d'armes qui pouvait se solder par le coup des deux veuves et nous embrocher mutuellement. J'eus une brutale bouffée de triomphe quand je sentis que mon estocade en seconde traversait quelque chose ; mais simultanément, j'encaissai une piqûre à la cuisse droite. Quand nous reprîmes du champ, il riait à petits coups. De la pointe de la dague, il me désigna la déchirure que j'avais ouverte dans sa cape, entre le bras et la poitrine. Puis, il me montra à nouveau mes jambes, et à la façon dont mon moral s'effondra, je sus que j'allais me faire massacrer, car il m'avait touché très exactement là où je l'attendais.

Il fallait que je trouve une solution, et très vite. J'avais maintenant la certitude que je ne pouvais pas le vaincre à la loyale. Je ne pouvais pas fuir ; il était trop vif, et lui tourner le dos revenait à lui offrir ma tête sur un plateau. Le couteau glissé dans ma manche m'offrait la possibilité d'un seul et unique lancer ; mais pour le saisir, il me faudrait d'abord lâcher la dague, et ça ne me semblait pas très indiqué... Peut-être était-il possible de retourner l'avantage si j'étais capable d'engager un corps à corps pour travailler à coups de dague et de quillons ; malheureusement, il fallait d'abord passer sous la garde du Pédant, et l'entreprise était périlleuse. Je tentai quand même le tout pour le tout, à trois reprises. Je fus à deux doigts de m'embrocher à chaque fois, et je me retrouvai à bout de souffle, piqué à l'avant-bras et à la poitrine. C'était sans issue : il me surpassait largement. Mes blessures étaient superficielles, mais le sang de ma première estafilade s'accumulait sur mon sourcil et n'allait plus tarder à me couler sur les cils. Cette petite gêne suffirait à m'expédier, aussi sûrement que si je lui offrais ma poitrine nue. J'avais encore la rage, mais je ne savais pas quoi en faire, sinon me jeter sur l'épée de mon adversaire.

Le gredin faisait durer le plaisir. Il jouissait de sa supériorité, et je réalisai que si chacun de ses coups était amorti, c'était parce qu'il tenait à briser mon moral avant de me passer par le fer. Ce fumier était une des plus fines lames qu'il m'avait jamais été donné de rencontrer. S'il venait de Ciudalia, je le connaissais forcément. Et brutalement, alors que je vacillai aux limites du renoncement, la lumière se fit ! Cette arme de duel, cette façon de porter un pourpoint de bonne coupe, ce petit sourire infatué, bien sûr qu'ils m'étaient familiers ! Et pourquoi le malandrin restait-il muet, tout en se payant ma tête ? Et le jeu pervers qui consistait à humilier l'adversaire en lui infligeant une vraie leçon d'escrime, comment avais-je pu l'oublier ? En un éclair, je compris qui était sur le point de me tuer.

« Espèce d'enfoiré ! éructai-je. Tu te crois malin, avec ton masque, mais je sais bien que c'est toi, Oricula ! »

Simultanément, je lançai une attaque en flèche. C'était une manœuvre désespérée, qui me découvrait complètement et signait mon arrêt de mort si je ne parvenais pas à surprendre l'ennemi. Il réagit, mais un poil trop tard. Mon épée, entrée sous l'estomac, lui ressortit entre les omoplates. Derrière les orbites du masque, je vis son regard s'emplir d'un étonnement très semblable à celui du savetier. Je dégageai mon arme d'un coup sec. Une giclée sombre arrosa le sol boueux et fuma entre les flaques de neige fondue. Vidé de ses forces, le spadassin tomba lentement à genoux, sans lâcher ses deux armes. Je posai la pointe rougie de mon épée sur sa gorge ; même mourant, il pouvait encore avoir un sursaut meurtrier. Je rengainai ma dague, et lui arrachai son masque de ma main libre. Ce fut bien le visage racé d'Oricula que je découvris, frappé d'une lividité malsaine.

« Quel con ! » murmura-t-il, sans que je démêle à qui s'adressait cet éloge.

Et il glissa doucement au sol.

J'écartai ses armes de deux coups de pied, et je me penchai vers lui. Du sang me coula dans l'œil droit. Il était déjà en train de partir, mais on comprit tous les deux ce que cela signifiait. Je m'essuyai la paupière du revers de la main, et je lui soutins la nuque pour lui épargner un traversin de bouillasse. Il était déjà blanc comme de la craie, et il respirait beaucoup trop vite.

« Merde, Oricula, grommelai-je. J'avais rien contre toi, moi. »

Il fut secoué par un faible rire, qui crispa sa belle figure dans une grimace de souffrance. Si je voulais tirer les choses au clair, le temps m'était compté.

« C'était quoi, ces mômeries, avec ce masque ? poursuivis-je. J'ai failli me faire avoir, mais je sais bien que c'est pas toi, le Pédant. Tu t'entraînes tous les jours avec Sorezzini ; si tu avais été le Pédant, il t'aurait reconnu, via Cavallina. Si tu dois me liquider, pourquoi brouiller les pistes ? Qui t'envoie ? »

Une toux noyée l'étouffa brièvement. Quand il prit la parole, je distinguai du sang entre ses dents et à la commissure de ses lèvres.

« Tu as fait un paquet de saloperies, dit-il faiblement. Tout le monde aurait intérêt à te faire taire...

— C'est le Podestat qui t'envoie ?

— Eh... »

Ma question n'avait été qu'un faux-semblant, et l'insinuation par laquelle il me répondit ranima en moi une bouffée de colère.

« Arrête de me prendre pour un hourdé ! grondai-je.

— Qu'est-ce que je risque ? murmura-t-il dans un sourire douloureux.

— C'est pas le Podestat qui t'a envoyé. J'en suis sûr, pour des tas de raisons. Il m'a adressé quelqu'un d'autre pour me mettre en garde. Et il ne s'est pas ravisé ensuite : tu as eu le temps de faire des repérages et d'espionner mes habitudes, ça fait plusieurs jours que tu es arrivé. Tu étais là avant l'autre messager. En plus, le Podestat me connaît mieux que ça : il sait peut-être que tu me surpasses à l'épée, mais il sait aussi que je suis plus dangereux que toi. S'il avait voulu me refroidir, il m'aurait envoyé toute une bande. Alors, qui est-ce qui t'a lancé dans mes pattes ? »

Mon raisonnement se tenait assez bien, mais il y avait quand même un détail qui me chiffonnait. Si Oricula n'avait pas été envoyé par le Podestat, le spadassin avait donc déserté le palais Ducatore en pleine crise. Pourtant, Welf ne m'en avait pas parlé, alors qu'il m'avait bien averti de la présence d'une sale bourdille. Je touchais là une petite incohérence désagréablement discordante. Toutefois, je me gardai bien d'y faire allusion.

« Qui est-ce que tu veux protéger ? insistai-je. C'est le traître ?

— Benvenuto, soupira-t-il, tout le monde... trahit tout le monde... »

J'allais lui cracher à la gueule que moi, j'étais resté loyal, quand la solution m'apparut avec une clarté brutale. Je m'étais trompé sur un point dans mes hypothèses : en cherchant à identifier la taupe, j'avais restreint mes suspects au cercle des lieutenants du Podestat, parce que la réactivité de la balance avait été très rapide au cours de mon évasion. Mais si le traître était renseigné par des gardes du corps, par des hommes comme Oricula, il pouvait appartenir à l'entourage élargi de mon patron. Et Oricula n'était pas n'importe qui : c'était un cavalier séduisant, au fait des potins de l'aristocratie, qui savait plaire et distraire.

Je me penchai très bas sur lui, les yeux dans les yeux. Il avait mal, et il grelottait. Un homme qui se vide de son sang a toujours froid ; allongé sur un sol de boue glacée et de neige fondue, Oricula devait déjà goûter aux griffes de givre que la camarde lui plantait dans les os.

« C'est elle, hein ? murmurai-je. C'est elle qui t'a retourné ?

— Espèce... d'enculé ! »

Il perdait ses dernières forces. Cependant, pour la première fois, je discernai de la haine dans son regard. Je dois avouer que ça me fit un peu de peine. Je lui avais dit la vérité : dans le fond, je l'aimais bien, moi. Je tirai la dague pour lui en fournir la démonstration définitive.

Je ne pris pas racine. J'abandonnai Oricula dès que je fus assuré qu'il ne parlerait plus, en le remerciant pour son dernier cadeau : une bourse, pas très garnie d'ailleurs, mais qui arrondissait quand même mes finances. J'y puisai aussi sec pour me procurer quelques affaires de voyage, et d'autres bricoles, que je dus aller acheter rue des Febvres et rue de la Parcheminerie. Bien que cela fût un peu risqué, je rentrai ensuite dans ma petite chambre. Je n'y passerais plus qu'une nuit ; avant de prendre la tangente, il fallait bien que je panse mes plaies, que je reprise mes chausses et mon pourpoint, que je boucle mon sac.

Une fois nettoyé, raccommodé et fin paré, je sortis le

feuillet en vélin, la plume et l'encre que j'avais acquis chez un parcheminier. Sur un coin de mon coffre, je traçai quelques mots à la lueur de ma dernière bougie. Cela me prit pas mal de temps, et ma graphie était aussi maladroite que celle d'un écolier : pour que mon truc fonctionne, je devais écrire de droite à gauche. Quand mon message fut prêt, je me l'épinglai sur la poitrine, bien en évidence, je jetai mon manteau sur mes épaules et je tirai mon capuchon jusqu'au nez, en sorte qu'on ne puisse pas voir le haut de mon visage. Je m'assis sur mon lit, et je tirai de mon aumônière le petit miroir que j'avais acheté rue des Febvres. Je souris de toutes mes dents en or à mon reflet. Dans la glace, je pus enfin lire dans le bon sens le bref message que j'avais gribouillé :

O. était un vendu. Il a payé.
Je rentre.

# XIII

## *Le Rempailleur et la sorcière*

> La femme onduleuse, à la hanche au dos noirs
> Passait ; elle étincelait pour la mort
> La mal mariée
> S'éloignait en éclatant de rire au vallon vert.

PIERRE JEAN JOUVE

Le lendemain, je quittai Bourg-Preux aux premières lueurs du jour. Il avait à nouveau gelé dans la nuit, un froid piquant me mordait le nez et les joues, les cheminées crachaient cent panaches de fumée au-dessus des toits tamisés de brume. Pour donner le change, je franchis les murs par la Poterne d'Arches, à l'opposé de la route de Ciudalia. Je suivis une petite heure la direction du duché, puis j'entrepris de couper par des chemins secondaires pour contourner la ville et rejoindre la route de Vieufié.

Ce prudent détour me prit une grande partie de la matinée, car je restai à bonne distance du chef-lieu. Je marchais dans une campagne attristée par les frimas, mais probablement opulente à la belle saison. Les arbres des vergers se dressaient nus et sombres, les champs sommeillaient lourdement, les fermes se renfrognaient sous des toits de chaume grisâtre. De larges plaques de neige s'attardaient toujours sur les coteaux les moins ensoleillés. Le fond de l'air était vif, il me picotait le nez et l'estafilade que j'avais récoltée au front, mais un ciel lumineux se dégagea graduellement au-dessus des brumes matinales, et jusqu'au début de l'après-midi, je pus avancer par une belle journée d'hiver, réchauffé par la marche et par un soleil pâle.

Je pris un en-cas à la croisée de deux chemins déserts, les fesses refroidies par la borne où je m'étais assis et le dos pénétré par la chaleur douce du soleil. J'avais emporté assez de victuailles pour tenir quatre ou cinq jours frugaux ; c'était le temps que je m'étais donné pour rejoindre Montefellóne, où je comptais me réapprovisionner. Les collines de Vieufié n'en présentaient pas moins un sacré obstacle ; la froidure devait s'y accrocher plus férocement que dans la plaine, et la bande du Rempailleur crevait sans doute de faim, rendant la région plus dangereuse que jamais. J'avais un plan pour me soustraire au brigandage. Il était hors de question de reprendre la route : seul, je représentais une cible idéale, surtout si les truands survivants avaient bonne mémoire... Je comptais retrouver le vieux chemin de portage que Dugham avait découvert par hasard ; cette voie abandonnée ne devait guère être surveillée par les pillards. J'envisageais de la suivre pour me faufiler hors de la forêt de Cluse, puis je rejoindrais la route normale quand j'approcherais de Montefellóne.

J'abordai le piémont de Vieufié vers le début de l'après-midi. La forêt dépouillée et noire, dont le sous-bois était encore blanchi par une couverture neigeuse, paraissait très différente des bois feuillus et pluvieux par lesquels j'étais arrivé. Je faillis me perdre d'entrée, et je dus me rapprocher de Bourg-Preux pour reprendre la direction de la Listrelle. J'atteignis les gorges vers le milieu de l'après-midi ; la lumière baissait déjà, d'autant que des nuées gris sombre avaient occulté le soleil. Une averse de neige fondue me gifla comme je venais de retrouver la trace incertaine du chemin de portage. La tourmente ne dura guère, mais elle avait déjà trempé mes vêtements. La marche réveilla la plaie que j'avais à la cuisse, qui me tira un peu. Rien de grave, mais je devais mesurer mes efforts : au bout de plusieurs jours de voyage dans une nature hivernale, cela pouvait dégénérer et avoir de graves conséquences.

Je pus suivre les gorges de la Listrelle pendant une petite heure, mais quand tout s'estompa en tons gris — gris perle de la neige, gris sale des nuages, gris anthracite des arbres — je sus que la nuit ne tarderait plus, et je me mis en quête d'un abri. J'eus beau chercher, je ne parvins pas à trouver de surplomb rocheux ou de ruine. Je dus me rabattre sur un petit bosquet de quatre sapins, dont l'épaisse ramée avait protégé le sol de la neige. Je cassai les branches mortes à la base des conifères pour me confectionner un fagot, et j'allumai un feu modeste sous le plus grand arbre. Il en monta une fumerole bleue et parfumée, et la petite flamme orangée enténébra d'un seul coup les sous-bois transis. Je m'emmitouflai dans mon manteau et deux couvertures, mais le sol tapissé d'aiguilles et de brindilles restait d'une humidité pénétrante, et il fallait que je rapproche mes paumes de mon petit foyer pour réchauffer un peu ma carcasse engourdie. Je ne pouvais pas vraiment dormir : il fallait bien entretenir le feu. Je somnolai par à-coups. La forêt s'abîma dans une nuit d'encre, retentissante de la grande voix de la Listrelle, qui rugissait dans les profondeurs.

Quand je m'éveillai pour la deuxième ou la troisième fois, je sentis que la forêt avait changé. L'obscurité était plus opaque et moins noire. En remettant du petit bois sur le feu, je vis de gros flocons mous tomber à la lisière des sapins. Cela me fit frissonner, bien que je fusse à couvert. Le froid s'insinuait, plus pénétrant que jamais, et le métal de mes dents brûlait un peu ma gencive. Je me frottai vigoureusement les mains au-dessus de la flamme, puis je passai mes paumes réchauffées sur mon museau gelé. Je me relevai, les reins et les genoux complètement ankylosés, et je m'agitai un peu pour faire circuler le sang. J'étais en train de me rasseoir pour offrir mes semelles au rayonnement du feu quand je réalisai que la neige seule ne suffisait pas à fonder mon impression que quelque chose s'était modifié. J'eus beau tendre l'oreille, je n'entendis rien d'autre que le pétillement doux du foyer, le mugissement minéral de la rivière, et quelques branches qui grinçaient parfois sous le poids de la neige. Je posai malgré tout la main sur la garde de mon épée, en fouillant l'obscurité du regard. Une flamme un peu plus haute élargit brièvement le cercle de lumière, et avec un choc, je distinguai une silhouette élancée, immobile sous les flocons, juste devant les sapins.

La forme s'effaça aussitôt dans les ombres. Je bondis sur pied en dégainant, le dos collé au tronc. De la main gauche, je jetai une grosse brassée de bois dans le feu, pour avoir plus de lumière. L'inconnu réapparut ; il n'avait pas bougé, et la lueur des flammes dévoila une sorte de grand fantôme drapé dans une longue cape, une ample capuche tirée profondément sur le visage. Cela devait faire un moment qu'il attendait : la neige s'était accumulée sur ses épaules et sur son capuchon. Le cœur battant, je parcourus les alentours des yeux, en quête d'autres indésirables.

« Rassurez-vous, dit en léonien une voix au timbre net, il n'y a que moi. »

C'était le voyeur immobile qui avait parlé, sans bouger d'un cheveu.

« Enfin presque, précisa-t-il. J'ignore qui est la fille.

— Quelle fille ? croassai-je, l'épée dressée, furieusement conscient que la situation m'échappait.

— La petite toute bleue de froid, perchée dans l'arbre au milieu des ramilles, au-dessus de vous, un peu à droite. »

Sans oser perdre de vue complètement le rôdeur, je lançai un bref coup d'œil dans le sapin qui me dominait. Je n'y vis qu'un entrelacement rugueux de branches et d'obscurité, faiblement éclairé par le feu.

« Je ne pense pas que vous puissiez la voir, reprit l'inconnu. Elle se tient dissimulée et coite, emmaillotée dans un nid de haillons noirs. Je ne l'aperçois que d'un seul œil.

— Qu'est-ce que c'est que ces conneries ? Qui êtes-vous, d'ailleurs ?

— Un voyageur soumis aux intempéries, à qui vous faites un bien triste accueil. Puis-je faire appel à votre courtoisie et me réchauffer à votre feu ?

— Où sont les autres ? grondai-je.

— Mes gens sont loin, mais ne vous méprenez pas : je ne commande pas à des gueux, je ne veux vous imposer aucun tracas. »

L'intrus avait une voix trop éduquée et une langue trop châtiée pour être un vulgaire brigand. D'un autre côté, cela ne signifiait pas grand-chose : le Podestat faisait étalage de manières exquises jusque dans sa manière de passer commande d'un assassinat. L'inconnu pouvait fort bien être un noble ou un clerc devenu chef de bande, et son apparition une diversion pour donner l'occasion à ses coupeurs de gorge de me tomber sur l'échine. Tout en restant adossé à mon sapin, je lui fis signe d'approcher. Cela ne me plaisait guère, mais le congédier aurait été une solution encore pire, car je l'aurais perdu de vue. À la lueur du feu, au moins, je pourrais le garder à l'œil et en apprendre plus sur lui.

Il s'inclina légèrement en guise de remerciement, se pencha en souplesse pour passer sous les branches les plus basses et rejoignit mon bivouac en trois pas. Je me rendis compte alors qu'il portait un carquois en bandoulière, ainsi qu'un grand arc décordé, soigneusement emballé dans une housse. L'idée que je pouvais avoir affaire au Rempailleur en personne revint me chatouiller désagréablement l'échine. Il retira ses gants, les glissa dans son ceinturon ; sous les pans de sa cape, je devinai l'éclat froid d'une cotte de mailles, et le pommeau délicatement orfévré d'une épée. Les mains qu'il

727

tendit à la chaleur des flammes étaient longues et fortes, et pourtant jeunes, presque féminines. Son visage se perdait dans l'ombre du capuchon, mais j'entrevis de longues mèches, d'une blancheur immaculée.

« Je crois bien que nous nous connaissons », dit tranquillement le visiteur nocturne.

Je sentis l'angoisse prendre ses aises dans un repli de mes viscères. La voix de l'intrus ne me disait rien, mais sa stature, son arc et la rapidité avec laquelle il m'avait déniché ne me faisaient que trop penser au Rempailleur.

« N'êtes-vous point messire Bergolino, qui s'est taillé une réputation en tant que Bouche-Cousue parmi les sots ? »

Comme je ne répondais pas, il ajouta :

« Je n'écarte pas quelque méprise… Mais si je me trompe, qui donc êtes-vous ?

— Appelez-moi Bergolino, grognai-je. Et vous, vous êtes qui ?

— Si c'est mon origine précise que vous voulez, je resterai dans le flou. Mais dans la région je suis connu sous le nom de Melanchter le Capitaine. »

Il ôta sa capuche pour dissiper l'équivoque. Tous les doutes étaient balayés : il s'agissait bien d'un elfe. Je le découvris d'abord de trois quarts ; dans la lueur chaude du feu, je fus frappé par la beauté sévère de son visage, à la fois ferme et racé, et par sa longue chevelure blanche, extraordinairement soyeuse. Mais quand il se tourna vers moi, il me révéla la disgrâce qui l'enlaidissait. Alors que la droite de sa figure était d'une jeunesse éclatante, la gauche de son front et une partie de sa joue apparaissaient flétries. La paupière s'affaissait sur l'œil, qui était souligné par un long cerne noirâtre ; la peau, tavelée de vieillesse, était striée de rides, et du sourcil gauche ne subsistait qu'un toupet de poils jaunâtres. Plus marquant encore, son regard était vairon. L'œil droit était d'un beau pers, avec la transparence d'une crique marine sous un soleil d'été ; mais sa prunelle gauche avait la teinte de l'argent terni, et quelques taches noires sur l'iris donnaient l'impression que la pupille était difforme. Irrésistiblement, cet œil malade me fit penser à la main d'Eirin.

« Je crois que vous aurez reconnu sans peine le stigmate qui m'identifie, dit-il tranquillement. Eh bien, les présentations sont faites, nous allons donc pouvoir un peu discuter. »

Sans plus s'occuper de moi, alors que j'avais toujours l'épée à la main, l'elfe défiguré se délesta de son arc, de son carquois et d'une besace légère. L'étui comme le sac étaient en cuir repoussé, ornés de motifs végétaux complexes. Il s'assit en vis-à-vis, et offrit à nouveau ses mains à la chaleur du feu. Je baissai ma garde, mais je ne pouvais pas dire que j'étais rassuré. L'apparition mystérieuse d'un des échevins de la Marche Franche dans mon bivouac était presque aussi lourde de menace que celle d'un chef d'écorcheurs venu régler ses comptes.

« Qu'est-ce qu'un seigneur de guerre va trafiquer dans le campement d'un vagabond ? grondai-je.

— Ainsi il semble qu'entre deux fêtes vous avez entrepris de vous renseigner, répondit-il avec un soupçon d'ironie. Je vais vous raconter deux histoires, messire Bergolino, pour expliquer les raisons vous valant le déboire de ma visite en ce bivouac forestier. Tout d'abord, au début de l'automne, un messager du Sénat de Ciudalia a demandé audience en personne à l'Échevinat pour affaire d'État. Il nous a conté qu'un assassin, après avoir tué un ministériel et terrassé force spadassins, s'était évadé hors du Palais curial. L'ambassadeur invoqua l'alliance entre la Marche Franche et la République pour solliciter notre assistance dans la traque contre ce criminel unique. Après quelques délibérations, les échevins apportèrent une réponse pleine de gracieuse indécision. Voici trop longtemps que Ciudalia dénonce notre impuissance à sécuriser les voies du commerce entre nos deux pays ; cela a fini par nous froisser, nous inspirant cet atermoiement poli... »

Mon visiteur s'interrompit un instant, en me fixant avec son regard hybride.

« À la même époque, un officier à mon service me transmit un rapport qui éveilla ma curiosité. Ce contelà vous intéressera fort. Ce centenier escorte les voyageurs qui traversent les monts de Vieufié. À Montefellóne, il vit quatre marcheurs qui refusèrent d'être gardés ; ces gens se hâtèrent même de partir en faisant fi de toute prudence, s'exposant à un grand danger de périr sous les coups d'une mauvaise engeance. Mon officier était presque assuré qu'ils seraient dépouillés et occis ; aussi quelques jours plus tard fut-il frappé de découvrir qu'on avait commis un grand carnage en bordure de la route, où n'étaient morts que des malandrins. Quatre hommes avaient infligé une déroute au Rempailleur et à ses gredins. Mon vassal me parut très impressionné, et pour être franc, je dois admettre que je m'en trouvai quelque peu étonné. Mais il devait ensuite apparaître dans cette affaire une absence très troublante : aucune trace des voyageurs, évaporés de manière stupéfiante. Ni tombeau, ni témoin, ni rumeur ! Cette discrétion, de la part des vainqueurs, me paraissait aussi singulière que la tuerie d'une bande d'écorcheurs ; la modestie n'est guère troupière... Et voici qu'au bout d'un mois vous surgissez au milieu de la Compagnie folle ; on me rapporte que vous êtes étranger, bagarreur formé à rude école et que votre sourire étincelle d'or. Cela me rappelle le portrait qu'avait établi mon officier alors que je l'interrogeais au sujet des quatre héros si mystérieux... Si je ne m'abuse, don Bergolino, vous êtes l'un de ces valeureux qui vainquirent et s'évanouirent aussitôt... »

Une faible bise se leva et nous effleura d'échardes glacées. Les flammes du feu s'inclinèrent et dansèrent, faisant sauter la faible lumière, et quelques flocons soufflés sous les ramures vinrent baguenauder entre nous. Je m'étais assis, mais j'avais gardé l'épée nue sur mes genoux ; le contact froid de la poignée engourdissait ma paume. Ainsi, Melanchter savait qui j'étais ; s'il prenait le loisir de me parler ainsi, c'est qu'il avait quelque chose à me demander. Ou quelque chose à exiger : son discours ressemblait à une menace voilée. Toutefois, je ne parvenais pas à comprendre pourquoi il s'était déplacé en personne. Cela me paraissait dangereux et inutile... À moins qu'il ne fût à sa façon lui aussi un joueur, comme Eirin.

« Et c'est pour me raconter des histoires que vous me faites l'honneur insigne de vous geler les miches avec moi ? grommelai-je.

— Rien n'a plus de valeur qu'une histoire. »

Il avait répondu sourdement, et son étrange regard se troubla fugitivement. Puis, me scrutant avec un regain d'acuité, il enchaîna :

« Vous vous demandez pourquoi je suis venu en personne par cette nuit noire ? J'aurais pu vous faire amener. Mais j'ai su que j'aurais risqué des peines inutiles... Si mes deux histoires n'en font qu'une, vous mander mes gens aurait été futile : autant vouloir décrocher la lune que de chercher à mettre en arrestation l'homme qui a tenu en échec Ciudalia dans une splendide évasion. Vous vous seriez défendu du bec et des ongles ; j'aurais vainement risqué votre vie et celle de mes gens. Et si par malheur vous en aviez tué, j'aurais dû me charger sur le champ de vous chasser moi-même, de vous trouver et de vous faire pendre haut et court. J'ai voulu éviter ces extrémités, je suis venu vous voir sans détour.

— C'est quoi, votre marché ?

— À la bonne heure ! Allons droit à l'essentiel ! Ce n'est pas vous mon réel problème, quoique je ne goûte point les criminels. Depuis peu, le brigandage essaime à travers les bois et les monts de Vieufié sous la férule du Rempailleur. Sa bande accumule les atrocités ; je veux mettre un terme à ces horreurs. Or vous êtes peut-être le seul témoin sorti vivant de ces embuscades ; je refuse de vous laisser partir au loin si je dois lui porter l'estocade, car vous allez m'aider à l'identifier. En échange de votre concours, je vous laisserai libre de nous quitter.

— Si vous vous trompez sur mon compte, vous allez vous retrouver le bec dans l'eau, remarquai-je.

— Si j'ai des doutes, je puis toujours faire un complément d'enquête à votre encontre. Il serait fâcheux de publier le nom réel de l'homme que je rencontre, surtout s'il était emprisonné dans une tour de la Capitainerie. »

Je lui décochai mon méchant sourire.

« Vous vendez peut-être un peu vite la peau de l'ours, ricanai-je.

— Est-ce que vous me lancez le gant ?

— Non, non, je discute, c'est tout.

— Votre sang-froid face à mes tracasseries me confirme dans mon sentiment. Mesurons-nous, ou bien marchez avec moi. »

J'avais la main sur mon arme, et son épée était au fourreau. Mon avantage s'avérait très net. Cependant, la situation fourmillait d'inconnues. Était-il réellement seul, ou avait-il des comparses dans l'ombre ? Que valait-il vraiment au combat ? S'il était effectivement celui qu'il prétendait être — et la flétrissure qui marquait son visage semblait le prouver — il était l'un des vétérans de la bataille de la Listrelle. Il devait avoir un âge canonique, comme Eirin, et pourtant Eirin faisait preuve d'une vivacité exceptionnelle. Restait que je n'avais jamais vu combattre Main d'Argent ; Melanchter paraissait moins pacifique, et l'assurance qu'il affichait n'augurait rien de bon. Pendant que je réfléchissais ainsi, il laissa errer son regard sur l'estafilade récente qui me barrait le front. Il demeurait silencieux, mais dans ses yeux vairons, je pus deviner toute une ribambelle de déductions gênantes. Il savait que je m'étais battu récemment ; que pour avoir été touché, j'avais trouvé un adversaire à ma mesure ; que j'avais peut-être d'autres blessures qui pourraient me handicaper ; et il me fit sentir, sans mot dire, que pour être une fine lame, je n'en restais pas moins vulnérable...

Je me résolus à gagner du temps, en quête d'une ouverture moins risquée que l'affrontement.

« Pourquoi avez-vous attendu si longtemps pour me contacter ? demandai-je de façon dilatoire.

— Je ne désirais pas vous faire fuir : vous auriez pu me servir d'appât dans le cas où, ayant prévu de revenir, vos trois compagnons seraient réapparus.

— Alors vous m'avez intercepté parce que je mets les bouts ?

— En partie, mais pas uniquement.

— Ça veut dire quoi, ça ?

— À force de patience, restant à l'affût, mes guetteurs ont découvert un camp qui pourrait être celui du Rempailleur. Très éprouvant, l'hiver à Vieufié ; j'étais persuadé que les maraudeurs se rapprocheraient de la cité afin d'y chercher du ravitaillement. Mes théories se sont vérifiées : hier, mes gens ont repéré un chaland qui n'est resté en ville que deux journées avant de regagner les collines, chargé de nombreux baumes et de victuailles. J'ai chargé ma recrue la plus fine de le suivre jusqu'au camp de la canaille. Je sais à présent où ils se terrent, mais je crains qu'ils ne changent bientôt d'abri ; je dois les frapper et les défaire maintenant, avant qu'ils ne soient repartis. Toutefois, pour un succès complet, il faut l'assurance que le Rempailleur, mort ou vif, soit hissé au gibet. Dès lors, vous êtes mon interlocuteur privilégié car vous l'avez vu, et je compte sur vous pour le désigner. »

Je lui adressai un sourire torve.

« Qui vous dit qu'il n'a pas déjà été tué dans l'escarmouche où vous pensez que j'ai trempé ? observai-je.

— Les attaques ont à peine décru après le guet-apens dont vous me parlez. Il commande toujours à la bande.

— Et même si j'avais participé à ce combat, qui vous dit que j'aurais pu reconnaître ce type ?

— Vous êtes formé pour frapper à la tête, avant même qu'on ne s'y attende. Si vous avez bien été de cette fête, vous avez repéré l'adversaire. »

Malgré son visage flétri et son œil étrange, Melanchter me fit penser à Annoeth : comme le musicien, il paraissait d'une redoutable perspicacité, même s'il était difficile de faire la part des choses entre ce qu'il devinait vraiment et ce qu'il essayait de me soutirer. De mon côté, je n'étais pas tout à fait sûr que l'archer qui m'avait épargné était vraiment le Rempailleur, encore que ses couteaux de boucher eussent été un indice assez troublant. Je fus tenté de le dire franchement à mon visiteur, mais la prudence me retint. Après tout, il était préférable que l'échevin soit persuadé que je serais capable d'identifier le maître truand. C'était peut-être la seule garantie que j'avais qu'il ne chercherait pas immédiatement à me capturer pour me livrer au Sénat de Ciudalia.

« Quelle confiance pouvez-vous m'accorder ? remarqua-t-il avec une expression équivoque alors que j'étais en train d'hésiter. Devez-vous parler ou bien vous taire ? C'est bien ce que vous êtes en train de peser ?

— En admettant que je sois effectivement celui que vous croyez, qu'est-ce qui me dit que vous chercherez pas à me coincer une fois que vous aurez épinglé le Rempailleur ? Qu'est-ce qui me garantit que vous ne me livrerez pas à Ciudalia ?

— Je vous en donnerai ma parole. »

Ça me fit doucement rire.

« Vous êtes bien l'homme que j'imaginais, observa-t-il avec ironie. Vous avez le front de juger folle l'idée que l'honneur m'engage dans les faits ?

— J'ai un peu appris à connaître les elfes, répondis-je. On ne parle pas exactement la même langue, vous et moi, et sauf votre respect, les vôtres ont la tête percée. Je ne voudrais pas payer les frais d'une nuance qui ne serait évidente que pour vous ou d'un simple instant de distraction. Je veux quelque chose de plus solide.

— Vous êtes un peu trop impertinent, ce qui pourrait aussi être dangereux. Mais passons sur ce ton insolent... Voici des raisons qui vous convaincront mieux : si le Rempailleur est supprimé, j'aurai besoin d'en aviser Ciudalia ; je ferai de vous mon messager pour en attester auprès des podestats. Comme vous êtes toujours recherché, cette tâche est une sorte de sauf-conduit qui peut vous permettre d'approcher des milieux où vous passez pour un proscrit.

— Mouais. Ce type de message, même un prisonnier pieds et poings liés peut le délivrer.

— Sauf s'il s'agit d'un courrier privé destiné au sénateur Ducatore. Si je vous livre aux autorités, elles ne vous permettront pas de lui parler.

— Et ce serait quoi, ce message privé ?

— Une forme de paix séparée. »

Je pris le temps de ruminer son insinuation. Il avait raison sur un point : il venait de me fournir un argument très convaincant. Je saisissais assez bien ce qu'il entendait par « une paix séparée » ; l'elfe appartenait au Conseil des Échevins de la Marche Franche, c'est-à-dire à un organe collégial de gouvernement. Or si ce Conseil était aussi soudé que le Sénat de Ciudalia, les rivalités devaient y être âpres. Un arrangement secret avec un gouvernant étranger, conclu dans le dos des instances officielles, pouvait représenter un atout de taille dans la lutte pour le pouvoir. En fait, le capitaine Melanchter n'avait même pas besoin de me confier un message : le fait de me renvoyer, moi seul, auprès du Podestat, serait en soi un geste de bonne intelligence. Il manifestait ainsi qu'il avait compris le double langage de mon patron, et qu'il entrait dans son jeu. Quant au but réel que poursuivait l'elfe, je n'en avais aucune idée.

Mais la manœuvre, quant à elle, me semblait très crédible.

En ce qui me concernait, j'avais beaucoup à gagner en acceptant sa proposition. J'avais parié sur un coup d'audace pour réapparaître au palais Ducatore tout en sachant que mon retour mettrait le Podestat dans une situation fausse, et me ferait courir le risque d'être liquidé sur son ordre. Toutefois, j'avais parié sur l'importance des révélations que j'avais à faire : la désaffection d'Oricula, et surtout l'identité du traître au sein du clan Ducatore. Ces informations pouvaient me valoir un retour en grâce ; mais je jouais quand même ma vie à quitte ou double. La proposition de Melanchter, si elle était sincère, ajoutait une corde à mon arc : je reviendrais en tant qu'émissaire secret d'un échevin de la Marche Franche. Cela légitimerait mon initiative, et atténuerait d'autant la mauvaise impression provoquée par ma réapparition…

Je lâchai la poignée de mon épée et j'alimentai le feu.

« Je marche. »

Melanchter hocha légèrement du chef, puis leva la tête vers les ramures drapées de nuit. Son visage flétri fut parcouru par un sourire glaçant.

« La fille vous fait de vilaines grimaces », dit-il tranquillement.

Je passai une nuit assez étrange en compagnie de l'échevin. Je lui demandai où était la fille dont il me parlait, et il me désigna une branche au-dessus de moi ; mais j'eus beau m'user les calots à fouiller la ramée noire, je ne vis rien. Craignant quand même un coup tordu, je ne m'allongeai pas. Melanchter demeura assis, lui aussi, de l'autre côté du feu, et on attendit ainsi de longues heures, drapés dans nos manteaux, à se guetter mutuellement. Il faisait un froid de loup, et comme je n'osais pas tourner le dos à mon visiteur, je me rôtissais les mains mais j'avais les reins gelés. Melanchter ne semblait pas souffrir dans cette atmosphère glaciale ; il demeura plusieurs heures d'une immobilité de pierre, ses cheveux blancs légèrement agités par la bise coupante qui venait parfois nous mordre et coucher les flammes. Il respirait très lentement, et le panache de son souffle fuyait en adoptant des formes fantastiques. Au bout d'un moment, je dus lutter contre l'endormissement, en dépit et à cause du froid. Je finis par somnoler par à-coups. Je fis alors des rêves dont je ne me souvins pas, mais qui me laissèrent une impression de profonde tristesse. Quand je me redressais en sursaut, en écarquillant mes yeux lourds de sommeil, Melanchter était toujours à la même place, d'une rigidité de statue, le regard impénétrable. Dans cette nuit glacée, il finit par ressembler davantage à une stèle abandonnée qu'à un être de chair et d'os.

Ce fut pourtant lui qui s'anima le premier. Bien avant l'aube, alors que j'oscillai entre veille et assoupissement, il se leva.

« Il est temps, dit-il. Marchez sur mes brisées. »

Il me laissa à peine le loisir de récupérer mon sac. Il se glissait déjà hors de l'abri offert par le bouquet de sapins, partait sans se donner la peine de m'attendre. Il ne neigeait plus, mais il faisait encore nuit noire. Sans la couche blanche qui dessinait vaguement la futaie, j'aurais perdu l'elfe. Il marchait d'un pas absolument silencieux, et je me rendis compte que son allure n'était pas plus entravée par la neige que celle d'Eirin ou d'Annoeth, alors que mon pas lourd enfonçait dans une couche craquante et me réclamait plus d'efforts qu'à l'ordinaire. De Melanchter, je n'apercevais plus qu'une tache floue, fugitive et feutrée, qui se déplaçait comme un fantôme.

Très vite, je me sentis perdu. J'étais tout juste en mesure de suivre mon guide, et incapable de me repérer. Les ramures ténébreuses des arbres et le ciel de suie, sans doute bouché de nuées, m'empêchaient de voir les étoiles ; j'ignorais complètement la direction que nous suivions. Je continuais à entendre le grondement de la Listrelle, quoique plus assourdi, mais je savais que les bruits portaient très loin dans une atmosphère glacée, et j'avais le sentiment de m'égarer dans une région terriblement éloignée de Bourg-Preux. L'aube s'annonça davantage à cause du froid de plus en plus vif que de la luminosité gris sale qui finit par empoisser le brouillard. Un jour blafard se leva à regret, comme nous traversions toujours une forêt hébétée de frimas.

Alors que ma cuisse blessée se remettait à tirer, j'entendis des voix d'hommes et les toux caractéristiques qui secouent un bivouac matinal. Je humai une odeur de feu de bois et de soupe chaude ainsi que quelques relents d'urine, et soudain, au détour d'une lisière embroussaillée, nous tombions sur un campement. Melanchter était déjà au milieu de la troupe avant qu'elle ne s'en soit rendu compte. Comme je peinais un peu à le suivre, ma présence fut perçue alors que je quittais le couvert des arbres.

Le camp était une petite clairière charbonnière. Quelques huttes étaient éparpillées, d'où montaient des fumées bleuâtres et des senteurs de popote. Les hommes qui occupaient l'endroit n'étaient pas des paysans, même s'ils semblaient aussi frustes. Il s'agissait de gens de guerre, pour l'essentiel des archers aux équipements usés. Ils se redressèrent en voyant leur capitaine apparaître parmi eux et lui manifestèrent un respect informel et discret. Dans cette bande, qui ressemblait fort aux écorcheurs du Rempailleur, je vis se détacher un gandin en casaque de cuir clouté et cotte d'armes brodée de feuilles ; il salua Melanchter, puis me lança en ciudalien :

« Ravi de vous revoir, compagnon ! Comment se porte le maître verrier Soffiatore ? »

Le centenier Gaidéris me lorgnait avec un œil rieur. Melanchter me présenta brièvement à la troupe sous le nom de Bergolino, et affirma que je me joindrais à eux pour les aider à trouver le Rempailleur.

« Du neuf cette nuit ? demanda-t-il ensuite à Gaidéris. Desle est-il revenu ? »

Le centenier hocha négativement la tête.

« Il n'est pas encore de retour, mais il est tôt. Il ne devrait pas tarder.

— Nous allons profiter du délai pour nous renseigner sur ce qu'a aperçu notre hôte chez les coupe-jarrets. »

Les gens de guerre qui m'entouraient me dévisageaient avec sérieux. Dans leur attitude, je distinguais un mélange de méfiance et d'estime. Ils étaient une petite vingtaine, et pour un badaud peu averti ils auraient plutôt donné l'impression d'une bande de rustauds vaguement miteux. À la différence de leurs chefs, ils semblaient aussi humains que moi, et beaucoup devaient avoir sensiblement mon âge ; certains étaient même bien grisonnants. Ils affichaient une attitude placide, ils ne paraissaient pas de carrure exceptionnelle, et la plupart des visages étaient déjà usés par la vie au grand air. Malgré la simplicité de leur armement, il était évident qu'il s'agissait de vétérans, des hommes qui avaient servi pendant des années avec leurs officiers anormalement jeunes ; je les devinais calmes, rompus à la manœuvre et à toutes les ruses du vieux soldat.

On m'installa sur une bûche au coin d'un feu, et on me servit une gamelle d'un brouet plutôt rustique, que la nuit passée dehors rendit fabuleusement appétissant. Puis, comme je m'y attendais, je subis un interrogatoire en règle sur la bande du Rempailleur. Je fus bien en peine de répondre à un paquet de questions, sur le nombre des truands, leur armement, leurs chefs. Tout au plus puis-je affirmer que j'avais vu peu d'archers, que leurs tactiques semblaient rudimentaires et je brossai une description succincte de celui que j'avais pris pour le Rempailleur. Gaidéris, plus que Melanchter, cherchait à obtenir des renseignements précis ; c'était lui qui avait découvert les corps des ribauds que nous avions refroidis, en suivant la route une journée après nous, et il était à la fois très admiratif et assez perplexe. Il se demandait, à très juste titre, comment nous avions pu commettre un tel massacre. Par prudence, j'en attribuai tout le mérite à la furie des deux Ouromands. Le centenier me poussait néanmoins dans mes retranchements, en me questionnant sur ce qu'étaient devenus mes compagnons, quand je perçus un peu d'agitation dans la troupe. Desle arrivait, dirent quelques hommes. Peu après, un marcheur sortait des lisières blanchies de givre par la brume ; et fort opportunément, on se désintéressa de moi.

Le dénommé Desle ne payait pas de mine : il était emmitouflé dans un sayon reprisé, portait un gant à la main gauche et une mitaine à la droite, était armé d'un arc et d'une dague de chasse. Il n'était pas très grand, plutôt sec, avec un mufle buriné et irrégulier ; il paraissait d'âge plus que mûr, mais on devinait chez lui la vigueur économe du vieux coureur de bois. Tandis qu'un soudard lui offrait une rasade d'eau-de-vie, Melanchter et Gaidéris se portèrent à sa rencontre.

« L'ennemi est-il toujours là-bas ? demanda le capitaine.

— Oui, mon seigneur, répondit l'éclaireur avec un fort accent preux-bourgeois. Ils restent fourrés à la Mesière. De toute manière, Gonthier et ses gars les ont à l'œil. Mais il faut pas traîner : on a passé la nuit sans feu, les copains sont fatigués et gelés. Ils ont besoin d'agir vite ou d'être remplacés. L'autre truc qui m'inquiète, c'est que les truands ont envoyé cinq types chasser, ce matin. Si jamais ils tournent un peu trop et qu'ils trouvent mes traces dans la neige, ils pourraient remonter jusqu'à Gonthier, ou bien donner l'alerte et faire fuir toute la bande.

— Je vais ordonner de partir sans tarder, répondit Melanchter. Combien d'adversaires, d'après toi ? »

Le petit archer fit une moue dubitative.

« Ils sont nombreux, c'est sûr. Il y a plusieurs feux,

dans la tour ronde, dans les vieilles écuries et dans le tinel. Ils ont déjà un beau dépotoir sur les éboulis du mur nord. Ils sont plus que nous, il y a pas de doute. Mais dans le tas, faut compter des femmes et des gosses. Il doit y avoir des malades aussi, on les entend tousser à deux cents pas. Alors pour les gars en état de se battre, je sais pas. On doit se valoir.

— Ce qui m'ennuie, intervint Gaidéris, c'est que la Mesière est en pleine forêt. Nous aurons du mal à employer nos arcs. Et s'ils se retranchent dans les ruines, nous allons devoir donner l'assaut à l'épée.

— C'est dans les bois, ouais, confirma l'éclaireur, mais ils ont abattu quelques arbres pour retaper les bâtiments qu'ils occupent. Ils ont aussi arraché beaucoup de branches dans les alentours pour se chauffer. La futaie est plutôt dégagée autour des murs, assez pour offrir de bons angles de tir. Par contre, c'est sûr, s'ils restent à l'intérieur, faudra les déloger.

— Leur guet te semble-t-il bien organisé ? demanda Melanchter.

— Ils ont posté un gars au premier, dans les ruines du tinel, et je crois qu'il y en a un deuxième derrière les meurtrières de la tour ronde. Celui du tinel se les gèle et paraît pas très attentif ; en plus, il est devant une grande fenêtre, il suffirait de deux ou trois flèches bien ajustées pour le liquider sans trop de problème. Celui de la tour, c'est une autre affaire. Faudra aussi se méfier des gamins ; il y en a souvent trois ou quatre qui vont jouer hors les murs. Et puis il y a quelques cabots : à ce que j'ai vu, rien de bien gros, mais on a fait bien attention à rester sous le vent. Si on tente un encerclement, faudra le faire au dernier moment, parce que les corniauds risquent de gueuler.

— As-tu repéré des voies d'accès ? enchaîna le capitaine.

— Le porche d'entrée est ouvert, au sud : la porte a disparu, et la poterne n'a plus de plate-forme, ce qui la rend indéfendable. La tour carrée est crevée : il y a une brèche qui permettrait de s'y enfiler à la queue leu leu. Et il y a la courtine nord qui est complètement écroulée, sur quinze pas de large. Les éboulis forment une pente douce : c'est plein de ronces et d'ordures, mais ça devrait permettre d'attaquer en force. »

Melanchter donna l'ordre de lever le camp et de marcher en silence. L'éclaireur mangea un morceau le temps que les hommes d'armes ramassent leurs affaires, puis il partit en avant-garde. Gaidéris détacha un marcheur sur chacun des flancs de la file qui se mit en route. Je me retrouvai intégré à peu près au milieu de la troupe, Melanchter progressant en tête et Gaidéris en serre-file. Je me sentais partagé entre deux sentiments aussi absurdes l'un que l'autre : je me voyais à moitié comme un civil recruté de force, tel ces paysans que les armées capturent pour les contraindre à servir de guides, et à moitié comme un soldat qui reprenait du service. Ces archers, qui appartenaient sans doute à la Compagnie des Convoyeurs, ne ressemblaient guère aux fantassins lourds des Phalanges, mais l'esprit de corps que je devinais dans la bande me rappelait mes maraudes militaires.

Il fallut marcher longtemps. Même si le jour était levé, même si la brume se faisait moins épaisse, j'étais toujours aussi perdu. Desle et Melanchter adoptaient un parcours sinueux, en empruntant le fond des combes et des vallons ; je n'entendais plus la rumeur de la Listrelle, et je n'avais plus aucune idée de la zone de la forêt que nous traversions. En tout cas, nous ne suivions ni chemin ni sentier, et la neige entre les troncs n'était marquée que de pistes animales. J'avais la certitude que nous nous enfoncions dans une zone sauvage : si les choses tournaient mal, je me retrouverais bien couillon pour trouver la sortie.

On ne devait plus être très loin de midi quand on reçut ordre de s'arrêter et de se reposer en silence, dans un taillis assez dense. Melanchter et Gaidéris s'éclipsèrent en compagnie de Desle au cours d'une reconnaissance qui dura un moment. Autour de moi, les hommes cordèrent leurs arcs et trièrent leurs flèches. Comme le combat allait avoir lieu en forêt, ils écartèrent les traits à empennage court, qui se prêtaient davantage au tir à longue portée ; je vis aussi qu'ils privilégiaient les flèches à pointes larges, peu efficaces sur des combattants cuirassés, mais meurtrières sur des corps mal protégés.

Quand les officiers revinrent, Melanchter rassembla la troupe en cercle et donna ses instructions à voix basse.

« Nous allons nous scinder en trois unités. Le centenier va tendre nos rets : il commandera à Nizier et ses gens, déployés au sud de la Mesière. Ils tireront à vue sur tous les brigands qui chercheront à fuir leur tanière. Desle va leur indiquer où se poster. Hélouin et ses gens vont avec moi : nous joindrons d'abord Gonthier et ses archers, puis nous tournerons à travers bois pour prendre position au nord des truands. J'attaquerai par les éboulis avec Hélouin et ses combattants ; Gonthier harcèlera l'ennemi avec ses hommes cachés sur mes arrières. Si je me trouve en difficulté, Gonthier sonnera du cor sur ma prière : Gaidéris devra alors charger avec Nizier afin de me dégager. Si le combat est bien engagé, Gaidéris ne devra pas bouger mais abattre les fuyards à sa portée. »

Alors que les hommes commençaient à se diviser en deux groupes, Melanchter me regarda droit dans les yeux.

« Vous accompagnez le centenier, ordonna-t-il. Restez le plus possible hors de la mêlée : j'ai besoin que vous restiez entier. »

C'était le genre de consigne qu'on n'avait pas besoin de me répéter deux fois. J'aurais sans doute été plus utile avec le détachement qui allait donner l'assaut sous les ordres directs du capitaine, mais après tout, ce n'était pas ma guerre, et faire partie de la réserve est un privilège que tout vieux soldat sait apprécier à sa juste mesure. En fait, comme je ne savais pas tirer à l'arc et comme je n'avais pas d'arbalète, il y avait des chances raisonnables pour que je reste à bayer aux corneilles pendant toute l'affaire, sauf si Gaidéris devait porter secours à son seigneur.

Quand Melanchter partit à la tête de son groupe, on ne forma plus qu'une bande bien maigre. Le dizainier Nizier n'avait que six hommes sous ses ordres… Certes, en ajoutant Desles et Gaidéris, cela faisait neuf archers ; mais cela me semblait bien faiblard en regard des enseignes de cent gaillards dans lesquelles j'avais fait mes armes. L'éclaireur nous entraîna plus avant dans le bois. Une trotte furtive, plutôt brève, nous amena dans une zone où la forêt avait une allure différente. En plusieurs endroits, je vis que la neige était tassée par des empreintes de pied, sans pouvoir déterminer si ces traces avaient été imprimées par les semelles des archers ou par celles des truands. La futaie était de plus en plus dégagée ; comme aux abords d'un village ou d'un bourg, elle était ratissée de ses baliveaux, de son bois mort et même des branches les plus basses : tout ce qui pouvait brûler avait été arraché. Autour de moi, les hommes devenaient tendus, car ils savaient que nous pouvions tomber à tout moment sur un maraud en train de faire son fagot. Quand nous entendîmes l'aboiement enroué d'un roquet, Desle nous fit signe de nous arrêter. Le vieil éclaireur désigna quelque chose devant nous ; entre les troncs clairsemés, encore assez loin, on devinait la masse sombre d'une grande bâtisse. Des fumées stagnaient çà et là, noyant à demi les murailles érodées et les pignons de toits disparus. Dehors, on ne voyait pas un chat : le froid devait pousser la truanderie à se serrer dans ses abris. Gaidéris, toutefois, préféra rester à bonne distance tant que l'attaque n'avait pas commencé. Il répartit les archers sur une ligne, comme des rabatteurs, à quinze ou vingt pas les uns des autres, leur ordonnant de rester cachés et immobiles. Il envoya le seul Desle en avant-garde, en le chargeant de le prévenir quand l'assaut serait lancé.

Je me postai derrière le tronc d'un charme en compagnie du centenier. Je renouai alors avec une autre activité typiquement militaire : l'attente. Pendant un long moment, il ne se passa strictement rien ; je pouvais distinguer les deux archers qui s'étaient installés derrière les arbres voisins, mais j'avais perdu de vue ceux qui s'étaient déployés plus loin sur les flancs. Desle aussi s'était évanoui en avant-garde. Maintenant que nous étions au milieu du jour, l'atmosphère était moins coupante ; en fait, ça sentait un peu le redoux, et j'avais eu presque chaud en marchant. Mais à faire le poireau les ripatons dans la neige, je sentais que je me refroidissais. Au bout de quelque temps, je me mis à danser doucement d'un pied sur l'autre, et Gaidéris tourna vers moi un œil interrogatif.

« Je me les gèle, lui expliquai-je obligeamment.

— Quels gens chétifs, ces Ciudaliens ! » railla-t-il à mi-voix, tout en me tendant une gourde d'eau-de-vie.

Quelques gorgées me donnèrent un coup de fouet, et je lui rendis son flacon en grommelant un vague remerciement.

« À votre avis, ça se présente comment ? lui demandai-je, histoire de passer le temps.

— Je n'aimerais pas être à leur place, répondit-il en reprenant son affût.

— À la place du groupe d'assaut ?

— Non, à la place des truands. »

Il laissa filer quelques instants, puis poursuivit :

« Vous savez, sans vouloir me vanter, je suis un ferrailleur solide. C'est même la raison pour laquelle le capitaine vous a confié à moi : pas seulement pour vous garder, mais pour se garder de vous... »

Il me lança un coup d'œil très bref, chargé d'un défi moqueur, avant de retourner à son guet.

« Tout ce que je sais sur ce métier, c'est au capitaine

que je le dois. Et après toutes ces années, l'élève n'a toujours pas dépassé le maître. Il combat très rarement, mais quand il le fait... Non, croyez-moi, les sbires du Rempailleur ne vont pas être à la fête. De surcroît, le capitaine est économe de ses hommes : il ne voudra pas d'un engagement indécis, qui multiplierait les risques. Il va frapper très dur, pour semer la panique. »

Un chef qui a de l'autorité a tendance à être surestimé par ses hommes : j'en savais quelque chose, j'avais moi-même du mal à faire la part des choses entre le génie réel du Podestat et ce que je pouvais projeter sur lui. Toutefois, si Gaidéris exprimait la pensée de la troupe, nul doute que Melanchter pouvait compter sur des soudards au moral coriace, et qu'il disposerait d'une bonne force de choc.

« N'empêche qu'il y a pas intérêt à ce que les écorcheurs parviennent à se retrancher dans un bâtiment fermé, observai-je. La charge s'y cassera le nez, et on perdra tout avantage. Vous n'avez rien pour mettre le siège.

— Oui, ce serait ennuyeux. »

Puis, haussant une épaule, il ajouta :

« Dans ce cas, on les enfumera. »

Tout en essayant de mieux distinguer les murailles lézardées au fond de la futaie, je demandai :

« C'est quoi, cette ruine ?

— La Mesière devait être une ferme, à l'origine. Il y a deux siècles, la région était cultivée. Au début de la guerre des Grands Vassaux, elle a été fortifiée. Ça ne l'a pas empêchée d'être prise et détruite au cours des combats entre votre République et l'ost du roi Maddan.

— En traversant Vieufié, j'ai vu un certain nombre de ruines, comme ça. C'est bizarre que tout soit laissé à l'abandon depuis si longtemps, alors que le reste de la Marche Franche est prospère, et qu'il y a plein d'argent à Bourg-Preux. Si vous aviez des villages dans le coin, le bois rapporterait de l'or et la route serait plus sûre.

— C'est vrai, mais la coutume nous en empêche.

— La coutume ?

— Oui, la coutume de la Marche Franche. Vous savez, la légende raconte que ce sont les survivants de la Compagnie des Preux qui se sont taillé un État indépendant dans les débris du duché d'Arches, mais la réalité est plus compliquée. Après la défaite du Roi-Idiot, Ciudalia et Bromael étaient les deux puissances qui avaient échappé à la catastrophe, mais la République comme le duché étaient épuisés par vingt ans de guerre. Le duc et le Sénat étaient incapables de se mettre d'accord sur le partage des territoires libérés, mais n'avaient plus les moyens d'ouvrir un nouveau conflit. La Marche Franche est née de cette situation fausse : c'est un État tampon qui garantit l'équilibre des forces. Quand le duc Jürgen et les podestats ont donné leur assentiment pour la création de notre pays, ils lui ont cédé les collines de Vieufié parce que aucun des deux grands États ne pouvait admettre que cette position stratégique puisse tomber en possession de l'autre partie. Toutefois, ils ont aussi exigé que la région demeure inexploitée. Vieufié, en fait, c'est un glacis entre votre République et le duché. »

Gaidéris ne fut pas en mesure d'en dire plus. Quelques aboiements retentirent dans l'atmosphère froide. Presque en même temps, Desle apparaissait mystérieusement devant nous.

« C'est parti, dit-il. Le capitaine va leur donner un fameux coup de peigne. »

Par signes, Gaidéris donna l'ordre à toute la ligne d'avancer jusqu'à portée de tir des murs. On progressa tranquillement entre les arbres, sur une centaine de pas. Je découvris mieux la Mesière ; cela m'apparut plus comme un hameau tombé en décrépitude que comme une vieille place forte. La poterne dont avait parlé Desle se dressait bien devant nous, et ouvrait sur un coin de cour intérieure, où la neige piétinée s'était mêlée à la boue et aux ordures. J'entendais mieux les chiens, qui donnaient maintenant de la voix de façon ininterrompue ; toutefois, à part quelques rappels excédés de leurs maîtres, l'endroit restait morne, ne paraissait pas occupé par une bande nombreuse, et encore moins attaqué.

Quand les archers s'arrêtèrent, chacun sortit une dizaine de flèches de son carquois et les ficha en ligne devant lui. Cela permettrait de soutenir une cadence de tir très rapide si les choses devenaient sérieuses. À côté de moi, Desle et Gaidéris procédèrent de même, et je me tins en retrait pour ne pas gêner leur champ de vue. Desle montra quelque chose du doigt au centenier, et il me fallut un moment pour entrevoir, parmi les décombres et les fenêtres des plus hautes ruines, une petite silhouette recroquevillée et sombre. Même à l'arbalète, compte tenu de la distance et du rideau broussailleux des branches, abattre ce guetteur depuis notre position aurait représenté un exploit. Ni l'éclaireur ni l'officier ne se donnèrent la peine de tendre leur arc.

En fait, j'avais à peine identifié la sentinelle que je la vis sauter sur ses pieds ; je crus un instant que c'était pour lancer l'alerte, et puis elle bascula en arrière, sans un bruit, deux traits fichés dans la poitrine.

« C'est parti », répéta platement Desle.

Un vacarme sauvage vint aussitôt confirmer son propos. Une cacophonie violente éclata derrière les murs et monta progressivement en intensité. Tandis que les aboiements devenaient frénétiques, des rugissements haineux, des hurlements de peur et des appels aux armes se mêlèrent dans un chœur discordant. La clameur devint folle quand s'y joignirent le piaillement aigu des femmes et les braillées pleurardes des enfants. Des voix puissantes gueulaient des ordres ou des injures, la plainte cassée des premiers blessés chantait un petit virelai à vous cailler la moelle, et au bout d'un moment le braiement lamentable d'un âne vint se mêler au tempo de la tuerie.

Il fallut peu de temps pour voir surgir les premiers fuyards par la poterne. Un certain nombre étaient désarmés, ou lâchaient leurs lames à peine sorties de l'enceinte. Ils galopaient droit vers la ligne des archers, en ordre dispersé, sans même soupçonner notre présence, Gaidéris et ses hommes attendirent calmement qu'ils soient à courte portée, et ils les exécutèrent en pleine course. À cette distance, les flèches traversaient les corps de part en part ; toutefois, même si la plupart de ces blessures étaient mortelles, elles tuaient rarement sur le coup. Les archers laissaient se tordre au sol les ruffians qui n'étaient pas capables de se relever ; par contre, ils lardaient de traits ceux qui étaient assez solides pour essayer de se remettre sur pied. Une dizaine de truands étaient déjà tombés devant nous quand un nouveau groupe jaillit hors de la poterne.

C'étaient trois enfants. Ils trottaient autour des jupes d'une femme qui serrait contre elle un nourrisson. Ils étaient tellement effrayés par le combat qu'ils venaient de fuir qu'ils ne réalisaient pas qu'un autre carnage avait eu lieu devant eux. Ils coururent droit sur nous. Les gamins étaient de petits va-nu-pieds, dont l'aîné avait peut-être dix ans. La gueuse ressemblait davantage à une paysanne qu'à une catin.

« La Déesse nous prenne en pitié ! » siffla Gaidéris entre ses dents.

Desle ne dit mot, mais leva son arc et abattit froidement le petit garçon qui filait en tête. Le centenier banda son arme à son tour et ficha une flèche dans la gorge de la femme. Les deux enfants indemnes, au lieu de s'égailler, hurlèrent de terreur et s'accrochèrent aux mains de la mourante pour essayer de la relever. Ils furent cueillis par les tirs des hommes postés sur nos flancs. Comme une gamine essayait de se remettre debout malgré la flèche qui lui transperçait le torse, Desle l'acheva d'un nouveau trait, planté en pleine tête.

« Les gosses, ça va chercher de l'aide, grommela-t-il. Et pour la putain, ça ou la corde… »

L'assaut se poursuivait, derrière les murs, mais le tumulte évoluait. Les pleurs, les plaintes, les ordres semblaient se multiplier, et les vociférations guerrières s'espacer. Cela paraissait presque fini ; mais le feu qui couvait sous la cendre reprit soudain de plus belle, et une nouvelle clameur déchira l'atmosphère hivernale, chargée de férocité. C'était le dernier soubresaut ; le vacarme retomba d'un seul coup, et l'on n'entendit plus que les hululements sinistres des femmes et des enfants, accompagnés par le braiement inepte du bourricot.

Après un petit moment, une silhouette solitaire se profila tranquillement sous la poterne. C'était un homme d'armes trapu, débarrassé de son manteau et de son arc, qui tenait une épée à la main droite.

« Voilà Hélouin, commenta Desle. C'est plié. »

De loin, le dizainier nous fit signe d'approcher. Gaidéris donna l'ordre à ses hommes d'avancer. Alors que nous marchions en direction de la Mesière, les archers s'attardèrent au niveau des morts et des blessés qu'ils avaient abattus. J'entendis des cris déchirants poussés par les mourants quand les hommes de guerre récupérèrent leurs flèches. Certains prélevaient aussi les bourses, les couteaux et les souliers. Au niveau des corps enchevêtrés de la gueuse et des gamins s'élevaient les braillements perçants du nourrisson. Desle nous abandonna pour se pencher au-dessus de la femme. Il souleva le bébé emmailloté, lui fit de grotesques risettes et le roula dans son sayon.

Finalement, les choses avaient bien tourné. Le sale coup où Melanchter m'avait embarqué venait de se conclure au mieux pour ma pomme. J'avais fait mon badaud bien tranquille, loin de l'étripage, comme un bourgeois venu au spectacle. Voilà qui me changeait plutôt agréablement de mes dernières affaires, et tout particulièrement de ma précédente rencontre avec la bande du Rempailleur. Pourtant, j'étais loin d'être satisfait... La tuerie en soi ne me faisait ni chaud ni froid : j'ai le cuir épais. C'étaient les autres qui avaient trinqué, pas moi, et c'était tant mieux. Pourtant, à mesure que j'avançais vers la Mesière au côté de Gaidéris, je sentais croître en moi un pressentiment sinistre. Une sensation très particulière, en vérité ; ni de la peur, ni du dégoût, ni tout à fait de la réticence... L'intuition d'une catastrophe imminente. Tout le monde a vécu ça, chacun à sa manière. Certains, quand ils ont marché vers la femme qui les aimait à la folie pour lui dire que c'était fini ; d'autres, quand ils étaient traînés devant la cour de justice où les attendait une sentence ; et tous, tôt ou tard, quand il a fallu affronter la chapelle ardente où reposait le corps d'un ami ou d'un parent. C'est la certitude de l'irréparable. C'est l'instant de suspens où tout tient encore en place, alors que tout doit crouler. Inexplicablement, tel était le sentiment qui se saisissait de moi alors que j'approchais des murs ruinés et des vapeurs troubles de ce taudis.

L'intérieur de la Mesière ressemblait à une cour de ferme abandonnée, jonchée de boue et de neige fondante, où quelques corps étaient éparpillés. Au nord, sur la brèche du vieux rempart, étaient tombés un certain nombre de marauds, dont certains gémissaient et s'agitaient encore. Trois archers légèrement touchés s'étaient assis sur les éboulis de la tour carrée et pansaient leurs blessures ; on distinguait facilement ceux qui avaient donné l'assaut à ce qu'ils étaient en simple casaque de cuir, sans manteau et sans carquois, comme leur dizainier. Un bâtiment de pierre, dont le rez-de-chaussée tenait encore debout, avait son entrée gardée par un piquet de quatre hommes de guerre ; il s'en échappait un lamento confus de plaintes et de pleurnicheries.

Le dizainier nous emmena vers l'entrée de la tour ronde. Melanchter s'y tenait seul, indemne, sans manteau mais toujours muni de son arc. En approchant, je réalisai soudain que l'arme qu'il tenait n'était pas la sienne : il s'agissait d'un arc composite. J'étais à peine devant lui qu'il me le brandissait sous le nez, à deux mains.

« Cet arc vous semble-t-il familier ? » demanda-t-il tout à trac.

Je n'avais fait que l'entrevoir, quelques mois plus tôt ; mais un arc à double cambrure sur le continent, c'était une rareté, et je pouvais difficilement me tromper.

« J'en suis quasi sûr, répondis-je.

— Celui qui le possédait est mort, dit l'elfe. Deux prisonniers l'ont déjà identifié comme leur chef, mais j'aimerais fort que vous apportiez votre confirmation. »

J'opinai brièvement de la tête. Il pénétra dans la tour en me faisant signe de le suivre. Il faisait très sombre, là-dedans, une pénombre de cave à peine traversée par la clarté blanchâtre qui coulait par la porte. Sur un dallage sale, je faillis glisser dans des traînées de sang. Entassé contre un mur, j'entrevis un bric-à-brac où s'amoncelaient sacs, coffres, lés d'étoffe, pièces d'argenterie. Juste au pied de ce butin, un corps gisait dans une position inconfortable ; comme bon nombre de cadavres, il paraissait bizarrement tassé, d'une immobilité oppressante. En raison du contraste entre le jour neigeux et l'ombre qui régnait dans ce vieux réduit, je le distinguais mal. Toutefois, à côté du fourreau vide d'une épée, il avait deux couteaux bizarres, sans doute des lames à écharner. Ses cheveux, à moitié tirés sur un visage anguleux, étaient très clairs.

J'allais dire que ce macchabée était probablement notre homme quand la vérité m'apparut, violente et crue. J'en eus le souffle coupé. Tout ce qui m'avait échappé jusqu'alors, tout ce que je n'avais pas voulu voir, toute l'absurde malice de ma balade dans ce camp saccagé s'imposèrent à moi : une révélation brutale comme une châtaigne décochée au creux de l'estomac. Je comprenais tout, et je le comprenais bien trop tard. Je comprenais le regain de brigandage sur les routes de

Vieufié ; je comprenais les messages exaspérés adressés par le Sénat de Ciudalia au Conseil des Échevins de la Marche Franche ; je comprenais les confidences de Leonide Ducatore au vieux sénateur Schernittore ; je comprenais les atrocités commises par les brigands ; je comprenais pourquoi le Rempailleur ne m'avait pas épinglé, à la fin de l'été, quand il me tenait dans sa ligne de mire... Tout devenait limpide : la révélation possédait la simplicité de l'évidence, mais ce miracle-là, il me suffoqua d'accablement.

Car finalement, je reconnus bien le Rempailleur. Je ne le reconnus que trop. Ce cadavre à mes pieds, c'était celui de Welf.

Il avait les yeux grands ouverts, sous les mèches folles. Sa poitrine était ensanglantée, mais la seule blessure que je lui découvris était une plaie à la jonction du cou et de la mâchoire. On lui avait allongé un coup de pointe de bas en haut, qui avait dû se loger au milieu du crâne. Tué net, pas le temps de souffrir. Du moins c'était ce que je cherchais à croire, parce que au fond de moi, je ne voulais pas me souvenir de certains blessés graves demeurés conscients malgré la perte d'une partie de leur cervelle...

« Reconnaissez-vous le Rempailleur ? » demanda Melanchter.

Je fixai l'elfe avec des yeux brûlants de ce que je prenais pour de la colère.

« Qui l'a tué ? demandai-je sourdement.

— C'est moi, répondit froidement Melanchter. Il s'est obstiné à résister. »

J'en avais eu la certitude avant même de formuler la question ; ça ne m'empêcha pas de me sentir soulevé par un accès incandescent de haine. Nous étions trop proches l'un de l'autre pour employer l'épée ; l'elfe posa son regard hybride sur le poing que j'avais serré sur ma dague.

« Vous le connaissiez donc par ailleurs, observa-t-il simplement.

— Vous m'avez buté un putain de frère d'armes, crachai-je en me demandant s'il se montrerait assez rapide pour me saisir le poignet avant que je ne dégaine.

— Ainsi, cet homme vient de votre cité.

— Qu'est-ce que ça peut vous foutre, maintenant qu'il est cané ?

— C'est important pour vous et pour moi. Évitons que vous vous trompiez de cible. »

J'entendais parfaitement ce qu'il insinuait, mais la colère était trop forte pour que cela suffise à me raisonner. Si j'éprouvais une violente pulsion de meurtre, ce n'était pas seulement parce que l'échevin avait saigné mon ami : c'était surtout parce que je savais que j'étais responsable de la mort de Welf. Il était descendu à Bourg-Preux pour m'avertir que je déconnais, il avait été repéré, et il avait trinqué à ma place. Enfoncer une lame d'acier dans le palpitant de Melanchter, ça aurait peut-être apaisé l'immense rage que je me découvrais contre moi-même.

« Vous n'êtes pour rien dans son trépas, énonça le capitaine. Il s'était rendu l'auteur d'actes terribles : à terme, il se savait condamné. Cette fin lui est plus miséricordieuse que les longs tourments d'un supplicié.

— Piètre rhétorique, grondai-je. Je croyais les elfes plus malins.

— Je ne vous tiens pas des paroles spécieuses, rétorqua-t-il. J'essaie juste de vous épargner. Dans la cour, j'ai une vingtaine d'archers ; même si j'étais hors de combat, vous ne pourriez vraiment pas vous en tirer. »

Il n'avait pas tort. Et à la vérité, je me méfiais de lui ; je n'étais pas sûr qu'un coup de surin porté à l'improviste ne se retournerait pas immédiatement contre moi. En outre, la colère s'étiolait déjà au fond de ma carcasse : elle avait monté et crevé comme une bulle grasse dans une eau polluée. L'accablement s'abattait sur mon échine. Même en fixant Melanchter avec haine, j'avais le coin de l'œil atrocement tiré vers le bas, vers la dépouille brisée de mon ami. Plus que les mots dictés par la colère ou l'envie de tuer, c'étaient maintenant les larmes que je devais refouler.

« J'ai compris que vous n'oublierez pas, murmura Melanchter. Mais dans l'immédiat nous avons d'autres tâches à mener à bien, vous comme moi. Ce ne sera pas se comporter en lâches de remettre un duel à trois mois.

— C'est pas tombé dans l'oreille d'un sourd. Je relève le gant. »

Il m'adressa un sourire glacé.

« Je suis enchanté que nous nous entendions, dit-il avec une morgue polie. Une jolie fête en perspective... Maintenant, veuillez répondre à mes questions : y a-t-il relation effective entre cet individu et Ciudalia ?

— Je pense pas, mentis-je. Je l'ai connu sous les armes, mais il y a plein d'étrangers dans les Phalanges. Il est blond, il s'appelait Welf : c'est pas un Ciudalien. Il y a un beau ramassis de gibiers de potence dans les troupes de la République. Lui, je crois bien qu'il s'était engagé parce qu'il avait piraté en mer, et que la veuve le serrait d'un peu trop près. Il aura repris les affaires quand il a quitté l'armée, voilà tout.

— Et pourquoi choisir le brigandage au lieu de reprendre son ancien état ?

— Vous savez, la piraterie c'est devenu drôlement risqué depuis la guerre entre la République et l'Archipel. Il aura mis ses œufs dans un autre panier. »

Le capitaine me jaugea un long instant de son regard vairon. Maintenant que j'avais éprouvé la pénétration d'esprit des elfes, je craignais qu'il ne balaie mes cachotteries d'un seul mot, et qu'il ne pousse plus loin l'interrogatoire. Me devina-t-il ? C'est plus que probable. En tout cas, il n'approfondit pas la question.

« Vous direz ce que vous avez vu à qui de droit, lança-t-il sur un ton coupant, et vous pourrez ajouter que je ne suis pas dupe. J'aurais cru trouver plus de mesure chez la noblesse ; je tairai ce que j'ai deviné mais je ne veux plus de si viles bassesses, ou j'en appellerai au duché. »

Je hochai la tête pour signifier que j'avais compris.

« Et lui ? fis-je en montrant Welf. Qu'est-ce que vous allez en faire ?

— C'est le Rempailleur : je le ramènerai pour le pendre à la Tour du Gibet. Au moins, je ne le ferai pas écorcher.

— Un jour, je vous ferai payer votre bonne conscience, dis-je très bas.

— Prenez garde à ne pas perdre pied, répondit-il sur le même ton. N'avez-vous pas déjà assez d'ennemis ? »

Je ne voulus pas assister à la suite. Ma part du contrat remplie, je n'avais plus qu'à décarrer. Certes, je n'avais pas la moindre idée de l'endroit où je me trouvais ; mais je décidai de remonter la piste que nous avions tracée dans la neige jusqu'à la clairière charbonnière, puis de couper à travers bois vers l'est. Logiquement, tôt ou tard, je devrais retomber sur la route de Montefellóne. J'abandonnai le projet de suivre les gorges de la Listrelle : l'opération que venait de mener Melanchter ne signifiait pas que les chemins étaient à nouveau sûrs, mais le risque était devenu faible, et suivre la route me permettrait de voyager plus vite. Si des maraudeurs isolés s'en prenaient à moi, ils paieraient pour l'échevin.

Je quittai la Mesière dès que je le pus. En fait, je pris quasiment la fuite : je désirais plus que tout éviter de croiser les gamins captifs, au cas où dans le lot j'aurais repéré un petit blondinet aux yeux bleu pâle. Certains archers avaient rassemblé les prisonniers en état de travailler et leur faisaient creuser une fosse commune. D'autres gens de guerre rassemblaient le butin de la bande et dévalisaient les morts. J'avais à peine regagné le taillis où nous avions longuement attendu, juste avant l'attaque, que les premières fumées sombres roulaient dans le ciel blanchâtre, au-dessus des ramures nues. Les hommes de Melanchter incendiaient les taudis que les brigands avaient bricolés au milieu des ruines. Avec ces gourbis qui partaient en cendres, c'était Welf qui me faussait compagnie, définitivement.

Je pressai le pas, pour mettre le plus de distance possible entre moi et le désastre. Je me faisais l'effet d'un déserteur, taraudé par le remords de ne pas avoir au moins tenté de daguer Melanchter. Quant à Welf, j'avais beau me dire que je ne pouvais plus rien pour lui, je savais bien que je me mentais. J'aurais pu insister pour qu'on l'enterre avec ses hommes, afin de lui éviter l'ignominie de la potence. Je n'avais pas essayé parce que je savais bien que j'aurais dépensé ma salive en vain, dans une situation où j'étais moi-même sur le fil après avoir menacé le capitaine. Et encore, je n'étais même pas certain de mes raisons... Ce que je fuyais vraiment, dans le fond, ce n'était ni Melanchter, ni le charnier, ni même le corps sans vie de Welf. C'était la répugnance que j'éprouvais pour moi-même, et dont j'avais découvert le reflet en me penchant sur le cadavre de mon ami.

L'autre motif qui me poussait à filer, c'était le temps. L'atmosphère était à peine brumeuse, la forêt d'hiver se figeait dans une torpeur engourdie, mais je craignais une nouvelle chute de neige. Si jamais le sillon que nous avions tracé à l'aller était recouvert, je risquais fort de ne jamais m'y retrouver et de périr de froid en tournant en rond. Aussi je trottais avec une obstination pataude, en patinant souvent sur la piste mal tassée. Les yeux baissés sur mes bottes, j'enfonçais un talon rageur dans le manteau neigeux à chaque foulée, ignorant la blessure qui me lançait à nouveau dans la cuisse. J'avais la tête ailleurs : tant de choses étaient devenues claires pour moi, mais trop tard, et cette illumination tardive ne me servait à rien, sinon à remuer le couteau dans la plaie.

Les clefs, à la vérité, je les possédais depuis longtemps. C'était le Podestat lui-même qui me les avait fournies, le lendemain des obsèques de Regalio Cladestini. Convoqué dans son cabinet de travail, j'avais été bien trop préoccupé par ma petite aventure avec Clarissima pour prêter beaucoup d'intérêt au courrier que mon patron dictait au ministérial Blattari. Pourtant, dans le lot, il y avait une lettre adressée au Conseil des Échevins de la Marche Franche où le premier magistrat de la République protestait contre le brigandage qui menaçait le commerce ciudalien. Plus tard, au cours de la conversation qu'il avait eue avec le sénateur Ostina Schernittore, le Podestat avait assuré que Ciudalia traverserait bientôt une nouvelle crise ; il avait développé en assurant que le Sénat finirait par s'épuiser dans une tentative de conquête de Ressine, mais je réalisais maintenant qu'il avait plusieurs fers au feu. Si Welf était bien un de ses agents, comme il me l'avait dit lui-même, et si Welf n'était autre que le Rempailleur, alors cela signifiait que le Podestat avait secrètement entrepris de déstabiliser Vieufié, pour fragiliser tout l'équilibre qui existait entre la République, la Marche Franche et le duché de Bromael. Ainsi, il préparait lui-même la crise majeure destinée à le rappeler au pouvoir.

En examinant les choses sous cet angle, tout devenait diablement cohérent. Si le Podestat n'avait pas rencontré personnellement Welf, ce devait être Matado qui l'avait recruté et chargé de flanquer un beau désordre sur la route entre Bourg-Preux et la République. Il lui avait sans doute confié une grosse somme pour financer l'opération. Avec cet argent, Welf avait probablement recruté un quarteron de durs, des anciens soldats ou des pirates en quête d'embauche. L'arc composite tout comme l'écorchage empestaient l'influence ressinienne. Avec ses gars, Welf avait dû chercher à localiser les bandes les plus miteuses qui brigandaient sur la route : il avait éliminé les meneurs, pris la tête du menu fretin. Une fois qu'il avait pris le contrôle de plusieurs troupes de petits truands, il avait pu s'attaquer aux gros morceaux. Il avait dû mener une vraie guerre, sous les frondaisons obscures de la forêt de Cluse, avant de constituer sa petite armée avec les débris des bandes vaincues. Dans la mesure où il s'agis-sait de rallier plus que d'exterminer, la terreur avait dû représenter une arme essentielle. C'était sans doute à ce moment qu'il avait systématisé l'empaillage, pour briser toute résistance.

Après, il suffisait de tirer un peu sur le fil, et tout coulait de source. Welf s'en était mis plein les poches en gardant le butin sur lequel sa bande avait fait main basse, mais il avait aussi rempli le volet politique de sa mission en semant l'épouvante sur la route. Il s'agissait vraiment de créer le sentiment d'une menace, afin de donner une bonne raison aux puissances étrangères d'intervenir à Vieufié. Connaissant mon patron, j'ima-ginais qu'il se serait bien gardé d'être l'instigateur d'une telle initiative : il comptait attendre patiemment qu'un baron bromallois fasse un coup de force sur le terri-toire de la Marche Franche ou que certains sénateurs proposent une action militaire du même tonneau. Une fois l'ingérence commise, on aurait eu droit à un beau sac de nœuds sur nos frontières continentales : l'occa-sion rêvée pour le sénateur Ducatore de jouer les hommes providentiels, surtout s'il était devenu entre temps le beau-papa du duc Ganelon...

Pour ma part, je trouvais aussi réponse aux énigmes plus modestes qui me concernaient. Le Rempailleur m'avait épargné quand il m'avait tenu en joue parce qu'il m'avait reconnu ; et si Welf était venu me trouver à Bourg-Preux, c'était tout simplement parce qu'il était déjà dans la région. Il était resté en contact avec la maison Ducatore, et il avait sans doute reçu des informations et des ordres me concernant dès que la route avait été praticable.

Avec la brassée de bonnes nouvelles dont j'étais porteur, je me dis que je risquais d'être gracieusement accueilli au palais Ducatore, si seulement je parvenais à me faufiler jusque-là. Cependant, cela ne m'inquiétait guère. Trop de difficultés s'interposaient encore entre moi et Ciudalia pour que je me préoccupe réellement de la réaction du Podestat : il me fallait traverser Vieufié à la mauvaise saison, puis il s'agissait d'entrer incognito sur le territoire de la République en essayant de déjouer la surveillance des mouchards au service des factions ennemies. C'était un long voyage à faire en solitaire, et cela reléguait au second plan le désagrément que le Podestat pourrait éprouver à me voir réapparaître. Par-dessus tout, je me sentais profondément engourdi. La disparition brutale de Welf m'avait sonné, et même si mes idées étaient claires, je me rendais bien compte que je n'étais pas dans mon état normal. Je ne ressentais pas vraiment de chagrin, plutôt un grand vide ; quelque chose avait cassé en moi, peut-être la dernière parcelle purement désintéressée, et je me percevais comme une carapace creuse, une marionnette bizarrement libérée, parfaitement inutile, à laquelle s'offraient tous les possibles parce que plus grand-chose n'avait de sens. J'avais abandonné le corps de Welf entre des mains haïssables, mais c'était moi le mort, un mort en marche, dans les solitudes du pays d'hiver.

Je mis plus longtemps que je ne l'avais estimé à retrouver la clairière charbonnière. Un chemin que l'on suit seul prend un autre visage, plus incertain et plus étiré, et l'après-midi était bien avancé quand je retombai sur le bivouac du matin. Je fus tenté de passer la nuit sous une des huttes, mais cela m'aurait fait perdre du temps, et je craignais d'être rattrapé par les archers et leurs prisonniers. Je repartis. Dans un crépuscule grisâtre, je coupai à travers des bois qui m'étaient complètement inconnus. Le faible soleil qui avait adouci cette journée d'hiver avait disparu. Une brume pénétrante se levait entre les troncs, les futaies se diluaient dans un lavis de soir et de brouillard, j'avais les pieds gelés de fouler une neige lourde, encore épaisse mais déjà chargée d'eau. À force d'inspirer par la bouche, mes dents en or étaient devenues glacées et me brûlaient désagréablement la gencive.

J'espérais ne pas dévier de la direction que je m'étais fixée, mais j'étais à peu près certain d'avoir tourné. En sinuant autour des arbres morts, des raidillons verglacés, des fondrières givrées par une pellicule de glace, j'avais certainement perdu mon cap. Le crépuscule moribond des soirées hivernales, obscurci de brouillard et d'étoupe, me dérobait les derniers rayons du jour. Impossible de m'y retrouver. À plusieurs reprises, je jetai un coup d'œil en arrière ; il me semblait être épié. Je ne distinguai rien dans le sous-bois que mangeaient des brumes pétrifiantes et des haleines de nuit ; mais je pris conscience d'une négligence qui pouvait me coûter cher... En quittant précipitamment la Mesière, je n'avais pas cherché à me renseigner sur le groupe de chasseurs auquel Desle avait fait allusion le matin ; si les truands n'étaient pas rentrés au camp avant l'assaut, ils rôdaient toujours dans la nature. Cinq hommes, probablement assez remontés, surtout si leurs femmes et leurs enfants étaient au nombre des tués et des prisonniers... Certes, je ne percevais pas le moindre mouvement, mais je ressentais de pénibles fourmillements dans la nuque. Malgré ma conscience morte et mes orteils gourds, malgré mes dents fantômes qui me lançaient de façon absurde, je regimbais contre l'épuisement, je luttais contre l'emprise du froid et des idées noires, je fuyais toujours plus loin, dans un paysage de conte d'hiver.

Je faillis traverser la route sans m'en apercevoir. Personne ne l'avait empruntée dans la journée ; une couche de neige vierge la recouvrait. Je manquai de la couper en la prenant pour une simple allée forestière.

Rassuré d'avoir retrouvé un repère, j'entrepris de chercher un refuge où m'installer pour la nuit ; je ne pus rien trouver de mieux qu'un talus abrité de la faible bise qui se levait parfois. Je passais la fin du jour à me constituer une réserve de bois, en sachant que cette nuit serait encore plus pénible que la précédente, car la fatigue me rendait plus vulnérable au froid. Je me réchauffai comme je pus à mon petit feu, bientôt cerné de ténèbres. Je restai longtemps à croupetons, de peur de tremper les fesses dans la boue dégelée par mon foyer. Je finis néanmoins par m'asseoir, pour soulager mes jarrets que menaçaient des crampes. Comme la veille, difficile de fermer l'œil : si je laissais les flammes s'éteindre, je risquais de m'endormir définitivement.

Je somnolai par à-coups. J'avais la mandibule décrochée à force de bâiller, les vertèbres tassées de lassitude, les yeux enflammés par la fumée de mon foyer et par la lutte contre l'abandon. Je m'octroyai de brèves pauses, à moitié involontaires, les paupières tombant d'elles-mêmes. Souvent, la bouffée d'inquiétude provoquée par l'endormissement suffisait à me réveiller. Parfois, c'était un frisson de froid. De temps en temps, c'était un flottement plus ample, l'impression de tanguer sur un navire, jusqu'au moment où mon menton heurtait ma poitrine et me faisait écarquiller les yeux. Il fallait que je tienne ! Je me mis à parler tout seul, pour rester éveillé. Je marmottai des propos décousus, ou je crus les grommeler, car au bout d'un certain temps je ne sus plus très bien si je soliloquais à voix haute ou si mon bavardage résonnait seulement dans ma tête alourdie.

Je ressassai les griefs que je nourrissais contre pas mal de monde ; et il y avait de quoi rabâcher, parce que la liste était longue. En tête venait bien sûr son excellence Leonide Ducatore, dont les combinaisons ramifiées me donnaient un sacré grain à moudre ; Sassanos le suivait de peu, qui m'avait abandonné à

Bourg-Preux, et sans le retard duquel Welf ne se serait peut-être pas découvert ; j'avais aussi un compte personnel à régler avec Clarissima, parce qu'il y avait quand même eu mort d'homme par sa faute, et que j'avais bien failli y rester ; j'ajoutais Matado à mon panier, car j'étais certain que c'était lui qui avait planifié en détail l'opération de Welf, en suivant les directives générales du Podestat ; et pour faire un prix de groupe, je joignais Eirin et Annoeth à mon paquet, vu que l'étourderie contagieuse des deux elfes avait fini par me signaler à l'attention du troisième, et que c'était cela qui avait été fatal à Welf. Alors que je pérorais, des ombres se détachèrent insensiblement de la nuit pour profiter de la chaleur de mon feu. Je crus reconnaître Melanchter et ses hommes, et je ne me privai pas de leur cracher ma rancœur, en termes plutôt confus. Mais Melanchter portait un arc composite, et sous le manteau je devinai les manches de couteau à écharner ; je réalisai que je me trompais, que c'était Welf qui essayait de réchauffer son corps glacé à mon foyer, et je balbutiai alors des excuses maladroites, entremêlées de récriminations hargneuses, parce qu'il avait quand même été drôlement crétin de venir me faire la leçon en personne à Bourg-Preux. Le Rempailleur hochait la tête en silence, le visage mangé dans l'ombre de son capuchon. Comme il pendait déjà au sommet de la Tour du Gibet, il m'apparut soudain que les pantins qui l'entouraient ne pouvaient être ses truands. Je regardai mieux les autres silhouettes qui s'étaient assemblées autour de mon pauvre bivouac. À la lumière tremblante du feu, je les reconnus tous. Il n'y avait que des morts. Oricula se recroquevillait sur lui-même, tentant d'étancher des deux mains le sang qui fuyait hors de sa poitrine ; Regalio Cladestini offrait à la lueur des flammes un visage cireux où étincelaient deux pièces d'argent ; Tignola essayait de refermer sa mâchoire fracassée en ruminant ses os ; un jeune gueux au visage entaillé par des plaies rituelles cherchait à desserrer la ceinture incrustée dans sa gorge... Quant au grand spectre sombre qui demeurait en retrait, une flammèche plus haute que les autres allumait parfois un reflet sinistre sur sa splendide armure Acerini... Sacrée bande, disais-je peut-être à haute voix, sacrée bande ! Pas étonnant que le Rempailleur ait semé une telle épouvante dans la forêt de Cluse. Welf tourna alors son visage vers moi, et sous le capuchon, je distinguai pour la première fois ses prunelles vitreuses.

« On n'attend plus que toi, Benvenuto, dit-il. On te garde une place. Tu nous rejoindras bientôt, à Ciudalia. »

Il parlait avec une voix cassée de petite fille.

Je me réveillai en sursaut. Je me sentis très mal.

J'avais glissé sur le côté, et mon feu était presque éteint. Je gisais contre un sol dur et glacé, les os transpercés par le froid ; du givre avait envahi mes cheveux, mes sourcils et ma barbe naissante. Pire encore : j'avais la face fendue par une rage de dents effroyable. Malgré le ciel noir piqueté d'étoiles lointaines, pures comme des pointes de diamant, la douleur me souleva le cœur avec une telle violence que dans un instant d'égarement je me crus retombé dans mon cachot de Sunem, avec ma pauvre gueule à nouveau démolie. Mais j'étais transi. Ça ne collait pas. Je dus faire un effort terrible pour me remettre d'aplomb : je grelottais comme une poignée de dés secoués dans un cornet, et mes dents, vraies et fausses, me vrillaient le crâne en claquant de manière incontrôlable. J'éprouvai les plus grandes difficultés à tendre le bras jusqu'à mon fagot pour alimenter mon feu ; mes mains tremblaient si fort que j'éparpillai la moitié de mon petit bois autour des quelques braises qui rougeoyaient encore. Et je ne frissonnais pas seulement de froid : je réalisais que j'étais passé à deux doigts d'une mort stupide, gelé sur le bas-côté d'un chemin.

Je parvins à ranimer mon feu, mais je n'en retirai guère de réconfort. J'avais été tellement transi que réchauffer ma carcasse frigorifiée la soumit à un vrai supplice, en particulier dans les extrémités. Le retour à la sensibilité décupla la douleur qui me cisaillait le babin. Si invraisemblable que cela parût, c'étaient mes dents en or qui me tourmentaient, comme une cohorte de crocs cariés. Même si j'avais entendu plus d'une fois parler des douleurs provoquées par des membres fantômes, je n'aurais jamais imaginé qu'une telle souffrance réussisse à se loger dans une stupide prothèse. Peut-être était-ce la fixation qui irritait la gencive ou les canines voisines. Je retroussai les lèvres et portai des doigts encore gourds sur mes incisives : l'air coupant et mon attouchement timide me plantèrent des barbillons incandescents jusqu'au fond des orbites. J'écartai vivement les mains de mon mufle, sans pouvoir étouffer un gémissement. Mon cœur se crispait en crampes désordonnées et des larmes brûlantes me noyèrent les yeux. C'était abominable : la souffrance de Sunem, inexplicablement, s'était ranimée.

Le bon côté des choses, c'est que la névralgie était si cuisante que je n'étais pas près de me rendormir. J'avais l'impression qu'on m'enfonçait des clous sous les sinus, j'en larmoyais comme un moutard. L'inactivité elle-même devenait insupportable : il me prenait des envies de défoncer des portes, de saccager des tavernes, de tabasser du chaland, afin de tromper le mal par le mal. Le beau remède, quand vous vous retrouvez à sautiller de souffrance au beau milieu d'une forêt, avec les arbres pour seuls consolateurs. Pour finir, bien avant l'aube, je ramassai mes cliques et mes claques et je repartis dans la nuit, la gueule ravagée par un brasier.

Je marchai longtemps, comme un somnambule. L'aurore m'engloutit dans une brume épaisse, qui se déchira insensiblement à mesure que le matin avançait. Un ciel bleu clair, illuminé par un soleil pâle, nimba le paysage d'hiver d'une blancheur insoutenable. Certes, cela me réchauffa, et j'entendis bientôt la chute lente des gouttes que le dégel faisait choir des ramées ; mais la neige au sol ne fondait pas, et la réverbération de la lumière plantait des aiguilles acérées dans mes orbites enflammées. J'avançais courbé, les paupières mi-closes, chaque pas encloûant un peu plus la douleur.

Je ne croisai que trois troupes de voyageurs au cours de la journée. Elles formaient des caravanes méfiantes, armées et emmitouflées ; ignorant que le Rempailleur avait rencontré son destin, marcheurs et cavaliers étaient aux aguets, et mon apparition les mettait immanquablement en alarme. J'avais piètre allure, la douleur me privait de toute velléité de politesse, et mon isolement incongru était en soi suspect. Je passais bien au large des pérégrins, conscient qu'ils étaient prêts à m'étriller au moindre écart. Toutefois, je traînai l'essentiel de ma journée dans des solitudes montueuses, éclaboussées de lumière virginale et de scintillements cruels, le mufle massicoté par la souffrance. J'accueillis la montée du soir avec un soulagement hébété : le brouillard et le crépuscule soulageaient mes yeux enflammés. Mais un froid cru se levait déjà entre les arbres, et je me remis à frissonner de plus belle.

Il me fallut chercher un abri, malgré l'épuisement et ma vue brouillée par l'inflammation. Il était hors de question que je repasse une nuit en plein vent ; j'étais à bout de forces, et cette fois, je craignais de ne pas survivre à un nouvel assoupissement. Et puis l'inquiétude revenait se nicher au fond de mon estomac : à mesure que les ombres s'étendaient sous les arbres, que la neige perdait son éclat, que des coulis glacés se faufilaient sous mes vêtements, je me sentais à nouveau envahi par le sentiment d'être observé. Je me retournai à plusieurs reprises, la plupart du temps en vain. Une seule fois, je crus apercevoir un mouvement : assez loin, sur un coteau surplombant le chemin, j'entrevis une tache grisâtre qui s'esquivait dans un taillis. Ça ne paraissait pas bien gros, ce n'était peut-être qu'un loup affamé. Mais à la façon dont mon cœur battit la chamade, je craignis qu'il ne s'agît d'autre chose. Il devenait urgent de me dénicher une tanière ou un trou.

Ni hutte, ni cabane, ni ruine : toujours cette désolation forestière, cette neige où je titubais maintenant, assommé de fatigue et de douleur. Dans mon abrutissement, je sentais que des ombres cheminaient derrière moi, émergées du crépuscule. Les fantômes qui s'étaient assemblés dans mes rêves revenaient peu à peu à la vie, dans cette heure incertaine, où les grands bois transis sombraient doucement dans une marée de ténèbres. Je ne savais plus où j'en étais ; je craignais de m'endormir debout, de m'enliser dans un cauchemar aux méandres remplis de brumes givrantes, de maladie et de morts égarés. La découverte d'un arbre creux me sauva probablement la vie, alors que j'étais au bord du découragement et du délire.

Je me mussai dans le tronc fendu comme un rat dans un fromage. J'allumai un feu au milieu des racines de l'arbre, prenant le risque de tout faire flamber, moi avec. Je pus au moins trouver quelque chaleur, même si la douleur enfla à proportion. J'étais dans un état d'épuisement si profond que j'aurais dû sombrer dans un sommeil de brute à peine niché dans mon trou ; mais la souffrance me maintenait éveillé. Ou à moitié éveillé ; je flottais parfois dans une somnolence pénible où carillonnait un vacarme d'arsenal, tonitruant d'enclumes sonnantes, de chevilles martelées, de planches clouées. Quand je rouvrais les yeux, les assauts lancinants de ma gencive prenaient le relais du fracas portuaire. À mesure que la nuit s'étirait, sans me laisser de rémission, je me laissais glisser dans un dangereux état d'apathie. Par réflexe, j'entretenais mon feu. Cependant, veille et assoupissements se confondaient de plus en plus, et dans les limbes médianes, je m'attendais à voir revenir les fantômes qui m'avaient déjà visité la veille. Je croyais presque les distinguer dans les volutes vagues que dessinait le brouillard. Pourtant, nul ne réapparut. Ce fut quelque chose d'autre qui vint rôder autour de mon bivouac.

Une présence malveillante entreprit de marauder à la frontière déchirée de mon supplice, de mes rêves et des ténèbres. L'intruse fouinait alentour : j'entendais crisser la neige, craquer parfois une branche ou des broussailles toutes cassantes de gel. Cela trottinait autour de l'arbre mort, en lâchant des expirations rauques et sifflantes. À plusieurs reprises, cela s'avança presque à la lisière de la lumière du feu ; mes yeux enflammés y voyaient mal, et je discernais tout au plus une silhouette menue, très chétive, emmitouflée dans des haillons noirs. Il y avait peut-être un visage blanchâtre, aux pommettes accentuées, planté de guingois sur des épaules affaissées. La chose s'enfuyait en pouffant au moment où je croyais mieux la percevoir. Dans la forêt glacée, dévorée de noirceur, résonnait alors un rire moqueur, méchant, terriblement enfantin. Cette raillerie sinistre me crispait aussi violemment qu'un haut-le-cœur, et aussitôt, comme en écho, mes dents me lançaient de manière encore plus horrible. Je voulus croire que ce fantôme n'était qu'un cauchemar de plus, accouché par la douleur ; mais à la vérité j'étais dans un si piètre état que je ne faisais plus vraiment la part des choses entre la réalité et la divagation morbide.

Ce fut la pluie qui me réveilla. Il régnait une lumière grise, tout embuée d'humidité. Une averse lourde nimbait la forêt d'une brumaille hostile ; le dégel faisait pleurer les branches, mais au sol la neige gorgée tardait encore à fondre. Je frissonnais, mais je fus incapable de ranimer mon feu. Je pris le parti de me remettre en route, malgré ma carcasse ankylosée par le froid et par les positions fausses que j'avais adoptées. La souffrance me laminait toujours la gencive, avec un acharnement obsédant. Alors que je titubais en direction du chemin, je fis une découverte inquiétante. Dans un rayon d'une cinquantaine de pas autour de l'arbre qui m'avait servi de refuge, la neige était crevée de milliers de flaques ; de toute petites flaques, remplies d'eau glacée, qui ressemblaient aux empreintes d'un enfant courant en tous sens.

Des heures durant, je pataugeai sur un chemin en débâcle. La pluie, morne et froide, transperçait mes vêtements avec une insistance cruelle ; des ruisseaux glacés creusaient des rigoles dans un gruau de neige fondante et de boue dégelée. Çà et là, l'humus noirâtre, tapissé de feuilles imbibées, apparaissait entre des plaques blanc sale. Malgré la journée qui s'installait, les sous-bois s'abîmaient dans une morosité de plus en plus sombre à mesure que le dégel s'emballait ; les coteaux résonnaient de sources libérées, de gouttières enchevêtrées, de goulottes creusées par l'érosion. Dans le fond des vallons grondaient les flots grossis par les eaux de fonte, en un long tapage monotone. Tout cela soufflait des brumes épaisses, des buées transies, des vapeurs frissonnantes, des nuages de mouillure. Même si le froid se faisait moins vif, j'étais secoué par un grelot terrible, les pieds englués dans une bouillie glacée, la couenne bavochée par le jus perfide qui suintait de mes pelures.

Ce fut au milieu de ce bouillon que le cours des événements commença à glisser. J'étais en train de descendre une colline plutôt raide, en dérapant dans le bourbier qui avait envasé la chaussée. Le chemin, en cet endroit, filait presque droit sous les futaies ; les ruisselets qui dévalaient dans les ornières le veinaient d'argent, chatoyant d'une beauté trompeuse, car on enfonçait dans la crotte jusqu'à la cheville. Très loin, en contrebas, dans le portique noirâtre que dessinaient les arbres, je découvris une bête. Elle se tenait immobile au milieu du passage, toute fumante d'eau et de froidure. En raison de la distance et de l'atmosphère brouillée, je la distinguais mal ; je la pris d'abord pour un loup, avant d'écarter cette idée, car elle était trop élancée et trop fine. L'animal avait une gueule effilée, un poitrail puissant et des flancs très minces, de longues pattes aux attaches délicates ; il semblait taillé pour la course et pour la chasse. Malgré son pelage piteusement détrempé, c'était manifestement un chien, et même un chien de race. N'eût été sa robe embuée de vapeur et le panache léger de sa respiration, on aurait pu le prendre pour une souche. Il attendait, en parfait chien d'arrêt, son long museau et ses oreilles dressés vers moi.

Il était encore loin, mais il émanait de lui une vitalité troublante. Il était plus tangible que toutes les ombres et tous les fantômes que j'avais traînés dans mon itinérance. Par sa seule présence, il repoussait les songes pénibles et les revenants ébauchés. La vigueur simple que je devinais dans cette silhouette canine me rappelait au réel.

Elle m'inquiétait aussi. Il ne s'agissait pas d'un vulgaire cabot. Qu'est-ce que ce clébard trafiquait seul dans cette région perdue ? Je descendis vers l'animal avec prudence, en essayant de secouer l'hébétude douloureuse qui émoussait mes sens. J'étais arrivé à une vingtaine de pas quand je reconnus la race du chien : c'était un lévrier de Valanael. Son pelage trempé avait assombri la robe gris clair qui l'aurait rendu identifiable de plus loin, mais son élégance longiligne ne laissait guère place au doute. Avec un coup au cœur, je réalisai que j'avais déjà vu ce chien : six mois plus tôt, dans la via Maculata, à Ciudalia. C'était l'animal de luxe qui traînait dans les jambes de Dulcino Strigila, le bâtard du sénateur Mastiggia, et de son secrétaire. Un chien du palais Mastiggia, au beau milieu de Vieufié ! L'espace d'un instant, la trouille me fit presque oublier la rage de dents. Ils m'avaient retrouvé.

Je jetai un large coup d'œil à la ronde. Le chemin se diluait dans des perspectives brouillasseuses, morne, désert. De part et d'autre de la percée, la forêt dégoulinait tristement, impénétrable aux regards. Je ne vis nul indice de présence humaine. Cela ne me rassura qu'à demi ; ce lévrier n'était pas arrivé tout seul aussi loin de Ciudalia. Peut-être avait-il simplement pris quelque avance, suffisamment pour que j'aie encore la marge pour disparaître…

La première chose à faire, c'était liquider le clébard. S'il rameutait des indésirables sur ma piste, j'étais dans de très sales draps. Je tentai d'approcher le lévrier d'un pas tranquille, en préparant ma dague. Ça ne me rassurait qu'à moitié : j'ai plus de pratique dans la neutralisation des hommes que des bêtes, et ce type de chien, malgré sa délicatesse trompeuse, fait un chasseur féroce, aux morsures redoutables. L'animal réagit quand j'arrivai à dix pas : il me montra les crocs et se déroba, sans s'éloigner, en tournant autour de moi à distance. Il se déplaçait à longues foulées souples, avec une grâce dansante, et je compris tout de suite que l'affaire s'engageait de travers. Dans l'état d'épuisement qui était le mien, il n'aurait aucun mal à me coiffer en rapidité et en endurance ; la force restait de mon côté, mais il se méfiait de moi, et s'il restait juste hors de portée, je ne pourrais rien entreprendre contre lui.

Je tentai alors de l'appeler, en lui servant les niaiseries qu'on sort à un clabaud pour paraître copain : « Gentil chien ! Allez ! Viens, le chien ! Le gros toutou ! Le beau loulou ! Qu'il est beau le loulou ! » Et de me taper la cuisse en faisant une grimace enthousiaste, les jarrets fléchis d'amicale manière, la dague nue planquée dans le dos. Mon numéro de charme remporta un succès fou : le corniaud fronça du museau pour montrer ses crocs jusqu'à la racine, roula un œil mauvais et émit un grognement à vous coller la chair de poule. Il me semblait bien que Strigila m'avait donné le nom de ce clebs, mais ça remontait à des lustres, je n'y avais pas prêté attention, et je ne parvenais pas à m'en souvenir. En désespoir de cause, j'optai pour une autre tactique : je puisai un peu de lard dans mon sac, et je tendis la viande de la main gauche. Le chien loucha d'un air un peu moins hostile sur mon appât, le renifla de loin et ne put s'empêcher de passer un bout de langue sur ses babines ; mais cette faiblesse fut fugitive, et presque aussitôt il reprenait son refrain hargneux, sur un ton encore plus menaçant. Il était trop bien dressé ; il ne se laisserait pas amadouer.

Je battis alors en retraite, pour jauger sa réaction. Il me laissa prendre un peu de champ, puis se mit à trottiner sur mes traces. Dès que je m'arrêtais, il se figeait lui aussi, en me montrant les dents de plus belle. D'exaspération, je lui servis quelques épithètes frelatées, à quoi il répondit de façon aussi cordiale, en langage canin. J'avais l'air fin : épuisé, trempé, à échanger des politesses avec un pataud mal embouché. Pour mon couteau de jet, le lévrier formait une cible trop vive, et je me sentais moi-même trop mal en point pour réussir un lancer efficace ; une tentative de ce type n'aurait rimé qu'à l'éloigner un peu plus, sans pour autant le décoller de mes basques. En désespoir de cause, j'essayai une autre ruse : je pris la fuite devant lui, en misant sur son instinct prédateur. J'entendis ses ongles déraper dans la boue quand il se lança à ma poursuite ; mais si j'espérais que pris dans le feu de la course, il se rapprocherait dangereusement de moi, je déchantai vite. Il trottait sur mes talons, mais restait obstinément à dix pas de distance.

La fatigue et la douleur me privaient de toute patience. Exaspéré, inquiet de ce qui pouvait surgir au bout de la route, je me retrouvais à bout d'expédient. Je n'avais pas le temps de m'asseoir pour attendre qu'à force d'immobilité et de silence le chien commette peut-être l'imprudence de s'avancer à portée d'épée. Je pris le parti de filer ; si cette sale bête me suivait, peut-être pourrais-je l'égarer assez loin de ses maîtres. J'abandonnai le chemin et j'entrepris de couper à travers bois.

Je n'étais pas au mieux de ma forme pour me lancer

dans ce genre d'équipée. Je me précipitai au jugé dans une forêt accidentée et inculte, encombrée de gaulis, de baliveaux, de ronciers et de rocailles. J'avais le plus grand mal à extraire mes pieds des barbelures des mûriers et des marigots de neige fondante. Au bout de peu de temps, je me traînais à une allure désespérément lente, le souffle court, la gencive poignardée par les pulsations d'effort. Le chien, du moment où je me détournai de lui et me concentrai sur la fuite, se mit à me suivre tranquillement, tout en maintenant la distance. Le franchissement des embûches forestières, qui me demandait des débauches d'énergie, semblait relever pour lui de la simple promenade. Il se faufilait avec aisance entre les branches et les fourrés, sautait d'un bond au-dessus des mares, et s'ébrouait de temps en temps de façon assez placide.

À mesure que je m'enfonçais dans les futaies, la ramée noire s'embroussaillait en taillis plus denses et le sous-bois sombrait dans une atmosphère crépusculaire. En arrachant rameaux et brindilles, en froissant des buissons tout en griffes et barbilles, j'avais le sentiment de faire autant de raffut qu'une harde en train de charger. Dans la pénombre pluvieuse, à peine éclaircie par des bancs de neige clairsemée, la filature du chien devenait de plus en plus démoralisante. L'animal imposait une présence qui s'affirmait toujours plus tangible : ses prunelles accrochaient parfois un reflet doré, on ne sait où dans cet enchevêtrement touffu ; par un étrange effet de contraste, sa robe devenait plus pâle dans la montée des ombres. Dans le clair-obscur d'une hêtraie, le lévrier parut revêtir un halo presque lunaire, et sa course infatigable, tout en écarts, en détours et en entrechats, finit par m'inspirer une réminiscence vague, l'impression d'avoir déjà vécu cette fuite dans un rêve trouble.

J'étais sur le point de toucher ce souvenir incertain quand retentirent les premiers cris. Ils résonnaient assez loin, quasiment indistincts, sous la voûte hirsute de la forêt. Je ne saisis rien des paroles qui s'élevaient dans l'atmosphère froide, mais je donnai un furieux coup de collier pour essayer de disparaître. Tandis que je m'épuisais à batailler contre les pentes abruptes et les griffes des ronces, le chien eut à peine à accélérer le rythme. Je n'entendais pas de meute : j'avais l'espoir vague que j'entraînais sur mes talons le seul limier de mes poursuivants, et que je conserverais encore une chance de leur échapper tant que ce stupide clébard s'entêterait à me coller au train. D'un autre côté, le lévrier était silencieux : si ses maîtres avaient d'autres chiens dressés pour la chasse, j'étais d'ores et déjà cuit.

D'autres appels s'élevèrent sous les arbres. À l'oreille, les traqueurs semblaient déployés sur une ligne irrégulière, et il n'était que trop clair qu'ils improvisaient une battue. Tout en cravachant, je dus bien admettre que Sassanos m'avait dit la vérité : hors de Bourg-Preux et sans les charmes du sorcier, j'étais devenu terriblement repérable. Peut-être ma rage de dents elle-même n'était pas si naturelle que cela : il pouvait très bien s'agir d'un sortilège pour brouiller mes idées, saper mes forces, m'attendrir avant l'hallali. Je me sentais bel et bien aux abois.

Je tâchai de me remémorer les ruses qu'avait employées Dugham pour se soustraire à la première battue, avant l'hiver, mais j'avais conscience que nul stratagème ne fonctionnerait tant que j'aurais ce damné chien sur les talons. Je commençais à soupçonner le limier d'être un peu plus qu'un simple corniaud : peut-être était-il le familier de la sorcière qui me poursuivait de ses assiduités, peut-être avait-il été enchanté par je ne sais quelle magie de meute pour aimanter vers lui le reste de la chasse. Cela aurait bien cadré avec sa manière de me coller, à la fois attaché et hostile. Il n'y avait pas à tortiller : il fallait que je m'en débarrasse.

Dans un sursaut de rage, je fis volte-face et je me ruai sur lui sans crier gare. Je faillis le surprendre : je fus à deux doigts de l'empoigner par la peau du cou et de lui loger une bonne longueur d'acier dans le poitrail. Mais cette teigne esquiva au dernier moment, décidément trop vive pour ma carcasse éreintée. Je poursuivis le clébard en trébuchant, en me mettant à beugler, dans l'espoir d'exciter assez son agressivité pour qu'il se ravise et tente de m'attaquer. La sale bête continua à se dérober, les crocs découverts ; il émanait maintenant d'elle une rémanence vague, et quelque chose dans ses prunelles d'ambre me paraissait trop rusé. L'animal était ensorcelé, je ne pouvais plus en douter.

Je jouai mon va-tout : je fis mine de tomber, en misant sur la force de l'instinct de prédation. Je préférais risquer une mauvaise morsure plutôt que laisser cette nasse se refermer sur moi. Ce fut peine perdue : devant ma piètre feinte, il continua à s'écarter de quelques foulées, en grondant sourdement. Il refusait de tomber dans le panneau. Je me retrouvais en échec.

Les appels retentissaient de plus en plus proches. Par réflexe, par volonté, par rage de survivre, je repris la fuite. Toutefois, je sentais que j'arrivais à bout de forces : la fatigue, le froid, l'humidité, la douleur, tout cela avait sapé inexorablement mon feu intérieur. Je ne luttais plus que porté par les nerfs, par la hargne, par fidélité à moi-même. Parce que j'étais Benvenuto, et que quand on est un foutu cagou dans le genre de Benvenuto Gesufal, on ne baisse pas les armes, même si ça sent la fin de saison ! Toutefois, pour être franc, l'espoir de m'en tirer, il s'était esbigné sans tambour ni trompette. Je fuyais pour la beauté du geste, parce que je n'étais pas du genre à me coucher, parce que c'était la règle, mais je pressentais que la partie était déjà jouée.

La situation se dégrada très vite. Mes poursuivants étaient plus frais que moi : ils gagnèrent rapidement du terrain. À l'oreille, je compris que les plus lestes étaient en train de me tourner ; ils s'interpellaient en ciudalien, ce qui ne me laissait plus aucune illusion sur leurs raisons de me donner la chasse. Alors que je crachais mes poumons en gravissant une pente abrupte, j'aperçus une silhouette plus haut, au sommet de la côte, entre les arbres.

« Il est là ! » cria une voix assez jeune.

C'était un damoiseau, sanglé dans un pourpoint matelassé, coutelas et épée au côté, épieu au poing. Ces enfoirés me traquaient comme un vrai sanglier. J'étais à bout de souffle, mais le drôle m'avait l'air plutôt tendre : je décidai de lui passer sur le ventre. Si je parvenais à l'esquinter, je pouvais retarder ceux de ses compagnons qui lui porteraient secours.

Au moment où j'arrivais presque sur lui, un gosier rogue, qui me fit courir un frisson désagréable dans le dos, beugla non loin :

« Arrêtez-le, Votre Seigneurie ! »

Quelqu'un d'autre galopait lourdement dans les broussailles, et se rapprochait dangereusement vite. En croisant le regard du freluquet qui m'avait levé, je le reconnus, et j'en fus un peu secoué. C'était Stalto Mastiggia, le plus jeune des fils du sénateur Mastiggia. Le godelureau n'avait pas dix-huit printemps ; même s'il avait pris des leçons d'escrime et même s'il savait manier une arme de chasse contre du gros gibier, il n'avait pas l'ombre d'une chance face à un sicaire dans mon style. Une fortune bien perverse semblait me sourire ; et pourtant, je ne m'en réjouissais pas. Après l'aîné, je risquais fort de me payer le benjamin. Le sort nous jouait un très sale tour, aux Mastiggia et à moi... N'empêche, pas le temps de faire des chichis. Je tirai l'épée, je raffermis la dague, et je chargeai l'imprudent.

Son arme lui donnait l'avantage, grâce à son allonge ; mais à la façon dont il écarquilla les yeux, je compris qu'il était glacé de trouille. Il brandit sa lance courte vers ma poitrine ; je l'interceptai de l'épée, et je fis glisser les deux fers l'un contre l'autre jusqu'à ce que je puisse bloquer les quillons de ma garde dans les butoirs de l'épieu ; après quoi, une brève torsion et j'écartai la

pointe de mon corps. J'avançai de deux pas en armant
le coup de dague : il était perdu.

« Legame ! hurla-t-il avec désespoir. Legame ! »

J'entendis un grondement rageur derrière moi.
J'aurais été moins épuisé, peut-être aurais-je eu les
réflexes assez affûtés pour esquiver l'attaque ; mais à ce
moment-là, je brûlais mes dernières forces. Je ne réagis
pas assez vite.

Le chien bondit sur moi. Il me heurta dans le dos, de
tout son poids, et referma sa mâchoire à la jonction du
cou et de l'épaule. Mon cuir me protégea la clavicule et
l'omoplate, mais quelques crocs me fouaillèrent le côté
de la gorge. Ce fut surtout le choc qui renversa la situation. Je ratai mon estocade ; percuté, je lâchai l'épée
empêtrée dans les butoirs de l'épieu, et je basculai en
avant, en me rattrapant in extremis sur un genou. Le
grondement du grand lévrier accroché contre mon
oreille faisait résonner sous mon crâne une rumeur terrifiante, plus effrayante que la douleur qui me cisaillait
le côté de la gorge. Je portai un coup de dague furieux
par-dessus mon épaule, mais la bête fut plus vive et me
lâcha pour esquiver la lame.

Stalto Mastiggia, lui aussi bousculé par l'impact,
était tombé et s'écartait piteusement sur les talons, les
mains et les fesses. Je n'avais rien à craindre de lui dans
l'immédiat, mais le chien, quant à lui, revenait déjà à la
charge. Après avoir tracé un arc de cercle serré, il se
jeta sur ma main armée. Ses crocs se refermèrent sur
mon poignet, m'empêchant non seulement de frapper
avec la dague, mais aussi de saisir le couteau qui était
glissé dans la manche. En poussant des grognements
enragés, le corniaud tentait de me broyer l'os, tirait et
secouait frénétiquement mon bras. Il acheva de me
déséquilibrer, et je me vautrais à moitié dans l'humus
gorgé. Je lâchai la dague, tâtonnai le sol de l'autre main
pour m'en ressaisir. J'avais à peine refermé les doigts
sur la poignée de l'arme quand un nouvel assaillant
débucha. C'était un gaillard trapu, lui aussi muni d'un

épieu, mais qui ne se donna même pas la peine de lever sa lance. Il se rua sur moi. J'eus à peine le temps de reconnaître un faciès sinistre, ravagé par la haine ; et, avant que j'aie pu poignarder le chien, l'homme me décocha un coup de pied en pleine tête, dans l'élan de la course. J'eus la sensation qu'on m'éclatait le crâne.

Je perdis le fil.

Une giclée chaude et puante, en me picorant la face, me remit un peu d'ordre dans les idées. J'étais étalé sur le dos, l'échine barbotant dans un bain de boue et de neige fondue. J'ouvris les yeux pour me retrouver aveuglé par un déluge jaunasse. On me pissait à la gueule ! Je me débattis en jurant, je tentai de me redresser d'un bond, mais j'étais cloué au sol, écartelé, bras et chevilles écrasés sous de lourdes bottes. Mon réveil fut salué par quelques ricanements, tandis que je toussais et crachais pour purger mon nez et ma bouche.

« Regardez-moi le cuitard, gronda une voix mauvaise. Il en raterait pas une lichée. »

Celui qui avait lâché ces mots était debout au-dessus de moi, et il secouait ses affaires poilues pour que je ne perde rien des dernières gouttes. J'étais encore sonné, je n'y voyais pas très net, mais quand il remballa ses génitoires et renoua sa braguette, je reconnus le fumier. Seuls la décence ou l'étourdissement m'empêchèrent de vider ma vessie à mon tour. Le porc qui m'avait compissé était Suario Falci, et le rictus dément avec lequel il me toisait sous-entendait que la fête ne faisait que s'ouvrir.

L'enseigne Falci était secondé par quelques hommes de main, qui lui tenaient obligeamment la chandelle en me maintenant rivé au sol. Ils portaient de chauds vêtements de voyage, mais leurs mufles rieurs et leurs épées d'infanterie ne me laissaient guère d'illusions : il s'agissait sans doute d'anciens phalangistes, recrutés par la maison Mastiggia. Je ne vis pas trace du jeune Stalto, pas plus que du chien, mais mon champ de vue était un peu limité, et mes yeux étaient brouillés de pissat. L'urine, qui avait coulé sous mon col, brûlait la morsure du lévrier, et ma tête tout entière vibrait comme une cloche.

J'entendis toutefois un pas approcher, et une autre voix familière s'éleva.

« Bon sang, qu'est-ce que vous trafiquez, Falci ! Pas de violences inutiles, c'était pourtant clair.

— Cette ordure a failli buter votre frère, grogna l'enseigne en me montrant de son gros doigt carré. Si on n'était pas arrivé dare-dare, le chien et moi, le séna-teur aurait perdu un deuxième fils. Et de toute manière, je lui faisais rien de mal, je le soignais juste à ma sauce. »

Le nouveau venu s'arrêta à côté de ma tête et s'accroupit. Je me retrouvai dominé par des genoux en houseaux de cuir, la garde d'une épée, et le visage affirmé de Dulcino Strigila.

« Bon retour parmi nous, don Benvenuto, dit-il avec un sourire dur. Vous pouvez vous vanter de nous avoir fait courir... Mais rassurez-vous, tout va rentrer dans l'ordre. »

Il laissa planer un instant de silence, puis il ajouta avec une sollicitude empoisonnée :

« On est venu vous chercher. On vous ramène à la maison. »

Quand il se releva, il s'adressa à nouveau à Falci :

« Ligotez-le solidement. Débarbouillez-le. Il empeste, et vous savez bien qu'elle va vouloir lui parler. »

Le bâtard du sénateur Mastiggia repartit, m'aban-donnant derechef à ses hommes de main. On m'appuya un couteau sur la carotide, et on me redressa brusque-ment. Les sicaires me tordirent les bras sans ménage-ment et les attachèrent si cruellement que très vite, je perdis la sensibilité des mains. Ils agissaient avec défiance et rudesse, mais la tête me tournait encore trop pour que je sois capable de tenter quoi que ce soit. Ils me lièrent également les chevilles, puis, en me soulevant sous les aisselles, ils me traînèrent jusqu'à un tronc d'arbre contre lequel ils me jetèrent. L'enseigne Falci me saisit par le col et me redressa en position assise, en cognant assez sèchement ma nuque contre l'écorce suintante. Il s'accroupit face à moi, en me gratifiant à nouveau de son sourire torve ; de la main droite, il se confectionna un bouchon boueux de mousses et de feuilles mortes, qu'il m'écrasa en pleine figure, et dont il me frictionna avec violence. Quand il eut fini, il s'esclaffa en considérant mon museau maculé. Il avait appuyé comme une brute sur ma bouche, et j'avais manqué tourner de l'œil, tant la douleur avait lancé violemment dans ma gencive enflammée.

« Putain, Benvenuto, je suis content de te revoir ! »

Il s'essuya tranquillement les mains, en prenant tout son temps, puis me scruta de nouveau.

« Et tu sais pourquoi je suis content de te revoir ? reprit l'officier. Tu devineras jamais. Non, je t'assure, c'est pas possible. Tu crois que je suis qu'un abruti de base, pas vrai ? Que je t'ai collé au train juste pour te présenter l'addition ? Ce qu'on s'est mal compris, toi et moi. Allez, je vais tout te déballer… Je suis content de te voir parce que je peux enfin te dire un truc important. Un truc que j'ai sur la patate depuis un sacré bail, maintenant. Un truc foutrement capital. Alors voilà, je te le dis, comme ça, sans façon : merci, espèce de sale enculé de merde. »

Son sourire s'élargit, plissant de sillons vicieux son mufle de vétéran.

« Tu te demandes pas pourquoi je te dis merci ?

— T'as toujours été une fiotte, Falci, grognai-je faiblement. En me montrant ta queue, t'as réalisé un vieux fantasme. »

Un tic nerveux fit tressaillir une de ses paupières, et son rictus devint peut-être plus crispé, mais il résista à la provocation. Il ne leva pas la main sur moi, il ne haussa même pas le ton.

« T'as pas complètement tort, répondit-il, t'as beaucoup occupé mes pensées. En fait, pendant mes longs mois de captivité, t'as représenté mon unique rayon de soleil, ma seule raison de m'accrocher à cette garce de vie, de sortir mes fesses des cachots de Ressine. C'est pour ça qu'il faut que je te remercie. C'est à toi que je dois d'être encore ici… »

Il se pencha un peu vers moi, sans se soucier des relents de pissotière. Il faut dire qu'il était en terrain connu.

« C'est que ça m'a beaucoup occupé, de savoir comment je m'y prendrais pour te saigner, reprit-il sur le ton de la confidence. J'avais que ça à faire, tu sais, surtout quand les janissaires ont égorgé mes derniers gars, sous mes yeux, en me gardant en vie parce que j'étais l'unique officier capturé. J'ai été très seul, alors forcément, j'ai gambergé. Ah oui ! Ce que j'ai pu me creuser, peser le pour et le contre, fignoler des variantes à n'en plus finir ! Il fallait que je m'en sorte, parce qu'il fallait que je te retrouve. Et encore ces trucs-là, tu vois, ça ne me tourmentait pas trop, parce que c'était dans l'ordre du possible. La preuve : je suis revenu, et je t'ai serré. Non, le gros problème, c'était de décider ce que je ferais de toi une fois que je t'aurais chopé. Enfin, à part te pisser à la gueule, bien sûr. Trouver la bonne manière pour te faire caner, ça, c'était un sacré casse-tête. J'arrêtais pas d'y penser, ça tournait, ça tournait, j'en avais la cervelle qui bourdonnait, on aurait cru une guêpe folle sous une timbale… »

Je dois convenir que je suivais ses confidences d'une oreille distraite. J'étais gelé d'avoir traîné dans la boue, et l'urine qui avait coulé sous mes vêtements refroidissait insidieusement. Ma gencive était en éruption, et je sentais la partie gauche de mon visage, celle qui avait été caressée à coup de botte, qui enflait comme un soufflé. J'avais tellement mal au crâne que les morsures du lévrier, en comparaison, n'étaient que désagréables picotements. Mon attention flottait donc un brin. Et quand je parvenais à remobiliser mes moyens, c'était pour essayer de jauger la situation en jetant des coups d'œil au-dessus de l'épaule de Falci.

« Des fois, je me voyais te massacrer à la loyale, poursuivait l'enseigne. On réglait ça à l'épée ou au couteau, et je te farcissais d'acier. Je bichais rien qu'à m'imaginer la sensation de la lame qui te traverserait les tripes. Seulement, il reste toujours deux possibilités qui peuvent gâcher les réjouissances ; d'abord, je peux t'allonger un coup mortel qui te tuera net et qui me privera de tout le plaisir ; ensuite, je sais bien que t'es pas manchot, et que c'est toi qui pourrais me suriner... Et ça, tu vois, c'est vraiment pas une option que je veux retenir. »

Un peu plus loin, un des hommes de main de Falci confectionnait un feu. Trois autres avaient répandu le contenu de mon sac dans la boue et éparpillaient mes affaires en quête de butin ; le jeune Stalto Mastiggia, qui paraissait remis de ses émotions, supervisait leur fouille, peut-être en quête de documents. Mon ceinturon d'armes, avec mes deux lames Acerini, était jeté en vrac avec un balluchon étranger non loin du foyer ; je soupçonnai Suario Falci de s'être approprié cette prise-là. Je n'avais même pas à baisser les yeux pour savoir que mon aumônière avait disparu. Et je pouvais m'estimer heureux d'avoir encore mes souliers...

« J'avais une autre solution, enchaînait très bas Suario Falci en me couvant avec un sourire gourmand. C'était te faire déguster, lentement, très lentement, pour qu'on ait tout le temps de savourer nos retrouvailles, toi et moi. Tu sais bien de quoi je veux parler, on a été formés à la même école : on s'y connaît, question cuisine, pour faire cracher son magot à un bourgeois récalcitrant. On sait comment tordre un repu de douleur, sans pour autant mettre sa vie en danger... Enfin, sauf s'il a le cœur pas très solide, mais je te fais confiance, Benvenuto, je sais bien que tu as le palpitant bien accroché. Suffisamment pour résister à des ongles arrachés, des pouces luxés, des coups de gourdin sur les talons ou du fer rouge sur la plante des pieds... Ce genre de gigue, en plus, ça pourrait durer des jours et des jours... »

Je ne voyais plus Dulcino Strigila, et je dois avouer que ça m'inquiétait un peu, car le jeune Mastiggia n'avait pas l'étoffe pour s'opposer à Falci si l'officier décidait de passer aux actes. Plus trace du chien, non plus. Ils pouvaient très bien se trouver dans mon dos, à quelques pas, avec d'autres hommes. Pour ce que j'en découvrais, mes persécuteurs n'étaient guère nombreux... Mais peut-être s'étaient-ils séparés en plusieurs groupes. Même si j'avais l'impression d'avoir trimardé pendant un mois entier dans les collines de Vieufié, je savais bien que cela ne faisait que quelques jours que j'avais quitté Bourg-Preux. Pour être arrivés aussi vite aux frontières de la République, mes traqueurs avaient dû voyager à cheval. En abandonnant le chemin, je les avais probablement gênés ; peut-être d'autres hommes étaient-ils restés avec les montures, au bord de la route.

« Seulement à ce point de mes projets, voilà que je rencontrais un nouveau problème, continuait à pérorer Falci. Un problème moral, oui, un vrai cas de conscience... Et je te prie de pas rigoler, tout le monde n'est pas pourri comme toi. »

Vous parlez que j'avais envie de plaisanter !

« Je suis un guerrier, moi, pas un bourreau, poursuivait-il avec un éclat malsain au fond de la prunelle. Je tue pour la solde et pour la gloire, pas pour le plaisir. Et si je te torture, ça va tout gâcher. Du criminel, je vais faire une victime. Je veux épurer nos comptes, tu comprends, pas me salir... Ça perdrait toute signification...

— Laisse-moi aux tourmenteurs ordinaires du Tribunal des Neuf, grommelai-je. Ils se chargeront de me mettre en pièces à ta place. »

Il hocha négativement la tête.

« Ils t'en feront voir de belles, pas de doute, reprit-il, mais je peux pas non plus. Tu comprends, c'est entre toi et moi. Il y avait combien de types, sur cette galère ? Soixante hommes de pont ? Trois cents gars en comptant la chiourme ? Et au jour d'aujourd'hui, il n'y a plus que nous deux encore en vie. Autant régler ça entre nous, tu crois pas ? Putain, Benvenuto, ces marins et ces soldats, c'étaient mes frères d'armes. Au cap Scibylos, quand Bucefale nous a lancés en fer de lance, c'est avec eux qu'on l'a gagnée, la guerre. Et toi, tu étais où à ce moment-là ? Planqué avec les huiles ? Quant à Bucefale, c'était plus que mon protecteur, plus que mon patron, plus que mon ami : c'était ma bonne étoile. Il allait conquérir la podestatie, et moi, alors, j'aurais gravi tous les échelons de la carrière militaire. J'ai tout perdu, dans ce pétrin. Franchement, comment tu peux seulement supposer que je vais laisser à quelqu'un d'autre le soin de t'écraser comme un pou ? »

Il appuya ses deux mains sur le tronc, de part et d'autre de ma tête, et il se pencha du côté épargné de ma figure pour me chuchoter dans le creux de l'oreille. Je pouvais sentir son souffle contre mon esgourde. J'aurais été plus en forme, je lui aurais peut-être servi un coup de boule ; mais mon crâne pulsait en débâcle, et je l'écoutai bien sagement.

« Ça m'a pris très longtemps pour me décider, susurra-t-il. Le combat ou le calvaire ? Le supplice ou le duel ?… C'est sûr, c'est un dilemme qui m'a drôlement occupé, en cul-de-basse-fosse. J'aurais voulu que t'aies plusieurs vies, tu vois, pour qu'on s'offre quelques danses. Mais l'existence est mal faite, pas possible d'avoir du rab. Il faut que je fasse avec. Te bile pas, va ; j'ai eu tout le temps de réfléchir, et j'ai fini par trouver la solution. En fait, je suis assez fier de moi : j'ai imaginé un compromis assez élégant. Une conclusion à la fois simple et raffinée, quasi une rencontre chevaleresque. Je te laisserai ta chance, oui, mon salaud, et je te ferai aussi cracher tes boyaux. En fait, plus tu voudras vivre, plus il faudra payer. Pas mal, non ? En plus, on n'aura pas besoin de grand-chose : deux couteaux, un marteau et un clou de charpentier. Un surin pour toi, un surin pour moi, à la loyale... Pour ce qui est du clou et du marteau... je te laisse la surprise. »

Il s'écarta de moi, en me donnant une petite claque amicale sur l'hématome qui me boursouflait la face.

« Pour l'instant, je te laisse aux Mastiggia, ajouta-t-il. Ils ont deux ou trois trucs à tirer au clair, je te souhaite bien du plaisir... Mais t'inquiète pas, à la fin, on se retrouvera. Le sénateur, il me doit maintenant la vie d'un fils. Une sacrée dette, surtout que la prime que je lui réclamerai devrait lui plaire... Il m'aidera à graisser des pattes. La veille du jour où tu devras monter sur l'échafaud, je te rendrai visite dans ta geôle. Et n'oublie pas : deux couteaux, un clou et un marteau... »

À mon grand soulagement, Falci m'abandonna. Il ne s'écarta pas très loin, il se contenta d'aller se réchauffer au feu qu'un de ses soudards venait d'allumer, mais il me laissa un peu souffler. Je souffrais toujours du froid, de mes blessures et surtout de ma gencive, mais je subissais toutes ces misères avec un certain détachement. Je ne m'y trompais guère : l'accablement émoussait mes perceptions, et je me considérais avec une sorte de distance, avec ce fatalisme qu'on peut observer chez certains blessés ou chez certains condamnés. J'avais joué et j'avais perdu. Désormais ne m'attendait plus que le pire.

Je contemplai les branches sombres de l'arbre qui me dominait. Quand on touche aux extrémités de son existence, des objets simples prennent soudain une importance disproportionnée ; on s'étonne alors de la complexité des êtres et des choses, et d'avoir été aveugle à tant de détails dans le cours de sa vie. Au-dessus de moi, je découvrais tout un paysage dans le tronc lancé à l'assaut du ciel : des reliefs rugueux, des forêts de lichens, des craquelures vertigineusement fissurées sur ce continent d'écorce. Aux extrémités des branches perlaient déjà de rares bourgeons et des milliers de gouttes cristallines. Je me demandai quel âge pouvait avoir cet arbre ; il était probablement plus vieux que moi. Il me survivrait sans doute de beaucoup, surtout maintenant que j'étais tombé entre les griffes des Mastiggia. Je me pris à regretter d'avoir les mains liées, car pour la première fois depuis des années je ressentis une vague envie de dessiner. Jamais, nulle part, je n'avais vu un tableau, une fresque, une enluminure ou une simple esquisse qui ait représenté la couronne d'un arbre vue du dessous. Au cours de tous ces hivers de léthargie, de tous ces printemps de reverdie, de tous ces étés d'opulence, de tous ces automnes flamboyants, y avait-il eu quelqu'un d'autre que moi pour observer ce chêne comme je le faisais à ce moment-là ? Serais-je la seule conscience à l'avoir jamais admiré, à y avoir trouvé une beauté indifférente ? L'idée me réconfortait et me désolait à la fois, comme s'il était plus triste pour l'arbre que pour moi que je sois destiné à mourir bientôt.

« Le voici », dit la voix de Dulcino Strigila.

Plongé dans ma rêverie résignée, peut-être aux limites de l'évanouissement, je ne les avais pas entendus approcher. Devant moi se dressait Strigila, flanqué du secrétaire du sénateur Mastiggia et du lévrier de Valanael. Par réflexe, je recroquevillai mes jambes contre ma poitrine pour me protéger du chien, mais le limier paraissait à nouveau tranquille, et il agita faiblement la queue quand le gratte-papier posa une main délicate sur sa tête. C'était très étrange, de me retrouver face à ce trio : j'avais l'impression que notre rencontre dans la via Maculata datait de la veille. Et puis, le temps de cligner les paupières, le secrétaire devint quelqu'un d'autre.

C'était une femme. Elle était travestie, mais une fois qu'on avait réalisé que ce n'était pas un homme qui portait ces modestes vêtements de clerc, elle paraissait beaucoup plus grande. Très étrange, la façon dont des chausses, un pourpoint et une cotte hardie ordinaires inspirent une équivoque sensuelle quand on réalise que ce costume masculin épouse un corps féminin. L'ambivalence de ces jambes habillées mais visibles, de la poitrine serrée sous le justaucorps, du cou gracile trop sagement sanglé dans un col cassé nimbait la charmeresse d'une coquetterie vaguement crapuleuse... Ce qui me frappa plus que tout, cependant, ce fut la révélation de sa beauté. Comment avais-je pu passer à côté d'un visage pareil ? Elle était certes très différente de la fraîcheur sucrée d'une Aspasina Monatore ou même du charme entêtant des elfes ; il s'agissait d'une femme mûre, on découvrait des rides de concentration sur ce front bombé, des sillons de lassitude au coin de ces yeux, un pli d'amertume à la commissure de ces lèvres. Et pourtant, l'âge lui-même ennoblissait cette figure, affinait sa séduction en la tempérant de sagesse, en soulignant sa fragilité. Le corps, masqué et révélé par l'accoutrement masculin, exerçait une séduction trouble que ce visage à la beauté lasse tempérait de dédain. J'acquis la certitude que c'était elle qui avait chanté au cours des funérailles de Regalio, que c'était elle dont Sassanos m'avait dit de me défier, et que c'était elle qui m'avait retrouvé en me traquant dans l'entremonde.

« Il est en mauvaise condition, dit-elle en posant sur moi un regard neutre. Personne n'a pansé ses blessures, il a froid, et je crois qu'il est malade. Par la Déesse, il sent très fort ! Il faut le soigner, si nous ne voulons pas courir le risque de le perdre.

— Bon sang, j'ai pourtant demandé à Falci de s'en occuper...

— Je doute que Falci puisse le faire, répondit-elle, cela dépasse ses forces. Je vais m'en charger ; tu le tiendras en respect quand je m'occuperai de lui. »

Elle déposa un petit havresac et entreprit de confectionner un second feu, à côté de moi, pour éviter d'avoir à me déplacer. Je lui en fus terriblement reconnaissant, car je voyais l'enseigne Falci qui me lançait des regards haineux depuis l'autre foyer. Je fus frappé de constater l'aisance avec laquelle elle montait ce petit bivouac en compagnie de Dulcino Strigila ; ils agissaient comme un vieux couple, avec une complémentarité tranquille, sans échanger une parole. Pourtant, le bâtard du sénateur Mastiggia était probablement d'un rang bien supérieur, et il me semblait trop jeune pour être son amant. Ils récupérèrent un peu de neige fondante dans un petit chaudron, qu'ils installèrent sur le feu. En attendant que l'eau chauffe, la sorcière vint s'agenouiller devant moi. Ses yeux me parurent désabusés et las, tandis qu'elle me dévisageait. Je puais trop pour déceler chez elle un quelconque parfum, mais j'éprouvai sa proximité physique comme un rayonnement, une présence qui dissipait toutes les réserves que son âge pouvait opposer au désir.

« Je suis dònna Lusinga, me dit-elle. Nous nous sommes déjà rencontrés à plusieurs reprises, mais aujourd'hui vous me voyez pour la première fois telle que je suis, parce que j'ai besoin de parler avec vous. Pour commencer, je vais vous soigner. Ne tentez rien contre moi. Je suis votre seule protection contre tous ces hommes. Si vous levez la main sur moi, don Dulcino vous tuera sans doute plus vite que l'enseigne Falci. »

Je faillis lui dire que ce serait plutôt une bonne opération pour moi, mais j'étais trop exténué pour faire ma mauvaise tête. Ce qui émanait d'elle m'apaisait, et même si j'avais conscience que ce relâchement était dangereux, je préférais nettement sa méthode aux confidences torturées de Falci. Je hochai vaguement la tête, pour montrer que j'avais compris.

Elle me lava le visage avec un linge humide, appliqua un cataplasme sur mon ecchymose, puis délaça mon col pour nettoyer la morsure et y appliquer un baume.

Elle ne sembla se livrer à aucun rituel, mais elle avait de vraies mains de guérisseuse : légères, chaudes et douces, qui laissaient une sensation durable sur la peau qu'elles avaient touchée. Sous ce contact, l'hématome se fit moins cuisant, et même ma rage de dents parut décroître. Cependant, alors même que je retrouvais un peu mes moyens, je sentis se nouer en moi un malaise déconcertant. Ces secours qu'elle me prodiguait, elle me les accordait sans chaleur. Ce visage hiératique, si proche de ma trogne couturée, restait absent. Même l'odeur d'urine ne semblait plus l'incommoder. Je passais entre les mains d'une femme splendide, qui me considérait avec autant d'intérêt qu'un billot de bois.

Quand elle eut fini, elle me tendit un breuvage chaud dans une écuelle. Il s'en exhalait une vapeur tonique et amère, qui éveilla ma méfiance, et je détournai la tête.

« Cela vous réchauffera et vous redonnera quelques forces, dit-elle. Mais si vous n'en voulez pas, tant pis. Je n'ai pas envie d'insister. »

Elle retira la boisson. Je balançai un instant ; m'empoisonner n'avait pas de sens, mais je craignais un philtre aux effets pernicieux. Je faillis me laisser fléchir, et puis je me rendis compte que je ferais cela pour lui plaire, et cela aiguillonna d'autant plus ma défiance. Je refusai une fois de plus ; comme elle me l'avait dit, elle ne s'obstina pas. Je notai toutefois que ni elle ni Strigila ne burent la mixture.

« À présent, je souhaite que nous ayons un entretien, vous et moi », ajouta-t-elle.

Elle s'installa en tailleur près du feu, avec une souplesse de jeune fille. Dulcino restait à côté d'elle, le visage grave, je ne sais quoi de protecteur dans son attitude. Je vis aussi le jeune Stalto se détacher du groupe des soudards et se rapprocher, avec une allure presque timide. Malgré notre récent accrochage, il ne m'avait pas l'air très hostile ; bizarrement, je lui trouvais la mine plutôt empruntée.

« Je suppose que vous mesurez la gravité de votre

situation », énonça dònna Lusinga après un instant de silence.

Je me permis un ricanement plein d'autodérision.

« Dès lors, il serait raisonnable que nous nous simplifiions mutuellement la tâche, ne croyez-vous pas ? »

Je haussai vaguement les épaules.

« Ce type, là-bas, m'a déjà promis une mort bien tordue, dis-je en désignant Falci du menton.

— Ils vous tortureront si vous ne coopérez pas, répondit froidement la sorcière. Je ne pense pas que ce soit le meilleur biais pour vous amener à collaborer, mais c'est ce qui arrivera immanquablement si vous déclinez mon offre.

— Et qu'est-ce que vous m'offrez ?

— Une fin digne, et les moyens de faire la paix avec vous-même. »

Je grimaçai un rictus.

« C'est quoi, ce charabia ?

— Ce n'est pas du charabia, je vous parle en toute franchise. Je vous le démontrerai.

— Et qu'est-ce que vous attendez de moi ?

— La vérité. Ce qui s'est passé sur la galère de Bucefale. La nature de l'accord secret entre le chah Eurymaxas et le podestat Ducatore.

— Et le meurtre de Blattari, alors ? crachai-je. Vous ne voulez pas que je vous raconte comment il a été organisé ? »

Strigila m'adressa un sourire dur.

« Bien sûr que non, rétorqua dònna Lusinga en esquissant un geste négligent. Vous n'y êtes pour rien, et vous savez que nous le savons.

— C'est vous qui avez fait la leçon aux tueurs, pour le sceller à la nécromancie, non ?

— Ces mutilations lui ont épargné des tourments encore plus abominables, si on l'avait rappelé après sa mort.

— Et c'est vous qui me garantissez une fin digne et

790

je ne sais quelles conneries sur ma paix intérieure ? Laissez-moi rire ! »

Pour la première fois, un fantôme de sourire erra sur les lèvres bien dessinées de la sorcière.

« Vous vous croyez malin, n'est-ce pas, don Benvenuto ? observa-t-elle lentement. Vous pensez peut-être impressionner un cœur féminin en faisant preuve de courage dans une situation si désespérée ? Cessons de perdre du temps. Je ne suis pas votre amie, je ne cherche pas à vous épargner. Si je veux vous éviter la torture, ce n'est pas par mansuétude, c'est parce que c'est l'issue que vous recherchez. Vous êtes un homme abîmé, don Benvenuto. Très abîmé. Bien au-delà de ce que vous pensez… »

Elle me scruta avec plus d'acuité, et elle parut se raidir contre un sentiment de dégoût.

« Vous ne raisonnez plus qu'en termes de conflit. Vous êtes complètement faussé. La torture que vous redoutez, vous la désirez aussi dans les tréfonds viciés de votre esprit, parce que vous vous détestez, et parce que résister à la douleur est encore une façon de vous affirmer, de vous légitimer à vos propres yeux. Vous supplicier serait un double gâchis, pour vous comme pour nous. Et en jouant au plus fin avec moi, c'est ce que vous souhaitez provoquer… Même blessé et prisonnier, vous vous livrez encore à des rodomontades. Admirable, pensez-vous avec vos valeurs étriquées de truand. Pitoyable, en réalité. Vous êtes prêt à vous faire écharper pour des hommes qui vous ont utilisé, trahi, abaissé. Qui vous ont déjà en grande partie détruit. Qui ont fait de vous un être hanté…

— Cessez de gaspiller votre salive, grommelai-je. Ce que vous racontez, c'est trop compliqué pour moi.

— Et vous, qu'avez-vous gaspillé ? Votre apparence ? Votre position ? Votre santé ? Mesurez-vous tout ce que Leonide Ducatore vous a déjà pris ? Laissez-moi vous ouvrir les yeux. Il y a peu de temps que je vous connais, il est vrai ; avant la disparition de Bucefale, je dois avouer que j'ignorais tout de vous. Toutefois, il est de notoriété publique qu'avant la guerre vous n'étiez pas défiguré : c'est le podestat Ducatore en personne qui l'a rappelé en pleine séance du Sénat. Or d'après l'enseigne Falci, vous n'étiez toujours pas blessé à l'issue de l'abordage où il a été capturé, quand il vous a vu fraterniser avec les Ressiniens. Ces cicatrices sont donc les traces de sévices postérieurs. J'en déduis qu'on vous a marqué dans les jours qui ont suivi, pour donner le change, couvrir votre intelligence avec l'ennemi et protéger celui pour lequel vous travaillez. C'est déjà un terrible sacrifice que vous avez consenti à la cause des Ducatore. Je ne vous apprends rien sur ce chapitre, j'en suis consciente ; mais vous risquez d'être plus étonné par la suite. Car sachez que ce n'est pas la seule façon dont on vous a altéré pour servir votre maître… »

Elle me dévisagea avec un regain d'intensité, comme si elle cherchait à déchiffrer quelque chose sur ma trogne, et bien malgré moi je sentis ma respiration s'emballer et la sueur perler sur mon front. Je détournai les yeux, de crainte qu'elle ne lise trop loin en moi, mais le malaise ne s'atténua en rien. J'avais le sentiment déroutant que ce n'était pas mon regard qu'elle sondait, mais autre chose, peut-être le réseau de mes balafres. Je songeai aux scarifications de Sassanos et de Psammétique, et je me demandai si elle cherchait un sens à mes propres cicatrices.

« Vous avez mal, finit-elle par dire. Mal aux dents. Pensez-vous que cela soit naturel ?

— Je pense surtout que c'est vous qui m'avez abruti avec un maléfice.

— Détrompez-vous : cette douleur a interposé un écran entre vous et moi. Dans un sens, elle vous a diverti des charmes que j'ai employés… C'est sans doute un mauvais sort, mais il ne vient pas de moi.

— De qui, alors ?

— Montrez-moi ces dents, et je pourrai vous en dire plus. »

Par bravade, je lui décochai un sourire canaille. Je vis ses yeux se poser sur mon râtelier en or. Elle ne manifesta aucune expression, mais, après un instant, elle énonça lentement :

« Ce que vous avez dans la bouche est une abomination. »

Le détachement tranquille avec lequel elle me balança ces mots me refroidit un tantinet, et je refermai le bec.

« Pour vous prouver ma bonne foi, je peux essayer de vous soulager, reprit-elle. Le souhaitez-vous ?

— Vous allez lever le sort que vous m'avez jeté ? grognai-je.

— Même si cela était, ne vous en porteriez-vous pas mieux ?

— Je suis votre prisonnier, après tout... »

Dònna Lusinga leva légèrement les mains, les paumes tournées vers le ciel, et elle ferma ses grands yeux. Elle demeura silencieuse quelques instants, dans une position d'orant, puis elle entonna un air. Sa voix, veloutée et grave, me prit aussitôt aux tripes ; c'était bien celle de la diva qui avait enchanté le banquet funèbre de Regalio. Elle chantait mezza vocce, mais elle chantait juste devant moi, et d'une certaine façon elle chantait pour moi : la beauté de ce timbre me traversa comme une onde de force. Falci et ses hommes tournèrent la tête vers elle, aussitôt captés ; Stalto Mastiggia, qui était juste derrière la sorcière, se laissa aller au point de fermer les yeux, et je vis que Strigila luttait pour maintenir son attention sur moi. Je ne compris pas ce que psalmodiait dònna Lusinga, et à vrai dire j'étais tellement accroché par cette voix que je ne pris pas garde aux paroles. C'était une mélodie simple, sans doute ancienne, pleine de tristesse désuète. Quand elle se tut, tous les hommes rudes de ce petit camp demeurèrent cois, sans doute intimidés par la grossièreté de leurs propres timbres ; dans ce silence encore sonore, même le pétillement du feu et le grondement étouffé des rus en crue conservaient une netteté douloureusement sensible.

Je me mordis les lèvres pour m'empêcher de chigner comme un gosse, parce que je risquais d'avoir l'air cloche, avec mes mains liées, si je laissais échapper une larme sans pouvoir l'essuyer. Je me les mordis même assez fort.

Et je me rendis compte que je n'avais plus mal aux dents.

« Bordel ! Comment vous avez fait ça ? »

J'eus l'impression de coasser ces mots ; en rompant le charme, je sentis l'attention de tous les hommes se braquer sur moi avec un sacré regain d'antipathie. Mais à vrai dire, je m'en battais joliment la breloque. Je n'en revenais pas : d'un seul coup, je me sentais à nouveau normal, la gencive calmée, les sinus apaisés, les perceptions plus claires. C'était comme si on m'avait extrait une écharde qui me taraudait depuis des jours : une délivrance immédiate, stupéfiante, miraculeuse.

« J'ai un peu apaisé le mal, dit la sorcière.

— Un peu ? Vous appelez ça un peu ? C'est à peine croyable, je ne sens plus rien ! Qu'est-ce que vous m'avez fait ?

— À vous, je n'ai rien fait.

— Hein ? Mais vous venez de me guérir quasiment en claquant des doigts.

— Je n'ai rien guéri du tout, rectifia-t-elle sombrement. Ce n'est pas pour vous que j'ai chanté, mais pour quelqu'un d'autre.

— Je comprends rien à ce que vous me dites, mais ça marche ! Sainte Vérole ! Ce que ça fait du bien !

— Je n'ai pourtant pas utilisé un rituel de guérison, don Benvenuto. J'ai récité une très ancienne prière pour le repos des défunts.

— Pour le repos des défunts ?

— En l'occurrence, pour le repos d'une morte. Une petite fille. Cela vous éclaire-t-il davantage ? »

Et comme je restai bouche bée, rattrapé soudain par

la réminiscence moisie de quelques mauvais rêves, dònna Lusinga poursuivit impitoyablement :

« Quand je vous ai dit que vous étiez un homme hanté, je ne m'exprimais pas de façon figurée. Votre conscience, ou ce qui vous en reste, ne m'intéresse guère. Il y a bel et bien chez vous des fantômes, de véritables fantômes. Je perçois faiblement les lambeaux d'un esprit fruste, assassiné et vampirisé. Mais celle qui vous tourmente, c'est une enfant. Une enfant sans sépulture, dont les restes ont été profanés en suivant des rituels obscènes. Une enfant dont les mânes ont été soumis à la volonté d'un nécromant. Une petite morte que l'on a ensuite liée à vous pour vous surveiller et vous contrôler. Dans vos dents. L'or dans lequel on a façonné votre prothèse contient sans doute le fragment d'une dent de la défunte. Elle est en vous. C'est elle qui vous tourmente. C'est pour elle que j'ai chanté. »

Pas de doute : elle avait réussi à me couper la chique. Sûr, j'aurais bien aimé croire qu'il ne s'agissait que d'un conte sinistre, un boniment qu'on me servait pour me convaincre que j'avais tout à gagner en trahissant mon patron. Mais j'étais frappé par les échos que le discours de la sorcière éveillait en moi. J'avais bel et bien rêvé à plusieurs reprises d'une gamine maigre à faire peur ; j'avais encore dans l'oreille la voix aigrelette qui s'était exprimée à travers l'ombre de Welf ; pas plus tard que ce matin-là, j'avais vu la neige piétinée par des empreintes d'enfant... Tout cela pouvait encore relever de la fièvre ou d'un enchantement tissé par Lusinga elle-même, mais que penser de ce que m'avait dit Melanchter ? De ce que m'avait confié Annoeth, la veille de mon départ ? Dans le temple de la Vieille Déesse, l'elfe m'avait glissé une allusion que j'avais alors interprétée de travers, une allusion que je comprenais seulement maintenant, c'est-à-dire bien trop tard. De quoi avait-il parlé au juste ? D'un sortilège noir, si ma tête ne me jouait pas de tours. J'avais cru qu'il avait deviné ce que Sassanos et moi nous avions commis dans la forêt de Cluse ; en fait, il avait probablement perçu la présence de la petite morte...

« Qu'est-ce qui me dit que vous ne me jouez pas un tour à votre façon ? observai-je. Même en admettant que je sois vraiment envoûté : qu'est-ce qui m'assure que vous n'en êtes pas responsable ? Pourquoi ce serait pas vous, plutôt que le sapientissime, qui auriez corrompu l'orfèvre Celari pour sertir un bijou pourri dans ma joaillerie ? »

Ces objections, je les soulevais juste pour gagner du temps. J'étais à peu près persuadé qu'elle disait vrai, que le coup venait de Sassanos. Quand la petite s'était manifestée pour la première fois, dans la nuit qui avait suivi notre fuite hors de Ciudalia, je me souvenais d'avoir secoué en vain le sorcier pour le tirer de sa léthargie tandis qu'il récitait des versets fuligineux ; à la fin de notre voyage, quand il avait recousu ma lèvre, il avait bée sur mon dentier. Ce sinistre farceur s'était vraiment payé ma tête : il s'était rengorgé sous mon nez à propos du sale tour qu'il m'avait joué. Pensez donc, la bonne blague ! Me loger un éclat de charogne dans les chailles et me faire admirer le travail de l'orfèvre, par-dessus le marché !

J'en éprouvai un véritable haut-le-cœur, un dégoût violent, le besoin de cracher ce dentier qu'on m'avait lié aux canines avec des attaches de métal.

« Vous êtes un homme rusé, don Benvenuto, répondait lentement la sorcière. C'est d'ailleurs parce que le podestat Ducatore a identifié cette qualité chez vous qu'il a fait de vous son agent. Servez-vous donc de votre tête. Qui vous a offert ces dents ? Quand cette prothèse a-t-elle été fabriquée ? Vous veniez à peine de rentrer de captivité. À cette époque, le sénateur Mastiggia croyait encore que vous aviez tenté de sauver son fils. N'est-ce pas assez pour vous convaincre que je ne suis pour rien dans cet envoûtement ? Et dans ce cas, qui soupçonner ?

— Pourtant, vous avez employé la magie contre

moi. Sassanos a utilisé plusieurs tours pour me protéger contre vous.

— Oui, j'ai employé la magie, mais pas contre vous. J'ai essayé de vous ouvrir à vous-même, de libérer des voix venues de votre passé, dont beaucoup sont en conflit avec ce que vous êtes devenu. En tissant mes charmes avec vos rêves et votre mémoire, j'ai essayé de vous rédimer et j'ai réussi à vous retrouver, mais je n'ai pas cherché à vous dénaturer. Je n'y ai pas intérêt. Vous êtes votre propre juge, don Benvenuto : si je parviens à rallier en vous ce qui condamne vos propres actes, j'y risquerai beaucoup moins qu'en cherchant à vous briser, et je pourrai vous permettre de vous réconcilier avec vous-même avant que la justice ne soit rendue. »

Je laissai échapper un ricanement amer.

« La justice… Vous avez de drôles de mots pour une vendetta privée.

— Vous savez aussi bien que moi qu'il n'existe plus de justice d'État à Ciudalia, répliqua-t-elle. Les choses ont encore empiré depuis votre départ : la ville est au bord de la guerre civile. Mais vous n'avez pas besoin d'un procès pour reconnaître votre culpabilité : vous avez prêté votre concours à une trahison, et peut-être à un assassinat. La famille Mastiggia ne peut pas vous épargner, et si l'institution judiciaire n'est plus fiable, les Mastiggia se substitueront aux magistrats et aux bourreaux. Vous n'avez plus que ce choix, certes terrible : rétablir la vérité, admettre vos crimes et mourir dans la dignité, ou bien persister dans le mensonge, proclamer une innocence à laquelle nul ne croit et mourir dans les pires tourments. Je veux vous épargner cette fin absurde. Aidez-moi à vous aider.

— Et comment vous pourriez m'aider ?

— Vous soulager de la douleur n'est pas un gage suffisant ? Ne craignez-vous pas ce que je pourrais vous révéler d'autre ? »

Je faillis faire mon cabotin, et lui lancer un chiche railleur en pleine figure. Toutefois, je n'avais plus assez le moral pour ce genre de pitrerie. Je préférai jouer franc-jeu.

« Vous savez ce qui va se passer, si je cause ? Je deviendrai trop précieux pour que vous me liquidiez, du moins dans l'immédiat. Alors vous allez me rapatrier, d'accord, mais pour m'exhiber publiquement, et pour utiliser mon témoignage contre Leonide Ducatore. Et qu'est-ce qui va m'arriver ? Leonide Ducatore voudra ma peau, au moins autant que vous, qui me garderez juste pour le dessert, une fois que vous n'aurez plus besoin de mon verbiage. Et pendant que vous chercherez à me prolonger jusqu'à ce que j'aie rempli mon sale boulot de balance, les Chuchoteurs entreront dans la danse pour me faire taire à leur façon. Le sort qu'ils me réserveront, eux, sera pire que la mort. Ce qu'il me restera à vivre, ce sera une existence de rat piégé : je serai réduit à bavocher comme une donneuse en priant les quatre Dieux pour être tué plutôt qu'aveuglé et mutilé. C'est tout ce que vous avez à m'offrir, ma jolie. Alors tant qu'à faire, s'il faut que je trinque, autant y aller cul sec, dès maintenant. Rappelez donc Falci. Il a une histoire de clou et de marteau à m'expliquer. »

La sorcière me toisa avec un dédain vaguement amusé. Une étincelle sarcastique naquit dans son regard splendide, et s'accentua de déplaisante manière. Elle se riait de mon discours, ma fermeté n'avait pas plus de poids pour elle que le caprice d'un gamin.

« Et les bateaux ? dit-elle sur un ton étrange, en détachant un peu trop les syllabes, comme si elle s'adressait à un demeuré.

— Hein ? Quels bateaux ?

— Tous ces beaux bateaux, reprit-elle avec un sourire charmeur, rayonnant de bienveillance. Ces bateaux sur les pavés du port. Ces si jolis bateaux, tout remplis de détails, avec les vagues, les voiles, les flammes claquant au vent... »

J'ouvris des yeux ronds, suffoqué, en refusant

d'admettre qu'elle pouvait évoquer ce à quoi je pensais.

« Oh si, Benvenuto, reprit-elle avec une cruauté maternante, je te parle bien de ces bateaux-là. Ces beaux dessins que tu faisais sur la chaussée, il y a… pas si longtemps que cela, quand j'y pense… Oui, j'étais déjà rentrée à Ciudalia quand tu décorais ainsi les quais, et Bucefale était déjà né… Le petit glouton… Tu sais que je lui donnais le sein, à l'époque ? Sa mère, la pauvre dònna Luctosa, n'avait guère de lait… Mais que t'importent ces histoires de femmes, n'est-ce pas ? Toi, ce qui t'intéressait, c'était déjà le destin d'un homme… D'un homme embarqué sur l'un de ces si jolis navires au milieu de tes si jolis dessins… »

Abandonnant son jeu, son beau visage redevint las et indifférent.

« Comment s'appelait cette galéasse, déjà ? La *Speranza*, non ? Combien d'années, don Benvenuto, avant que vous n'ayez abandonné tout espoir ?

— Vous délirez grave, crachai-je, sans pouvoir dissimuler la bouffée de colère qu'elle avait ranimée en moi.

— Bien sûr que non, dit-elle tranquillement en haussant les épaules. N'est-ce pas le tournant de votre existence, la disparition de cet homme et de ce navire ? Auriez-vous eu votre réponse, un marin se serait-il arrêté un jour pour vous dire ce qui était arrivé à la *Speranza*, quelle direction votre vie aurait-elle prise ? Seriez-vous quand même devenu le criminel que vous êtes aujourd'hui, ou auriez-vous suivi un autre chemin ? Êtes-vous en accord avec l'homme que vous auriez pu devenir, ou êtes-vous devenu quelqu'un de radicalement différent ? C'est cette révélation que je peux vous offrir. Je sais ce qui est arrivé à la *Speranza*. J'ai le pouvoir de répondre à la vieille question. Je peux donner du sens à toutes ces années, à la lente dérive de votre existence. Accordez-moi ce que je veux, et je vous donnerai ce que vous avez tellement désiré savoir. Cela ne vaut-il pas la peine d'essayer ? Quitte à essuyer tous

les tourments que vous redoutez ? Les hommes auxquels vous avez attaché vos services n'ont jamais vu en
vous qu'un instrument commode ; pour moi, vous êtes
un ennemi, mais je suis prête à traiter cet ennemi en
être humain, et à donner du sens à l'existence que je
vais détruire. Cela ne mérite-t-il pas que vous réfléchis-
siez à mon marché ? »

Réfléchir ? Elle en avait de bonnes, la Lusinga. Est-
ce qu'on est encore en état de réfléchir quand on vient
d'encaisser un solide coup de genou dans les burettes ?
Là, elle avait tapé fort, et méchamment, et pile sous la
ceinture. Le choc me coupait le souffle, comme si elle
avait cogné pour de bon. D'où pouvait-elle ressortir
cette histoire ? Et à vrai dire, je m'en fichais un peu,
de connaître ses sources ; j'imaginais qu'elle m'avait
sondé avec sa foutue magie, et qu'elle m'avait feuilleté
comme un vulgaire semainier. Ah tiens, un souvenir
d'enfance ! Comme c'est attendrissant ! Si on appuyait
là où ça fait mal… La sale maritorne !

À vrai dire, son marché ne me paraissait pas plus
convaincant qu'auparavant. Mais là n'était pas le danger : ce qu'il y avait de pervers dans sa manœuvre, c'est
qu'elle m'avait secoué, suffisamment pour me brouiller
les idées. Elle avait réussi à me prendre en embuscade,
à faire sortir du bois toute une meute d'émotions que je
maîtrisais mal, et à me faire perdre mon assurance. De
façon très angoissante, je me sentais démasqué : parce
qu'elle avait fouiné dans mon passé, mais surtout parce
qu'elle avait réussi à réveiller le mioche triste que
j'avais essayé d'oublier. Résister à la pression quand
vous êtes un cador, c'est une chose ; tenir le choc quand
on vous jette à la gueule vos chagrins d'enfance, c'est
une autre paire de manches. Elle était en train de me
donner l'assaut, la virago, mais pas sur le terrain où je
l'attendais. Elle cherchait à fendre l'armure. Elle arrachait la cuirasse pour se frayer une voie au cœur. Elle
tentait de briser l'homme pour faire parler le môme.

Dans un sens, elle disait vrai : elle me traitait en être

humain. Mais ce qu'il y avait d'effrayant dans sa méthode, c'est qu'elle ne cherchait à me rendre mon humanité que pour me faire plier. J'étais coincé entre deux monstres : le nécromant qui m'avait déshumanisé pour mieux servir ses intérêts, l'enchanteresse qui me rendait mon humanité pour mieux servir ses intérêts. Pour tous, en fait, je n'étais qu'un outil, et un outil qu'on ne se privait pas de raboter, d'aiguiser ou d'émousser pour en tirer le meilleur usage. J'aurais presque préféré n'être qu'un chien, comme Legame, l'élégant lévrier qui m'avait pisté, qui avait tenté de m'arracher la gorge, et qui se tenait maintenant assis bien sage devant moi, parce qu'il faisait ce qu'on lui ordonnait de faire... Au moins, les choses auraient été plus simples et plus claires. Qu'est-ce que j'étais d'autre, en définitive ? On m'avait dressé, on m'avait marqué ; et même si j'étais un animal de luxe capable de rendre de beaux services, je restais un simple clabaud que le premier sanglier venu pouvait éventrer sans que cela affecte vraiment ses maîtres...

En m'obstinant à couvrir Leonide Ducatore, finalement, je restais prisonnier de mon dressage. Et si je parlais ? Juste pour le plaisir du bras d'honneur ultime, pendant mon dernier tour de piste. En définitive, si je n'étais pas un brave toutou ? Prouver ma liberté par la sottise et par l'infamie ? En profiter pour me venger de tous les coups tordus de mon patron... De façon cocasse, la seule chose qui me retint encore un peu, c'était la répugnance que j'éprouvais à donner satisfaction à la sorcière. Elle avait trop bien réussi son coup : elle n'avait pas seulement ranimé le gamin, elle avait piqué le gosse boudeur et buté. Mais combien de temps ce moutard pourrait-il tenir tête à une maîtresse femme comme dònna Lusinga ? Tout en fixant le chien, tout en enviant le chien, je m'effrayais de ma confusion : j'étais en vrac, je ne raisonnais plus d'équerre, il ne manquait plus qu'un dernier coup de pointe pour que la sorcière perce mes défenses.

Ce fut alors que le chien redressa les oreilles.

Le lévrier leva le museau, soudain attentif. Il humait l'atmosphère saturée par l'humidité et les effluves tanniques que délivrait le dégel. Au bout de quelques instants, il poussa un aboiement très bref, puis se dressa sur ses quatre pattes. Dulcino Strigila lui intima l'ordre de se taire, mais le chien ne daigna pas se tourner vers lui et le gratifia à peine d'un mouvement d'oreilles. Chez un animal si bien dressé, cette petite manifestation d'insoumission sentait le roussi. Le chien s'écarta légèrement, le museau tendu vers une zone du sous-bois. Il demeura un court moment en alerte, puis partit d'un long aboiement coléreux.

Tout le monde se tourna vers lui, aussi bien les soudards de Falci et les demi-frères du clan Mastiggia que la sorcière. Suario Falci vint se planter à côté de Lusinga et de Dulcino.

« Qu'est-ce qu'il sent ? Une bête ? demanda-t-il.

— Si c'est un animal, alors il est dangereux, répondit la sorcière en se levant et en se désintéressant de moi. Peut-être des loups, ou un ours.

— Des loups n'approcheraient pas d'un groupe d'hommes si nombreux, observa Dulcino.

— Un ours ? » s'étonna Falci, l'air un peu incrédule.

Tous regardaient maintenant dans la même direction que Legame, qui continuait à donner de la voix, sur un mode de plus en plus rageur.

« Est-ce que ça pourrait être… lui ? énonça Dulcino en baissant le ton.

— Non, ce n'est pas possible, répondit dònna Lusinga. Cela fait des mois que les miroirs restent aveugles à son sujet. Je me demande même s'il est encore vivant…

— Ça pourrait être des hommes, grogna Falci. Cette

région est infestée de brigands. On ferait mieux de prendre garde. »

Et sans même attendre de réponse de ses compagnons, il ordonna à ses soudards de ramasser leurs affaires et de se tenir prêts à partir. Lusinga rejoignit le chien et posa une main sur sa tête. Le lévrier se tut, mais demeura dans une posture menaçante. La sorcière resta immobile quelques instants ; elle me tournait le dos, mais il émanait d'elle une impression de concentration. Quand elle reprit la parole, ce fut d'une voix soucieuse :

« Il y a des hommes déployés sous les futaies. Et des chevaux.

— Est-ce que ce peut être Resbandero avec nos montures ? demanda le jeune Stalto.

— Non, répliqua immédiatement la sorcière. Ils ignorent tout de l'endroit où nous avons capturé Gesufal, et je ne puis les guider jusqu'ici.

— Alors ce sont des inconnus ? intervint Dulcino.

— Legame ne connaît pas leur odeur. Mais je peux essayer de mieux les voir par d'autres moyens… »

Elle retourna rapidement vers moi, sans accorder le moindre intérêt à ma personne. Dans une musette, elle puisa une poignée de graines qu'elle jeta au milieu du feu. Les germes s'enflammèrent dans un pétillement délicat et exhalèrent des fumerolles à peine perceptibles. Lusinga se pencha vers les flammes, et parut les scruter tout en inspirant largement. Son manège ne dura guère : à peine avait-elle commencé, elle fut secouée par un hoquet. Elle écarquilla les yeux, et je crus bien saisir une trace de peur dans son regard.

« La Déesse nous vienne en aide ! s'écria-t-elle.

— Ils sont nombreux ? Hostiles ? demanda Falci.

— Je l'ignore, répondit-elle en essayant de dominer ce qui ressemblait bel et bien à un accès d'angoisse. Je n'ai pas pu les voir.

— Qu'est-ce qui vous a inquiétée ? intervint Dulcino.

— Nous ne sommes pas seuls ici », répondit-elle d'une voix blanche.

Elle releva les yeux sur les arbres dépouillés qui nous entouraient. Elle joignit les doigts, dans un geste de crainte, presque de révérence. Peut-être me trompais-je, mais elle me parut bien près de se tordre les mains.

« Nous ne sommes pas seuls, répéta-t-elle avec une peur bien visible. Nous sommes entourés de larves.

— Des larves ? releva Falci en haussant un sourcil perplexe.

— Oui, des larves. Des esprits morts. Il y en a des quantités, massés sur les branches, comme un banc de corbeaux. Ils me rendent aveugle à ce qui se trouve au-delà.

— Alors c'est bien lui, gronda Dulcino en saisissant l'épée. Il est revenu.

— Ce n'est pas possible, s'obstina dònna Lusinga. Pour appeler tant d'esprits, il faut une puissance... ou un sacrifice démesurés. Il n'a jamais accompli un rituel de cette envergure... »

Au même moment, les aboiements du chien devenaient furieux. Un des vétérans de Falci s'écria alors : « Au nord ! Alerte ! Au nord ! » Presque en même temps, Stalto Mastiggia se mettait lui aussi à glapir, d'une voix de fausset, quelque chose d'assez confus sur des ombres qui traversaient des taillis. Autour de moi, les lames furent tirées, et le coffre puissant de Falci retentit dans le sous-bois, ordonnant à tout le monde de se rassembler autour de sa seigneurie Mastiggia et de dònna Lusinga. J'avais beau gigoter, mes jambes entravées m'empêchaient de me relever : allongé dans les feuilles mortes, ma vue ne portait pas au-delà des troncs et des buissons qui m'entouraient.

Des voix puissantes tonnèrent sous le couvert des arbres, à peu de distance. Elles clamaient : « Leomance ! Leomance ! » Je me demandai confusément qui pouvait se réclamer d'une si vieille lune, mais je compris simultanément plusieurs choses : les assaillants n'étaient ni des

Ciudaliens ni les archers preux-bourgeois, et pour lancer un cri de guerre, il ne s'agissait pas non plus de ruffians. Presque aussitôt éclata un fracas de fer. Au milieu de mes ravisseurs, je vis tourbillonner deux silhouettes en amples cottes d'armes, dont les casques et les gantelets jetaient des éclats froids dans le jour brumeux. Elles brandissaient de longues épées bâtardes, telles qu'on pouvait en trouver dans le ban de Bromael. D'autres escarmouches éclatèrent, sans que je réussisse à localiser tous les combattants. Au milieu du vacarme, j'entendis Dulcino jurer, puis mugir : « Mère ! Il faut fuir ! Mère ! Avec moi ! » Je n'eus toutefois pas le loisir de réaliser pleinement ce qui venait de me tomber dans l'oreille. Alors que je sentais le sol frémir sous le galop d'un cheval, je vis Falci jaillir hors d'une mêlée assez confuse. Il ne fuyait pas. Sa courte épée d'infanterie au poing, il fondit droit sur moi. Une longue estafilade lui zébrait une joue et le menton, mais ce qui me frappa, c'était la folie haineuse que transpirait son mufle marqué. Pas besoin d'être grand clerc pour comprendre ce qui allait se passer : il ne voulait pas que j'en réchappe. Il allait me tuer plutôt que de me laisser la moindre chance de m'en tirer.

Je me débattis comme un beau diable, mais j'étais trop solidement entravé. Pieds et poings liés. Je ne parvins qu'à rouler sur moi-même, manquant de plonger mes jambes dans le feu… Le feu ! En hurlant pour lutter contre l'effroi et la douleur, je fourrai mes bottes au milieu des flammes ; mais c'était une tentative désespérée. La corde n'aurait même pas commencé à roussir que l'enseigne m'aurait plongé sa lame dans le cœur. Falci était presque sur moi quand le cavalier surgit. Vu du dessous, il était si gigantesque qu'il éclipsa le ciel et les arbres, dans une vaste envolée de caparaçon et de croupières. Le destrier était une bête énorme dont les sabots ferrés me frôlèrent la tête ; je crus bien que j'aurais le crâne fracassé avant même que Falci ne me larde. Mais avec une grâce colossale, le cheval m'évita de peu et ses antérieurs ouvrirent des sillons déchiquetés dans l'humus situé juste devant moi.

Le chevalier tira sur les rênes pour s'interposer entre moi et Falci ; vu d'en bas, j'aperçus les pans d'une vaste robe azur, des grèves d'acier et des solerets articulés calés sur l'étrier, et le bras couvert de fer qui brandissait une forte épée.

« À moi ! À moi, frères du Sacre ! » lança-t-il en léonien.

En grondant de frustration, Falci eut le cran de se jeter à l'assaut de l'adversaire. Le chevalier le repoussa assez rudement d'un coup de bouclier. L'enseigne ne s'avoua pas vaincu, et revint à la charge. Cette fois, le cavalier le fit reculer en cabrant son énorme cheval. Comme le chevalier continuait à appeler tout en le menaçant de son destrier et de son épée, Falci se résolut seulement à battre en retraite. Pendant ce temps, le feu commençait à attaquer mes bottes et à me griller insupportablement les mollets. Je roulai à nouveau sur moi-même pour me soustraire à cette petite douceur, en me trémoussant de façon positivement ridicule. Quand l'affaire fut un peu moins chaude, je me rendis compte que j'étais encadré par deux guerriers inconnus, revêtus de longs manteaux azur. Le chevalier qui avait repoussé Falci mettait pied à terre, jetait la bride de sa monture à l'un des hommes d'armes et s'agenouillait pour se pencher sur moi. Je réalisai seulement que sa cotte d'armes était blasonnée d'un soleil rayonnant.

Il ôta son heaume, dévoilant le visage d'un homme étonnamment jeune. Il n'était pas vraiment beau, mais dégageait d'emblée une puissante sympathie. Il posa sur moi des yeux rieurs et prit la parole en ciudalien.

« Loué soit le Resplendissant ! s'écria-t-il. Vous êtes vivant ! Vous n'avez plus rien à craindre, don Benvenuto : vous êtes entre des mains amies. Je suis Belisario Ducatore. »

# XIV

## *Vendetta*

Ce fut, pendant deux siècles, une longue suite de guerres d'une si confondante sauvagerie que l'on a peine à voir cette cité florissante, où tant d'artistes et d'écrivains de talent ont vu le jour et résidé, en proie à de tels excès. Guerres sans gloire et sans héros, sans que l'on puisse retenir le nom d'un seul champion, célèbre pour s'être sacrifié, comblé d'honneurs. La lecture des chroniques est d'une désespérante monotonie : des troupes et des foules anonymes lâchées pour tuer et pour détruire, les vaincus souvent massacrés sur place. De ces récits d'auteurs attristés et désabusés n'émergent que des scènes plus horribles les unes que les autres qui montrent des cadavres jetés dans les rues ou exposés des jours entiers aux portes de la cité, les têtes livrées aux enfants pour qu'ils jouent à la balle.

JACQUES HEERS

On trancha mes liens et on m'aida à m'asseoir plus confortablement. Même lorsque le sang se remit à circuler normalement dans mes mains libérées, j'avais toujours un reste de tremblote. Je ne parvenais pas à démêler ce qui m'avait le plus secoué, entre la conversation avec la sorcière, la tentative de Falci de m'expédier ou la cabriole d'un cheval de bataille juste au-dessus de mon carafon. Belisario Ducatore restait à côté de moi, une main gantelée sur mon épaule, riant de la frousse qu'il m'avait collée avec son destrier, aussi joyeux qu'un galopin qui vient de faire une niche.

J'avais été tellement ébranlé que c'est à peine si je m'étonnais de me retrouver face au fils cadet du Podestat. Il faut dire que rien chez lui ne rappelait son père, et que son harnois était à mille lieues de l'armement ciudalien. Sa cotte d'armes tendue sur un lourd haubert, ses spallières et ses brassards d'acier articulé lui prêtaient une carrure impressionnante, qui tranchait de façon déroutante avec son visage juvénile. Sa mine ouverte, pleine de spontanéité, jurait plutôt avec les expressions très étudiées de son géniteur. Si sa chevelure n'avait été d'un noir de jais, on l'aurait pris à coup sûr pour un jeune champion de la noblesse bromalloise.

Quand je repris un peu mes esprits, je lui exprimai ma reconnaissance, et pour une fois, j'étais plutôt sincère.

« Je suis heureux de vous voir en vie, répondit-il avec chaleur. C'est déjà une belle récompense !

— Comment diable m'avez-vous trouvé ?

— Vous pourrez remercier votre ami, le nécrophore. C'est lui qui nous a avertis du danger que vous couriez et qui nous a guidés vers l'endroit où vous étiez captif. »

J'ouvris des yeux perplexes.

« Heu… Qui ça ? »

Belisario parut un peu étonné à son tour ; puis, mettant sans doute ma confusion sur le compte de la peur et du coup que j'avais pris sur la tête, il précisa en riant :

« Votre ami ! Le nécrophore Sassanos ! »

Cette fois, je pris bien garde à dissimuler ma surprise. À partir du moment où dònna Lusinga avait aperçu des fantômes dans les arbres, je m'étais bien douté que le moricaud était de la partie ; mais usurper le sacerdoce d'un prêtre du Desséché, ça, c'était culotté ! Le chafouin ne reculait devant aucune imposture !

« Et le… heu… nécrophore, il est avec vous ?

— Il est resté en arrière, avec un sergent et les écuyers. Il a été très éprouvé par son périple à travers les Landes Grises, et il voyage en litière. Mais vous le connaissez, c'est un homme pieux : malgré les fatigues du voyage et sa santé fragile, il passe son temps en prière. Il a la clairvoyance des mystiques ; c'est ainsi qu'il nous a menés vers vous. »

La clairvoyance des mystiques, ben tiens. Je me jurais de la ressortir quand j'aurais l'occasion de vider ma querelle en privé avec le sorcier. J'étais sûr qu'on se paierait une sacrée tranche de rire. En attendant, j'optai pour la prudence. Je tirai la lippe du type hagard qui réalise mal ce qui lui arrive, et je refermai mon clapet. De toute manière, je n'avais pas à me forcer pour avoir l'air en petite forme.

Autour de nous, les gens de guerre se rassemblaient. J'estimais leur nombre à une douzaine. Le soleil vieil or qui ornait leurs armoiries ne laissait guère de doute sur leur allégeance : ils appartenaient à l'Ordre du Sacre. La plupart d'entre eux étaient sanglés dans de longues cottes de mailles, la tête protégée par une cervelière d'acier et un camail dont la mentonnière remontait sur la bouche. Armés de fines haches de cavalerie ou d'épées à une main et demie, c'était la supériorité de leur armement, plus que le nombre, qui leur avait donné l'avantage sur les hommes de Falci, trop légèrement équipés. Ces combattants parlaient le léonien, mais je peinais à comprendre ce qu'ils disaient. Ils avaient divers accents, et je crus même deviner plusieurs variantes dialectales de la vieille langue du royaume. Certains avaient les inflexions de Bromael, mais beaucoup employaient un baragouin qui sonnait suranné.

Belisario portait une armure beaucoup plus lourde qu'eux, largement composée de plates d'acier rivées, et je m'imaginai d'abord que ce harnois plus impressionnant était dû à sa haute naissance et à sa richesse. Je dus réviser mon opinion quand je vis approcher un second combattant, aussi puissamment cuirassé que lui. La plupart des hommes qui m'avaient secouru étaient de simples sergents de l'Ordre ; mais Belisario et le nouveau venu étaient des chevaliers. Je réalisai alors ce que cela signifiait : le cadet du Podestat avait été adoubé, et il avait sans doute juré sa foi à l'Ordre. Ça n'allait pas simplifier les choses avec son père… D'un autre côté, Sassanos avait réussi son coup, en définitive, et je me représentais fort bien la pavane que mon patron allait déployer pour regagner le fils prodigue.

Le second chevalier s'approcha, et interpella mon sauveur :

« Belle charge, en vérité ! Mais je crains qu'elle ne soit guère du goût de sire Odon, lança-t-il.

— Sire Odon est pétri de routines ; il oublie que je suis dorénavant son pair, et non plus son écuyer, rétorqua Belisario.

— C'est heureux pour vous, sans quoi il vous aurait décollé les oreilles ! »

Le nouveau venu ôta son heaume, dévoilant le visage un peu allongé d'un homme plus mûr, à la carnation claire et au poil blond. Belisario se mit en devoir de me le présenter.

« Voici sire Sornehan, me dit-il. Il est issu de la maison de Landefride, une vieille lignée de Bromael. J'ai servi avec lui dans les forts du Gastais et de Cerquemande, sur les marches de la Principauté du Sacre ; il s'est pris d'amitié pour moi, et il me fait l'honneur de sa compagnie. »

Je saluai gauchement le preux personnage, qui me gratifia en retour d'un signe des plus sommaires. Je devais afficher un air trop miteux et un sang pas assez bleu pour mériter davantage. Le troisième chevalier faisait du reste son arrivée en fendant les rangs des sergents. Le gaillard demeura casqué et me négligea purement et simplement. Il s'adressa directement à Belisario d'un ton plutôt vif :

« Quelle folie, Belisario ! Vous auriez pu vous tuer vingt fois en chargeant à cheval dans ces bois !

— C'est que le temps se faisait court, sire Odon. Même ainsi, j'ai eu grand mal à sauver l'homme de mon père. J'ai accompli ce que l'honneur me commandait de faire.

— Si votre cheval vous avait envoyé embrasser une branche, votre honneur ferait maintenant triste figure !

— L'honneur ne vaut-il pas plus que la vie ?

— L'honneur d'un homme est plus précieux que sa vie, mais quand l'existence de cet homme engage l'honneur de toute une maison, alors son devoir est de rester en vie. Si vous vous étiez rompu les os dans cette cavalcade, nous n'aurions pu respecter l'engagement pris auprès de monseigneur votre père, et la honte en serait retombée sur tout l'Ordre du Sacre !

— En attendant, le vassal du sénateur Ducatore est en vie et sire Belisario me paraît tout à fait fringant, intervint Sornehan. Je suis sûr qu'à l'avenir, il tiendra compte de votre sagesse.

— Le Resplendissant vous entende », grommela le grincheux.

Il sembla seulement s'apercevoir de ma présence, et m'adressa un salut assez raide.

« Veuillez excuser mon incivilité, maître Benvenuto, dit-il. Je suis ravi que notre action ait concouru à votre délivrance. Mais enfin, si vous êtes un loyal serviteur, vous conviendrez avec moi que messire Belisario a pris des risques inutiles. »

Je restai un peu coi sur ce trait-là.

Fort heureusement, le noble personnage se désintéressa aussitôt de moi. Il compta ses hommes et se félicita de n'avoir que deux blessés légers. De leur côté, les Mastiggia avaient décroché sans subir de perte ; même Falci, après avoir affronté Belisario, avait réussi à disparaître. Odon était heureux qu'il n'y ait aucun mort sur le carreau ; je compris qu'il ne tenait pas à s'impliquer trop profondément dans les querelles de la

République. Du coup, les chevaliers du Sacre ne se donnèrent pas la peine de poursuivre mes persécuteurs.

Malgré la lassitude et le coup que j'avais encaissé dans la terrine, je n'eus guère de difficulté à me relever. Les soins que m'avait prodigués la sorcière et surtout le soulagement d'avoir été secouru m'avaient rendu quelques forces. Je récupérai mes armes, abandonnées contre un tronc, alors qu'un sergent s'apprêtait à les barboter. Quand ils constatèrent que j'étais capable de marcher, les chevaliers décidèrent de quitter les lieux aussitôt. Ils voulaient regagner la route au plus vite, où ils avaient laissé une partie de leurs compagnons — et mon secourable ami, le nécrophore Sassanos.

Belisario vint chevaucher à mon côté, et me proposa de monter en croupe avec lui. Je déclinai son offre, car le cheval devait louvoyer entre les arbres, les souches et les fondrières, glissait parfois sur le tapis de feuilles mortes et de neige fondante : ces acrobaties équestres ne m'inspiraient guère confiance, même à un pas de promenade. Le fils du Podestat se maintint néanmoins à ma hauteur et me fit la conversation. Il s'étonna que je ne l'aie pas attendu à Bourg-Preux, comme me l'avait demandé Sassanos ; ce à quoi je lui répondis par une demi-vérité, lui affirmant que j'étais chargé d'un message pour son père, et que j'avais pris la route en ignorant que Sassanos et le patrice me suivaient d'aussi près. Je le vis s'assombrir un peu quand je lui tins ces mots.

« Vous m'honorez d'un rang que je ne puis plus assumer, observa-t-il après un instant de silence. Je suis chevalier de l'Ordre, je ne suis plus patrice de la maison Ducatore.

— Vous êtes l'héritier du Podestat.

— Mais je suis engagé à Sacralia ; je ne pourrai occuper le siège de la famille Ducatore au Palais curial après la disparition de mon père.

— Qu'est-ce qui vous en empêcherait ? »

Il m'adressa un sourire un peu triste.

« Eh bien, tout à la fois, la règle de l'Ordre et la coutume de la République. »

Je haussai les épaules, et grimaçai parce que cela réveilla la morsure que j'avais au cou.

« Voilà qui ne semble guère formaliser son excellence, remarquai-je.

— Oui, mon père est un esprit fort qui ne tient pas grand compte de la coutume, répondit-il doucement. Mais beaucoup se souviennent qu'à la fin du Royaume, la République et l'Ordre du Sacre furent des ennemis jurés. Chez les patriciens aussi bien que chez les chevaliers, mes prétentions à un siège sénatorial seraient perçues comme scandaleuses.

— C'est sûr, admis-je, ce serait un prétexte commode pour mener une cabale contre votre famille.

— Aussi n'est-ce pas pour reprendre cette dignité que je me rends à Ciudalia. Je me contente de répondre à la convocation de mon père, pour témoigner de ma piété filiale. »

Je lui jetai un coup d'œil par-dessous quand il me sortit cette admirable réplique. Je me demandai s'il était niais au point de croire ce qu'il débitait, ou s'il était déjà aussi roué que son géniteur, et capable comme lui de proférer des discours édifiants tout en échafaudant les coups les plus tordus.

« Plutôt que de me tenter avec des vanités auxquelles j'ai renoncé, reprit-il, dites-moi plutôt qui étaient ces gens qui vous ont capturé et ce qu'ils voulaient obtenir de vous. »

La conversation prenait un tour qui ne me plaisait guère. Je me demandai ce que le sorcier avait pu lui raconter, et ce que les chevaliers du Sacre avaient appris sur la situation à Ciudalia par d'autres sources.

« Sassanos vous a rapporté ce qui s'est passé à Ciudalia ?

— Naturellement, répondit-il. Alors que nous approchions de Bourg-Preux, il m'a même entretenu à votre sujet. Il m'a dit comment on vous avait calomnié en plein Sénat en vous imputant la responsabilité d'un crime que vous n'avez pu commettre, cela à seule fin de jeter le discrédit sur mon père. »

Le moricaud avait-il été jusqu'à lui révéler que j'étais proscrit ? Je préférai remettre cette question à plus tard, une fois que j'aurais eu l'occasion de parler seul à seul avec le sorcier. Avec un pincement au cœur, je me rendis compte que j'étais plus que jamais dépendant de ce que voudrait bien me communiquer le sapientissime, et que je n'aurais pas les coudées franches pour lui réclamer des comptes à propos du maléfice logé dans mes ratiches...

« Les gens que vous avez mis en fuite appartiennent à la maison Mastiggia, dis-je. Ils étaient dirigés par deux des fils du sénateur Tremorio Mastiggia : Stalto, le plus jeune, et Dulcino Strigila, son bâtard. Ils veulent se convaincre que j'ai trahi le défunt patrice Bucefale Mastiggia. Ils commençaient à me cuisiner pour que je chante le même couplet, dans le but de m'exhiber ensuite comme un trophée à Ciudalia.

— Comment expliquez-vous qu'ils vous poursuivent d'une telle vindicte ? Y a-t-il une part de vérité dans ce qu'ils vous reprochent ?

— Quand je suis rentré de captivité, sa seigneurie Tremorio Mastiggia est venue en personne m'accueillir et me remercier sur le port. C'est un autre prisonnier de guerre qui a raconté des craques sur mon compte et qui a retourné le clan Mastiggia contre moi. En fait, je pense que c'est le chah Eurymaxas qui les manipule, pour jeter le désordre au sein de la République et pour nous empêcher de tirer tous les fruits de notre victoire. »

Le jeune homme hocha pensivement la tête, et s'écarta un peu de moi pour contourner un tronc massif ; quand il me rejoignit, il reprit la parole.

« Hélas, je dois avouer que je suis perdu. J'étais trop jeune quand on m'a envoyé loin de la République, et à l'époque, je n'ai pas compris comment notre maison a pu connaître la ruine. Alors que mon père venait de remporter un beau succès à Kaellsbruck, alors qu'il avait été célébré par toute la ville, il ne lui a fallu que quelques semaines pour être destitué, traîné en justice, condamné à l'exil... Et aujourd'hui, je me rends compte que Ciudalia demeure pour moi toujours aussi versatile, toujours aussi ingrate, toujours aussi incompréhensible. Pourquoi nous déchirer, alors que la victoire du cap Scibylos fut l'œuvre de toute la République ?

— Sauf votre respect, Votre Seigneurie, ça me paraît assez simple à saisir.

— Dans ce cas, pourriez-vous avoir la bonté de m'éclairer ?

— Plus le gâteau est gros, plus on a les crocs. »

Belisario partit d'un rire clair.

« Quel dommage que je ne vous aie point eu pour précepteur, don Benvenuto ! Vous êtes d'une concision très instructive ! »

Je lui décochai un sourire en coin, sans émettre de commentaire. Après l'initiation que j'avais prodiguée à sa petite sœur, je me voyais bien lui enseigner les sciences morales et politiques à ma façon.

Le soir insinuait une grisaille chargée de brume et de boucaille quand nous rejoignîmes la route. D'assez loin, en bordure du chemin, on pouvait voir un beau troupeau de chevaux, tout harnachés, gardés par quelques hommes. Je réalisai alors que toute la troupe qui m'avait secourue devait être montée, et que la plupart des gens de guerre n'avaient combattu à pied que parce qu'ils avaient dû pénétrer dans le sous-bois. Avec un certain déplaisir, je compris qu'il faudrait que j'enfourche moi-même une rosse si je devais terminer le voyage avec le fils de mon patron, et voilà une perspective qui ne m'enchantait guère... Cette contrariété me sortit toutefois assez vite de l'esprit, quand je notai la présence d'un curieux équipage au milieu du bivouac. Un peu à l'écart, deux gros chevaux de bât supportaient une litière fermée, gardée par un écuyer. La nacelle était étroite et allongée, conçue pour le transport d'une seule personne, mais les courtines qui la garnissaient étaient taillées dans des étoffes luxueuses, lourdes comme des tapisseries.

Belisario me la désigna tandis que les hommes qui m'avaient délivré interpellaient ceux qui gardaient les montures.

« Allons tout de suite trouver le nécrophore, me dit-il. Il sera bien aise de vous savoir sain et sauf.

— Il est là-dedans ? demandai-je en baissant instinctivement la voix.

— C'est pour lui la façon la plus commode de voyager.

— Il ne monte pas à cheval ? »

Le jeune homme secoua la tête d'un air navré.

« Je vous l'ai dit, don Benvenuto, votre ami est arrivé très éprouvé à Sacralia. En fait, il a eu à peine la force de se traîner jusqu'aux frontières de la Principauté ; et si des manants ne l'avaient pas secouru à l'orée de la forêt de Bellegarde, je crois qu'il serait mort de froid et d'épuisement. Il en est resté très affaibli. Mais je pense que vos retrouvailles lui donneront grand plaisir et lui rendront quelque vigueur ! »

J'étais plutôt dubitatif, pour ma part. Je me souvenais du soulagement visible que le sorcier avait éprouvé à se séparer de moi peu avant mon arrivée à Bourg-Preux : pour lui, je représentais un compagnon très encombrant. Certes, il venait d'envoyer les chevaliers du Sacre me délivrer, mais enfin c'était davantage pour couvrir ses arrières et ceux de notre patron que par amitié personnelle... J'étais donc bien mitigé en approchant de la litière, d'autant que le dentier ensorcelé me restait en travers de la gorge. Ajoutez à cela que je trouvais vraiment bizarre cette façon de voyager, claquemuré dans un palanquin pour vieille dame. Ça ne cadrait pas avec le marcheur infatigable qui avait fait la route avec moi à l'automne. Je ne pouvais me départir d'un mauvais pressentiment, de l'intuition qu'il s'agissait d'un nouvel artifice, que cela participait à quelque tour sinistre joué aux chevaliers, et à moi aussi par la même occasion...

Belisario prit la parole lorsque nous fûmes arrivés devant la litière.

« Vénérable, j'ai d'excellentes nouvelles, dit-il. Vos consignes étaient d'une grande précision, et nous avons effectivement retrouvé don Benvenuto. Il est ici, avec moi. Désirez-vous lui parler ? »

Je faillis d'abord pouffer quand j'entendis le fils du Podestat servir du « vénérable » au charognard vautré dans sa luxueuse bonbonnière... Mais cet accès de gaieté s'étiola vite. Quelqu'un répondit de l'intérieur de la litière.

« Quel heureux dénouement ! J'espère que vous ne me trouverez pas trop présomptueux si je vous félicite, Votre Seigneurie. Quant à vous, don Benvenuto, quel réconfort de vous savoir à nouveau entre de bonnes mains ! »

Je ne pouvais me méprendre sur cette intonation grave, infléchie par un soupçon de morgue polie : c'était bien celle du sorcier. Et pourtant, inexplicablement, quelque chose dans ce timbre me hérissa tous les poils du corps. Était-ce parce que les paroles me parvenaient étouffées ? Parce qu'il y avait un je ne sais quoi de caverneux dans cette voix posée ? Parce que j'avais en tête l'image répugnante du moricaud recroquevillé dans son nid de coussins, comme une grosse araignée tapie entre ses pattes au fond de sa tanière ? J'éprouvai un haut-le-cœur violent, et je dus prendre sur moi-même pour ne pas reculer d'un pas.

« Êtes-vous bien avec sa seigneurie, don Benvenuto ? reprit la voix vénéneuse, tandis que le jeune chevalier me regardait d'un œil un peu perplexe.

— Oui, croassai-je. Je suis bien là...

— Quelle bonne fortune, en vérité ! »

Le rideau ondula légèrement, trahissant du mouvement à l'intérieur ; puis il fut un peu soulevé par une main noire et maigre, qu'aiguisaient de longs ongles. Par l'entrebâillement, j'entrevis une pénombre épaisse où l'on devinait une silhouette indistincte, étendue dans un monceau de fourrures et d'oreillers.

« Pardonnez-moi de ne pas mieux vous accueillir, dit le sorcier. J'ai eu les yeux brûlés par la neige : la lumière du jour me donne encore d'insupportables migraines. Mais je suis sincèrement heureux que vous soyez hors de danger. Je me suis fait beaucoup de souci pour vous…

— Et moi donc !

— Je constate avec plaisir que vous n'avez pas perdu votre esprit, don Benvenuto. Sa seigneurie et les nobles chevaliers sont donc arrivés assez promptement pour vous épargner de trop mauvais traitements…

— Ouais, on peut voir ça comme ça, grommelai-je. Vous par contre, vous m'avez l'air d'avoir salement dégusté.

— Je m'en remets, grâce à l'hospitalité des chevaliers du Sacre… Les Landes Grises n'ont pas usurpé leur sinistre réputation, et il est vrai que j'ai souffert en chemin…

— Et qu'est-ce que vous avez fait de vos Ouromands ?

— Hélas, je les ai perdus en cours de route.

— Ils vous ont lâché ?

— De la manière la plus définitive qui soit : ils sont morts, don Benvenuto.

— Tous les deux ? Eh bien, ça n'a pas dû être une partie de plaisir, je veux bien vous croire…

— Peut-être pourrions-nous en reparler un peu plus tard ? J'ai beaucoup… prié… pour votre salut, don Benvenuto, et comme je ne suis pas très vaillant, je dois vous avouer que je suis maintenant très fatigué…

— Oui, nous allons vous laisser vous reposer, intervint Belisario. Don Benvenuto et moi, nous tenions

818

simplement à vous remercier pour le concours que vous avez apporté à sa délivrance.

— C'est joliment tourné, grinçai-je. J'aurais pas dit mieux.

— Je suis très touché par votre reconnaissance, susurra l'ombre au fond de son alcôve.

— Ah, permettez, avant qu'on vous laisse piquer du nez, ajoutai-je. J'ai une faveur à vous demander… Révérend. Dans vos prières, vous pourrez glisser une petite requête de ma part ? J'aimerais bien que des plaisantins de ma connaissance arrêtent de me bassiner avec la fée des dents… Je suis un peu vieux pour ces gamineries… »

J'eus l'impression qu'on ricanait en silence dans le nid d'obscurité.

« Je ne manquerai pas d'intercéder en votre faveur, me répondit-on sur un ton narquois.

— Vous êtes trop bon. Moi aussi, je prierai pour votre prompt rétablissement. »

De la première nuit passée en compagnie des chevaliers, je n'ai pas grand souvenir. Sornehan et Odon redoutaient un coup fourré de la part des Mastiggia, et ils cherchèrent une clairière un peu éloignée de la route pour installer leur camp. La lueur des feux, la quantité considérable de chevaux que comportait leur troupe me laissaient plutôt sceptique sur notre discrétion ; mais il y avait là quantité d'hommes de guerre, des piquets de garde étaient organisés, on me gratifia de couvertures et de fourrures, toutes choses qui représentaient pour moi un retournement de situation inespéré. Après m'être rempli la panse, je me trouvai une place près d'un foyer et je m'apprêtai à dormir tout mon saoul. Une fois roulé dans mon couchage, je tâtai quand même mes dents en or, avec prudence : je craignais à moitié de réveiller la douleur, mais j'avais dans l'idée de m'en débarrasser. Malheureusement, la prothèse avait été ligaturée avec du fil de cuivre, et à moins de m'arracher les deux canines, il m'était impossible de l'extraire seul. Déjà trop heureux de ne plus souffrir, je remis le problème à plus tard.

Je pionçai comme une brute, en me rôtissant voluptueusement à la chaleur du feu.

Malgré tout, le lendemain, je ne me sentis pas spécialement requinqué. J'étais moulu. Si mes dents ne me travaillaient plus, en revanche, le coup de botte de Falci m'avait laissé le visage gonflé comme une calebasse, si violacé que Belisario m'adressa une moue remplie de commisération. Mais c'était surtout le relâchement qui me coupait bras et jambes. La fatigue, la peur, la douleur des jours précédents m'avaient proprement vidé. Tout m'était effort. Rouler mes couvertures, faire quelques pas pour aller vider ma vessie, reboucler mon ceinturon d'armes me demandaient une débauche d'énergie. La veille, je l'avais échappé belle, je m'en rendais bien compte, mais je ne parvenais pas à m'en réjouir. Je me sentais atone. Parfois, je claquais la langue contre les incisives où se terrait un débris de fillette. Je me disais que c'était le fantôme qui me minait. Ce fantôme-là, ou un autre… Les plaies que j'avais collectées au cours de mon combat contre Oricula commençaient à me démanger : ça, au moins, ça cicatrisait.

Malheureusement, comme si je n'avais pas assez de motifs à me plaindre, on m'imposa un cheval. Je l'avais pressenti la veille : toute la troupe était montée, et si je voulais suivre, il fallait bien que je grimpe sur une haridelle. L'attribution du canasson se transforma en saynète comique, où je m'illustrai dans le rôle du grotesque de service. Avec une largesse toute chevaleresque, Belisario voulut me prêter son propre palefroi, en affirmant qu'il voyagerait sur son destrier ; c'est que les nobles personnages se déplaçaient avec toute une écurie, ce qui me permit de comprendre le nombre incroyable de chevaux que comprenait leur bande. Le cheval de monte du jeune Ducatore était un animal magnifique, mais c'était aussi une bête qui avait son caractère. Quand je m'approchai de la cavale, elle me lança un regard de côté, et on se comprit immédiatement tous les deux : ni l'un, ni l'autre, on ne se faisait confiance. J'avais à peine mis un pied à l'étrier que le coursier faisait un écart, puis improvisait des entrechats nerveux, en me laissant brinquebaler sur son flanc, les deux mains accrochées au pommeau de la selle, incapable de lancer le pied gauche au-dessus de la croupe. À la seconde tentative, je parvins à me percher à califourchon, mais le rossard se mit à broncher, puis partit soudain à reculons, à ma plus grande épouvante, car je n'avais aucune idée de la façon de l'arrêter. Sergents et écuyers firent des gorges chaudes sur mes voltiges équestres, y compris ceux qui se lancèrent à la tête du cheval pour le maîtriser.

Belisario n'osa même pas me proposer son destrier : le cheval de bataille m'aurait tué avant la fin de la matinée. Affichant un air un peu désolé, le fils du Podestat fit seller pour moi un de ses roncins, le plus vieux et le plus doux. C'était un cheval de charge, et les écuyers grognèrent un peu, parce qu'il fallut répartir son bagage sur d'autres animaux de bât ; pour ma part, ce fut ainsi que je me retrouvai en selle sur un mauvais bidet. À peine plus grand qu'une mule, il me donnait la stature d'un nain au milieu de tous ces cavaliers juchés sur des chevaux de monte ou de combat.

Nous avions pris la route depuis moins d'une heure quand je reconnus la région que nous traversions : les vestiges d'un château dominaient une vallée baignée par une rivière capricieuse, dont un méandre contournait un pont abandonné. Nous étions quasiment arrivés à la frontière : ainsi, j'avais presque réussi à traverser Vieufié seul, en hiver, dans un état pitoyable. Cela regonfla un peu ma fierté, pourtant secouée comme un sac sur l'échine de mon roussin. À la croisée des chemins, les traces d'un campement récent étaient éparpillées autour de la statue de la Vieille Déesse ; il était plus que probable qu'il s'agissait du bivouac des Mastiggia. Du crottin et des empreintes de sabots trahissaient la présence de plusieurs chevaux : les fils du sénateur, la sorcière et leurs hommes avaient probablement une petite avance sur nous. Cela ne me rassura guère, car si je les imaginais mal tendre une embuscade à la forte troupe des chevaliers, je me les représentais fort bien galoper ventre à terre vers Montefellóne ou Róccabucatta pour rallier du renfort et nous faire un sort plus loin dans les basses terres.

Le prudent Odon mesura aussi ce danger ; à la faveur d'une petite halte dont je profitai pour soulager mes fesses déjà talées, il délibéra brièvement avec Sornehan et Belisario. Tous trois décidèrent rapidement d'éviter Montefellóne et d'avancer par longues étapes vers Ciudalia, espérant ainsi gagner de vitesse la bande des Mastiggia. Il s'agissait d'une décision pleine de bon sens, mais elle était loin de me remplir d'allégresse : je m'inquiétais de l'effet dévastateur que la chevauchée aurait sur mon joufflu.

Quand nous sortîmes de la forêt, les essarts m'apparurent encore plus désolés qu'à la fin de l'été. Mais devant nous s'ouvrait une perspective immense sur les bois et les campagnes de la République : j'en eus à la fois le cœur qui se serrait et l'impression de respirer mieux. Je rentrais chez moi, et sauf imprévu, la cavalcade me ramènerait en peu de jours à Ciudalia : je serais très bientôt entre les murs de ma patrie, foulant le pavé de la plus belle ville du monde, là où confraternellement on me promettait le chevalet et l'échafaud... Depuis les lisières de Vieufié, la vue portait certes moins loin qu'à la belle saison : les lopins paraissaient plus ternes, les halliers plus sombres, et la pierre claire des murailles de Montefellóne et des villages était bistrée d'humidité. Des nuages bas, boursouflés d'humeurs pluvieuses, dérivaient lourdement en traînes grises et bleuâtres, et mâchuraient les horizons. Ce jour-là, les tours lointaines de Vinealate étaient perdues dans la grisaille.

Mais qu'importait : je pouvais presque sentir le vent de mer sur mon visage, et je me rendis compte combien l'océan m'avait manqué.

Suivant le plan des chevaliers, nous passâmes au large de Montefellóne. Probable qu'on nous repéra quand même depuis les murailles de la ville, et que cette longue file de cavaliers en armes qui coupait à travers des voies secondaires fut source d'alarme. On n'avait décidément pas intérêt à flâner : sans doute un coursier serait-il envoyé à la forteresse de Róccabucatta, et mieux valait abattre le plus de chemin possible avant qu'une ou deux enseignes des Phalanges ne cherchent à nous intercepter.

Les campagnes que nous traversions étaient mornes. Certes, l'hiver plongeait les champs, les prés et les vergers dans une léthargie frileuse, mais une fois que nous eûmes atteint le bas de Montefellóne, le climat s'adoucit de façon très sensible. La mauvaise saison, dans nos régions, est une époque maussade de pluies et de brumes, mais il y gèle rarement, et les neiges de Vieufié ou de la Marche Franche y sont inconnues. Or il régnait sur les terres cultivées une torpeur lourde, un calme pesant, comme si la cambrousse se recroque-villait sous les assauts d'un hiver féroce. Personne dans les champs et les pâtures ; des chemins désertés, où apparaissait parfois un marcheur isolé, qui se hâtait généralement de filer sur le bas-côté quand il aperce-vait notre troupe ; des villages silencieux et moroses, aux ruelles dépeuplées. Seuls l'aboiement des chiens et quelques rubans de fumée au-dessus des toits trahis-saient la présence de l'habitant.

Dans ce marasme, je discernais bien plus que la som-nolence qui accompagne la morte saison. Cela sentait les mauvais jours. Dans ce silence, dans cette apathie générale, on devinait la menace d'une calamité, un pressentiment de désastre, comme si la campagne tout entière retenait sa respiration à la veille d'une épidé-mie ou d'une averse de grêle. On aurait cru que le paysage faisait le gros dos, dans l'attente d'une tourmente. Cette quiétude était oppressante : mes compagnons, en vrais gens de guerre, ne flairaient que trop bien le présage. Pour ma part, avant même d'avoir aperçu les tours de Ciudalia, je saisissais que la ville vacillait au bord du gouffre. Tout le pays retenait son souffle en prévision de la fièvre sanglante, descendue des palais de Torrescella, qui menaçait de le saisir et de le retourner contre lui-même.

Le premier soir, nous ne nous arrêtâmes qu'à la nuit close. Nous avions abattu un chemin considérable ; nous étions presque arrivés dans la plaine de Pigraticola, et si nous poursuivions à un tel train, nous toucherions au but le surlendemain. Le tape-cul m'avait mis le fondement à vif, rompu l'entrejambe et égrugé les reins. Malgré toute l'inquiétude qui planait sur la campagne, j'avais des soucis plus immédiats. Je n'aspirais plus qu'à une chose : mettre pied à terre, décruster les plis qui me rentraient dans les fesses et tâcher de faire redescendre mon service trois pièces.

Les chevaliers s'invitèrent sans façon dans une grande ferme des collines ; l'arrivée de notre cavalcade provoqua un début de panique chez les rustauds, dont certains s'armèrent de vouges et de haches. Belisario rassura la paysannerie et servit de traducteur à Odon pour traiter avec le chef de famille ; les trois chevaliers logèrent dans la maison principale avec leurs écuyers, pendant que le reste de la troupe s'installait dans une grange. J'étais ravi de pouvoir dormir sous un toit, même sur une simple botte de paille ; toutefois, j'éprouvai aussi une appréhension diffuse, car le domaine où nous posions notre sac dépendait de la famille Surmaticci, et les Surmaticci appartenaient à la faction belliciste…

À ma grande déconvenue, je ne parvins pas à m'endormir. Dans un sens, j'étais trop fatigué pour pouvoir fermer l'œil ; la croupe douloureuse, le dos noué à force de craindre la culbute, je ne parvenais pas à me détendre. Et puis mille et une pensées sinistres faisaient la ronde au fond de ma bobêche. Je n'avais toujours pas une idée précise de la conduite que j'adopterais face au Podestat, et il devenait urgent de me fixer une ligne. Arriver en compagnie de son fils me protégerait un peu, et les messages dont j'étais porteur légitimaient mon initiative ; mais après ? Qu'aurais-je à lui proposer qui contrebalancerait l'embarras que provoquerait mon retour ? Me constituer prisonnier au Sénat ? La bonne blague ! Négocier mon impunité contre un ou deux assassinats gratis, histoire de rééquilibrer nos comptes ? Mais Leonide Ducatore y gagnerait-il assez pour accepter l'accord ? Monter une opération d'intoxication contre les Mastiggia, en les accusant d'avoir acheté Oricula et de l'avoir recruté pour le meurtre de Blattari ? Peu concluant...

Allongé, les deux paumes calées sous ma nuque, je tâchai de rassembler mes idées, d'échafauder une tactique cohérente ; cependant, même en imaginant de pauvres expédients et des ruses tronquées, je restais impuissant à construire un plan efficace. Je fixai la charpente au-dessus de nous, à peine éclairée par la lueur d'un petit feu, et je commençai à me demander s'il n'aurait pas été plus sensé de m'y balancer au bout d'une corde plutôt que de courir au-devant des tourmenteurs ordinaires de la République. La mort dans l'âme, je dus me résoudre à une démarche qui m'avait répugné toute la journée : je me relevai en grimaçant et je me dirigeai vers la litière de Sassanos.

Le véhicule avait été dételé et déposé dans le fond de la grange, dans le coin le plus obscur, où la lumière du bivouac ne chassait pas les ombres. Je m'en approchai à pas lents, en contournant ou en enjambant des dormeurs. Quand je fus tout près de la litière, que je devinai à une masse plus noire dans la mélasse, je pris la parole à mi-voix :

« Vous dormez ? C'est Benvenuto. Il faudrait qu'on parle.

— Je ne dors pas, chuchota-t-on dans mon dos. Je vous attendais. »

Je fis volte-face en portant instinctivement la main à la dague. Une silhouette ténébreuse et maigre s'interposait entre moi et la lumière du feu.

« Vous êtes debout ? hoquetai-je.

— Ce voyage me laisse fâcheusement courbatu, répondit une voix grave. Je me dégourdissais un peu les jambes.

— Mais je vous croyais encore affaibli !

— Je le suis, don Benvenuto. Mais pas au point d'être grabataire. »

L'ombre sinua à mes côtés comme aurait flotté un grand voilage soulevé par une brise nocturne. J'entendis le froissement doux d'une étoffe lourde qu'on soulevait.

« Voulez-vous vous asseoir avec moi ? reprit le sorcier. Bien que je sois un peu las du véhicule que les chevaliers ont mis à ma disposition, je dois concéder qu'il fait un divan très confortable.

— Non merci, grommelai-je. La chevauchée m'a un peu tanné le fondement. Je vais rester debout.

— Fort bien ; cela n'est pas pour me déplaire, j'ai moi aussi besoin de m'étirer. »

Comme mes yeux s'habituaient à l'obscurité, je me rendis compte que je distinguais assez bien la présence du sorcier. Une tache vague, comme un halo nébuleux, encadrait son visage basané et le gratifiait d'une auréole estompée. Je crus d'abord qu'il portait un capuchon clair ou une sorte de voile ; puis, avec un choc, je compris ce que je devinais confusément dans l'obscurité. C'était sa longue chevelure.

« Merde ! Vous avez blanchi !

— J'ai grisonné, tout au plus, me répondit-il. Mais c'est vrai, j'ai changé.

— Bon sang, qu'est-ce qui vous est arrivé ?

— Eh bien, disons que j'ai fait de très mauvaises rencontres.

— Pires que la bande du Rempailleur ?

— Bien pires.

— Et c'est comme ça que les Ouromands ont rendu les clefs ?

— Hélas, oui. À mon corps défendant, j'avais fini par m'attacher à ces deux rustres.

— Comment ont-ils trouvé la mort ?

— C'est une longue histoire, plutôt triste et dépourvue d'intérêt. J'ai pris un risque inconsidéré. Je voulais atteindre rapidement Sacralia ; au lieu de suivre le trajet recommandé par Dugham, qui aurait longé les Landes Grises en faisant un long détour, j'ai voulu couper à travers la région. Je dois avouer que j'étais curieux de découvrir les ruines de certaines cités du Vieux Royaume. C'était très imprudent. Les Landes Grises sont dévastées, mais pas désertes. Des populations sauvages y survivent toujours, en bandes ou en tribus. Tout un clan nous a pris en chasse ; j'ai cru d'abord que c'était seulement pour nous dépouiller, puis j'ai réalisé un peu tard que c'était parce que nous avions violé une sorte de tabou, traversé un territoire interdit. Ils nous ont traqués avec un acharnement frénétique, même après avoir subi des pertes assez sévères. Dugham, puis Cecht ont été tués au cours de ces combats. Il m'a fallu déployer toutes les ressources de mon art pour échapper à mes poursuivants ; malheureusement, j'ai dû puiser dans mes forces vives. Puis l'hiver s'est abattu sur la région et j'ai failli périr de froid, de faim et d'épuisement. J'ai eu les yeux brûlés par le scintillement du soleil sur la neige. C'est pur miracle que j'aie réussi à gagner le fief des chevaliers.

— Vous auriez dû attendre que Cecht ait été un peu remis de ses blessures avant de poursuivre votre voyage, observai-je.

— Peut-être... Je crains que cela n'aurait pas changé grand-chose. Si je suis responsable de leur disparition, c'est surtout en raison de l'itinéraire que j'ai choisi. Cecht s'est battu comme un beau diable ; à vrai dire, il était en voie de guérison quand il a rencontré son destin. Cela dit, n'assombrissons pas le tableau... N'est-ce pas la fin que des hommes de leur trempe appellent de leurs vœux ? »

Je m'abstins de lui demander s'il me classait parmi les hommes de cette trempe.

« En tout cas, c'est la raison pour laquelle j'ai tardé à vous rejoindre à Bourg-Preux, poursuivit le sorcier. Mon raccourci m'a fait perdre beaucoup de temps. Il est toutefois regrettable que vous n'ayez pas encore un peu attendu : à deux jours près, je vous retrouvais en ville, et je vous aurais épargné une rencontre pénible avec les Mastiggia.

— C'est sûr, je me serais bien passé de cette sauterie-là. Mais à la réflexion, c'est peut-être pas plus mal que les choses se soient déroulées ainsi.

— Que voulez-vous dire ?

— Un des échevins de la ville m'avait repéré. Melanchter, le capitaine. Il comptait se servir de moi comme d'un appât pour vous coincer. Je vous ai peut-être évité quelques ennuis.

— C'est très délicat de votre part.

— Il m'a aussi confié un message pour le Podestat. C'est une des raisons pour lesquelles je tenais à vous causer.

— Quelle est la teneur de ce message ?

— Me prenez pas pour une betterave. Cette coupure, c'est une de mes garanties d'arriver en vie jusqu'au patron. Je tenais juste à ce que vous le sachiez, pour raisonner les gens un peu trop zélés qui auraient dans l'idée de me refroidir avant que j'aie vu son excellence. »

Je devinai un sourire caustique dans l'ombre.

« C'est une tâche bien ardue que vous me confiez là, ironisa-t-il. Les Mastiggia vont sans doute répandre la nouvelle de votre retour à Ciudalia. Du reste, votre petite séance de pose face à un miroir a certainement éveillé l'intérêt de tout un cénacle de voyeurs et d'indiscrets…

— Vous m'avez vu ?

— Je n'ai probablement pas été le seul. Si dònna Lusinga vous a retrouvé si vite, c'est parce que vous l'avez alertée elle aussi. Si vous me permettez une critique, vous vous êtes montré bien irréfléchi.

— En fait, je souhaitais surtout avertir son excellence.

— Dans la mesure où j'étais encore loin de lui, je ne pense pas qu'il ait été avisé de votre initiative. »

Ce que me révélait Sassanos me permit d'entrevoir un début d'échappatoire. Moins que ce qu'il disait, c'était ce qu'il sous-entendait qui était intéressant : le sorcier avait su que je quittais Bourg-Preux, mais il n'avait pas pu communiquer l'information à notre patron. Il existait donc une zone floue dans le réseau de renseignement du Podestat : il n'avait pas une idée claire de ce qui s'était passé à Bourg-Preux ces derniers jours. Dans la mesure où Oricula et Welf étaient morts, je pourrais très bien agir comme si l'ordre de fuir ne m'était jamais parvenu. Ainsi, j'aurais l'air de me présenter en toute bonne foi au palais Ducatore ; il me suffirait d'annoncer que Welf avait été tué pour que le Podestat pense que ses consignes n'avaient pas remonté jusqu'à moi. Cela n'annulerait en rien le caractère compromettant de ma présence à Ciudalia, mais au moins cela enterrerait ma désobéissance.

« Vous voici bien pensif, observa le sorcier. J'imagine que pour définir votre ligne de conduite, il vous manque encore un renseignement capital.

— Ah oui ?

— Bien sûr. Je viens de vous apprendre que le Podestat ignore l'essentiel de ce que vous avez fait depuis votre arrivée à Bourg-Preux ; mais vous vous demandez ce que je sais, moi.

— C'est pas faux.

— Quelle question avez-vous à me poser, don Benvenuto ?

— Vous voulez parler de la saleté que vous m'avez encastrée dans les crochets ? J'ai pas de question à vous poser. Je crois deviner ce que vous avez fait : vous avez tenté de me contrôler. Vous ne vouliez pas que je rentre à Ciudalia sans vous : alors vous vous êtes servi de votre gri-gri pour me donner une rage de dents phénoménale, dans le but de me retarder ou de m'inciter à revenir sur mes pas. J'ai juste ?

— Je n'avais aucune mauvaise intention à votre égard, mais il fallait vous arrêter. C'est le moyen le plus bénin que j'ai pu mettre en œuvre…

— J'ose même pas imaginer ce que vous auriez pu me réserver de pire. Seulement voilà : maintenant que je connais le fin mot de l'affaire, à la première occasion, je vais voir un barbier et je me fais ôter votre babiole. Et vous aurez de la chance si je vous fais pas avaler ce putain de dentier.

— C'est bien ce que je craignais. Je suis au regret de vous dire que vous séparer de ce talisman serait inconsidéré.

— Ben voyons. »

Accompagnée par un froissement soyeux, une grande main grêle vint se poser légèrement sur mon dos. Dans l'obscurité, je me sentis nimbé par une bouffée aromatique, un parfum complexe, entêtant, où des essences balsamiques, des parfums de myrrhe et de cannelle se mariaient à je ne sais quel esprit acide. Le chuchotement du sorcier me tomba dans le creux de l'oreille, chargé de suavité vénéneuse.

« Ce serait inconsidéré pour diverses raisons, murmura Sassanos. Aussi bien politiquement que sur le plan astral. Avant de commettre une sottise regrettable, laissez-moi vous éclairer, en toute amitié. En préambule, je vous enseignerai un principe essentiel des arts magiques : tout est affaire de liens. Le magicien lie ou délie. C'est aussi simple que cela ; et en ce qui vous concerne, je vous ai lié. Ce qui signifie que vous débarrasser d'une amulette ne suffira pas à vous délivrer... »

La serre osseuse glissa le long de mon échine et
m'abandonna à regret, non sans que j'aie senti une
légère pression des ongles pointus comme des lancettes.

« J'ai fait... un double nœud, si vous me permettez
une image triviale, poursuivit-il. Pour chacun de ces
nœuds, j'ai associé trois personnes. Sur le plan politique, ce sort nous lie, vous et moi, à son excellence.
Car c'est Leonide Ducatore qui m'a demandé de vous
tenir à l'œil ; c'est lui qui a payé votre dentier, ce qui
incluait non seulement le prix du bijou, mais aussi
celui du rituel et l'achat de la complicité de l'orfèvre.
Pour ma part, je n'ai fait que tisser le charme : mais
l'instigateur réel de l'envoûtement, c'est notre ami
commun. En sorte que si vous vous sépariez de ce dentier, vous ne vous contenteriez pas de me défier — pour
être franc, je comprendrais votre geste et je n'y trouverais rien d'offensant... Non, c'est surtout à la volonté
du Podestat que vous vous opposeriez. Après tout, c'est
un présent qu'il vous a fait. Dans votre situation, vous
sentez-vous les reins assez solides pour insulter ainsi
votre protecteur ? »

Il s'interrompit un instant, et j'eus le sentiment désagréable que les ténèbres me dissimulaient son rictus
sarcastique.

« Je suis sûr, toutefois, que vous restez assez téméraire pour vous risquer à froisser son excellence,
admit-il. Aussi laissez-moi vous mettre en garde
contre le second nœud, contre le charme lui-même.
Celui-ci lie aussi trois personnes : vous, moi et notre
petite amie. Vous me permettrez de garder son nom
secret : le connaître vous serait plus préjudiciable
qu'utile. Sachez simplement que pour vous associer à
elle, je ne me suis pas contenté de vous gratifier d'une
de ses dents. J'ai procédé à un échange. J'ai récupéré
le chicot qu'on vous a arraché, je l'ai soumis au même

rituel que l'incisive de la défunte, et je l'ai inséré dans sa bouche. Le sortilège est parfaitement symétrique : je vous ai unis tous les deux, pour le meilleur et pour le pire, en quelque sorte... Si jamais vous vous sépariez de votre talisman, vous altéreriez l'équilibre du charme, mais sans le briser. En fait, dans la mesure où notre petite âme en peine posséderait toujours son talisman, elle prendrait probablement l'ascendant sur vous... Comprenez bien ce que cela signifie : elle ne se contenterait plus de vous visiter et de vous espionner. Elle tenterait de s'emparer de vous. Un corps vivant, pour l'esprit d'une morte, quelle aubaine ! Et comme la nature a horreur du vide, savez-vous où la charmante enfant vous refoulerait ? Dans ses propres restes, scellés à l'intérieur d'une urne. »

Ce qu'il me révélait me fit froid dans le dos, là où il m'avait touché avec sa main ; j'eus l'impression désagréable que nous n'étions pas seuls dans ce nid de ténèbres, comme si quelqu'un ou quelque chose d'autre s'était glissé en tapinois dans notre voisinage, peut-être dans la litière, pour nous espionner avec une curiosité avide.

« Les gosses martyrisés des bas quartiers, c'était vous ?

— Bien sûr que non, rétorqua-t-il sèchement. Pour qui me prenez-vous ? Ce serait trop imprudent de prélever des victimes en ville.

— Alors d'où vient la gamine ?

— De la campagne. Et sachez que je ne suis pour rien dans son décès ; je me suis contenté d'acheter le corps.

— Lusinga m'a affirmé que vous l'aviez profané. »

Sassanos émit un rire bref et méprisant.

« Ainsi, c'est notre vieille amie qui a tenté de vous retourner contre nous ? Dònna Lusinga est bien placée pour s'offusquer de mes petites transactions avec l'au-delà. A-t-elle baissé le voile, ou avez-vous été trop sensible à ses artifices pour deviner son âge réel ?

— Elle a sans doute cherché à m'enfumer, mais elle m'a soigné, au moins.

— Je n'en doute pas. Elle vous aurait remis en forme pour que vous soyez en mesure de souffrir tout votre saoul.

— Elle m'a paru plus franche du collier que vous, mais j'ai pas aimé sa méthode. Elle m'a attaqué là où je l'attendais pas. On aurait cru qu'elle lisait en moi à livre ouvert. J'ai pas causé, mais je vous garantis pas qu'elle ait rien vu.

— Elle n'a pas accédé à ce qui nous intéresse. Elle se serait heurtée aux verrous que j'ai posés avec l'aide de ma petite auxiliaire.

— Qu'est-ce que vous savez de Lusinga ? Il serait peut-être temps de m'en parler, non ? »

Le sorcier attendit un instant, comme s'il pesait sa réponse. Sans doute triait-il ce qu'il estimait bon de me révéler et ce qu'il garderait pour lui. De mon côté, je réévaluais ma propre situation : avait-il dit vrai au sujet de l'envoûtement dont il m'avait frappé, ou avait-il noirci le tableau pour s'assurer de ma docilité ? Si je voulais rompre le charme, me faudrait-il retrouver le cadavre de la gamine et lui reprendre ma quenotte avant de me séparer de mon propre dentier ? Ne risquerais-je pas gros en violant les défenses que Sassanos avait sans doute disposées autour de l'urne ? Et pour commencer, où chercher ? Ne vaudrait-il pas mieux essayer de négocier ? Passer par don Dagarella était une option envisageable : les Chuchoteurs n'apprécieraient pas qu'un de leurs hommes soit ainsi envoûté. Ils pourraient faire pression sur le sorcier et sur le Podestat... Mais y avais-je intérêt dans l'immédiat ? Tant que Leonide Ducatore me croirait bridé, peut-être exclurait-il de régler de façon radicale les problèmes que je lui posais...

« Vous avez raison, finit par énoncer le sorcier, il faut connaître son ennemi. Voici donc ce que j'ai appris sur notre belle amie. Je dois vous avouer que cela ne fait que quelques mois que je me suis intéressé à elle ; certes, j'avais un peu entendu parler de ce duo bizarre, les Lusinga, mais ils étaient discrets, et jusqu'à la guerre, la maison Mastiggia ne portait pas ombrage à son excellence. Je n'avais donc pas approfondi de ce côté. Mal m'en a pris. Je n'y avais pas prêté attention, mais en fait, il y a bien des années, j'avais déjà rencontré ce nom, Lusinga. Si j'avais fait le rapprochement plus tôt, sans doute aurais-je mieux évalué la menace qu'elle représente…

« Dès son retour victorieux, à la fin de l'été, son excellence m'a avisé que les Mastiggia pouvaient devenir un danger pour nos intérêts. J'ai donc sondé le palais du sénateur Tremorio Mastiggia, et j'ai été dérouté par ses défenses. J'ai d'abord cru que la demeure était ouverte : je n'avais aucun problème pour l'espionner par catoptromancie, et mes lémures y entraient comme dans un moulin. Ce que j'y observais, du reste, n'avait aucun intérêt : les visites d'usage que font les alliés et les clients dans une grande maison frappée par un deuil. J'aurais pu abandonner rapidement ma surveillance si une anomalie n'avait pas piqué ma curiosité : j'avais des absences. Quand je croyais n'avoir consacré qu'une heure à espionner les Mastiggia, je me rendais compte que j'étais très las en retournant à mes activités profanes, parce que j'avais en fait perdu la moitié de la nuit. Les esprits que je laissais en sentinelle me livraient eux aussi des renseignements contradictoires, se volatilisaient parfois quelques jours, se fourvoyaient systématiquement dans l'évaluation des durées. J'ai alors soupçonné un charme très subtil. Un soir, je suis retourné épier le palais Mastiggia depuis le fond des miroirs, mais je me suis désintéressé des activités de la maison ; par une enfilade de fenêtres j'ai observé le ciel. Les étoiles occupaient une position anormale, la lune n'était pas dans le bon quartier : j'ai alors réalisé que dans l'entremonde, le palais était soumis à une distorsion temporelle… Cela ne vous dira pas grand-chose, j'imagine, mais pour moi, cette découverte était un grand motif d'étonnement. Les enchantements dyschroniques sont assez périlleux et très complexes à tisser ; ils sont rarement fondés sur le sacrifice, mais plutôt sur la fascination et sur la sublimation. J'ai alors compris pourquoi j'avais eu tant de difficultés à percevoir les défenses occultes du palais... J'avais bel et bien été leurré par un pouvoir très peu ordinaire : de la Magie Vive.

« La Magie Vive peut se dissimuler derrière bien des masques, mais il est une activité avec laquelle elle se confond souvent : la pratique d'un art. Or le palais Mastiggia accueillait plusieurs artistes, comme le poète Luca Tradittore ou Piromaggio le sculpteur... Toutefois, la vieille maîtresse du sénateur avait la réputation d'être une chanteuse de grand talent, et le chant peut devenir un redoutable vecteur de pouvoir. Je me suis donc intéressé à elle. Ma déduction était pertinente... L'enquête que j'ai entreprise discrètement sur dònna Lusinga m'a révélé une personnalité secrète, remarquable, et très inquiétante.

« Peut-être le savez-vous : dònna Lusinga a connu son heure de gloire à Ciudalia, il y a environ trente ans. C'était alors une chanteuse qu'on se disputait dans les fêtes et dans les cérémonies. Elle a interrompu sa carrière quand elle est devenue la maîtresse de sa seigneurie Tremorio Mastiggia... Mais elle avait marqué les mémoires ; quand je me suis renseigné auprès de personnes âgées, j'ai appris des choses fascinantes sur notre amie. Dònna Lusinga passe pour ciudalienne, mais tout le monde ignore son origine réelle, parce qu'elle est arrivée de l'étranger il y a trente ans. Elle venait de l'île de Llewynedd, où elle avait vécu en sa jeunesse, selon la rumeur. Car c'était déjà une femme mûre quand elle posa le pied sur les quais de Ciudalia, même si son charme et sa voix extraordinaire faisaient oublier son âge. Mettons qu'elle ait eu quarante ans à cette époque ; quand vous l'avez croisée, avez-vous eu le sentiment d'avoir affaire à une aïeule ?

— C'est pas un tendron, c'est certain… Mais elle n'a pas l'air d'une vieille peau non plus.

— N'est-ce pas étonnant ? Elle devrait au bas mot avoir soixante-dix ans… Cela reste toutefois dans l'ordre du possible : certains individus vieillissent de façon harmonieuse, et conservent très tard un air de jeunesse… Cependant, d'autres singularités ont piqué mon intérêt dans les témoignages que j'ai collectés. Ainsi, tout le monde semble ignorer quel était le nom de jeune fille de dònna Lusinga ; son patronyme, Strigila, était en fait le nom de son mari, Pytheacio Strigila ; un marchand hardi qui faisait du négoce au long cours. Il semble qu'il ait rencontré et épousé Lusinga au cours d'une escale à Llewynedd. D'où venait-elle auparavant ? Nul ne le sait. Toutefois, mes sources s'accordent pour dire que ce mariage était probablement une mésalliance : on m'a affirmé que dònna Lusinga était de plus haute naissance que son époux. Mes informateurs rapportent tous que la belle, quand elle est revenue à Ciudalia, en connaissait les coutumes et les usages, et que le quartier de Purpurezza lui était familier. Elle parlait en outre une langue très recherchée, d'une pureté presque désuète, qui trahissait une excellente éducation. Qui d'autre qu'une femme bien née pourrait s'exprimer ainsi ? Personnellement, je ne vois pas tout à fait les choses de la même manière, mais je vous en expliquerai les raisons plus tard…

« Toujours est-il qu'à peine arrivée, Lusinga ensorcela toute la bonne société avec ses talents de chanteuse. On lui prêta plusieurs aventures avec de hauts personnages. Son malheureux époux, don Pytheacio, voguait souvent en haute mer pour commercer avec des terres lointaines, et la charmeresse avait donc les coudées franches pour entretenir des liaisons galantes. Ce fut ainsi qu'elle rencontra Tremorio Mastiggia. Il y a trente ans, le sénateur Mastiggia était un bel homme, qui devait avoir un charme comparable à celui du défunt Bucefale, ou encore à celui de son bâtard, Dulcino… Le fringant sénateur et la belle infidèle filèrent le parfait amour. Comble de délicatesse, le mari trompé eut l'élégance de s'effacer : il se perdit corps et biens avec son navire, la *Speranza*… »

La *Speranza* !

Le nom se fraya une voie jusqu'à mon cœur avec la cruauté d'un coup de couteau. Une fois de plus, je me sentis saisi en embuscade : par un détour tortueux, mon passé revenait me sauter à la gueule. Je perdis un moment le fil de ce que racontait Sassanos ; dans l'obscurité, je revis les yeux magnifiques de la sorcière, l'éclat cruel dans ce regard intense lorsqu'elle m'avait parlé de mes gribouillis de môme, et le détachement serein qu'elle avait affiché en tentant de m'acheter avec la révélation de ce qui était arrivé au bâtiment. Je réalisai qu'elle n'avait pas cherché à me flouer. Elle avait sans doute dit vrai : elle détenait la vérité.

Pis encore : elle en avait peut-être été l'instigatrice.

Je coupai abruptement le moricaud alors qu'il poursuivait son bavardage.

« Est-ce que c'est elle qui a provoqué le naufrage ?

— Je vous demande pardon ?

— Le naufrage de la *Speranza*, est-ce que c'est elle ?

— Je n'en ai pas la moindre idée… En quoi cela nous intéresse-t-il, du reste ?

— Simple curiosité, grondai-je.

— Connaissez-vous quelque chose à propos de ce navire ?

— Vous rigolez ! grinçai-je. J'étais qu'un morveux à l'époque, et j'ai toujours eu le mal de mer. Mes excuses pour l'interruption… Vous disiez, à propos de la vieille salope ? »

Le sorcier ne reprit pas tout de suite la parole. J'eus l'impression déconcertante d'entrevoir ses prunelles dans l'obscurité alors qu'il les posait sur moi ; on aurait cru qu'un reflet fugace les avait brièvement parcourues, comme deux pièces d'argent, ou comme les pupilles d'un animal nocturne qui accroche un éclat de lune. Avait-il été froissé par ma sortie ? Ou avait-il perçu dans ma voix quelque chose que j'aurais préféré garder pour moi ?

« Je disais qu'à peine veuve, dònna Lusinga s'installa dans le palais Mastiggia, reprit lentement le sapientissime. Elle était enceinte ; elle portait Dulcino, et s'il porte le nom de Strigila, il semble qu'il soit né trop tard pour avoir été vraiment le fils de don Pytheacio. Dès cette époque, il était de notoriété publique que c'était l'enfant illégitime du sénateur... Plus savoureux encore : Bucefale naquit la même année, mais quoique dònna Luctosa Mastiggia, sa mère, fût plus jeune que sa rivale, le sénateur fit de Lusinga la nourrice de ce fils légitime. Bucefale et Dulcino ont tété le même lait ; et j'incline à croire que dònna Lusinga a donné bien plus que le sein aux fils aînés du sénateur. Sans doute le charisme de Bucefale Mastiggia fut-il le don que lui avait apporté cette bonne fée... Vous comprenez mieux ce qui fait de cette femme une ennemie capitale, je gage. Elle a détourné, nourri et élevé l'homme que vous avez tué.

« À partir du moment où elle s'est occupée des fils du sénateur, il semble que dònna Lusinga se soit effacée de la vie mondaine. C'est aussi vers cette époque que son prétendu frère, le secrétaire, serait entré au service de la maison Mastiggia. Tout laisse croire, en fait, que c'était elle ; ainsi, elle gagnait la mainmise sur la famille et sur ses affaires... Cette imposture plutôt cocasse a piqué ma curiosité. Pour un magicien, usurper une apparence est un tour assez aisé ; mais on ne peut improviser des savoir-faire... Or don Lusinga semblait être un clerc tout à fait compétent. J'ai eu la curiosité d'aller consulter certains documents établis de sa main dans les archives du Palais curial ; il est certain qu'il maîtrisait parfaitement les formes et la langue juridiques. Il m'a même semblé que son style était affecté par un discret maniérisme, légèrement antiquisant, qui me renvoya au langage recherché que dònna Lusinga aurait pratiqué à l'époque de son arrivée à Ciudalia. Toutefois, ce fut tout autre chose qui me frappa en découvrant ces documents. En les parcourant, je ressentis une nette impression de déjà vu ; c'était très étrange, car il s'agissait essentiellement de courriers insipides que le sénateur Mastiggia avait adressés au Sénat pour expédier des affaires courantes... Rien de notable dans le contenu de ces textes... Non, c'était l'aspect même de ces parchemins qui me mettait en alerte. Il me fallut les étudier un petit moment pour mettre le doigt sur ce qui avait éveillé ma vigilance. La clef était dans la graphie : j'avais déjà vu cette écriture. Mais dans une autre langue, et dans un autre syllabaire, d'où la difficulté à opérer le rapprochement. Toutefois, quand j'eus identifié le point commun, le doute ne me fut plus permis : car les autres textes que j'avais lus par le passé, eux aussi, avaient été composés par un certain Lusinga.

« Vous n'êtes pas sans savoir que j'ai été initié à Elyssa. La Grande Bibliothèque d'Elyssa possède un fonds d'une richesse extraordinaire : outre notre propre tradition, elle conserve la plupart des œuvres écrites des différentes cultures de Transestrie, y compris les ouvrages de peuples maintenant disparus. Ainsi contient-elle plus de livres du royaume de Leomance que les libraires privées des sénateurs ciudaliens, les archives du duc de Bromael ou même l'Académie des Enregistrements de Bourg-Preux. Ce fut au cours de mes études à la Grande Bibliothèque que j'ai lu des traités composés par un certain Lusinga. Il s'agissait d'ouvrages de qualité inégale, mais fort précieux : ils exposaient les principes de la Magie Vive telle qu'elle est pratiquée par les elfes. Je dois avouer que cela me parut très brouillon, peut-être parce que trop éloigné de notre Trésor Sphingidé. J'ai ainsi acquis des idées imparfaites sur l'anagogie elfique, et sur la Sagesse et la Fugue, les voies que le peuple ancien emprunte pour atteindre le ravissement… Mais je m'écarte de mon objet. Ces livres m'avaient marqué, dans ma jeunesse, en raison de leur caractère déceptif. Je ne parvenais pas à saisir les enseignements qu'ils prétendaient offrir. Peut-être était-ce dû à leurs imperfections formelles… Ils étaient composés en rassní classique, comprenez en ressinien classique, et non en rassní vernaculaire, ce qui attestait une bonne éducation de l'auteur ; mais la langue comportait aussi quantité d'impropriétés et d'erreurs, en particulier des barbarismes qui impliquaient que le ressinien n'était pas la langue natale de l'auteur. Plus frappant encore : si la syntaxe et le lexique étaient classiques, l'orthographe quant à elle était vulgaire, simplifiée au point d'être quasiment phonétique. Contrairement à ce que publiait la première page de ces traités, l'auteur n'était sans doute pas un homme, mais une femme. Il employait une orthographe révélant une éducation où l'apprentissage des formes anciennes de la langue avait été négligé. C'est pourquoi je soupçonnais l'enseignement simplifié que l'on réserve à un public féminin… Et il se trouve que l'écriture du secrétaire des Mastiggia est identique à celle de l'auteur des ouvrages de la Grande Bibliothèque.

« Quoi d'étonnant à cela, me direz-vous ? Avant d'arriver à Ciudalia, Lusinga était une lettrée, elle avait écrit des traités de magie et déjà cherché à se faire passer pour un homme. Dans la mesure où elle avait un certain âge en débarquant sur le territoire de la République, tout cela est très cohérent. Certes, tout s'imbrique au mieux. Ou presque. Car, voyez-vous, il y a une grosse anomalie dans le tableau que je suis en train de brosser. Les ouvrages d'Elyssa semblent bien avoir été acquis à Llewynedd ; mais ils ont été inscrits sur le registre d'inventaire sous le règne du chah Nabopolossar… Savez-vous quand a vécu ce sublime souverain, don Benvenuto ?

— Heu… Vous êtes sérieux, là ? Je serais même pas capable de répéter son nom…

— Rassurez-vous : même à Ressine, on ne se souvient guère de lui. Il n'a régné que dix-huit mois, à l'époque où Laegaire III occupait encore le trône de Leomance. Il y a plus de deux siècles. Ce qui implique...

— Ce qui implique que la vieille peau a deux cents ans facile.

— Au moins. Probablement davantage... Car il a fallu que ses livres fissent le voyage depuis Llewynedd jusqu'à Elyssa ; car elle a eu besoin de temps pour les écrire préalablement ; car elle a dû s'initier à la tradition elfique avant de les composer... En tout cas, voilà qui explique la préciosité de son ciudalien. Elle ne pratiquait pas un langage recherché quand elle est rentrée à Ciudalia il y a trente ans ; elle parlait juste sa langue natale, un idiome qui avait vieilli et dont les archaïsmes paraissaient affectés... Et c'est elle qui a eu le front de vous mettre en garde contre mes petits sortilèges ? Quelle duplicité ! Je n'ai fait que nouer quelques petits accommodements avec les morts ; elle, c'est avec la mort qu'elle a conclu un arrangement.

— Elle a peut-être du sang elfique.

— Elle use de magie elfique, je vous l'accorde. Mais je ne crois pas qu'elle soit liée au peuple ancien par la naissance. Même les sang-mêlé conservent de leurs aïeux elfiques un air juvénile qu'elle ne possède pas vraiment. Dònna Lusinga n'est pas fraîche, elle est sans âge. C'est son art seul qui lui prodigue sa longévité... En tout cas, de tout de ce que j'ai mis au jour, j'ai tiré des conclusions. Des conclusions en forme de questions. Voici une enchanteresse puissante, qui a découvert un secret de longue vie, qui vivait à Llewynedd à la limite des Cinq Vallées, au contact des elfes dont elle étudie la magie depuis plusieurs siècles... Pourquoi donc aurait-elle épousé Pytheacio Strigila ? Un trafiquant certes audacieux, mais de fortune moyenne, sans quartier de noblesse... Pourquoi revenir à Ciudalia ? Pourquoi briller quelques saisons dans la bonne société, puis s'ensevelir dans les rôles multiples, mais

ingrats, de courtisane, de nourrice, de secrétaire ?
Voyez-vous où je veux en venir ? »

Je ne le voyais que trop. La *Speranza* n'avait sombré
que lorsque Lusinga avait été assurée d'avoir ferré un
sénateur. Lorsque le mari était devenu encombrant...

« Elle voulait s'emparer d'un clan, murmurai-je.

— Exactement. C'est un parasite. Elle a charmé le
vieux Mastiggia pour s'insinuer dans sa maison, pour
s'approprier ses fils, pour les élever à son idée. Elle a
jeté tout particulièrement son dévolu sur Bucefale
parce que c'était le patrice : elle l'a nourri, elle l'a formé,
elle l'a façonné pour devenir un chef charismatique. En
privé, toutefois, il serait resté son jouet. Elle voulait
hisser Bucefale à la tête de la République. Elle voulait
confisquer la République ; certainement pas ouvertement, car elle est trop âgée pour accorder encore de
l'importance au faste, aux honneurs, à tout le clinquant
des vanités. Elle aurait gouverné dans l'ombre, une
véritable éminence grise, en formant l'une après l'autre
des générations de dirigeants fantoches. Elle serait
devenue la reine cachée de Ciudalia... Dans quel but ?
Je l'ignore. Peut-être pour doter son âme immortelle
d'un corps proportionné à ses ambitions. Ce qui est certain, c'est qu'en tuant Bucefale, vous avez ruiné son
entreprise. Mais vous n'étiez qu'un exécutant, elle le
sait fort bien. En vous capturant, elle comptait se servir
de vous pour atteindre votre commanditaire. Elle veut
détruire le Podestat ; pas seulement par vengeance,
mais aussi par précaution, par calcul. Avant de reconstruire un nouvel homme de paille, elle a besoin d'aplanir les obstacles. Son excellence lui a déjà brisé une
poupée, il pourrait en casser d'autres... En vérité, les
bellicistes et les Mastiggia ne sont que des marion-
nettes. Notre ennemie véritable, c'est Lusinga. »

Il se tut un instant. J'étais un peu étourdi par tout ce
qu'il venait de me déballer, et je me demandais
comment faire la part des choses dans ce beau conte.
Le moricaud avait tout intérêt à noircir sa rivale, dans

l'hypothèse où ma loyauté aurait chancelé... Pas de souci à se faire, pourtant : Lusinga avait été assez claire, elle m'aurait fait donner la mort. Je n'avais pas franchement envie de lui offrir mes services... Non, ce qui me tourmentait, c'était cette histoire de la *Speranza*. Les deux sorciers m'en avaient parlé. Sassanos en savait-il autant que l'enchanteresse ? Avait-il cherché à me manipuler ? Ou s'était-il contenté de me rapporter la vérité ?

« Pour en revenir à ce qui vous chagrine, reprit la voix grave dans les ténèbres, mesurez-vous mieux l'utilité du charme dont je vous ai doté ? Je vous concède que le procédé manquait un peu de franchise, que l'enfant morte qui vous hante peut servir à vous surveiller et, dans une moindre mesure, à vous influencer... Mais c'est aussi un bouclier. La douleur vous a protégé des enchantements de dònna Lusinga ; la présence de l'esprit a détourné en partie l'attention de la magicienne ; et grâce au fantôme, les secrets que nous ne voulons pas voir publiés sont gardés, et enfouis profondément, très profondément, dans une aire qui n'est ni tout à fait le monde des vivants, ni tout à fait celui des défunts... Elle n'est pas bien jolie, votre petite fée des dents, mais vous devriez lui être reconnaissant. Après tout, c'est un peu votre ange gardien... »

Il nous fallut deux jours pour gagner la côte.

Les chevaliers étaient sur le qui-vive. À mesure que nous approchions du littoral, les symptômes d'une situation troublée se multipliaient. Les fermes et les hameaux devenaient hostiles ; les villages fortifiés restaient portes closes. À quelques reprises, notre bande tomba sur des chemins coupés par un arbre abattu ou par une barricade improvisée avec des charrettes. Tout le monde mettait alors la main à l'épée, mais ces traquenards ne nous étaient pas destinés. C'était entre factions ciudaliennes que l'on se faisait des politesses ; le bal était ouvert. En deux occasions, on dépassa des croisements tristement ornés de pendus. Un après-midi, des écuyers signalèrent une imposante file de piquiers qui longeait la ligne de crête d'une colline, sur nos arrières. Cela sema une certaine inquiétude chez les cavaliers, mais ces troupes d'infanterie ne se dirigeaient pas vers nous. En revanche, je fus moi-même impressionné par leur nombre : il y avait là au moins cinq enseignes, soit un demi-millier d'hommes. J'espérais que les Phalanges restaient neutres, que les affrontements n'opposaient encore que les clientèles privées, et que cette soldatesque prenait simplement position pour contenir les troubles les plus graves. Mais rien n'était moins sûr. Je n'avais que trop conscience des ralliements de certains officiers et de vétérans dans mon style. Si l'armée entrait dans la danse, alors la République entière serait mise à feu et à sang... Toutes ces alarmes incitaient les chevaliers à forcer l'allure. Ils voulaient arriver à Ciudalia avant que ne coure la rumeur que Belisario Ducatore était des leurs. Du coup, ils poussaient régulièrement un petit trot, en alternance avec des séquences au pas ; pour ma part, j'avais le siège démoli par la gigue.

Le temps se dégrada à mesure qu'on approchait de la capitale. Une forte brise nous soufflait dans les narines, gonflait les manteaux mal fermés, faisait claquer les pennons et broncher les chevaux. Parfois, une bourrasque balayait la campagne, frissonnait sur les oliveraies et ployait les pins. On essuya quelques averses brèves et brutales, mais même durant les éclaircies, le vent faisait courir au-dessus de nos têtes de longs écheveaux de nuages, écharpés par les souffles de l'océan, sombres comme des fumées d'incendie. Cela sentait l'iode et les grains d'hiver. Nous touchions quasiment au but.

J'étais plus que jamais déchiré par des émotions contradictoires. Malgré mon séant douloureux, j'éprouvais jusqu'au fond de ma moelle que je rentrais chez moi. Étrange impression, comme si ma terre natale était arrimée en moi de tout le poids de ses collines, de ses rocailles côtières, des capillaires ligneux de ses pinèdes et de sa garrigue : retrouver mon pays me procurait une euphorie soulagée, une respiration apaisée, une douceur de convalescence. En même temps, je ne sentais que trop la boule d'angoisse qui croissait dans mon estomac ; ma conversation avec Sassanos, loin de me donner une vision plus claire de la situation, n'avait fait qu'accroître ma confusion. J'allais tenter de me refaire à l'aveuglette, armé d'une main de mauvaises brèmes, à une table où j'avais déjà accumulé tant de dettes que je ne pourrais payer de nouvelles pertes qu'avec des os rompus.

Je n'étais pas le seul à me sentir troublé. D'heure en heure, Belisario se renfermait davantage. Sa faconde et son insouciance s'effilochaient. Cavalier accompli, cette chevauchée n'était pour lui guère plus qu'une promenade ; campé bien droit sur son cheval, je le voyais s'abstraire progressivement au milieu de ses compagnons. Son jeune visage devenait méditatif et sombre. Il parcourait les champs, les vergers et les collines d'un œil défiant, et je soupçonnais que le piège qu'il redoutait était moins l'assaut d'une bande belliciste que son propre passé, planqué en embuscade dans les détours du paysage. Craignait-il d'être rattrapé par la nostalgie, par la culpabilité, par les vieilles haines patriciennes auxquelles il avait cru échapper ? Si tel était le cas, il avait bien raison. Son père allait se charger de l'enchaîner à son destin curial.

Trois jours après notre entrée sur le territoire de la République, quand nous fûmes proches de la baie de Ciudalia, les chevaliers conférèrent entre eux sur la conduite à tenir. Était-il préférable d'envoyer un émissaire reconnaître la situation en ville et les annoncer auprès du Podestat, ou valait-il mieux miser jusqu'au bout sur la rapidité et se présenter à l'improviste aux portes du palais Ducatore ? Ils prirent conseil auprès de Sassanos et de mon anecdotique personne. De mon côté, j'étais prêt à me faufiler dans les murs pour prendre le sens du vent et jouer les messagers — c'eût été de bonne politique pour ma pomme que de débarquer comme une fleur, porteur de nouvelles fastes. Mais le moricaud n'était pas de cet avis ; il craignait que je me fasse capturer, ce qui aurait été catastrophique pour toute la maison Ducatore. Il proposa une autre alternative aux chevaliers : un bref détour au Casale Bianco, le domaine agricole que la famille Ducatore possédait non loin de la ville, pour y glaner des renseignements récents et aviser ensuite en connaissance de cause. Odon et Sornehan adoptèrent sa proposition et remercièrent le vénérable pour son conseil. Je baissai le nez pour ricaner à mon aise. Belisario ne dit rien. Il arborait un petit sourire en coin, empreint d'une amertume acerbe. Ces précautions devaient lui rappeler les circonstances dans lesquelles il avait fui six ans auparavant, alors que la ville traversait déjà une crise politique majeure. Lui aussi, il rentrait au pays...

Le Casale Bianco était barricadé comme une forteresse. Du haut des murs qui enclosaient les bâtiments de la ferme, des manants armés de piques et de vieilles arbalètes nous regardèrent approcher avec un mélange de trouille et de malveillance. Belisario fut bien forcé de sortir de sa réserve pour essayer de les amadouer. Dressé sur ses étriers, il dut parler longuement pour tenter de les persuader qu'il était le fils du podestat Ducatore ; son équipage, ses compagnons, jusqu'au léger accent léonien qu'il avait attrapé au cours de son exil excitaient la méfiance des rustauds. Je fus bien tenté de les couvrir d'insultes pour les persuader qu'il n'y avait pas que des étrangers dans cette bande, mais cela n'aurait pas été très malin. Finalement, Belisario eut la bonne fortune de reconnaître un ancien palefrenier du palais au milieu des paysans, et il évoqua quelques souvenirs d'enfance qui convainquirent le bonhomme. Les glaiseux finirent par accepter de nous renseigner.

Ce qu'ils nous rapportèrent était confus et alarmant. Ils connaissaient mal la situation en ville, car il devenait de plus en plus risqué de s'y rendre. Ce qui ressortait clairement des rumeurs, c'est que le désordre était en train de se répandre dans la capitale. La cité se fractionnait en quartiers aux frontières mal définies, que disputaient des factions rivales. Le port avait échappé au contrôle des autorités ; des coteries s'affrontaient pour se l'approprier, dont des bandes crapuleuses qui profitaient des querelles patriciennes afin de se tailler un territoire. Même les portes de la ville étaient tombées entre les mains de troupes antagonistes. La Postièrla Morésca, une poterne qui permettait d'entrer non loin de l'Arsenal, avait été désertée par les forces régulières : c'était désormais un ramassis de truands et de contrebandiers qui l'occupaient et qui s'en servaient pour frauder l'octroi. Le Castellétto Grande et la Postièrla Buia étaient sous la garde de milices bellicistes, qui risquaient fort de nous charger si elles soupçonnaient la présence de Belisario Ducatore dans nos rangs. Le Portóne Solenne, qui offrait un accès direct à Torrescella, était théoriquement contrôlé par une enseigne de phalangistes fidèles au pouvoir en place ; mais comme les deux podestats, Leonide Ducatore et Ettore Sanguinella, appartenaient à des partis opposés, il était difficile de savoir à qui allait la fidélité effective de ces soldats. D'autres entrées, comme la Pòrta Letichina ou la Postièrla Malvágia, tombaient entre les mains de l'un ou l'autre parti au hasard des coups de force. Les merlons de la Pòrta Letichina étaient garnis de quantités de pendus, rapportèrent quelques manants. Seuls la Postièrla Dóppia et le Castellétto Accigliato étaient fermement tenus par des soldats souverainistes. Les paysans se demandaient toutefois combien de temps cela durerait, vu la rapidité avec laquelle les événements se dégradaient à l'intérieur des murs...

Malgré la répugnance qu'Odon éprouvait à se jeter

dans une ville livrée à la guerre civile, les trois chevaliers décidèrent d'y entrer le plus vite possible. On décrocha au trot du Casale Bianco, pour traverser des bosquets de pins non loin de la bergerie où j'avais passé ma première nuit d'exil... Et au détour du bois, une immensité océane éploya son vertige devant nous, dessinant le tronc des arbres avec une netteté marine. Le vent respirait des haleines de sel, d'espace et de varech ; devant nous s'étageait l'amphithéâtre majestueux de la baie, et les perspectives infinies du large. Toute la troupe s'arrêta un moment, et je réalisai, au flottement presque religieux qui s'empara des cavaliers, que nombre de sergents et d'écuyers n'avaient encore jamais vu la mer. Même Belisario ouvrait des quinquets étonnés, presque gamins, comme s'il avait oublié l'ivresse littorale qui avait adouci son enfance.

Moi, je n'avais d'yeux que pour la ville.

Élégamment accolée à la côte mais corsetée en ses remparts dentelés, cambrée de toutes ses tours et de tous ses palais, Ciudalia trônait sur le bord du continent. Plus fière que jamais, elle faisait mentir par sa magnificence tous les bruits de désastre. Il suffisait de la contempler, la garce splendide, serrée dans ses jupes de pierre et ses corsages de marbre, pour saisir le fin mot de la terrible affaire où nous sombrions tous. C'était une croqueuse d'hommes. Moi-même, j'allais probablement mourir de n'avoir pu me passer d'elle ; Belisario avait cherché à la fuir, mais elle avait su dérouler des manigances pour ramener dans ses robes lascives le damoiseau trop vertueux ; quant à la noblesse, pourquoi donc se déchirait-elle, sinon pour la chambre d'azur où se prélassait la charmeresse ? La catastrophe qui nous menaçait, ces émeutes dans le port, ces batailles rangées dans les rues, ces cadavres jetés au ruisseau, ces balcons transformés en gibets, ces clameurs de haine et ces odeurs de mort : tout cela était l'encens qui flattait la superbe de la vieille patrie. Il fallait qu'on crève pour complaire sa coquetterie.

Elle empoisonnait ses propres enfants avec un amour dénaturé, elle semait en eux une jalousie et une concupiscence fratricides, elle ne les élevait dans le culte de sa propre beauté que pour mieux les dévorer.

Alors que nous nous remettions en route vers les faubourgs, l'écuyer qui guidait la litière de Sassanos me fit signe d'approcher. Sans même avoir la politesse de soulever sa tenture, le sorcier me recommanda de marcher à sa hauteur ; il m'expliqua qu'il allait faire pour notre salut le même type de dévotions que celles auxquelles il s'était livrées lors de notre étape à Montefellóne. Une fois que nous serions en ville, il était donc préférable que je reste en sa compagnie ; il me recommandait même de ne pas le quitter une fois que nous aurions atteint le palais Ducatore. Il prétexta qu'il aurait besoin de mon aide pour gagner ses appartements, mais c'était surtout pour donner le change aux cavaliers qui nous escortaient. Il désirait en fait que je ne m'affiche pas en compagnie de Belisario.

Sur le moment, je respectai ses consignes, mais je m'interrogeais néanmoins sur ce qui me protégerait le plus efficacement. Les Mastiggia savaient que j'avais été délivré par des chevaliers du Sacre ; une fois le retour de Belisario Ducatore rendu public, il ne leur faudrait guère de temps pour comprendre que je me trouvais probablement dans sa suite. Dans ces conditions, à quoi bon me dissimuler ? Cela n'aurait d'utilité que pour ménager le crédit du Podestat, mais ma sécurité ne serait-elle pas mieux assurée si je collais aux basques de Belisario ? Ce serait plus délicat pour mon patron de me faire disparaître, s'il désirait vraiment regagner la loyauté de son fils. D'un autre côté, je réalisais bien que cela apporterait de l'eau au moulin des factions ennemies, et que je courrais un risque accru de me faire servir un plat de ferraille par les autorités.

On se présenta devant le Castellétto Accigliato, à la jonction entre la muraille de Purpurezza et le rempart qui protégeait le quartier Benjuini. La vieille porte fortifiée était gardée par une bande hétéroclite : s'y mêlaient phalangistes souverainistes, alguazils corrompus, spadassins détachés par des maisons nobles. Belisario n'eut qu'à s'avancer pour qu'on nous ouvre les bras ; malgré la rapidité avec laquelle nous avions traversé le pays, le bruit courait déjà depuis quelques heures que le cadet du Podestat Ducatore était de retour en ville. Cela nous valut une ovation guerrière quand nous passions sous les voûtes et sous les herses de l'entrée, mais je n'en tirais guère de satisfaction. Ce genre de clameur, c'était celle que poussent des troupes qui se comptent avant de charger l'ennemi. Et la nouvelle du retour de Belisario ne sortait pas de nulle part : les Mastiggia ou un de leurs messagers avaient dû nous précéder. Eux aussi, ils devaient s'échauffer en prévision de la fête.

Notre troupe s'engouffra au trot dans les rues. Les sabots de toute cette cavalerie crépitaient contre le pavé comme une avalanche de galets : même en s'époumonant dans un cor ou en déployant des bannières, on aurait difficilement pu faire une entrée plus spectaculaire. Les passants fuyaient devant les cavaliers qui ouvraient la marche, et le vacarme attirait quantité de visages aux fenêtres qui nous dominaient. Des cris fusaient autour de nous : quelques quolibets, quelques interpellations, mais surtout le nom de Belisario, très vite repris par des voix de plus en plus nombreuses. Qu'elle nous eût précédés depuis le Castelletto Accigliato ou qu'elle se fût propagée mystérieusement dans les quartiers, la nouvelle de l'arrivée du patrice Ducatore se répandait comme une nuée de sauterelles. Nous n'avions pas fait la moitié du chemin vers la colline de Torrescella que déjà, nous devions ralentir. La foule grossissait très vite à notre passage, et par les échappées des carrefours, on voyait sans cesse de nouveaux badauds se précipiter pour assister à notre parade. Au milieu du tumulte d'abord informe enfla progressivement un refrain : le peuple reprit en chœur le nom de Belisario, en adoptant spontanément la scansion d'une houle. Les gens se bousculaient autour de nous, levaient la main pour toucher le caparaçon des destriers ou le manteau des cavaliers. Les chevaux bronchaient, effrayés par cette masse beuglante, tassée dans l'enfilade des ruelles, et je craignais l'accident qui nous plongerait dans une panique meurtrière. Serré sur les flancs par Odon et Sornehan, Belisario semblait stupéfait. Il levait une main gantée d'acier avec timidité, il répondait plein d'incrédulité à l'hommage criard de la plèbe. Il ne comprenait pas cette ferveur déferlante, sans doute parce qu'il cherchait une cause objective à ces transports. Moi qui avais en tête des impostures comme mon premier retour ou les funérailles de Regalio, je ne saisissais que trop ce qui enflammait la rue. Nombre d'imbéciles qui acclamaient le patrice Ducatore appartenaient sans doute aux clientèles ploutocrate et belliciste ; mais peu leur importait à ce moment précis. L'esprit de Ciudalia soufflait pour lors sur le trajet du jeune aristocrate ; une flambée de gloriole patriotarde, une transe histrionique où la ville se donnait en tableau à elle-même. La plèbe ne célébrait pas Belisario mais l'image splendide du jeune prince de retour dans sa cité quand grondait la guerre : elle se créait ses mirages de grandeur. Quoi de plus grisant qu'un damoiseau en bel arroi, le cœur frappé d'armes royales, qui salue une foule au pas cadencé de son coursier ? Le lendemain, une émeute partie du palais Mastiggia pourrait aussi bien démembrer le même cavalier sur la même chaussée… Mais c'est une chose de réaliser cela quand vous êtes un vieux briscard au cuir tanné et recousu ; c'en est une autre quand vous êtes un béjaune de haute naissance. Belisario se laissa peu à peu fléchir ; avant même que nous ayons atteint la via Cavallina, il avait les yeux brillants et les joues empourprées. Il avait fallu moins d'une heure à Ciudalia pour forcer la pudeur du petit chevalier…

Abasourdi par les braillées, effrayé par l'ampleur que prenait le chahut, je n'en menais pas large. Mon roussin était de plus en plus agité, et j'avais peur d'être incapable de le maîtriser s'il s'emballait. J'aurais bien mis pied à terre, mais je craignais de m'engluer dans la populace et de perdre le cortège des chevaliers. Le capuchon tiré sur ma bobine, j'espérais que la magie de Sassanos n'avait pas souffert de ses mésaventures : un proscrit pouvait difficilement faire un retour plus angoissant, perché sur une selle, exposé au regard de milliers de témoins.

Et j'avais de quoi me faire du mauvais sang. Pour un vieux citadin dans mon genre, toute une série d'indices trahissait la crise qui couvait. Certaines échoppes étaient fermées, et n'eût été l'emprise du populaire, nous aurions avancé sans rencontrer trop d'embarras, car nous croisions peu de mules et de charrois. Il me semblait que la plèbe comportait encore plus de pouilleux et de mendiants que d'ordinaire, et les gamins des rues avaient vraiment les yeux cernés et les joues hâves. J'en déduisais que l'approvisionnement de la ville était perturbé ; et rien n'était plus dangereux qu'une disette dans les bas quartiers... L'insécurité se devinait à d'autres détails. Au-dessus des toits de Purpurezza, aucune fumée ne montait de l'Arsenal, ce qui confirmait que le port était paralysé. À deux ou trois carrefours, j'aperçus des rues barrées par des chaînes. Parmi les passants agglutinés sur notre passage, des quantités portaient une arme au côté. La dague est certes un accessoire de mode prisé dans notre bonne cité ; mais je découvrais un peu trop d'épées et de baudriers à mon goût. En revanche, pendant tout notre trajet, je ne vis aucune patrouille d'alguazils ; les hommes du guet avaient dû abandonner le pavé. J'étais le premier surpris de m'en trouver chagriné...

Car relégué quelques rangs derrière les trois chevaliers, je rageais contre la distance qui me séparait de

Belisario ; les sergents du Sacre étaient sans doute d'excellents combattants, mais ils ne devaient pas avoir grande expérience du combat de rue. Je craignais un coup tordu au milieu du chambard ; mon regard revenait sans cesse sur la foule qui se pressait autour des trois nobles, et balayait d'instinct les fenêtres et les toits. C'est que l'assassinat de Belisario m'aurait beaucoup desservi : il m'aurait privé d'une de mes dernières cartes dans la partie où je jouais ma peau.

Ce jour-là, toutefois, Ciudalia avait décidé de sourire au jeune patricien. On atteignit le palais Ducatore, au pas de promenade et sous les acclamations.

Je n'eus pas l'honneur équivoque d'être accueilli par son excellence Ducatore. Bien que la porte cochère de la via Cavallina fût grande ouverte à notre arrivée, la troupe des chevaliers eut du mal à entrer à l'intérieur du palais. La place était déjà comble et les cavaliers s'engorgèrent dans la porterie, pour la plus grande alarme des hommes de garde. Au milieu des plantons, je ne reconnus que Lupo, qui sembla ne pas me voir ; les autres spadassins étaient des inconnus, probablement des soudards recrutés par le centenier Spoliari. La cour intérieure était noire de monde, et il fallut repousser quantité de personnes sur les marches de l'escalier d'honneur, dans les bâtiments ou vers les jardins pour pouvoir caser toute notre bande dans cet espace étroit. Je distinguai peu de figures familières : la plupart des occupants du palais étaient des porteglaive, des phalangistes, des soudards, dont certains portaient ouvertement la cuirasse. Cela sentait l'état de siège.

J'entrevis Cesarino Rasicari, qui descendait les marches de l'escalier d'honneur avec un sourire pâle. Il cherchait quelqu'un des yeux dans la cohue cavalière, sans doute son cousin, sans reconnaître Belisario qui se tenait pourtant en selle, à quelques pas de lui. Mais je n'eus guère le loisir de faire ma commère et de me rincer l'œil avec ces retrouvailles familiales. Sassanos me réclamait à nouveau. Il me parla depuis l'intérieur de la litière, et je dus tendre l'oreille pour percevoir sa voix étouffée dans le tintamarre que faisaient les fers des chevaux sur le pavage.

« Don Benvenuto, chargez l'écuyer qui a été détaché à mon service d'un message pour sa seigneurie Belisario Ducatore. Qu'il lui dise que je suis las et que je me retire en mes appartements ; que je lui présente mes excuses, à lui et à son père, pour ma discourtoisie. Naturellement, vous m'accompagnerez : j'ai besoin d'assistance. »

Je fus bien tenté d'interpréter ces instructions à ma manière, et d'aller trouver directement Belisario pour lui transmettre la commission du sorcier. Peut-être le jeune homme réclamerait-il ma présence auprès de lui, et son autorité l'emportant sur celle du sapientissime, j'aurais un bon prétexte pour réapparaître devant mon patron dans l'escorte de son fils... Pourtant, j'écartai très vite cette initiative. Cesarino, arrivé au bas de l'escalier d'honneur, avait repéré les chevaliers à la richesse de leurs armes et de leurs chevaux. Il regardait Belisario d'un air perplexe : sans doute l'avait-il identifié parce qu'il était le plus jeune des trois seigneurs, mais il était manifeste qu'il ne le reconnaissait pas. Je compris combien la réunion de famille risquait d'être épineuse, entre les deux cousins rivaux, le patriarche tortueux, le crétin susceptible de piquer une rage et la petite dernière avec laquelle j'entretenais des contentieux assez compliqués... En définitive, raser les murs était plus sage. Je fis donc ce que Sassanos attendait de moi.

Le sorcier sollicita ensuite mon assistance pour descendre de son perchoir. Il écarta les tentures de la litière et me tendit ses serres osseuses pour que je le soutienne. C'était la première fois que je le voyais en plein jour depuis que les chevaliers du Sacre m'avaient libéré, et ce que je découvris confirma le malaise qu'il distillait en moi.

Le sapientissime était aussi maigre que dans mon souvenir, mais sa silhouette décharnée flottait maintenant dans des vêtements amples et sombres : des parures sacerdotales, brodées des motifs macabres du Desséché. Le gredin n'avait pas fait les choses à moitié, il avait vraiment pris l'habit. Ce furent d'abord la richesse et la vieillesse de son costume qui me frappèrent. Chez les prêtres du Desséché, j'avais rarement vu équipage aussi chargé : même le nécrophore Scharipha, au cours des funérailles de Regalio, portait une chasuble moins ornée de brocarts et de pierreries. Mais cet équipage splendide menaçait de tomber en guenilles. Les brochages étaient ternis, les galons s'effilochaient, les passementeries se décousaient ; sur le col, quelques chatons béaient, orphelins de leurs bijoux ; les étoffes paraissaient lustrées d'antiquité, et avaient perdu le noir profond des robes du culte. La chape, l'aumusse et la robe étaient à moitié effrangées et laissaient voltiger un écheveau de vieux fils. Dans l'ombre du capuchon, je crus deviner l'éclat jumeau des prunelles, fugace comme le reflet accroché par une fenêtre qu'on referme.

Lorsqu'il fut sorti, il saisit une besace légère dans la litière, puis s'appuya sur moi, comme un petit vieux qui a besoin de soutien. Mais c'était pure comédie. Malgré mon manteau et mon cuir, je sentais sa griffe peser sur mon épaule avec une force nerveuse. J'avais peut-être l'air de lui servir de béquille, mais en vérité, c'était lui qui me guidait d'une poigne de fer. Convalescent, voyez-vous ça ! Le chafouin avait bien grugé son monde, sans doute pour dissimuler son jeu, ou pour inspirer de la pitié à Belisario et mieux l'embobiner.

Je compris très vite qu'il avait bel et bien employé le même charme qu'à Montefellóne ; dans la cour du palais, il fallut nous faufiler entre sergents, valets et palefreniers qui semblaient à peine soupçonner notre présence. On s'écarta de l'escalier d'honneur et on gravit le colimaçon de l'échauguette qui menait à ma piaule ; mais au troisième étage, Sassanos me détourna de mes quartiers. Il me fit longer une galerie qui dominait la cour, et j'eus un bref aperçu des embrassades entre Belisario et son père. Le Podestat étreignait affectueusement son fils ; entre les bras cuirassés du jeune homme, il paraissait ridiculement chétif. Autour de lui, se réjouissait un aréopage de grands personnages où je reconnus les sénateurs Orgullo Soberano et Cernicalo Actanza ; veillait aussi toute une brochette de sicaires et de condottieri, comme Spada Matado, Asso Spoliari ou ce fat de Sorezzini, qui semblait bien remis de sa blessure.

« Voyez, murmura Sassanos. Il était plus prudent de s'effacer. »

Le sorcier m'entraîna jusqu'à l'entrée de ses appartements, dans l'aile Zecchina. La porte, à double battant, était imposante, et je me souvins de ce que m'avait rapporté Clarissima six mois plus tôt : le sorcier avait revendiqué tout un étage dans ce corps de bâtiment. Maintenant qu'il était arrivé chez lui, je fus tenté de m'éclipser pour aller musarder du côté de ma propre turne.

« Où allez-vous ? demanda le moricaud en exhumant un trousseau de son sac.

— Vous n'avez plus besoin de moi, répondis-je, alors je vais piquer un petit somme en attendant qu'on nous appelle.

— Et où comptez-vous vous retirer ? Pensez-vous vraiment qu'on vous a conservé vos quartiers, alors qu'il faut loger une telle garnison ? »

J'avais été idiot de ne pas y songer : ma taule était sans doute occupée.

« Restez avec moi, je vous prie, enchaîna le sorcier. Vous ne trouverez pas logis plus calme ni plus spacieux dans le palais, en ces temps troublés. »

Il inséra une longue clef dans la serrure, et lorsqu'il

déboucla la porte, le pêne claqua aussi caverneux qu'un portail de temple. Le vantail grinça un peu lorsqu'il le poussa, dévoilant une antichambre obscure ; il s'effaça devant moi, avec une politesse ironique. « Faites comme chez vous », chuchota-t-il dans l'ombre de son capuchon, et je me sentis une furieuse envie de tourner les talons et d'aller voir ailleurs. La main posée sur la dague, je me fis néanmoins violence et je m'enfilai dans le vestibule. Je n'en vis pas grand-chose ; le sorcier avait mis ses pas dans les miens et refermé derrière lui, nous plongeant dans une noirceur de four. Il me frôla en me dépassant, visiblement peu gêné par les ténèbres, et j'entendis cliqueter une nouvelle serrure. Une seconde porte s'ouvrit devant nous, étroite et haute : elle découvrit une salle vaste, envahie par une pénombre lourde, que perçaient de rares rais de jour. Sassanos s'avança, sa chape noire flottant comme le manteau d'un revenant, et j'entendis le craquement sonore du parquet emplir un espace imposant.

Il me fallut quelques instants pour habituer mes yeux au clair-obscur. L'endroit était immense et paraissait luxueux. J'avais redouté d'y découvrir les reliefs de sabbats répugnants : pentacles, crânes, boules de cristal, animaux empaillés, écorchés humains... Je devinais en fait des cathèdres sculptées, des banquettes moelleuses, des tapisseries épaisses, des candélabres orfévrés et des murs ornés de fresques et de tapisseries. Je n'en percevais que quelques détails, chichement éclairés par les rares rayons qui tombaient de fenêtres aux volets clos. Pour ce que j'en distinguais, les meubles étaient poussiéreux, et j'accrochai même une longue soie d'araignée en m'avançant dans la salle ; mais c'était assez normal si personne n'avait mis les pieds dans cette pièce depuis la fin de l'été. Cela sentait d'ailleurs le renfermé et la pierre froide. Pour le reste, hormis la présence ténébreuse de Sassanos, je ne décelai rien d'inquiétant. On se serait cru dans la salle de bal d'une demeure abandonnée plutôt que dans l'antre d'un sorcier.

Comme l'atmosphère confinée avait besoin d'air et de lumière, je me dirigeai vers les fenêtres.

« Que faites-vous ? demanda Sassanos depuis le centre de la pièce, qui me parut absurdement lointain.

— J'ouvre. On se croirait dans une cave.

— Ah, je comprends… Vous n'y voyez goutte, c'est cela ? Du reste, vous avez raison, on respire mal. Je vous saurais gré, toutefois, de n'ouvrir qu'une fenêtre dans le fond de la salle. Je suis encore très sensible à la lumière ; je préfère rester dans l'ombre de crainte de ranimer mes céphalées. Et prenez garde à ne pas vous faire voir : cette façade donne sur la via Zecchina. »

Je repliai les volets intérieurs : ils étaient formés de grands panneaux articulés, en bois précieux, peut-être du palissandre, et la lumière révéla qu'ils étaient couverts de bas-reliefs. Derrière, les battants de la fenêtre à meneaux étaient d'authentiques vitraux, où se détachaient les armoiries de la famille Ducatore, de gueules aux trois galères posées deux et une. En me retournant vers la salle, je me rendis compte que le mobilier était vraiment d'un luxe seigneurial, et que les tapisseries portaient aussi le blason du clan.

« Vous voici bien étonné, observa Sassanos depuis le coin le plus sombre où il venait de se réfugier.

— Il y a de quoi. Votre garçonnière, c'est aussi rupin que la turne au patron. Et je crois bien que c'est plus grand.

— Croyez-moi, cela présente quelques désagréments, répondit-il sur un ton badin. Pendant la mauvaise saison, c'est très humide et assez difficile à chauffer. En fait, il s'agissait des appartements privés du sénateur Aguila Ducatore, le père de son excellence. Je ne l'ai pas connu, mais j'ai cru comprendre qu'il avait eu un caractère… compliqué…

— Je l'ai pas connu non plus, mais il était carrément cinglé. Toute la ville le savait.

« — Oui, c'est ce que son excellence m'a laissé entendre. Il semble d'ailleurs que Mucio Ducatore soit affligé de troubles assez proches... C'est fascinant, la façon dont ces lignées endogamiques peuvent produire tour à tour des esprits brillants ou dégénérés, ne trouvez-vous pas ? Toujours est-il que sa seigneurie a quelques mauvais souvenirs associés à ces appartements ; c'est la raison pour laquelle il les a désaffectés après la mort de son père, avant de me faire l'honneur de me les attribuer. »

Pendant qu'il pérorait de la sorte, j'eus l'attention attirée par un aménagement anormal. Le jour qui entrait par la fenêtre me révéla tout un réseau de cordes et de filins ; ils descendaient mollement des ombres noyant le plafond, jusqu'aux murs où ils étaient noués à des crochets ; je remontai des yeux ces cordages, pour découvrir qu'une multitude de sacs de cuir pendaient, très haut, au-dessus de nos têtes. Il y en avait tant que le solivage mouluré disparaissait presque derrière cet agrégat de paquets et de ballots, flasques comme de gros cocons.

« Vous êtes décidément bien curieux, soupira le sorcier.

— Ces trucs, là-haut, c'est pas un souvenir du vieil Aguila, rétorquai-je.

— Vous avez parfaitement raison. Ce sont mes effets personnels.

— La gosse... Vous la gardez accrochée à un de ces clous ?

— Vous avez vraiment une piètre opinion de moi. Me croyez-vous malséant au point de suspendre des restes aux poutres de mon propre foyer ? Ce que vous considérez ainsi, c'est ma bibliothèque. Je la hisse pour la garantir contre les rats et les indiscrets. »

Tout en parlant, il avait posé son havresac, rabattu son capuchon et ôté sa chape effilochée. Malgré la pénombre où il s'obstinait à rester, je pus vérifier combien il avait vieilli. Sa longue chevelure n'était pas exactement blanche, elle avait viré à la nuance gris sale d'une pellicule de poussière. Mais ce furent les yeux qui me frappèrent. Je n'avais pas rêvé quand il m'avait semblé les voir briller d'un éclat anormal : ses deux iris avaient pris la teinte de l'argent terni.

« Vous comprenez mieux ma sensibilité à la lumière, dit-il sans se démonter.

— C'est pas la neige qui vous a fait ça, répliquai-je malgré ma gorge qui se serrait.

— Décidément, on ne peut rien vous cacher, railla-t-il.

— J'ai déjà vu quelqu'un avec un œil comme ça.

— Ah oui ? Qui donc ?

— Le capitaine Melanchter, à Bourg-Preux.

— Ah oui, naturellement…

— Comment ça, naturellement ?

— C'est un survivant de la bataille de la Listrelle. Il a été exposé à de puissants sortilèges.

— C'est la magie qui vous a fait ça ?

— Je vous l'ai dit, don Benvenuto. Pour surmonter mes déboires dans les Landes Grises, j'ai dû puiser dans mes forces vives… J'en porte les stigmates. »

Il ne désirait pas s'étendre sur le sujet : il glissa immédiatement en m'invitant à choisir un siège et à prendre mes aises, car il pensait que le Podestat risquait d'être retenu un long moment par Belisario et par les chevaliers. Puis, se désintéressant de moi, il ouvrit un coffre ouvragé et en sortit une écritoire portative. Suivant les habitudes de son pays, il négligea les fauteuils confortables qui garnissaient la salle et s'installa en tailleur à même le sol, dans une zone assez sombre ; c'était une encoignure qu'il avait aménagée à la mode ressinienne, où le parquet était couvert par des tapis précieux et par quelques poufs. Il posa sa planchette sur ses genoux, y punaisa une feuille de vélin, rassembla ses cheveux en queue de cheval, tailla une plume et entreprit de rédiger quelque chose. Il écrivait ainsi dans un coin fort éloigné du rectangle de clarté délivré par la fenêtre que j'avais ouverte, et il se passait de lampe ou de bougie. C'était comme s'il avait travaillé à l'aveuglette sous un quartier de luisante, un vrai coup à se saigner les quinquets. Je me dis qu'il me jouait une saynète à sa façon en affichant si ostensiblement sa vision de hibou. J'avais beau être conscient de la manigance, ça marchait quand même : je me sentais dans mes petits souliers.

Au bout de quelque temps, on frappa à la porte, et Sassanos invita le visiteur à entrer. Il s'agissait du vieux Scaltro, le premier valet du Podestat. Il apportait une collation sur un plateau, mais s'arrêta interdit sur le seuil, un peu étonné par la pénombre qui régnait dans la salle. Le domestique me repéra d'abord, mais eut plus de mal à localiser le sorcier. Il nous salua avec une politesse très cérémonieuse, nous annonça que sa seigneurie passerait nous voir dans la soirée, et nous laissa après avoir disposé coupes, aiguière, plats de blancs-mangers et de massepains. La chevauchée m'avait donné la pépie, le grand air m'avait creusé une fameuse dalle, mais je ne pouvais me défendre d'une certaine méfiance vis-à-vis de l'en-cas. Je remplis une coupe et j'allai obligeamment l'apporter au sorcier. Celui-ci me remercia sans même se donner la peine de me jeter un coup d'œil ; de mon côté, je tentai de lire ce qu'il écrivait, mais il faisait si sombre que je restai infoutu de distinguer si les caractères qu'il traçait étaient continentaux ou ressiniens. Je revins dans la lumière, me servis à boire, mais je décidai d'attendre que le sorcier avale quelques gorgées avant de me rincer le gosier.

Au bout d'un moment, comme il continuait à noircir son parchemin et que je m'impatientais un brin, je lui demandai tout à trac :

« C'est pas un peu risqué d'écrire un rapport ?

— Très risqué, admit-il sans relever le nez.

— Le Podestat se contente pas d'un compte rendu oral ?

— Bien sûr, et concis de préférence.

— Ben alors, qu'est-ce que vous faites ? »

Il daigna seulement s'interrompre, et releva le nez. Dans le clair-obscur, j'entrevis à nouveau le reflet phosphorescent de ses prunelles.

« Croyez-vous vraiment que j'aurais l'imprudence de noter des informations si sensibles ? Et en présence d'un tiers, de surcroît ?

— Sait-on jamais ? rétorquai-je en levant ma coupe à son adresse, dans l'espoir qu'il se déciderait à vider la sienne.

— Pour tout vous dire, je me délasse, reprit-il tranquillement. J'écris une relation de voyage, quelque chose de très impersonnel, à propos de l'itinéraire que j'ai suivi entre Bourg-Preux et Sacralia. Les documents récents sur l'évolution des Landes Grises sont assez rares, et ce type de récit pourrait connaître un petit succès dans les bibliothèques conventuelles et seigneuriales. L'exercice me détend ; le formalisme à respecter tant au niveau du style que de la calligraphie apaise l'esprit. »

Il se pencha derechef sur son écritoire, et alors que reprenait le grattement de la plume, il ajouta sur un ton sarcastique :

« Vous pouvez vous restaurer sans crainte, don Benvenuto. Sa seigneurie ne se risquerait pas à vous empoisonner avant de vous avoir entretenu. »

Le Podestat arriva très tard au cours de la nuit.

J'avais fini par me vautrer dans la cathèdre la plus large, mon postérieur et mes reins moulus douillettement calés contre des coussins de plume, les guiboles largement étendues devant moi. Malgré la bougie que j'avais allumée sur le rebord de la fenêtre, l'essentiel de la salle avait sombré dans une mélasse épaisse, et Sassanos s'était englouti dans ces ténèbres. La fatigue et l'ennui aidant, j'avais sombré dans une somnolence entrecoupée, traversée de rêves désagréables : des morts drapés dans leurs suaires m'épiaient depuis les ombres du plafond, où ils étaient suspendus la tête en bas, comme de grosses chauves-souris.

Un remue-ménage bruyant me tira de ces songes pénibles.

Les deux battants de la porte s'ouvrirent brutalement et livrèrent passage à une poignée de spadassins. Il s'agissait de sicaires triés sur le volet, rien que du beau monde : en tête marchait Spada Matado, suivi de Lupo, du placide Coneoti, de l'énorme Ferlino et du fringant Sorezzini. Ils se déployèrent en arc de cercle, la main posée sur le pommeau de l'épée. Ce qui me frappa, c'est qu'ils n'étaient pas en costume civil ; ils avaient revêtu le corselet de fer, des spallières et des brassards d'acier articulé, et Matado portait même un gorgerin et des grèves. Je me redressai vite fait, tous les sens en alerte. Cette ferblanterie n'augurait rien de bon.

Leonide Ducatore entra dans le sillage de ses hommes ; entre ces gaillards cuirassés, il paraissait d'une délicatesse presque décalée. Il n'arborait aucune arme, mais il affichait un pourpoint d'une élégance outrancière et un linge éclatant ; des brillants lui ornaient les mains et l'oreille, et il avait les jambes affinées par les chausses galonnées et les souliers effilés d'un muscadin. Alors que d'ordinaire, il jugeait habile d'afficher une mise de bon aloi, il semblait avoir jeté toute mesure aux orties ; il paradait dans ces atours princiers. Cette prétention et cette coquetterie, risibles chez la plupart des hommes de son âge, il en faisait étalage comme d'une démonstration de force, et il n'en semblait que plus affûté. Il lui suffit d'avancer de deux pas pour éclipser en rayonnement les sbires qui l'escortaient.

« Diantre, ce qu'il fait noir, ici ! » s'exclama-t-il.

D'un geste, il désigna à Coneoti la fenêtre toujours ouverte sur la via Zecchina, et le spadassin se hâta de fermer la croisée. La haute silhouette du sorcier se profila en silence à la limite du halo de clarté.

« Ah ! Mon cher ami, vous voici, reprit le Podestat

tout en restant à une certaine distance du moricaud. Je suis vraiment navré de n'avoir pu me libérer plus tôt pour vous rendre visite. Je suis votre débiteur : vous m'avez ramené mon fils, flanqué de toute une garde ! En ces temps troublés, c'est une vraie bénédiction. De plus, les chevaliers m'ont rapporté que le voyage avait été ardu. J'en suis désolé pour vous, et je ne vous en suis que plus redevable.

— Je suis sensible à l'expression de votre reconnaissance, murmura le sorcier.

— Je vous vois assez mal, reprit Leonide Ducatore, mais je comprends fort bien ce qui vous écarte de la lumière. Mon fils, qui n'a pas tari d'éloges à votre sujet, m'a rapporté que vos yeux ont été brûlés. J'en suis bien fâché pour vous. J'émets le plus vif désir que le repos et l'obscurité atténueront les séquelles.

— Rassurez-vous, Excellence, j'ai troqué œil pour œil.

— Y a-t-il quelque rapport avec l'ordination dont mon fils m'a parlé ?

— En effet, Excellence.

— Avez-vous pu mener à bien l'arrangement secret dont nous étions convenus ?

— Cela s'est avéré plus compliqué et plus simple que ce à quoi je m'attendais, mais c'est chose faite, Excellence.

— Remarquable ! Absolument remarquable ! »

L'expression du Podestat se brouilla de façon équivoque sur ces derniers mots ; son intonation restait chaleureuse et même empreinte d'une nuance admirative, mais son regard flotta brièvement, et quelque chose dans son sourire devint crispé.

« Les avez-vous rencontrés en personne ? demanda-t-il en baissant la voix.

— J'en ai vu deux, murmura Sassanos.

— Et que vous en a-t-il semblé ?

— Ils étaient dans l'état que vous imaginez quand je les ai trouvés. Ils restaient très faibles quand j'ai dû prendre congé. Toutefois, l'impulsion que j'ai donnée semble avoir porté ses fruits... Ils se sont montrés urbains avec moi. Et je pense que le sens du devoir va ranimer leur volonté.

— D'après vous, combien de temps nous reste-t-il ?

— C'est difficile à estimer. Ils ont encore quelques séides à leur disposition, ce qui leur fournit une petite marge d'action dans l'immédiat ; ce sont toutefois des serviteurs peu nombreux et peu compétents. Il leur faudra un moment pour restaurer leurs forces. Quelques années, je pense... Après quoi, sans doute pourront-ils peser sur l'échiquier politique.

— Qu'entendez-vous par quelques années ?

— Trois ou quatre ans, à mon avis.

— Trois ou quatre ans... »

Le Podestat plissa les yeux et parut se livrer à un rapide calcul.

« C'est à la fois beaucoup et peu, observa-t-il. Si tout s'était déroulé au mieux depuis l'été dernier, nous aurions pu nous tenir prêt pour cette échéance... Malheureusement, la situation est devenue plus compliquée. Nous allons devoir redresser la barre assez vite si nous ne voulons pas nous retrouver débordés.

— Nous serons loin d'être les seuls joueurs, remarqua Sassanos.

— Certes, mais nous sommes les seuls à être avertis. La surprise ou la panique pourraient ébranler profondément nos partenaires potentiels. Pour parer à cette éventualité, il faut impérativement que nous reprenions le contrôle de Ciudalia. »

Pour la première fois, Leonide Ducatore s'intéressa à moi, en m'épinglant d'un coup d'œil aigu.

« Mais je vois que vous avez bien œuvré à reconstituer nos forces, Sapientissime, enchaîna-t-il avec un soupçon d'ironie, puisque vous avez ramené don Benvenuto dans les fontes de mon fils. »

Je saluai le grand homme avec une déférence un poil flagorneuse.

« Je suis heureux que tu ne te sois pas mépris sur mes intentions à ton égard, poursuivit le Podestat à mon adresse. Au cours de cette tumultueuse séance où nous nous sommes séparés, te placer en état d'arrestation représentait l'option la moins dangereuse, pour toi comme pour moi.

— Je vous en remercierais presque, Votre Seigneurie, grimaçai-je.

— Tout à fait spectaculaire, ton évasion, d'ailleurs. Je n'ai pas encore eu l'occasion de t'en féliciter, je suis ravi de pouvoir le faire de vive voix.

— Question pirouettes, j'ai été à bonne école.

— Je constate que tu n'as pas perdu ton mauvais esprit. Fort bien ! Tu vas donc pouvoir le mettre à contribution pour éclairer ma lanterne : qu'est-ce qui t'amène à Ciudalia ? »

Il n'y avait pas été par quatre chemins. J'aurais pu croire qu'il me considérait avec aménité, mais quelque chose dans son regard restait lisse et distant.

« Je suis responsable du retour de don Benvenuto, intervint Sassanos sans sortir des ombres. C'est moi qui ai demandé à sa seigneurie votre fils de lui porter assistance.

— Belisario et le sénéchal Odon m'en ont parlé, répondit le Podestat. C'est une chance que vous ayez pu libérer notre ami avant que l'irréparable n'ait été commis… Toutefois, Benvenuto, cela ne m'explique pas ce que tu faisais à la frontière de Vieufié et de la République.

— La vérité, c'est que je rentrais à Ciudalia quand les Mastiggia me sont tombés sur le râble.

— Voilà une initiative singulière de la part d'un proscrit, observa Leonide Ducatore. Pourrais-tu t'en expliquer ?

— J'avais des messages pour vous, Votre Seigneurie.

— Tiens donc ! »

Il esquissa un signe assez vague de la main, et Lupo

se précipita pour lui apporter une cathèdre. Tandis qu'il s'asseyait juste en face de moi, il reprit :

« Tu avoueras que j'ai de quoi être déconcerté. Tu devais adopter une couverture et disparaître loin de la République, et voici que tu réapparais affublé de la charge d'émissaire. Dois-je en déduire que tu ne t'es pas assez bien dissimulé ? Et que quelqu'un persiste à croire que nous sommes liés, toi et moi ?

— Je peux pas le nier, Votre Seigneurie.

— C'est passablement contrariant. Cela signifie que tu as été léger, et que cette légèreté pourrait me coûter cher.

— Ce que j'ai à vous rapporter compensera peut-être le désagrément.

— J'en jugerai par moi-même. Qui t'envoie ?

— Un des échevins de la Marche Franche, Melanchter le Capitaine. »

Leonide Ducatore haussa un sourcil et, s'accoudant sur son siège, joignit l'extrémité de ses doigts devant ses lèvres. Je crus surprendre une rapide œillade qu'il adressait au sorcier, toujours retranché dans les ombres.

« La Marche Franche n'a guère d'influence sur nos querelles intérieures, observa le Podestat, mais le seigneur Melanchter est une personnalité à part. Comment t'a-t-il trouvé ? Et comment a-t-il fait le rapport entre toi et moi ?

— Le lien, c'était facile. Après ma décarrade, vous avez officiellement réclamé ma tête au Conseil des Échevins. Melanchter a parfaitement saisi votre double langage, pour ce qu'il m'en a dit, et il s'est bien gardé de me faire arrêter. Pour ma part, ce sont d'autres elfes qui m'ont repéré. J'ai cru que j'avais été imprudent, mais en y repensant, ils m'ont dépisté le jour même de mon arrivée à Bourg-Preux, et je crois que toutes les précautions que j'aurais pu prendre n'auraient rien changé à ce qui s'est passé… Ce qu'ils ont senti, c'est le sortilège que Sassanos m'a collé dans les dents. L'un d'entre eux y a fait allusion à plusieurs reprises, même s'il m'a fallu du temps pour capter le sous-entendu. Non que ça les ait vraiment intéressés, d'ailleurs... Mais les elfes, c'est comme des phalènes, ça vient papillonner autour de ce qui brille. Enfin, de ce qui brille... On se comprend, hein...

— Et quel est ce message dont le seigneur Melanchter t'aurait chargé ?

— En fait, il m'a demandé de vous transmettre deux coupures. D'abord, que le Rempailleur est mort. Et c'est pas du flan : j'y étais, je l'ai vu, raide cané. C'est Melanchter en personne qui l'a refroidi. Et il a ajouté un truc que j'ai compris trop tard, seulement quand j'ai vu que le cadavre, c'était celui de mon copain Welf : il sait que c'est vous qui l'avez lancé sur la route de Vieufié, pour déstabiliser la région. Il a menacé de dénoncer vos grenouillages au duc Ganelon s'il soupçonne une autre tentative du même tonneau.

— Mais il ne l'a pas fait parce qu'il espère que le chantage me neutralisera à peu de frais, si je comprends bien, compléta le Podestat. Ce Melanchter est un sujet brillant, que j'ai peut-être sous-estimé... »

Le patron prononça toutefois ces mots sur un ton assez désinvolte, comme si cela ne l'affectait guère. Je serrai les dents et les poings, parce qu'il m'aurait suffi de fermer les yeux pour revoir les ruines enneigées de la Mesière, les gosses massacrés et Welf mordant le pavé, le crâne aéré par un méchant courant d'air. La colère me poussa à l'imprudence.

« Moi aussi, je serais curieux d'entraver une ou deux embrouilles, grognai-je. Par exemple, c'est quand même la faute à pas de chance que le Rempailleur nous ait attaqués sur la route, Sassanos et moi. Des hommes à vous en train de saigner des hommes à vous... Vous n'y étiez pour rien, bien sûr. »

À côté du Podestat, Spada Matado me toisa avec un regard furibard, et ses lèvres se serrèrent, sans doute pour ravaler l'ordre de me toiletter à coups de gantelets et de couteau. Mais Leonide Ducatore inclina légèrement le chef, et me contemplant d'un air matois, il remarqua doucement :

« Serais-tu en train de me demander des comptes, Benvenuto ? »

Puis, ouvrant les mains en affichant une expression d'une totale sincérité, il ajouta :

« Voyons, tu sais très bien comment cela se passe. J'ai émis l'idée que des troubles sur cet axe commercial pourraient créer des opportunités, le centenier Spada Matado s'est chargé de trouver les hommes, et une fois l'entreprise lancée, je me suis bien gardé de m'y impliquer de trop près. J'ignorais même que vous aviez été attaqués par cette bande, le sapientissime et toi. C'était une éventualité à craindre, évidemment, mais j'avais pleinement confiance dans vos ressources pour vous tirer de ce mauvais pas. Vous m'avez donné raison : vous êtes bien vivants tous les deux. »

J'acquis la certitude qu'il mentait au moins sur un point : puisqu'il m'avait envoyé Welf comme messager, cela signifiait qu'il gardait contact avec lui ; il en découlait donc qu'il avait su que le Rempailleur nous était tombé dessus. Peut-être l'avait-il appris après coup, mais il l'avait appris, j'en étais certain. S'il me galéjait de la sorte, c'était parce que ma propre feinte avait marché : il avait cru que Welf avait trouvé la mort avant de pouvoir me délivrer son avertissement. On se livrait à un jeu de dupes, tous les deux, et nos boniments se neutralisaient mutuellement, car je ne pouvais pas remettre en question sa parole sans me démasquer moi-même. Peu importait, du reste. J'avais d'autres biais pour l'amener là où je voulais en venir.

« Je veux bien vous croire quand vous dites que vous n'êtes pour rien dans cette embuscade, Votre Seigneurie. Je sais bien que vous aviez d'autres chats à fouetter. Mais est-ce qu'un imposteur, qui se serait fait passer pour votre agent, aurait pu donner l'ordre de nous liquider ? »

Le Podestat se rencogna sur son siège, et son regard s'aiguisa.

« Un imposteur, dis-tu ?

— Ouais. Un type crédible dans ce rôle. Quelqu'un comme Oricula, par exemple.

— Ah ! Nous y voilà, dit lentement mon patron.

— Je le cite pas au hasard. Il a tenté de me tuer à Bourg-Preux, mais c'est moi qui l'ai dévissé. Avant de mourir, il a essayé de m'enfumer. Il a voulu me faire croire qu'il agissait sur votre ordre, mais j'ai pas pu avaler ce bobard. Je vous connais trop bien, Votre Seigneurie. Vous avez de l'estime pour moi. Si vous souhaitiez me liquider, ce serait une bande comme celle du Rempailleur que vous engageriez, pas un assassin isolé. Le contrat avait été lancé par quelqu'un d'autre. Par quelqu'un qui savait que je créchais à Bourg-Preux et qui pouvait retourner une de vos meilleures lames. En d'autres termes : par un traître bien placé. »

J'avais conscience que je ne lui apprenais rien : la disparition d'Oricula était assez parlante en soi. Je ne lui tenais ce petit discours que pour entretenir l'illusion que Welf ne m'avait pas mis en garde contre la taupe, et que j'avais déduit la présence de la bourdille par mes propres moyens. Le gros morceau, c'était maintenant que j'allais le déballer, et j'avais bon espoir que ça lui couperait suffisamment la chique pour qu'il me pardonne mon retour... Alors, forcément, ce qui suivit ne fut pas tout à fait de mon goût...

« Tu me fais perdre mon temps avec tes effets d'annonce, me coupa-t-il sèchement. Oui, j'ai été trahi par un de mes proches. Je sais parfaitement de qui il s'agit : c'est Clarissima qui s'est retournée contre moi. As-tu quelque chose de plus intéressant à m'apprendre ? »

Je vous laisse imaginer ma bobine. L'air malin, don Benvenuto. Ma meilleure carte était déjà dans la main de l'adversaire. Je m'apprêtais à lui clouer le bec, et voilà que c'était moi qui avais mon paquet. Pas de doute, le Podestat était bien meilleur débochilleur que moi : j'allais fader sévère.

« Est-ce là tout ? poursuivit-il impitoyablement. C'est bien succinct. Alors je vais être bon prince : c'est moi qui vais t'instruire. Non seulement je sais que Clarissima m'a trahi, mais je sais pourquoi elle l'a fait. Ou plutôt à cause de qui, devrais-je dire. Elle m'a trahi à cause de toi. »

Ce coup-là, j'aurais dû le voir venir ; et j'avais beau tendre le dos, il faisait mal quand même. Je ne saisissais pas très bien comment on en était arrivé là, mais il y avait une évidence terrible que je ne pouvais plus me dissimuler : le Podestat était affranchi, pour ma fredaine avec sa fille. J'essayai de n'en rien montrer, mais je me sentis un joli coup de mou dans les genoux. Mon dernier espoir de retomber sur mes pieds venait de partir en cendres. Leonide Ducatore avait autant de motifs de m'en vouloir que le clan Mastiggia, et j'avais trimardé obstinément sur des routes mortelles pour me jeter dans la gueule du loup. Même Belisario ne me serait d'aucune protection dans ce cas de figure : s'il apprenait que j'avais culbuté sa sœur, le jeune preux serait sans doute le premier à vouloir me fendre la coquetière. Je me souvins des ombres qui avaient visité mes songes au cours de la nuit où j'avais failli périr de froid, et de ce que m'avait dit le fantôme de Welf : *On n'attend plus que toi, Benvenuto. On te garde une place. Tu nous rejoindras bientôt, à Ciudalia.* Mission accomplie, les gars. On n'allait plus tarder à pouvoir taper le carton.

« Tout le désolant de l'affaire, poursuivait le Podestat sur un ton tranchant, c'est que je n'ai réalisé ce qui s'était passé que bien trop tard, et que j'avais auparavant contribué à retourner ma propre fille contre moi... Le soir où les bellicistes ont lancé leur offensive et où tu t'es évadé du Sénat, Clara est venue me trouver. Elle voulait me parler de toi. J'étais débordé, j'avais mille choses à entreprendre pour redresser la situation ; je ne l'ai pas renvoyée, mais j'ai écourté notre entretien. Je n'ai pas pris le temps d'écouter ce qu'elle avait à me dire ; j'avais en tête la confidence que tu m'avais faite, selon laquelle elle cherchait ta compagnie. Étourdiment, j'ai cru qu'elle se faisait du souci pour toi. J'ai cherché à la rassurer : je lui ai confié que j'avais déjà veillé à ce que tu puisses quitter la ville sain et sauf, que j'avais chargé Sassanos de ton évacuation. Malheureusement, j'étais si préoccupé que j'ai commis une terrible erreur de jugement. Quand je lui ai eu parlé ainsi, Clara ne s'est pas attardée. J'ai cru qu'elle prenait congé aussi facilement parce que je l'avais tranquillisée ; en fait, je pense maintenant qu'elle était révulsée. Elle a dû se représenter que je ne te retirerais jamais ma protection. C'est à ce moment-là, j'imagine, qu'elle m'a accointé avec toi, et qu'elle a décidé de me trahir. »

Il se leva brusquement, et commença à faire les cent pas, sans plus dissimuler son irritation. Il me considérait d'un œil calculateur, tout en restant à une distance raisonnable, conscient du fait qu'il était en train de m'acculer et que cela me rendait dangereux. Il ne perdait en rien son sang-froid, mais il était tellement rare qu'il se permette un geste d'humeur que cette simple déambulation empestait le tombeau. Ses hommes, mes anciens compagnons, avaient mis la main à l'épée de façon ostensible. Je discernai diverses expressions dans les regards des spadassins : de la déception chez Coneoti, du mépris chez Lupo et Ferlino, une ironie goguenarde inscrite au coin des lèvres de Sorezzini, et carrément de la jubilation haineuse chez Matado. Face à cette brochette-là, je n'avais guère de chance d'atteindre la porte ou une fenêtre. Peut-être pourrais-je daguer le Podestat, en désespoir de cause... Pour ce que cela me servirait, avant de terminer embroché de toute part...

« Bon sang ne saurait mentir, poursuivit Leonide Ducatore. Clarissima nous a tous bernés. Sa duègne, cette vieille sotte de Lycania, n'y a vu que du feu. Je la soumettrai malgré tout à un interrogatoire impitoyable, par acquit de conscience ; je doute qu'elle ait trempé dans la machination, et elle ne nous apprendra donc rien, mais elle rachètera sa négligence sur le chevalet. Ma nièce, Scurrilia, était de la partie ; Clarissima l'avait entraînée comme à son habitude, mais enfin je ne peux pas maltraiter la sœur de Cesarino. La gouvernante paiera pour elle... Quant à mon neveu, cette révélation l'a mis dans tous ses états. Le freluquet avait des vues sur ma fille, ce qui est de bonne guerre, mais il avait aussi la faiblesse de s'être un peu trop attaché à elle... Alors qu'il lui rendait des visites quotidiennes, il s'est laissé mystifier sans imaginer un instant que tout ce qu'il racontait à Clara était fidèlement rapporté chez les Mastiggia. Il est terriblement humilié d'avoir été si complètement dupé. Heureusement, il a l'excuse de la jeunesse ; cela lui servira de leçon, une fois qu'il aura surmonté ses blessures d'amour-propre. Au moins me sera-t-il reconnaissant de lui conserver ma faveur et d'épargner Scurrilia. Pour ma part, je dois avouer que je n'ai pas vu venir le coup. Oh, certes, nous nous sommes vite rendu compte que les Mastiggia étaient trop bien renseignés sur nos alliances, sur nos démarches et même sur ce qui se passait entre les murs de ce palais ; nous soupçonnions bien un espion, mais je m'aveuglais sur ma fille... La petite rouée savait que j'espérais le retour de Belisario, elle feignait l'impatience, et j'étais persuadé que les retrouvailles avec son frère garantissaient sa fidélité à la famille. Elle m'a abusé, moi aussi. Il a fallu attendre la disparition d'Oricula pour que le premier doute vienne m'assaillir ; parmi mes hommes de main, c'étaient toi et Oricula dont Clarissima appréciait le plus le commerce, et la défection de cet homme après ton évasion m'a un peu troublé... J'ai acquis la certitude qu'Oricula avait communiqué avec l'ennemi, puis qu'il avait déserté ou qu'on l'avait réduit au silence, et j'ai finalement balayé mes soupçons à propos d'une connivence entre ce transfuge et ma fille… »

Il interrompit sa déambulation, me coula un sourire tout en dents.

« Je dois te concéder quelque chose, poursuivit-il. Ce n'est qu'aujourd'hui que j'ai découvert la vérité, et ce, grâce à ton retour. En fin de matinée, cette vieille oie de Lycania a forcé l'entrée de mon cabinet de travail pour signaler la disparition de Clarissima. Les recherches dans le palais n'ont rien donné, mais Cesarino m'a rapporté que sa sœur avait une attitude bizarre. Je me suis entretenu avec Scurrilia, et j'ai tout de suite perçu qu'elle avait peur de moi ; il m'a fallu peu de temps pour obtenir ses aveux. Ce matin, Clarissima avait appris que tu rentrais dans la compagnie de Belisario. Elle savait qu'elle serait démasquée ; sur le moment, j'avoue que je n'ai pas très bien compris d'où elle tirait cette idée, mais ce que tu viens de me dire sur la façon dont elle t'a envoyé Oricula éclaire tout. C'est toi qu'elle a fui, Benvenuto. D'une certaine façon, tu t'es vendu toi-même. »

Il retourna s'asseoir dans son fauteuil, en adoptant une attitude faussement décontractée. Dans un geste qui lui était familier, il joua avec l'anneau de la podestatie.

« Ne va pas croire que je vais t'absoudre parce que ton initiative a permis de démasquer la petite traîtresse. Ce sont les Mastiggia qui l'ont avertie, sans doute quelqu'un de la troupe qui a tenté de te capturer. Et c'est dans leur palais qu'elle s'est réfugiée… Oui, dans leur palais. Ma fille. Chez les Mastiggia. Je remercie les quatre dieux de m'avoir rendu Belisario aujourd'hui, ce qui a modéré mon mécontentement. Quand Scurrilia m'a avoué où ma fille avait été réclamer asile, j'ai bien failli rassembler tous mes gens et donner l'assaut en personne contre la maison Mastiggia… »

En prononçant ces mots, il avait perdu graduellement toute trace d'affabilité, fût-elle ironique. Je réalisai combien il était pâle, et il finit par me fixer d'un œil dur, les lèvres pincées, en disciplinant visiblement sa respiration.

« Il me reste une question à tirer au clair, poursuivit-il sur un ton trop calme. Qu'as-tu fait à ma fille ? Elle a un tempérament assez vif, elle peut se montrer insupportable, il y a en elle une part de cruauté qu'elle n'a pas encore la bienséance de dissimuler... Je n'ignore rien de tout cela. Mais de là à nourrir une haine si puissante, une haine qu'elle a retournée contre sa propre famille... Je veux entendre, de ta bouche, ce que tu lui as fait. »

J'étais persuadé qu'il le savait très bien. À coup sûr, Clarissima s'était confiée à Scurrilia, et la cousine affolée avait dû tout déballer le matin même quand le Podestat l'avait interrogée. Cette confession qu'il me réclamait, ce n'était qu'un des piments de la vengeance qui allait s'abattre sur moi. C'était le moment ou jamais de tirer l'épée et de jouer mon va-tout, de planter ce que je pourrais, d'essayer de me ruer hors de ces appartements au faste ténébreux. Je me sentais bien merdeux de tomber pour un impair aussi stupide, mais j'avais aussi de la colère en moi. La colère éprouvée dans la Salle des Cent Dix, quand le Podestat m'avait livré ; la colère réchauffée à feu doux pendant ma claustration dans la rue de la Pironnerie ; la colère écœurée qui m'avait saisi en découvrant le corps de Welf à la Mesière ; la colère amère quand Sassanos m'avait révélé qu'il m'avait envoûté sur ordre... Alors oui, j'avais baisé sa fille, au grand homme ; mais lui, il ne s'était pas privé de me la mettre bien profond, et de remettre ça, alors même qu'il me cajolait comme son mâtin favori... De quel droit me faisait-il ce procès ? La bile me donna un coup de chaud. L'espace d'un battement de cils, je me vis en train d'en terminer avec lui comme j'avais commencé : par un coup de dague porté au cœur, tandis que ses sbires me tomberaient dessus. Dans un sens, ç'aurait été une mort parfaite, remplie d'une esthétique symétrique, pour lui et pour moi. Trop parfaite. Ma rogne avait eu le temps de mûrir, au cours de tous ces mois d'exil, de vagabondage et de désillusions. Elle me permit de dominer la pulsion meurtrière qui me démangeait les paumes. Dans ma musette, j'avais peut-être plus cuisant pour Leonide Ducatore...

« Je marche, ai-je grondé, en retroussant les babines sur mes crocs hantés. Je vais tout vous dire, Votre Seigneurie. Mais je suis pas sûr que ce soit ce que vous vous imaginez... C'est vrai, il y a eu un truc entre votre fille et moi. C'est vrai, c'est sans doute parce qu'elle a cru que vous me couvririez qu'elle s'est acoquinée avec les Mastiggia. Mais il y a au moins un point sur lequel vous vous gourez. Ce n'est pas par ricochet, à cause de moi, qu'elle vous a trahi. C'est dès le départ, avant même que je ne la touche, qu'elle s'est retournée contre vous. Et c'est parce que je vous suis resté loyal, à ma façon, qu'elle a passé à l'ennemi.

« Vous allez me tuer, je sais bien. Alors avant de me refroidir, laissez-moi au moins l'occasion de m'expliquer en détail. Ne serait-ce que pour votre gouverne, Votre Seigneurie. Vous avez trois enfants de votre sang, mais vous pensez que nul d'entre eux n'est vraiment de votre trempe. Mucio, c'est en fait le fils de votre père. Belisario, c'est le fils de votre vertueuse épouse, dònna Hieratina, qui s'est cloîtrée au sanctuaire de Vinealate ; quant à Clarissima... Ce n'est qu'une fille. Du coup, vous avez été pêcher un poulain chez vos neveux, en élisant le sage et fade Cesarino. Et c'est là que vous avez tout faux. Votre fils, votre fils véritable, c'est Clarissima. Elle est votre portrait tout craché, en robe et avec trente ans de moins. Elle est intelligente, intrigante, ambitieuse. Comme vous, elle aspire à prendre en main son propre destin, quitte à violer toutes les règles de la tradition et de la morale. Mais vous, vous n'avez vu que la fille à marier. Vous avez envisagé de la caser au mieux pour servir vos intérêts et ceux de votre successeur. Vous ne lui avez même pas dit avec qui vous comptiez la maquer ; après notre visite chez le sénateur Schernittore, j'en savais plus qu'elle à ce sujet. Or elle refusait d'être livrée. C'est à partir de ce moment-là qu'elle a commencé à vous trahir. Au début, comme elle n'osait pas vous affronter directement, elle est entrée en conflit avec Le Macromuopo, parce qu'elle savait que le portrait qu'il exécutait devait servir à la vendre. Ensuite, elle s'est mise à tourner autour des hommes du palais, parce qu'elle cherchait un moyen de contrarier vos projets. Rappelez-vous, je vous ai prévenu qu'elle se livrait à un petit jeu pas net avec moi. Dans un sens, elle a réussi à m'utiliser contre Le Macromuopo, et ensuite, elle a essayé de m'utiliser contre vous. La nuit qui a suivi les funérailles de Regalio, on s'est un peu trop frôlés, et elle m'a dit ce qu'elle voulait : que je la prenne, pas pour le plaisir, mais pour vous baiser, Votre Seigneurie. Et vous savez quoi ? Je l'ai pas fait. Enfin, pas vraiment. Je l'ai bien dessalée, c'est vrai, mais je l'ai pas dépucelée. Et c'est ça qu'elle a pas pu encaisser : j'ai merdé, mais je vous ai pas manqué. Alors ensuite, quand elle a voulu me dénoncer et que vous l'avez coupée en lui racontant que vous m'aviez déjà tiré d'affaire, je crois que je comprends bien ce qui lui est passé par la tête. Ça paraît très bizarre à formuler, maintenant qu'on en est arrivés là où nous en sommes, vous et moi, mais elle a cru qu'on faisait bloc contre elle. Voilà sans doute ce qui l'a poussée dans les bras des Mastiggia. Alors c'est vrai, je l'ai touchée, j'aurais pas dû ; mais j'ai pas envie de porter le chapeau pour vous une fois de plus. C'est pas moi qui en ai fait votre ennemie, c'est vous. »

Le Podestat m'avait écouté sans me quitter des yeux, en m'offrant un masque attentif et livide. Pour finir, il m'adressa un sourire glacé.

« Te voici bien subtil, observa-t-il lentement. Mais toutes ces arguties ne changent rien aux faits. Tu as touché Clarissima Ducatore. Même si je t'accorde le bénéfice du doute, même si j'admets que tu ne l'as pas déflorée, tu es sorti de ta condition, tu as été beaucoup trop loin. Avec toi, elle a sauté le pas. Et ensuite ? Comment a-t-elle séduit Oricula ? Crois-tu qu'il a eu les mêmes scrupules que toi, avant de déserter et de chercher à te tuer ? Pour ma fille, pour moi, le résultat est identique : c'est le déshonneur. C'est la ruine de tout un pan de ma politique. »

Du fond de l'obscurité, la voix de Sassanos s'insinua entre nous.

« La situation n'est peut-être pas irréparable, chuchota le sorcier. L'esprit d'une jeune fille est un objet délicat, sensible aux drogues et à la suggestion : il n'est pas impossible d'en effacer quelques souvenirs… Quant à l'hymen, si vous me permettez une remarque un peu osée, c'est comme les sentiments : ça se raccommode.

— Il serait bien déplaisant d'être réduit à ces extrémités, répondit le Podestat avec une moue dégoûtée, mais je prends note de vos observations, Sapientissime. Toutefois, vous oubliez l'essentiel. Que pourrez-vous faire contre la rumeur ?

— Peu de chose, il est vrai, murmura Sassanos. Mais vous, Excellence, vous serez sans doute en mesure de diffuser un conte plus respectable…

— Qu'importe, éluda Leonide Ducatore. Ne construisons pas sur du sable. Pour l'heure, Clarissima n'est plus en notre pouvoir. Elle dîne à la table du sénateur Tremorio Mastiggia. »

Reportant à nouveau son attention sur moi, il poursuivit sur un ton plus coupant que jamais :

« Car ce qui est en jeu, ce n'est pas seulement l'honneur de la famille ni les projets matrimoniaux que j'avais élaborés. Nous sommes sur le point de perdre la guerre. Après avoir écrasé la flotte du chah, après avoir arraché un accord de paix, nos divisions nous ont empêché d'occuper l'île de Qir. Rien n'a été décidé, depuis la séance du Sénat dont tu t'es enfui,

Benvenuto. Ce sera bientôt la fin de l'hivernage, et nous n'avons toujours aucune force permanente implantée dans l'Archipel. Pendant que notre coterie s'affronte avec celle des Mastiggia, c'est mon cher collègue, le podestat Ettore Sanguinella, qui est en train de prendre l'avantage sur le plan politique : il singe les médiateurs,

pour l'instant, en veillant scrupuleusement à ne rien résoudre du tout. Il joue le pourrissement. Quand le printemps arrivera, quand il deviendra évident que ma querelle avec les Mastiggia a paralysé notre implantation ressinienne et jeté le désordre sur tout le territoire de la République, alors il ralliera les mécontents et il y a fort à parier qu'il reprendra la haute main sur la cité. Il me marginalisera, sinon pis, et arguant que nous n'avons tiré aucun bénéfice de notre victoire de l'an passé, il aura le champ libre pour reprendre la guerre contre Ressine. Il nous lancera à l'assaut des îles. Nous rencontrerons d'abord des succès bien prévisibles, compte tenu de l'affaiblissement des troupes du chah ; et puis, nous disperserons nos forces dans l'occupation des territoires et des villes, nous perdrons notre mobilité, nous userons nos régiments au contact de populations hostiles, nous dégarnirons nos frontières continentales, nous viderons nos coffres dans cet effort interminable... Et nous perdrons la guerre, dans cinq ou six ans...

« Quant à moi, je vais aussi me retrouver paralysé. Si jamais Sanguinella relance l'offensive cette année, alors cela rendra caduque l'accord secret avec le chah. Plus de monopole sur le commerce, plus de bénéfices suffisants pour m'assurer des soutiens efficaces au sein de la République. Je n'y perdrai pas ma fortune, mais je n'aurai plus les moyens de supplanter mes pairs. Les Ducatore ne seront plus qu'une maison noble parmi d'autres... »

Et braquant sur moi un index menaçant, il poursuivit :

« Or tu as une très lourde part de responsabilité dans

tout ce gâchis, Benvenuto. Je ne te parle plus de ma fille. Je te parle de ce que tu as négligé de me rapporter, de l'existence de survivants sur la galère Mastiggia. Si seulement j'avais su que l'enseigne Falci avait été capturé par les janissaires, j'aurais pu prévoir l'entreprise de déstabilisation que Sanguinella et Mastiggia ont menée contre moi au Sénat. Mais je suis resté dans l'ignorance de cette information. Dans cette affaire publique, comme dans le domaine privé, tu m'as gravement manqué.

— Je pensais vraiment que l'agha Bakkhidès avait tout nettoyé, grommelai-je.

— Tu pensais ! Tu pensais ! s'emporta le Podestat. Je ne te demande pas de penser, je te demande d'exécuter ! Considère un peu ce que ta négligence va nous coûter ! »

Il se rejeta contre le dossier de sa cathèdre, en levant les yeux au ciel, vers les plafonds ténébreux où étaient suspendus les gros sacs du sorcier. Il prit sur lui pour retrouver la maîtrise de sa voix et de son expression.

« J'ai une dernière question à te poser, avant de prendre une décision, reprit-il sur un ton neutre. En fait, c'est aussi la première chose que je t'ai demandée... Benvenuto, pourquoi es-tu rentré à Ciudalia ?

— Je vous l'ai dit, Votre Seigneurie : j'avais des messages pour vous. »

Il balaya mon propos du revers de la main.

« Cesse de chercher à me leurrer, lança-t-il. Ce ne sont que des prétextes. Melanchter aurait pu m'envoyer n'importe qui pour me rapporter ces nouvelles. Ce qui m'intéresse, ce sont tes raisons, à toi. »

Encore maintenant, je persiste à croire que j'étais rentré en partie pour lui, par loyauté, malgré toute la rancune que j'avais accumulée. Mais dans ces circonstances-là, on n'aurait pas pu m'arracher cet aveu, même sous la caresse insistante d'un fer rougi.

« Possible que j'aie eu le mal du pays, me contentai-je de ricaner.

— C'est un motif bien léger pour risquer sa vie, observa froidement le Podestat.

— Vous croyez? Demandez donc aux phalangistes de la République pourquoi ils se font tuer en première ligne… Quelques pièces, un peu de piquette, l'esprit de corps… C'est pas des motifs bien légers pour risquer sa peau?

— Tu n'es plus un vulgaire soudard, Benvenuto.

— J'en suis pas si sûr. Ce qui est certain, c'est qu'il y en a plein, de ces vulgaires soudards, qui sont comme Benvenuto. Des types nés via Mala, via Bisogna, via Descuartizza, qui ont poussé comme des mauvaises graines, qui ont toutes les raisons d'en vouloir à cette putain de ville mais qui se sentent le cœur aussi gros qu'un pavé dès qu'on cherche à les en sevrer. En fait, Votre Seigneurie, nobles, bourgeois ou plébéiens, on a tous cette catin dans le sang: il n'y a qu'à Ciudalia qu'on se sent vivants.

— Tu es donc revenu pour la ville…

— Vu ce qui m'y attendait, pour quoi d'autre? Et puis j'en avais marre de me planquer. »

Il m'adressa un rictus ironique.

« Voici enfin que tu me dis la vérité, du moins en partie. »

Il joignit les mains, parut réfléchir, presque se recueillir.

« Je t'aime bien, dans le fond, Benvenuto, finit-il par énoncer doucement. Tu es malin, courageux, dangereux. Tu es un homme utile… Toutefois, tu sais aussi bien que moi que je ne peux pas fermer les yeux sur ce qui s'est passé. Ce n'est même pas une question personnelle; je perdrais toute autorité si je te laissais t'en tirer à peu de frais. Il faut donc que je te châtie. Reste à définir la sentence… »

Il s'interrompit à nouveau, et son regard se fit presque rêveur. L'ombre d'un sourire tout en duplicité erra sur ses lèvres.

« Sais-tu comment les crimes sont jugés en Ouro-magne ? poursuivit-il lentement. Les barbares des tri-bus ignorent tout de nos subtilités judiciaires. Quand il faut rendre la justice, on dit qu'ils tiennent une assem-blée d'hommes libres, parmi lesquels ils désignent deux ou trois sages, souvent des chefs ou des vieillards. Ces hommes sont chargés de rappeler la coutume, et de fixer le prix du sang. Le prix du sang, c'est la somme d'argent que le coupable doit verser à la famille de sa victime… Si l'amende est versée, l'affaire est réglée. Si le condamné est incapable de payer, alors la famille de la victime a le droit de le tuer, de brûler sa maison, de réduire les siens en esclavage… Un système bien primi-tif, mais pas si éloigné de nos vendettas, ne trouves-tu pas ? Je vais te proposer un arrangement, Benvenuto. Verse-moi, sinon un prix du sang, du moins une compensation, et nous serons quittes. Refuse, et tu ne sortiras pas vivant de ces appartements.

— Vous causez d'un choix ! Mais allez-y. Annoncez votre prix.

— Prends garde, Benvenuto. C'est un arrêt, pas un marchandage. Je ne négocierai pas.

— De toute façon, dans ma position, j'aurais pas pu gratter grand-chose. Arrêtez de me faire lanterner, dites-moi combien j'embaque.

— Pour faire un chiffre rond, je fixe ton amende à deux cent mille florins. »

Je me fendis la pêche, mais je ne le trouvais pas spé-cialement drôle.

« Butez-moi tout de suite, grommelai-je. Ce sera une autre manière de vous payer ma tête.

— Tu n'es donc pas en mesure de verser ton écot ?

— Vous croyez peut-être que je vais sortir deux cent mille florins de mon chapeau ? Même si mes fonds étaient pas sous séquestre, j'arriverais à peine à rassem-bler un dixième de cette somme, et j'ai pourtant un joli petit pactole au frais. Vous savez aussi bien que moi que la plupart des familles patriciennes pourraient même pas vous avancer un montant pareil...

— Je croyais pourtant que tu étais plein de ressources...

— Qu'est-ce que vous attendez de moi ? Me pousser à bout ? Que je dégaine pour donner le signal de la tuerie ?

— Ce serait regrettable d'en arriver là. Tu y perdrais la vie, et moi deux cent mille florins.

— Je comprends plus où vous voulez en venir.

— Essayons de considérer le problème sous un angle différent, veux-tu ? Tu ne possèdes pas ces deux cent mille florins, c'est entendu. Moi, en revanche, je les ai. C'est un bon point de départ, ne trouves-tu pas ? J'ai à ma disposition la somme dont tu as besoin pour rembourser la dette que tu as contractée auprès de moi. »

Il me souriait à nouveau avec affabilité, mais je discernai la cruauté pétillant au fond de sa prunelle. Je commençai à saisir ce qu'il avait en tête, et je me sentis tiraillé entre deux émotions violemment contradictoires. Je fus soulevé par une puissante bouffée d'espoir, parce que je compris qu'il avait monté une combinaison, une combinaison où j'aurais encore de l'utilité si je restais vivant ; et en même temps, mes tripes se nouèrent d'appréhension, parce que je savais qu'il n'était pas homme à pardonner, et que l'usage qu'il comptait faire de moi serait peut-être pire que la mort.

« Si je vous suis bien, énonçai-je avec prudence, vous souhaitez que je m'endette auprès de vous pour vous rembourser...

— Pas du tout. »

C'était à son tour de rire, en sourdine, en retroussant ses lèvres bien dessinées sur un rictus de loup.

« Voyons, Benvenuto, tu me l'as dit à l'instant : où diable irais-tu chercher deux cent mille florins ? Cela ne ferait que remettre l'échéance et ne résoudrait rien... Non, j'ai une solution beaucoup plus simple. Je vais te payer. Je vais te payer cette somme comptant, et comme tu me la dois, tu me la rétrocéderas aussitôt, ce qui remettra nos comptes à plat. Naturellement, ce n'est pas un cadeau... Sans doute réalises-tu qu'en raison du passif que tu as envers moi, je ne suis guère disposé à t'accorder la plus infime faveur. Ces deux cent mille florins formeront tes honoraires. Tes honoraires pour une tâche que tu vas accomplir à mon service... »

Mes paumes devinrent moites. Un déluge de pièces se mit à dégringoler dans mon crâne, scintillantes, musicales et mortelles. Le meurtre de Bucefale Mastiggia avait coûté huit mille florins au Podestat, mes tractations secrètes avec les représentants du chah deux mille florins supplémentaires... Soit dit en passant, j'étais loin d'avoir touché l'intégralité de la prime, puisqu'une partie avait été versée à la Guilde. À Sepheraïs, le total des rançons pour les cinq prisonniers de marque dont j'avais fait partie s'était élevé à cent mille florins ; et encore cet argent avait-il été rassemblé par quatre familles fortunées, avec la participation de fonds publics pour la libération du gonfalonier Velado Fruga. Deux cent mille florins, c'était exorbitant. Cela représentait quasiment un dixième de la dette du duc de Bromael auprès de la République...

« J'arrive même pas à imaginer ce que je vais devoir faire pour une galette pareille, marmonnai-je, la bouche asséchée.

— C'est très simple, répondit uniment Leonide Ducatore. Tu vas devenir un héros. Tu vas sauver la République et lui permettre de gagner la guerre. »

Ces mots me tombèrent dans l'oreille, assaisonnés d'une suée sournoise. Les derniers héros ciudaliens que j'avais croisés, c'étaient Bucefale Mastiggia, que j'avais poignardé, et Regalio Cladestini, claboté sous la scie d'un chirurgien. Leonide Ducatore voulait ma peau, c'était certain. Mais il voulait aussi que ma mort lui rapporte quelque chose...

« Reconsidérons la situation politique de Ciudalia, poursuivait-il. Ma position est très délicate, et ton retour, dans la mesure où il est déjà connu, contribue à me fragiliser. Dès demain, les Mastiggia lanceront de nouvelles cabales contre moi, en m'accusant d'héberger un criminel notoire, dont j'ai moi-même ordonné l'arrestation. Cela nous laisse très peu de temps ; au matin, il sera sans doute trop tard pour agir... Toutefois, tout n'est pas perdu. Il nous reste encore quelques heures pour redresser la situation et la tourner à notre avantage. Aujourd'hui, j'ai récupéré trois cartes majeures, et je compte bien les abattre avant l'aurore.

« La première de ces cartes, c'est Belisario. Il est revenu escorté par deux chevaliers et une quinzaine de sergents et d'écuyers du Sacre. Ces hommes sont d'excellents combattants ; certes, ils ne tiennent pas à s'impliquer dans nos conflits privés, et je n'essaierai même pas de les incorporer à mes troupes. Mais je leur offre l'hospitalité ; et j'ose croire que si ma demeure était attaquée, le sens de l'honneur leur commanderait de la défendre... En ce sens, ils forment malgré eux un renfort inespéré ; ils me permettent de jeter mes propres bandes armées hors de ces murs. Avant une heure, je vais vider ce palais de tous mes gens de guerre ; je vais les envoyer reprendre le contrôle du port et de certaines portes mal défendues, comme la Postièrla Buia ou la Postièrla Malvágia. Si cette entreprise est couronnée de succès, je pourrai restaurer un approvisionnement à peu près régulier de la ville, apaiser les tensions provoquées par la faim et par la spéculation sur les grains ; par-dessus tout, je couperai l'herbe sous le pied de mon collègue Ettore Sanguinella en apparaissant comme meilleur garant de l'ordre qu'il ne l'est.

« Mon second atout, c'est Clarissima. Tant qu'elle a renseigné les Mastiggia, elle a représenté leur meilleure arme contre moi ; mais maintenant qu'elle a commis la sottise de se réfugier chez eux, elle me fournit une occasion unique. Je vais faire courir le bruit qu'ils ont enlevé ma fille et qu'ils la gardent en otage. Je vais même les accuser d'avoir attenté à son honneur. Or, il semble que tu l'ignores, Benvenuto, mais c'est une faute majeure aux yeux de nos concitoyens. On ne touche pas à la vertu de nos filles. Ainsi, Clarissima et les Mastiggia me donnent le prétexte rêvé pour attaquer leur palais ; non en tant qu'adversaire politique, ce qui serait malséant, mais en tant que père bafoué, ce qui est irréprochable.

« Quant à ma troisième carte, c'est toi, Benvenuto. »

Il me couva des yeux avec un plaisir non dissimulé, et j'eus la certitude qu'il m'avait roulé dans la farine. Rien de tout ce qu'il m'avait dit ce soir-là n'avait été improvisé : il avait pesé au préalable le moindre mot, planifié le coup du paternel sali, du patron floué et de la transaction rétrocédée avant même d'entrer dans les appartements du sorcier. Dans le fond, il s'en foutait bien, que j'aie enculé sa fille, pourvu que lui puisse y retrouver son compte...

« Quand Spada Matado va investir le port, continuait-il, quand Asso Spoliari va s'emparer des portes, je vais devoir couper les bandes ennemies de leur commandement. Il faut empêcher les Mastiggia de réagir, de coordonner une défense. C'est là où tu interviens. C'est pour cela que je vais te payer la somme qui te rachètera. Tu vas attaquer le palais Mastiggia, Benvenuto. Et comme je ne peux divertir aucun combattant des troupes qui vont reprendre des positions tactiques, tu vas l'attaquer seul. Je veux que tu termines le travail que tu as commencé sur la galère de Bucefale. Je veux que tu forces une entrée ; je veux que tu débusques les Mastiggia, le sénateur, ses fils légitimes, son bâtard, sans oublier ce gêneur de Suario Falci, et je veux que tu les extermines, sans exception. Après cela, tu sortiras ma fille de cette maison maudite, et tu la ramèneras ici, en t'assurant qu'elle reste en vie. Voilà ce qui te rapportera deux cent mille florins. »

Il avait enfin lâché le morceau ; mais apprendre où il voulait en venir ne me revigora pas spécialement… En fait, je me découvris le besoin urgent de vider un godet, et du raide, tout en luttant contre l'envie de me tasser, de poser mes deux mains sur mes cuisses et d'expirer un bon coup.

« C'est pas un contrat, grommelai-je, c'est un suicide.

— Je conçois plutôt cela comme un exploit, corrigea le Podestat sur un ton badin.

— Rien que Falci et Strigila, c'est des sacrés caïds ; et je suppose que la gentilhommière est bourrée de soudrilles armés jusqu'aux dents. Je vais me faire essoriller.

— Allons, tu as de la pratique… Et puis l'effet de surprise jouera en ta faveur…

— Si je me fais poinçonner, ce qui risque d'arriver assez vite, je vois pas en quoi ça vous aidera. Au lieu de divertir les Mastiggia, ça les mettra en alerte. En plus, rien qu'à voir ma gueule, ils sauront qui m'a envoyé.

— Mais j'entends que toute la ville apprenne d'où venait l'ordre d'éliminer cette famille : tu n'es plus un exécutant anonyme, Benvenuto, tu es un porte-drapeau. Je veux que cela se sache. Je veux que chacun, dans la République, se convainque que les Ducatore sont intouchables, que le fait de porter la main sur un de mes proches provoquera des représailles féroces et immédiates. L'expédient est brutal, mais indispensable pour reconstruire mon autorité. Quant à tes espoirs de survie… »

Il se pencha en avant, en me fixant droit dans les yeux.

« Disons que je fais un pari sur toi, Benvenuto. Je fais d'abord un pari sur ton bon sens : tu as le choix entre une mort certaine dans ce palais et un péril de mort dans le palais Mastiggia ; l'alternative est pénible, je le concède, mais elle me semble assez claire. Si tu refuses ma proposition, tu deviens aussi bien mon ennemi que celui des Mastiggia ; si tu remplis mes conditions, tu élimines les Mastiggia et nous nous réconcilions… Je fais aussi le pari sur ta vaillance : tu as balayé Dilettino Schernittore et ses deux mignons à mains nues, alors que tu étais encore convalescent ; tu as tenu en échec toute la garde du Palais curial quand tu t'es évadé, en ayant l'élégance d'éviscérer l'un des phalangistes qui t'avaient arrêté… Après ces coups d'éclat, je peux bien attendre de toi un peu de ménage dans une maison particulière, ne crois-tu pas ? Et je fais enfin le pari sur ton orgueil, Benvenuto. Si tu exécutes ce contrat, si tu sors sur tes deux jambes du palais Mastiggia, tu deviendras une légende vivante, le plus grand assassin de la République, l'ange exterminateur de Ciudalia. Le héros sanglant qui fera frémir la ville sur son passage. Quelle splendide réhabilitation ! Surtout après qu'on t'a diffamé en t'attribuant le meurtre du ministérial Blattari ! »

Je faillis lui demander s'il me prenait vraiment pour un cave, mais il poursuivait sur un ton incisif :

« Naturellement, je n'oublie pas que deux cent mille florins sont en jeu. C'est une grosse transaction, et comme dans toute opération de ce genre, j'ai commencé par m'assurer une garantie. Une précaution pour te contraindre à respecter ta part du contrat, pour te dissuader de t'éclipser… Cette garantie, elle porte un nom. Elle s'appelle Carinita Gesufal.

« Ne fais pas cette tête, Benvenuto : tu es bien placé pour savoir que je dois tout connaître des gens qui travaillent pour moi. Et rassure-toi : je n'ai pas touché à un cheveu de ta vieille mère, je ne l'ai pas invitée à se rendre dans mon palais, elle ignore même très probablement que je connais son existence… En fait, la pauvre femme, je ne l'ai pas maltraitée, je l'ai protégée. Car j'ai le sens de la famille, moi. Malheureusement, je ne suis pas le seul à m'être intéressé à elle : tu imagines bien qu'à partir du moment où tu es devenu un proscrit en fuite, il y a eu d'autres indiscrets pour fouiller dans ton passé. Les Mastiggia également sont remontés jusqu'à la malheureuse. Pour l'instant, ils ne se sont pas attaqués à elle... Non que Tremorio Mastiggia lui accorde de l'importance, d'ailleurs, mais enfin, tu sais très bien comment cela se passe... Il suffit que le sénateur fasse une allusion à la mère de ce scélérat de Benvenuto, une femme de peu qui vivote dans un galetas de Benjuini ; le sous-entendu est repris par ses proches, interprété, amplifié, répercuté dans sa clientèle jusqu'aux niveaux les plus vils, jusqu'aux partisans les plus modestes, les exécutants les plus minables ; ceux-ci, par excès de zèle, pourraient bien se charger de la basse besogne à laquelle le chef du clan a simplement rêvassé... Pour l'instant, j'ai veillé à ce qu'il n'arrive rien de fâcheux à dònna Carinita ; je tiens sa vie dans ma main, en quelque sorte. Mais cette nuit, si tu ne respectais pas ta part du contrat, alors les Mastiggia seraient toujours en état de lui nuire, et moi je serais délié de toute obligation morale vis-à-vis de toi et de ta famille. Je lui retirerais ma protection. Dans ces conditions, je ne crois pas qu'elle passerait la semaine.

— Ça pourrait être la bonne occase pour me débarrasser de la vieille chouette, ricanai-je. Le Macromuopo vous a pas dit à quel point j'avais été un bon fils pour ma vieille maman ? »

Le Podestat haussa les épaules.

« Rien que de très normal, observa-t-il. Considère les Ducatore : j'ai détesté mon père, mon épouse s'est retirée dans un sanctuaire, ma fille m'a trahi et mon cadet se fait tirer l'oreille pour se rappeler que j'existe... C'est cela, la famille. Ta brouille avec dònna Carinita n'a rien que de très banal ; cela ne t'empêchera pas de chercher à la défendre, j'en suis certain. »

Inclinant un peu la tête de côté, il ajouta sur un ton pénétré :

« Car je parie aussi sur ton sentimentalisme, Benvenuto. Laissons de côté la piété filiale, je veux bien croire que tu en es complètement dépourvu. J'en reviens plutôt à cet amour profond et contradictoire, douloureux comme toute passion, dont tu m'as entretenu à l'instant : ton attachement pour Ciudalia. Tu viens à peine de la retrouver ; ce n'est pas pour la fuir aussitôt… Et puis n'oublie pas cette vérité cardinale : il existe deux fautes que Ciudalia ne pardonne jamais. Un père qui compromet la vertu de sa fille, un fils qui fait le malheur de sa mère deviennent à jamais objets d'exécration dans notre cité. Nous sommes tous les deux, chacun à notre manière, sur le fil qui sépare l'honneur de l'infamie. En ce qui te concerne, Benvenuto, tu n'as plus le choix : mort ou vif, tu dois sauver ta mère et ma fille. Tu dois te muer en héros. Deviens le parangon des vertus familiales et vengeresses ; deviens le modèle moral de la cité, quitte à tremper ta grandeur d'âme dans un bain de sang. Sans quoi, tant que tu vivras, tant que tu fuiras, tant que ton nom perdurera dans les mémoires, Ciudalia n'aura que mépris pour toi… »

Je me suis fait avoir. Je suis devenu un héros.

Il faut dire que j'ai pas fait dans la dentelle, et que j'ai payé assez cher mes lauriers. Du coup, on a brodé un paquet de contes sur mon dos ; et dans un sens, ça se comprend. C'est le genre d'événement qui répand un long frisson de frousse le long des artères de la ville et qui marque durablement les cervelles…

Deux versions concurrentes courent les rues à propos du massacre du palais Mastiggia. Selon la première, l'exorde du Podestat et l'exemple chevaleresque de Belisario m'auraient transfiguré. J'aurais dévalisé la salle d'armes du palais Ducatore, pour me cuirasser comme naguère, quand je combattais encore dans les Phalanges. Je me serais lesté d'armes lourdes, miséricorde, doloire, estramaçon, et bardé comme un champion, j'aurais été brailler mon défi au bas du palais Mastiggia, avant de me frayer un passage par la porte principale à grands coups de hache… La seconde rumeur me prête une métamorphose d'un autre genre. J'aurais transcendé ma condition d'assassin, excusez du peu. Sanglé dans un justaucorps de cuir noir, encagoulé de ténèbres, armé de deux dagues et d'une batterie de couteaux de lancer, j'aurais couru les toits nocturnes de Torrescella ; plus furtif qu'un fantôme, je me serais faufilé dans les greniers de l'hôtel Mastiggia, et j'aurais semé la mort dans la demeure comme un furet dans un poulailler.

Il va sans dire que ces beaux romans sont un ramassis de sornettes. Je me serais présenté devant le palais pour lancer le gant, j'y aurais gagné deux ou trois viretons d'arbalète décochés des étages ; et même muni d'une cognée de bûcheron, il m'aurait sans doute fallu plus d'une heure pour enfoncer la porte principale du bâtiment. Je vous laisse imaginer le comité d'accueil en embuscade, sans parler de l'avalanche de meubles qui me serait tombé sur la barbute pendant que je lançais mon ahan. Quant aux acrobaties de monte-en-l'air, merci bien, j'avais déjà donné. Certes, je suis souple, j'ai du jarret et j'ai le pied sûr ; si j'avais eu une bonne connaissance des toits voisins, j'aurais peut-être tenté le coup par la voie aérienne. Toutefois, ce n'était pas le cas, il faisait nuit, la pluie avait rendu les tuiles glissantes. J'avais déjà assez nargué la camarde au cours de mon évasion du Palais curial, par un soleil radieux ; faire des cabrioles à l'aveuglette sur les tours et les échauguettes de Torrescella, c'était adopter le plus court chemin pour embrasser le pavé.

Foutaises, donc. Quasiment tout ce qu'on a raconté sur la tuerie du palais Mastiggia est un tissu de sottises ; la réalité fut beaucoup moins épique et infiniment plus sordide. Il n'y a qu'une chose dans tous ces contes qui ne relève pas de l'affabulation : c'est l'épisode où j'ai eu le buffet transpercé par des coups mortels. Ça, c'est authentique. Si troublante que paraisse cette confirmation sous ma propre plume, je suis bel et bien tombé sur le seuil des appartements du sénateur Mastiggia.

Mais je vais trop vite en besogne. Reprenons les choses au début.

Pas d'armure d'acier trempé, pas de livrée moulante et ténébreuse, donc. Cette guerre-là, je partis la faire avec des nippes de gagne-petit, en tirant sur le licou d'une mule ensommeillée. Ce n'était pas l'armurerie du Podestat que j'avais dévalisée, mais son cellier : de quoi charger un baudet de grosses bonbonnes de grès aux courbes pansues, afin de passer pour un camelot. J'avais aussi garni ma musette de pommes rambour : un argument pour gagner les faveurs de ma bourrique fraîchement adoptée, choisie dans le cheptel le plus puceux des écuries Ducatore. Certes, sous mon sarrau de purotin, j'avais serré mon cuir ; mes fidèles lames Acerini étaient de la fête, ainsi que deux couteaux d'appoint. Toutefois, l'épée était planquée dans les ballots de la mule, la gaine de la dague disparaissait sous mon sayon. Avec la complicité de Scaltro, qui avait été piocher pour mon compte dans la garde-robe la plus miteuse des communs, j'avais enfilé les frusques reprisées d'un pue-la-sueur et enfoncé sur mon chef un bonichon d'une élégance absolue, dont les oreillères flottaient sur les épaules comme les esgourdes d'un clébard. Difficile de me donner l'air plus cruchon ; le seul détail qui aurait pu clocher dans cette panoplie, c'était la façon dont je tenais la mule. Non seulement par la bride, mais aussi par une longe attachée autour du cou ; mais il n'y avait qu'un muletier ou un paysan qui auraient trouvé ce harnachement bizarre, et je courais peu de risques d'en croiser au détour des rues de Torrescella, au plus noir de la nuit.

Car il régnait une obscurité de cave dans le quartier. Il était tard quand je sortis du palais Ducatore, sans doute quatre bonnes heures après minuit. La ville dormait d'un sommeil profond, inhabituel. Certes, à Ciudalia, la mauvaise saison ralentit les plaisirs et les trafics nocturnes, et ferme les fenêtres des demeures ; mais la torpeur qui s'était emparée du quartier était plus pesante, chargée de menace. Les nobles familles de Torrescella s'étaient claquemurées dans leurs demeures orgueilleuses ; les portes étaient barrées, les volets intérieurs clos. Cette quiétude cadenassée respirait la veillée d'armes. Le claquement paisible du sabot de la mule retentissait sur le pavé humide et se répercutait en échos caverneux le long des façades hautaines. Je m'étais muni d'une lanterne, en partie pour m'éclairer, en partie pour accentuer mon aspect inoffensif ; le lumignon dessinait un faible halo de lumière autour du duo que je formais avec la bourrique, faisait doucement miroiter la chaussée mouillée, et hérissait l'architecture monumentale d'ombres fabuleuses et mouvantes. Je m'y voyais tel un grotesque minuscule, égaré au coin d'un tableau immense, altier, ténébreux.

Mais je n'avais pas le temps de m'adonner à des songeries de barbouilleur. Quand j'avais gagné la rue, le palais Ducatore se mettait sur le pied de guerre. Spada Matado rassemblait dans les jardins la troupe chargée de reprendre le port, Asso Spoliari regroupait dans la cour intérieure les bandes qui allaient donner l'assaut aux portes fortifiées. Il leur faudrait un petit délai pour se compter et joindre leurs objectifs, mais malgré tout, je ne devais pas lambiner si mon attaque devait faire diversion au palais Mastiggia.

L'avantage — si toutefois il est sensé de parler d'avantage quand vous marchez à la mort — c'est que j'avais peu de chemin à parcourir pour toucher au but. Trois cents pas tout au plus : après avoir remonté la via Cavallina, je devais obliquer dans la via Comitina ; la demeure du sénateur Mastiggia s'y trouvait à l'embranchement avec la via Disprezzana. C'est un des charmes de Ciudalia : tous ces grands qui se détestent sont voisins de palier, et ils n'ont qu'à faire deux pas dans la rue pour saluer le sénateur qui a voté le bannissement de leur père ou le patricien dont ils ont empoisonné le fils aîné. Pour ma part, une courte promenade allait suffire à m'amener à l'abattoir.

Dès que j'eus tourné dans la via Comitina, j'aperçus

le palais Mastiggia. Il était partiellement éclairé, non de l'intérieur, car ses fenêtres étaient fermées et obscures, mais par un brasero modeste qui papillotait sur le pavé, au croisement avec la via Disprezzana. En cet endroit, la via Comitina et la via Disprezzana formaient une patte-d'oie, et la demeure des Mastiggia occupait la parcelle triangulaire qui s'évasait entre les deux artères. De loin, le palais m'apparaissait comme une énorme étrave de pierre, dont le château de proue s'engloutissait dans les ténèbres du ciel nocturne.

Je n'étais jamais entré dans cet hôtel, mais je connaissais un peu ses abords et Sassanos m'avait délivré quelques tuyaux sur sa distribution intérieure. Le premier problème qu'il me posait aurait sauté aux yeux de n'importe quel passant : comme la plupart des demeures nobles de Torrescella, le rez-de-chaussée était fortifié. Des murs massifs, en pierres à bossage, décourageaient toute velléité de lancer un assaut. Le premier étage ne comportait que de rares regards, protégés par des grilles épaisses comme mon poignet ; ce n'était qu'à partir du second que s'ouvraient de grandes fenêtres à meneaux, à près de vingt pieds du sol. La deuxième difficulté provenait des entrées, et me posait un fameux casse-tête. D'abord, il va sans dire qu'elles étaient barrées par des portes de forteresse, et que ce ne serait pas en montrant ma sale gueule au guichet ou en chantant une aubade que j'obtiendrais mon laissez-passer… En plus, il y en avait plusieurs : non seulement j'aurais bien de la peine à entrer, mais comme je ne pourrais surveiller toutes les issues à moi tout seul, des rats pourraient filer par-derrière pendant que j'ouvrirais le bal par-devant. Fort commodément, la porte piétonne et la porte cochère étaient voisines, via Comitina ; mais le problème venait de la porte des communs, qui donnait sur la via Disprezzana. Ajoutez à ces tracas une complication supplémentaire : le plan du palais formait un triangle, dont deux côtés flanquaient les rues, et dont le troisième s'accotait à l'hôtel des Balsamire. D'après le sorcier, c'était dans ce troisième corps de bâtiment, qui n'ouvrait que sur la cour intérieure, que se trouvaient les appartements patriciens ; en d'autres termes, il me faudrait non seulement forcer une entrée, mais aussi traverser un large patio et pénétrer dans l'aile aristocratique pour atteindre mes cibles.

Et je n'avais pas la moindre idée du nombre de soudards qui pouvaient camper à l'intérieur...

De toute façon, les problèmes commencèrent avant même que je ne cherche à entrer. Ce petit feu qui éclairait la bâtisse par-dessous, c'était un piquet de garde. Deux plantons y tapaient la semelle en se chauffant les mains. Au premier coup d'œil, je reconnus des alguazils : ils avaient la casaque cloutée, le fauchon réglementaire et le casque en crâne d'œuf des sergents du Guet. Je ne me faisais pas d'illusion sur ce qu'ils bricolaient dans le coin : Tremorio Mastiggia les avait sans doute achetés pour surveiller les abords de sa propriété. N'auraient-ils été que d'honnêtes gaffes chargés du maintien de l'ordre, leur présence représentait néanmoins pour moi une sacrée écharde. Avant même d'avoir poliment heurté l'huis des Mastiggia, j'allais devoir aplanir un obstacle.

Ils me virent venir de loin : le pas de la mule résonnait dans les rues silencieuses, et ma lanterne trouait l'obscurité... Je pris juste la précaution de porter mon lumignon à hauteur de hanche, pour que mon visage éclairé par-dessous soit rendu méconnaissable par le jeu d'ombres et de lumière. Tout en avançant sans me presser vers les indésirables, j'essayai de distinguer la présence d'une sentinelle aux étages du palais ; toutefois, j'étais moi-même gêné par le brasero des gardes, qui jetait des éclats rouges sur la base de la façade et noyait le reste dans une obscurité plus profonde. Pour réduire la distance, j'envisageais de jouer au benêt et de demander un renseignement aux deux sacres, mais je n'eus même pas à engager la conversation. Fidèles à leur tempérament de tyranneaux, ne voyant en moi qu'un muletier crotté, les alguazils m'interpellèrent.

« Eh ! Le bidet ! Qu'est-ce que tu fous dehors à cette heure ? »

J'aurais été bien tenté de leur renvoyer la question, mais je me fis violence, et je me contentai de répondre :

« J'ai une commande à livrer. Je fais que passer.

— Tu as une livraison en pleine nuit ?

— Je me suis levé tôt pour éviter les ennuis, avec toutes ces bandes qui courent la ville.

— Tu t'es levé tôt ? Tu serais pas en train de te foutre de nous ? Approche, et montre-nous ta marchandise.

— J'ai rien fait de mal, je veux pas d'ennuis...

— Approche, on te dit ! »

Le tour était dans le sac. Les deux crétins me toisaient, l'air menaçant, les pouces plantés dans le ceinturon. Sans doute voulaient-ils me coller une petite trouille, puis se faire graisser la patte pour fermer les yeux sur mon trafic. Je traînai les pieds à leur rencontre, avec les épaules affaissées et l'air réticent qu'exigeait la situation. Lorsque je fus devant eux, je lâchai la bride de la mule, je saisis avec naturel un de mes couteaux et je l'enfonçai d'un seul coup sous le menton du premier gaffe. Alors qu'il titubait en ouvrant des billes exorbitées, j'abandonnai la lame dans sa gorge et, quasiment dans le même mouvement, je balançai un taquet bien sec sous le blase du second avec le talon de ma main libérée. Je sentis le cartilage craquer, et les deux caves s'écroulèrent dans un ensemble assez réussi. L'attaque les avait pris au dépourvu, mais ni l'un ni l'autre n'était refroidi. Celui qui avait un surin en travers de la carotide avait encore tous ses esprits, mais il était visiblement submergé par l'horreur et il avait un peu trop de métal dans la trachée pour crier ; je lui fis cadeau d'un petit sursis pour m'occuper de son compagnon. Sacré veinard, celui-là : la nasarde lui avait seulement cassé le nez mais n'avait pas été mortelle, et il n'allait pas tarder à reprendre du poil de la bête. Je posai tranquillement ma lanterne, me glissai dans le dos du truffier et, lui saisissant la mâchoire d'une main et la nuque d'une autre, je lui fis claquer le rachis. Le second essayait de se redresser sur un coude ; il crachait du sang et il me dévisageait avec des châsses luisantes de larmes. Pour faire court, je balançai un bon coup de pied dans le manche qui saillait de son cou. Quand il s'effondra, la pointe du couteau qui avait traversé ses vertèbres tinta légèrement sur le pavé.

Je relevai vivement le nez vers la façade obscure du palais. Les alguazils étaient morts sans brailler, mais ils avaient fait du bruit en se vautrant, et au cours de notre brève conversation, nos voix avaient rebondi dans l'enfilade ténébreuse des rues. Toutefois, tout restait morne dans la bâtisse monumentale. J'avais encore mes chances.

Ma mule avait reculé de quelques pas, et même si la liquidation des alguazils avait été propre et rapide, la bourrique me dévisageait de côté, en remuant avec inquiétude ses oreilles pelucheuses. La mulasse avait raison de se méfier : le bal était à peine ouvert, et je lui avais prévu un petit quadrille bien enlevé. Pour l'instant, cependant, j'avais encore besoin de ses services, alors je me fis caressant comme une maquerelle et je l'amadouai avec mes pommes. Ayant saisi sa longe, je lui fis contourner largement les deux corps et je l'attachai à un anneau près de la porte cochère du palais. Je revins en vitesse aux alguazils dévissés, je les soulevai sous les aisselles et je les allongeai côte à côte contre le mur, en les drapant dans leur manteau, comme s'ils s'étaient laissés aller à un petit roupillon. De crainte de faire couler une rigole de sang compromettante, je laissai mon eustache fiché dans le gosier du deuxième client. Pour qu'on se quitte quand même bons amis, je le délestai de son propre surin.

Je revins à la bourrique, je péchai mon épée sous les dames-jeannes et je la ceignis ; je m'emparai aussi d'un rouleau de corde que je passai en bandoulière. Puis, reprenant la bride de la mule d'une main et ma lanterne de l'autre, je m'enfilai dans la via Disprezzana. Je n'eus qu'une quinzaine de pas à faire avant de trouver ce que je cherchais : l'entrée des communs. On passait aux choses sérieuses.

Je déposai ma lampe assez loin, et je déchargeai une bonbonne de grès. Je fis sauter le bouchon et, soulevant le lourd récipient à deux mains, je le vidai contre la porte. Un liquide gras ruissela le long des fibres du bois, submergea les ferronneries, dégoutta sur le seuil en une mare visqueuse. L'odeur douce de l'huile d'olive me caressa les narines. Quand j'eus saucé tout le battant, j'abandonnai le vase sur le pas de porte, le goulot incliné pour que le bouillon continue à s'écouler. Revenant à la mule, je renversai un des récipients de son chargement la tête en bas, et je le débouchai. L'huile se mit à dégouliner comme un pissat trouble, et je ramenai tranquillement ma gourmande vers la via Comitina, en semant derrière nous un ruisselet oléagineux. Alors que nous faisions ainsi notre petit tour, une rumeur étouffée commença à bourdonner au-dessus des toits, du côté de la Via Cavallina et de la via Zecchina. Je compris que le Podestat était en train de faire sortir ses troupes.

Je pris soin de passer au large des deux macchabées et du brasero, puis je rebroussai vers les deux portes principales. J'étais en train d'attacher solidement la mulasse à l'anneau mural, aussi bien avec sa bride qu'avec sa longe, quand j'entendis l'écho d'une course descendre la via Comitina. Aucune lumière : le coureur ne tenait pas à signaler sa présence, mais à en juger par sa galopade, il venait d'abandonner toute discrétion. Avec un frisson glacé, je compris de quoi il s'agissait : un mouchard, chargé de surveiller le palais Ducatore, accourait jeter l'alarme chez les Mastiggia. Abandonnant lanterne, bonbonnes et bourrichon, je bondis à sa rencontre, dague tirée. Il dut voir ma silhouette se dessiner à contre-jour sur la lueur du brasero et de la lampe, mais il comprit trop tard ce qui lui tombait dessus. Je le heurtai de plein fouet alors qu'il s'apprêtait à crier, et je le poignardai au cœur, à deux reprises, pour m'assurer de son silence. J'étais passé à un cheveu de la catastrophe. Lui aussi, je le traînai jusqu'aux gaffres endormis, histoire qu'ils se tiennent chaud entre refroidis.

Revenant à mes moutons, je me fendis d'une bonne suée à asperger les deux entrées de la via Comitina et à décharger le reste des bonbonnes contre la façade. Cela fait, j'éprouvai une brève hésitation, le temps de quelques battements de cœur. J'étais au pied du mur, dans tous les sens possibles. Plus qu'un geste à accomplir, et il serait impossible de retourner en arrière. J'allais lancer une terrible tarentelle, avec quantité de cavalières qui auraient du poil au menton et des falbalas en acier trempé ; il me faudrait une sacrée santé pour épuiser ces bayadères. Et au premier faux pas...

Je ne devais pas penser à ce genre de truc. Je récupérai ma lanterne, je marchai vers le brasero, que je renversai d'un coup de pied. Les braises rougeoyantes roulèrent dans le filet d'huile que j'avais semé ; le liquide répandu sur la chaussée crachota et fumigea pendant un moment qui s'étira de façon un peu inquiétante, et se décida mollement à prendre feu. Alors je tirai l'épée, je passai derrière la mule et je lui sabrai les jarrets des postérieurs. La bourrique poussa un braiement criailleur et chut sur la croupe ; elle essaya de se relever, mais retomba en s'égosillant de plus belle. Les dés en étaient jetés. Je balançai ma lampe dans la grande flaque huileuse qui baignait le seuil des deux portails de la via Comitina. À ma grande épouvante, le lumignon faillit s'éteindre, et puis je vis une flamme bleuâtre ramper sur le sol avec l'onctuosité d'un sirop. Le feu ne paraissait guère pressé de s'étendre, et je craignis que le raffut pitoyable que faisait la mule n'attire

du monde trop tôt. J'avais le cœur qui battait la chamade, le souffle qui s'emballait. Et puis des serpentins
de flammes remontèrent doucement les portes imbibées, et le pavé s'embrasa d'un seul coup, en émettant
une sorte de toux étouffée. En conservant l'épée dans la
main droite, je dégainai la dague de la gauche et je me
mis à crier au feu.

Les flammes descendirent le ruisson que j'avais
épandu dans la rue ; elles rejoignirent et ravivèrent le
premier foyer allumé avec le brasero renversé, elles
vinrent envelopper les bonbonnes abandonnées contre
la façade, et encerclèrent la bourrique entravée et blessée. Quand j'avais déversé une dame-jeanne sur le trajet séparant la porte des communs des entrées de la via
Comitina, l'huile avait imbibé les pattes et la panse de
la mule. Sa robe mitée s'embrasa, et la bête se mit à
pousser des hurlements déchirants, en roulant des
yeux blancs. Elle parvint à se dresser sur ses quatre
fers, dans un équilibre flageolant, elle tira sur sa bride
à s'en arracher le mors, mais le licou tint bon, ses pattes
arrière lâchèrent, et elle retomba dans un ruisseau de
feu. Une bouffée de crin brûlé et de viande grillée me
frappa le museau ; tout en se débattant dans le brasier,
l'animal faisait retentir tout le quartier d'une clameur
hystérique, comme si une écurie entière avait flambé.
Je ne m'entendais même plus crier.

Des lampes apparaissaient aux fenêtres du palais
Mastiggia et des demeures voisines. Je reculai d'une
quinzaine de pas, à la fois pour sortir de la lumière la
plus crue et pour prendre mon élan. Un judas grillagé
s'ouvrit dans la porte cochère, et malgré le braiement
assourdissant de la mule, je crus percevoir quelques
cris à l'intérieur. Le battant s'ouvrit, et derrière le
rideau de flammes, je discernai deux silhouettes qui
reculaient devant la puissance du rayonnement. C'était
le moment ou jamais. Je me jetai en avant, je bondis à
travers le brasier.

La chaleur était déjà si forte que j'eus l'impression de

traverser un mur torride. En retombant de l'autre côté du seuil, j'entrevis deux ombres qui battaient retraite devant moi. Les gaillards avaient dû être surpris par mon irruption au milieu des flammes, mais la lumière violente du foyer m'avait moi-même ébloui, et je les distinguais assez mal. Je frappai au jugé, et mes lames transpercèrent deux corps que ne protégeait nulle armure. Ce ne fut que lorsqu'ils tombèrent que je les vis un peu mieux. L'un d'eux était peut-être un soudard ; il portait un baudrier, sur une chemise enfilée à la hâte, mais n'avait pas eu le réflexe de porter la main à l'épée ; le deuxième n'était qu'un petit valet, qui me dévisagea d'un air perplexe quand je lui arrachai la dague de la poitrine. Un troisième type filait devant moi, vers le bout du long couloir de la porterie, en direction d'un espace pavé et sombre qui devait être la cour. Je lâchai l'épée, saisis un couteau et le lui logeai d'une détente entre les omoplates. Il trébucha, mais continua à avancer, en hurlant l'alerte. Je dus donner un fameux coup de jarret pour le rattraper, au dernier moment, juste avant qu'il ne débouche dans le patio ; lui agrippant le menton de la main droite, je lui fouaillai les reins à coups de dague. Il tomba à genoux, et je le soutins avant qu'il ne s'effondre complètement ; il n'était pas encore mort, mais du coin de l'œil, je voyais des lumières et des ombres courir sur les galeries, aux étages du patio, et j'étais moi-même trop visible avec ce corps. Passant mes bras sous ses aisselles, je le traînai en arrière vers l'entrée en feu. Il gémit, parce que le manche du couteau planté dans son dos s'appuyait contre ma poitrine. Je l'achevai dès que nous fûmes hors de vue de la cour.

Je récupérai couteau et épée, et me rendis seulement compte que je fumais un peu trop. Les franges de mon sayon brasillaient doucement, et je me débarrassai du manteau en vitesse, de crainte de m'embraser à mon tour. Pas le temps de me reprendre. Je me précipitai dans la cour, en me remettant à crier au feu pour me fondre dans la confusion.

Je n'étais plus le seul à m'époumoner. Une dizaine de personnes étaient en train de déboucher au rez-de-chaussée du patio et de cavaler en tous sens dans le plus grand désordre. Entre les halos secoués des lanternes et les éclats rougeâtres qui dansaient au fond de la porterie, il était difficile de repérer qui était qui. Je vis galoper les gabarits chétifs de deux gamins, quelques jupons, mais surtout des hommes, beaucoup d'hommes. L'un d'eux s'était perché sur la margelle sculptée d'un puits qui occupait le centre de la cour, et une main accrochée à l'armature de fer forgé qui soutenait la poulie, il braillait d'apporter des récipients. Plusieurs gaillards en pourpoint de cuir ou en ventrière d'acier, les flancs ceints de lames de guerre, se précipitèrent pour improviser une chaîne. Je me joignis à eux. Je fis passer un premier seau, en souhaitant in petto bien du plaisir au veinard qui arroserait l'huile en train de flamber. Je m'étais placé à côté du débrouillard qui avait lancé la lutte contre l'incendie ; alors qu'il était en train de remonter frénétiquement un nouveau seau, je lui tranchai le jarret d'un coup de dague et je le poussai dans le puits cul par-dessus tête. Mon autre voisin, qui venait de se retourner vers moi pour réceptionner un nouveau seau, reçut en fait une ration de fer sous la mâchoire ; le temps qu'il réalise qu'il était en train de claquer, je l'avais saisi par le col et balancé à son tour par-dessus la margelle. Le troisième, quant à lui, comprit enfin ce qui se passait, et chercha à défourailler. De la main droite, je lui bloquai le poignet, lui maintenant l'épée au fourreau, et de la gauche je lui ouvris la gorge d'une oreille à l'autre ; un geste inconsidéré qui me cingla la gueule d'une bonne giclée artérielle.

Il ne me fallut qu'un instant pour me torcher les paupières du revers de la manche, mais dans ce laps de temps très bref, plusieurs choses advinrent. La mule cessa enfin de braire, et même si tout le palais retentissait maintenant de panique, la fin de ce hour-vari supplicié fut un soulagement pour les nerfs. Malheureusement, dans le répit tout relatif qui suivit la mort de l'animal, des cris inquiétants tombèrent des étages. Un beau timbre féminin s'exclama : « Il n'est pas dehors ! Il est ici ! Dans les murs ! » Presque simultanément, la voix rogue de Suario Falci beuglait : « Aux armes ! Le feu n'est qu'une diversion ! Aux armes ! » Aussi, quand j'eus essuyé le sang qui m'avait aveuglé, ce fut pour voir quelques domestiques qui avaient formé la chaîne en train de se carapater, et trois hommes de guerre fonçant sur moi l'épée à la main.

Le mourant que j'avais égorgé gêna mes assaillants et me permit de parer les premières estocades, mal synchronisées. Mais j'avais perdu l'avantage de la surprise, et je me retrouvais engagé face à un adversaire passablement échauffé et supérieur en nombre. Je devais me dégager de toute urgence, où mon destin serait scellé. Une feinte plutôt imprudente me permit de tromper un spadassin pour lui porter un coup de pointe, mais je sentis simultanément un choc assez rude sous l'épaule gauche, sans déterminer si l'estoc avait traversé mon justaucorps de cuir. Je tentai de battre en retraite derrière le puits, mais je ne parvins pas à décrocher assez vite et il me fallut une débauche d'énergie pour dévier les lames qui s'abattaient sur moi, y compris celle du gaillard que j'avais ferré. Si je n'arrivais pas à contre-attaquer, j'étais cuit.

Un coup du sort assez heureux me donna une ouverture. Une déflagration sourde agita la porterie du côté de la via Comitina, immédiatement suivie par deux détonations beaucoup plus sonores qui firent trembler les vitres du palais. Les bonbonnes d'huile que j'avais abandonnées contre la façade venaient d'exploser. L'entrée vomissait maintenant une lumière violente, d'où surgirent deux silhouettes hurlantes et embrasées. Le vacarme m'avait fait sursauter, comme les autres, mais je savais de quoi il était question et je repris mes esprits avec un poil d'avance sur tout le monde. Je me jetai au milieu de mes adversaires, traversai la bouche du premier sicaire d'un coup de pointe, daguai le second au cœur et esquivai la contre-attaque tardive du troisième. Un contre un, la rencontre se rééquilibrait. En fait, j'avais déjà repris l'ascendant, car le dernier spadassin était visiblement choqué par l'aisance avec laquelle j'avais allongé ses deux comparses. Il ne recula pas, et il avait une belle tenue face à moi, mais mon Acerini admirablement équilibrée acheva de faire la différence et je l'étrillai sèchement, de deux coups à la poitrine, qui traversèrent une chemise de mailles.

Une exultation sauvage déferla en moi. Certes, j'avais entendu la sorcière ainsi que mon ami Suario Falci et j'ignorais où ils s'embusquaient, autant de raisons qui auraient dû me chiffonner sérieusement. Seulement j'étais dans la place, l'incendie coupait les issues, j'avais perdu le compte des tués ; moi, j'étais vivant, en un seul morceau, et je me prenais à croire que je pouvais honorer ce contrat insensé. J'étais très conscient qu'une bataille n'est jamais une entreprise d'extermination, qu'il suffit de saigner une minorité de fier-à-bras pour que tout un camp s'effondre, et je venais déjà d'accomplir un joli carnage, peut-être assez pour semer la terreur chez les survivants du palais Mastiggia. Je me ruai vers le corps de bâtiment seigneurial, gonflé à bloc, quasiment sûr que la partie était jouée.

Je déchantai très vite. J'étais en train de grimper quatre à quatre l'escalier qui menait à la galerie du premier étage quand deux hommes de main surgirent sur le palier qui me surplombait. L'un était armé d'une simple épée d'infanterie, mais le second empoignait des deux mains une pertuisane, une foutue pertuisane avec une hampe large comme un pied de table et une lame vicieusement barbelée ; les deux affreux se lancèrent sur moi du haut des marches avec tout l'élan que leur donnait la dégringolade. Pas le temps de tourner les talons pour regagner une position moins défavorable. J'agis par pur réflexe. Je lâchai la dague, je faillis me faire un tour de rein en esquivant la terrible pointe de lance, je saisis la hampe de la main gauche et je tirai brutalement dessus pour déséquilibrer le piqueux. L'imbécile en rata une marche, bascula en avant et vint s'empaler sur mon épée de tout son poids. Malheureusement, j'étais aussi en position instable, et l'impact fut si rude que je valdinguai à mon tour. Enfoncée jusqu'à la garde dans la poitrine du drôle, mon Acerini me fut arrachée et je fis une culbute assez sévère avec le mort et la pertuisane. Je m'écrasai sur le dallage du rez-de-chaussée, le coude gauche douloureusement percuté et le dos bâtonné par les degrés de marbre. Je n'avais même pas les idées très claires quand je vis le second soudard dévaler les dernières marches vers moi, l'épée brandie la pointe en bas, pour me clouer au sol. Plus d'arme en main, pas le temps de me relever, ni même de saisir un de mes couteaux. Quand l'enfoiré me tomba dessus, j'en fus réduit à lui faucher une jambe entre mes chevilles en ciseaux, tout en roulant sur le côté. La pointe de l'épée fit jaillir des étincelles juste derrière ma nuque, tandis que le gaillard, qui n'avait pas la carrure d'un gros Ouromand, se vautrait à son tour. Je ne lui offris pas une seconde chance ; tirant un de mes couteaux, je l'enfourchai comme une putain, je le trouai de coups répétés et rageurs, jusqu'à ce qu'il ne bouge plus et que je sois poisseux de sang.

Après avoir récupéré mes lames Acerini, je repris mon ascension à une allure plus prudente. J'entendais toujours des appels et des hurlements, mais ils semblaient plus distants. Certains provenaient de l'aile Disprezzana, où les domestiques venaient sans doute de s'apercevoir qu'un deuxième foyer condamnait toute échappatoire par les communs. D'autres clameurs montaient de la via Comitina : le voisinage devait découvrir mes premières victimes et improviser le combat contre l'incendie. Mais aux étages supérieurs de la demeure, le silence régnait désormais. Un brin dégrisé par mes dernières acrobaties, je réalisai que j'étais trop exposé en empruntant les escaliers extérieurs qui desservaient les galeries. Il existait probablement des colimaçons plus discrets, un peu comme celui qui menait à ma piaule dans le palais Ducatore ; aussi, à peine arrivé au premier étage, je poussai la première porte venue pour me faufiler à l'intérieur du bâtiment.

Je traversai des antichambres désertes, luxueusement meublées, et je finis par déboucher dans la salle de réception du palais. Assez large, étirée comme un corridor, elle paraissait très vide, car fauteuils et chaises étaient alignés le long des murs obscurs. Selon le mode de vie aristocratique, la domesticité ne disposait les tables que pour les repas, et se hâtait de les ôter sitôt les services finis. L'espace était donc libre, et se prêtait dans la journée aux rencontres, aux allées et venues, aux bals. Pour l'heure, l'endroit était très sombre. Une rangée de fenêtres donnait sur la galerie extérieure ; l'incendie avait dû commencer à se propager dans la cour, car des éclats rougeâtres dansaient sur les lattes du plancher et sur les fresques enténébrées. Tamisée par les vitres à petits croisillons de plomb, la lueur des flammes projetait de longs réseaux ensanglantés, ramifiés comme des toiles d'araignée ; elle se démultipliait en flammeroles fantomatiques dans la profondeur aqueuse d'un grand miroir, accroché face aux fenêtres. Un arôme brûlé flottait dans l'atmosphère, couvrait l'odeur du sang qui imprégnait mes vêtements. À l'opposé de la porte par laquelle j'étais entré, j'aperçus le linteau d'une autre ouverture. Je n'eus pas le temps de l'atteindre.

J'avais traversé la moitié de la salle quand j'entendis un sifflet. Une galopade fit retentir le parquet des pièces que je venais de traverser ; presque en même temps, les battants de la porte vers laquelle je me dirigeais s'ouvrirent à la volée. Trois hommes armés en surgirent. Je n'eus même pas le loisir de me retourner : derrière moi, un quatrième larron faisait irruption en courant. Pris en tenailles.

Les trois gaillards qui marchaient à ma rencontre se déployèrent pour me couper l'accès aux fenêtres ; cherchant à couvrir mes arrières, je fis quelques pas en crabe, afin de m'adosser à la muraille. Si je garantissais ainsi mes reins, je me retrouvais néanmoins acculé par quatre bretteurs. À contre-jour, j'étais incapable de distinguer leurs visages ; mais la carrure trapue et le crin ras qui se découpait dans le cadre d'une fenêtre ne m'étaient que trop familiers. Tout ce qui avait précédé n'était qu'un amuse-gueule : j'en arrivais au plat de résistance, et je me rendais compte que j'avais peut-être eu les yeux plus gros que le ventre.

« Putain, ce que t'as l'air con avec ce bonnet, ricana Suario Falci.

— Y en a qui ont même pas besoin du couvre-chef, rétorquai-je en me mettant en garde.

— Arrête de bêcher. T'es foutu, et tu le sais aussi bien que moi. »

S'il se lançait à l'assaut avec ses trois affidés, c'était plus que probable, et j'avais beau me creuser, j'avais du mal à imaginer comment desserrer cette nasse-là.

« Rends-toi, et je te laisserai ta chance, poursuivit-il. Sinon, on va te crucifier contre ce mur. »

Pendant qu'il me servait cet ultimatum, je me rendis compte que sa casaque de cuir flottait un peu bizarrement ; tombé du lit, il n'avait pas eu le temps de se sangler correctement. Plutôt que de bavasser, je me fendis sans crier gare, pour traverser sa poitrine mal protégée. Le bougre avait de sacrés réflexes : il parvint à bloquer mon assaut en jurant, mais de la dague, je parvins à planter un de ses compagnons sous la ventrière. En s'effondrant, le sbire gêna les deux autres sous-fifres, et j'en profitai pour redoubler mon assaut sur Falci. Il recula devant moi. J'avais pris la mesure, et je crus que j'avais encore une chance de le déborder et de le ferrer.

Mais je m'étais trop avancé. Je me fis avoir comme un bleu.

Pendant que je poussais mon avantage, un des spadassins s'empara d'une chaise à haut dossier et me la balança dans les jambes. En me frappant derrière les genoux, le meuble me faucha. L'épée m'échappa dans le gadin. J'étais à peine au sol que Falci écrasait mon poignet gauche sous sa botte pour neutraliser ma dague et appuyait sa lame sur ma gorge.

« T'as raison, jubila-t-il. Le bonnet change rien à l'affaire. »

Il me restait ma main droite, mais la pression de l'épée s'accentua sur ma gorge, et je compris que l'enseigne Falci n'attendait qu'un signe de ma part pour me clouer au plancher. Je fis mine d'abandonner la partie, en me creusant frénétiquement la tête pour me sortir de ce mauvais pas.

« Lâche ta dague », ordonna-t-il.

J'ouvris les doigts.

« Mozzo, comment se porte Gioca ? demanda Falci sans me quitter du regard.

— Pas terrible, répondit l'enfoiré qui m'avait renversé. Il est conscient, mais sa plaie pue la merde.

— Il saigne beaucoup ?

— J'ai vu pire.

— Bon, il est pas encore à l'article de la mort. Pour l'instant, on va donner la priorité à cet enculé-là. »

La pointe de l'épée commença à m'entailler le cou, avec une insistance calculée.

« On va relever notre invité. Pialletti, dégage ses armes. Mozzo, assure-toi de lui. »

L'un des soudards écarta mes lames Acerini du pied, l'autre ajouta un coutelas à la pointe qui me chatouillait la glotte ; après m'avoir ordonné de me relever, il se glissa dans mon dos, s'empara de mon bras gauche et le tordit assez méchamment vers mes omoplates. L'enseigne Falci restait devant moi, mais son épée me quitta quand il fut sûr que son comparse m'avait bien en main.

« Parfait, gronda-t-il. On va avoir besoin d'une porte. Mozzo, on le ramène vers l'entrée. Benvenuto, tu lâches seulement une vesse de travers, et je te cure les boyaux à ma façon. C'est compris, soldat ?

— C'est compris. »

Alors que le dénommé Mozzo m'entraînait cahin-caha vers le seuil, l'enseigne rengaina son épée, ramassa ma dague d'une main et tira la sienne de l'autre. Il soupesa les deux armes, puis nous emboîta le pas. Lorsque nous fûmes proches de l'entrée, il nous ordonna de nous arrêter, et ajouta :

« Pialletti, va me chercher un marteau et un clou de charpentier. »

L'homme qui avait reçu cette injonction regarda Falci avec incrédulité. Juste derrière mon oreille, j'entendis Mozzo grogner :

« Déconnez pas, don Suario. On ferait mieux d'enfermer ce salaud et de soigner Gioca.

— J'ai dit : Pialletti, va me chercher un marteau et un clou de charpentier. »

Le soudard s'exécuta, et disparut en direction des antichambres. Tout en me désarticulant le bras et en m'incrustant son couteau sous le menton, mon garde-chiourme continua à protester.

« Putain, vous débloquez, don Suario. Le sénateur va être furieux. On ferait mieux de lui livrer ce type et d'éteindre le feu.

— Ta gueule, Mozzo, aboya Falci. Le feu, Strigila va s'en charger. Maintenant que je tiens cet enculé, je le lâche plus. Il s'est échappé du Palais curial, il nous a glissé entre les doigts à Vieufié ; c'est un vrai pro du sauve-qui-peut. Alors tant pis pour le sénateur : je laisserai pas le fumier filer une troisième fois. On va solder les comptes une bonne fois pour toutes. »

Pendant qu'ils jacassaient, j'essayais d'évaluer la situation. Au milieu de la salle, je devinais Gioca qui s'agitait faiblement, en poussant parfois des gémissements. Il n'était pas mort, mais il restait au sol : il avait son compte. Pialletti s'était absenté, ce qui réduisait temporairement l'ennemi à deux fâcheux ; mieux encore, après m'avoir délesté de ma dague et de mon épée, ces imbéciles avaient négligé de me fouiller, et il me restait toujours deux surins douillettement nichés sous mes frusques. Malheureusement, Mozzo n'avait pas l'air d'un manchot : sa clef de bras me faisait un mal de chien et la lame qu'il m'appuyait sur la carotide ne tremblait pas. Il allait falloir trouver une diversion, et très vite, sans quoi il ne me laisserait aucune chance de me dégager.

« Vous feriez mieux de vous barrer, tentai-je de grommeler.

— Ferme ta gueule ! » cracha Mozzo au creux de mon oreille, et sa lame me pressa si cruellement la chair que je crus qu'il m'égorgeait.

« On se calme, mes poulettes, intervint l'enseigne sur un ton un peu trop doucereux. Benvenuto veut juste nous épargner, Mozzo ; il voit la sale position où on se trouve, il nous met en garde, c'est vraiment gentil de sa part. En attendant que Pialletti dégote ce putain de clou, on a un peu de temps à tuer. On pourrait faire la conversation. Alors, qu'est-ce que t'as à nous dire, champion ?

— Je suis qu'un éclaireur, Falci, tentai-je de bluffer. Réfléchis un peu. Leonide Ducatore sait que dès demain Tremorio Mastiggia va soulever la ville contre lui. Il a pris les devants. Cette nuit, il a lancé toutes ses forces pour vous prendre de vitesse et pour vous écraser. Pendant que vous vous amusez avec moi, toutes vos positions sont en train de tomber. Me refroidir maintenant, c'est pas très malin. Je peux encore faire une bonne monnaie d'échange… »

L'enseigne hocha du chef d'un air approbateur. Puis, après un instant de silence dans lequel nous parvinrent le crépitement assourdi de l'incendie et des cris poussés dans la rue, il demanda :

« T'entends quelque chose, Mozzo ? Je veux dire, quelque chose d'autre que le barouf provoqué par un enculé de pyromane ? Je sais pas, moi : des portes enfoncées, des ordres lancés à la cantonade, de l'acier qui tinte ? Je dois devenir sourd, moi je capte rien... »

Il soupira.

« Benvenuto, faut vraiment que tu te sentes au fond du trou pour nous servir un baratin aussi minable, enchaîna-t-il. Tu me ferais presque pitié. Mais rassure-toi : je suis pas si méchant que j'en ai l'air. T'as été coopératif, alors je vais tenir ma parole : je vais te la donner, ta chance. »

Dans la pénombre éclaboussée de lueurs rougeâtres, j'entrevis le sourire insane qui lui fripait le mufle.

« Je vais te la donner, dès que Pialletti sera de retour. Dis donc, c'est une sacrée bonne lame, ta dague. Ça ressemble à une arme de guerre, mais en fait, c'est un petit bijou de maître, pas vrai ? Eh bien, tu sais quoi ? Je vais te la rendre. Vraiment. Pour qu'on s'explique comme des hommes, toi et moi. Seulement... »

Il secoua la tête, comme si quelque chose le tracassait.

« Seulement, tu comprends, un simple duel au couteau, pour des pointures comme nous, c'est un peu miteux. Toi et moi, on est des guerriers, des vrais survivants. On est même des putains de cadors ! Alors on va pas s'encanailler comme des petites gouapes... C'est ça qui m'a tellement fait gamberger, quand je pourrissais dans les cachots ressiniens. Je voulais qu'on s'offre une superbe ordalie, toi et moi ! C'est pour ça qu'on attend Pialletti. Allez, je te fais une fleur, je te mets au parfum. D'abord, on va te désaper. Rassure-toi, j'en veux pas à ton cul, le haut suffira ; et si tu veux garder ton joli chapeau, on te le laissera aussi. Tu vois, je suis pas contrariant ! Une fois que tu seras torse nu, on procédera à une petite formalité. Pendant un moment, j'avais pensé te clouer la main gauche sur une table ; mais à la réflexion, c'était vraiment pas régulier. Si moi je suis mobile, et pas toi, ça fausse vraiment trop le jeu. J'aurais pas de plaisir à te planter au cours de notre duel. »

L'officier dégageait maintenant une émanation puissamment malsaine. Même si jadis, quand il commandait sur la galère Mastiggia, il était déjà porté à la brutalité et à la cruauté, je compris que je n'avais plus affaire au même individu. La mort de ses hommes et de son protecteur ne l'avait pas seulement rendu malade de haine : elle l'avait rendu malade tout court.

« Je vais te fendre la couenne, Benvenuto ; te fais pas de bile, juste une incision sur le côté du bide, de quoi passer trois ou quatre doigts. J'irai te chercher une petite longueur d'intestin que je sortirai, un genre de hernie, quoi. Quand ce sera fait, on te collera contre une porte, et je clouerai tes boyaux contre le battant. Ensuite, cadeau : on te rend ta dague, on te relâche. Et on se le fait, ce combat au couteau, rien que toi et moi. J'espère que tu saisis bien toute la délicatesse du procédé : je te donne l'occasion de me montrer ce que t'as dans le ventre. Plus tu voudras me planter, plus tu voudras t'en tirer, plus tu cracheras tes tripes. Et je suis beau joueur : vu la longueur des intestins, ça te laisse une sacrée marge d'action... »

Il était complètement détraqué, mais il s'agissait d'une démence froide, longuement mûrie, et je ne me faisais aucune illusion sur sa détermination. Il accomplirait son programme point par point, il irait au bout de son cérémonial. Je me sentis glacé jusqu'à la moelle. Il m'offrait un choix rempli d'une subtilité perverse : l'éviscération volontaire ou l'éventration passive. En un instant, je pris mon parti. Tout plutôt que cette boucherie...

Mon attaque fut tellement désespérée, tellement inattendue, qu'elle les prit par surprise. Mais elle me coûta beaucoup trop cher... Pour me dégager de Mozzo, je lui écrasai les orteils d'une talonnade et je lui balançai un coup de nuque dans le nez. Simultanément, je pivotai sur moi-même en saisissant un de mes couteaux de ma main libre. Malheureusement, le soudard me maintenait fermement, et mes deux chiquenaudes avaient manqué de puissance : il ne me lâcha pas, et mon épaule gauche craqua dans une explosion de douleur tandis que j'opérais ma volte-face. L'élancement fut si abominable que ce fut à peine si je sentis la coupure en travers de mon cou. Tant pis. Je jouai le tout pour le tout ; mon bras gauche était tordu selon un angle impossible, mais je me retrouvai nez à nez avec le soudard, et la souffrance décuplant ma rage, je lui enfonçai mon surin dans la tempe. Il s'effondra comme une masse, lâchant mon bras luxé et son coutelas ensanglanté.

Derrière moi, Falci poussa un rugissement de bête. Je sentis un choc dans le dos, presque indolore en regard du supplice atroce qui me désarticulait l'épaule, mais je puisai encore l'énergie de me retourner pour lui faire face. Pas assez rapide. J'eus tout juste le temps d'entrevoir deux détails plutôt curieux — il n'avait plus que sa dague dans la main gauche, alors qu'il jouait encore avec nos deux armes un instant auparavant, et quelqu'un perdait du sang par saccades — puis j'encaissai son poing en pleine gueule. L'impact fut si violent que je ne sentis pas grand-chose, mais je titubai en arrière, et je me serais étalé si mon dos n'avait pas heurté le mur. Je fus alors traversé par une déferlante de souffrance, comme si on m'arrachait les côtes, et je crois bien que mon cœur faillit lâcher. Sur le côté droit de ma poitrine, mes vêtements pointèrent bizarrement, comme s'il venait de me pousser un téton, puis le cuir de mon buffle et l'étoffe grossière du sarrau crevèrent sur une longue pointe ensanglantée. Falci m'avait planté avec ma propre dague. Et en m'abattant contre la muraille, je l'avais enfoncée jusqu'à la garde.

L'officier me tombait déjà dessus, dague brandie,

alors que le choc me privait de mes ressources. Dans un éclair lucide, je sus que je ne pourrais ni esquiver, ni parer. Je pivotai pour exposer mon flanc gauche : sa lame traversa mon bras disloqué, ranimant un ouragan de souffrance dans mon épaule, mais je pus simultanément transpercer l'avant-bras avec lequel il avait porté son attaque. Il jura, tout en abandonnant la deuxième dague dans mon biceps. Dents serrées, en repoussant la douleur de toute ma volonté, je lui portai une estocade rapide, de bas en haut, vers la gorge. Mais j'étais trop salement amoché, mon assaut manquait de précision et de force, et l'enseigne parvint à la dévier légèrement de la paume. Le couteau passa trop haut, lui fendit une joue, se ficha sous sa paupière gauche.

Falci hurla, tituba en arrière en rabattant ses deux mains sur son visage. C'était heureux, parce que j'étais à bout de souffle, mes jambes tremblaient, des taches noires voletaient dans mon champ visuel. Il me fallut un instant interminable pour réaliser que ces mouches sombres qui sautaient par intermittence devant mes yeux n'étaient pas un symptôme précurseur de syncope. Pas encore. Ces macules bondissantes étaient bien réelles : c'était du sang, c'était mon sang, qui jaillissait au rythme affolé de mon cœur. Je sentis seulement alors la terrible brûlure sous mon menton : avant de mourir, Mozzo ne m'avait pas seulement rompu l'épaule, il m'avait aussi égorgé.

Je compris qu'il ne me restait plus que très peu de temps. Falci écartait les doigts de son visage, et dans le reflet dansant des flammes, il dévoilait une face de cauchemar, éborgnée, sanguinolente, convulsée par des expressions violemment contradictoires. Il sacrait, il braillait, de fureur et de douleur, et de l'horreur d'avoir un œil crevé ; mais en même temps, il était secoué par un fou rire, un fou rire rauque comme un sanglot, parce qu'il jouissait de me voir mourir. Le fumier. Je me penchai gauchement sur le cadavre de Mozzo, je lui arrachai son épée. En lâchant de nouveaux jurons,

Falci dégaina aussi. Même porté par la rage, je savais que la colère et l'effort me vidaient encore plus vite, qu'il ne me restait probablement qu'un filet de souffle. Je n'aurais droit qu'à une passe d'armes. Le bras gauche inerte, le buste raidi par le fer qui me traversait un poumon, je portai un ultime assaut. Falci chercha à intercepter ma lame, la rata. La perte d'un œil avait faussé son estimation des distances : je lui enfonçai dix pouces d'acier dans l'échancrure délacée de son buffle.

On s'effondra en même temps. Il tomba de tout son long ; il haletait encore, il bougeait même faiblement, comme un gros cafard retourné, mais il était hors de combat. Pour ma part, c'étaient les guiboles qui m'avaient lâché, et je m'étais reçu sur les genoux. Le choc se répercuta de façon si atroce dans mon bras écharpé que je fus remué par un sursaut qui m'empêcha de me laisser aller. Je descendis doucement les fesses sur mes talons, et je demeurai ainsi, dans un équilibre branlant, épouvanté à la seule perspective de m'allonger, parce que cela ne pourrait que me déboîter davantage l'épaule et emboutir un peu plus une des dagues qui m'agrafaient. Lâchant l'épée de Mozzo, je pressai mon cou béant. Cela interrompit enfin les giclées sombres qui trissaient gaiement devant mon museau ; mais je sentais toujours un raisiné chaud me battre la paume et me dégouliner entre les doigts. J'essayai de discipliner mon souffle, pour calmer la douleur, pour durer encore un peu.

Je respirais.

Je respirais. C'était pour cela que j'avais tenu. Cela signifiait que ma trachée était indemne, que seule une artère avait été tranchée. J'avais vu des combattants survivre à ce genre de blessure… Très ironiquement, c'était une plaie de ce type que Bucefale Mastiggia avait encaissée au cap Scibylos. Pour s'en tirer, toutefois, il fallait être recousu et pansé d'urgence, et là, vous conviendrez avec moi que j'étais très mal barré. J'aurais eu l'usage de mes deux bras, j'aurais pu me déchirer une manche pour me bricoler de la charpie et un bandage de fortune... Mais avec une seule main, bernique ! J'étais foutu.

De toute manière, Pialletti n'allait pas tarder à revenir, avec son clou et son marteau. Il ferait une drôle de bouille en découvrant le tableau ; après quoi, il allait me soigner, c'était du tout cuit. J'étais raide, cette fois, lessivé par tous les bouts. Mes idées devenaient pâteuses. J'avais la tête lourde. Trop de sang perdu, la cervelle qui se brouillait. Au moins, je ne claquerais pas seul, mais ça ne me consolait guère. Deux cent mille florins, quand même ! Mais non, c'était idiot, je ne les aurais jamais palpés... Je ne mourrais pas seul ; paraît que c'est terrible, de calancher esseulé... N'empêche : pas si apaisant que ça, de caner collectif. Et puis, comme je luttais pour maintenir ma main sur ma gorge, pour écarquiller les yeux, je me rendis compte qu'il y avait du monde dans cette salle obscure. Trop de monde. Ils se rassemblaient, ils attendaient, patiemment. Regalio était assis bien droit dans un fauteuil, deux lunes argentées à la place des yeux. Oricula ricanait, revanchard. Welf se penchait vers moi. *À Ciudalia, je te l'avais dit*, murmuraient ses lèvres exsangues. *Je te l'avais dit.*

Alors, des ombres, surgit une ombre plus noire encore.

Elle me gifla.

Le choc ne fut pas bien rude, mais il fouetta ma joue de manière désagréable, comme si on m'avait cinglé avec un faisceau de brindilles sèches. Je revins à moi au moment où je vacillais, sur le point de renoncer, de m'écrouler. À part les trois corps que j'avais éparpillés sur ce vaste parquet, je ne perçus personne, ni fantôme de soudard, ni petit croque-mitaine en haillons. Pialletti n'était toujours pas de retour, et cependant du temps avait passé : je le mesurais à la lassitude mortelle qui me gelait les membres, je le voyais aux lueurs plus violentes que l'incendie, qui gagnait en intensité, jetait par les fenêtres. Pourtant, j'eus la certitude qu'une présence s'était insinuée dans cette salle ténébreuse, qu'un esprit acéré était en train de m'épier.

Ce fut alors que je me découvris, que je croisai mon propre regard, dans le grand miroir qui ornait l'un des murs. Accroché assez haut, il me renvoya le portrait sombre d'un suppliant massacré, frissonnant de faiblesse et d'horreur, transpercé de longs poignards comme une pelote qu'épinglent deux aiguilles. Dans la pénombre, je ne percevais rien de mon mufle sanglant, sinon les reflets clairs que la lueur des flammes allumait parfois sur ma cornée. Le plus frappant, en fait, c'était bien le bonnet. Falci avait raison : c'était incroyable ce qu'il me donnait l'air cloche. J'allais crever en costume de pécore, et ça, je vous jure que c'était vraiment cruel.

D'autant plus cruel que je n'étais pas seul à me contempler depuis ce miroir. À peine discernable, une ombre élancée et maigre se superposait à mon image martyrisée. C'était un peu comme lorsqu'on passe devant une fenêtre derrière laquelle quelqu'un vous observe : dans la vitre, on voit à la fois son propre reflet et la silhouette du voyeur derrière la croisée. Le voyeur, en l'occurrence, était un grand escogriffe nageant dans des robes trop larges, qui flottait dans un espace impossible, entre la glace et son tain. Il leva une serre griffue, et me fit signe d'approcher. Je fus tenté de lui décliner tout le répertoire d'obscénités des bas quartiers, de lui cracher d'aller se faire foutre, de me laisser au moins rendre les clefs en paix ; mais je n'en fis rien, parce qu'il m'aurait fallu une débauche d'énergie pour en chuchoter le premier mot, et parce que je consacrai mes dernières forces à reposer mon pied droit sur le plancher, à pousser dans mes cuisses tremblotantes, à me remettre sur mes deux quilles avec l'aplomb d'un poivrot qui n'a pas dessaoulé de la semaine.

Je titubai vers le miroir. Un spectre trébucha à ma rencontre, saigneux, raide, désarticulé. Et coiffé d'un bonnet tout à fait déplorable... Derrière, la silhouette ténébreuse me couvait avec des prunelles d'argent terni, et je crus bien deviner un sourire approbateur plisser ce regard inhumain. Lorsque je fus juste devant le monstre, il leva une main décharnée et l'appuya contre la vitre, m'invitant du geste à en faire autant. Je dus prendre quatre ou cinq inspirations paniquées avant de me décider : ma paume était rivée à ma gorge ouverte, et la seule perspective de lâcher ce point de compression me remplissait d'une terreur renouvelée. Mais au point où j'en étais, il aurait été vraiment ballot de rester tétanisé et de m'admirer en train de claboter. Je dépliai le bras, ma main droite traça une traînée sanglante sur le miroir, et l'hémorragie repartit de plus belle, projetant des constellations noirâtres sur le verre.

Il ne se passa rien.

L'ombre aux yeux d'argent hochait négativement la tête. Elle se livra à une pantomime bizarre, et je supposai qu'il s'agissait de la gestuelle qui accompagnait un sortilège ; puis, alors que je m'affaiblissais à une allure alarmante, je crus comprendre. L'être ténébreux me montrait sa paume gauche, l'index passant et repassant sur la ligne de vie. Le souvenir du charme lancé près d'un ruisseau me revint à l'esprit, nébuleux et lointain, et j'avoue que je me mis à chigner quand je compris que c'était de ma senestre qu'on avait besoin. Seulement voilà, quand le vin est tiré, il faut le boire. En geignant par anticipation, je saisis mon poignet gauche, je pris une grande inspiration éraillée, et je m'arrachai littéralement ce poids mort pour porter ma main contre la glace souillée.

De l'autre côté, l'ombre apposa sa griffe à hauteur de ma pogne, dans un geste presque caressant. Un choc sourd fit tinter le verre, juste entre nos deux paumes ; la vitre s'étoila, et dans une série de claquements secs, toute la surface du miroir s'écailla, démultipliant mon reflet mutilé. Derrière, la créature ténébreuse m'intimait l'ordre de reculer, avec des signes impérieux. Elle en avait de bonnes. J'étais en train de vider tranquillement ma dernière pinte, pour partie sur le mur, pour partie sur mes pieds. Je demeurai stupide, la gorge bée, en n'osant pas relâcher mon bras gauche de crainte qu'il ne se détache définitivement. Quand le miroir vola en éclats, j'essuyai l'averse de verre avec un émerveillement à demi comateux ; c'était joli, tous ces éclats scintillants. Ce qui l'était moins, ce fut la gelée de ténèbres vomie par le cadre aveuglé. Je tournai de l'œil, mes genoux lâchèrent, et j'allais m'effondrer quand une étreinte nerveuse me retint. Sassanos se tenait devant moi, en chair et en os, et il me maintenait debout avec une poigne de fer, tout en appliquant une main sur mon cou ouvert.

« Restez avec moi, don Benvenuto ! » ordonna-t-il.

Et comme j'avais malgré tout une furieuse envie de dormir, il reprit sur un ton de commandement :

« Restez avec moi ! »

Il avait mis plus que de l'autorité dans ces derniers mots ; il y avait insufflé le charisme du sorcier, et cela me rendit quelque peu mes esprits.

« C'est parfait, don Benvenuto. Vous êtes un combattant hors pair, vous avez un mental de vainqueur, vous devez encore lutter un peu. Vous ne pouvez plus mourir, plus maintenant que je suis avec vous. Ici, nous avons assez de matériel pour vous ranimer. Deux de vos victimes sont encore en vie : elles me fourniront les ressources nécessaires. Mais de grâce, ne vous couchez pas. La douleur ou l'hémorragie qui remplit vos poumons vous tueraient. »

Il m'aida à m'asseoir sur un siège voisin, en me recommandant de ne surtout pas m'appuyer contre le dossier. Arrachant une étole de sa macabre parure, il la déchiqueta rapidement et m'entortilla ce bandage improvisé autour du cou. Je rassemblai alors ce qui me restait de forces pour essayer de parler.

« S'il vous plaît… »

Ces quelques mots, coassés à mi-voix, faillirent m'asphyxier. J'inspirai désespérément, bâillant comme un poisson hors de l'eau. Le sapientissime devait avoir raison : un de mes poumons au moins était en train de se noyer.

« Oui ? » demanda Sassanos en inclinant son oreille vers mes lèvres.

Ses longues tresses me balayèrent le visage, s'imbibant de sang. Sa chevelure était très douce, et à ce que je découvris dans un flamboiement plus violent venu des fenêtres, elle était également très blanche. Si elle paraissait grise, c'est parce que chaque tresse était entremêlée de cheveux étrangers. Certains châtains, d'autres blonds ; certains roux, d'autres noirs… J'eus l'intuition sinistre qu'il s'agissait de mèches de défunts. Mais même cette révélation lugubre passait au second plan. Si je devais claquer malgré tout, il était capital que je réussisse à jaser.

« S'il vous plaît, repris-je en recrachant une gorgée sanglante. Je vous en prie… Virez-moi ce putain de bonnet… »

Il s'esclaffa et, d'une pichenette, il me débarrassa du bavolet. J'en ressentis un soulagement si puissant que je faillis tomber dans les pommes. Il me rattrapa à nouveau, et me brandit sous le nez un index menaçant. Il chuchota que je n'aurais plus à patienter très longtemps. Puis il se leva brusquement, traversa la salle dans une envolée de robes ténébreuses. Il fondit sur Falci, et entreprit de profaner son agonie pour lui voler son âme.

La vie est une chierie.

Vivre, c'est souffrir. La naissance, c'est une expulsion obscène, pleine de cris, de sang et de mucus ; c'est un coup de dé où la mère peut claquer, où le morveux peut claquer, quand ce n'est pas maman et bébé qui partent ensemble faire un câlin définitif entre quatre planches.

C'est aussi la première occasion pour le chiard de se retrouver la tête au carré : à peine dégringolé, on le tabasse jusqu'à ce qu'il gueule ; ensuite, on le rectifie au couteau, histoire de le couper du paradis terrestre et de lui signifier que c'est la vie, que les ennuis ne font que commencer. Mourir, par comparaison, c'est déconcertant de facilité — et croyez-moi, je sais de quoi je parle. Il suffit d'être distrait, de trébucher ou de lâcher prise. Ce qui est dur, ce qui est effrayant, ce qui fait la différence entre un beau mort et un cadavre torturé, ce n'est pas la camarde : c'est l'obstination avec laquelle la vie s'est accrochée à une viande condamnée. C'est, à proprement parler, la lutte entre la vie et la mort, qui transforme le corps du sujet en un champ de bataille, en une dévastation comparable au palais Mastiggia pendant la nuit où il a brûlé.

Naître est une épreuve. Figurez-vous renaître ! Je peux vous dire que c'est un authentique cauchemar, surtout quand l'accoucheuse est un nécromant qui vous berce dans ses grands bras d'obscurité, qui vous redéploie les poumons en vous roulant des patins hantés, qui souffle dans vos bronches les mânes suppliciés des types que vous venez de saigner. Et encore, s'il n'y avait eu que ce bouche-à-bouche expirant... Mais c'est qu'il tenait vraiment à me remettre sur pied, le sorcier, et puis au trot encore ! La bataille n'était pas gagnée, pas question que je salope le boulot, il fallait retourner au front : alors médecine sanglante, miracles à la dure, remèdes de cheval et rééducation au galop. Quand il m'eut gavé avec Falci, faisant de moi une marionnette déchirée et pantelante, raccrochée à la vie par un esprit hurlant de démence haineuse et qui ne rêvait que de m'étriper, Sassanos estima que j'avais recouvré assez de forces pour supporter une petite séance de remise en forme. Faute de temps pour me recoudre, il me rafistola la gorge avec quelques épingles et une broche pêchées dans ses ornements sacerdotaux. Il arracha les dagues qui me poinçonnaient, et m'étreignit sauvagement, de dos, les deux poings appuyés sur mon plexus, pour me faire recracher la bouillie sanglante qui avait envahi mes poumons. Il s'empara de mon bras gauche, tira dessus avec une telle brutalité que je crus qu'il cherchait à m'écarteler, et ne me le rendit que quand je pus m'en servir pour essayer de l'étrangler. Après quoi, me laissant ramper sur le parquet en quête de mes armes, la tête remplie des projets confus de buter ce démon de sorcier et cet enculé de Benvenuto, il profana le corps brisé et l'âme épouvantée de Gioca, puis revint me forcer les lèvres avec son baiser d'incube.

Quand il sépara son visage scarifié du mien, il était aussi barbouillé que moi, et sa respiration sifflait encore plus rauque que la mienne.

« Reprenez-vous, ordonna-t-il. Vous êtes Benvenuto Gesufal. »

Pendant un moment, je fus secoué de frissons si violents que cela ressemblait presque à des convulsions ; mais cette énergie morbide, c'était de la force, et je parvins peu à peu à la discipliner. Finalement, je réussis à m'asseoir sur le plancher, en étreignant mes genoux des *deux* mains. J'avais l'impression d'être mort, mes extrémités étaient glacées, mon épaule gauche persistait à donner des signes de fragilité traîtresse, et mon palpitant se démenait en cabrioles douloureuses — comme s'il s'épuisait à drainer un sang trop rare. Mais je le sentais battre sa sarabande effrénée dans mon coffre perforé, mais mon cou ne saignait plus, mais je respirais…

« Splendide ! croassa Sassanos, qui récupérait à genoux devant moi. Vous avez tenu bon. »

Je répugnais à regarder les corps de Gioca et de Suario Falci. Du coin de l'œil, ils me paraissaient aplatis et fripés comme de vieux sacs. Quand je sus que j'avais recouvré un empire suffisant sur moi-même, je grondai avec un timbre qui n'était plus tout à fait le mien :

« Pourquoi ?

— Sans vouloir vous froisser, il vous reste l'essentiel de votre contrat à honorer, répondit le sorcier avec une urbanité complètement décalée. Il me semble que vous n'avez pas encore réduit à néant les Mastiggia ; et sa seigneurie Ducatore attend toujours sa fille. Il aurait été déplacé que vous la laissiez griller dans le feu de joie. »

Mais sa réponse ne me satisfaisait pas.

« J'ai ouvert la brèche, grommelai-je. Leur défense est par terre. Trois ou quatre hommes décidés pourraient achever le travail. Alors, pourquoi ?

— Je pourrais vous rappeler que les partisans de sa seigneurie sont engagés dans d'autres combats, et que pour l'heure, vous avez vous-même condamné les accès de ce palais... Toutefois, cela ne vous suffirait pas, n'est-ce pas ? »

Il essuya le sang qui lui maculait la figure, se lécha tranquillement les doigts, et poursuivit :

« Avez-vous noté que nous n'avons pas été dérangés alors que je vous prodiguais mes soins ? J'étais pourtant bien trop occupé à vous remettre d'aplomb pour lancer un charme de protection... Cette nuit, il se passe beaucoup de choses dans ce palais, et pas seulement de votre fait ou du mien. Cette demeure est une chrysalide, dont nous sortirons tous métamorphosés... Ciudalia, vous, moi... En ce qui me concerne, il aurait été dommage de rester à l'écart... D'autant plus que si Leonide Ducatore reste concentré sur ses rivaux politiques, je ne perds pas de vue que notre ennemie principale est dònna Lusinga. Alors j'ai besoin de vous, don Benvenuto. Terminez ce que vous avez commencé ; pendant ce temps, j'aurai le champ libre dans cette maison, je rendrai une visite de courtoisie à notre amie... J'ai bon espoir de profiter de l'occasion pour clarifier certains de ses enseignements, que j'avais si mal compris quand j'étudiais encore à Elyssa... Ces justifications vous éclaireront un peu mieux sur les motifs de mon intervention, mais... pour être tout à fait franc avec vous... je dois confesser que j'ai également agi mû par une autre raison... »

Sa face bistre se fendit d'un sourire malveillant, et ses prunelles métalliques pétillèrent d'une joie dévoyée.

« J'ai de la sympathie pour vous, don Benvenuto... Ce, en dépit du geste déplacé que vous avez eu sur moi à *La Corne de Narval*... Car parmi les turpitudes où vous vous êtes complu, il en est une qui m'a été très agréable. Voyez-vous, dans le palais Ducatore, il y a certaine personne qui s'est imaginé pouvoir me manquer de respect ; vous la connaissez, c'est dònna Clarissima. Au cours de l'été passé, cette petite sotte s'est mise dans l'idée de m'espionner. Elle a même tenté de faire fouiller mes appartements par l'agent le plus improbable qui soit, par son frère Mucio. Ces manœuvres, sans réellement me gêner, m'ont beaucoup irrité... Toutefois, par loyauté pour sa seigneurie, je me suis bien gardé de prendre des mesures de rétorsion. J'en ai simplement conçu une aigreur que j'ai conservée par devers-moi... Aussi, quand vous avez violenté dònna Clarissima dans le jardin — vous imaginez bien que je l'ai su la nuit même — eh bien, j'en ai éprouvé la plus vive satisfaction. L'avilissement de la petite intrigante me consolait de ma propre humiliation. C'est à cet écart un peu leste que vous devez mon indulgence... J'ai négligé d'en aviser sa seigneurie car, après tout, j'estimais que vous étiez un exécutant utile et qu'à strictement parler, vous n'aviez pas possédé la jeune fille. Que dònna Clarissima se soit ensuite discréditée à cause de vous n'a fait que consolider ma sympathie à votre égard. Enfin, je trouve que sa seigneurie a manifesté une perversité absolument délicieuse en vous chargeant du sauvetage de sa fille. Il eût été vraiment dommage que vous manquiez pareille apothéose. Voilà donc pourquoi je vous ai sauvé, don Benvenuto. Naturellement, je vous révèle tout cela sous le sceau de la confidence. Si vous sortez vivant de ce palais, sa seigneurie estimera que vous vous êtes racheté et vous laissera peut-être une chance d'échapper à sa vindicte ; mais s'il venait à apprendre que l'on vous a aidé… Vous tairez donc mon petit secret, et en échange, j'oublierai ce qui s'est passé dans cette salle. »

Sur ces mots, il saisit à deux mains son capuchon, s'en coiffa et le rabattit profondément sur son visage. Sa longue figure osseuse s'engloutit dans les ténèbres.

« Mais c'est assez parlé, ajouta-t-il. Vous me paraissez être dans une condition acceptable pour reprendre votre tâche. Vous risquez d'avoir encore un peu mal, mais il serait imprudent de vous donner un opiat. Vous devrez composer avec cet inconvénient. Moi-même, une dame m'attend. Je vous souhaite bonne chance, et prenez garde : je risque d'être assez occupé. Il est improbable que je puisse vous diligenter d'autres secours… »

Il effleura sa face obscure et murmura quelques mots dans une langue étrangère.

Avant même qu'il ne se soit relevé, j'avais perdu tout intérêt pour lui. Distraitement, je compris qu'il avait dû employer le tour qui le rendait insignifiant, mais les épreuves qui m'attendaient me préoccupaient avec une tout autre acuité. L'ombre qui traversa la salle pouvait être due à un jeu de lumière provoqué par l'incendie nocturne. Une porte grinça, mais ce n'était sans doute qu'un courant d'air…

Un courant d'air torride.

Il m'apporta une bouffée d'été, dans cette nuit de fin d'hiver. Une senteur de bois chaud et de résine brûlée, une âme âcre de suie se diffusèrent dans la salle en effluves lascifs. Elles m'effleurèrent de leurs caresses arides, et je sentis le temps s'abolir, comme si tous les mois qui m'avaient marqué depuis la fin du conflit n'avaient été qu'un songe. Ce parquet où je revenais à la vie alignait les lattes du pont de la galéasse amirale, les meubles et les tentures du palais Mastiggia se confondaient avec le faste de la tente d'État-Major, et les lueurs rougeoyantes qui clignotaient derrière les fenêtres perçaient la nuit comme l'incendie de la flotte du chah. L'intuition qui m'avait traversé dans les essarts au-dessus de Montefellóne revint m'oppresser avec intensité : la guerre ne s'éteignait jamais, elle somnolait juste sous la cendre, elle n'attendait qu'un zéphyr vicié pour ranimer la flamme, pour embraser nos passions et nos haines. Toute cette tuerie dans le palais Mastiggia, où je venais de mugueter de trop près avec la mort, c'était la postérité de Bucefale. Le matin où il avait lancé ses galères à l'assaut des chebecs ennemis, il allumait déjà le brandon que je jetterais six mois plus tard dans la demeure de ses pères. En réalisant que nous n'étions tous deux que l'avers et le revers de la même monnaie, qu'il était le parricide inconscient de sa famille et moi le véritable dépositaire de son œuvre guerrière, je compris en quoi j'étais vraiment un héros. Je n'y étais pour rien. Un héros n'a pas de mérite, au plus il n'est qu'un leurre et qu'un outil. On avait juste truqué ma ligne de vie pour que je conclue ce que Bucefale avait commencé. Notre destin, c'était de gagner la guerre, quitte à détruire ce que nous croyions défendre. C'était pourquoi je devais me lever, empoigner mes armes et anéantir la famille Mastiggia.

Sassanos avait dit vrai en affirmant que je resterais douloureux ; j'avais le cou tiré par quantité de piqûres, l'épaule sensible, un soufflet cuisant qui hachait chacune de mes inspirations. Tout cela, cependant, était relégué au second plan. Je marchais désormais avec les morts et le destin de la ville ; tant pis si je filais de l'huile. J'essuyai soigneusement mes lames, rengainai les couteaux qui m'avaient sauvé la mise, et quittai la salle les mains lestées de mes deux Acerini. Il régnait dans le palais une atmosphère d'abandon et de désastre suspendu. En quête du sénateur Mastiggia et de ses fils, je traversai des enfilades d'antichambres, de cabinets et de galeries. Je n'y croisai plus âme qui vive, et sans les clameurs montées des rues voisines, qui m'apportaient des échos de panique et l'indice que le quartier combattait l'incendie, j'aurais pu croire que j'avais basculé dans un autre monde, dans les premières régions où errent les mânes des défunts, juste en marge du domaine des vivants.

En longeant les balustrades du premier étage, je pus me rendre compte combien le brasier avait progressé. Il avait gagné une grande partie du rez-de-chaussée de part et d'autre de l'aile seigneuriale, et il semblait même plus violent du côté de la via Disprezzana, où les fenêtres éclatées vomissaient de longues langues de flammes ; sans doute les communs comportaient-ils des étages en bois, à la différence des appartements nobles, et le bâtiment risquait de flamber beaucoup plus vite. Dans la cour, je vis les corps que j'avais abandonnés sur le pavé et deux chevaux qui avaient réussi à fuir les écuries, mais qui, cernés dans cet enclos torride, piétinaient en un manège affolé. Des souffles ardents remontaient par bouffées brutales, soulevaient de gracieuses escarbilles au milieu d'une neige de cendres.

À l'intérieur aussi, il y avait des macchabées ; et certains n'avaient pas été tués de ma main. Sur un palier, je découvris le cadavre de Pialletti. Ainsi, j'avais la réponse à une petite énigme : pourquoi le soudard n'avait pas reparu quand Sassanos s'échinait à me ramener à la vie. Cela ne faisait que remplacer une question par une autre : qui avait refroidi le spadassin ? Le gaillard était tombé ses lames au fourreau, une expression d'intense surprise figée sur la hure. On l'avait pris en traître, mais de face, d'un coup unique qui lui avait embroché le cœur après avoir percé son buffle. Il fallait de la force et de la précision pour porter une botte pareille, et malgré les ressources insoupçonnées du moricaud, je doutais qu'il eût commis ce charriage-là. J'avais un autre allié dans la place. Était-il possible que les Chuchoteurs, en la personne de Rosso Dagarella, soient venus me donner un discret coup de pouce ? Voilà qui restait peu probable. La Guilde est tout sauf une société d'entraide...

À la recherche de mes clients, je gravis peu à peu les étages de l'aile seigneuriale. J'éprouvais un sentiment d'irréalité à traverser le palais déserté. Les hautes salles regorgeaient de meubles précieux et d'œuvres d'art ; le sénateur Mastiggia et son fils aîné Bucefale n'avaient pas usurpé leur réputation de mécènes. Le long des dressoirs marquetés, l'incendie allumait des éclats sur une argenterie somptueuse ; des caquetoires et des sièges à haut dossier somnolaient devant des cheminées aux manteaux sculptés, non loin de guéridons de marbre où paradaient des salières d'or en forme de cités fées, des hanaps d'argent pansus comme des naves ; sur les paliers trônaient des vases monumentaux, œuvres des plus grands céramistes de la fin du Royaume ; les linteaux des portes s'ornaient de mascarons taillés par le Piromaggio, les voûtes étaient sommées de tondi en trompe l'œil, et les murs s'enorgueillissaient des triptyques de vieux maîtres, des toiles du Macromuopo et de fra Albinello. Ce butin fabuleux, l'héritage d'une des plus vieilles familles de la République, s'offrait à moi seul, dans une demeure vouée aux flammes. Car plus j'avançais, plus l'atmosphère devenait irrespirable. Des ondes de fièvre remontaient des sols, rayonnaient des murs, exhalaient une odeur de chaud des parquets, des tapis, des tentures. Des fumerolles grisâtres s'insinuaient dans les salons, voilaient les tableaux, dérivaient en traînes nuageuses sous les plafonds élevés.

Ce fut en découvrant les Mastiggia que j'entendis le chien donner de la voix.

Je venais de me hisser au quatrième étage, en évitant de toucher la main courante qui chauffait comme une bouillotte. Alors que j'avais pris pas mal d'altitude au-dessus des foyers d'incendie, la chaleur n'avait fait que croître à mesure que je gravissais les marches. À ce niveau du palais, une fumée noire s'accumulait en volutes grasses et occultait complètement les plafonds. L'air était brûlant, décapait les narines et la trachée, ravivait douloureusement mon poitrail troué. Je suais à grosses gouttes, j'étais secoué par de fréquentes quintes de toux et j'avais l'impression que les lobes de mes oreilles étaient sur le point de bouillir. J'étais en train de pousser le battant tiédi d'un grand portail quand un long aboiement menaçant se répercuta dans les salles vides. Il semblait provenir du même étage, mais assez loin, de l'autre côté de la cour, peut-être à l'intersection des ailes Comitina et Disprezzana. Je reconnus l'aboi de Legame, le lévrier de la sorcière, mais je n'eus pas trop le cœur de lui prêter l'oreille. J'étais tombé au milieu des Mastiggia.

La pièce où je venais de déboucher était assez spacieuse, mais elle était si enfumée que le plafond à caissons et le linteau des fenêtres disparaissaient dans un brouillard opaque. Le courant d'air provoqué par mon entrée refoula un peu la nuée, et c'est ainsi que je pus les voir, tous les quatre. Stalto Mastiggia, le petit dernier que j'avais failli étriller dans les bois de Vieufié, m'attendait juste à côté du seuil. Il était assis à même le plancher, adossé au mur ; en glissant au sol, il avait abandonné une traînée sanglante sur la fresque qui entourait le chambranle de la porte. À quelques pas, le patrice Destrino Mastiggia occupait un fauteuil : sa nuque reposait contre le dossier, et ses yeux ouverts contemplaient sans ciller le magma fuligineux qui engloutissait la pièce. Sa poitrine portait une blessure aussi nette que celle qui avait allongé Pialletti. Un peu plus loin, le sénateur Tremorio Mastiggia et Dulcino Strigila siégeaient côte à côte sur un grand lit à courtines. Le chef de clan penchait un peu de biais, et seul le poteau torsadé du baldaquin l'empêchait de choir ; une mare sombre s'élargissait à ses pieds. Le bâtard, quant à lui, se tenait bien droit, la senestre posée sur une cuisse, la dextre sur le pommeau d'une épée nue. Tandis que je parcourais des yeux le carnage, il m'adressa un sourire dur.

« Eh bien, Benvenuto, tu m'as fait attendre ! » coassat-il avec un timbre éraillé par la fumée.

Il ruisselait littéralement. Ses cheveux poissaient son front en mèches luisantes, la sueur dessinait une collerette plus sombre autour de son col déboutonné, et de vastes auréoles dépareillaient les aisselles de son pourpoint. L'atmosphère suffocante avait creusé son élégant visage, mais sa peau perlée de gouttelettes avait pris une nuance brique, et je crus voir danser une étincelle de démence froide dans ses yeux cernés. Bien qu'il fût à distance respectable, je pointai l'épée vers lui par prudence ; dans un tel étouffoir, ce simple geste me coûta un effort terrible. J'essayais encore de me représenter ce qui s'était passé dans cette pièce, ma cervelle surchauffée incapable d'admettre la réalité, quand Strigila ramassa un petit accessoire à côté de lui et me le lança d'un geste négligent. L'objet tournoya sur lui-même comme un gros papillon gauche, tomba un peu court et glissa jusqu'à mes pieds.

« Un cadeau pour toi », toussota le bâtard.

Depuis le sol, un masque de Pédant me toisait de ses orbites vides. Dans le dédale palatial retentit un nouvel aboiement, plus sauvage, et des cris s'y mêlèrent, dont certains chantèrent bizarrement récitatifs. La chaleur devenait si insupportable que je relevai des yeux larmoyants vers Strigila.

« Ce grotesque te revient, graillonna-t-il. Non seulement tu as assassiné le ministériel Blattari, mais tu as massacré ma famille. Quand je t'aurai tué, je produirai ce trophée comme preuve.

— Tu es cinglé, Dulcino.

— *Vous*, corrigea-t-il. *Vous* êtes cinglé, *Votre Seigneurie*. Naguère, tu me vouvoyais, non ? Et il devient plus nécessaire que jamais de me témoigner du respect, maintenant que par ta faute, je vais devoir occuper le siège de mon père au Palais curial. »

Une grosse bague ornait son annulaire droit ; j'avais les lanternes si irritées que je la distinguais mal à quelques pieds de distance, mais je devinais sans peine de quoi il s'agissait. Le bâtard avait arraché le sceau de la famille Mastiggia de la main du sénateur.

« Où est Clarissima Ducatore ? » rauquai-je péniblement.

Strigila grimaça un sourire sardonique.

« Doit-elle mourir, elle aussi ? Cela contrarierait fort ma mère, qui s'est mis en tête de la protéger. Tu sais comment sont les mères, Benvenuto : d'incorrigibles marieuses. Peut-être a-t-elle quelque brillant projet matrimonial à l'esprit… Ça me casse un peu les pieds, mais une mère, c'est sacré, tu ne crois pas ? Alors je vais t'étendre avant que tu ne les trouves, toutes les deux. »

Je me gardai bien de le détromper sur mes intentions. J'avais appris ce que je voulais savoir : Clarissima était toujours en vie, et elle s'était réfugiée dans les jupes de Lusinga. Elle ne devait toutefois pas être à la fête, si j'en jugeais par les cris scandés et les grondements féroces qui couraient les galeries, mêlés au crépitement remonté de la cour.

« Avant que nous n'en finissions dans les règles, reprit Strigila en haletant, j'ai une question à te poser. Je ne vais pas demander si tu as tué mon frère. C'est inutile. C'est une évidence. C'est autre chose que j'aimerais vérifier… Tu te rappelles de notre rencontre via Maculata, par un après-midi de pluie ? Ce jour-là, tu as eu peur de moi. Tu m'as confié que tu m'avais confondu avec Bucefale. C'était la vérité ?

— Ben… Il y avait un air de famille. »

Un sacré air de famille, même, avec les trois falourdes éparpillées dans ce fumoir… Malgré ce que je venais de traverser, malgré cette pièce transformée en four, je ne pus m'empêcher d'avoir froid dans le dos.

« Et maintenant, tu le vois toujours ?

— Non... Bucefale serait jamais descendu aussi bas.

— Pourtant, cette nuit, j'ai saisi l'occasion, comme il l'a fait, là-bas, devant la flotte d'Eurymaxas... Mais tu as peut-être raison. Dans le fond, c'était un naïf. C'est pour cela que tu as pu le surprendre. Je suis différent de lui. Mon père me l'a assez fait sentir... C'était à moi de mourir sur cette galère, pensait-il... Non, c'est faux. C'était bien à Bucefale de périr en mer, et à moi de survivre. Survivre pour sauver la lignée. Survivre pour apprendre... »

Il ricana, sans me quitter de son regard fébrile.

« En fait, je sais à qui je ressemble, maintenant, siffla-t-il. Ça devrait te sauter aux yeux. Alors ? Tu me reconnais, Benvenuto ? »

J'étais bien trop occupé à chercher de l'air. J'avais la bouche plus desséchée qu'un coffre à sel, le lard en liquéfaction, la cervelle au bord de l'ébullition. La température n'arrêtait pas de monter, la fumée de s'épaissir. À peine si je pouvais maintenir mon attention sur le dernier surgeon des Mastiggia ; alors jouer aux devinettes...

« Je suis Leonide Ducatore », lâcha Strigila avec tristesse.

Il se leva et, d'une démarche assez lasse, il marcha sur moi pour croiser le fer.

Dulcino Strigila était le Pédant, j'en avais maintenant la certitude. Il s'agissait d'une des plus fines lames de la République, du bretteur qui s'était débarrassé de Coneoti et de Sorezzini en se jouant. De mon côté, même si je n'avais pas sa technique, même si je venais de passer un très mauvais quart d'heure, j'avais pour moi mon passé de soudard, ma hargne de bagarreur, mes coups fourrés de truand. Sacrée paire. On aurait pu s'attendre à un duel au sommet, un assaut tout en fureur, en bottes vicieuses, en feintes alertes.

Le résultat fut très loin du compte.

En fait, on était en train de cuire à l'étouffée, l'épiderme couleur écrevisse, les bronches saturées de poussier brûlant. Chacune de nos inspirations chuintait comme un soufflet crevé, on se tassait pour se voir sous les fumerolles, pour happer un filet d'air qui nous maintiendrait au bord de la suffocation. On se tournait l'un autour de l'autre comme deux ivrognes sur le point de rouler par terre, on lançait des estocades poussives, des coups de taille hasardeux, pathétiquement lents, surtout utiles pour déchirer les voiles cendreux. Quand nos lames s'enroulaient, l'épuisement nous submergeait très vite, et on se neutralisait mutuellement — parfois arc-boutés plus qu'accrochés, le fer désengagé, les épées rayant le parquet. On luttait pour ne pas se répandre, si complètement asphyxiés qu'il n'y avait plus rien d'autre à faire que d'ouvrir un clapet asséché, qu'aspirer goulûment un pulvérin sulfureux, en espérant reprendre haleine un poil plus tôt que l'enfoiré qu'on agrippait par le goulot.

Et pendant qu'on s'échauffait dans ce pugilat piteux, l'atmosphère s'attisait d'ardeurs toujours plus abrasives. Les courtines du baldaquin, les tapisseries qui ornaient certains murs ondulaient faiblement sous l'action du rayonnement remonté du sol. Entre deux assauts souffreteux, je crus voir Destrino bouger ; un instant, j'eus l'illusion qu'il n'était pas mort, avant de réaliser que ce mouvement n'était que celui des cordons et des rubans de son justaucorps, que soulevaient des brises torrides. Dans un coin de la pièce, une porte close sur quelque cabinet privé frémissait d'une vie démoniaque. La chaleur y écaillait la peinture en suivant le tracé d'un grand fer à cheval ; des fumerolles crachées sur le seuil étaient ensuite ravalées, au rythme d'une respiration lente — comme si une créature monstrueuse se mussait juste derrière, l'œil collé au trou de la serrure.

Insensiblement, Strigila prenait l'avantage sur moi. Nos réflexes étaient quasiment réduits à néant — sans parler de notre faculté à raisonner, car il aurait été plus efficace d'abandonner l'épée pour la dague ou le poignard. Quoi qu'il en soit, le bâtard n'avait plus assez de nerf pour tirer profit d'une escrime plus savante que la mienne ; mais il semblait s'user un peu moins vite que moi. Mes perceptions étaient de plus en plus floues, et je réalisai confusément que la fumée seule ne suffisait pas à expliquer l'étourdissement dans lequel j'étais en train de sombrer. Mes yeux enflammés ne me révélaient plus que des visions étrécies et troubles ; mes oreilles fricassées ne me délivraient plus qu'un bourdonnement assourdi. Chaque fois que nous tentions de remobiliser nos forces, le bâtard s'ébrouait un peu avant moi, et j'avais de plus en plus de peine à dévier ses attaques. Je reculais devant lui, inexorablement acculé à la défensive, jusqu'au moment où mon talon heurta un mur. Persuadé de me tenir à sa merci, Strigila mobilisa ses dernières ressources pour me porter au visage un coup de taille approximatif mais puissant. Incapable de contrer, je me laissai tomber à genoux. La lame me rata d'un cheveu et fit voler en éclats les petits carreaux d'une fenêtre située derrière moi. Des tessons de verre et les fragments de plomb amolli me rebondirent sur les épaules, et un souffle d'une délicieuse fraîcheur me coula sur la nuque. D'un seul coup, je pus aspirer une goulée d'air pur ; ma vue se fit moins floue, le crépitement de l'incendie redevint plus net, et je pus parer avec une fermeté inespérée un nouvel assaut. Alors que Strigila s'emplissait à son tour les poumons avec un soulagement visible, je profitai de son inattention pour lui percer le flanc d'un coup de pointe.

Mais je n'eus pas le loisir de porter l'estocade fatale. Toujours agenouillé, la tête dressée vers mon ennemi et vers le haut de la pièce, ce que j'aperçus m'emplit d'épouvante. Les bourrelets obscurs de la fumée frémissaient de serpentins orangés, comme des nuées d'orage visitées de feu intérieur. Le courant d'air avait creusé une trouée dans ce nuage incandescent, et jé pus entrevoir une portion du plafond : de fins rouleaux de flammes y couraient, aussi fluides que des vaguelettes à la surface d'une mare. Sur le moment, je réagis de façon purement instinctive, traversé par la prémonition de l'enfer qui allait se déchaîner ; en fait, j'avais déjà vu ce genre de phénomène au cours de la chute de Kaellsbruck, mais je ne fis pas le rapprochement conscient dans ces circonstances extrêmes. Inspirant à pleins poumons un dernier bol d'air, je me jetai en avant, bousculai Strigila sans chercher à l'achever, me ruai à l'aveuglette à travers la pièce vibrante comme un haut-fourneau. Je me cloquai une paume sur une clenche bouillante, je franchis le seuil, roulai sur le palier tandis qu'une nouvelle brise s'engouffrait par la porte que je venais d'ouvrir, et qu'éclosait derrière moi une aurore éblouissante.

Toute la chambre mortuaire des Mastiggia s'embrasa d'un seul coup. Meubles, tapisseries, boiseries, fumées, cadavres, et Strigila encore debout : tout flamboya dans une apothéose dévorante. La porte que je venais de passer dégorgea un torrent de flammes, et je pris feu à mon tour. J'entendis des hurlements insanes, sans déterminer celui qui était en train de s'égosiller. Je lâchai l'épée sur le point de me cautériser la pogne, j'arrachai mon sarrau parti pour flamber joyeusement, je dus étouffer à mains nues ma tignasse qui grésillait. Puis je rampai vers la galerie extérieure, pour creuser la distance entre ma couenne roussie et la fournaise.

Lorsque je repris mon souffle et mes esprits, ma tête reposait entre deux balustres de la galerie extérieure, et mon regard plongeait jusqu'au fond du patio, puits vertigineux, dont l'architecture aérée, tout en pilastres, colonnades et mains courantes, vrombissait maintenant de brasiers furieux. Dans cet abîme infernal se répercutaient toujours des vociférations, mêlées au ronflement de l'incendie, mais ce n'étaient plus celles de Strigila. Le Pédant avait rôti au milieu des siens, paix à leur âme, et j'avais bien failli griller dans cette noble société. Non sans incrédulité, j'essayais de me convaincre qu'ils étaient morts, bien morts, qu'ils étaient même en train de partir en cendres. J'étais arrivé au bout du long voyage que j'avais commencé par un jour de grand beau, sur l'océan, au cœur d'une autre tuerie. Je ne parvenais pas à concevoir que la boucle était bouclée, que le clan Mastiggia était décapité, que j'allais peut-être reconquérir une place dans la cité. Je ne pouvais pas admettre que ce cauchemar touchait à sa fin.

Je n'avais pas tort.

Les hurlements qui résonnaient dans la bâtisse saccagée étaient poussés par des gorges féminines. Une lamentation déchirante, presque mélodieuse, courait les galeries désertées comme un ululement de dame blanche ; s'y associaient des cris perçants, saturés de panique, dans lesquels je reconnus la voix de Clarissima Ducatore. La partie n'était pas finie. Secouant l'épuisement immense qui me minait, je redressai ma carcasse fumante, et je me dirigeai d'un pas lourd vers l'origine des sanglots et des glapissements.

Les deux fugitives s'étaient réfugiées au dernier étage, à l'intersection des ailes Disprezzana et Comitina. À l'opposé de l'aile seigneuriale, où le sinistre jetait des lueurs voraces, et juchée loin au-dessus de la cour embrasée, cette zone du palais Mastiggia était encore épargnée par les flammes, et visitée par de rares escarbilles. Les jaseuses s'étaient retranchées dans un appartement situé juste à l'angle des deux corps de bâtiment, mais *quelqu'un* en avait entrebâillé les portes. Je découvris les belles dans une jolie chambre, au luxe discret et accueillant.

C'était une pièce construite en échauguette à l'angle du palais : en partie circulaire, elle surplombait la croisée des rues, et par trois grandes fenêtres, on découvrait un panorama aérien sur la ville, le port et la mer. Une lueur mauve s'insinuait sur l'horizon oriental, baignant le littoral d'une douceur indifférente. D'autres quartiers de la capitale clignotaient aussi de reflets rougeâtres. On se battait sans doute dans les rues de Ciudalia. Toutefois, après la sauvagerie crue des flammes, cet appartement baignait dans une pénombre reposante ; sans les plaintes poignantes qui emplissaient ces murs, j'aurais presque pu m'y poser, pour récupérer un peu dans ce désordre domestique où l'on devinait une coiffeuse et de nombreux livres.

Et puis je trouvai Legame. Le lévrier de Valanael était tombé non loin du seuil de la chambre ; il me parut désarticulé, un œil injecté et la mâchoire affreusement décrochée. De Sassanos, je ne vis nulle trace. Les deux femmes étaient à même le parquet, à genoux, serrées l'une contre l'autre. Privé de lampe, encore ébloui par l'incendie, je ne distinguai quasiment rien d'elles, sinon leurs silhouettes affaissées et échevelées, dessinées à contre-jour par la clarté vague des fenêtres. L'une d'elles était éperdue, secouée de sanglots, et poussait par à-coups un long gémissement, presque chanté, à vous chavirer de tristesse. La seconde, qui me paraissait plus frêle, l'entourait de ses bras et criaillait autant d'effroi que de colère. Jusque dans la panique, on reconnaissait l'intonation capricieuse de Clarissima Ducatore.

« Mon amie ! Reprenez-vous, je vous en conjure ! On les pleurera ensuite ! On est en danger ! Lusinga ! Soyez forte ! La faiblesse, c'est le luxe des gens de rien ! »

En faisant un pas de côté pour contourner le corps du chien, je trahis ma présence. Clarissima tourna la tête dans ma direction, émit un drôle de hoquet, comme si elle s'étouffait, puis se mit à crier avec hystérie :

« Lusinga ! Il est ici ! Benvenuto ! Il est dans la chambre ! Il est dans la chambre ! »

Elle me cassait déjà les oreilles, la petite peste, et je sentais renaître l'exaspération qu'elle savait si bien aiguillonner en moi. Mais je restais sur mes gardes ; je trouvais singulier que ni l'une ni l'autre n'ait pris la peine de reculer devant moi. Il y avait anguille sous roche, et en fouillant la pénombre des yeux, j'entrevis une trace blanchâtre qui formait un cercle irrégulier autour de leurs robes étalées sur le sol. Cela ressemblait à une poudre cristalline, qu'on avait répandue à la hâte. Voilà qui empestait la sorcellerie, et je balançai un instant sur la conduite à suivre. Finalement, j'optai pour la prudence.

« J'ai pas l'intention de vous faire du mal, maugréai-je avec une voix craquelée de sécheresse. Je suis juste là pour ramener dònna Clarissima au palais Ducatore.

— Jamais ! Va-t'en ! piailla la fille du Podestat. Jamais je ne remettrai les pieds chez mon père !

— Écoutez, c'est fini, vos petites embrouilles, répondis-je. Son excellence est plutôt contrariée, mais vous êtes sa fille, ça vous protège. Il n'a même pas touché à un cheveu de votre cousine.

— Il s'est juste contenté de détruire une des plus vieilles familles de la République, murmura le timbre voilé de Lusinga.

— Va te faire foutre, Benvenuto ! glapit Clarissima. Je ne retournerai jamais là-bas ! Je le connais ! Il passera le reste de son existence à me faire payer ! C'est pour ça qu'il t'envoie, toi ! Je n'y retournerai jamais !

— Alors, il vous faudra brûler toutes les deux », intervint une voix grave.

Une ombre très élancée et très noire se détacha de la portion la plus obscure de la pièce, et je vis scintiller fugitivement deux prunelles d'argent terni.

« La mort par le feu est une expérience très pénible, ajouta Sassanos.

— Il n'y a pas de mots pour dire cela, geignit Lusinga. Je l'ai senti périr au fond de ma chair…

— Alors soyez raisonnable, ma chère, enchaîna Sassanos. Évitons les pertes inutiles. Confiez votre protégée à don Benvenuto tant qu'il en est encore temps. Ne la condamnez pas à cette fin horrible.

— Il y a pourtant plus abominable qu'une mort par le feu, chuchota la sorcière. Je ne la livrerai pas à des créatures telles que vous.

— Allons, cessons ces enfantillages, ricana la silhouette ténébreuse. Don Benvenuto est là, à présent. Face à nous, vous n'avez plus d'alternative. »

J'entendis un pas ferme faire grincer le plancher tandis que Sassanos contournait les deux femmes. Du moricaud, je ne distinguais qu'une tache flottante de noirceur, mais quand il vint se poster derrière mon épaule, j'eus le sentiment qu'il était encore plus grand et plus décharné que d'ordinaire, et qu'il se voûtait pour dissimuler ce gigantisme difforme.

« Tout ce que vous avez à faire, me glissa-t-il dans l'oreille, c'est de disperser la poudre dont nos amies se sont entourées. Après quoi, vous pourrez vous saisir de la fille. Je me chargerai de Lusinga.

— Non ! s'écria la sorcière. Ne touchez pas au cercle de protection !

— Vous n'avez rien à craindre, susurra le sapientissime. C'est le support d'un charme qui me cible moi seul ; pour vous, ce n'est que du sel.

— Oui, c'est du sel, intervint Lusinga. En connaissez-vous les vertus secrètes, don Benvenuto ? Le sel repousse les esprits mauvais. L'être avec qui vous traitez n'est plus un homme ! Ne vous laissez pas entraîner sur ce sentier de perdition ! »

Sassanos partit d'un rire doux et sinistre.

« Voici une mise en garde à laquelle don Benvenuto devrait être sensible », ironisa-t-il.

Clarissima se releva alors, et tira de sa manche un objet très fin qu'elle brandit maladroitement dans ma direction. Dans la nébulosité crépusculaire qui sourdait des fenêtres, je reconnus un stylet.

« N'approche pas du cercle, hoqueta-t-elle, au bord du sanglot. N'approche pas du cercle ! »

C'était tellement pitoyable que les bras m'en tombèrent.

« Dònna Clarissima, agiter ce joujou sous mon nez, lâchai-je. Enfin merde, quoi ! Soyez pas ridicule. »

Elle prit conscience que son geste n'avait pas de sens, ce qui ajouta l'humiliation à sa terreur et à son désespoir. Alors, en un instant, elle retourna la lame contre elle, elle l'appuya sous son sein.

« Si tu t'approches, je me tue ! » cracha-t-elle.

Dans l'état qui était le sien, je ne doutais pas qu'elle passerait à l'acte. En outre, si fragile qu'elle parût, la pointe de son stylet était assez effilée pour être mortelle. Mais encore fallait-il savoir s'en servir ; trouver le cœur n'est pas chose facile pour quelqu'un qui n'est pas entraîné, et sans élan, la donzelle risquait surtout de planter l'arme dans le busc rigide de son corset.

« Tout ce que vous allez réussir à faire, grommelai-je, c'est vous blesser, peut-être vous entailler un téton, et puis votre épingle ira buter dans une côte. Vous allez vous faire mal, mais on meurt pas pour si peu.

— Finissons-en, siffla le sorcier. Ces simagrées sont grotesques. »

Lusinga, toutefois, était en train de se relever à son tour, et malgré sa lassitude, il émanait de ce simple mouvement un rayonnement infiniment plus menaçant que l'agitation égarée de sa compagne.

« Ne rompez pas le cercle, reprit-elle sur un ton plus sombre.

— Ne la craignez pas, chuchota Sassanos. Vous ai-je expliqué quelle est la source de la Magie Vive ? Elle provient de l'état d'harmonie du thaumaturge. En tuant son fils, vous avez brisé cette femme. Elle est aussi vulnérable que dònna Clarissima.

— Vous devriez vous défier de ce que vous dit ce monstre, rétorqua la sorcière. La défunte qu'il a logée dans votre bouche ne vous a-t-elle point suffi ? Il se sert de vous, cette nuit comme d'ordinaire. Il continue à vous manipuler. Quelle est la part de vérité, quelle est la part de mensonge dans son discours ? Que vous a-t-il conté d'autre sur mon compte ? Que j'étais revenue pour faire main basse sur Ciudalia ? Mais avez-vous vu les appartements qu'il occupe au palais Ducatore ? Parlait-il réellement de moi, ou bien parlait-il de lui ?

— Si vous êtes pas revenue pour tirer les ficelles, qu'est-ce que vous trafiquez ici ? grommelai-je.

— Je ne suis pas rentrée à Ciudalia pour m'emparer de la cité, je suis rentrée dans la cité pour protéger le reste du monde de Ciudalia. Car cette République est un chancre, c'est une fosse d'abjection, qui pollue tout ce qu'elle touche. Rappelez-vous : c'est contaminé par elle que le royaume de Leomance s'est disloqué, que la Transestrie a sombré dans une guerre terrible, dans une dévastation dont des contrées entières ne se sont jamais relevées. Ce que la République a déjà commis, elle s'apprête à le réitérer. Je ne pouvais pas la laisser provoquer un nouveau désastre : je devais la contrecarrer. Je suis née dans cette ville, je l'aime moi aussi, et je n'entendais pas la détruire. Je cherchais seulement à la réformer en douceur, en lui donnant des dirigeants au cœur moins corrompu. Je voulais infléchir ses élites, leur rendre une véritable noblesse. Avec Bucefale, j'étais sur le point de réussir : j'avais façonné un champion qui aurait pu inaugurer une ère nouvelle. Et puis vous êtes intervenus, vous, le clan Ducatore... Vous avez assassiné Bucefale, vous avez ruiné cet espoir pour Ciudalia... Vous avez replongé la lignée que j'avais amendée dans le mécanisme tragique de la vendetta... Vous avez même dénaturé l'âme de mon fils, avant de le tuer à son tour... La créature que vous prenez pour le conseiller de Leonide Ducatore a raison sur un point : vous m'avez brisée. J'ai l'âme crevée de chagrin, d'amertume, de dégoût. Je n'ai même pas le cœur de vous en vouloir, à vous, don Benvenuto : comme tous les hommes qui sont tombés cette nuit dans ce palais, comme Dulcino lui-même, vous n'avez été qu'un instrument entre les mains de calculateurs subtils. Aussi, je vous demande une faveur, en m'adressant à l'ennemi que j'ai traité avec dignité quand je l'ai eu en mon pouvoir : laissez-nous mourir en paix, cette jeune fille et moi. Ne nous forcez pas à boire cette coupe jusqu'à la lie. Laissez-nous brûler, en compagnie de nos illusions et de nos morts.

— Elle est en train de vous charmer, souffla la voix du sorcier dans les ténèbres.

— C'est possible, je sais pas, répondis-je avec une voix pâteuse. Écoutez, dònna Lusinga, j'ai rien de personnel contre vous : vous avez été régulière avec moi, vous m'avez soigné, et pour ça, je suis prêt à vous faire une fleur... Mais j'ai aussi un contrat. Dans mon contrat, il y a le retour au bercail de dònna Clarissima. Et un contrat, c'est un contrat. C'est comme ça. On peut pas aller contre, sauf à vouloir se coltiner des emmerdements à n'en plus finir. Il se trouve que les emmerdes, j'en ai soupé, j'en vois le bout, alors je vais pas lâcher le morceau. Livrez-moi la fille, et je vous laisse tranquille. Refusez, et j'en remets une couche.

— Et si je vous offrais une compensation pour cette rupture de contrat ? murmura la sorcière.

— Pour deux cent mille florins, je pourrais peut-être marcher, ricanai-je.

— Je pense à quelque chose de plus précieux encore, insinua-t-elle.

— C'est que vous devez être pleine aux as !

— Je ne vous parle pas d'argent, mais de vérité. Rappelez-vous ce que je vous ai dit à Vieufié : je sais ce qu'il est advenu de la *Speranza*. Je peux vous le révéler. Je peux vous éclairer sur le voyage de ce navire, sur le sort de son capitaine, mon époux, et de son équipage... Après toutes ces années, il ne tient qu'à vous de savoir enfin si Justo Gesufal est mort, ou s'il est toujours vivant... »

J'aurais pourtant dû m'y attendre, mais le bal m'avait tellement secoué que je me fis encore surprendre par ce coup bas. Suffoqué, l'assassin du premier magistrat de la République. Une fois de plus, la sorcière avait percé ma garde, elle cherchait à m'étendre…

« Don Benvenuto ! » grinça Sassanos dans les ombres.

Il se trompait toutefois sur mon compte, comme Lusinga elle-même venait de commettre une terrible erreur. Une fois encaissé le choc, je sentis un accès de rage noire enfler mon buffet troué et réchauffer ma calebasse recuite.

« Putain de merde ! fulminai-je. Mais vous commencez à me gaver sévère, avec mes vieux ! J'en ai plus rien à battre, de Justo Gesufal ! Laissez-moi vivre, bordel ! De l'air ! »

En trois pas, j'étais sur les deux femmes, je balançais un coup de pied furieux dans la traînée de sel, je tordais d'une main le poignet de Clarissima pour la désarmer et je lui allongeais de l'autre une torgnole à décorner un bœuf, histoire de lui remettre les idées en place. Lusinga n'eut pas l'ombre d'une chance. Je venais à peine de calotter la petite gourde que toute la pièce frémit d'un grondement avide. Avec un feulement affamé, Sassanos s'était rué sur la sorcière ; je fus cinglé par l'envol parfumé de ses robes noires, tandis qu'il crochait l'enchanteresse sous la gorge, la projetait avec une force inouïe à travers la chambre pour l'écraser contre un mur. Pas le temps de dire ouf, la beauté. Proprement claquée, dans les vapes ; et vu la violence de l'impact, il y avait probablement de la casse. Elle glissa au sol aussi molle qu'une poupée de chiffons. Sassanos s'inclinait déjà sur elle, et au milieu des plissés ténébreux qui commençaient à recouvrir la magicienne, j'entrevis la lame courte d'un couteau cérémoniel. Le sorcier prit néanmoins le temps de se tourner vers nous :

« Fuyez aussi vite que possible, ordonna-t-il. Cette demeure est condamnée, et vous n'avez plus que très peu de temps. Ne vous souciez pas de moi. Il me reste à conclure un dernier arrangement avec cette dame. »

Je ne me le fis pas dire deux fois, d'autant que j'avais quelque idée sur la nature de cet arrangement. Clarissima était encore hébétée par mon soufflet, et je ne tenais pas spécialement à ce qu'elle assiste à la petite cuisine du sapientissime. Avant qu'elle ne reprît ses esprits, je lui ceinturai la taille de mon bras droit et je l'entraînai vers les fenêtres. Nous étions au dernier étage, et cette portion-là du palais ne flambait pas encore : j'avais bon espoir qu'en passant par les toits, il me serait possible de gagner des maisons voisines. Décidément, il était dit que je m'en tirerais toujours par des pirouettes...

J'ouvris une croisée à la volée, et je grimpai d'un bond sur le rebord, en serrant toujours la pimbêche contre moi. Le courant d'air la ranima un peu, et dans l'atmosphère grise du petit jour, je la vis ouvrir des yeux horrifiés sur le vide qui s'ouvrait devant nous. Elle poussa un cri étranglé et se tétanisa. Pour ma part, je cherchais une corniche que nous pourrions emprunter pour gagner la toiture. Ce fut alors que montèrent vers nous les premières exclamations et les premiers appels, bientôt repris et amplifiés en un véritable tollé. Je me résolus à jeter moi aussi un coup d'œil vers le bas.

Nous dominions le croisement entre la via Comitina et la via Disprezzana, à une altitude proprement vertigineuse, d'autant plus vertigineuse que cet appartement était en saillie au-dessus du carrefour. Sous nos pieds, au fond de l'abîme, se pressait toute une foule : la moitié du quartier s'était massée sur la chaussée pour organiser des chaînes et lutter contre l'incendie. Remuée par une houle puissante, une marée de visages se levait vers nous, et des dizaines, des centaines de bras se dressaient, des myriades de mains se tendaient, secourables et impuissantes, comme si ce troupeau d'imbéciles nous invitait à sauter le pas et à nous fracasser sur le pavé. Ce fut dans cet instant suspendu et absurde que Ciudalia, la divine charmeresse, me fit la grâce d'une ultime taquinerie. Alors que les ruelles baignaient toujours dans une pénombre nocturne, les premiers rayons de l'aube rasèrent les tours et les toits de la cité, et la lumière du soleil nous accrocha, Clarissima et moi, sur notre perchoir, au milieu des reflets éblouissants renvoyés par les petits carreaux de la fenêtre. Le tumulte remonté de la rue devint clameur, enfla en une ovation qui résonna bien au-delà du quartier, jusqu'au port d'où montaient d'autres fumées, jusqu'aux îles qui sommeillaient encore dans la baie, jusqu'aux collines qui s'éveillaient dans les premiers sourires du matin. Je ne comprenais que trop la méprise qui s'abattait sur moi, mais mon destin ne m'appartenait plus.

Noirci de suie, le pourpoint de cuir encore fumant, je serrais dans mes bras une petite princesse que j'allais sauver d'un palais en feu ; en plus, ma cavalière avait enfilé ses atours à la hâte, ce qui lui prêtait un négligé délicieusement piquant, surtout pour des voyeurs qui se rinçaient le calot depuis la chaussée. Je formais avec elle un couple improbable, romanesque, terriblement galant... L'ennemi capital s'était métamorphosé en brigand chevaleresque. Depuis le pavé, voilà ce que découvraient les citoyens, et l'imposture qui avait valu un triomphe à Belisario quelques heures plus tôt était en train de s'emparer de ma propre existence. Je venais d'être épinglé dans les chromos de Ciudalia. Je recevais l'adoubement de la ville et de la plèbe. J'étais confirmé dans ma promotion héroïque.

Et je ne savais que trop comment la République remerciait ses héros...

Vu des étages, l'émouvant tableau que j'offrais avec la petite peste avait toutefois un autre relief. Nos semelles faisaient dégringoler des gravillons dans l'abîme, la robe de Clarissima ondoyait sous une brise légère tandis qu'un carrousel de cendres nonchalantes nous brouillait le sens du haut et du bas. À part quelques prises ténues offertes par des trous de boulin et des médaillons sculptés, pas moyen de se déplacer le long de la façade... Quant à grimper sur le faîtage du palais, cela aurait demandé de se suspendre aux chevrons, les pieds dans le vide, puis d'opérer une traction acrobatique au bout de l'avancée du toit. Affligé d'une épaule en capilotade, l'exercice risquait de tourner court ; avec une petite patricienne en robe à panier sous le bras, c'était de la folie à l'état pur. Faute de monter, faute d'emprunter le chemin le plus définitif pour descendre, il ne restait plus qu'à reprendre les escaliers. Au grand désappointement de la foule, qui attendait le cœur battant mon numéro de voltige, je réintégrai l'intérieur, ma conquête patricienne serrée par le bustier.

Retour à la pénombre. Pour échapper au soleil rasant qui irisait deux fenêtres, Sassanos avait traîné sa victime inanimée dans le coin le plus sombre de la pièce. On devinait néanmoins la présence de Lusinga à la pâleur de sa peau : le sorcier avait déchiré ses vêtements, et il se penchait sur ce beau corps blanc pour lui entailler le front et un sein de motifs tortueux. Je traversai la pièce dare-dare, craignant des complications avec ma mijaurée de haute naissance. Ça ne fit pas un pli. Il lui fallut quelques instants pour reprendre ses esprits, après la double commotion provoquée par ma gifle et par le vertige ; mais nous étions à peine arrivés à la porte qu'elle commença à se débattre, la tête dévissée vers le rituel du sapientissime. « Qu'est-ce qu'il lui fait, ce salaud ? se mit-elle à crier. Lâche-moi ! Qu'est-ce qu'il lui fait ? »

Je réussis néanmoins à lui faire franchir la porte, et le spectacle qui s'offrit à nous sur la galerie nous interloqua tous les deux. L'aile seigneuriale flambait entièrement, et l'incendie rageait également sur la plus grande partie de l'aile Disprezzana. Des fumées épaisses bouillonnaient hors des seuils et des fenêtres des étages de l'aile Comitina. L'air tremblait, et des gerbes d'étincelles s'élançaient au-dessus des toits à une hauteur vertigineuse. Par contraste avec la lumière violente des brasiers, le ciel de l'aube semblait d'un noir profond.

Clarissima émergea très vite de son saisissement ; la peur, la colère, l'indignation aidant, elle se métamorphosa en harpie. Il me fallut haler une vraie furie, qui freinait des quatre fers et me hurlait tout un répertoire de harengère. J'avais terriblement conscience que le temps nous était compté : nous avions peu de chances de trouver une issue praticable, nous ne pourrions probablement plus échapper au sinistre sans brûlure grave... Mais la pimbêche ne nous simplifiait pas la tâche. Elle gigotait comme une anguille, elle essayait tour à tour de me lancer des béquilles ou de se laisser choir, elle se jetait contre moi toutes griffes dehors, me laboura une joue à coups d'ongle et faillit bien m'éborgner. Dans les escaliers extérieurs, dont les degrés chauffaient sous nos semelles, elle manqua de nous faire dégringoler tous les deux. On respirait avec peine, les murs rayonnaient aussi puissamment que des fours, des fenêtres explosaient parfois dans notre voisinage, projetant du plomb fondu et des tessons brûlants en travers des galeries. La donzelle allait nous faire griller tous les deux, dans les bras l'un de l'autre. Quand elle s'empara d'un de mes couteaux et tenta maladroitement de me planter, mon sang ne fit qu'un tour. Je la cognai sans ménagement, un taquet sous le menton pour la sonner, deux autres dans le ventre pour lui couper le souffle et la discipliner un moment. Puis, comme les flammes nous serraient dangereusement, alors que nous traversions parfois des bouquets d'étincelles, je rabattis la lourde traîne de sa robe sur sa tête et sur son décolleté, en priant les quatre dieux pour que son panier et ses jupons ne s'enflamment pas.

Hélas, nos querelles d'amoureux avaient compromis tout espoir de fuite. Lorsque nous parvînmes au rez-de-chaussée, le sort du palais Mastiggia était scellé. Autour de nous, les trois corps de bâtiment rugissaient, en proie à un ouragan flamboyant, et même en se réfugiant au centre du patio, la réverbération était d'une telle violence que j'avais l'impression de mijoter sous mon cuir. Dans un fracas de tonnerre, une partie du toit de l'aile seigneuriale s'abîma. Une éruption de feu s'enroula vers le ciel, je sentis jusque dans le sol que les murs tremblaient, et une avalanche de débris enflammés, crachés par les fenêtres ardentes du dernier étage, sema une pluie de braises, de poutres et de bardeaux rougeoyants autour de nous. Un des chevaux qui galopaient dangereusement dans la cour fut touché, sa crinière s'embrasa, et il devint absolument fou. Malgré les larmes et les ondes incandescentes qui me brouillaient la vue, il me semblait bien qu'un large pan de façade se bombait dangereusement, sur l'aile Disprezzana. Je compris que nous ne survivrions pas à un nouvel effondrement.

Il ne me restait plus qu'une chose à faire.

Un bras serré autour de la taille de Clarissima, je la hissai sur la margelle du puits ; saisissant de l'autre main la corde du treuil, je nous balançai tous deux dans les profondeurs. J'eus l'impression d'une chute mortelle, happé dans une bouche d'ombre interminable, tandis que d'épouvante, ma péronnelle me perçait un tympan. Des deux pieds, je heurtai un corps mou dont les os craquèrent, puis je crevai une eau noire et glacée. Je dus me débattre contre l'étreinte inerte d'un cadavre pour remonter à la surface, et aspirer une goulée d'air d'une fraîcheur de cave. J'avais perdu la fille du Podestat, et je fus pris d'un accès d'angoisse à l'idée qu'il me faudrait plonger dans cette cuve obscure pour tenter de la repêcher. Mes incertitudes ne durèrent guère : je reçus des éclaboussures, on poussa des cris étranglés à côté de moi. Il faisait abominablement sombre dans ce goulet, la seule lumière étant un petit cercle orangé à une altitude stupéfiante, aussi je ne réalisai pas tout de suite le drame qui se déroulait à côté de moi. Et puis, l'horreur absolue qui perçait dans les hurlements de Clarissima secoua mon hébétude. Elle ne luttait pas seulement contre l'eau et le poids de sa robe gorgée ;

elle se colletait avec un des morts, une chose visqueuse et noire qui tentait de grimper sur elle pour chercher de l'air.

Après un instant de panique paralysante, je revins au réel. Ce type n'était pas une goule, mais le soudard dont j'avais tranché un jarret pour le pousser dans le puits. Je me jetai sur lui, je l'étranglai du bras gauche tout en tirant la dague de la dextre pour le suriner. On coula tous les deux. Il me fallut allonger pas mal de coups, parce qu'il se défendait, que j'étais à bout de forces et que l'eau freinait mes estocades. Mais je finis par en venir à bout, après un pugilat qui nous avait entraînés assez loin sous la surface.

Quand je revins à l'air libre, Clarissima s'accrochait des deux mains au parement spongieux. Elle était en vie, frissonnante, ruisselante ; à part un bel hématome sous la mâchoire, elle paraissait physiquement indemne. Toutefois, les yeux qu'elle roulait ressemblaient au regard que la mule m'avait jeté quand elle avait rôti vive. La tête rejetée en arrière, elle ululait. Elle ululait une litanie lugubre, qui se répercutait dans le conduit circulaire comme la complainte d'une âme en peine.

# XV

## *Le premier*

Et puis après ? Est-ce que tu t'imagines qu'on peut
gouverner innocemment ?

JEAN-PAUL SARTRE

Les Mastiggia ne furent pas les seuls à griller dans
leur palais ; l'incendie se propagea dans l'hôtel
Balsamire, et la brise souffla brandons et étincelles sur
les demeures de la via Disprezzana. Au moment où je
basculais au fond d'un puits en galante compagnie, la
situation devenait désespérée pour les riverains, car
des foyers apparaissaient dans plusieurs bâtiments voisins. Torrescella fut bien prête de partir en cendres, ce
qui, je le confesse, outrepassait quelque peu mon intention initiale… Au cours des accrochages très durs qui
eurent lieu sur le port, des entrepôts et des navires en
cale sèche furent également réduits en fumée. Aurait-
elle eu lieu en été, cette poussée de fièvre aurait fait
flamber la moitié de la ville. Fort heureusement, c'était
la mauvaise saison. Un grain de mer balaya la côte dans
la matinée, et sans aller jusqu'à éteindre les brasiers,
l'averse arrêta leur propagation. Le palais Mastiggia ne
s'en consuma pas moins jusqu'au sol.

Au fond du puits où barbotaient deux survivants et
deux cadavres, le temps se figea. Le palais Mastiggia
brûla une bonne partie de la journée, condamnant la
cour intérieure. Clarissima et moi, nous nous retrou-

vions engloutis au fond d'un enfer étriqué et aqueux, éclaboussés par les reflets rougeoyants qui ardaient au-dessus d'une margelle lointaine. Le type que j'avais achevé perdait son raisiné en bouillons nuageux, ce qui assombrissait l'eau déjà noirâtre et finit par nous enve-lopper dans un bain de sang on ne peut plus réel. Clarissima hurla pendant un moment atrocement long, ne s'arrêtant que pour reprendre de grandes inspira-tions sifflantes. J'eus beau lui crier dessus et même la secouer un peu, je n'obtins d'elle que des braillées encore plus perçantes. Elle devait se croire ensevelie vivante, elle avait peur de se noyer, elle était horrifiée par la citerne sanglante où nous surnagions en compa-gnie de deux falourdes, et par-dessus tout, je crois bien qu'elle était terrifiée de partager la baignade avec votre serviteur. À raison. J'étais à cran, elle me vrillait les oreilles, d'autant que le puits faisait cage de résonance. Elle finit par me mettre en rage, et plutôt que de l'étran-gler, je lui fis boire la tasse trois ou quatre fois, histoire qu'elle soit plus occupée à recracher de l'eau qu'à forcer sur son organe.

J'obtins gain de cause. Nous n'entendions plus que notre clapotis caverneux et le crépitement de l'incendie, dont les éboulements sporadiques grondaient jusqu'à nous, faisaient frémir notre bouillon en rides concen-triques. Clarissima se réfugia dans un état de profonde stupeur. L'expression devenue vide, elle se laissa aller ; ce qui, dans notre situation, pouvait se révéler dange-reux. Entraînée par le poids de sa robe, elle manqua couler, et il fallut que je la soutienne pour maintenir son visage hors de l'eau. Elle demeura sans réaction, et j'appuyai sa nuque sur mon épaule valide. Assez ironi-quement, après la grillade à laquelle nous venions d'échapper, on se mit assez vite à grelotter. Son corps malingre reposait mollement sur moi, ses mèches trempées adhéraient à ma figure, et son souffle haché par les frissons murmurait un long chuchotis inarticulé et pathétique. Je finis par m'en vouloir vaguement de l'avoir un peu cognée… Est-ce que le fait de lui sauver la vie ranimait en moi un fond de sentimentalisme stupide ? Ou est-ce que je ne pouvais m'empêcher d'admirer cette donzelle qui m'avait envoyé Oricula et qui avait osé défier son père ? La sentir ainsi abandonnée, lamentable, enfermée dans sa détresse, me chiffonnait malgré moi. Alors, pour essayer de repousser l'obscurité, les morts et la peur, pour tempérer un peu mes brutalités, pour faire une paix maladroite avec elle, je me mis à parler. Je lui racontai Vieufié et ses grands bois, la neige sur la Marche Franche, Bourg-Preux et ses tripots, la Compagnie folle, les charivaris, les elfes et leur charme traître, Mère-Folle et ses chansons cochonnes… Je dévidai le fil de mes souvenirs d'exil pour elle, et à mesure que ma voix chevrotante de froid rappelait les fêtes turbulentes, les parties de cartes truquées, les contes incompréhensibles d'Annoeth, je sentais une nostalgie de commande éclore dans ma carcasse couturée. Clarissima demeurait silencieuse et inerte, sans doute si profondément choquée qu'elle ne m'entendait pas. Mais je dégoisais quand même, je singeais la confidence, je me baratinais à défaut de l'embobiner ; et à vouloir apprivoiser la donzelle, j'étais peut-être en train de me gruger tout seul, en accordant trop de poids à mes propres sottises. Il y eut un peu de magie, sanglante et glaciale, au fond du puits des Mastiggia ; en faisant semblant de causer à cœur ouvert à la petite peste, je crois que je connus une étrange forme d'apaisement.

Au bout d'une éternité, les embrasements s'atténuèrent dans la lointaine lucarne ouverte sur le ciel. Il se passa encore un moment interminable avant que l'eau rougie, autour de nous, ne soit piquetée par de rares gouttes de pluie. En d'autres circonstances, j'aurais sans doute employé la corde pour remonter à la surface. Je ne m'en sentais toutefois plus capable : des bulles grasses perçaient de temps à autre la surface près de mon flanc percé, mon bras gauche avait perdu presque toute force, la vitalité contre nature prodiguée par la magie de Sassanos était en train de se dissoudre. En outre, je m'étais épuisé à maintenir Clarissima à flot, et mes membres gelés ne m'offriraient plus le ressort nécessaire pour une telle escalade, encore moins s'il me fallait aussi hisser la péronnelle. J'attendis donc que se présentent des secours, en priant ma bonne étoile pour que ce soient des voisins bien intentionnés… Car c'était un coup de dé, où je jouais encore ma vie. Si les premiers arrivés parmi les décombres étaient des hommes de la faction belliciste, ou s'il s'agissait de pillards, nous risquions toujours très gros.

Nous avions patienté jusqu'aux limites de ma résistance quand des silhouettes finirent par se dessiner à contre-jour au-dessus de la margelle. Je les distinguais fort mal, mais je ressentis un soulagement indicible quand j'entendis la voix de Belisario descendre jusqu'à nous :

« Clara ? Don Benvenuto ? Êtes-vous sains et saufs ? »

Il aurait été plus sage de nous hisser l'un après l'autre hors du puits, en commençant par Clarissima. Toutefois, même si j'avais confiance en Belisario, j'ignorais par qui il était accompagné, et je craignais d'être abandonné au fond de mon trou une fois que la fille du Podestat aurait été remontée à l'air libre. Je m'encordai donc avec elle, et nous fûmes halés de concert, comme deux sacs dégoulinants.

Belisario était escorté par une troupe assez forte et plutôt hétéroclite, où se mélangeaient des sergents de l'Ordre et des vétérans du centenier Spoliari. Ferlino était aussi de la partie ; son corselet d'acier portait des impacts brillants, son crin grisonnant était poissé de sang et de sueur ; j'appris plus tard qu'il avait participé à la prise de la Postièrla Malvágia. Il assista le jeune Ducatore tandis qu'ils essayaient de réchauffer Clarissima et de la réconforter. Autour de nous se dressaient des façades noircies et branlantes, hérissées çà et là de rares charpentes charbonneuses. Des gravats fumants ensevelissaient une grande partie du pavé de la cour, et si les étages du palais Mastiggia ne contenaient plus que du vide, le rez-de-chaussée était engorgé d'éboulis calcinés, où flambaient encore quelques foyers malgré la pluie. Belisario avait manifestement peine à remettre sa sœur dans l'épave ruisselante, vêtue de guenilles ensanglantées, qu'il venait de remonter du fond d'un puits ; mais il l'enveloppa dans son manteau et l'étreignit avec douceur, cherchant à se faire reconnaître par elle. La donzelle se laissa faire sans manifester d'émotion. Son œil restait fixé sur les ruines éventrées du palais Mastiggia.

« Comment vous nous avez trouvés ? marmonnai-je à Ferlino.

— C'est Sassanos qui nous a dit comment vous aviez échappé au feu.

— Sassanos ? Il est au palais Ducatore ?

— Bien sûr. Il n'en a pas bougé. »

Ils nous escortèrent jusqu'à la demeure du Podestat. Le trajet était assez court, mais il me parut interminable. La journée était fort avancée, j'étais épuisé et transi, si claqué que je ne ressentais ni faim ni soif. J'étais toujours en vie, finalement, mais je m'en sortais tellement vidé que je n'en retirais guère de satisfaction. Je marchais, puisqu'il fallait marcher. Je n'eus même pas l'idée de demander comment avaient tourné les combats. À peine entré au palais Ducatore, je m'enfilai dans le poste de garde de la Porterie, et je m'effondrai sur une de ses paillasses. Je n'en éprouvai aucun soulagement réel. Quand je parvins à m'endormir, ce fut pour sombrer dans des mauvais rêves, remplis de feu et de corridors humides.

Je fus réveillé à deux reprises. La première fois, ce fut par fra Orinati, le maître guérisseur de l'Hospice de la Déesse Douce, flanqué de deux barbiers. Le prêtre avait l'air encore plus épuisé que moi. À le découvrir ainsi à mon chevet, je devinai que la fortune des armes avait été favorable au Podestat, du moins pour la journée. Malgré sa lassitude, le maître guérisseur s'étonna de me voir tenir debout quand il découvrit mes blessures. Il hochait une tête effarée en retirant les épingles qui me suturaient la gorge. « Je ne parviens pas à concevoir où vous puisez un tel ressort », murmura-t-il. Moi qui le savais fort bien, je n'eus même pas l'envie de fanfaronner. J'avais tenu bon parce que c'était écrit, voilà tout. Après que fra Orinati eut recousu et bandé mes blessures, je jetai un bref coup d'œil à la cicatrice très fine qui prolongeait ma ligne de vie, à la base de ma paume gauche. Que se serait-il passé si j'avais choisi la ligne de cœur ? L'hypothèse se dilua très vite au fond de mon esprit embrumé, tandis que le maître guérisseur me mettait le bras en écharpe. Lorsqu'il fut parti, je sombrai derechef dans des songes troubles.

La nuit tombait quand Coneoti me tira d'une torpeur angoissée. Il était équipé en guerre, et la fatigue marquait ses traits ; toutefois, je devais avoir l'air d'être en bien plus piteux état, si j'en jugeais par la mine perplexe avec laquelle il me considérait. Quelques heures plus tôt, il m'avait toisé avec mépris ; à présent, il paraissait désorienté que je sois encore de ce monde, et visiblement partagé entre l'admiration et la répugnance.

« Tu es blanc comme un linge », observa-t-il.

Puis il m'annonça que le Podestat souhaitait me voir.

Il ne me fit pas gagner les appartements privés du patron. Il me recommanda de prendre mes armes, parce que nous devions sortir. J'avais perdu mon épée Acerini dans l'incendie, mais Coneoti ne vit pas d'objection à ce que je fasse un détour par la salle d'armes pour me procurer une autre lame. C'était plutôt bon signe. Le Podestat ne semblait pas disposé à me neutraliser dans l'immédiat.

Coneoti m'entraîna en direction de la piazza Palatina. Dans les rues de Torrescella, cela sentait la peur et la cendre mouillée. Aux carrefours stationnaient des piquets de phalangistes du régiment Testanegra ; ils nous laissèrent passer sans barguigner, ce qui attestait que Leonide Ducatore avait récupéré le contrôle d'une partie de l'armée. J'interrogeai Coneoti sur les événements de la nuit et de la journée. Les combats ouverts un peu avant l'aube s'étaient révélés très durs ; le port avait été repris grâce au soutien des ouvriers de l'Arsenal, mais la résistance aux portes avait été autrement plus âpre. Si la Postièrla Malvágia et la Postièrla Buia étaient tombées entre nos mains, le Castellétto Grande avait repoussé notre assaut, et le centenier Asso Spoliari avait été blessé assez sérieusement au cours de l'engagement. La surprise, du reste, avait joué en notre faveur, mais le parti belliciste était en effervescence à l'aube, et il aurait sans doute lancé une contre-attaque dangereuse si la rumeur du massacre des Mastiggia n'avait pas couru la ville. La confusion qui s'était emparée de la faction ennemie avait scellé sa perte. Cauteleusement, la maison Sanguinella s'était désengagée, suivie par un certain nombre de lignées mineures ; seuls les Surmaticci avaient tenté de reprendre le port, dont ils avaient été repoussés après avoir essuyé des pertes sévères. En fin de matinée, le contrôle des axes de circulation avait valu à la famille Ducatore les premiers ralliements ploutocrates, ceux des familles Prevaricacce et Rappazoni, bientôt imités par les opportunistes comme le sénateur Phaleri. Armateurs et corporations avaient suivi en nombre, espérant que le Podestat serait en mesure de rétablir rapidement le commerce. Ces nouveaux alliés n'étaient guère fiables, mais si incertain que fût leur soutien, il suffisait à placer le parti belliciste en difficulté. Le Podestat avait repris la main.

Alors qu'il finissait de m'affranchir, Coneoti me faisait traverser la piazza Palatina en direction du Palais curial. Je m'étais bien douté qu'il m'entraînerait vers le siège du gouvernement, mais fouler ainsi le pavé de la place en direction de ce fronton orgueilleux ranimait en moi une pointe d'angoisse. Mon patron avait le sens du spectacle et un humour d'une cruauté raffinée : me faire massacrer précisément dans le Palais dont je m'étais esbigné aurait été une plaisanterie tout à fait dans son style.

La Salle des Requêtes, engloutie dans une pénombre sépulcrale, paraissait désertée ; on y croisait des phalangistes et des soudards, mais le peuple nombreux des clercs, des solliciteurs, des parasites et des curieux s'était évanoui. Il ne m'arriva toutefois rien de fâcheux. Mon compagnon m'entraîna dans la Salle des Cent Dix ; l'endroit m'apparut plus abandonné encore. Une bande clairsemée de spadassins montait la garde le long de la main courante, et seuls une quinzaine de sénateurs tenaient une séance informelle, à la lueur de quelques falots. Ils avaient abandonné les cathèdres où ils siégeaient d'ordinaire, et avaient rassemblé des sièges tirés de la chancellerie des Entresols, chaires à bras et chaises à entretoise, pour négocier en comité restreint. Des secrétaires, installés sur des pliants, prenaient des notes sur des écritoires portatives ; sous la dictée des patriciens, ils dressaient des listes de proscription. Le Podestat n'affichait pas de satisfaction particulière : il me semblait las, et incommodé par la tâche qu'il était en train d'accomplir. Quand il m'aperçut, il parut heureux de se détourner un moment de ce pensum répressif.

« Messeigneurs, lança-t-il, voici l'homme qui a remporté la moitié de la victoire. À peine rentré, il a lavé sa réputation, sauvé la vertu de ma fille et décapité la faction séditieuse. En outre, vous constaterez comme moi qu'il ne redoute point la justice de la République, puisqu'il revient de lui-même dans cette enceinte une fois assuré d'une enquête impartiale. »

Les sénateurs opinèrent prudemment. Derrière les masques graves et condescendants, je devinais de la peur, bien qu'ils fussent tous souverainistes ou ralliés. Seuls deux d'entre eux me félicitèrent pour mon fait d'armes, Cernicalo Actanza par esprit de parti et

Sceleste Phaleri par calcul courtisan. Leonide Ducatore pria ses pairs de l'excuser un instant, car il voulait régler une affaire privée avec moi. Il n'accorda qu'une oreille distraite au congé servile que les hauts hommes lui accordaient et me rejoignit, visiblement heureux de se lever et de se dégourdir un peu les jambes. Il écarta Coneoti d'un geste vague, me prit aimablement par mon bras valide et me fit faire quelques pas vers un coin sombre de la Salle des Cent Dix. Cette proximité physique, cet isolement relatif produisirent sur moi leur petite impression. Non seulement le Podestat renouait des liens familiers avec moi, mais il le faisait publiquement. Ce geste était suffisamment riche de sens pour faire de moi un type intouchable si les souverainistes l'emportaient définitivement.

« Eh bien, Benvenuto, j'incline à croire que Ciudalia tout entière va m'envoyer un homme d'une trempe telle que la tienne, sourit-il. Nous réglerons un peu plus tard la transaction qui nous occupe : je suis pour l'heure sollicité par d'autres devoirs, et cette chambre officielle ne se prête pas aux arrangements privés. Mais avons-nous besoin de sceller formellement notre réconciliation ? Le zèle dont tu as fait preuve efface tous nos différends…

— À vrai dire, je me suis demandé si vous alliez me faire tuer dans ce Palais. »

Il trouva ma remarque plaisante.

« Voyons, ce serait une action très timorée, rétorqua-t-il. Une telle élimination signifierait que j'appréhende la désapprobation publique et que je n'ose exploiter la crainte que tu inspires. En ces temps troublés, ce serait inconsidéré. Un capitaine se sépare-t-il de son épée ? Je suis flatté que tu me redoutes ; j'entends que toute la ville fasse de même, et c'est la raison pour laquelle tu m'es précieux. »

Il avait lâché ces derniers mots avec une certaine légèreté, et il restait difficile d'évaluer sa sincérité.

« Comment va Clara ? enchaîna-t-il. On m'a rapporté qu'elle était sortie un peu choquée de sa mésaventure…

— Elle en a vu des vertes et des pas mûres, mais j'ai fait ce que j'ai pu pour la tirer d'affaire en un seul morceau.

— Je n'en doute pas. Très astucieux, le refuge que tu as trouvé contre les flammes.

— Dònna Clarissima n'a pas trop apprécié. C'est qu'on n'était pas seuls, dans ce trou, et qu'elle n'a pas trop l'habitude des cadavres… Ses nerfs ont fini par lâcher.

— Elle est vivante et en bonne santé, c'est ce qui importe. Je suis un peu chagrin pour elle, mais son frère et son cousin s'emploieront à la réconforter. Peut-être lui rendrai-je même Scurrilia pour lui témoigner ma modération et obliger Cesarino… Tu me l'as dit toi-même, Benvenuto : c'est ma fille. Elle surmontera tout cela. Elle en sortira plus forte. »

Il me lâcha et me fit face, de très près, comme si j'étais un intime à qui il voulait confier un secret. Ce qui était d'ailleurs le cas, dans un sens, même si ses démonstrations de confiance restaient un privilège très dangereux.

« Rassure-toi pour Clara : j'estime que tu as rempli ta part du contrat. Je serais d'ailleurs très curieux d'apprendre comment tu as accompli cet exploit, mais notre sort à tous est encore en suspens, et nous devrons différer ce récit passionnant. Si je t'ai fait venir, c'est parce que je voulais dissiper toute équivoque entre toi et moi. Je vais t'en fournir la démonstration séance tenante. Les liens d'amitié, vois-tu, sont tissés d'obligations mutuelles ; je désire que nous restaurions tous deux l'agrément que nous trouvions naguère à nos relations. Aussi vais-je te faire un cadeau d'ami, tout en te donnant l'occasion de me rendre un petit service… »

Je dressai l'oreille, brusquement en alerte. Il cherchait à m'enquinauder, et je flairais plus que jamais le coup fourré.

« Parmi les adversaires que nous avons capturés, il en est un qui me pose problème, poursuivait-il à mi-voix. Figure-toi que lorsque Spoliari a pris la Postièrla Malvágia, il s'est saisi de Dilettino Schernittore au milieu de nos ennemis. Le blanc-bec, aveuglé par la querelle qu'il a contre toi, a trahi sa famille et son parti pour soutenir le clan Mastiggia. Cela me place dans une position fausse : c'est le patrice Schernittore, il est appelé à siéger bientôt au Sénat car son père est très affaibli, et en cette période de désordres, il me serait préjudiciable de faire disparaître un aristocrate de mon propre parti, fût-il un traître. En outre, l'amitié et la dette morale que j'ai pour le sénateur Ostina Schernittore réduisent d'autant ma marge d'action. Dilettino Schernittore en est très conscient, et il en joue pour essayer d'obtenir mon pardon. Il a raison : je ne pourrai le maltraiter. Toutefois… »

Il secoua la tête d'un air préoccupé.

« Il me dissimule quelque chose. Il est au courant d'une information capitale, qui m'échappe et qu'il redoute de me livrer. Oh, j'ai conclu un accord avec lui, je l'ai assuré de ma clémence en échange de sa collaboration. Certes, il m'a fourni quelques noms, mais rien que je n'aurais pu apprendre par d'autres sources : l'identité d'un certain nombre d'agitateurs, d'exécutants et de bailleurs de fonds de la faction adverse. Cependant, il ne me donne pas l'essentiel. Et c'est là que nous pouvons trouver un intérêt mutuel, toi et moi. »

Dans la pénombre de la Chambre, il me décocha son sourire de loup.

« Il est ici, dans un des cachots du beffroi. Je vais te le livrer, Benvenuto. Pourvu que tu ne le tues pas et que tu ne le mutiles pas, ma foi, je ne veux pas savoir ce que tu feras avec lui. N'est-ce pas une occasion unique pour toi d'obtenir de nouvelles excuses ? En contrepartie, je veux qu'il parle. Ce qu'il cherche tant à taire, j'entends qu'il te le confie. Ainsi nous ferons d'une pierre deux

coups : tu auras la satisfaction d'humilier un contemp-
teur de haute naissance, et j'en tirerai des enseignements précieux. »

Étrange expérience, que de remonter les escaliers du
Palais curial en direction des cellules. J'avais l'impression de revenir mettre mes pas dans les traces d'un
double ou d'un jumeau rêvé. Ce n'était pas tout à fait le
même endroit, non plus. En été, j'avais décarré par une
belle journée ; à présent, je traversais un bâtiment enténébré, éclairé par les lanternes de mon escorte. Ces
degrés que j'avais avalés à toute vitesse pour fuir la soldatesque quelques mois plus tôt se démultipliaient à
présent, dans une danse rayée d'ombres et de lumière, à
mesure que les lampes remontaient les volées de
marches. Tout me paraissait beaucoup plus grand,
comme si on avait bâti en douce trois ou quatre étages
supplémentaires pendant que j'avais baguenaudé à
l'étranger. Sans doute ma désorientation était-elle due
à mon allure : j'étais immensément las, et je gravissais
lentement ces escaliers interminables. Trois hommes
m'escortaient, dont Coneoti, et j'aurais presque pu
croire que la boucle était bouclée, que l'on allait finalement me livrer à la République, que l'échafaud m'attendait dans l'aube grise d'un jour prochain. Quand on
s'arrêta devant l'huis massif d'un cachot, j'avais presque
la certitude que le captif aurait la gueule de Benvenuto
Gesufal.

Le prisonnier attendait debout quand on débâcla la
porte. Je le voyais fort mal : il n'y avait pas de lumière
dans sa cellule. Tout au plus distinguai-je la tache
blanche de sa chemise. Je saisis la lanterne d'un de
mes affidés, et j'entrai, en grognant qu'on nous laissât
seuls. On m'enferma avec lui.

Dilettino recula devant moi avec une mine effarée. Il
était en chausses et en chemise ; en même temps que
ses armes, sans doute lui avait-on arraché le pourpoint
matelassé qu'il avait porté sous l'armure. Il ne me parut

pas blessé, mais son expression défaite, ses joues mangées de barbe, les cernes qui lui pochaient les yeux lui donnaient un air hagard ; il avait l'universelle figure des vaincus et des victimes. Je n'étais pourtant pas bien vaillant, mais quand je l'éclairai, je vis qu'il était devenu pâle comme un mort. On devait avoir fière allure, lui et moi : une entrevue de fantômes. Il battit retraite en bredouillant quelque chose d'inintelligible, se réfugia dans le coin le plus éloigné du cachot.

« Je me suis placé sous la protection de son excellence Ducatore, finit-il par lâcher de façon plus audible. J'ai sa parole… Je me suis rangé dans son camp… »

Cause toujours, mon joli. Cela dit, contrairement à ce que pensait mon patron, cette sotie ne me plaisait guère. Le patrice Schernittore était en passe de devenir mon souffre-douleur ; or à part sa morgue et sa bêtise, je n'avais pas trop de raisons de lui en vouloir. En plus, j'étais harassé ; j'avisai un tabouret, je m'y installai lourdement et posai la lampe sur le sol. Je n'avais même pas eu le courage de retirer l'écharpe qui soutenait mon bras gauche ; j'étais très loin d'avoir l'air redoutable… Évidemment, je devais arborer une tête épouvantable, et ma dextre me suffirait probablement pour démolir Dilettino. Mais cela m'épuisait par avance. Je cherchai donc un moyen de faire parler rapidement le gandin en nous épargnant des efforts inutiles. Comme je restais à court d'idées, je demeurai silencieux un bon moment… Ce qui s'avéra être une assez bonne entrée en matière : je vis Dilettino se décomposer de plus en plus à mesure que le temps filait.

Finalement, parce qu'il fallait bien en passer par là, j'optai pour la manière douce. J'inspirai un bon coup, et je lui intimai tranquillement :

« Dilettino, dis : je suis une petite merde. »

Il bafouilla précipitamment que c'était une erreur ; qu'il avait obtenu des garanties de mon patron ; qu'il était plus prudent, pour éviter une méprise, que je redemande confirmation de mes ordres auprès de son excellence. Je lui répondis par un soupir, puis :

« Dilettino, dis : je suis une petite merde. »

Il se mit à parler avec les mains. Il avait l'œil humide, la gorge serrée, la lippe tremblante. Il entreprit de me supplier, et il répéta les noms qu'il avait déjà livrés à mon patron. Il était si minable que j'en éprouvai un doute : ce poltron était-il vraiment capable de dissimuler quelque chose ? Soit le Podestat se trompait, et nous allions vivre un drôle de quiproquo quand je casserais les dents d'un pleutre qui n'en pourrait mais ; soit ce qu'il cachait était tellement gros qu'il avait encore plus peur de se mettre à table que d'encaisser.

J'interrompis ses jérémiades, et je lui dis doucement :

« Je suis pas venu te voir tout de suite parce que je dormais. Je dormais parce que j'étais fatigué. J'étais fatigué parce que j'ai massacré les Mastiggia. Tous. J'en ai tué à la porte de leur palais, dans la cour, j'en ai jeté dans le puits, j'en ai planté dans les escaliers. Suario Falci, je lui ai crevé un œil et je l'ai éventré. Le sénateur Mastiggia, il est mort dans son lit. Dulcino Strigila, je l'ai ferré et je l'ai fait griller vif. Et puis j'ai brûlé le palais, jusqu'au sol. Tu sens pas cette odeur ? Jusqu'ici, ça pue la fumée et la cendre froide. »

Je tirai ma dague de mon fourreau et, sans même me lever, je repris :

« Et maintenant, je suis là. Avec toi. Et je veux t'entendre dire : je suis une petite merde. »

Alors, avec une sorte de sanglot, il abdiqua.

« Je... je suis une petite merde, bégaya-t-il.

— Hein ? Et les bonnes manières, c'est pour mon chien ? Tu me prends pour un paillasse ? Répète-moi ça poliment, s'il te plaît !

— Je suis... une petite merde... don Benvenuto.

— Ah ! Quand même ! Tant qu'on y est, dis aussi : je suis une pauvre tarlouze, don Benvenuto.

— Je suis une pauvre tarlouze, don Benvenuto.

« — Et aussi : un enculé de traître, allez ! Et avec plus de conviction : j'entends rien !

— Je suis… un enculé de traître, chevrota-t-il.

— Et don Benvenuto ? Putain de merde !

— … don Benvenuto. »

J'approuvai du chef.

« Je le savais bien, opinai-je. Et sa seigneurie Leonide Ducatore le savait avant moi. Maintenant, j'espère que tu comprends enfin pourquoi il supportait pas que tu tournes autour de sa fille. Seulement t'étais tellement con, Dilettino, que tu t'es obstiné : c'est pour ça que tu es venu me luer au bec chez Diamantina, c'est pour ça que Tignola est mort, c'est pour ça que tu as trahi ton camp et que tu te retrouves ici et maintenant, à devoir m'accepter comme directeur de conscience, en attendant ta pénitence. »

Je me tus quelques instants, pour le laisser savourer tout le piquant de la situation. Puis, agitant négligemment la dague dans sa direction, je repris :

« Il y a autre chose que je sais. Tu n'as pas tout dit à son excellence. Franchement, une lope dans ton style : comment est-ce que tu as pu imaginer que ça nous échapperait ? Et là, Dilettino, tu te retrouves dans une belle cagade : parce que si tu ne respectes pas tes engagements vis-à-vis du Podestat, le Podestat est délivré de sa parole. Plus de garantie, mon bichon. Et c'est là où j'entre dans la danse, avec un blanc-seing de qui tu devines. »

Il secoua la tête avec affolement.

« J'ai tout dit, don Benvenuto ! geignit-il. Je vous le jure, j'ai tout dit !

— Arrête de me prendre pour un cave. Si tu me sors encore ce charre, tu vas apprendre le sens du mot souffrir.

— Mais puisque je vous le jure, paniquait-il. Je ne peux quand même pas inventer… Vous savez bien que je n'ai pas de cran… J'ai déjà révélé tout ce que je savais.

— Tu joues au con, Dilettino. Je vais te faire mal.

— Vous ne pouvez pas ! criailla-t-il. Mon père le saura ! Mon père est un proche de don Leonide ! »

Je lui servis un rictus ironique.

« C'est vrai que t'es une merde, ricanai-je. Un grand garçon comme toi, te réfugier derrière papa…

— Mon père est un ami de don Leonide, n'en clama pas moins le gandin.

— D'ici demain, son excellence va s'en faire des tripotées, d'amis.

— Mon père a été le mentor de don Leonide !

— À mon avis, ça lui fait une belle jambe.

— Mon père est le conseiller de don Leonide !

— Putain, grondai-je, tu me fais chier, avec ton paternel ! »

En prenant sur moi, j'arrachai l'écharpe qui soutenait mon bras gauche, je me levai, je marchai droit sur Dilettino. Il ne chercha pas à se défendre, il se tassa juste dans le coin de sa geôle. Je le toisai les yeux dans les yeux, en lui soufflant dans le nez.

« Tu sais quoi ? Je le connais aussi, ton père. Je l'ai rencontré quand le Podestat a voulu arrondir les angles entre nous deux. Et il m'a parlé, ton vieux. Il m'a confié ce qu'il pensait de toi. Le moins qu'on puisse dire, c'est qu'il est pas fier de son fiston. Attends, que je me rappelle les mots qu'il a employés… Un raté. Une petite fiotte. Et même un branlotin. Il a une haute opinion de toi, papa, tu ne trouves pas ? Alors lâche-le un peu : il te vomit. Pour une fois, sois un homme. Règle tes problèmes tout seul. »

Le patrice Schernittore s'était tassé sur lui-même, il frissonnait, et il avait les yeux brillants de larmes. Il me dégoûtait. Mais il n'en gémit pas moins :

« Mon père… »

Je l'interrompis en lui enfonçant mon poing dans l'estomac. Il s'effondra comme un pantin désarticulé, le souffle coupé. Je me rendis compte que je tremblais moi aussi, de rage, devant tant de faiblesse.

Finalement, il méritait beaucoup plus de mourir que Suario Falci ou Dulcino Strigila, et pourtant, il avait au moins raison sur un point : son père le protégeait. Mais c'était terminé. Il avait suffi de le secouer un peu pour qu'il fléchisse. Après avoir repris une inspiration douloureuse, sans même se relever, il finit par craquer. La voix cassée par la peur, il haleta :

« Mon père… C'est mon père… C'est mon père qui a trahi don Leonide ! »

Une heure plus tard, je me retrouvais via Comitina, au milieu d'une forte bande armée. Les nombreuses torches parcouraient de reflets sanglants l'acier des barbutes et des spallières, allumaient les lames des piques et des pertuisanes. Au bout de la rue, on devinait les ruines éventrées du palais Mastiggia, mais c'était devant l'hôtel Schernittore que nous nous étions arrêtés. L'épée à la main, Spada Matado se dirigea vers le portail, empoigna le heurtoir et martela brutalement l'huis.

« Au nom de son excellence Ducatore, ouvrez ! » clama-t-il avec sa voix puissante de vieil officier.

La vieille demeure lui répondit par un silence hautain. Il se tourna alors vers nous, et jeta un coup d'œil interrogatif au Podestat, qui attendait, très pâle, au milieu de notre escorte.

« Forcez les portes », énonça le premier magistrat d'une voix blanche.

Quatre phalangistes bien balancés ainsi que Ferlino gagnèrent le seuil, munis de haches et de masses de carrier. Les armes s'abattirent dans un fracas d'avalanche contre les battants de chêne renforcés de ferronneries. Derrière nous, trois soldats épaulèrent des arbalètes vers les étages, pour couvrir les fenêtres. Le pertuis avait été construit pour résister à des émeutes : les sapeurs durent cogner de bon cœur pour ébranler les portes. Ils braillaient pour se donner de la vigueur, et leurs coups faisaient voler des gerbes d'échardes et d'étincelles, en particulier quand une lame sautait contre une tête de clou ou une penture en fer forgé. Pendant qu'ils redoublaient d'efforts, le Podestat s'adressa à Matado.

« Dès que nous entrerons, tu enverras Coneoti et Ferlino se saisir des petits-fils du sénateur, ordonna-t-il. Qu'ils procèdent avec fermeté et mesure. »

Le centenier opina sans mot dire.

Quand les verrous furent faussés, les gonds tordus et les serrures enfoncées, un des battants du portail s'abattit. Armes au poing, on se rua à l'intérieur de la porterie. Un seul homme défendait le seuil ; il s'agissait, je crois bien, du vétéran que j'avais vu garder la chambre du sénateur Schernittore au cours de l'été. Avec un rare courage, il tenta de nous barrer le passage. Matado l'engagea à l'épée, et pendant qu'il bloquait sa garde, Sorezzini lui traversa le corps d'une estocade nonchalante. Le briscard mourut sans un mot, étendu sur le dallage de l'entrée, pendant que nous le dépassions ou l'enjambions pour investir la cour du palais. Aux étages, éclatèrent des cris affolés.

Alors que nous gravissions en masse les escaliers en direction des appartements du sénateur, une silhouette échevelée et désarmée chercha à nous interdire l'accès à un palier. Il s'agissait d'une femme, le visage défait et strié de larmes, qui étendait devant nous la défense dérisoire de ses bras sanglés dans d'élégants brassards à rubans. Notre troupe était si compacte que nous n'avions qu'à avancer pour la bousculer et la renverser, mais le Podestat nous ordonna sèchement de nous arrêter.

« Laissez-le en paix ! s'écria l'imprudente. Je vous en conjure ! C'est presque fini ! Laissez-le en paix ! »

J'eus peine à reconnaître la belle-fille du sénateur Schernittore. Elle criait, elle semblait terrifiée, et pourtant elle allait puiser je ne sais où la hardiesse de se dresser face à la troupe de soudards et de spadassins qui entouraient le Podestat. Celui-ci s'avança pour s'adresser à la dame.

« Laissez-moi passer, dònna Fiduccia, dit-il sans élever le ton, mais avec un certain tranchant.

— Non, non ! s'écria la patricienne. Il est à l'article de la mort ! Je ne vous laisserai pas le tourmenter.

— Si don Ostina est au plus mal, alors il n'en est que plus nécessaire que je le voie sans tarder, rétorqua froidement Leonide Ducatore.

— Vous ne comprenez pas ! sanglota presque la dame. Il souffre de façon abominable. Il n'a plus toute sa tête, je ne sais même pas s'il vous reconnaîtra... Laissez-le mourir en paix, je vous en supplie !

— Rassurez-vous, madame, il n'est pas dans mes intentions de rudoyer don Ostina, répliqua le Podestat avec une politesse glaciale. Toutefois, ni lui ni moi, nous ne pouvons nous dérober à cette entrevue. Pour la dernière fois, je vous prie de vous écarter. Songez à l'avenir de vos enfants, et adoptez une conduite plus raisonnable. »

Le coup était imparable. Il porta visiblement, car dònna Fiduccia recula d'un pas et baissa les bras, les yeux agrandis par un mélange de scandale et d'horreur.

« Oh ! Leonide, souffla-t-elle. Vous êtes... vous êtes odieux.

— C'est probable, rétorqua le Podestat. Je sers l'État, ce qui implique que je dois parfois lui sacrifier certaines valeurs. Mais c'est parce que la République est portée par des êtres tels que moi que les personnes de qualité comme vous peuvent se permettre le luxe d'une moralité sans faille. Maintenant que nous avons établi que nous ne sommes point de la même étoffe, madame, cédez-moi le passage. Je serais fâché de devoir vous faire la démonstration de mes mauvaises mœurs. »

Alors qu'il s'apprêtait à nous ordonner de repartir, il s'interrompit cependant. Lançant à la dame un regard aigu, il lui demanda :

« Au fait, et vous, étiez-vous au courant ?

« — Au courant de quoi ? lâcha Fiduccia dans un soupir désabusé.

— Oui, c'est l'évidence même, concéda le Podestat avec un sourire mordant. Après tout, vous n'êtes qu'une femme. »

Lorsque nous atteignîmes l'entrée des appartements du sénateur Schernittore, les portes de l'antichambre bayaient. À supposer que le malade ait été veillé par d'autres personnes que par sa bru, tout le fretin des domestiques et de la prêtraille avait filé avant notre arrivée. Le beau parquet à chevrons résonna comme un tambour sous nos bottes et nos solerets, tandis que nous envahissions la chambre luxueuse du patricien.

L'endroit était faiblement éclairé, par une chandelle au chevet du vieillard et quelques bougies au fond de la salle. Sans doute avait-on cherché à créer une atmosphère apaisée, mais ces lumignons trop rares dans un vaste appartement tapissaient d'obscurité le plafond à caissons, concentraient la noirceur dans les coins, endeuillaient les portraits vagues des tableaux et des tapisseries, entortillaient de ténèbres les drapés du baldaquin. La pièce tout entière se guindait déjà dans une superbe de catafalque. Quelques sièges vides entouraient le lit monumental ; ils provoquèrent chez moi un malaise vague, car j'eus la certitude absurde que je pourrais y entrevoir les ombres des Mastiggia, sagement assises, pour peu que je les regarde du coin de l'œil. Deux miroirs voilés haussaient leurs silhouettes spectrales dans la pénombre.

Une figure blafarde s'agita faiblement dans les ombres du lit quand on investit les lieux. Le sénateur Schernittore avait déjà une sale gueule quand je l'avais vu en été, mais il lui restait alors un fantôme de vigueur qui rassurait confusément le visiteur. La chose recroquevillée dans ce lit immense, désormais, ne pouvait que vous serrer les tripes. Il ne restait qu'un branchage noueux, au teint jaunasse comme une racine de ronce, qui griffait de ses serres cyanosées la mollesse du drap.

Dans ce faciès tout en angles, en creux, en saillies, en méplats, la bouche s'ouvrait, décrochée, sur des chicots pisseux et une gencive rétractée ; il s'en échappait des filets de salive, un halètement rapide et irrégulier, parfois ronflant comme un râle. La carcasse était si frêle que son poids creusait à peine les oreillers ; la nuque pelée était bizarrement tordue sur un côté et en arrière, dans une position très inconfortable, comme si le mourant avait cherché à se dévisser le crâne pour échapper à la douleur.

« Dònna Fiduccia n'a pas menti, observa Matado. C'est la fin. »

L'écœurement durcissait les traits du Podestat. Il contempla quelques instants le moribond, puis énonça :

« J'aurais dû prier Sassanos ou fra Orinati de m'accompagner. Tant pis ; nous devrons nous passer de leurs remèdes. Benvenuto, éclaire-moi. »

Je ramassai la chandelle laissée au chevet du malade et je l'élevai au-dessus de l'alcôve. Il se dégageait du baldaquin fastueux un relent douceâtre de diarrhée, mais le Podestat ne s'en inclina pas moins vers le mourant.

« Don Ostina, dit-il assez fort, je suis venu vous rendre visite. »

Le sénateur Schernittore poussa un gémissement, peut-être vaguement interrogatif. Il ouvrit ses yeux caves ; ses paupières n'étaient plus synchrones, et une de ses pupilles était plus dilatée que l'autre. Il ne semblait pas percevoir la présence de mon patron, pourtant penché sur lui. Son regard voilé cherchait autre chose, plus haut, peut-être la flamme de ma bougie.

« Corte ?... » exhala-t-il.

Le Podestat rabattit un pan de son manteau sur son visage, pour se protéger des remugles, puis répondit :

« Votre fils aîné est mort depuis des années, don Ostina. Je suis Leonide Ducatore.

— Ducatore ?... »

Le grabataire poussa une longue expiration dolente, terriblement éraillée, comme s'il rendait le dernier souffle, puis, après une pause interminable, marmonna :

« J'ai soif… J'ai tellement soif… »

Sur un signe de notre patron, Matado traversa la pièce en direction d'un coffre où était disposé un service à boire. Il remplit un verre, revint vers le lit et redressa avec une douceur indifférente le sénateur Schernittore pour lui permettre d'avaler quelques gorgées. Le vieillard gémit de façon trémulante pendant presque toute la manœuvre, mais but avec avidité. Quand le centenier le redéposa sur l'oreiller, il haletait de façon pénible, et la marque du pouce de Matado resta imprimée sur sa joue marbrée.

Après lui avoir laissé le loisir de recouvrer quelques forces, le Podestat se pencha à nouveau sur le mourant.

« Don Ostina, lança-t-il tout à trac, pourquoi m'avez-vous trahi ? »

Et comme le vieillard semblait perdu en lui-même, il répéta avec plus de force :

« Pourquoi m'avez-vous trahi ?

— Parce que… parce que… »

Le moribond battit des lèvres comme un poisson échoué, agita faiblement ses mains décharnées sur le drap.

« La République, soupira-t-il.

— La République, bien sûr, releva mon patron. Comme nous tous. Nous nous battons tous pour elle. Mais pourquoi vous retourner contre moi ? Je vous avais même proposé un nouveau mandat… »

Le crâne du vieillard roula doucement, dans un vague mouvement de dénégation.

« Non, non, marmonna-t-il. C'est différent… Vous… C'est différent…

— C'est même terriblement différent, approuva Leonide Ducatore. Je suis l'un de vos plus anciens, l'un de vos plus fidèles amis, don Ostina. Quand Dilettino a fait assassiner Corte, souvenez-vous, je vous ai aidé à couvrir ce fratricide. Je l'ai fait par reconnaissance, je l'ai fait pour tout ce que je vous dois, parce que l'homme d'État que je suis devenu vous est redevable de sa carrière. Je suis plus que votre ancien protégé, bien plus que le fils taré qui vous reste : je suis votre création. Dès lors, je suis décontenancé par le tour que prennent les événements. Cette victoire arrachée aujourd'hui, cette guerre qui s'achève ce soir, c'était à vous que je comptais les dédier. Et vous m'avez trahi...

— La République, soupira le mourant, elle a besoin de renouveler ses élites. C'est pourquoi je vous ai protégé... Mais vous... vous rompez la chaîne... Vous détruisez les élites futures... »

Le Podestat haussa les épaules.

« Je ne fais rien d'autre que respecter nos traditions, rétorqua-t-il. La vendetta est ancrée dans nos coutumes.

— La vendetta, oui, gronda le sénateur. Pas l'élimination raisonnée des chefs et des politiques. »

Leonide Ducatore esquissa un geste nonchalant.

« Soit, admettons que j'innove. Ce que je perds en morale, je le gagne en efficacité. J'élague le corps patricien pour fluidifier la gouvernance. En définitive, c'est Ciudalia tout entière qui en tirera bénéfice.

— Vous allez vider la République de sa substance... Instaurer une tyrannie...

— Et quand bien même ? Ciudalia est bien plus qu'une simple République. Si un changement de régime lui est profitable, pourquoi l'en priver ?

— C'est à vous qu'il profitera.

— Naturellement, admit le Podestat avec beaucoup de flegme. N'est-il pas dans l'ordre des choses que mes projets politiques soient adossés à une ambition personnelle ? »

Il fit quelques pas vers le centre de la pièce, respirant avec soulagement une atmosphère moins viciée. Puis, adoptant un ton d'orateur pour rester audible du mourant, il proféra :

« Est-il abusif, pour un homme de gouvernement, de subordonner la nation à son propre intérêt ? Les rêveurs, les naïfs, les hypocrites s'en offusqueront. Pas moi. Je n'avance pas cela parce que j'essaierais de légitimer mes pratiques. Je n'échafaude point de vains prétextes, destinés à tromper l'intelligence de mes partisans, à singer l'honnêteté sur le théâtre de ma propre conscience. Je suis clair avec moi-même : j'assume mes actes, je profite de la situation, je me sers de ma position à des fins personnelles. Et je le fais sans états d'âme, lucidement, égoïstement : parce qu'en procédant ainsi, je ne dessers pas les intérêts de Ciudalia. Bien au contraire : il arrive, à certains tournants de l'histoire, qu'un homme et son pays se confondent. Les intérêts de cet individu et de sa nation, leur image, leur destinée se rejoignent. Ce qui élève le dirigeant profite à l'État, ce qui élève l'État profite au dirigeant. Les moralistes qui affirment que l'homme d'État doit être le serviteur de sa nation n'ont rien compris au gouvernement. Gouverner n'est pas un ministère ; voilà bien une idée pour le clergé, un vœu pieux qui peut mener à de dangereuses dérives. La vérité est plus simple : gouverner, c'est comme coucher. Si les deux partenaires aiment ça, ils se confondent. Ils partagent tout. J'ai une connaissance intime de la République. Je sais tout de ses faiblesses : la vanité, la coquetterie artistique, l'affairisme, le clientélisme, la corruption, le populisme, le chauvinisme, la calomnie… Sans oublier le mépris, bien sûr. Autant de petits travers qu'il suffit de flatter pour circonvenir les élites, pour faire brailler la plèbe dans la rue, pour faire crier la République tout entière comme une courtisane. Je baise la République, et je la baise bien. J'ai cerné l'essence même de Ciudalia, et c'est la raison pour laquelle Ciudalia m'aime. Ce qui fait la grandeur de Leonide Ducatore fait la grandeur de Ciudalia. Dès lors, pourquoi me priverais-je de jouir de l'État ? Je le sers en me servant.

— La souveraineté comme maîtresse, déplora le vieux Schernittore. Quelle vision archaïque de la chose publique...

— La simplicité est fondatrice », rétorqua le Podestat.

Le mourant geignit, prit une inspiration laborieuse, et râla presque :

« En confisquant le pouvoir, en faisant de la noblesse une caste d'apparat, vous allez stériliser la patrie. En confondant Ciudalia avec votre maison, vous la transformerez en hypogée quand vous et vos successeurs, vous vous éteindrez.

— Mais Ciudalia n'est-elle pas déjà malade ? Considérez nos enfants, don Ostina. Dilettino est un débauché malfaisant et sans envergure ; Belisario est un candide, Mucio est un idiot congénital. Mon père avait déjà l'esprit déréglé. Nos lignées sont pourries. Le jour approche où le Palais curial n'abritera plus que les délibérations d'une assemblée de dégénérés et d'incapables. En vérité, il est temps de doter la patrie d'un régime plus stable et plus durable.

— Vous agissez contre l'âme de la cité... Vous ne jugulerez l'opposition intérieure que par une expansion permanente... Vous détruirez Ciudalia. Soit en affrontant un ennemi extérieur trop puissant... Soit en fondant un empire où la ville diluera son identité...

— C'est donc pour cela que vous m'avez trahi », déduisit mon patron.

Le moribond ébaucha une faible dénégation.

« Non, je n'ai trahi personne, gémit-il. Je suis resté loyal à la République. Le traître, c'est vous.

— Et quand avez-vous embrassé le parti de mes ennemis ?

— Dès que j'ai deviné... Quand vous avez convaincu le Sénat qu'il était inutile de procéder à l'élection du remplaçant de Cassio Cladestini... Si vous aviez été tué au cap Scibylos, Ciudalia était décapitée, elle serait tombée comme un fruit mûr entre les mains du chah.

— Mais pourquoi ne pas vous en être ouvert à moi ? Nous avons toujours devisé librement.

— C'était trop tard... Vous étiez tellement sûr de votre destin... Vous m'auriez rangé de vous-même parmi vos ennemis... J'étais plus utile à la République en restant votre confident... »

Leonide Ducatore eut un sourire amer.

« Dire que vous avez encouragé les prétentions de Dilettino sur ma fille, releva-t-il. Ainsi, il s'agissait bel et bien de semer le désordre dans ma maison. »

Il haussa les épaules, et son expression se chargea de tristesse.

« Quel gâchis, soupira-t-il. Combien de morts, combien de destructions en moins si vous n'aviez pas renseigné la faction ennemie. Et tout cela en pure perte, car en définitive, je n'en affirmerai pas moins mon pouvoir sur la ville.

— Non, non, bavocha le mourant, pas en pure perte... »

Et après quelques inspirations poitrinaires, il ajouta :

« Si vos plans avaient porté leurs fruits, vous auriez conquis le pouvoir par séduction et par ruse... Votre coup d'état aurait passé pour une réforme, votre ascension pour un service rendu à la patrie... Je n'ai pu vous barrer l'accès au pouvoir ; du moins ai-je abattu ces faux-semblants... Vous régnerez, Leonide... Mais vous ne passerez jamais pour un prince dévoué, pour le sauveur de Ciudalia. Vous aurez établi votre autorité dans le sang. Vous paraîtrez pour ce que vous êtes : un simple despote. »

Le Podestat inclina doucement la tête de côté, comme s'il réfléchissait. Il affichait un air toujours plus attristé qu'offensé.

« Oui, bien sûr, finit-il par soupirer. La postérité, c'est à cela que vous songiez. En vérité, dans la détresse qui est la vôtre, quel autre sujet aurait pu vous occuper ?

J'ai manqué de sympathie, je n'ai pas assez pris en compte la façon dont la maladie infléchirait vos perspectives.

— Peu importe, expectora le grabataire, la partie est jouée. Tout est consommé. Je vous ai dit ce que vous vouliez savoir. Il ne vous reste plus qu'une chose à accomplir…

— En effet.

— Alors faites-le ! Vous avez bien assez d'hommes dans cette pièce pour conclure l'affaire.

— Je n'aurai pas besoin d'eux, dit paisiblement mon patron.

— Vous ou un autre, en fait, je m'en fous, éructa le mourant. Mais abrégez ce supplice, je vous en conjure… »

Leonide Ducatore revint au chevet du sénateur Schernittore, posa délicatement ses mains de part et d'autre de la trogne dévastée, et se pencha très près du grabataire, comme s'il s'apprêtait à l'embrasser.

« Je vous pardonne », dit-il doucement.

Le moribond écarquilla des yeux chassieux, ses narines pincées se dilatèrent, et il fut secoué par un spasme violent. Le hoquet fut si fort qu'il cingla le visage du Podestat de postillons glaireux. Celui-ci essuya tranquillement sa joue, et répéta lentement :

« Je vous pardonne, don Ostina.

— Non ! cria le mourant. Non ! Oh non ! Non, non, non !

— Que pourrais-je faire d'autre ? sourit le Podestat avec une compassion infectée de cruauté. J'ai promis à votre bru de ne point vous faire de mal, et il serait très malséant de manquer à ma parole. De plus, si j'entends rallier Dilettino, si je veux garantir demain l'amitié que me portent vos petits-fils, il est hors de question que je vous touche. Au cours des dernières heures, j'ai fait la démonstration de ma force et de ma détermination ; mais on ne gouverne pas durablement en se reposant seulement sur la crainte. La clémence est l'autre grande vertu des souverains. C'est pourquoi je vous pardonne, don Ostina ; j'entends que vous contribuiez, malgré tout, à l'édification de ma gloire. »

Leonide Ducatore porta beau en prenant congé du sénateur Schernittore, ignorant avec une certaine arrogance les sanglots et les supplications du vieillard. Toutefois, à peine hors des appartements du mourant, il afficha combien il sortait éprouvé de cette entrevue. Ses épaules s'affaissèrent, et il alla s'appuyer des deux mains à la balustrade de la galerie, la tête inclinée, les yeux perdus dans la cour enténébrée. Il rêvassa un moment, puis murmura sur un ton pensif :

« C'est un grand sage que je perds là… Jusqu'à la fin, il m'aura formé. Cette nuit, il m'aura délivré son dernier enseignement : une leçon de solitude. »

Après quoi, il se retourna vers nous, la soldatesque armée jusqu'aux dents, qui attendions gauchement en arc de cercle. À la lueur des torches, il parut abattu et blafard. Il passa les mains sur son visage tiré, comme s'il s'efforçait de secouer la lassitude.

« Cette odeur, c'est affreux, marmonna-t-il. J'en suis imprégné. J'ai besoin de me rincer la bouche… Qu'on m'apporte du vin. »

Matado envoya deux hommes en quête de serviteurs ou de la cuisine. Déjà, le Podestat cherchait à se redonner une contenance. Il lissa ses cheveux en arrière, il se recomposa une expression étudiée qui, en raison de sa lividité, ressemblait plus que jamais à un masque. Une inspiration lui vint, dans laquelle il trouva quelque consolation. Pour honorer don Ostina, il affirma qu'il demanderait au Macromuopo d'ajouter le sénateur Schernittore dans la fresque de la Salle des Requêtes. Il ne s'agissait pas vraiment d'une entorse à la vérité, justifia-t-il ; sans don Ostina, Leonide Ducatore n'aurait jamais accédé à la magistrature suprême, et n'aurait donc pu remporter la victoire sur Ressine. Le Podestat se réjouit d'une voix atone que la restauration de l'ordre permettrait enfin au peintre d'honorer sa commande. Par association d'idées, cela l'amena à évoquer un autre grand artiste de Ciudalia : après la destruction de la maison Mastiggia, Luca Tradittore allait se retrouver privé de protection. Mon patron plaignit le poète, et caressa le projet de lui adresser des émissaires pour lui proposer son parrainage. Ainsi espérait-il ne pas priver Ciudalia de l'une de ses plus grandes plumes — et peut-être, si l'auteur acceptait l'amitié qu'on lui offrait, pourrait-il composer à propos de la guerre contre Ressine un poème en treize chants et en hexamètres épiques...

Pendant qu'il pérorait ainsi, les deux soudards envoyés par Matado revinrent en escortant un vieux valet. Le serviteur, qui était visiblement épouvanté, apportait sur un plateau une belle aiguière en argent et une grande coupe sertie. Matado versa un nectar rubis dans le hanap et le tendit au patron. Celui-ci s'en saisit distraitement, tout en continuant à bavarder. Il venait de m'apostropher : quelle plus belle démonstration de réconciliation, me disait-il, que de demander au divin Tradittore de m'intégrer dans sa future épopée ? Benvenuto Gesufal, héros justicier, défenseur de la vertu féminine et restaurateur de l'ordre républicain ! Le grand homme en riait déjà, d'une grimace saturée de cynisme. Moi, de mon côté, je n'avais d'yeux que pour le breuvage qu'il tenait au creux de la paume. J'étais sidéré par ce qui était en train de se nouer, dans l'inconscience générale. Au soir d'une tuerie fratricide, le chef d'une faction en guerre s'apprêtait à boire un vin tiré dans la demeure d'un traître, apporté par un domestique du vaincu, sans que personne n'ait eu le bon sens de goûter cette boisson. En d'autres circons-tances, j'aurais posé la main sur le poignet de mon patron avant que l'irréparable ne soit commis, et je ne me serais pas privé d'insulter Matado et ses sbires pour leur sottise. En d'autres circonstances... Car cette nuit-là, une étrange passivité m'engourdissait. Peut-être s'agissait-il de l'épuisement, du dégoût, du climat morbide dans lequel je me noyais moi aussi. Peut-être était-ce une forme d'indifférence ou d'indétermination, face à cet homme que j'avais trahi et qui m'avait trahi, que j'avais servi et qui m'avait réintégré, et qui demain pouvait m'élever et me tuer par calcul ou par caprice. Peut-être, à tout prendre, subissais-je à mon tour une fascination au-dessus de ma condition, pour quelque chose de bien plus enivrant que l'appât du gain ou l'instinct de survie : l'histoire en marche, là, sous mes yeux, dans la robe tuilée de ce nectar.

« Est-ce que tu m'écoutes, Benvenuto ? »

Je marmottai que oui, bien sûr, ça allait de soi.

« Tu avais l'air bien songeur, reprit Leonide Ducatore. Remarque, je te comprends : il est tard, tu as traversé une épreuve épouvantable, et je suis là à t'étourdir de mon verbiage. Allons, il est temps de sceller notre paix sans faire plus de façon. Buvons à notre amitié. »

Il porta la coupe à ses lèvres, sans me quitter du regard. Les yeux plissés d'ironie, il interrompit son mouvement, hésita à peine. D'un geste plein de générosité, il écarta finalement le hanap et me le tendit.

« Après toi », dit-il.

L'enfoiré.

## REMERCIEMENTS

Écrire sous la dictée de don Benvenuto n'est pas une entreprise de tout repos. Cette mauvaise fréquentation m'a entraîné dans des territoires qui m'étaient méconnus, et sans les conseils et les encouragements prodigués par de nombreuses personnes secourables, j'aurais couru le risque de me retrouver acculé au fond d'impasses narratives. Je tiens à leur manifester ma reconnaissance dans ces lignes.

Les galères de la République auraient sans doute été moins fracassantes sans le coup d'œil de François-Xavier Cuende ; certains engagements ont été affûtés par l'expérience spadassine de Pierre Rodiac. C'est le docteur Laurence Vilmar qui, la première, a diagnostiqué la phénylcétonurie dont souffre sa seigneurie Mucio Ducatore. Don Benvenuto doit aussi une fière chandelle aux consultants médicaux de l'Université Virtuelle sur le forum du *Cafard Cosmique* : contrairement à ce que le gredin ose raconter dans cette confession, un véritable aréopage de médecins s'est très tôt penché sur les radiographies de ses traumatismes faciaux. Enfin, je suis au regret d'avouer que le grand Luca Tradittore, le phénix des lettres ciudaliennes, a demandé conseil aux beaux esprits qui fréquentent les salons de *La Cour d'Obéron* : le poète n'arrivait pas à se décider entre la ballade et le pantoum pour les funérailles de sa seigneurie Regalio Cladestini, et ce sont les brillants causeurs des salons qui l'ont aidé à trancher tout en lui soufflant des tournures plus élégantes.

Il va sans dire que n'étant qu'un scribe aux connaissances bien lacunaires, les inexactitudes et invraisemblances qui peuvent entacher ces pages sont ma pleine et entière responsabilité. Par-dessus tout, je tiens à rendre grâce à l'indulgence de Laetitia, ma femme, qui a accepté pendant plusieurs années un ménage à trois avec un soudard encombrant et fort en gueule. Ses encouragements et ses critiques de lectrice éclairée m'ont été très précieux tout au long de cette douteuse aventure.

Enfin, pour conclure : contrat rempli, don Benvenuto. J'ai remboursé ma dette. Car ce livre, d'une certaine façon, représente la contrepartie d'un service que m'a rendu naguère le bretteur. Les affaires du gaillard étant ce qu'elles sont, on m'excusera une certaine imprécision sur la nature de l'accord...

*Composition IGS-CP à l'Isle-d'Espagne (Charente)*
*Impression Novoprint*
*le 9 septembre 2016*
*Dépôt légal: septembre 2016*
*Premier dépôt légal dans la collection: février 2015*

ISBN 978-2-07-046427-2 / Imprimé en Espagne.

**308517**